J. RIZZI

DER BROCKHAUS IN FÜNFZEHN BÄNDEN

DER BROCKHAUS

in fünfzehn Bänden

Dritter Band

Chl – Eir

F.A. BROCKHAUS
Leipzig · Mannheim

Redaktionelle Leitung: Marianne Strzysch, Dr. Joachim Weiß

In Band 15 ist die Redaktion vollständig genannt.

Einbandgestaltung: James Rizzi

Einbandtypographie: Jürgen Sauerhöfer

Herstellung: Günter Schwab

Typographische Konzeption: Norbert Wessel

Satz: Bibliographisches Institut & F. A. Brockhaus AG
(PageOne Siemens Nixdorf)
und Mannheimer Morgen Großdruckerei
und Verlag GmbH

Druck: Neue Stalling GmbH, Oldenburg

Bindearbeit: Großbuchbinderei Lachenmaier, Reutlingen

Papier: 120 g/m² holzfrei, mattgestrichen, chlorfrei
der Papierfabrik Aconda Paper S. A., Spanien

Die Deutsche Bibliothek – CIP-Einheitsaufnahme
Der **Brockhaus**: in 15 Bänden /
[red. Leitung: Marianne Strzysch; Joachim Weiß]. –
Leipzig; Mannheim: Brockhaus.
Bd. 3. Chl – Eir. – 1999
ISBN 3-7653-2353-5

ISBN für das Gesamtwerk 3-7653-2350-0
Band 3: 3-7653-2353-5

Printed in Germany

Chl

Chladni [k-], Ernst Florens Friedrich, Physiker, *Wittenberg 30. 11. 1756, †Breslau 3. 4. 1827; begründete die experimentelle Akustik. Er machte die Knotenlinien schwingender Platten durch aufgestreuten Sand sichtbar **(chladnische Klangfiguren, C.-Figuren)** und bewies die von E. Halley behauptete kosm. Herkunft der Meteoriten.

Chlaina [ç-, grch.] (Chläna) *die,* im antiken Griechenland großer Wollmantel mit Überschlag, zunächst das Gewand der Bauern und Soldaten; seit dem 5. Jh. v. Chr. Kleidung der Philosophen.

Chlamydien [ç-, grch.], sehr kleine Bakterien mit Zellwand und Zweiteilung, aber ohne eigenen Energie liefernden Stoffwechsel. C. können sich deshalb nur im Zytoplasma der Zellen höherer Organismen vermehren; sie wurden früher zu den »großen Viren« gerechnet. Durch C. werden die Papageienkrankheit (→Ornithose), das →Trachom und das →Lymphogranuloma inguinale verursacht.

Chlamydospore [ç-, grch.], dickwandige Dauerspore bei Pilzen.

Chlamys [ç-, grch.] *die,* seit archaischer Zeit belegter halblanger ungegürteter Mantel der grch. Jünglinge, Krieger und Reiter: ein rechteckiges Wolltuch, auf der rechten Schulter mit einer Nadel zusammengehalten.

Chlebnikow [x-], Welemir, eigtl. Wiktor Wladimirowitsch C., russ. Lyriker, *Tundutowo (Gouv. Astrachan) 9. 11. 1885, †Santalowo (Gouv. Nowgorod) 28. 6. 1922; begründete mit W. Majakowski den russ. Futurismus, warb für eine von Grammatik und Logik freie »transrationale« poet. Sprache; schrieb Gedichte, Prosatexte, zahlr. Aufsätze zu Kunst, Sprache und Gesellschaft.

Chloanthit [k-; grch.] *der* (Nickelskutterudit, Weißnickelkies), kub. Mineral der chem. Zusammensetzung $(Ni,Co)As_3$, wichtiges Kobalt- und Nickelerz, bildet Mischkristalle mit →Skutterudit.

Chloasma [k-, grch.] *das,* bräunliche Pigmentierung im Gesicht (Stirn, Wangen, Mundumgebung), die während der Schwangerschaft (C. uterinum), bei Einnahme von Ovulationshemmern oder durch Kosmetika auftritt, jedoch rückbildungsfähig ist.

Chlodwig I. [k-; nhd. Ludwig], fränk. König (Merowinger), Gründer des Frankenreiches, *um 466, †Paris 27. 11. 511; Sohn Childerichs I., seit 482 König der salischen Franken, beseitigte 486 den Rest der Römerherrschaft in Gallien und eroberte das Gebiet zw. Somme und Loire, vermählte sich um 492/493 mit der burgund. Königstochter Chrodechilde, die ihn zur Annahme des kath. Christentums (496) veranlasste. Er unterwarf 496 die Alemannen zw. Main und Alpen, 507 das Westgotenreich zw. Loire und Garonne. Er schuf ein fränk. Einheitsreich vom Rhein bis zur Garonne mit der Residenz Paris, womit ihm eine wesentl. Bedeutung in der europ. Geschichte zukommt. Er legte die zukünftige Stellung der Kirche als Staats- bzw. Reichskirche in Grundzügen fest (511).

📖 ZÖLLNER, E.: *Geschichte der Franken bis zur Mitte des 6. Jh.s. München 1970.* – ROUCHE, M.: *Clovis. Suivi de vingt et un documents traduits et commentés. Paris 1996.*

Chlor [k-; grch. chlōrós »gelbgrün«], *das,* chem. Symbol **Cl,** ein Halogen, chem. Element aus der 7. Hauptgruppe des Periodensystems. Ordnungszahl 17, relative Atommasse 35,453, Dichte 3,214 g/l (0 °C), Siedepunkt –34,06 °C, Erstarrungspunkt –100,98 °C. – C. ist unter Normalbedingungen ein grüngelbes Gas (Cl_2) von stechendem Geruch; es kommt druckverflüssigt in Stahlflaschen in den Handel. Eingeatmet reizt es schon in großer Verdünnung heftig die Atmungsorgane. Seine Lösung in Wasser, das **C.-Wasser,** geht bei Lichteinwirkung unter Sauerstoffentwicklung in wässrige Salzsäure und hypochlorige Säure (HClO) über; der entstehende Sauerstoff kann sich mit Farbstoffen zu farblosen Oxiden verbinden; hierauf beruht die Bleichwirkung von Chlor. Ein Gemenge von Wasserstoff und C. **(C.-Knallgas)** verbindet sich in Sonnen- oder Magnesiumlicht unter heftiger Explosion zu C.-Wasserstoff (HCl). Ferner wer-

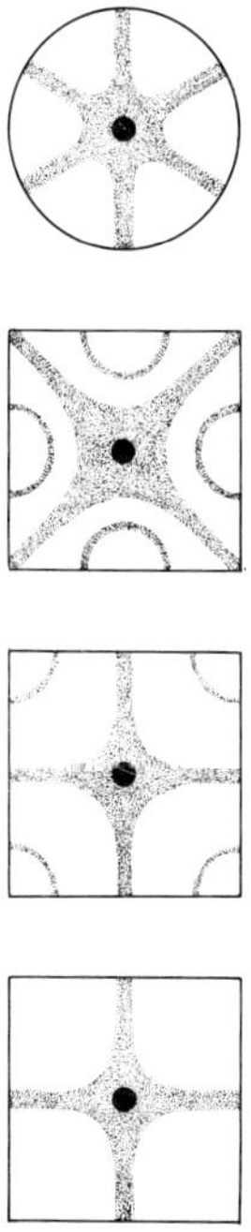

Ernst Chladni: chladnische Klangfiguren

den durch C. Bakterien getötet; dies wird bei der Entkeimung z. B. von Wasser oder zur Desinfektion angewandt. C. gehört nach Fluor zu den reaktionsfähigsten Elementen. Es kommt in der Natur niemals frei vor, in großer Menge aber an Metalle gebunden. Technisch wird C. durch Elektrolyse aus Natrium- oder Kaliumchlorid gewonnen. C. dient zur Herstellung von organ. C.-Verbindungen wie PVC und PCB sowie Salzsäure, C.-Kalk, Bleichflüssigkeiten und Chloraten.

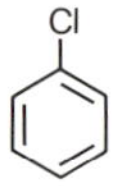

Monochlorbenzol

Chlorbenzole

Verbindungen: **C.-Wasserstoff** in wässriger Lösung, die →Salzsäure; ihre Salze heißen **Chloride.** – **Ammoniumchlorid,** der →Salmiak. – **C.-Dioxid,** ClO_2, rotgelbes, sehr explosibles Gas oder rote Kristalle, entsteht aus konzentrierter Schwefelsäure und Kaliumchlorat; Bleich- und Desinfektionsmittel. – **Kaliumchlorid,** als Mineral **Sylvin** genannt, KCl, Düngemittel. – **Calciumchlorid,** →Calcium. – **Natriumchlorid,** das →Kochsalz. – **C.-Säure,** $HClO_3$ tritt nur in Form ihrer Salze, der **Chlorate,** auf; entsteht aus Bariumchlorat und Schwefelsäure. Ihr wichtigstes Salz ist das Kaliumchlorat (→Kalium). – **Silberchlorid,** AgCl, entsteht aus Silbersalzlösungen durch Salzsäure als weißer, in verdünnten Säuren unlösl. Niederschlag. Durch Lichteinwirkung färbt es sich infolge Bildung metall. Silbers schwarzgrau; daher in der Fotografie verwendet.

$CH_2Cl-COOH$
Monochloressigsäure

$CHCl_2-COOH$
Dichloressigsäure

CCl_3-COOH
Trichloressigsäure

Chloressigsäuren

Chlor|acetophenon [k-] *das,* →CN.

Chloral [k-; Kw. aus **Chlor** und **Al**dehyd] *das* (Trichloracetaldehyd), giftige, erstickend riechende ätzende Flüssigkeit, dient als Zwischenprodukt bei der Herstellung von DDT. C. bildet mit Wasser **C.-Hydrat** (das älteste künstlich hergestellte Schlafmittel).

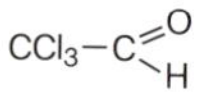

Chloral

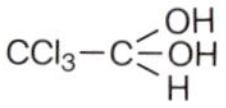

Chloralhydrat

Chloral

Chlor|alkali|elektrolyse [k-], techn. Prozess, der auf der elektrolyt. Zersetzung wässriger Natriumchloridlösungen beruht, nach dem Schema $2\,NaCl + 2\,H_2O + \text{Energie} \rightarrow 2\,NaOH + H_2 + Cl_2$. – Die C. dient zur Gewinnung von Natronlauge, Chlor und Wasserstoff; sie ist einer der wichtigsten Grundprozesse der chem. Industrie.

Chlor|amphenicol [k-] *das,* aus dem Strahlenpilz **Streptomyces venezuelae** gewonnenes, auch synthetisch hergestelltes Antibiotikum. Anwendung wegen möglicher gefährl. Nebenwirkungen eingeschränkt.

Chlor|argyrit [k-] *der,* Mineral, das →Hornsilber.

Chlorbenzole [k-], chlorierte Benzole; dienen als Lösungsmittel und zur Herstellung von Pflanzenschutzmitteln und Farbstoffen. **Monochlorbenzol** ist Zwischenprodukt für die Herstellung von Phenol und Anilin.

Chlorella [k-] *die,* Grünalgengattung, Einzeller in Gewässern und feuchten Böden.

Chloren [k-], **1)** *Desinfektion:* mit Chlorgas keimfrei machen, z. B. Trinkwasser.

2) *Textilveredlung:* Bleichen von Cellulosefasern mit Bleichmitteln auf Chlorbasis.

Chlor|essigsäuren [k-], relativ starke organ. Säuren. **Mono-C.** ist wichtiges Zwischenprodukt für die Herstellung von Celluloseäthern und Herbiziden. **Tri-C.** dient zum Entfernen von Warzen und Hornhaut, ihr Natriumsalz als Herbizid.

Chlorfluorkohlenstoffe [k-], die →Fluorchlorkohlenwasserstoffe.

Chloride [k-], Salze der →Salzsäure HCl. (→Chlorkohlenwasserstoffe)

Chlorierung [k-], Einführung von Chlor in eine chem. Verbindung durch Substitution oder Addition.

Chlorite [k-], **1)** *Chemie:* Salze der chlorigen Säure $HClO_2$.

2) *Mineralogie:* glimmerähnl. grüne monokline Minerale v. a. metamorpher Gesteine, z. B. Chamosit, Klinochlor, Thuringit. Es sind magnesium- und eisenhaltige Alumosilikate mit Hydroxylgruppen; entstehen v. a. durch Metamorphose **(Chloritisierung).** C. kommen auch als sedimentäre Bildungen vor.

Chlorkalk [k-] (Bleichkalk), CaCl(OCl), weißes, scharf riechendes, schwach wasserlösl. Pulver; Gewinnung durch Einwirken von Chlor auf gelöschten Kalk; Bleich- und Desinfektionsmittel.

Chlorkautschuklacke [k-], Anstrichstoffe mit Chlorkautschuk (→Kautschuk) und Weichmacher als Bindemittel. C. sind sehr beständig gegen Wasser, Salzlösungen, Säuren und Basen und schwer entflammbar.

Chlorkohlenwasserstoffe [k-], organ. Verbindungen, in denen ein oder mehrere Wasserstoffatome durch Chlor substituiert sind. Die von den gasförmigen Kohlenwasserstoffen abgeleiteten C. sind leicht verflüssigbare Gase oder farblose Flüssigkeiten mit süßl. Geruch. Sie sind wichtige, schwer brennbare, aber tox. Lösungsmittel. **Methylenchlorid** dient als Abbeizmittel für Lacke, Entfettungsmittel und Extraktionsmittel für Koffein. **Tetrachloräthylen,** das unter der Bez. **Per** in der chem. Reinigung verwendet wird, sowie

Chlorkohlenwasserstoffe (Auswahl wichtiger aliphatischer Verbindungen)

Chlorkohlenwasserstoff	chem. Formel	Siedepunkt (in °C)
Chlormethan, Monochlormethan, Methylchlorid	CH_3Cl	−25
Dichlormethan, Methylenchlorid	CH_2Cl_2	40
Chloroform, Trichlormethan	$CHCl_3$	61
Tetrachlorkohlenstoff, Tetrachlormethan, Tetra	CCl_4	77
Chloräthan, Monochloräthan, Äthylchlorid	CH_3CH_2Cl	13
Dichloräthan, 1,2-Dichloräthan, Äthylenchlorid	CH_2Cl-CH_2Cl	84
Trichloräthan, 1,1,1-Trichloräthan	CH_3-CCl_3	74
Vinylchlorid, Chloräthylen, Chloräthen	$CH_2{=}CHCl$	−13
Trichloräthylen, Trichloräthen, Tri	$CHCl{=}CCl_2$	87
Tetrachloräthylen, Tetrachloräthen, Per	$CCl_2{=}CCl_2$	121

1,1,1-Trichloräthan und **Trichloräthylen** sind wichtige techn. Reinigungsmittel für Maschinen und elektron. Apparate. **Methylchlorid** dient als Methylierungsmittel, z. B. bei der Herstellung von Siliconen. **Tetrachlorkohlenstoff (Tetra)** wird v. a. zu →Fluorchlorkohlenwasserstoffen weiterverarbeitet. **1,2-Dichloräthan** ist wichtiges Zwischenprodukt bei der Herstellung von Vinylchlorid. **Aromat. C.** dienen u. a. als Lösungsmittel, Kühl- und Hydraulikflüssigkeiten sowie zur Herstellung von Pflanzenschutzmitteln, Farbstoffen und Pharmazeutika (→Chlorbenzole, →Polychlorbiphenyle). – C. sind sehr schwer biologisch abbaubar und schädigen die Ozonschicht der Atmosphäre.

Chloroform [k-] *das* (Trichlormethan), $CHCl_3$, farblose, unbrennbare, flüchtige Flüssigkeit von süßl. Geruch. Die Dämpfe verursachen Bewusstlosigkeit und heben die Schmerzempfindung auf; wird wegen tox. Wirkung auf Herz, Leber u. a. heute nicht mehr als Narkosemittel angewendet. C. dient als Lösungsmittel und zur Herstellung von Chlorfluorkohlenstoffen.

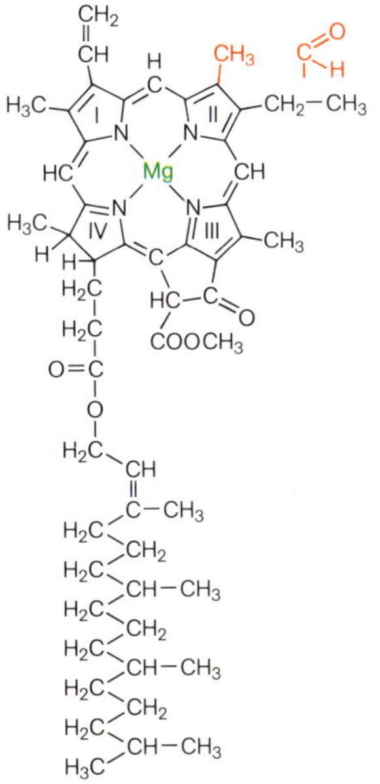

Chlorophyll: Strukturformel des Chlorophylls a; in der Formel des Chlorophylls b (oben rechts, rot) ist die Methylgruppe ($-CH_3$) durch eine Aldehydgruppe ($-CHO$) ersetzt

Chlorophyll [k-; zu grch. chlōrós »gelbgrün« und phýllon »Blatt«] *das* (Blattgrün), grünes Blattpigment der assimilierenden Pflanzen, das sich in den Chloroplasten befindet und die Photosynthese der Pflanzen ermöglicht. C. besteht aus blaugrünem C. a und gelbgrünem C. b. Beide Verbindungen haben ein Porphyringerüst mit zentralem Magnesiumatom. Bei der herbstl. Laubfärbung wird C. abgebaut, und andere Blattfarbstoffe (z. B. rote Carotinoide) treten hervor. C. wird in der Lebensmittel-, Kosmetik- und Kerzenindustrie als Pigment verwendet.

Chloroplasten [k-], grüne, photosynthetisch aktive Plastiden zahlreicher Pflanzen; enthalten viel Chlorophyll.

Chloropren [k-] *das* (2-Chlor-1,3-butadien), aus Butadien und Chlor hergestellte, stechend riechende Flüssigkeit, die fast ausschl. zur Erzeugung von C.-Kautschuk dient.

Chloroquin [k-] *das,* ein Chinolinabkömmling, Mittel zur Behandlung und Verhütung der Malaria, auch gegen chronisch entzündl. Gelenkrheumatismus und durch Amöben verursachte Lebererkrankungen.

Chlorose [k-] *die,* **1)** *Botanik:* durch Störungen in der Chlorophyllsynthese oder durch Chlorophyllzerfall hervorgerufenes Vergilben der Pflanze (Bleichsucht); Ursachen u. a. Licht- und Eisenmangel.

2) *Medizin:* die →Bleichsucht.

Chlorphenoxyessigsäuren [k-], giftige Verbindungen, eingesetzt als selektive Herbizide, die zweikeimblättrige Pflanzen durch krankhaftes Längenwachstum vernichten. Sie können →Dioxine als Verunreinigung enthalten und wurden im Vietnamkrieg als Entlaubungsmittel (Agent Orange) verwendet.

Chlorpromazin [k-] *das,* zu den Phenothiazinen gehörendes Neuroleptikum; seit 1952 in der Therapie.

Chlothar I. [k-; nhd. Lothar], fränk. König (Merowinger), *um 498/500, †29. 11. (12.?) 560 oder Anfang 561; Sohn Chlodwigs I., war 511–58 König in Soissons; eroberte 531 Thüringen, 534 Burgund und 536 die Provence und war 558–560/561 König im gesamten Frankenreich.

Chlysten [x-; russ. »Geißler«], eine vom Bauern Danila Filippow 1645 gegründete russ. Geheimsekte. Ihr sind Bibel und Dogma nebensächlich; die christl. Sakramente werden verworfen, jedes Mitglied ist berufen und befähigt, den Geist Gottes in sich zu tragen; Gottesdienst mit ekstat. Tanz.

Chmelnizki [x-] (ukrain. Chmelnyzkyj, bis 1954 Proskurow), Hptst. des gleichnamigen Gebiets, Ukraine, am Südl. Bug, 256 000 Ew.; TH; Maschinenbau, Nahrungsmittelind.; bei C. Kernkraftwerk (zurzeit 1 000 MW).

Chmelnizki [x-], Sinowi Bogdan Michailowitsch, ukrain. Nationalheld, Kosakenhetman seit 1648, *um 1595, †Tschigirin (Tschyhyryn, Gebiet Tscherkassy) 6. 8. 1657; gründete nach dem Kosakenaufstand gegen die poln. Herrschaft (1648) ein unabhängiges ukrain. Staatswesen (»Hetmanstaat«), das sich 1654 dem russ. Zaren unterstellte.

Chnum [x-] (grch. Chnumis, Chnubis), altägypt. Schöpfer- und Fruchtbarkeitsgott, als Mensch mit

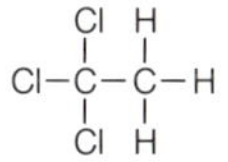

1,1,1-Trichloräthan, CCl_3CH_3

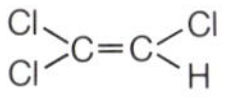

Trichloräthylen, CCl_2CHCl

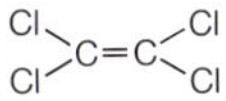

Tetrachloräthylen, CCl_2CCl_2

Chlorkohlenwasserstoffe

$CH_2{=}CCl{-}CH{=}CH_2$

Chloropren

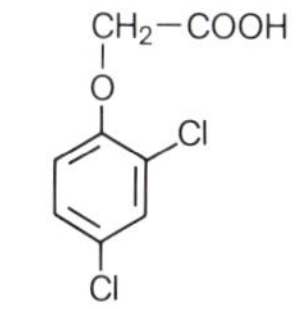

Dichlorphenoxyessigsäure, 2,4-D

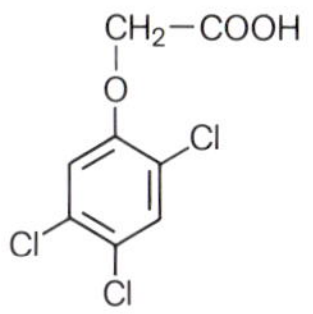

Trichlorphenoxyessigsäure, 2,4,5-T

Chlorphenoxyessigsäuren

Widderkopf dargestellt; galt als Schöpfer und Gestalter von Menschen, die er auf einer Töpferscheibe formte.

Chodowiecki: Selbstporträt des Künstlers mit seiner Familie, Radierung (1771)

Choanen [ç-, grch.], paarige hintere Öffnungen der Nasenhöhle in den Nasenrachenraum.

Choderlos de Laclos [ʃodɛrlodla'klo], frz. Schriftsteller, →Laclos, Pierre Ambroise François Choderlos de.

Daniel Chodowiecki (Stich nach einem Gemälde von Anton Graff)

Chodowiecki [xodo'vjɛtski], Daniel, Maler, Zeichner und Kupferstecher polnischer Herkunft, *Danzig 16. 10. 1726, †Berlin 7. 2. 1801; ab 1764 Mitgl. der Akademie der bildenden Künste in Berlin, ab 1797 deren Direktor. Ab 1757 schuf er etwa 2075 Radierungen, bes. Buchillustrationen zu Erstausgaben von Lessing, Goethe, Schiller u.a., auch Einzelblätter, in denen er die bürgerl. Welt des friderizian. Preußen schilderte.

📖 Geismeier, W.: *D. C. Leipzig 1993.*

Chodschent [x-], Stadt in Tadschikistan, →Chudschand.

Chogori [tʃ-], höchster Berg des Karakorum, →K2.

Choiseul [ʃwa'zœl], eine der →Salomoninseln.

Étienne-François, Herzog von Choiseul-Amboise (zeitgenössischer Stich)

Choiseul [ʃwa'zœl], Étienne François, Herzog von C.-Amboise (seit 1758), Marquis de Stainville, frz. Politiker, *Nancy 28. 6. 1719, †Paris 8. 5. 1785; Günstling der Madame Pompadour, wurde 1758 Außen-, 1761 auch Kriegsmin., schloss den für Frankreich ungünstigen →Pariser Frieden von 1763, vermittelte die Ehe des Dauphins mit Marie-Antoinette (1770), sicherte den Erwerb Korsikas (1768) und erreichte das Verbot des Jesuitenordens in Frankreich. Durch den Einfluss der Madame Dubarry wurde er 1770 gestürzt.

Choisy-le-Roi [ʃwazilə 'rwa], Stadt im frz. Dép. Val-de-Marne, südöstlich von Paris, 34100 Ew.; Schloss (17. Jh.); Glasfabrik, Maschinenbau, Porzellanmanufaktur.

Chojna [x-] (dt. Königsberg in der Neumark), Stadt in der Wwschaft Szczecin (Stettin), Polen, 6100 Ew.; Landmaschinenbau, Holzind., Metallverarbeitung.

Chojnów ['xɔjnuf] (dt. Haynau, früher Hainau), Stadt in der Wwschaft Legnica (Liegnitz), Polen, in Niederschlesien, 14000 Ew.; Handschuh-, Möbel-, Papier-, Zucker-, Metallind. – Pfarrkirche (1468), ehem. herzogl. Schloss (1547; heute Museum).

Choke [tʃəʊk; engl. to choke »drosseln«] *der,* bei Ottomotoren ein Bedienungsknopf, durch den die Starterklappe im Vergaser betätigt wird, um bei kaltem Motor ein kraftstoffreicheres Gemisch zu erzielen und so das Starten zu erleichtern; Betätigung heute meist durch Startautomatik. Auch Dieselmotoren können einen mechan. betätigten Kaltstartbeschleuniger haben.

Chokwe [tʃ-] (Cokwe, Tschokwe, Batshiok), Bantuvolk im Lundagebiet, beiderseits der Grenze der Demokrat. Rep. Kongo gegen Angola und Sambia, etwa 650000 Menschen; seit dem 17. Jh. waren sie Untertanen des Lundareiches, das sie um 1885 kurzzeitig beherrschten. Ihre Masken und Holzfiguren gelten als bed. Werke der afrikan. Kunst.

Cholagoga [ç-, grch.], die →galletreibenden Mittel.

Cholämie [ç-, grch.] *die,* Vermehrung von Gallenbestandteilen im Blut durch Verschluss der ableitenden Gallenwege oder Leberschaden; bewirkt Gelbsucht.

Cholelithiasis [ç-, grch.] *die,* die →Gallensteinkrankheit. (→Gallenstein)

Cholelithotripsie [ç-, grch.] *die,* Zertrümmerung von Gallensteinen, mechanisch bei einem operativen Eingriff, durch Ultraschall oder Laser.

Cholera [k-, grch.] *die* (C. asiatica, C. epidemica), epidemisch und endemisch auftretende, meist schwere, hochakute Infektionskrankheit, für die Meldepflicht besteht. Erreger ist **Vibrio cholerae** (»Kommabazillus«), das sich v.a. im Dünndarm vermehrt und mit dem Stuhl ausgeschieden wird. Einzige Infektionsquelle ist der Mensch (Kranke und Ausscheider), die Übertragung vollzieht sich v.a. durch Aufnahme der Erreger über verunreinigtes Trinkwasser oder infizierte Nahrung. Nach einer Inkubationszeit von 1 bis 5 Tagen kommt es durch die beim Zerfall der Erreger im Darm frei werdenden Giftstoffe (Endotoxine) zu Leibschmerzen sowie zu bedrohl. Durchfällen (»Reiswasserstühle«). Der starke Flüssigkeitsverlust (bis zu 15 l je Tag) führt zu rascher Austrocknung des Körpers und zum Kreislaufzusammenbruch (Sterblichkeitsrate 20–70%). Daneben gibt es leichte oder symptomlose Infektionen, die bei Epidemien die Mehrzahl der Fälle ausmachen.

Behandlung: Chemotherapie mit Sulfonamiden und Breitbandantibiotika; entscheidend für den Behandlungserfolg ist rechtzeitiger und ausreichender Ersatz von Flüssigkeit und Elektrolyten. – Der Vorbeugung dienen eine einwandfreie Trinkwasserversorgung und Abwasserbeseitigung. Zur individuellen Prophylaxe steht eine aktive Impfung mit abgetöteten Erregern zur Verfügung.

Über die C. des Geflügels →Geflügelkrankheiten.

Choleriker [k-, grch.] *der,* Mensch mit starkem, leidenschaftl., jähzornigem →Temperament.

Cholesterin [ç-, auch k-, grch.] *das* (Cholesterol), bes. in Blut, Gehirn, Zellmembranen und Gallenflüssigkeit vorkommendes Sterin; Hauptbestandteil der Gallensteine. Physiolog. Abbau- und Umbauprodukte: Gallensäuren, Steroidhormone, Vitamin D_3. C. wird sowohl im Organismus gebildet als auch mit der Nahrung aufgenommen. Cholesterinreiche Nahrungsmittel sind Eigelb, Butter, Sahne, fettes Fleisch. Ein zu hoher C.-Spiegel im Blut (normal 200 mg [bei 20-Jährigen] bis 250–290 mg pro 100 ml Blut [im Alter]) fördert häufig die Entstehung von Arteriosklerose.

cholesterinische Phase [ç-], Zustand →flüssiger Kristalle.

Cholezystektomie [ç-, grch.] *die,* das operative Entfernen der Gallenblase.

Cholezystitis [ç-, grch.] *die,* die →Gallenblasenentzündung.

Cholezystographie [ç-, grch.] *die,* Sichtbarmachen der Gallenblase und der Gallenwege **(Cholangiographie)** im Röntgenbild durch jodhaltige Kontrastmittel. Die C. gibt Aufschluss über Leber- und Gallenblasenfunktion und ermöglicht den Nachweis von Steinen, entzündl. Veränderungen und Geschwülsten. Statt der Röntgenuntersuchung wird heute meist die Ultraschalldiagnostik herangezogen.

Cholin [ç-, grch.] *das,* Spaltprodukt des Lecithins, u.a. auch in der Gehirnsubstanz und im Eigelb. C. vermindert die Ablage von Fett im Körper und wirkt u.a. blutdrucksenkend.

Cholin|esterase [ç-, grch.] *die,* Enzym, das bei der Reizung motor. und parasympath. Nerven das von diesen ausgeschüttete →Acetylcholin zu Cholin und Essigsäure hydrolysiert.

Cholm [xɔlm], Stadt in Polen, →Chelm.

Cholon [tʃ-], Chinesenviertel von →Ho-Chi-Minh-Stadt.

Cholsäure [ç-], Hauptvertreter der →Gallensäuren.

Cholula [tʃ-] (C. de Rivadabia), Stadt im Staat Puebla, Mexiko, 2149 m ü.M., 28000 Ew.; Universität. – Eine der größten Pyramiden der Welt mit 160000 m² Grundfläche, 55 m hoch, im Laufe vieler Jh. mehrfach überbaut, auf dem Gipfel, in vorspan. Zeit ein Pilgerzentrum mit Tempel, die Wallfahrtskirche Nuestra Señora de los Remedios (urspr. 18. Jh.; nach Erdbeben Ende des 19. Jh. im klassizist. Stil wieder aufgebaut). – C. war ein Mittelpunkt mesoamerikan. Kultur. Gehörte urspr. zum Reich von →Teotihuacán, um 800 von den Mixteken, im 15. Jh. von den Azteken erobert.

Chomeini [xoˈmeini], Ruhollah Mussawi, Ayatollah, religiös-polit. Führer Irans, →Khomeini, Ruhollah Mussawi.

Chomjakow [x-], Alexei Stepanowitsch, russ. Geschichtsphilosoph, *Moskau 13. 5. 1804, †Ternowskoje (Gouv. Kasan) 5. 10. 1860; er lehrte eine vom Westen gesonderte Kulturentwicklung Russlands, die aus dem Wesen der Orthodoxie und der urtümlichen Gemeinschaft des russ. Volkes hervorgegangen sei (→Slawophile).

Chomolungma [dʒ-] (Tschomolungma) [tibet. »Göttin-Mutter des Landes«], tibet. Name des Mount →Everest.

Chomsky [tʃ-], Avram Noam, amerikan. Linguist, *Philadelphia (Pa.) 7. 12. 1928; Prof. für Linguistik und moderne Sprachen in Cambridge (Mass.), entwickelte die →generative Grammatik (»Strukturen der Syntax«, 1957; »Aspekte der Syntax-Theorie«, 1965; »Knowledge of language«, 1986; »Generative Grammar«, 1988); auch polit. Schriften (»Im Krieg mit Asien«, 1970).

📖 Weydt, H.: *N. C.s Werk. Kritik, Kommentar, Bibliographie. Tübingen 1976.*

Cholula: Die auf dem Gipfel der Pyramide gelegene Wallfahrtskirche Nuestra Señora de los Remedios aus dem 18. Jh. wurde nach einem Erdbeben Ende des 19. Jh. im klassizistischen Stil wieder aufgebaut; im Hintergrund erkennt man den Vulkan Popocatépetl

Chomutov [ˈxɔ-], Stadt in der Tschech. Republik, →Komotau.

Chondriosomen [ç-, grch.], →Mitochondrien.

Chondrite [ç-], eine Gruppe der →Meteorite.

Chokwe: Maske eines Mädchens, Holz mit Kupferdraht, Pflanzenfasern und Wolle, Höhe 22 cm (München, Privatbesitz)

Fryderyk Chopin

Chondrom [ç-, grch.] *das,* meist gutartige Knorpelgeschwulst.

Ch'ŏngjin [tʃhʌŋdʒin], Stadt mit Sonderstatus (Bezirk von 1900 km²) in Nord-Korea, Verw.sitz der Prov. Hamgyŏngbuk, 754100 Ew.; Hütten-, Maschinen-, Textilind.; Seehafen, Eisenbahnverbindung zur chines. Provinz Heilongjiang.

Ch'ŏngju [tʃʌŋdʒu], Hptst. der südkorean. Prov. Ch'ungch'ŏngbuk, 477800 Ew.; Universitäten; zentraler Ort für die Mitte des Landes; internat. Flughafen.

Chongqing [tʃuŋtʃiŋ] (Chungking), Stadt in W-China, im Roten Becken, seit 1. 7. 1997 im Rang einer Provinz; die neue Verw.einheit umfasst außer C. die ehem. Städte Wanxian und Fuling sowie den Bez. Qianjiang, 82000 km², 30,23 Mio. Ew.; Univ., Fachhochschulen, Forschungsinstitute; Metallverarbeitung, elektron., Textil-, chem. und pharmazeut. Ind., Kraftfahrzeugbau; Hauptumschlagplatz am oberen Jangtsekiang. – Gegr. wohl im 11. Jh. v. Chr.; 1891 Vertragshafen, 1939–46 Sitz der Zentralreg. Chinas; 1954–97 der Prov. Sichuan unterstellt.

Chons
(Zeichnung nach einer Statue)

Chŏnju [tʃʌndʒu], Hptst. der südkorean. Prov. Chŏllabuk, 517100 Ew.; Nahrungsmittel-, Textilind., traditionelles Kunsthandwerk (Papier-, Fächerherstellung).

Chonos ['tʃɔ-](Archipiélago de los C.), aus mehreren Hundert mittelgroßen und kleinen, meist stark bewaldeten, gebirgigen Inseln bestehende Inselgruppe vor der S-Küste Chiles.

Chons [x-; ägypt. chonsu »der Wanderer«], ägypt. Mondgott, in Menschengestalt oder mit einem Falkenkopf dargestellt, trägt häufig Mondsichel und Sonnenscheibe als Kopfschmuck; sein Haupttempel in Theben (Karnak) ist fast vollständig erhalten.

Fryderyk Chopin: Autograph der ersten Takte des Préludes Nr. 15 aus op. 28

Cho Oyu [tʃ-], Gipfel im Himalaja, an der Grenze zw. Nepal und Tibet (China), nordwestl. des Mount Everest, 8201 m hoch. – Erstbesteigung 1954 durch die Österreicher H. Tichy und S. Jöchler mit dem Sherpa Pasang Dawa Lama.

Chopin [ʃɔ'pɛ̃], Fryderyk Franciszek (frz. Frédéric François), poln. Pianist und Komponist, *Żelazowa Wola (bei Warschau) 1. 3. 1810, †Paris 17. 10. 1849; Sohn eines eingewanderten Franzosen und einer Polin, lebte seit 1831 als berühmter Pianist, Komponist und gesuchter Lehrer in Paris, wo er einen bed. Freundeskreis fand (H. Berlioz, F. Liszt, H. de Balzac, H. Heine, G. Meyerbeer). Ein Lungenleiden zwang ihn 1838 zu einer Kur auf Mallorca, wohin ihn George Sand begleitete. 1848 unternahm er eine Konzertreise nach England und Schottland. C. wurde der Begründer eines neuartigen Klavierstils, in dem die Virtuosität ganz im Dienst des poet. Ausdrucks steht. Dieser Stil zeichnet sich aus durch aufgelockerte Satzweise, Verschränkung von Melodie und Begleitfiguren, chromat. Harmonik, Reichtum an Ornamenten, ausgeprägte, vielfach von poln. Volksmusik inspirierte Rhythmik (Mazurken, Polonaisen) und feinste dynamisch-agog. Differenzierung. C. war einer der Meister des lyr. Klavierstücks (Nocturnes, Préludes, Impromptus).

Fryderyk Chopin: Autogramm

Werke: Klavierkonzerte e-Moll op. 11 (1830) und f-Moll op. 21 (1829), Konzertrondo »Krakowiak« op. 14 (1828), Große Polonaise Es-Dur op. 22 (1831/32). Für Klavier: 3 Sonaten, zahlr. Polonaisen, Mazurken, Préludes, Nocturnes, Walzer, 4 Balladen, 4 Scherzi, 4 Impromptus u. a.; Violoncellosonate, Klaviertrio, 17 Lieder.

🕮 CORTOT, A.: *C. Wesen u. Gestalt. A. d. Frz. Zürich ²1960.* – GAVOTY, B.: *C. Eine Biographie. A. d. Frz. Reinbek 1990.* – LOTZ, J.: *Frédéric C. Reinbek 1995.*

Chopjor [x-] *der,* linker Nebenfluss des Don, Russland, 979 km lang (davon 323 km schiffbar), durchfließt ein 160 km² großes Naturschutzgebiet.

Chopper ['tʃɔpə, engl.] *der,* **1)** (Zerhacker) *Physik* und *Technik:* ein periodisch arbeitendes mechan., elektr. oder elektron. Gerät zum Umwandeln einer Gleichspannung in eine Wechselspannung (→Wechselrichter) bzw. zur Zerlegung eines kontinuierl. Licht- oder Teilchenstrahls in period. Impulse.

2) *Vorgeschichte:* aus einem Geröllstück gefertigtes Hauwerkzeug der Altsteinzeit, oval mit einseitig bearbeiteter Längskante.

Chor [k-; grch. chóros], **1)** *Literatur* und *Musik:* in der Antike Tanzplatz, Tanzschar, dann bes. Kulttanz und -gesang für versch. Gottheiten. Bed. Chorlyriker des 7.–5. Jh. v. Chr. waren Alkman, Simonides, Pindar, Bakchylides. Aus dem C.-Gesang entstand (nach Aristoteles) das Drama durch Hinzutreten von Schauspielern. Der C. (12–15 Sänger ohne Maske) war dann ein wesentl. Bestandteil der grch. Tragödie des 5. Jh.; er repräsentierte das Volk als Ganzes.

In neuerer Zeit Bez. für eine Vereinigung von Sängern, die ein Gesangsstück gemeinsam vortragen, wobei jede Stimme mehrfach besetzt ist. Man unterscheidet nach der Zusammensetzung Männer-, Frauen-, Kinder-, Knaben-, Mädchen- sowie gemischten (Männer und Frauen) C., nach der Stimmenzahl (Sopran, Alt, Tenor, Bass) zwei-, drei-, vierstimmigen C. oder im Hinblick auf seine Bestimmung Kirchen-, Kammer-, Opernchor. Wichtige Formen der C.-Musik sind: C.-Lied, Messe, Motette, Tedeum und Magnifikat, Kantate, Oratorium, Passion, Requiem.

Bei Saiteninstrumenten bezeichnet C. eine Gruppe zusammengehöriger, gleich gestimmter Saiten, auch zusammengehörige Gruppe gleicher Musikinstrumente: Gamben-, Streicherchor.

2) *Sakrale Baukunst:* zunächst der für die Sänger bestimmte Raum vor dem Altar, dann der den Geistlichen vorbehaltene, das Hauptschiff i. d. R. im Osten abschließende Teil des Kirchenraumes mit dem Hochaltar und dem →Chorgestühl. Er ist oft, bes. wenn sich eine Krypta unter ihm befindet, um einige Stufen erhöht und durch **C.-Schranken** oder einen Lettner, seit dem 17. Jh. auch durch ein schmiedeeisernes Gitter, vom Kirchenschiff getrennt. Durch Weiterführen der Seitenschiffe um den C. entsteht der **C.-Umgang,** oft mit ausstrahlenden **C.-Kapellen** (Kapellenkranz). Der Abschluss des C. wird **C.-Haupt** genannt. In roman. Zeit wurden größere Kirchen in Dtl. meist mit einem zweiten C. im Westen gebaut.

Choral [k-, lat.] *der,* **1)** *evang. Kirche:* seit dem 16. Jh. Bez. für das von der Gemeinde gesungene volkssprachige, meist stroph. →Kirchenlied.

2) *kath. Liturgie:* →gregorianischer Gesang.

Choralbearbeitung [k-], mehrstimmige Komposition, der eine Choralmelodie zugrunde liegt, i. e. S. ein Tonsatz über die Weise eines prot. Kirchenlieds.

Choralnotation [k-], die zur Aufzeichnung der Melodien des gregorian. Gesangs aus den →Neumen entwickelte Notenschrift. Es gibt zwei Formen: die Quadratnotation (röm. C.), die an der quadrat. Form der Noten erkennbar ist, und die got. oder dt. C. (auch Hufnagelnotation), die in Parallele zur got. Schrift rautenförmige Noten ausbildet.

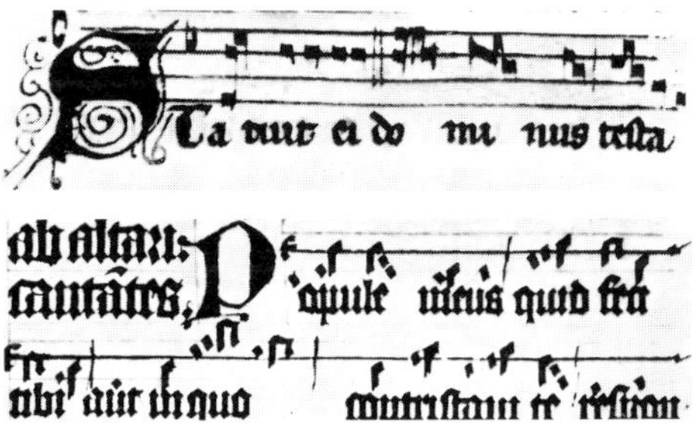

Choralnotation (von oben): Quadratnotation und eine gotische Notation aus Messbüchern des 15. Jahrhunderts

Chorasan [x-; pers. »Land des Sonnenaufgangs«] (Khorasan, Hurasan), Provinz in NO-Iran, 315 687 km², (1991) 6,01 Mio. Ew.; Hptst.: Meschhed. Im NO-Teil von C. erheben sich die unwegsamen Ketten des iran. Grenzgebirges (Gebirgsland von C.) bis über 3 400 m ü. M. In den Tälern (v. a. des Atrek und Keschaf Rud) wird intensiver Bewässerungsfeldbau (Getreide, Baumwolle, Zuckerrüben) betrieben. Weiter im S folgt sehr dünn besiedeltes Wüstensteppenhochland mit einzelnen Oasen, im SW Salztonwüste. Im N wohnen überwiegend Tadschiken und nomad. Turkmenen. Im S leben nomad. Belutschen, längs der O-Grenze Hazara. Auf der Grundlage einer ausgedehnten Schafhaltung und Wollproduktion ist die Teppichknüpferei (C.-, Meschhed-Teppiche) überall in C. verbreitet. – C. war im MA. (10.–13. Jh.) ein Mittelpunkt der persisch-islam. Kultur; seit 1598 endgültig zu Persien, das im 19. Jh. den O (um Herat) an Afghanistan und den NO (um Merw, heute Mary) an Russland verlor.

chord... [k-, grch.], saite...

Chorda dorsalis [k-, grch.] *die* (Rückensaite, Achsenstab, Notochord), elast., unsegmentierter Stab, der als Stützorgan den Körper der **Chordatiere** vom Kopf bis zum Schwanzende (außer bei Manteltieren) durchzieht; wird bei Wirbeltieren während der Embryonalentwicklung durch die Wirbelsäule verdrängt.

Chordotomie [k-, grch.] *die,* die erstmals 1912 ausgeführte Durchtrennung der Schmerzbahnen im Rückenmark zum Beseitigen sonst nicht beeinflussbarer Schmerzen (nicht mehr operierbare bösartige Geschwülste).

Chordotonalorgane [k-, grch.], Sinneswerkzeuge bei Insekten zur Wahrnehmung von Erschütterungen oder Schall.

Chorea [k-; von grch. choreía »Reigen«] *die,* →Veitstanz.

Chorin: Die 1273–1334 erbaute Pfeilerbasilika ist ein bedeutendes Denkmal der deutschen Backsteingotik

Choreographie [k-, grch.] *die,* früher die →Tanzschrift, heute Regieentwurf, Einstudierung eines Tanzes oder Balletts.

Choreutik [ç-, grch.] *die,* grch. Lehre vom Chor- oder Reigentanz.

Chorfrau [k-], die →Kanonisse.

Chorgestühl [k-], das in der Kirche für die Geistlichen bestimmte Gestühl, an den Längsseiten des Chors meist in je zwei Reihen aufgestellt. Die von den Seitenwangen begrenzten Reihen haben offene oder durch Trennwände abgeteilte Plätze mit Armlehnen und Klappsitzen, an deren Unterseiten →Miserikordien angebracht sind; seit dem frühen MA. meist mit Schnitzereien reich geschmückt, z.B. im Kölner Dom, im Ulmer Münster (→Syrlin).

Chörlein
vom Pfarrhof von Sankt Sebaldus in Nürnberg (wahrscheinlich 1361; Germanisches Nationalmuseum)

Chorherr [k-], der →Kanoniker.

Choriambus [ç-, grch.] *der,* antiker viersilbiger Versfuß mit zwei Längen, die zwei Kürzen einrahmen.

Chorin [k-], Gemeinde im Hügelland der Uckermark, Landkr. Barnim, Brandenburg, im Biosphärenreservat Schorfheide-C., 540 Einwohner. Die Pfeilerbasilika (1273–1334) des ehem. Zisterzienserklosters (gegr. 1258, 1272 nach C. verlegt) ist ein frühes Hauptwerk der dt. Backsteingotik.

Chorion [k-, grch.] *das,* Zottenhaut des →Mutterkuchens.

Chorionbiopsie [k-] (Chorionzottenbiopsie), Probeentnahme von Gewebe aus Chorionzotten in der 7.–12. Schwangerschaftswoche zur Erkennung von Erkrankungen und Schäden des Kindes. Die C. erlaubt eine wesentlich frühere Diagnostik als Fruchtwasseruntersuchungen nach Amniozentese (→Schwangerschaftsuntersuchungen).

Choriongonadotropin [k-], Abk. **CG** oder **HCG,** Glykoprotein mit hohem Kohlenhydratanteil; wird während der ersten Schwangerschaftsmonate von der Plazenta gebildet und fördert das Wachstum der Gebärmutter. C. wird mit dem Harn ausgeschieden, darauf beruht ein Schwangerschaftsnachweis.

Chörlein [k-], Erkerausbau an Burgen, Rat- und Wohnhäusern, v.a. der Gotik und Renaissance, urspr. als Kapelle, weil Altäre nicht unter Wohnräumen stehen durften.

Chorog [x-], Hptst. der autonomen Rep. Bergbadachschan, Tadschikistan, im südwestl. Pamir, 2200 m ü.M., 15 000 Ew.; Nahrungsmittel-, Bekleidungsind.; botan. Garten; Flughafen.

Chorramschahr [x-], Stadt in Iran, →Khorramshahr.

Chorsabad [x-] (Khorsabad), heutiger Name einer kleinen irak. Ortschaft bei den Ruinen der assyr. Stadt **Dur-Scharrukin** in Mesopotamien, nördlich von Ninive, mit Resten der 713–708 v.Chr. errichteten Residenz König Sargons II.

Chortürme [k-], Türme beiderseits des Chors an mittelalterl. Kirchen, bes. in Deutschland. **Chorturmkirche** nennt man eine Kirche, deren Altar sich im Erdgeschoss eines Turmes befindet.

Chorus ['kɔːrəs, engl.] *der,* die Grundmelodie im Jazz sowie deren improvisierte oder arrangierte Umgestaltung.

Chorzów ['xɔʒuf] (dt. Königshütte), Stadt in der Wwschaft Katowice (Kattowitz), Polen, im Oberschles. Ind.gebiet, 127 000 Ew.; Oberschles. Museum; Steinkohlenbergbau, Eisenhütten, Stahl-, Waggon-, Maschinenbau, chem. Industrie. – Bei C. befindet sich ein Park (6 km^2) mit Ausstellungsgelände, Planetarium und Observatorium. – Die – nahe dem alten Dorf C. – bei der 1802 eröffneten Steinkohlegrube »Königshütte« entstandene Arbeitersiedlung wurde ebenfalls Königshütte genannt; sie bekam (nach dem Zusammenschluss mit weiteren Siedlungen) 1868 Stadtrecht. 1922 an Polen gefallen, wurde die Stadt Królewska Huta genannt; 1934 erhielt sie bei der Eingemeindung von C. dessen Namen.

Chośebuz ['xɔɕebuz], sorb. Name der Stadt →Cottbus.

Chosrau [x-] (grch. Chosroes), pers. Herrscher aus dem Hause der →Sassaniden: **C. I. Anoscharwan** (»mit der unsterbl. Seele«), 531–79; lebt in vielen Legenden als weiser Herrscher fort. **C. II. Parwees** (»der Siegreiche«), 590–628. Unter ihnen erlebte das Sassanidenreich Blütezeiten.

Chotan [x-], chines. Stadt, →Hotan.

Chotek ['xɔtɛk], Sophie Gräfin, Herzogin von Hohenberg (seit 1909), *Stuttgart 1. 3. 1868, †Sarajevo 28. 6. 1914; Hofdame der Kaiserin Elisabeth, heiratete 1900 in morganat. Ehe den österr.-ungar. Thronfolger Franz Ferdinand. Mit ihm fiel sie dem Attentat von Sarajevo zum Opfer.

Chotjewitz [k-], Peter O. (Otto), Schriftsteller, *Berlin 14. 6. 1934; bekannt durch parodistisch-iron., experimentelle, z.T. provozierende Prosatexte, Gedichte und Hörspiele, u.a. »Hommage à Frantek« (R., 1965), »Die Trauer im Auge des Ochsen« (Erz.n, 1972), »Mein Mann ist verhindert« (Erz., 1985), »Tod durch Leere« (R.-Studien, 1986), »Die Rückkehr des Hausherrn. Monolog einer Fünfzigjährigen« (1991).

Chow-Chow

Chouans [ʃwã, frz.], die königstreuen Gegner der Frz. Revolution in der Bretagne, der Normandie und auf dem rechten Ufer der unteren Loire, die seit 1792 einen erbitterten Kleinkrieg gegen die Rep. führten (gleichzeitig mit den Aufständen der →Vendée); bedeutendster Führer war G. Cadoudal (*1771, †1804). Die letzten Erhebungen der C. 1815 richteten sich gegen die Rückkehr Napoleons I.

Chou En-lai [dʒɔu-], chines. Politiker, →Zhou Enlai.

Choukoutien [dʒɔu-], altsteinzeitl. Fundstätte in China, →Zhoukoudian .

Chow-Chow ['tʃaʊ-, engl.] *der,* chines. Haushunderasse mit dichtem, meist rotbraunem Fell und blauvioletter Zunge; Schulterhöhe bis 55 cm; wird seit etwa 2000 Jahren gezüchtet.

Chrennikow [x-], Tichon Nikolajewitsch, russ. Komponist, *Jelez 10. 6. 1913; schrieb mit eingängiger Melodik und volkstüml. Rhythmik Opern (u.a. »Dorothea«, 1983), Orchesterwerke, Konzerte, Klavierwerke, Operetten und Filmmusiken.

Chrestomathie [k-; grch. »nützliches Wissen«] *die,* für den Unterricht bestimmte Auswahl aus schriftsteller. Werken.

Chrétien [kre'tjɛ̃], Joseph Jacques Jean, kanad. Politiker, *Shawinigan (Prov. Quebec) 11. 1. 1934; Rechtsanwalt, Mitgl. der Liberalen Partei, u.a. 1977–79 Finanz-, 1980–82 Justizmin., 1982–84 Min. für Energie, Bergbau und Bodenschätze; war maßgeblich an der Ausarbeitung der Verf. von 1982 beteiligt. Innenpolitisch tritt C. als entschiedener Verfechter der nationalen Einheit Kanadas hervor. Seit 1990 ist er Führer der Liberalen Partei. Als Premiermin. (seit 1993) bemüht er sich u.a. um den Abbau des Handelsdefizits durch sozialverträgl. Einsparungen staatl. Ausgaben, außenpolitisch um eine größere Eigenständigkeit gegenüber den USA.

Chrétien de Troyes [kre'tjɛ̃ də'trwa], altfrz. Dichter, *Troyes (?) um 1140, †vor 1190; lebte an den Höfen der Champagne und Flanderns; Begründer des höf. Versepos und dessen bedeutendster Vertreter in der frz. Literatur. Seine Stoffe, die er aus dem breton. Sagenkreis um König →Artus schöpfte, verband er mit höf. und fantast. Elementen und bezog auch Motive aus dem provenzal. Minnedienst ein. In »Érec und Énide« (um 1170) vernachlässigt der Held seine ritterl. Pflichten zugunsten des Frauendienstes, in »Yvain« (»Der Löwenritter«, um 1177–81) gestaltet der Dichter das Gegenbild. Im »Perceval« (unvollendet, 1181–88) verbindet er die Minnethematik zum ersten Mal mit der Sage um den hl. →Gral ein. Die Epen C. de T. zeichnen sich durch psycholog. Vertiefung, kunstvolle Dialoge und vollendete metr. Struktur aus. Sie beeinflussten maßgeblich auch die dt. Literatur (Hartmann von Aue, Wolfram von Eschenbach). Weitere Epen aus dem Artuskreis: »Lancelot« (»Der Karrenritter«, um 1177–81), »Cligès« (um 1176).

Chrétien de Troyes: »König Artus jagt den weißen Hirsch«; Miniatur aus einer Pergamenthandschrift von »Érec et Énide« aus dem 13. Jh. (Paris, Bibliothèque Nationale)

Peter O. Chotjewitz

Jean Chrétien

Christentum: Das Lamm Gottes – das Sinnbild Christi – auf einem Sarkophag (5. Jh.; Ravenna, Mausoleum der Galla Placidia)

📖 HOFER, ST.: *C. de T. Leben u. Werke des altfranzösischen Epikers. Graz 1954.* – MADDOX, D.: *The Arthurian romances of C. de T. Cambridge 1991.*

Chrismon aus einer Kaiserurkunde des 10. Jahrhunderts

Chrismon [ç-, grch.] *das,* symbol. Anrufung Gottes bzw. Christi am Anfang früh- und hochmittelalterl. Urkunden, urspr. als Kreuz gestaltet (daneben das griech. Monogramm Christi), seit der Zeit Ludwigs des Deutschen der reich verzierte Initialbuchstabe »c«.

Christbaum [k-], der Weihnachtsbaum (→ Weihnachten).

Christchurch ['kraɪsttʃə:tʃ], größte Stadt der Südinsel Neuseelands, am Rande der fruchtbaren Canterburyebene, 318100 Ew. (städt. Agglomeration); Univ., Museum, Planetarium; Sitz eines anglikan. Erzbischofs und eines kath, Bischofs; Nahrungsmittel-, Textil-, chem. Ind., Maschinenbau; Hafen in Lyttleton im SO, internat. Flughafen Harewood. – 1850 gegr., seit 1862 Stadt.

Christengemeinschaft [k-], 1922 von dem evang. Pfarrer F. Rittelmeyer gegr. Religionsgemeinschaft, die eine Verbindung von Anthroposophie und Christentum erstrebt. Sie kennt kult. Handlungen (»Menschenweihehandlung«), Sakramente, aber kein ausformuliertes Dogma.

Christentum: »Christus am Kreuz von Heiligen umgeben«; Kölner Malerschule (um 1430)

Christentum [k-], Bez. für die Gesamtheit der Anhänger des auf Jesus Christus zurückgehenden »christl.« Glaubens sowie für diesen Glauben selbst.

Von den Anfängen des C.s an gibt es Konstanten: den Monotheismus, das Bekenntnis zu Jesus Christus, die Nachfolge Jesu und eine aus ihr resultierende Gemeinschaft (Gemeinde/Kirche), einige zeichenhafte Vollzüge (Sakramente; v.a. Taufe, Eucharistie, Buße), spezif. eth. Normen (z.B. Nächstenliebe), die Hoffnung auf eine ohne Vorbedingungen geschenkte Erlösung.

Seit seiner Entstehung begreift das C. Jesus als von Gott gesandt, schon in vorpaulin. Zeit als auf Erden erschienenen Gott (Phil. 2, 6–11) oder als Fleisch gewordenes »Wort« (Joh. 1, 1ff.) und sich selbst somit als basierend auf göttl. Offenbarung und positivem Heilswillen Gottes (Offenbarungsreligion, »absolute Religion«).

Entstehung und Ausbreitung: Als sicher gilt heute, dass der histor. Jesus weder eine neue Religion noch eine universale Kirche gründen wollte. Vielmehr verstand er sich als Reformer Israels, auf dessen 12 Stämme er mit der Berufung von 12 Aposteln Anspruch erhob. Jesus war zwar in allem, was er tat und lehrte, jüdisch geprägt, aber er hat die aus der jüd. Tradition übernommenen Motive in seiner Predigt so verändert und zugespitzt, dass es sich dabei der Sache nach nicht mehr um Judentum handelte: Er verkündete – entsprechend der jüd. Apokalyptik und im Gefolge der Predigt Johannes des Täufers – die Königsherrschaft Gottes; diese aber war nach seinen Worten in ihm schon angebrochen. So war die Zukunftsoffenheit der jüd. Geschichtsdeutung aufgehoben, das Ende hatte schon begonnen. Jesus selbst verstand sich deswegen nicht als einen der gottgesandten Männer oder

Propheten in einer endlosen Kette, vielmehr sollte er diese Reihe abschließen und in seiner Person das Ende herbeiführen. Dieser Anspruch, die »endzeitl.« Gestalt zu sein, äußerte sich in der Radikalität der Nachfolgeansprüche, in der Souveränität gegenüber Gesetz und Tempel, in dem besonderen Gottesverhältnis, in der Freiheit der Tradition gegenüber, in seiner Bereitschaft zum Tod.

Der geschichtl. Jesus hat, zwar ganz aus dem Judentum kommend, dieses aber derart auf »den Menschen« und »die Humanität« hin vertieft und zugleich seiner eigenen Gestalt für diese neue Praxis eine so unverzichtbare Rolle zugeschrieben, dass die Trennung vom Judentum und die Ausbildung einer eigenständigen Religion wenige Jahre nach seinem Tod zwangsläufig erscheinen.

Keimzelle des C. waren die Jerusalemer Urgemeinde, aber auch palästin. Christengruppen in Judäa und Galiläa. Bedingt durch das Ausweichen der Christen vor Verfolgungen durch die jüd. und röm. Behörden, kam es zu einer ersten Missionswelle und in deren Gefolge zur Taufe von Samaritanern, Diasporajuden, Proselyten und Heiden. Einen gewaltigen Aufschwung nahm die Ausbreitung des C. allerdings erst durch die gezielte Arbeit einiger Missionare (»Apostel«), unter denen Paulus die größte Bedeutung hatte (Heidenmission). Begünstigt durch die Bedingungen des Röm. Reiches, drang das C. auch in Städte des Landesinnern und bis nach England vor und repräsentierte zur Zeit der »konstantin. Wende« (311/313) im Röm. Reich einen (geschätzten) Bevölkerungsanteil von etwa 15%; während der Antike tritt uns das C. als Stadtreligion entgegen. Die – zunehmend auch umfassend gebildete umschließende christl. Bewegung wuchs so stark, dass Kaiser Konstantin I., d. Gr., in der christl. Minderheit polit. Kraft der Zukunft erkennen konnte. Nach der »konstantin. Wende« nahm die Zahl der Christen rasch zu, bis Kaiser Theodosius I., d. Gr. 380/381 das C. zur Staatsreligion erklärte.

Während sich das Griechisch sprechende (christl.) oströmische Kaisertum (Byzantinisches Reich) auch in den Wirren der Völkerwanderung behaupten und dabei ein Staatskirchentum (Cäsaropapismus) etablieren konnte – erst mit dem Vor-

Christentum: Ausbreitung des Christentums vom 4. bis zum 14. Jahrhundert

Christentum: Ludwig der Fromme als Krieger für das Kreuz, Miniatur in »De laudibus sanctae crucis« des Hrabanus Maurus (um 831–40; Orléans, Bibliothèque Municipale)

dringen des Islams (ab dem 7. Jh.) verschwand das C. in diesen Gebieten weitgehend –, wurde der Westen des Röm. Reiches härter von der Völkerwanderung in Mitleidenschaft gezogen; 476 geriet Rom endgültig unter german. Herrschaft. Die Germanenstämme haben nach der Eroberung christl. Gebiete weitgehend das C. angenommen, aber in seiner arian. Gestalt (Arianismus). Erst in der Taufe des fränk. Königs Chlodwig I. 498/499 in Reims zum kath. Glauben war eine für die Zukunft Europas wichtige Entscheidung gefallen; von jetzt an konnte sich die lat. Form des antiken C. zunehmend unter den german. Stämmen Zentraleuropas verbreiten.

Vorher aber hatte schon eine andere Entwicklung begonnen: Von ägypt. Mönchen war das C. nach Irland gebracht worden; hier sowie in Schottland und Wales bildete sich eine keltisch-grch. Mönchskirche (iroschottische Kirche), die aber von Gallien her auch lat. Einflüsse in sich aufnahm. Seit dem 6. Jh. entfaltete das iroschott. Mönchtum eine beeindruckende missionar. Tätigkeit in England und auf dem Festland (bis nach Oberitalien). So gab es bald in Europa zwei konkurrierende Formen des C.: eine lat.-bischöfl. und eine keltisch/griechisch-mönchistische. Die Entscheidung fiel zugunsten der ersten Variante, einmal aufgrund der seit Chlodwig nach Rom orientierten Interessen der fränk. Herrscher, die schließlich im Jahre 800 zur Krönung Karls d. Gr. als Röm. Kaiser führten, zum anderen wegen einer zweiten Missionswelle im 8. Jh., die von angelsächs. Mönchen (Bonifatius) getragen war und die sich eng an Rom anschloss. Die Christianisierung erfasste schließlich auch den Norden und die östl. Teile Zentraleuropas.

Die islam. Expansion im 7./9. Jh. brachte das C. in Nordafrika und weiten Teilen Spaniens zum Verschwinden; erst nach jahrhundertelangen Kämpfen (Reconquista) wurde der Islam von der iber. Halbinsel verdrängt.

Der größte Teil der slaw. Völker wurde vom 9. bis 11. Jh. missioniert und lehnte sich an Byzanz und das grch. C. an.

Mit Beginn der Neuzeit geriet erstmals die ganze Erde in den Blick Europas und des C., das nun in anderen Kontinenten Fuß fasste. Dieser Prozess ging einher mit negativen Begleiterscheinungen: Lange Zeit war die Mission Sache der Kolonialmächte (z. B. Patronatsmission der span. und portug. Könige), in Amerika und Australien war die (völlige) Christianisierung mit der Dezimierung der einheim. Bevölkerung verbunden, in Afrika und Asien wurde eine europ. Form des C. etabliert (Ritenstreit). Im Ergebnis dieser systemat. Mission gibt es in Schwarzafrika einige Länder mit christl. Bevölkerungsmehrheiten, in den meisten Staaten sehr dynam. Minoritäten. In Asien ist nur ein Land (Philippinen) mehrheitlich christlich, aber auch hier finden sich in beinahe allen Staaten kleine, aber aktive christl. Kirchen. Die Inselwelt Ozeaniens ist fast gänzlich christianisiert.

Heute (1996) wird die Zahl der Christen auf etwa 1,8 Mrd. geschätzt.

Theologie und Lehrentwicklung. Christl. Altertum: Das C. bekannte sich von Anfang an zu Jesus Christus als der normierenden Instanz für Theorie und Praxis; deswegen musste es sich vom Judentum trennen und die »Freiheit vom Gesetz« verkünden, ohne die jüd. Religion und ihre Schriften zu verwerfen; diese wurden vielmehr als Vorgeschichte Jesu im Sinne einer Verheißung aufgefasst, die in Jesus Christus erfüllt war.

Das Christusbekenntnis zu sichern und unter neuen Verstehensbedingungen zu formulieren, war für das junge C. die zentrale theolog. Aufgabe. Hierbei war es mit zwei großen Kulturtraditionen konfrontiert, dem Judentum und der hellenist. Kultur des Röm. Reiches. Entsprechend dem Geschichtsdenken des Judentums haben die Judenchristen die Rolle Jesu heilsgeschichtlich umschrieben: Er war für sie der (endzeitl.) Messias (= Christus) oder Menschensohn; vielleicht haben sie ihn auch schon als »Sohn Gottes« bezeichnet, damit aber nicht eine zweite Natur, sondern seine geschichtl. Nähe zu Gott gemeint. Mit der Vermittlung des C. in die hellenist. Welt fand ein gänzlich neues Verstehen Einlass ins C. Für die Heidenchristen war Christus derjenige, der beiden

Welten angehört, der Welt des Geistes, des Wissens, der Unsterblichkeit, Gottes, und zugleich der Welt der Menschen; er ist Mensch. So kann er als Gottmensch in sich zw. Endlichkeit und Unendlichkeit vermitteln: Die Zweinaturenlehre entstand als Folge der Aneignung Jesu im hellenist. Raum. Im Verlauf der ersten nachchristl. Jahrhunderte trat das Judenchristentum in der Kirche immer stärker zurück.

Wenn die Gottessohnschaft Jesu im Sinne einer zweiten göttl. Natur aufgefasst wurde, ergab sich damit auch ein Problem für den vom Judentum und Jesus ererbten Monotheismus. Die christolog. Auseinandersetzung machte zugleich eine Diskussion der Trinität notwendig.

Der lat. Westen war an diesen Auseinandersetzungen nur wenig beteiligt. Sobald sich in diesem Raum eine eigenständige Theologie herausbildete – in Nordafrika seit etwa 200, im übrigen Westen seit Mitte des 4. Jh. –, beschäftigte sie sich mit Fragen der christl. Praxis: Wie erlangt der Mensch das Heil, wo er doch ganz von der Sünde geprägt ist? Was muss der Christ tun, wie muss die Kirche aussehen? So kam es in der ausgehenden Antike zur Ausbildung der Erbsündenlehre, einer Theologie des Kreuzestodes Jesu als Bezahlung und Lösepreis für die Sünden, einer Gnaden-, Prädestinations- und Sakramentenlehre.

Die Annahme des Glaubens war von Anfang an mit einer Gemeindebildung verbunden. Ebenso aber war das Bewusstsein vorhanden, einer größeren Gemeinschaft, der Kirche, zuzugehören. Der gemeindeübergreifende Charakter des C.s schuf sich im Lauf der Zeit auch institutionellen Ausdruck; es bildete sich eine Organisation der Kirche in Analogie zur polit. Struktur heraus (bischöfl. Stadtgemeinden, Metropolitansitze, Patriarchate). Seit Ende des 4. Jh. erhoben die röm. Bischöfe einen formellen Primatsanspruch über die gesamte Kirche (Primat des Papstes). Dieser Anspruch wurde allerdings im östl. C. abgelehnt; im Westen konnte er sich erst allmählich während des Früh-MA. durchsetzen. – Eine wichtige Rolle kam seit dem 3. Jh. dem Mönchtum zu.

Das C. konnte sich – wenn auch in einer oft feindlich gestimmten Umwelt – bis zur Mitte des 3. Jh. ausbreiten. Erst seit dieser Zeit kam es zu systemat. Verfolgungen durch den Staat, die der Kirche gefährlich wurden (Christenverfolgungen). Diese Epoche fand mit Beginn der Herrschaft Konstantins ihren Abschluss.

Mittelalter: Im MA. verlagerte sich das Zentrum christl. Aktivitäten auf das ländlich strukturierte europ. Festland. – Theologie und theolog. Lehrbildung waren nicht mehr Sache der (großen) christl. Gemeinden, sondern der Schule (lat. schola): Die entstehende Schulwissenschaft (Scholastik) wurde an Kloster- und Kathedralschulen, seit dem Hoch-MA. an den Univ. gepflegt.

Die mittelalterl. Gesellschaft bildete das Feudalsystem aus, das mit dem Zusammenwachsen zu einer unversalen Kultur in einem universalen Kaisertum und Papsttum gipfelte. Welt, Mensch, Gesellschaft und ihre Institutionen wurden zunächst sakral gedeutet. Angestoßen durch Reformbewegungen innerhalb des Mönchtums (kluniazensische Reform), versuchte die Kirche, eine gewisse Unabhängigkeit von staatl. Gewalt zu erreichen (gregorianische Reform); im Investitutstreit wurde zw. profan. und sakral. Staat und Kirche unterschieden und eine gewisse Autonomie beider Bereiche erstmals gedacht. Hiermit war der Grund gelegt für den spätmittelalterl. Zerfall der universalen polit. Kultur: Nationalstaaten verfolgten eigene Interessen, die Ideen der Volkssouveränität und der Freiheit der Politik von der Ethik kamen auf, Wissenschaften emanzipierten sich vom Primat der Theologie, die Theologie zog sich aus der Spekulation zurück auf die geoffenbarten Grundlagen.

Neuzeit: Die Neuzeit brachte den prinzipiellen Durchbruch der Emanzipation des Menschen und seines Intellekts von vorgegebenen Autoritäten und kirchl. Tradition. Vollends vollzogen wurden diese Ansätze erst in den Gelehrtenzirkeln der Aufklärung und – popularisiert – in Bürgertum und Arbeiterschaft der Moderne (seit dem 19. Jh.).

Die Reformation wollte für die Rechtfertigung des Einzelnen nur noch die Autorität Gottes und Jesu Christi anerkennen und somit den Christen von der Heilsnotwendigkeit der kirchl. Zwischeninstanzen, von Amt, Tradition und Heilsangeboten der Kirche befreien; hierbei setzten die einzelnen Reformatoren verschiedene Schwerpunkte. Im Gegenzug banden sich die Katholiken – ohne die Rechtfertigung durch Jesus Christus und seine Gnade aufzugeben – fester an die überlieferten kirchl. Gegebenheiten (vollzogen im Tridentinum 1545–63). Die Neuzeit begann für das C. also mit einem Verlust seiner kirchl. Einheit; von jetzt an ist es, neben dem Morgenländischen Schisma (die auf das Jahr 1054 datierte Trennung zw. der lateinisch abendländ. [kath.] Kirche und den vier ostkirchl. Patriarchaten [Konstaninopel, Alexandria, Antiochia, Jerusalem]), in eine Fülle von Konfessionen, Kirchen u. a. aufgesplittert.

Das C. in der Moderne ist mit einem radikalen Säkularisierungsprozess konfrontiert, der sich nach Anfängen im MA. in der Aufklärung verstärkte und schließlich seit dem 19. Jh. dominierend wurde. Die Orientierung des modernen Menschen auf Gott hin wird problematisch.

Die mit der Entstehung der modernen Industriegesellschaften aufgeworfene soziale Frage

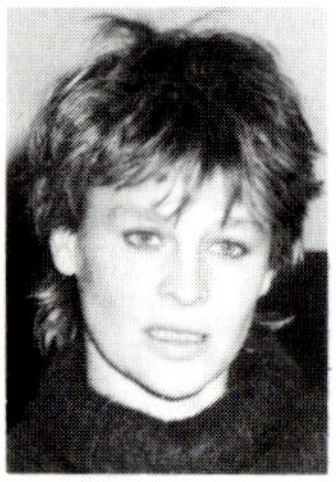

Julie Christie

wurde von den Kirchen u.a. in Form der christl. Soziallehren aufgegriffen.

Gegenwärtige Lage: In der Gegenwart setzt sich das C. v.a. mit drei Problemen auseinander. Zum einen geht es um eine Überwindung des Konfessionalismus (→ökumenische Bewegung). Ein weiteres Problem ist die Auseinandersetzung mit dem in der Alten und Neuen Welt verbreiteten säkularisierten Denken. Das dritte Problem stellt sich durch die Tatsache, dass eine wachsende Mehrheit der Christen in der Dritten Welt lebt. Hier steht der Dialog mit den Weltreligionen an, ebenso eine Neubesinnung auf das Verhältnis zum Judentum.

📖 BULTMANN, R.: *Das Urchristentum im Rahmen der antiken Religionen. Zürich u. a.* ^{4}*1976.* – MAASS, F.: *Was ist C.? Tübingen* ^{3}*1982.* – TROELTSCH, E.: *Die Absolutheit des C.s u. die Religionsgeschichte. Lizenzausg. Gütersloh* ^{2}*1985.* – *Das frühe C. bis zum Ende der Verfolgungen. Eine Dokumentation. Auswahl u. Kommentar v.* R. KLEIN, *Übers. der Texte v.* P. GUYOT, *2 Bde. Darmstadt 1993–94. Nachdr. in 1 Bd. ebd. 1997.* – KÜNG, HANS: *Projekt Weltethos. Neuausg. München u. a.* ^{2}*1993.*

Christenverfolgungen [k-], Versuche der röm. Kaiser, Statthalter oder örtl. Instanzen, das Christentum als staatlich nicht anerkannten Kult einzudämmen oder gar auszurotten. Die erste C. unter Nero (64) beschränkte sich auf die röm. Christengemeinde. Auch unter Domitian (95) kam es wieder zu Christenverfolgungen. Kaiser Trajan bestimmte um 112, dass nach Christen nicht gefahndet werden und dass anonyme Anzeigen unberücksichtigt bleiben sollten. Wer angezeigt oder überführt wurde, Christ zu sein, war (mit dem Tod) zu bestrafen. Die Anhänger des Christentums galten als Feinde des Staates. Die ersten sich auf das gesamte Röm. Reich erstreckenden C. fanden unter Decius (249) und Valerian (257) statt. Aber auch die letzte C., am Anfang des 4. Jh. unter Diokletian, konnte das Christentum nicht unterdrücken; unter Konstantin d. Gr. wurde es 313 als erlaubte Religion anerkannt.

Christian X.,
König von Dänemark

Christian [k-], Herrscher:

Anhalt-Bernburg: **1) C. I.,** Fürst (seit 1603), *Bernburg (Saale) 11. 5. 1568, †ebd. 17. 4. 1630; trat 1595 in kurpfälz. Dienste und wurde Hauptratgeber der pfälz. Kurfürsten, betrieb die Gründung der Prot. Union (1608). Als Oberbefehlshaber verlor er 1620 die Schlacht am Weißen Berg, danach geächtet, unterwarf sich 1624 dem Kaiser.

CDU
Christlich Demokratische Union Deutschlands

Dänemark: **2) C. I.,** König (1448–81), *1426, †Kopenhagen 21. 5. 1481; Sohn Graf Dietrichs des Glücklichen von Oldenburg und Delmenhorst, wurde 1450 auch in Norwegen und 1457 in Schweden zum König gekrönt und 1460 in Schleswig und Holstein zum Landesherrn gewählt. In Schweden verlor er 1464 seine Macht an König Karl VIII. Knutsson Bonde.

3) C. II., König von Dänemark und Norwegen (1513–23) sowie von Schweden (1520–23), *Nyborg 1. 7. 1481, †(in Haft) Kalundborg 25. 1. 1559, Enkel von 2); Schwager Kaiser Karls V., versuchte, die Vormachtstellung der Hanse zu brechen; erzwang 1520 in Schweden seine Anerkennung und verhängte über seine Gegner das »Stockholmer Blutbad« (1520); 1523 ging ihm Schweden durch die Erhebung Gustav Wasas, dann auch Dänemark verloren. C. floh 1523 in die Niederlande, 1531 gefangen genommen.

4) C. III., König von Dänemark und Norwegen (1534–59), *Gottorf 12. 8. 1503, †Koldinghus (bei Kolding) 1. 1. 1559; Sohn König Friedrichs I. von Dänemark, erkämpfte seine Anerkennung in der →Grafenfehde; führte 1536 die Reformation ein und nahm Norwegen die Selbstständigkeit.

5) C. IV., König von Dänemark und Norwegen (1588–1648), *Frederiksborg 12. 4. 1577, †Kopenhagen 28. 2. 1648, Enkel von 4); stand bis 1596 unter Vormundschaftsregierung. Unter seiner Herrschaft wurden Gesetzgebung und Verw. reformiert. Er förderte Handel und Gewerbe, entfaltete eine reiche Bautätigkeit und erwarb Tranquebar an der Koromandelküste (im heutigen Tamil Nadu, Indien) als dän. Kolonie (1616–1845). 1625 griff er auf prot. Seite in den Dreißigjährigen Krieg ein und musste 1629 den Frieden von Lübeck schließen. Durch den Krieg gegen Schweden 1643–45 verlor er u.a. Gotland und Ösel.

6) C. VII., König von Dänemark und Norwegen (1766–1808), *Kopenhagen 29. 1. 1749, †Rendsburg 13. 3. 1808; geisteskrank. Die Reg. führte J. F. →Struensee, nach dessen Sturz 1772 C.s Halbbruder, Erbprinz Friedrich, seit 1784 C.s Sohn, der spätere Friedrich VI.

7) C. VIII., König (1839–48), *Kopenhagen 18. 9. 1786, †ebd. 20. 1. 1848; 1814 zum König von Norwegen gewählt, musste jedoch unter dem Druck Schwedens und der übrigen Großmächte der Krone entsagen; regierte absolutistisch und suchte durch eine »Gesamtstaatsverfassung« die Herzogtümer Schleswig und Holstein fester an Dänemark zu binden.

8) C. IX., König (1863–1906), *Gottorf 8. 4. 1818, †Kopenhagen 29. 1. 1906; aus der Linie Schleswig-Holstein-Sonderburg-Glücksburg. Durch den Dt.-Dän. Krieg von 1864 verlor er Schleswig, Holstein und Lauenburg.

9) C. X., König (1912–47), *Charlottenlund (heute zu Kopenhagen) 26. 9. 1870, †Kopenhagen 20. 4. 1947, Enkel von 8). Unter seiner Regierung wurde die demokrat. Verf. von 1915 durchgesetzt und Nordschleswig 1920 dem dän. Staat eingegliedert. Während der dt. Besetzung (1940–45) war seine mutige Haltung Symbol des dän. Freiheitswillens.

Halberstadt: **10) C. d. J.,** aus dem Haus Braunschweig-Wolfenbüttel, Administrator des Bistums Halberstadt (seit 1616), *Gröningen 20. 9. 1599, †Wolfenbüttel 16. 6. 1626; der »tolle C.« gen., kämpfte im Dreißigjährigen Krieg auf prot. Seite, wurde von Tilly bei Höchst (1622) und Stadtlohn (1623) geschlagen.

Mainz: **11) C. I.** (C. von Buch), Erzbischof (1165–83), *um 1130, †Tusculum (heute Frascati) 25. 8. 1183; war Staatsmann und Heerführer Kaiser Friedrichs I. Barbarossa; er besiegte die Römer 1167 bei Tusculum und schloss 1177 einen Frieden zw. Kaiser und Papst.

Sachsen: **12) C. II.,** Kurfürst (1591–1611), *Dresden 23. 9. 1583, †ebd. 23. 7. 1611; kehrte zum strengen Luthertum zurück, unterstützte dennoch gegen die Landesinteressen die kaiserl. Politik.

Schleswig-Holstein: **13) C. August,** Herzog (seit 1814), Haupt der Augustenburger Linie des oldenburg. Hauses, *Kopenhagen 19. 7. 1798, †Primkenau (heute Przemków, Wwschaft Legnica) 11. 3. 1869; verfocht gegenüber Dänemark seine Erbansprüche auf Schleswig-Holstein; nach dem 1. Dt.-Dän. Krieg (1848–50) musste er 1852 seine Stammgüter in Schleswig an Dänemark abtreten.

Christiania [k-] (Kristiania), 1624–1924 Name von →Oslo.

Christian Science ['krɪstjən 'saɪəns, engl.] (Christliche Wissenschaft), von Mary Baker-Eddy (*1821, †1910) 1879 begründete Glaubensgemeinschaft. Diese beruht auf der Anschauung des Menschen als eines Ausdrucks des göttl. Wesens. Die Materie samt ihren Begleiterscheinungen (Sünde, Krankheit, Tod) wird als Illusion betrachtet; die sowohl Verkündigungs- als auch Heilungsauftrag umfassende Nachfolge Christi sei der Weg, Gott näherzukommen, wodurch alles ihm Unähnliche seine Macht verliere. – Die Mutterkirche der C. S. befindet sich in Boston, USA; ca. 2 000 Zweiggemeinden in über 69 Ländern. – Tageszeitung: The Christian Science Monitor (seit 1908).

Christie ['krɪstɪ], **1)** Dame (seit 1971) Agatha, geb. Miller, engl. Schriftstellerin, *Torquay (heute zu Torbay) 15. 9. 1890, †Wallingford (Cty. Oxfordshire) 12. 1. 1976; schrieb neben Kurzgeschichten v. a. viel gelesene Kriminalromane, häufig mit dem schrulligen belg. Meisterdetektiv Hercule Poirot und der ältl. Amateurkriminalistin Miss Jane Marple, und Theaterstücke, u. a. »Der Mord auf dem Golfplatz« (1923), »Mord im Pfarrhaus« (1930), »Mord im Orientexpress« (1934), »Zehn kleine Negerlein« (1939), »Die Mausefalle« (1949), »Zeugin der Anklage« (1956), »Die Fuchsjagd« (1956), »Lauter reizende alte Damen« (1968).

📖 GRIPENBERG, M.: *A. C. Reinbek 1994.*

2) Julie Frances, brit. Filmschauspielerin, *Chukua (Assam) 14. 4. 1940; Charakterdarstellerin des internat. Films.

Filme: Geliebter Spinner (1962); Darling (1965); Doktor Schiwago (1966); Fahrenheit 451 (1966); Nashville (1974); Memoiren einer Überlebenden (1981); Gold Diggers (1983); Narren des Schicksals (1989/90).

Christine [k-], Königin von Schweden (1632 bis 1654), *Stockholm 17. 12. 1626, †Rom 19. 4. 1689, Tochter Gustavs II. Adolf. Während ihrer Minderjährigkeit wurde Schweden von einem Regentschaftsrat unter dem Reichskanzler Axel Oxenstierna regiert; 1644 übernahm sie selbst die Reg.; förderte die Wiss. und berief u. a. Descartes nach Stockholm. 1654 dankte sie zugunsten ihres Vetters Karl Gustav von Pfalz-Zweibrücken ab, war aber auch nach ihrer Thronentsagung in päpstl., kirchl., frz.- und schwed. Angelegenheiten diplomatisch tätig. 1655 trat sie zum Katholizismus über und lebte danach meist in Rom.

📖 FINDEISEN, J.-P.: *Christina von Schweden. Legende durch Jahrhunderte. Frankfurt am Main 1992.*

Christine, Königin von Schweden (Gemälde des Stockholmer Hofmalers Sébastien Bourdon)

Christkatholische Kirche der Schweiz [k-], die altkath. Kirche der Schweiz.

Christkönigsfest [k-], *kath. Kirche:* das (seit 1965) am letzten Sonntag des Kirchenjahres gefeierte Fest Christi als des universalen Königs; 1925 eingeführt.

Agatha Christie

Christlich Demokratische Union Deutschlands [k-], Abk. **CDU,** polit. Partei, im Juni 1945 in Berlin und im Rheinland entstanden, organisierte sich 1945–49 auf der Ebene der Länder und Besatzungszonen. Die →Christlich Soziale Union in Bayern blieb selbstständig, verband sich aber 1949 im Bundestag mit der CDU zu einer Fraktionsgemeinschaft (CDU/CSU). 1950 schloss sich die CDU auf Bundesebene zusammen. An der Spitze steht der Bundesvorsitzende (K. Adenauer, 1950–66; L. Erhard, 1966/67; K. G. Kiesinger, 1967–71; R. Barzel, 1971–73; H. Kohl, seit 1973). Nachwuchsorganisation ist die →Junge Union.

Agatha Christies *Kriminalstück »The mousetrap« (»Die Mausefalle«) steht seit 45 Jahren ununterbrochen auf dem Spielplan in London. Es wurde am 25. November 1952 zum ersten Mal im Ambassador Theatre aufgeführt. Inzwischen wird es im St. Martin's Theatre gespielt und hat es auf über 17 000 Aufführungen gebracht.*

Programmatisch will die CDU alle christlich orientierten Kräfte in einer »Union« sammeln. Das staatl. Leben soll auf christl., demokrat. und föderativer Basis gegründet sein. Nachdem sich urspr. besondere Kreise der rheinisch-westfäl. CDU im »Ahlener Programm« (1947) zur Sozialisierung von Schwerindustrie und Bergbau bekannt hatten, setzte bes. L. Erhard in der Partei das Bekenntnis zum Prinzip der sozialen Marktwirtschaft durch. Geprägt von den außenpolit. Vorstellungen Adenauers, vertrat sie die Integration Europas, den Einbau der Bundesrep. Dtl. in die westl. Gemeinschaft bei Offenhaltung der dt. Wiedervereinigungsfrage. 1949–69 war sie führende Reg.partei und stellte die Bundeskanzler: 1949–63 K. Ade-

Christlicher Verein Junger Männer

nauer, 1963–66 L. Erhard, 1966–69 K. G. Kiesinger. 1969–82 stand sie in Opposition zu den von SPD und F.D.P. gestellten Regierungen. Nach dem von CDU, CSU und der Mehrheit der F.D.P. getragenen konstruktiven Misstrauensvotum gegen Bundeskanzler H. Schmidt (SPD) übernahm die CDU unter H. Kohl am 2. 10. 1982 erneut die Reg.verantwortung. Die Forderung nach der Wiedervereinigung Dtl. nie aufgebend, setzte sich die CDU 1990 für die schnelle Herbeiführung der dt. Einheit ein. Der Wahlsieg bei den ersten gesamtdt. Wahlen (2. 12. 1990) bestätigte diese Politik und gab der Partei (gemeinsam mit ihren Koalitionspartnern) den eindeutigen Auftrag zu ihrer Ausgestaltung. Bei den Bundestagswahlen von 1994 konnte die Partei ihre Position trotz der drängenden finanz- und arbeitsmarktpolit. Probleme behaupten. – In der SBZ/DDR wurde die CDU im Rahmen der »Blockpolitik« seit 1948 völlig von der SED abhängig. Nach den polit. Umwälzungen im Spätherbst 1989 profilierte sie sich zunehmend als eigenständige polit. Kraft; aus den ersten demokrat. Wahlen in der DDR am 18. 3. 1990 ging die CDU im Rahmen der »Allianz für Deutschland« als stärkste Partei hervor und stellte den MinPräs. (L. de Maizière). Am 1./2. 10. 1990 vereinigte sie sich mit der bundesdt. CDU; H. Kohl wurde zum gesamtdt. Parteivors. gewählt. – Über die Zahl der Abg.sitze der CDU/CSU vgl. ÜBERSICHT deutsche Geschichte.

📖 KRAHE, B. *u.* SEIBEL, M.: *Bibliographie zur Geschichte der CDU u. CSU 1981–1986. Mit Nachträgen 1945–1980. Düsseldorf 1990.* – KLEINMANN, H.-O.: *Geschichte der CDU. 1945–1982. Stuttgart 1993. – Kleine Geschichte der CDU. Redaktion:* F. BECKER. *Stuttgart 1995.*

Chrịstlichdemokratische Volkspartei der Schweiz [k-], Abk. **CVP,** seit 1970 Name der 1912 konstituierten **Schweizer. Konservativen Volkspartei,** 1957–70 **Konservativ-christlichsoziale Volkspartei der Schweiz;** bekennt sich zu einer christl., aber zugleich auch überkonfessionell motivierten Politik und zu einer sozialen Wirtschafts- und Gesellschaftsgestaltung; betont bes. die föderale Struktur der Schweiz.

Chrịstliche Arbeiter-Jugend [k-], Abk. **CAJ,** → Katholische Arbeitnehmer-Bewegung.

chrịstliche Dichtung [k-], i. e. S. die → geistliche Dichtung; i. w. S., bes. in neuerer Zeit, Dichtung, die wesentlich, jedoch ohne dogmat. Enge, von christl. Grundanschauungen bestimmt ist; gewann schärferes Profil bes. mit der Bewegung des »Renouveau catholique« in Frankreich; in England u. a. von T. S. Eliot, G. Greene, E. Waugh vertreten, in Dtl. von W. Bergengruen, Elisabeth Langgässer, Gertrud von Le Fort, E. Schaper, R. Schneider; seit den 60er-Jahren sind christl. Motive häufig Bestandteil vielschichtig angelegter Werke, u. a. bei E. Cardenal, J. Brodski, K. Marti, H. Böll.

Christlich Soziale Union in Bayern

📖 *Christl. Dichter im 20. Jh. Beiträge zur europ. Literatur, begr.* H. FRIEDMANN *u. a., hg. v.* O. MANN. *Bern ^{2}1968.* – KRANZ, G.: *Europas christl. Literatur, 2 Bde. München $^{1-2}$1968–92.* – KRANZ, G.: *Was ist c. D.? Thesen, Fakten, Daten. München 1987. – Christl. Literatur im Aufbruch, hg. v.* L. BOSSLE *u. a. Würzburg ^{2}1989.*

chrịstliche Gewerkschaften [k-], → Gewerkschaften.

chrịstliche Kunst [k-], i. w. S. die Kunst der christl. Kulturwelt, i. e. S. die Kunst, die die Darstellung des Lebens Christi und der Heiligen zum Inhalt hat, die sich mit dem Bau von Kirchen und Klöstern und der Gestaltung der liturg. Geräte befasst. Über die Anfänge der c. K. → frühchristliche Kunst.

chrịstliche Philosophie [k-], Grundrichtung abendländ. Denkens, deren Gehalt durch die christl. Offenbarung und die Auseinandersetzung mit ihr geprägt ist. – Grundlage der c. P. zur Zeit des frühen Christentums waren Platonismus und Neuplatonismus. Ihren Höhepunkt erreichte diese Periode mit der bis ins MA., teils sogar bis in die Neuzeit fortwirkenden Philosophie des hl. Augustinus. In der → Scholastik führt Thomas von Aquin in vollendeter Weise Glauben und Wissen zu einer Einheit zusammen: Während der Glaube das Heilswissen bewahrt und seine Quelle allein Gottes Offenbarung ist, bildet das Wesen der natürl. Dinge den eigentlichen Gegenstand der Philosophie. Darüber hinaus dient die Philosophie dazu, neue Einsichten in die Transzendenz Gottes, die Endlichkeit und Geschaffenheit der Welt und in die Bestimmung des Menschen als freier Person zu gewinnen. Nach der Reformation traten u. a. Verinnerlichungsbewegungen (B. Pascal) und Pietismus neben Weiterentwicklungen des scholast. Denkens (F. Suárez), im 19. Jh. erfolgte eine Neubesinnung auf die existenziellen Grundlagen des christl. Denkens (S. Kierkegaard) sowie eine Erneuerung des Thomismus (F. Brentano, J. Maritain, M. Grabmann). G. W. F. Hegels Geschichtsphilosophie wird häufig als säkularisierte Gestalt heilsgeschichtl. Eschatologie angesehen. Als weitgehend c. P. versteht sich auch die mitteleurop. Existenzphilosophie (G. Marcel), während einzelne Existenzphilosophen (J.-P. Sartre) im Gegensatz zu ihr stehen.

📖 BÖHNER, PH. *u.* GILSON, É.: *Die Geschichte der christlichen Philosophie von ihren Anfängen bis Nikolaus von Cues. Paderborn ^{3}1954.* – KINDT, K.: *Vorschule christlicher Philosophie. Moers 1991.* – HENRICI, P.: *Glauben – Denken – Leben. Köln 1993.*

Christlicher Verein Junger Männer [k-], Abk. **CVJM,** freie Vereinigung der evang. männl. Jugend mit religiösen, erzieher. und sozialen Zielen. Der erste Verein wurde 1844 als →Young Men's Christian Association in London gegründet. – **Christlicher Verein Junger Mädchen,** 1894 gegründeter Zusammenschluss evang. Mädchen und Frauen (Sitz in Genf). In Dtl. (erste Gründung 1883 in Berlin) nennt sich der Nationalverband heute **Christlicher Verein Junger Menschen** (Abk. **CVJM**) unter Aufhebung der Trennung von Männern und Frauen (Sitz in Kassel).

christliche Symbole [k-], Sinnbilder des Glaubens, die in frühchristl. Zeit als Verhüllung des Bekenntnisses in einer feindl. Umwelt und geheimes Mittel der Verständigung entstanden. Zu den c. S. gehören bes. das Kreuz und das Christusmonogramm, aber auch Lamm, Guter Hirte, Fisch und Pfau. →frühchristliche Kunst

christliche Symbole: Der Pfau als Symbol für die Paradieseshoffnung, Mosaik in der Kirche San Vitale in Ravenna (1. Hälfte des 6. Jh.)

Christliche Volkspartei [k-], **1)** (flämisch: Christelijke Volkspartij, Abk. CVP, frz.: Parti Social Chrétien, Abk. PSC) polit. Partei in Belgien, gegr. im Dez. 1945, hervorgegangen aus der Kath. Partei, seit 1968 in zwei selbstständigen Organisationen geteilt (in die fläm. CVP und die wallon. PSC); legte ihre Grundsätze im »Weihnachtsprogramm« von 1945 nieder. Beide Organisationen treten für Marktwirtschaft unter Bejahung staatl. Interventionsmöglichkeiten und für die Zusammenarbeit von Kapital und Arbeit sowie für die Integration Europas ein. Mit Ausnahme der Jahre 1945–47 und 1954–58 beteiligte sich die C. V. an der Reg. und stellte meist den MinPräs.

2) 1945–65 polit. Partei im →Saarland, 1945–56 unter dem Vorsitz von J. →Hoffmann, strebte ein von Dtl. abgetrenntes, wirtschaftlich und kulturell nach Frankreich hin orientiertes Saarland an. Sie stellte dort als stärkste Partei 1945–56 den MinPräs. (J. Hoffmann). 1955 trat sie für die Annahme des **Saarstatutes** ein, verlor jedoch nach dessen Ablehnung durch die Bevölkerung und der Eingliederung des Saarlandes in die Bundesrep. Dtl. an Bedeutung und verschmolz 1965 mit der CDU.

Christliche Wissenschaft [k-], dt. für →Christian Science.

christlich-soziale Bewegungen [k-], die christlich-kirchl. Bestrebungen zur Lösung der sozialen Frage im frühindustriellen Zeitalter. Auf protestant. Seite nahm sie mit T. Carlyle u. a. in England ihren Ausgang. In Dtl. seit 1848 bes. durch J. H. Wichern vorbereitet, wurde die c.-s. B. dort später v. a. durch A. Stoecker und F. Naumann stark beeinflusst. Auf kath. Seite trat schon vor 1848 F. von Baader für den Arbeiterstand ein, bahnbrechend wirkten Bischof W. E. Freiherr von Ketteler und A. Kolping für die c.-s. B. in Deutschland. Ihr kirchenamtliches Programm erhielt die kath. Kirche durch Leo XIII., Pius XI. und Johannes XXIII. Sowohl in der Sozialgesetzgebung wie in der prakt. Arbeit der Kirchen, nichtkirchl. Verbände und der Wirtschaft selbst hat sich die c.-s. B. seit Ende des 19. Jh. stark ausgewirkt. Die Gründung christlich-demokrat. und christlich-sozialer Parteien gab ihr die Möglichkeit polit. Wirksamkeit. In neuerer Zeit wendet sich die c.-s. B. bes. in Fragen des Rechts- und Sozialstaates der Demokratie und der pluralist. Gesellschaft sowie der Verantwortung gegenüber den Ländern der Dritten Welt zu.

Christlichsoziale Partei [k-], **1)** die von Hofprediger A. Stoecker 1878 gegründete **Christlichsoziale Arbeiterpartei.** Sie verfolgte bald, gestützt auf den konservativen Mittelstand, eine antisemit. Politik. Durch Abspaltung einer Linksgruppe unter F. Naumann entstand 1896 der **Nationalsoziale Verein,** der sich 1903 auflöste.

2) in Österreich die von K. Lueger 1891 gegründete Partei, verband sozialreformer. Ziele mit antisemit. und antiliberalen Vorstellungen, stützte sich auf das kleinere und mittlere Bürgertum. Nach Vereinigung mit den bäuerl. Klerikalen war sie 1907–11 stärkste Partei im österr. Reichsrat. In der 1. Republik war die Partei mit einem ausgeprägt christlich-demokrat. Programm 1919–34 wichtigste Reg.partei (führende Politiker: Prälat I. Seipel, K. Vaugoin, W. Miklas u. a.). Im Kampf gegen NS und Sozialdemokratie entwickelte sie bes. unter Bundeskanzler E. Dollfuß, in Verbindung mit der Heimwehr, einen autoritären Kurs; löste sich 1934 zugunsten der Vaterländischen Front auf.

Christlich Soziale Union in Bayern [k-], Abk. **CSU,** 1945 in Bayern gegründete polit. Partei, bekennt sich wie die CDU zu einem Staatsaufbau

christliche Symbole: Fische, Steinplatte aus Kampanien (Berlin, Staatliche Museen)

Christo und Jeanne-Claude: Verhüllter Reichstag in Berlin (1995)

nach christl. und sozialen Prinzipien, betont jedoch stärker den Föderalismus; sie umfasst Angehörige beider christl. Konfessionen. Im bayer. Landtag besaß sie 1946 (bis 1950) und erneut seit 1962 die absolute Mehrheit. Mit Ausnahme der Jahre 1954–57 stellte sie den MinPräs. von Bayern. Parteivorsitzende: J. Müller (1945–49), H. Ehard (1949–55), H. Seidel (1955–61), F. J. Strauß (1961–88), T. Waigel (seit 1988). Unter der Führung von Strauß gewann sie auf Bundesebene im Rahmen der Fraktionsgemeinschaft mit der CDU (seit 1949) starkes polit. Gewicht; eine 1976 erhobene Forderung nach Auflösung der Fraktionsgemeinschaft mit der CDU wurde wieder zurückgezogen. Bei den Bundestagswahlen von 1980 trat F. J. Strauß als Kanzlerkandidat von CDU und CSU hervor. Im Okt. 1982 trug die CSU das konstruktive Misstrauensvotum gegen Bundeskanzler H. Schmidt (SPD) sowie die Wahl H. Kohls (CDU) zum Bundeskanzler mit und ist – wie bereits zw. 1949 und 1969 – seitdem in der Reg. vertreten.

📖 KRAHE, B. *u.* SEIBEL, M.: *Bibliographie zur Geschichte der CDU u. CSU 1981–1986. Mit Nachträgen 1945–1980. Düsseldorf 1990. – Geschichte einer Volkspartei. 50 Jahre CSU, 1945–1995, hg. v. der Hanns-Seidel-Stiftung. Redaktion:* B. HANEKE *u.* R. HÖPFINGER. *Grünwald 1995.*

Christmas ['krɪsməs; engl. »Christmesse«], Kw. **Xmas,** im Englischen Name für Weihnachten und die Weihnachtszeit bis zum 6. Januar. **Christmas Day,** 25. Dezember.

Christmas Island ['krɪsməs 'aɪlənd], → Weihnachtsinsel.

Chrịsto [x-], eigtl. Christo Jawatschew, bulgar. Künstler, * Gabrowo 13. 6. 1935; studierte in Sofia und Wien; lebt seit 1964 mit seiner Frau Jeanne-Claude (* 1935) in New York. Unter dem Künstlernamen »Christo & Jeanne-Claude« werden Objekte verpackt, Monumente und Gebäude umhüllt, Landschaften mit Folien und anderem verändert. Diesen Aktionen, deren Vorbereitung oft Jahre dauern, gehen zahlreiche Zeichnungen und Collagen voraus. Durch die zeitweilige Veränderung des Objektes soll eine neue Seherfahrung provoziert werden. Die letzte in Deutschland entstandene Arbeit war die Verhüllung des Reichstages in Berlin (Juni 1995).

📖 *C. & Jeanne-Claude, hg. v.* J. BAAL-TESHUVA. *Fotografien v.* W. VOLZ. *Köln 1995. – C. u. Jeanne-Claude, Druckgraphik u. Objekte 1963–95. Ein catalogue raisonné, hg. v.* J. SCHELLMANN *u.* J. BENECKE. *München u. a. 1995.*

Chrịstoff [x-], Boris, bulgar. Sänger (Bass), * Plowdiw 18. 5. 1919, † Rom 28. 6. 1993; v. a. Interpret russ., italien. und frz. Opernpartien.

Chrịstoffel [k-], Elwin Bruno, Mathematiker, * Monschau 10. 11. 1829, † Straßburg 15. 3. 1900; arbeitete über Analysis, Geometrie, theoret. Physik, Geodäsie. **C.-Symbole** sind Rechengrößen zur differenzialgeometr. Behandlung gekrümmter Räume, z. B. in der allg. Relativitätstheorie.

Christologie [k-, grch.] *die,* die Lehre der christl. Kirchen von Jesus Christus.

Chrịstoph [k-], Herzog von Württemberg (1550–68), * Urach (heute Bad Urach) 12. 5. 1515, † Stuttgart 28. 12. 1568; Sohn des Herzogs Ulrich, organisierte in streng luther. Geist das württemberg. Kirchen- und Schulwesen.

Christopher ['krɪstɔfə], Warren Minor, amerikan. Politiker, * Scranton (N. D.) 27. 10. 1925;

Christo

Die Verhüllung des Reichstags in Berlin im Sommer 1995

Zunächst mussten Christo und Jeanne-Claude, die weltbekannten Verpackungskünstler, die politisch Verantwortlichen von ihrem Projekt überzeugen, das sie seit 1971 verfolgten. Mit der deutschen Vereinigung 1990 erhielt das Vorhaben einen neuen Schub und wurde im Juni 1995 realisiert. Dabei wurde das 32 m hohe (Türme etwa 42 m), 138 m lange und 96 m breite Gebäude mit 100 000 qm silbrig schimmerndem Kunstfasergewebe, dessen spätere Verwendung bereits zuvor geklärt worden war, verhüllt. Die Halterungen bildeten blaue Seile und speziell konstruierte Vorrichtungen an den Innenseiten von 270 Fenstern. Die Ornamente im Dachbereich wurden vorher mit 38 »Käfigen« geschützt. Die einzelnen Gewebebahnen, 1,55 m breit, wurden nach einem ausgetüftelten Zuschnittplan in drei Nähereien mit 1 300 km Garn angefertigt, nummeriert und aufgerollt. Am Reichstag angekommen, hoben vier Kräne sie auf das Dach. Dort wurden sie befestigt und einzeln abgerollt. An der Fassade legten Kletterer, alle versierte Alpinisten, den Stoff in Bahnen und vertäuten die 15 600 m Seil. Der Stoff wurde mit Bodengewichten gesichert. Wiewohl umstritten, ist es der Aktion doch gelungen, den Blick auf ein Symbol der wechselvollen deutschen Geschichte zu lenken.

Rechtsanwalt, Mitgl. der Demokrat. Partei, 1967–69 stellv. Justizmin., 1977–81 stellv. Außenmin., erreichte im Jan. 1981 in den Verhandlungen mit dem Iran die Freilassung der Geiseln aus der amerikan. Botschaft in Teheran. Als Außenmin. (1993–97) hatte er maßgebl. Anteil an Fortschritten im Friedensprozess im Nahostkonflikt.

Warren M. Christopher

Christophorus [k-; grch. »Christusträger«], Märtyrer, einer der 14 Nothelfer der kath. Kirche gegen Hagelschlag und plötzl. Tod, Schutzpatron der Fahrenden und Reisenden; nach der Legende ein Riese, der das Jesuskind durch einen Strom trug und von ihm getauft wurde. Attribute: Jesuskind, Stab. Die bildende Kunst zeigt den hl. C., bes. in spätgot. Zeit, als bärtigen Riesen mit dem Jesuskind auf der Schulter und auf einen Baumstamm gestützt. Heiliger, Tag: 24. 7., orth. Kirche 9. 5.

Christophskraut [k-] (Actaea), Gattung der Hahnenfußgewächse; einheimisch ist das **Ährige C.** (Actaea spicata), eine Staude mit mehrfach gefiederten Blättern, weißen Blütentrauben und schwarzen, giftigen Beeren.

Christrose [k-], die Schwarze →Nieswurz.

Christ und Welt [k-], ursprünglich evang. Wochenzeitung, gegr. 1948 in Stuttgart; seit 1971 unter dem Titel »Deutsche Zeitung – Christ und Welt«, die 1980 mit dem →Rheinischen Merkur fusionierte.

Christus [k-; grch. der »Gesalbte«], die Übersetzung des hebr. →Messias, der Würdename für Jesus von Nazareth, der ihn als den im A. T. verheißenen Messias kennzeichnet; schon in den Apostelbriefen sein Eigenname (→Jesus Christus).

Christus ['kristys], Petrus, niederländ. Maler, * Baarle (heute Baarle-Nassau, Prov. Nordbrabant) um 1420, † Brügge 1472/73; malte in enger Anlehnung an Jan van Eyck religiöse Darstellungen und Porträts, die eine für die Zeit erstaunl. Wirklichkeitserfassung zeigen.

Christusbild [k-], die Darstellung Christi in Malerei und Plastik, seit frühchristl. Zeit eines der Hauptthemen der Kunst. Anfänglich beschränkte man sich auf Geheimzeichen (→christliche Symbole), später kamen sinnbildl. Darstellungen dazu, so z. B. der Gute Hirte, als jugendl. Held dem antiken Schönheitsideal des Apoll folgend. Daneben bestand das Bild des reifen, würdigen Christus. Als Maiestas Domini oder als Pantokrator sitzend oder stehend wurde er bis zur Romanik, bes. in der Apsis, dargestellt. Im MA. wurden Leben und Passion Christi zentrales Thema. Durch die Jahrhunderte suchten die Künstler das C., das dem Frömmigkeitsausdruck der Zeit am nächsten kam, zu gestalten; so gab es in der Gotik sowohl das idealisierende C. (»Schöner Stil«) als auch die realist. Darstellung des leidenden Christus (M. Grünewald). Die Plastik bevorzugte das Kruzifix und das Andachtsbild. In der Renaissance, die Christus als göttlich vollkommenen Menschen verkörperte, stellte Michelangelo noch einmal den bartlosen antiken Typus dar. Unter den zahlr. C. der Barockzeit ragen die Darstellungen Rembrandts durch seel. Ausdruckskraft hervor.

Christusbild (von links): Maiestas Domini, Wandmalerei aus Santo Clemente de Tahull (Ende 12. Jh.; Barcelona, Katalanisches Museum); Lovis Corinth, »Der rote Christus«, Ausschnitt (1922; München, Neue Pinakothek)

📖 *Christus in der bildenden Kunst, hg. v.* K. WINNEKES. *München 1989.*

Christusdorn [k-] (Euphorbia milii), stark bedornter, sukkulenter Strauch aus Madagaskar; Scheinblüten klein, gelb, jeweils von einem Paar hellroter oder hellgelber Hochblätter umgeben; Zimmerpflanze.

Christus-monogramm

Christusmonogramm [k-] (Christogramm), symbol. Zeichen für den Namen Christus, gebildet aus den grch. Anfangsbuchstaben (XP); üblich seit dem 3. Jh., häufig ergänzt durch Alpha und Omega (A und Ω, Sinnbild für Christus als Anfang und Ende). Im 15. Jh. wurde durch Bernhardin von Siena das Zeichen IHS (auch gedeutet als »Iesus hominum salvator« [Jesus, Erlöser der Menschen], volksetymologisch: »Jesus, Heiland, Seligmacher«) verbreitet; später v. a. von den Jesuiten verwendet.

Christusorden [k-], nach Auflösung des Templerordens in Portugal aus dessen Gütern 1318 gegründeter geistl. Ritterorden, bed. in der portugies. Kolonisation; 1797 säkularisiert.

Chrodegang von Metz [k-], Bischof aus rhein. Adel, * Anfang des 8. Jh., † Metz 6. 3. 766. Als Laie (Notar Karl Martells) zum Bischof bestellt, führte er im Frankenreich die röm. Liturgie ein und gründete als Kirchenreformer klosterähnl. Gemeinschaften. Heiliger, Tag: 6. 3.

Chrom [k-; frz. von grch. chrõma »Haut«, »Hautfarbe«, »Farbe«], **Cr**, metall. Element aus der 6. Gruppe und 4. Periode des Periodensystems. Ordnungszahl 24, relative Atommasse 51,996, Dichte 7,18 g/cm^3, Schmelzpunkt 1890 °C, Siedepunkt 2670 °C. – C. ist ein silberglänzendes, in reinem Zustand dehnbares, in unreinem sprödes, hartes Metall. An der Luft und gegen Wasser ist C. beständig. Gegen konzentrierte Salpetersäure ist es durch Bildung einer Oxidschicht beständig (passiv); so vorbehandeltes C. löst sich auch nicht mehr in einer anderen verdünnten Säure. Bei erhöhter Temperatur reagiert es mit den meisten Nichtmetallen, mit Kohlenstoff bildet es **C.-Carbid.** C. ist mit etwa 0,03 Gewichts-% am Aufbau der oberen Erdkruste in Form seiner Verbindungen beteiligt. Es kommt (außer spurenweise in Meteoriten) in der Natur nicht gediegen vor. Wichtigstes C.-Mineral und zugleich einziges bed. C.-Erz ist → Chromit. Sehr reines C. wird auf elektrolyt. Wege hergestellt, kohlenstoffhaltige Ferrochromlegierungen werden durch Reduktion von Chromit mit Kohle im elektr. Ofen gewonnen, kohlenstofffreie Ferrochromlegierungen durch → Aluminothermie. Reinstes C. erhält man durch Zersetzung des Dampfes von Chrom(III)jodid, CrJ_3, an heißen Drähten.

Verwendung: C. wird v. a. in Form von Ferro-C. zur Herstellung korrosionsbeständiger und hoch beanspruchbarer C.- und C.-Nickelstähle verwendet. Reines C. dient v. a. als Legierungsmetall, zum Verchromen von Metallen als korrosionsfester Überzug und zur Herstellung von → Cermets. Zahlr. Verbindungen des C. werden technisch angewendet, z. B. als C.-Farbe, als Beizmittel und für galvan. Bäder.

Wirtschaft: Hauptförderländer waren (1993, in Mio. t): Kasachstan (2,970), Rep. Südafrika (2,287), Indien (1,070), Türkei (706), Finnland (511), Albanien (282) und Simbabwe (252); weltweit wurden 1993 9,5 Mio. t C.-Erz gefördert (1992: 11,7 Mio. t).

Chromakey [krɔmæ'ki:, engl.], Verfahren der Trickmischung im Fernsehen, bei dem ein Hintergrund in gesättigter, gleichmäßiger Farbe ausgewechselt werden kann. Die gleiche Farbe darf gesättigt nicht im Vordergrund enthalten sein. Ein älteres Verfahren hieß **Bluebox** (immer blauer Hintergrund).

Chromatiden [k-], → Chromosomen.

Chromatieren [k-], Erzeugung von Schutzschichten auf Metalloberflächen in sauren oder alkal. Lösungen, die Chromsäure oder Chromate enthalten. Das C. verbessert die Korrosionsbeständigkeit der Metalle und ergibt einen guten Haftgrund für Lacküberzüge.

Chromatik [k-, grch.] *die, Musik:* die durch Versetzungszeichen (♯, ♭) bewirkte Erhöhung oder Erniedrigung der Stammtöne einer Tonart. Die **chromat. Fortschreitung** ist die Halbtonfortschreitung zu oder von einem nicht leitereigenen, durch Erhöhung oder Erniedrigung abgeleiteten Ton, in C-Dur z. B. f–fis–g. Als **chromat. Tonleiter** (Zwölftonleiter) wird eine Tonleiter mit zwölf Halbtönen in der Oktave bezeichnet, die in steigender Richtung mit ♯, in fallender Richtung mit ♭ als Vorzeichen notiert werden. **Chromatische Intervalle** nennt man alle übermäßigen (z. B. die übermäßige Quarte c–fis) und verminderten (z. B. die verminderte Quarte e–as) Intervalle. Die C. kam in der abendländ. Musik seit Mitte des 16. Jh. auf und wurde in der Musik des 19. Jh., v. a. in Spätromantik und Impressionismus, ein wesentl. Ausdrucksmittel. A. Schönberg und M. Hauer begründeten auf der C. die → Zwölftonmusik.

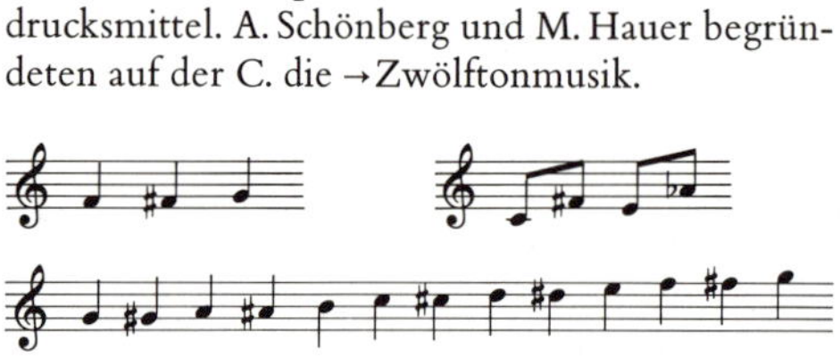

Chromatik: Oben links die chromatische Fortschreitung f–fis–g, rechts die chromatischen Intervalle c–fis und e–as; unten eine chromatische Tonleiter

Chromatin [k-, grch.] *das,* im Zellkern befindl. Desoxyribonucleinsäuren und Proteine, die sich am Anfang einer Zellteilung zu Chromosomen verdichten.

chromatisch [k-], **1)** *Musik:* in Halbtönen fortschreitend.

2) *Physik:* die →Farbenlehre betreffend.

chromatische Aberration [k-], →Abbildungsfehler infolge der Abhängigkeit der Brechzahl von der Lichtwellenlänge.

Chromatographie [k-, grch.] *die,* physikalisch-chem. Verfahren zur Trennung von Stoffgemischen durch Verteilung eines Stoffes zwischen einer bewegl. (mobilen) Phase (Gas oder Flüssigkeit) und einer zweiten, stationären Phase aufgrund von Adsorptions- oder Lösungsvorgängen. Bei unterschiedl. Verhalten der Einzelkomponenten eines Stoffgemischs werden sie von der mobilen Phase mit unterschiedl. Geschwindigkeit transportiert und so getrennt. Je nach Anordnung der stationären Phase unterscheidet man u.a. →Dünnschichtchromatographie und →Papierchromatographie. Die →Gaschromatographie ist zur Trennung flüchtiger Stoffe geeignet. Aus dem gewonnenen **Chromatogramm,** einem Konzentrationsprofil der zu trennenden Stoffe in der Trennstrecke, erhält man Angaben zur qualitativen und quantitativen Zusammensetzung eines Stoffgemischs.

📖 Schwedt, G.: *Chromatograph. Trennmethoden. Theoret. Grundlagen, Techniken u. analyt. Anwendungen. Stuttgart* [3]*1994.*

Chromatophoren [k-; grch. »Farbträger«], **1)** *Botanik:* farbige →Plastiden.

2) *Zoologie:* Pigment führende Zellen der Körperdecke, die den Farbwechsel bewirken.

Chromatron [k-, grch.] *das,* Elektronenstrahlröhre für die Wiedergabe von farbigen Fernsehbildern mit im Strahlweg vor dem Bildschirm angeordneten Gitterdrähten und horizontalen oder vertikalen Leuchtstoffstreifen auf dem Bildschirm. Mithilfe der Gitterelektrodenanordnung und Änderung ihrer Potenzialdifferenzen wird der Elektronenstrahl auf grüne, rote oder blaue Leuchtstoffe gelenkt.

Chromatvergiftung [k-], Vergiftung durch bestimmte Chromverbindungen (Chromate). Durch Ätzwirkung kann es zu Schädigung von Haut und Schleimhäuten, bei langjährigem Einatmen chromhaltiger Stäube und Dämpfe u.a. zu Lungenkrebs kommen. Gewerbl. C. sind melde- und entschädigungspflichtige Berufskrankheiten.

Chromeisenerz [k-] (Chromeisenstein), der →Chromit.

Chromfarben [k-], lichtechte Chromverbindungen für Malerei, Anstrich, Druck, Keramik. Grüne C. sind Oxide, gelbe bis rote C. Chromate; daneben viele Mischfarben.

Chromieren [k-], **1)** *Metallkunde:* →Inchromieren.

2) *Textilfärberei:* Bildung einer Verbindung zw. chromhaltigem Farbstoff und Textilmaterial, um Farb- und Nassechtheit zu erreichen. C. verursacht Abwasserbelastung.

Chromit [k-] *der* (Chromeisenstein, Chromeisenerz), bräunlich schwarzes, halbmetallisch glänzendes kub. Mineral, $(Fe,Mg)Cr_2O_4$, aus der Gruppe der Spinelle; einziges wichtiges Chromerz; in olivinreichen Gesteinen und deren Umwandlungsprodukten (Serpentinite), auch in Seifenlagerstätten.

Chromit

Chromleder [k-], chromgegerbtes, Wasser abweisendes Leder.

Chromomer [k-] *das, Genetik:* stark anfärbbares Chromosomensegment; der Wechsel von C. und Interchromomeren ergibt ein chromosomenspezif. C.-Muster.

Chromophore [k-, grch.], Atomgruppen, die durch selektive Lichtabsorption organ. Stoffen Farbigkeit verleihen, z.B. Azo-, Nitrogruppe. Stoffe oder Radikale (→Radikal), die durch ein C. farbig werden, heißen **Chromogene.**

Chromoplasten [k-, grch.], →Plastiden.

Chromoproteine [k-, grch.], mit einer Farbstoffkomponente verbundene Eiweiße, z.B. Hämo-, Flavoproteine.

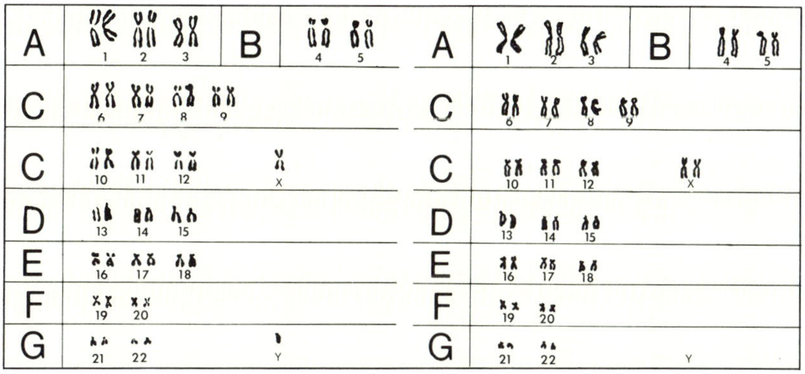

Chromosomen: Menschlicher Chromosomensatz (links männlich, rechts weiblich) nach der Nomenklatur von Denver; autosomale Gruppen A, B, C, ... mit den Chromosomen 1, 2, 3, ... (z.B. A 1-3, B 4-5, C 6-12) und die Geschlechtschromosomen X, Y

Chromosomen [k-; grch. »Farbkörper«], fadenförmige Gebilde in den Zellkernen, Träger der Erbanlagen. Sie sind anfärbbar und während der →Kernteilung lichtmikroskopisch sichtbar. Jedes C. besteht aus zwei ident. Haupthälften, den **Chromatiden.** Die C. sind in den Keimzellen einfach (haploider C.-Satz durch →Reduktionsteilung), in den übrigen Zellen des Körpers doppelt (diploider C.-Satz) vorhanden und lassen sich zu Paaren ordnen. Die C. eines C.-Paares werden als homologe C. bezeichnet, sie sind in Funktion und meist auch Form gleich. Anzahl und Form der C.-Paare sind für jede Tier- und Pflanzenart konstant, ihre Zahl schwankt zw. einem und über 100. Die Keimzellen des Menschen bestehen aus 23, die übrigen Körperzellen aus 46 C., 22 Paaren von **Autosomen** und einem Paar von **Heterosomen** oder **Geschlechtschromosomen.** Die Autosomen sind in Zellen weibl. und männl. Organismen gleich, die Heterosomen dagegen ungleich, sie sind geschlechtsbestimmend und bestehen bei Mensch und höheren Tieren aus X- und Y-Chromosomen. Weibl. Geschlecht ist durch das Vorliegen von zwei X-C., männl. durch ein X- und ein Y-C. gekennzeichnet. Ein bei der →Befruchtung im männl. Spermium vorhandenes X- oder Y-C. entscheidet über das Geschlecht eines neuen Lebewesens. – Der wichtigste Bestandteil der C. ist die →Desoxyribonucleinsäure (DNS). Sie ist der stoffl. Grundträger der genet. Information, kann sich und ihren Informationsgehalt verdoppeln und programmiert die Eiweißsynthese der Zelle. Die DNS durchzieht in Form langer Fäden die C., auf denen hintereinander liegend die funktionellen Einheiten der Vererbung, die →Gene, unterschieden werden können.

📖 Traut, W.: *C. Klass. u. molekulare Cytogenetik. Berlin u. a. 1991.* – Knippers, R.: *Molekulare Genetik. Stuttgart u. a. 71997.*

Chromosomenaberration [k-] (Chromosomenmutation), Veränderung in der Chromosomenstruktur durch Verlust, Austausch oder Verdopplung eines Chromosomenstückes, wodurch die Anzahl oder die Art der Gene auf einem Chromosom verändert werden.

Chromosomenanomali|en [k-, grch.], durch Genom- oder Chromosomenaberration entstandene Veränderungen in der Zahl (numer. C.) oder Struktur (strukturelle C.) der Chromosomen, die sich als Komplex von Defekten äußern können und beim Menschen die Ursache für viele klin. Syndrome bilden, u. a. →Down-Syndrom, →Edwards-Syndrom, →Turner-Syndrom.

Chromosphäre [k-, grch.], hauptsächlich aus Wasserstoff und Helium bestehende Übergangsschicht zw. Photosphäre und Korona der →Sonne; Dicke ca. 10 000 km. Wegen ihrer geringen Dichte ist sie nur kurz vor und nach der Totalitätsphase einer Sonnenfinsternis zu sehen.

Chronik [k-, grch.], **1)** Geschichtswerk, das die histor. Ereignisse in zeitl. Abfolge darstellt. Am Beginn einer C. steht oft sagenhaftes Geschehen, sie endet meist mit der Zeit des Chronisten und erfasst häufig nur bestimmte Territorien, Herrscherhäuser u. a.; universalen Anspruch hat die →Weltchronik. Die Grenze zu den →Annalen ist fließend. Eine Sonderform ist die Reimchronik.

2) (Bücher der C., grch. Paralipomena), die beiden in der 2. Hälfte des 4. Jh. v. Chr. entstandenen jüngsten Geschichtsbücher des Alten Testaments.

chronisch [k-, grch.], lange dauernd, langwierig; langsam verlaufend (von Krankheiten); Ggs.: akut.

Chronogramm [k-; grch. »Zeitbuchstabe«], auf ein bestimmtes Jahr bezogener lat. Satz; die Addition der Buchstaben, die zugleich röm. Zahlzeichen sind, ergibt die Jahreszahl. In Versform als **Chronostichon** (ein Vers) oder als **Chronodistichon** (zwei Verse).

Chronograph [k-; grch. »Zeitschreiber«] *der,* Zeitlaufgerät, das als Zeitschreiber für wiss., techn. und sportl. Zwecke neben der Normalzeitangabe vergleichende Zeitmessungen durchführt und entweder auf einem Papierstreifen aufzeichnet oder schriftlich ausgibt.

Chronologie [k-; grch. »Lehre von der Zeit«] *die,* Wissenschaft von der Zeitrechnung (auch die Zeitrechnung selbst), die sich um einen eindeutigen absoluten oder relativen Zeitmaßstab für die vergangenen Ereignisse mit ihren Beziehungen zur Gegenwart bemüht. Hilfsmittel sind die versch. Methoden der Datierung solcher Ereignisse (→Altersbestimmung), beginnend bei der Entstehung der chem. Elemente, der Entstehung und dem Werdegang von Sternen und Sternsystemen **(kosmolog. C.),** der Entstehung und Umwandlung bestimmter Minerale und Gesteine sowie ganzer geolog. Schichten **(geolog. C.),** über die Datierung von Zeugnissen und Resten ausgestorbener Lebewesen **(paläontolog. C.)** oder anderer biolog. Befunde **(biolog. C.)** bis zur zeitl. Festlegung von Funden aus vorgeschichtl. Kulturepochen **(anthropolog. C., Vorgeschichtsforschung)** und zur Datierung mithilfe astronom. Ereignisse **(astronom. C.).** Die **histor. C.** schließlich behandelt die Techniken und Methoden der histor. Zeitrechnung, insbesondere das Kalenderwesen sowie die damit verbundenen kulturellen und weltanschaul. Erscheinungen, wie die Festrechnung (z. B. Ostern), die Vorstellungen von Zeitperioden und Ären (→Ära) und von der Bedeutung des Zeitablaufs. – Das relative Alter von geolog. Schichten, Fossilien und Kulturresten wird aus deren ungestörter Ablagerungsfolge abgelesen; liegen die Funde oder Schichten abc übereinander, so ist das zeitl. Nacheinander offensichtlich, wenn an einem anderen Platz cde aufeinander folgen, ist durch c Verbindung zum ersten vorhanden; die zeitl. Abfolge a–e kann aufgebaut werden (stratigraph. Methode).

Chronometer [k-; grch. »Zeitmesser«], Uhr, die bei entsprechender Bauart und Präzision amtl. Prüfbedingungen erfüllt. Man unterscheidet: 1) **Schiffs-C.** (See-C.), kardanisch aufgehängt, sodass sich ihr Gehäuse stets horizontal einstellt; 2) **Beobachtungsuhren,** für wiss. und messtechn. Zwecke (Astronomie, Geodäsie); 3) **Taschen-** und **Armbandchronometer.** Als Schiffs-C. und Beobachtungs-C. dienen heute meist Quarzuhren.

Chronometer: Erstes, noch verhältnismäßig ungenaues Schiffschronometer des britischen Uhrmachers John Harrison (um 1736)

Chronon [k-] *das, Physik:* (hypothet.) Zeitquant in der Größe von 10^{-24} s.

Chronos [ç-; grch. »die Zeit«], *grch. Mythos:* Personifikation der Zeit, die dann auch als Gott der Zeit angesehen und mit →Kronos gleichgesetzt wird.

Chruschtschow [x-], Nikita Sergejewitsch, sowjet. Politiker, *Kalinowka (Gouv. Kursk) 17. 4. 1894, †Moskau 11. 9. 1971; urspr. Schlosser, später Ingenieur; 1939–64 Mitgl. des Politbüros bzw. Präsidiums der KPdSU, war als Parteigänger Stalins 1935–38 und 1949–53 Erster Sekr. der Moskauer, 1938–49 (mit Unterbrechung 1947) der ukrain. Parteiorganisation, 1941–45 polit. Kommissar an versch. Frontabschnitten. Nach dem Tod Stalins wurde C. 1953 Erster Sekr. der KPdSU. Auf dem XX. Parteitag (1956) leitete er mit dem »Geheimreferat« über die Herrschaftsmethoden und den »Personenkult« Stalins die →Entstalinisierung ein. Nach der Entfernung von Kritikern aus der Parteispitze übernahm er 1958 auch den Vorsitz des Ministerrates (MinPräs.). Mit einem Programm zur Neulandgewinnung und der Reform der Wirtschaftsverwaltung suchte er Akzente zu setzen. Außenpolitisch leitete C. mit der von ihm vertretenen These von der friedl. Koexistenz eine Entspannungsdiplomatie ein (Einlenken in bestimmten internat. Konflikten, z.B. Koreakrieg, und in Kontroversen, z.B. mit Jugoslawien), markierte jedoch u.a. mit der Unterdrückung des Ungarnaufstands (1956), dem Berlin-Ultimatum (1958) und dem Bau der Berliner Mauer (1961) sichtbar deren Grenzen. Durch Reisen v.a. in die asiat. Länder suchte er das Streben der Völker der Dritten Welt nach staatl. Unabhängigkeit im Sinne der sowjet. Außenpolitik zu nutzen. In der →Kuba-Krise (1962/63) erlitt er eine diplomat. Niederlage. Bes. die Entstalinisierung sowie die These von der friedl. Koexistenz führten zum Konflikt mit der kommunist. Führung der VR China. Im Okt. 1964 wurde C. von innerparteil. Gegnern (u.a. L. I. →Breschnew) als Staats- und Parteiführer abgesetzt.

📖 CHRUSCHTSCHOW, S.: *N. C. Marionette des KGB oder Vater der Perestroika. A.d. Amerikan. München 1991.* – FILTZER, D: *Die C.-Ära. Entstalinisierung u. die Grenzen der Reform in der UdSSR, 1953–1964. A.d. Engl. Mainz 1995.*

Chrysalis [ç-, grch.] *die,* Puppenstadium der Insekten.

Chrysanthemen: Zuchtform der Winteraster

Chrysanthemen [ç-, k-; grch. »Goldblumen«] (Winterastern), allg. Bezeichnung für die als Zierpflanzen kultivierten Arten, Unterarten, Sorten und Hybriden aus der Gattung Chrysanthemum (→Wucherblume).

Chrysipp [ç-] (grch. Chrysippos), grch. Philosoph aus Soloi, *281/277 v.Chr., †208/204 v.Chr.; neben Zenon der bedeutendste Denker der Stoa.

Chrysler Corporation ['kraɪzlə kɔ:pə'reɪʃn], bed. amerikan. Kfz-Unternehmen, Sitz: Detroit; gegr. 1925 von Walter Percy Chrysler (*1875, †1940); bekannteste Marken sind Chrysler, Dodge, Imperial, Plymouth; übernahm 1987 American Motors Corporation.

chryso... [ç-; grch. chrysós »Gold«], gold...

Chrysoberyll [ç-; grch. »Goldberyll«] *der,* gelbes bis grünes oder bräunl. rhomb. Mineral, Al_2BeO_4, in Pegmatiten, Glimmerschiefern und Edelsteinseifen. Edelsteinvarietäten: bläul. Cymophan, dunkelgrüner Alexandrit.

Chrysographie [ç-; grch. »Goldschrift«] *die,* im frühen MA. die Kunst des Schreibens und Malens mit Goldtinktur.

Nikita Chruschtschow

Chrysokoll [ç-, grch.] *der* (Kieselkupfer, Kieselmalachit), grünes bis blaugrünes Mineral, ein Kupfersilikat, wird örtlich als Kupfererz abgebaut.

Chur: Blick auf die Stadt

Chrysolịth [ç-, k-, grch.] *der,* blassgrünes Mineral, Edelsteinvarietät des →Olivin.

Chrysoloras [ç-], Manuel, byzantin. Gelehrter, *Konstantinopel um 1350, †Konstanz 15. 4. 1415; lehrte in Florenz, Pavia und Mailand, war der erste Lehrer des Griechischen in Italien nach 700 Jahren; verfasste die erste grch. Grammatik der Renaissance (»Erotemata«, gedruckt 1496).

Chrysopras [ç-, k-, grch.] *der* grünlich gefärbter →Chalcedon.

Chrysọstomos [ç-; grch. »Goldmund«], Johannes, grch. Kirchenlehrer, *Antiochia am Orontes zw. 344 und 354, †bei Komana (bei Kayseri) 14. 9. 407; seit 398 Patriarch von Konstantinopel; einer der bedeutendsten Prediger der grch. Patristik. Heiliger, Tag: 13. 9.

Chrysotil [ç-, k-, grch.] *der* (Faserserpentin, Serpentinasbest), →Serpentin.

Chryssa ['krɪsə], Vardea, amerikan. Bildhauerin grch. Herkunft, *Athen 31. 12. 1933; verwendet seit 1956 Buchstaben als serielle Bildelemente; in den 60er-Jahren entwickelte sie Objekte und Environments mit Leuchtröhren.

chthonisch [ç-; grch. chthōn »Erde«], der Erde angehörend, unterirdisch, auch gebraucht zur Kennzeichnung in und unter der Erde mächtiger Gottheiten, z. B. Demeter, Gaia, Pluton.

Chuang-tzu [dʒ-], chines. Philosoph, →Zhuangzi.

Chubilai [k-], Großkhan der Mongolen, →Kubilai.

Chur
Stadtwappen

Chubut [tʃu'but] *der,* Fluss in Patagonien (Argentinien), rd. 800 km lang, entspringt am O-Hang der Kordilleren, mündet in den Atlantik, am Unterlauf Bewässerungskulturen.

Chudschand [x-] (bis 1936 Chodschent, 1936–91 Leninabad), alte Oasenstadt und Gebietshptst. in Tadschikistan, am Austritt des Syrdarja aus dem Ferganabecken, 164 000 Ew.; botan. Garten; Seiden- und Baumwollverarbeitung; in der Oase Baumwoll-, Obstanbau und Seidenraupenzucht. – An der Stelle des heutigen C. gründete Alexander d. Gr. 329 v. Chr. **Alexandreia Eschate;** im MA. bed. Karawanenhandelsplatz; 1866 von Russland annektiert.

Chukiang [dʒudʒjaŋ], chines. Fluss, →Perlfluss.

Chullpa ['tʃulpa], oberird. Grabturm in Bolivien und S-Peru aus der Inka- und Tiahuanacokultur; teils Rechteckbau aus Stein oder Lehm, teils steinerner Rundturm von umgekehrt kon. Form.

Chun Doo Hwan [tʃun-], südkorean. General und Politiker, *Naechonri (bei Taegu) 18. 1. (nach anderen Angaben 23. 1.) 1931; als Geheimdienstchef führend am Militärputsch 1979 und an der blutigen Niederschlagung des Aufstands von Kwangju (1980) beteiligt, führte als Staatspräs. (1980–88) ein diktator. Reg.system. In einem Prozess (1996) verurteilte ihn ein Gericht wegen Rebellion, Mord und Bestechlichkeit zum Tode (Dez. 1996 Umwandlung in eine lebenslange Haftstrafe).

Chungking [tʃuŋtʃiŋ], chines. Stadt, →Chongqing.

Chuquicamata: Luftaufnahme eines Kupfererzabbaubetriebes

Chuquicamata [tʃukika'mata], Stadt im Großen Norden Chiles, 3 000 m ü. M., 18 000 Ew.; bed. Kupfererztagebau mit Erzverhüttung; Ausfuhr über Antofagasta.

Chuquitanta [tʃuki-] (heute El Paraiso), →andine Hochkulturen.

Chur [ku:r] (bündnerroman. Cuera, Cuira, Cuoira), Hptst. des Kt. Graubünden, Schweiz,

585 m ü. M., an der Einmündung des Schanfigg (Tal der Plessur) ins Rheintal, 30 100 Ew.; kath. Bischofssitz, Theolog. Hochschule; Metall-, Nahrungsmittel-, Textilindustrie. – Über der Altstadt liegt an der Stelle eines Römerkastells die Bischofsburg (»Hof«); sie umfasst das bischöfl. Schloss (barock umgestaltet) und die romanisch-got. Kathedrale (12./13. Jh.); Rathaus (15. und 16. Jh.). – C., das röm. **Curia Raetorum,** wurde im 5. Jh. Bischofssitz; seit dem 10. Jh. im Besitz der Bischöfe; 1526 Sieg der Reformation; seit 1489 Reichsstadt, wandte sich aber 1498 der Eidgenossenschaft zu; seit 1820 Hptst. von Graubünden.

Churchill ['tʃəːtʃɪl], alte engl. Familie. John C. erhielt 1702 den Titel eines Herzogs von →Marlborough. Die Nachkommen seiner Tochter Anna, die 1700 Charles Spencer (*1674, †1722) heiratete, erbten die Herzogswürde und legten sich den Namen **Spencer Churchill** zu.

1) Randolph Henry Spencer, Lord C., brit. Politiker, *Blenheim Palace 13. 2. 1849, †London 24. 1. 1895, Vater von 2); 1885/86 Min. für Indien, 1886 Schatzkanzler; hatte als Konservativer durch seine imperialist. und sozialreformer. Ideen großen polit. Einfluss.

2) Sir (seit 1953) Winston Leonard Spencer, brit. Politiker, *Blenheim Palace 30. 11. 1874, †London 24. 1. 1965, Sohn von 1); zunächst Offizier, 1899–1900 Kriegsberichterstatter im Burenkrieg, trat 1904 von der Konservativen zur Liberalen Partei über. 1908–10 war er Handels- und 1910/11 Innenminister. Seit 1911 Erster Lord der Admiralität, trieb C. die Flottenrüstung voran, musste aber im 1. Weltkrieg nach dem Scheitern der Dardanellenexpedition zurücktreten. Als Kriegs- und Luftfahrtmin. (1918–21) war C. ein strikter Befürworter der alliierten Intervention in Sowjetrussland. Nach dem Zerfall der Liberalen Partei schloss er sich wieder den Konservativen an. 1924–29 war er Schatzkanzler. Seine Kritik an der regierungsamtl. Indien- und Dtl.-Politik (→Appeasement) brachte ihn in Ggs. zu seiner Partei; er warnte frühzeitig vor Hitler.

Nach Ausbruch des 2. Weltkrieges wurde C. auf Druck der öffentl. Meinung zum Ersten Lord der Admiralität und nach dem Scheitern der brit. Norwegenexpedition und dem Beginn des Frankreichfeldzugs zum Premiermin. berufen (10. 5. 1940). In dieser Position wurde er zum Symbol des Durchhaltewillens seiner Nation, sorgte für Einigkeit im Innern (Kabinett der »Nationalen Konzentration«) und unter den in der »Anti-Hitler-Koalition« verbündeten Mächten Großbritannien, USA und UdSSR. Mit dem amerikan. Präs. F. D. Roosevelt verkündete C. 1941 die Atlantikcharta und vertrat sein Land auf den Konferenzen von Teheran, Casablanca, Kairo und Jalta. Bei Kriegsende fand er nicht die Unterstützung Roosevelts, als er eine frühzeitige Eindämmung der sowjet. Machtexpansion anstrebte. Nach der Wahlniederlage der Konservativen im Juli 1945 trat er noch während der Potsdamer Konferenz zurück. Danach Oppositionsführer, plädierte C. für ein westl. Verteidigungsbündnis. Im Sept. 1946 rief er in Zürich zur europ. Zusammenarbeit auf, ohne jedoch Großbritannien als Teil des engeren Europas zu begreifen. 1951–55 war er erneut Premierminister. C. hat sich auch als Maler und Schriftsteller (1953 Nobelpreis für Literatur) einen Namen gemacht.

Winston Churchill

Werke: Weltkrisis, 6 Bde. (1923–31); Der Zweite Weltkrieg, 6 Bde. (1948–53); Aufzeichnungen zur europ. Geschichte , 4 Bde. (1956–58).

Ausgaben: His complete speeches, 1897–1963, hg. v. R. R. JAMES, 8 Bde. (1974); C. and Roosevelt. The complete correspondence, hg. v. W. F. KIMBALL, 3 Bde. (1984).

📖 HAFFNER, S.: *W. C. Reinbek 56.–57. Tsd. 1995.* – LUKACS, J.: *C. u. Hitler. Der Zweikampf 10. Mai–31. Juli 1940. A. d. Amerikan. Neuausg. München u. a. 1995.* – NEVILLE, P.: *W. C. Statesman or opportunist? London 1996.*

Churchill River ['tʃəːtʃɪl 'rɪvə], **1)** Fluss in Kanada, 1 609 km lang, entfließt dem Methy Lake, mündet in die Hudsonbai bei Port Churchill; viele seeartige Erweiterungen und Stromschnellen.

2) (bis 1965 Hamilton River), Hauptfluss Labradors, mit dem Ashuanipi River 856 km lang, mündet in den Lake Melville (Erweiterung des Hamilton Inlet der Labradorsee). An den **Churchill Falls** (früher **Grand Falls**; Fallhöhe 75 m) wurde 1967–74 ein Kraftwerk errichtet (Gesamtkapazität 5 225 MW); oberhalb der Wasserfälle wurde der Fluss zum **Smallwood Reservoir** (6 527 km^2) aufgestaut.

Church of England ['tʃəːtʃ ɔv 'ɪŋlənd], die anglikan. →Kirche von England.

Churfirsten [k-] *der,* lang gestreckte Alpenkette im Kanton St. Gallen, Schweiz, im Hinterrugg bis 2 306 m, fällt nach S schroff zum Walensee ab.

Churri [x-], Land im Alten Orient, →Hurriter.

Churriguera [tʃurri'ɣera], span. Bildhauer- und Baumeisterfamilie: José-Benito C. (*1665, †1725) schuf reich geschnitzte Altäre und übertrug diesen Stil wie seine Brüder Joaquín C. (*1674, †1724) und Alberto C. (*1676, †1750) auf die Architektur (Entwurf für das Dorf Nuevo Baztán; Kirchen in Madrid und Salamanca). Ihre Schüler verbreiteten diesen durch reiche Ornamentik mit plateresken Formen charakterisierten Stil **(Churriguerismus)** über ganz Spanien. BILD S. 30

Churriter [x-], altoriental. Volk, →Hurriter.

Chushaninseln [dʒuʃan-], chines. Inselgruppe, →Zhoushan Qundao.

Chusistan [x-], iran. Provinz, →Khusistan.

José Churriguera: Das 1693 signierte Hauptretabel in der Dominikanerkirche San Esteban (1524–1610) in Salamanca

Chụtba [x-, arab.] *die, Islam:* im Fest- oder Freitagsgottesdienst die Predigt, vielfach mit Lob auf Allah und Mohammed. Der Prediger (Chatib) ist oft auch Vorbeter (Imam) der Moschee.

Chu Teh [dʒ-], chines. Marschall und Politiker, →Zhu De.

Galeazzo Ciano

Chwarịsmi, →Charismi.

Chy̲lus [ç-, grch.] *der, Medizin, Zoologie:* der →Milchsaft.

Chymosi̲n [ç-] *das, Zoologie:* das →Labferment.

Chy̲mus [ç-; von grch. chymós »Saft«] *der, Medizin, Zoologie:* der →Speisebrei.

Chytilová ['xitjilɔva:], Vera, tschechische Filmregisseurin, *Ostrava 2. 2. 1929; schuf sozialkrit. Filme, u.a. vom neuen Stil des Cinéma-vérité beeinflusst (»Tausendschönchen«, 1966; »Geschichte der Wände«, 1979; »Die Wolfsbande«, 1987; »Hin und Her«, 1988).

Ci, Einheitenzeichen für →Curie.

Marcus Tullius Cicero (römische Marmorbüste, Rom, Kapitolinisches Museum)

CIA [si:aɪ'eɪ], Abk. für engl. **C**entral **I**ntelligence **A**gency, 1947 gegr. oberste Geheimdienstbehörde der USA, widmete sich über seinen streng begrenzten Auftrag (Beschaffung, Koordination und Auswertung sicherheitsrelevanter Informationen) hinaus im Ost-West-Konflikt in Planung und Durchführung geheimer Aktionen der Realisierung amerikan. Absichten, oft mit illegalen Methoden. Unter zunehmender innenpolit. Kritik an seinen Aktivitäten wurden seine Kompetenzen 1978 eingeschränkt (1981 z.T. wieder hergestellt). Seit Mitte der 90er-Jahre versucht der CIA insbes. den internat. Terrorismus und den Rauschgifthandel zu bekämpfen.

CIAM [sɛia'ɛm], Abk. für frz. **C**ongrès **I**nternationaux d'**A**rchitecture **M**oderne, internat. Vereinigung von Architekten, gegr. 1928 in La Sarraz (Kt. Waadt, Schweiz), die sich mit neuen Problemen der Architektur und des Städtebaus befasste; 1959 aufgelöst.

Ciano ['tʃa:no], Galeazzo, Conte di Cortellazo, italien. Politiker, *Livorno 18. 3. 1903, †(erschossen) Verona 11. 1. 1944; seit 1925 Diplomat, ⚭ mit Mussolinis Tochter Edda (seit 1930), war 1936–43 Außenminister. Nach Abschluss des Münchener Abkommens (1938) geriet er zunehmend in Gegensatz zu Mussolini, an dessen Sturz er sich 1943 beteiligte. Er floh nach Dtl., wurde ausgeliefert und 1944 von einem faschist. Sondergericht zum Tode verurteilt.

Ci̲ba-Ge̲igy AG, →Novartis AG.

Cibo̲rium, christl. Kultgefäß, →Ziborium.

CIC, 1) Abk. für →**C**odex **I**uris **C**anonici.

2) ['si:aɪ'si:], Abk. für →**C**ounter **I**ntelligence **C**orps.

Cịcero *die,* Schriftgrad von 12 typograph. Punkten, in dem zuerst Ciceros Briefe (Rom 1467) gedruckt wurden.

Cịcero, Marcus Tullius, röm. Politiker, Redner und Philosoph, *Arpinum (heute Arpino) 3. 1. 106, †(ermordet) bei Caieta (heute Gaeta) 7. 12. 43 v. Chr.; vereitelte 63 als Konsul die Verschwörung des Catilina. Unter dem Druck der sich verändernden Machtverhältnisse war er 58/57 im Exil. In der Zeit danach entstanden seine Hauptwerke. 51 wurde C. als Statthalter nach Kilikien geschickt. Im Bürgerkrieg zw. Pompeius und Cäsar entschied er sich für Pompeius, erlangte aber später die Gunst Cäsars. Nach dessen Ermordung (44) trat C. für die Wiederherstellung der Senatsherrschaft ein; dabei geriet er in Gegensatz zu Marcus Antonius, gegen den er seine 14 Philipp. Reden richtete, und wurde auf dessen Betreiben nach Bildung des 2. Triumvirats geächtet und getötet. – C. gilt als einer der größten röm. Redner. Seine Bedeutung als Politiker ist umstritten, unbestritten ist dagegen die Wirkung seiner Schriften, die z.T. das abendländ. Denken nachhaltig beeinflussten. Von seinen Reden sind 58 mehr oder minder vollständig erhalten. Seine Bildungsschriften teilt man ein in die rhetor. und die philosoph.; in letzteren will C. die drei Hauptgebiete Erkenntnistheorie (»Akadem. Bücher«), Sittenlehre (»Vom rechten Handeln« u.a.) und philosoph. Theologie (»Über das Schicksal« u.a.) erschließen.

📖 Fleck, M.: *C. als Historiker. Stuttgart 1993.* – Bernett, M.: *Causarum cognitio. C.s Analysen zur polit. Krise der späten röm. Republik. Stuttgart 1995.* – Giebel, M.: *M. T. C. Reinbek 42.–44. Tsd. 1995.* –

Wassmann, H.: *C.s Widerstand gegen Caesars Tyrannis. Untersuchungen zur polit. Bedeutung der philosoph. Spätschriften. Bonn 1996.*

Cicerone [tʃitʃe-, italien.] *der,* Fremdenführer, der Beredsamkeit wegen scherzhaft mit Cicero verglichen; auch Titel kunstgeschichtl. Reisebücher.

Cicisbeo [tʃitʃis'bɛ:o, italien.] *der* (Cavaliere servente), vom 16. bis 19. Jh. in Italien Begleiter und Gesellschafter, bisweilen auch Vertrauter und Liebhaber einer verheirateten Dame.

Cid [θið; span. aus arab. sayyid »Herr«], der maur. Beiname des span. Nationalhelden Rodrigo (Ruy) Díaz de Vivar, von den Spaniern el Campeador (»der Kämpfer«) genannt, *Vivar (bei Burgos) um 1043, †Valencia 10. 6. 1099; diente als Heerführer christl. und maurischen Herrschern seiner Zeit. 1094 eroberte er das Maurenreich Valencia.

Als ältestes Gedicht ist das **Poema del C.** (auch **Cantar de mío C.**) erhalten, um 1140 in der Prov. Soria entstanden (Handschrift von 1307), eines der großen Epen des europ. MA. In diesem Epos erscheint der C. als Idealbild span. Rittertums. – Seit dem 14. Jh. wird die histor. Gestalt des älteren C. durch die romanhafte Jugendgeschichte des C. verdrängt. Sie liegt vor in jüngeren Epen, in den Dramen von G. de Castro (1. Tl., 1612), P. Corneille (1637) und J. B. Diamante (1658) sowie in einer Oper von J. Massenet (1885). Herders Romanzenzyklus (hg. 1805) fasst die Taten des älteren und jüngeren Helden in einer Einheit zusammen.

📖 Rodiek, Chr.: *Sujet – Kontext – Gattung, die internationale Cid-Rezeption. Berlin u. a. 1990.*

Cidre [sidr] *der,* Apfelwein aus der Normandie und der Bretagne.

Cie., schweizer., sonst veraltete Abk. für **C**ompagn**ie**.

Ciechanów [tɕɛ'xanuf], Hptst. der polnischen Wwschaft C., nördlich von Warschau, 45 600 Ew.; Baustoff-, Nahrungsmittelind., Geräte-, Maschinenbau.

Cienfuegos [siɛn-], Hafenstadt an der S-Küste von Kuba, 120 600 Ew.; Verarbeitungszentrum des agrar. Hinterlandes, Fischerei; Marinestützpunkt; Exporthafen.

Cieplice Śląskie Zdrój [tɕɛ'plitsɛ 'ɕlɔ̃skjɛ 'zdruj], poln. Name von Bad Warmbrunn (→Jelenia Góra).

Cierva ['θiɛrβa], Juan de la, span. Techniker, *Murcia 21. 9. 1895, †(Flugzeugunfall) London 9. 12. 1936; entwickelte seit 1922 das erste Drehflügelflugzeug, einen →Tragschrauber.

Cieszyn ['tɕɛʃin], poln. Stadt, →Teschen.

cif [sɪf] (c.i.f.; Abk. für engl. **c**ost, **i**nsurance, **f**reight), im Überseeverkehr übl. Handelsklausel: Kosten für Beförderung, Versicherung und Fracht bis zum Eintreffen der Ware im Bestimmungshafen sind im Preis enthalten.

Cikker ['tsikɛr], Ján, slowak. Komponist, *Neusohl (heute Banská Bystrica) 29. 7. 1911, †Preßburg 21. 12. 1989; schrieb Opern (u. a. »Das Urteil«, 1980), Orchester- und Kammermusik sowie Klavierstücke mit z. T. folklorist. Zügen.

Cilèa [tʃi'lɛ:a], Francesco, italien. Komponist, *Palmi (Prov. Reggio di Calabria) 23. 7. 1866, †Varazze (Prov. Savona) 20. 11. 1950; schrieb Opern (»L'Arlesiana«, 1897; »Adriana Lecouvreur«, 1902, u. a.), Orchester- und Kammermusik.

Çiller ['tʃilər], Tansu, türk. Politikerin, *Istanbul 1946; Wirtschaftswissenschaftlerin, Professorin an der Istanbuler Bogaziçi-Univ., marktwirtschaftlich orientiert, 1991–93 Staats-Min. für Wirtschaft, seit Juni 1993 Vorsitzende der konservativen Partei des rechten Weges, 1993–96 MinPräs., betrieb die Privatisierung von defizitären Staatsbetrieben und erreichte 1995 eine vorsichtige Verf.reform. Im Konflikt mit der verbotenen Arbeiterpartei Kurdistans setzte sie auf eine militär. Lösung; 1996–97 stellv. MinPräs. und Außenministerin.

Cilli [ts-], slowen. Stadt, →Celje.

CIM [si:aɪ'em; Abk. für engl. **c**omputer **i**ntegrated **m**anufacturing, »rechnerintegrierte Fertigung«], die vollständig computergesteuerte und automatisierte Herstellung von (techn.) Produkten.

Cima ['tʃi:ma], Giovanni Battista, gen. C. da Conegliano, italien. Maler, *Conegliano (bei Treviso) um 1459, begraben ebd. 3. 9. 1517 oder 1518; lebte ab 1492 in Venedig; malte anmutige Altar- und Andachtsbilder in warmer Farbigkeit.

Cimabue [tʃima'bu:e], eigtl. Cenni di Pepo, italien. Maler, *Florenz um 1240/45, †Pisa nach 4. 7. 1302; erfüllte die von der byzantin. Kunst überlie-

Cimabue: Thronende Madonna mit Engeln und Propheten (1272–74; Florenz, Uffizien)

ferten Formen mit neuem kraftvollem Ausdruck. Nach 1280 entstand wohl der Kruzifixus von Santa Croce in Florenz. – *Weitere Werke:* Thronende Madonna mit Engeln und Propheten (1272–74; Florenz, Uffizien); Fresken in San Francesco, Assisi (um 1278/79).

📖 CHIELLINI, M.: *C. A. d. Italien. Königstein im Taunus u. a. 1993.*

Domenico Cimarosa: Zeitgenössischer Kupferstich nach einem Gemälde von Elisabeth Vigée-Lebrun

Cimarosa [tʃima'rɔ:za], Domenico, italien. Komponist, *Aversa (Prov. Caserta) 17. 12. 1749, †Venedig 11. 1. 1801; bed. Vertreter der Opera buffa (→Oper); schrieb über 70 Opern (darunter »Die heimliche Ehe«, 1792), daneben u. a. Oratorien, Sinfonien, Konzerte.

Cimiotti [tʃimi'ɔtti], Emil, Bildhauer, *Göttingen 19. 8. 1927; Schüler von O. Zadkine; entwickelte aus ineinander verschmolzenen Figurengruppen abstrakte Gebilde, später neorealist. Plastiken.

Emil Cimiotti: »Tischlein-Deck-Dich-leer-gegessen«, Bronze (1978; Privatbesitz)

Cimon della Pala [tʃi'mon-], Gipfel der Südtiroler Dolomiten, 3186 m ü. M.

Cimone [tʃ-] (Monte C.), höchster Berg des nördl. Apennin, Italien, 2165 m ü. M.

Cinchona [sɪn'tʃo:na], die Pflanzengattung Chinarindenbaum, →Chinarinde.

Cincinnati [sɪnsɪ'nætɪ], Stadt in Ohio, USA, am schiffbaren Ohio, 364 000 Ew.; kath. Erzbischofssitz; zwei Univ., C. Art Museum; Werkzeugmaschinen-, Kraftfahrzeug- und Flugzeugmotorenbau, Seifenherstellung; wichtiger Kohlenumschlagplatz (Kanalverbindung mit den Großen Seen). – C. wurde 1788 als **Losantiville** gegründet und war einst durch Schlachthäuser und dt. Brauereien bekannt.

Cincinnatus, Lucius Quinctius, röm. Staatsmann des 5. Jh. v. Chr.; galt in späterer Zeit als Muster altröm. Tugend, wurde 458 angeblich vom Pflug weg zum Diktator ernannt; war 439 nochmals Diktator.

Cinderella [sɪndə'relə, engl.], →Aschenbrödel.

Cinemagic [sɪnɪ'mædʒɪk, engl.] *das,* ein Trickfilmverfahren, bei dem Real- mit Trickteilen verbunden werden.

Cinemascope® [s-] *das, Filmtechnik:* ein Breitwandverfahren (Breiten-Höhen-Verhältnis 2,55 : 1), bei dem die Aufnahme auf »normalem« 35 mm breitem Film erfolgt und das Bild dabei mithilfe einer anamorphot. Optik horizontal 2 : 1 gepresst und bei der Wiedergabe entsprechend entzerrt wird.

Cinemathek [s-], →Kinemathek.

Cinerama® [s-] *das, Filmtechnik:* ein früher angewendetes Breitwandverfahren, bei dem die von drei Kameras aufgenommenen Bilder von drei Projektoren auf eine gewölbte Bildwand projiziert werden, wodurch eine Raumillusion entsteht.

Cingulum [lat. »Gürtel«] *das* (Cingulum militiae), altrömischer Leibgurt, bes. Schwertgurt der Soldaten.

Cinna, Lucius Cornelius, röm. Konsul, Anhänger des Marius, *um 130, †(erschlagen) Ancona 84 v. Chr.; Gegner Sullas, beherrschte seit 87 mit Marius Rom und Italien. Seine Tochter Cornelia heiratete Caesar.

Cinnabarit *der,* das Mineral →Zinnober.

Cinnamate, Salze und Ester der →Zimtsäure.

Cinnamomum [lat.], die Pflanzengattung Zimtbaum, →Zimt.

Cinquecento [tʃiŋkve'tʃɛnto; italien. »fünfhundert«, Abk. für 1500] *das,* italien. Bez. für das 16. Jh. und seinen Stil.

C-Invarianz (C-Symmetrie), *Physik:* die Invarianz einer Wechselwirkung gegenüber →Ladungskonjugation. Die C-I. gilt nicht für die schwache Wechselwirkung, die z. B. beim Betazerfall verletzt ist. (→CPT-Theorem)

Cioran [sjo'rã], É. M., eigtl. Émile C., frz. Schriftsteller rumän. Herkunft, *Răşinari (Kr. Hermannstadt) 8. 4. 1911, †Paris 20. 6. 1995; schrieb in frz. Sprache geistesgeschichtliche und philosophische Essays (»Lehre vom Zerfall«, 1949; »Gesch. und Utopie«, 1960; »Der Absturz in die Zeit«, 1964) sowie Aphorismen (»Der zersplitterte Fluch«, 1987).

📖 Reschika, R.: *E. M. C. zur Einführung. Hamburg 1995.*

circa [lat.], Abk. ca., ungefähr.

Circe [lat.], →Kirke.

Cister: Das Instrument wurde 1574 von Girolamo di Virchi in Brescia gebaut (Wien, Kunsthistorisches Museum, Sammlung alter Musikinstrumente)

Circeo, Monte [- tʃir'tʃɛːo], isolierter Kalksteinrücken im S Latiums, Italien, am Tyrrhen. Meer, 541 m hoch. Der C.-Nationalpark ist 32 km^2 groß; in einer Höhle wurden Knochen (Schädelbestattungen) der Hominidengruppe des »klass. Neandertalers« gefunden.

Circinus [lat.] (Zirkel), ein Sternbild des Südhimmels.

Circuittraining ['səːkɪt 'treɪnɪŋ; engl. circuit »Kreisbewegung«], eine Kombination unterschiedl. sportlicher Übungen, die als Kraft- und Ausdauertraining nacheinander ausgeführt und wiederholt werden.

Circulus vitiosus [lat. »fehlerhafter, falscher Kreis«] *der,* **1)** *allg.:* (Teufelskreis) eine Folge unheilvoller, einander bedingender Geschehnisse und Umstände, die kein Entrinnen ermöglicht.

2) *Medizin:* das Vorhandensein von mehreren krankhaften Veränderungen, die sich gegenseitig bedingen und/oder verstärken, z.B. Bluthochdruck und Nierenschädigung.

3) *Philosophie:* →Zirkelschluss.

Circus maximus *der,* →Zirkus.

Cirebon ['tʃirəbɔn], Stadt an der N-Küste von Java, Indonesien, 245 300 Ew.; islam. Univ.; Textil-, chem., Tabakind.; Bahnknotenpunkt, Hafen.

Cirksena, 1744 erloschenes Fürstengeschlecht in →Ostfriesland.

Cirrus [lat.] *der,* **1)** *Biologie:* rankenförmiger Körperanhang bei Tieren, z.B. bei den →Rankenfüßern.

2) *Meteorologie:* →Wolken.

cis, *Musik:* Halbton über dem Ton c.

cis-, →Stereochemie.

CISG, Abk. für engl. **C**onvention on Contracts for the **I**nternational **S**ale of **G**oods, Abkommen über Verträge im internat. Warenkauf; im dt. Sprachraum auch als →Wiener Kaufrechtsübereinkommen (Kaufrechtskonvention) oder Einheitliches UN-Kaufrecht bekannt; geschlossen in Wien am 11. 4. 1980, in Kraft getreten am 1. 1. 1988, in der Bundesrep. Dtl. am 1. 1. 1991 (in der DDR am 1. 3. 1990); wird kraft dispositiven Rechts auf internat. Kauf- und Werklieferungsverträge, nicht auf Konsumentenverträge angewandt.

Ciskei, ehem. Homeland in der Rep. Südafrika, westlich des Great Kei River, in der früheren Kapprovinz; 1961 errichtet, hatte seit 1972 »innere Autonomie«, seit 1981 »staatl. Unabhängigkeit«; seit 1994 ist es Teil der Prov. Ost-Kap.

Cisneros [θiz'nerɔs], Francisco Jiménez de, span. Franziskaner, →Jiménez de Cisneros, Francisco.

Cissus [lat.] (Klimme), Pflanzengattung der Weinrebengewächse; trop. und subtrop. Klettersträucher; auch Zimmerpflanzen, u.a. der aus Australien stammende **Känguruwein** (Cissus antarctica).

Cister [lat.] (Sister), seit dem MA. bekanntes, im 16.–18. Jh. in ganz Europa verbreitetes Zupfinstrument mit birnenförmigem Korpus und 4–12 Saitenpaaren. – Ein volkstüml. Abkömmling hat sich bis heute unter dem Namen **Harzer Zither** (auch **Thüringer Zither**) erhalten.

Cité [si'te; frz., von lat. civitas »Bürgerschaft«, »Gemeinde«] *die,* frz. Bezeichnung für die Stadt, den Stadtkern, bes. die Altstadt (i.e.S. für den histor. Kern von Paris, auf der größten Seine-Insel **Île de la C.**); auch für einen abgeschlossenen Stadtteil (»cité universitaire«, Universitätsviertel) sowie für Bürgerschaft, Gemeinwesen.

Cîteaux [si'to], Mutterkloster des Zisterzienserordens, in Burgund, Dép. Côte d'Or, Frankreich; gegr. 1098 von Robert de Molesmes, aufgehoben

Cissus: Känguruwein

1790; seit 1898 gehören die Bauten dem Trappistenorden.

CITES, Abk. für engl. **C**onvention on **I**nternational **T**rade in **E**ndangered **S**pecies of Wild Fauna and Flora, das →Washingtoner Artenschutzabkommen.

Citicorp. ['sɪtɪkɔ:pəreɪʃn, engl.], amerikan. Finanzkonzern (Holdingges.), Sitz New York, gegr. 1968 als First National City Corporation (seit 1976 heutiger Name); wichtigste Beteiligung: **Citibank National Association,** eine der größten Banken der USA, die 1812 als City Bank of New York gegründet wurde.

citius, altius, fortius [lat. »schneller, höher, stärker«], olymp. Devise.

Citlaltépetl [s-, aztek.] (Pico de Orizaba), Vulkan am S-Rand des Hochlands von Mexiko, in der Cordillera Neovolcánica, höchster Berg des Landes, 5700 m ü. M.; ab 4400 m vergletschert; letzter großer Ausbruch 1687.

Citoyen [sitwa'jɛ̃, frz.] *der,* Bürger; urspr. in Frankreich stimm- oder wahlberechtigter Bürger einer Stadt (»Cité«), seit der Frz. Revolution jeder frz. Staatsbürger. 1792–1804 und 1848 waren C. und **Citoyenne** (für die Frau) die demokrat. Anrede statt Monsieur und Madame.

Citral *das,* ungesättigter Terpenaldehyd; das zitronenartig riechende Öl wird als Riechstoff verwendet und ist Ausgangsprodukt für die Synthese des Vitamins A.

Citrate, die Salze und Ester der Zitronensäure.

Citratzyklus, der →Zitronensäurezyklus.

Citrin [zu Citrus] *der,* Mineral, gelber Quarz; Schmuckstein; künstlich herstellbar durch Glühen von Amethyst und Rauchquarz.

Citroën S. A. [sitrɔ'ɛn-] (S. A. Abk. für **S**ociété **A**nonyme »Aktiengesellschaft«), frz. Kfz-Unternehmen, Sitz Paris, gegr. 1915; seit 1976 Teil der Peugeot-Citroën S. A.

Citronellöl, äther. Öl des trop. Bartgrases Cymbopogon nardus; aus ihm wird **Citronellal** isoliert, einer der wichtigsten Ausgangsstoffe der Riechstoffindustrie.

Citrus [lat. »Zitronenbaum«], Gattung der Rautengewächse mit etwa 60 Arten, urspr. im indomales. Raum und China beheimatet, heute in allen subtrop. Gebieten kultiviert; →Zitrusfrüchte.

Città del Vaticano [tʃit'ta-], die →Vatikanstadt.

Città di Castello [tʃit'ta-], Stadt in Umbrien, Italien, Prov. Perugia, am Tiber, 38100 Ew.; Landmaschinenbau, Tabak-, Textilindustrie; Dom (11. Jh. ff.), mehrere Paläste (13.–16. Jh.).

City ['sɪtɪ; engl., von lat. civitas »Bürgerschaft«, »Gemeinde«] *die,* **1)** im engl. Sprachbereich Bez. für eine meist größere Stadt.

2) die Innenstadt, der Kern einer größeren Stadt (urspr. der Stadtkern von London). Unter **Citybildung** versteht man die fortschreitende Umgestaltung alten Wohngebiets (durch Umbau und Neubau) zu einem neuen Zentrum, dem Verw.bauten, Kultureinrichtungen, Geschäfts- und Bürohäuser, Banken und Hotels das Gepräge geben.

Cityruf ['sɪtɪ-], *Telekommunikation:* ein drahtloser Funkrufdienst zur Übermittlung von Ziffern, kurzen Texten oder Tonsignalen über Telefon oder Internet an ein Funkrufempfangsgerät (Pager) innerhalb eines bestimmten Rufbereiches.

Ciudad [siu'ðað, θiu'ðað; span., von lat. civitas], span. Bez. für Stadt.

Ciudad Bolívar [siu'ðað-], Hptst. des Staates Bolívar, Venezuela, am Orinoco (über ihn seit 1967 1678 m lange Hängebrücke), 286000 Ew.; kath. Erzbischofssitz; Bergbauschule; Haupthafen (für Seeschiffe erreichbar) des Orinocogebietes. – Gegr. 1764 als **Santo Tomás de la Nueva Guayana,** später **Angostura** gen., 1886 nach S. Bolívar, der hier 1819 auf einem Kongress die Unabhängigkeit Großkolumbiens von Spanien erklärte, umbenannt.

Ciudad Guayana [siu'ðað-] (amtlich Santo Tomé de Guayana), Stadt in O-Venezuela, an der Mündung des Río Caroní in den Orinoco (Wasserkraftwerk Guri), 453000 Ew.; entstand 1961 durch Zusammenschluss der Hafenorte **San Félix** (östlich des Río Caroní) und **Puerto Ordaz** (gegenüber von San Félix) sowie dem Ind.standort **Matanzas** (westlich von Puerto Ordaz). In San Félix wird das Eisenerz aus El Pao, in Puerto Ordaz (mit Fachhochschule und Univ.) das von Cerro Bolívar und San Isidro verschifft; in Matanzas bestehen Eisen- und Stahlwerk, zwei Aluminiumwerke, ein Zement- und ein Ferrosiliciumwerk. Die Häfen sind von Seeschiffen erreichbar; internat. Flughafen. Zus. mit Ciudad Bolívar bildet C. G. das Leitzentrum der wirtsch. Erschließung des eisenerz- und bauxitreichen venezolan. Guayana.

Ciudad Juárez [siu'ðað xu'ares], Stadt in Chihuahua, Mexiko, 1100 m ü. M., am Río Grande del Norte; 790000 Ew.; Grenz- und Brückenort gegenüber El Paso (Texas); Univ. (gegr. 1973).

Ciudad Obregón [siu'ðað oβre'gɔn], Stadt im Küstengebiet des Staates Sonora, Mexiko, 220000 Ew.; Bischofssitz; Verarbeitungs- und Marktzentrum des fruchtbaren Bewässerungsanbaugebietes am Río Yaqui.

Ciudad Ojeda [siu'ðað ɔ'xeða], Erdölstadt am Maracaibosee, Venezuela, 90000 Ew.; vielseitige Kleinindustrie.

Ciudad Real [θiu'ðað-], **1)** Prov. Spaniens in der Region Kastilien-La Mancha, 19749 km^2, (1991) 475400 Einwohner.

2) Hptst. von 1), auf der Mancha, 60200 Ew.; Bischofssitz, Univ.; landwirtsch. Gewerbe, Viehhandel. – Stadttor Puerta de Toledo (1328) im Mudéjarstil (Nationaldenkmal), Kathedrale (1531, größte einschiffige Kirche Spaniens), Reste des Alcázars (1275). – C. R. wurde 1255 von Alfons X. gegründet.

Ciudad Trujillo [siu'ðað tru'xijo], 1936–61 Name von →Santo Domingo in der Dominikan. Republik.

Ciudad Victoria [siu'ðað-], Hptst. des Staates Tamaulipas, Mexiko, am Fuß der Sierra Madre Oriental; 195 000 Ew.; Bischofssitz; Univ.; in der Umgebung Bergbau (Silber, Gold, Blei, Kupfer); gegr. 1750.

Čiurlionis [tʃʊr-], Mikolajus Konstantinas, litauischer Komponist und Maler, *Varėna (S-Litauen) 22. 9. 1875, †Pustelnik (bei Warschau) 10. 4. 1911; schuf symphon. Dichtungen (u. a. »Im Walde«, 1901; »Das Meer«, 1907) und entwickelte als Maler (ab 1905) symbol. Abstraktionen über musikal. und kosm. Vorgänge.

Civetten [frz.], Unterfamilie der →Schleichkatzen.

Civil Disobedience ['sɪvɪl dɪsə'bi:djəns, engl.], polit. Begriff, →ziviler Ungehorsam.

Civilis, Julius, german. Führer der Bataver, fürstl. Abkunft, unter Nero in röm. Dienst; führte 69 n. Chr. den Aufstand gegen Rom, wurde 70 besiegt, erreichte aber einen günstigen Frieden.

Civil Rights ['sɪvɪl 'raɪts, engl.], die Bürgerrechte; grundrechtsähnliche Verbürgungen in den Verf. des Bundes und der Gliedstaaten der USA, die jegliche Ungleichbehandlung (Diskriminierung) von Bürgern wegen ihrer Rasse, Hautfarbe, Abstammung oder Religion verhindern sollen und neben die Freiheitsrechte des Einzelnen zur Verteidigung gegen staatl. Übergriffe treten. Im Anschluss an den Sezessionskrieg (1861–65) wurden einige C. R. Acts (Bürgerrechts-Ges.) erlassen, die v. a. die farbige Bev. vor diskriminierender Behandlung schützen sollten, jedoch vom Obersten Ger. für verfassungswidrig erklärt wurden. Erst seit 1957 konnten Bürgerrechts-Ges. verabschiedet werden, die eine Gleichstellung der Farbigen v. a. bei Wahlen, im Arbeitsleben, in der Ausbildung und bei der Benutzung von öffentl. Einrichtungen i. w. S. herbeiführen sollen sowie die nicht gerechtfertigte Schlechterstellung von Ausländern und nichtehel. Kindern und die Diskriminierung aufgrund des Geschlechts verbieten. Ihre Einhaltung wird vom Generalstaatsanwalt und besonderen Bundesbehörden überwacht.

Civil Rights Movement ['sɪvɪl 'raɪts 'mu:vmənt, engl.], →Bürgerrechtsbewegung.

Civil Service ['sɪvɪl 'sə:vɪs, engl.], **1)** in *Großbritannien* der öffentl. Verw.dienst der Krone (ohne Richter und Lehrer), er wird v. a. durch Kabinettsbefehle geregelt.

2) in den *USA* der nur für den Bund einheitlich geregelte Verw.dienst. Das seit 1829 bestehende »Beutesystem« (spoils system: Besetzung der Dienststellen durch die jeweils regierende polit. Partei; keine Beamten auf Lebenszeit) wurde 1883 durch das Leistungssystem ersetzt (Berufsbeamte).

Civis [lat.], Bürger (→Civitas).

Civitas [lat. »Staat, Stadt, Gemeinwesen«] *die,* im röm. Reich Bez. für die Gesamtheit der Bürger, die Stadt, den Staat, für jedes Gemeinwesen mit bürgerl. Selbstverwaltung. Als **C. Romana** der Inbegriff der dem freien röm. Bürger zustehenden Rechte, das durch Geburt, Verleihung oder Freilassung erworbene Bürgerrecht.

Civitas Dei [lat. »Gottesstaat«] *die,* Grundbegriff in Augustinus' Hauptwerk »De civitate Dei«. Der Gottesstaat besteht aus Menschen, die sich der ewigen Ordnung Gottes fügen, im Gegensatz zum Erdenstaat (civitas terrena), der allein auf menschliche Ordnung beruht und sich auf die Güter der Erde hin orientiert. Augustinus erblickt den Sinn der Weltgeschichte im Widerstreit dieser beiden Staaten.

Civitavecchia [tʃivita'vɛkkia], Hafenstadt am Tyrrhen. Meer in Latium, Italien, Prov. Rom, 51 600 Ew.; Fischerei, Erdölraffinerie, Zement- u. a. Ind.; Fähre nach Sardinien; Fort Michelangelo (1508 ff.). – Gegr. 106 n. Chr. als Hafen **Centumcellae;** gehörte im 15. Jh. zum Kirchenstaat (Heimathafen der päpstl. Kriegsflotte).

Cl, chem. Symbol für →Chlor.

c. l., Abk. für **c**itato **l**oco [lat.], »am angeführten Ort«.

Clactonien [klæktɔ'njɛ̃] *das,* Formengruppe der →Altsteinzeit mit kennzeichnenden Feuerstein-Abschlag-Geräten; nach dem englischen Fundort Clacton-on-Sea (Cty. Essex) benannt.

Ernest Claes

Claes [kla:s], Ernest André Josef, fläm. Erzähler, *Zichem (bei Diest) 24. 10. 1885, †Uccle 2. 9. 1968; schrieb gemütsbetonte, realist. Prosa (u. a. »Der Flachskopf«, 1920).

Claesz [kla:s], Pieter, niederländ. Maler, *Burgsteinfurt (heute zu Steinfurt) nach 1596, begraben

Pieter Claesz: Stillleben (Amsterdam, Rijksmuseum)

René Clair

Eric Clapton

Camille Claudel

Haarlem 1. 1. 1661; malte schlichte Stillleben in feiner helltoniger Farbigkeit.

Claim [kleɪm, engl.] *das,* im angloamerikan. Bereich 1) in den USA (beanspruchtes) Gebiet zum Siedeln oder Schürfen; 2) (Rechts-)Anspruch, Besitztitel, Forderung.

Clair [klɛːr], René, eigtl. R. Chaumette [ʃoˈmɛt], frz. Filmregisseur, *Paris 11. 11. 1898, †ebd. 15. 3. 1983; Vertreter der poet. Filmkunst, so in »Unter den Dächern von Paris« (1930), »Meine Frau die Hexe« (1942), »Die Schönen der Nacht« (1952), »Die Mausefalle« (1956). C. schrieb auch filmtheoret. Werke.

Clairaut [klɛˈro], Alexis Claude, frz. Mathematiker, Astronom und Geodät, *Paris 7. 5. 1713, †ebd. 17. 5. 1765; veröffentlichte Arbeiten zur Geometrie und Algebra; schloss 1759 aus Bahnstörungen des Halleyschen Kometen auf den erst 1781 entdeckten Planeten Uranus. Das **C.-Theorem** bestimmt die Erdabplattung aus der Fliehkraft am Äquator sowie der Schwerkraft am Äquator und an den Polen.

Clairet [klɛˈrɛ; frz. »bleichrot«] *der,* einem Roséwein ähnelnder leichter, blasser Rotwein.

Clair-obscur [klɛrɔbsˈkyr, frz.] *das, Malerei:* →Helldunkel.

Clairon [klɛˈrɔ̃, frz.] *das,* **1)** Signalhorn.

2) das →Clarino.

3) in der Orgel eine helle Zungenstimme.

Clairvaux [klɛrˈvo], ehem. Zisterzienserabtei im frz. Dép. Aube, gegr. 1115 von Bernhard von Clairvaux als 3. und berühmtestes Tochterkloster von Cîteaux; 1792 aufgehoben.

Clan [klæn; gäl. »Kinder«] *der,* **1)** Sippen- oder Stammesverband in Schottland.

2) *Völkerkunde:* →Klan.

Claparède [-ˈrɛd], Édouard, schweizer. Psychologe, *Genf 24. 3. 1873, †ebd. 29. 9. 1940; gründete 1912 das Institut J.-J. Rousseau für experimentelle Forschung, 1920 die »Internat. Gesellschaft für Psychotechnik«; bemühte sich um eine psycholog. Grundlegung der Pädagogik.

Clapeyron [klapɛˈrɔ̃], Benoît Pierre Émile, frz. Ingenieur, *Paris 21. 2. (oder 26. 1.) 1799, †ebd. 28. 1. 1864; gab in der **clapeyronschen Dreimomentengleichung** eine mathemat. Beziehung zw. drei aufeinander folgenden Stützmomenten durchlaufender Balken an und führte das Wärmediagramm in die theoret. Thermodynamik ein.

Clapton [klæptn], Eric, engl. Gitarrist und Sänger, *Ripley (Cty. Surrey) 30. 3. 1945; bed. Rockmusiker, spielte u.a. bei »The Yardbirds«, »Cream«, »Blind Faith«.

Claque [klak, frz.] *die,* bestellte Gruppe, die Beifall spendet; ursprünglich frz. Bühnenausdruck für bezahlte Beifallklatscher **(Claqueurs).**

Clare [klˈeə] (irisch An Clár), Cty. im W der Rep. Irland, 3188 km², (1991) 90900 Ew.; Verw.sitz Ennis.

Claretiner, 1849 von A. M. Claret y Clará gegr. Priesterkongregation, Sitz des Generalsuperiors ist Rom, etwa 3000 Mitgl.; Aufgaben sind u.a. Mission, Jugenderziehung und Presseapostolat. Der weibl. Zweig, die **Claretinerinnen,** wurde 1855 gegründet.

Claret y Clará, Antonio Maria, span. Theologe, *Sallent (Prov. Barcelona) 23. 12. 1807, †Kloster Fontfroide (Dép. Aude) 24. 10. 1870; Gründer (1849) der Claretiner, seit 1850 Erzbischof von Santiago de Cuba. Heiliger, Tag: 23. 10.

Clariden, Bergstock der Tödigruppe in den Glarner Alpen, Schweiz, bis 3268 m hoch.

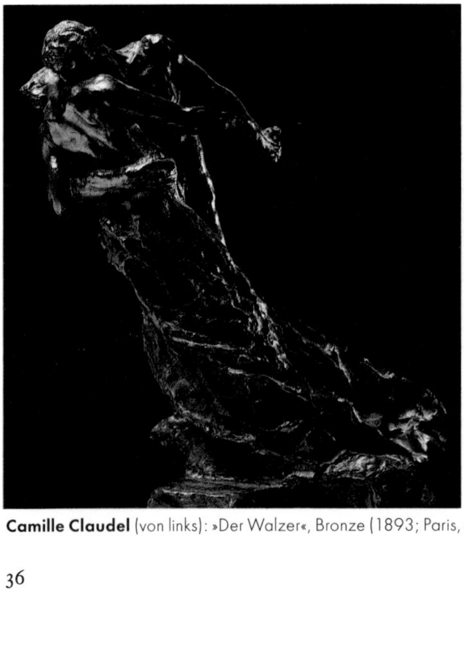

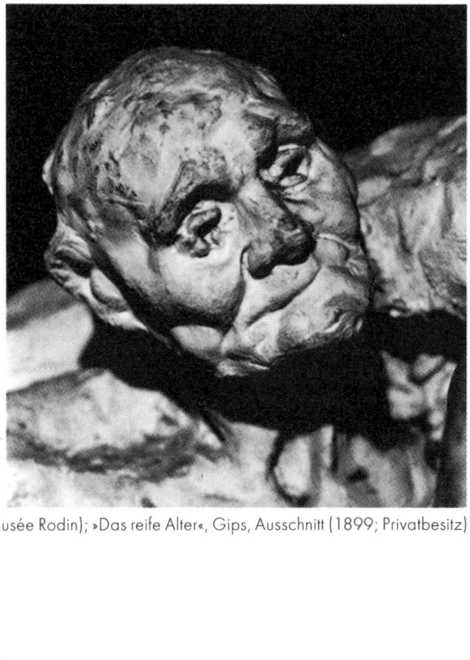

Camille Claudel (von links): »Der Walzer«, Bronze (1893; Paris, Musée Rodin); »Das reife Alter«, Gips, Ausschnitt (1899; Privatbesitz)

Matthias Claudius: Zeitgenössisches Gemälde von Friederike Leisching (Hamburg, Museum für Hamburgische Geschichte)

Clarino [italien.] *das* (frz. Clairon, engl. Clarion), ventillose Trompete der höchsten Lage; v.a. im 17. und 18. Jh. verwendet (Bachtrompete).

Clarke [klɑ:k], Arthur C. (Charles), engl. Schriftsteller, *Minehead (Cty. Somerset) 16. 12. 1917; führender Vertreter der Sciencefictionliteratur (»2001 – Odyssee im Weltraum«, 1968).

Clathrate [lat.], →Einschlussverbindungen.

Claude [klo:d], Albert, belg. Biochemiker, *Longlier (heute zu Neufchâteau, Prov. Luxemburg) 23. 8. 1899, †Brüssel 22. 5. 1983; entdeckte die →Mitochondrien; erhielt 1974 mit C. de Duve und G. E. Palade den Nobelpreis für Physiologie oder Medizin.

Claudel [klo'dɛl], **1)** Camille, frz. Bildhauerin, *Fère-en-Tardenois (Dép. Aisne) 8. 12. 1864, †Montfavet (heute zu Avignon) 19. 10. 1943, Schwester von 2); ab 1883 zunächst Schülerin, dann Mitarbeiterin A. Rodins, der bis 1898 auch ihr Lebensgefährte war; musste die letzten 30 Jahre ihres Lebens (1913–43) in einer psychiatr. Anstalt verbringen; hinterließ mit ihren Büsten (u.a. »Rodin«, Bronze, 1892), Skulpturen und Plastiken (u.a. »Der Walzer«, Bronze, um 1893; »Das reife Alter«, Gips, 1899) Meisterwerke der Bildhauerkunst, die erst in den 1980er-Jahren bekannt wurden.

📖 PARIS, R.-M.: *C. C. 1864–1943. A. d. Frz. Frankfurt am Main [5]1993.* – SCHMOLL, J. A. genannt EISENWERTH: *Rodin u. C. C. München 1994, Nachdr. ebd. 1995.*

2) Paul, frz. Schriftsteller, *Villeneuve-sur-Fère (Dép. Aisne) 6. 8. 1868, †Paris 23. 2. 1955, Bruder von 1); war u.a. Botschafter in Tokio, Washington, Brüssel; gehört zu den Hauptvertretern des →Renouveau catholique. C. gestaltete aus dem kath. Glauben heraus eine dichter. Welt, in die geschichtl. Ereignisse und Zeitloses, ird. und himml. Liebe, Alltägliches, Wunder, Groteskes und Burleskes mit einbezogen sind. Er schrieb neben Lyrik v.a. Dramen (»Goldhaupt«, 1891; »Mittagswende«, 1906; »Mariä Verkündigung«, 1912; »Der seidene Schuh«, 1929, sein Hauptwerk; »Das Buch von Christoph Columbus«, 1929; »Johanna auf dem Scheiterhaufen«, 1938, dramat. Oratorium, Musik von A. Honegger), die auch lyr. Züge tragen, ferner Essays (»Ars poetica mundi«, 1907). Er schuf eine eigene Versform, meist reimlose Prosa in freien Rhythmen. In den letzten 30 Jahren seines Lebens schrieb er bes. Bibelkommentare und bibl. Studien.

📖 THEISEN, J.: *P. C. Berlin 1973.* – LANDAU, E. M.: *Verlorene Wege, bleibende Wege. »Die Runde«, P. C. u. Reinhold Schneider, hg. v.* C. P. THIEDE. *Paderborn 1994.*

Claude Lorrain [klodlɔ'rɛ̃], frz. Maler, →Lorrain, Claude.

Claudius, Matthias, Dichter, *Reinfeld (Holstein) 15. 8. 1740, †Hamburg 21. 1. 1815; leitete 1771–75 die Zeitung »Der Wandsbecker Bothe«; fand in teils satirisch-komischen Erzählungen und Betrachtungen, v.a. aber in der Lyrik einen originalen, Kunst- und Volkslied vereinenden Ton (»Der Mond ist aufgegangen«, 1779; »Der Mensch«, 1783).

📖 ROWLAND, H.: *M. C. München 1990.*

Albert Claude

Claudius, röm. Kaiser: **1)** Tiberius C. Nero Germanicus, *Lugdunum (heute Lyon) 1. 8. 10 v. Chr., †(ermordet) Rom 13. 10. 54 n. Chr., Sohn des Nero C. Drusus; nach Caligulas Ermordung (41 n. Chr.) von den Prätorianern auf den Thron erhoben; baute mithilfe von Freigelassenen die kaiserl. Verwaltung aus und eroberte Teile Britanniens. 48 n. Chr. ließ er seine zügellose Gattin Messalina hinrichten. Seine Gattin Agrippina d. J. vergiftete ihn 54, um ihren Sohn Nero auf den Thron zu bringen.

2) Marcus Aurelius Valerius C. Gothicus, Kaiser seit 268, *in Dalmatien 10. 5. 219, †Sirmium (heute Sremska Mitrovica) 270; siegte über Alemannen in Oberitalien und Goten bei Naissus (heute Niš).

Paul Claudel

Claus, Prinz der Niederlande, urspr. C. von Amsberg, *Dötzingen (heute zu Hitzacker) 6. 9. 1926; 1957–65 im dt. diplomat. Dienst; seit 1966 ⚭ mit Beatrix, der Königin der Niederlande.

Claus, 1) Carlfriedrich, Zeichner, Grafiker und Schriftsteller, *Annaberg (heute Annaberg-Buchholz) 4. 6. 1930; entwickelte als Autodidakt eine eigenständige intermediäre Kunst, die eine fantasievolle Synthese von Dichtkunst und Bildfindung darstellt (»Sprachblätter«).

Carlfriedrich Claus: »Politpsychologische Notiz«, Radierung (1978; Chemnitz, Städtische Kunstsammlungen)

2) [klɔus], Hugo, fläm. Schriftsteller, *Brügge 5. 4. 1929; schrieb Lyrik mit experimenteller Sprachbehandlung sowie Dramen und Romane mit realistischer Thematik (»Zucker«, 1955; »Bella Donna«, 1996).

Carl von Clausewitz

Clausewitz, Carl von, preuß. General und Militärtheoretiker, *Burg (bei Magdeburg) 1. 6. 1780, †Breslau 16. 11. 1831; seit 1795 preuß. Offizier, nahm an zahlr. Feldzügen teil; gehörte nach 1808 zum Kreis um die preuß. Heeresreformer Scharnhorst und Gneisenau. Er stand zum Kampf gegen Napoleon I. 1812–15 in russ. Dienst; wirkte am Zustandekommen der preußisch-russ. Konvention von Tauroggen mit und war 1815–18 Stabschef in Koblenz, dann als Generalmajor Verwaltungsdirektor der Allg. Kriegsschule in Berlin; 1831 während der poln. Unruhen Chef des Generalstabes der preuß. Observationsarmee in Posen.

Sein unvollendetes Werk »Vom Kriege«, eine philosoph. Abhandlung über das Wesen des Krieges, machte ihn zum Begründer der modernen Kriegslehre. Nach seiner Definition ist »die Taktik die Lehre vom Gebrauch der Streitkräfte im Gefecht, die Strategie die Lehre vom Gebrauch der Gefechte zum Zwecke des Krieges«. Mit den Streitkräften soll der Sieg und damit schließlich der Friede erreicht werden. C. erkannte als Erster den polit. Instrumentalcharakter des Krieges bei der Untersuchung des Verhältnisses von Krieg und Politik. »Der Krieg ist die Fortsetzung der Politik mit anderen Mitteln«. Hieraus ergibt sich die Unterordnung des Militärs unter die Politik und die von ihr bestimmten Zielsetzungen.

Rudolf Clausius

📖 Paret, P.: *C. u. der Staat. Der Mensch, seine Theorien u. seine Zeit. A. d. Engl. Bonn 1993.*

Clausius, Rudolf Julius Emanuel, Physiker, *Köslin (heute Koszalin) 2. 1. 1822, †Bonn 24. 8. 1888; Mitbegründer der mechan. Wärmetheorie; formulierte den 2. Hauptsatz der Wärmetheorie und führte den Begriff der →Entropie ein.

Clausthal-Zellerfeld, Stadt (Bergstadt) im Landkr. Goslar, Ndsachs., im Oberharz, 535–610 m ü. M., 16 400 Ew.; Luftkurort, Wintersportplatz; TU (gegr. 1775 als Bergakademie Clausthal), Berg- und Hüttenschule, Oberbergamt, Oberharzer Museum. – Hölzerne Pfarrkirche (1638–42); in der St.-Salvatoris-Kirche (17. und 19. Jh.) Flügelaltar von W. Tübke (1994–97). – C.-Z. entstand 1924 durch Vereinigung von Clausthal (Stadtrecht 1554) und Zellerfeld (Stadtrecht 1532). Der Bergbau (seit dem 12. Jh.; Silber-, später Blei- und Kupfererze) ist seit 1930 eingestellt.

Clausula rebus sic stantibus [lat. »Klausel der gleich bleibenden Umstände«], *Recht:* der stillschweigende Vorbehalt, dass ein Vertrag nur so lange gelten soll, wie die Verhältnisse, die beim Abschluss für wesentlich erachtet worden sind, fortbestehen. Sie wird im Zivilrecht von der Rechtsprechung überwiegend abgelehnt, da sie dem Prinzip der Vertragstreue widerspreche. Funktionell kommt ihr aber die Lehre vom Wegfall der →Geschäftsgrundlage gleich. Im Völkerrecht Auflösungsgrund für einen Vertrag, dessen Geschäftsgrundlage sich in grundlegender und den Vertragsvollzug beeinflussender Weise verändert hat. Da die C. r. s. s. das Grundprinzip der Vertragstreue durchbricht, ist sie an enge Voraussetzungen gebunden.

Clavecin [klav'sɛ̃, frz.] *das,* das →Cembalo.

Clausthal-Zellerfeld: Die hölzerne Pfarrkirche zum Heiligen Geist (1638–42)

Clavel [kla'vɛl], Maurice, frz. Schriftsteller, *Frontignan (Dép. Hérault) 11. 11. 1920, †Asquins (bei Vézelay) 23. 4. 1979; entwickelte, bes. in seinen Bühnenwerken (»La terrasse de midi«, 1949; »Les Albigeois«, 1955 u. a.) einen lyr. Stil; schrieb außerdem gesellschaftskrit. Romane und Essays (»Ce que je crois«, 1975).

Claver [kla'βɛr], Petrus, span. Jesuit, *Verdú (Prov. Lleida) 1581, †Cartagena (Kolumbien) 8. 9. 1654; wirkte in Südamerika für die Bekehrung der schwarzen Sklaven und die Linderung ihrer Not. 1888 heilig gesprochen; Tag: 9. 9. – Die **Petrus-C.-Sodalität,** 1894 gegr., ist eine kath. Genossenschaft zur Unterstützung der afrikan. Missionen; sie heißt seit 1947 Missionsschwestern vom hl. Petrus Claver.

Clavichord [-k-], →Klavichord.

Clavicula [lat.] *die,* das →Schlüsselbein.

Clavijo y Fajardo [kla'βixo i fa'xarðo], José, span. Schriftsteller und Gelehrter, *auf Lanzarote 19. 3. 1727, †Madrid 3. 11. 1806; befreundet mit Voltaire und Buffon; Vertreter der Aufklärung; seine Liebesaffäre mit Louise Caron, der Schwester von Beaumarchais, regte Goethe zu seinem Trauerspiel »Clavigo« (1774) an.

Clay [kleɪ], **1)** Cassius, Boxer, →Muhammad Ali.

2) Henry, amerikan. Politiker, *Hanover County (Va.) 12. 4. 1777, †Washington (D. C.) 29. 6. 1852; war seit 1811 Kongress-Abg. und 1825–29 Außenmin. Er suchte die regionalen Gegensätze bes. zwischen den Nord- und den Südstaaten zu überbrücken (Missouri-Kompromiss von 1820, Zollkompromiss von 1833, Kompromiss von 1850 in der Sklavenfrage). Seine Versuche, zum Präs. gewählt zu werden, scheiterten.

📖 BAXTER, M. G.: *H. C. and the American system. Lexington, Ky., 1995.*

3) Lucius Dubignon, amerikan. General, *Marietta (Ga.) 23. 4. 1897, †Chatham (Mass.) 16. 4. 1978; war 1947–49 Militärgouv. der amerikan. Besatzungszone in Dtl., organisierte die Luftbrücke während der sowjet. Blockade (1948/49) der Westsektoren Berlins; 1961/62 Sonderbeauftragter Präs. J. F. Kennedys für Berlinfragen.

Clearance ['klɪərəns; engl. »Reinigung«, »Klärung«] *die* oder *das, Medizin:* Reinigung einer bestimmten Blutplasmamenge von in ihr befindl. körpereigenen (endogene C.) oder künstlich eingebrachten Substanzen (exogene C.) durch ein Ausscheidungsorgan (z. B. Nieren oder Leber). Der bei der Nierenfunktionsprüfung ermittelte **C.-Wert** (Klärwert) ist das Maß für die Ausscheidungsfähigkeit bzw. -geschwindigkeit der Nieren.

Clearing ['klɪərɪŋ, engl.] *das,* institutionell gesicherte Verrechnung (Saldierung) gegenseitiger Forderungen und Verbindlichkeiten zw. zwei oder mehreren (bi- bzw. multilaterales C.) Wirtschaftseinheiten, wobei nur die Spitzenbeträge durch Zahlung oder Kreditierung ausgeglichen werden. C. erfolgt im nat. Zahlungsverkehr v. a. als C. zw. Kreditinstituten (→Abrechnungsverkehr). Im internat. Zahlungsverkehr dient das C. der Aufrechnung der im Wirtschaftsverkehr zw. zwei oder mehreren Ländern entstandenen gegenseitigen Forderungen und Verbindlichkeiten. Hierzu werden bei den Zentralbanken (oder bei besonderen Stellen) Verrechnungskonten geführt; die Salden werden entweder kreditiert (→Swing) oder in vereinbarter Währung (Gold, Devisen) ausgezahlt.

Clebsch, Rudolf Friedrich Alfred, Mathematiker, *Königsberg (Pr) 19. 1. 1833, †Göttingen 7. 11. 1872; arbeitete über mathemat. Physik, Variationsrechnung, Invariantentheorie u. a. Themen.

Cleef, Joos van, niederländ. Maler, →Cleve.

Cleland ['klelənd], John, engl. Schriftsteller, *1709, †London 23. 1. 1789; schrieb den erot. Roman »Fanny Hill« (1749).

Clematis [auch 'kle-; grch. »Ranke«] *die,* die →Waldrebe.

Clemenceau [klemɑ̃'so], Georges, frz. Politiker, *Mouilleron-en-Pareds (Dép. Vendée) 28. 9. 1841, †Paris 24. 11. 1929; Arzt, seit 1876 Abg. und Wortführer der äußersten Linken (»Ministerstürzer«); wurde in den Skandal um den →Panamakanal hineingezogen und deshalb 1893 nicht wieder gewählt; setzte sich für die Revision des Dreyfusprozesses (→Dreyfusaffäre) ein; wurde 1902 Senator. Als MinPräs. (1906–09) führte er die Trennung von Kirche und Staat zu Ende. Im Nov. 1917 wieder an der Spitze der Reg., sammelte er unter weitgehender Ausschaltung des Parlaments alle Kräfte Frankreichs und trug damit wesentlich zum Sieg der Alliierten bei. Bei den Friedensverhandlungen suchte er Dtl. möglichst zu schwächen und den Rhein zur militär. Grenze Frankreichs zu machen; er polemisierte später heftig gegen alle Zugeständnisse an Deutschland. Als er im Jan. 1920 bei der Wahl des Staatspräs. unterlag, zog er sich aus der Politik zurück.

Werke: Demosthenes (1925); Claude Monet (1928); Größe und Tragik eines Sieges (1930).

Georges Clemenceau (Ausschnitt aus einem Gemälde von Édouard Manet; 1879/80, Paris, Louvre)

Lucius D. Clay

Clemens non Papa, Jacobus, eigtl. Jacques Clément, frankofläm. Komponist, *Middelburg zw. 1510 und 1515, †Diksmuide (Westflandern) um 1555/56; Meister der polyphonen Vokalmusik vor Palestrina; komponierte Messen, Motetten, Chansons und →Souterliedekens.

Clemente, Francesco, italien. Maler, *Neapel 23. 3. 1952; Vertreter der →Transavanguardia. Im Mittelpunkt seines Schaffens steht die Auseinandersetzung mit dem eigenen Körper. BILD S. 40

Clementi, 1) Aldo, italien. Komponist, *Catania 25. 5. 1925; wandte sich nach neobarocken Anfängen der seriellen Musik zu, komponierte etwa seit

Francesco Clemente: »Bianci«: ein Tanz der Salome (1983; Privatbesitz)

1960 auch unter Einbeziehung des Zufallsprinzips; u.a. Collage 3 »Dies irae« (1967; elektron. Musik), »AEB« (1983; für 17 Instrumente), Concerto (1986; für Klavier und 11 Instrumente).

2) Muzio, italien. Pianist und Komponist, *Rom 23. 1. 1752, †Evesham (bei Worcester) 10. 3. 1832; hat maßgeblich zur Entwicklung des Klavierspiels und der Klaviermusik beigetragen (Terzenparallelen). Er schrieb über 100 Sonaten und Sonatinen sowie das Etüdenwerk »Gradus ad Parnassum« (3 Bde., 1817–26).

Edith Clever

Clementine, →Klementine.

Clerici [-tʃi], Fabrizio, italien. Maler, Grafiker und Bühnenbildner, *Mailand 15. 5. 1913; schuf fantasievolle, an den röm. Manierismus anknüpfende bizarre Landschaften sowie Bühnenbilder.

Clerk [engl. klɑːk, amerikan. klɔːk] *der,* **1)** in Großbritannien und den USA kaufmänn. oder Verwaltungsbedienstete unterschiedlichen Rangs, Schreiber (z.B. Gerichtsschreiber).

2) anglikan. Geistlicher.

Clermont-Ferrand Stadtwappen

Clermont-Ferrand [klɛrmɔ̃fɛˈrɑ̃], frz. Stadt im Zentralmassiv, VerwSitz des Dép. Puy-de-Dôme und der Region Auvergne, 136100 Ew.; zwei Univ.; Museen, Oper, Theater; botan. Garten; Gummi-, Reifen-, chem. u.a. Ind., Maschinen-, Fahrzeugbau. – Got. Kathedrale (1248 ff.; W-Fassade und Türme 19. Jh.), Kirche Notre-Dame-du-Port (11./12. Jh.). – **Clermont,** in röm. Zeit als Augustonemetum Hptst. der galloröm. Civitas der Arverner, seit dem 4. Jh. Bischofssitz und im MA. **Mons clarus** genannt, fiel 1551 an die frz. Krone und wurde 1731 mit Montferrand (gegr. im 11. Jh.) vereinigt.

Bill Clinton

Cleve (Cleef), Joos van, eigtl. J. van der Beke, niederländ. Maler, *Kleve um 1490, †Antwerpen vor dem 13. 4. 1541; wichtiger Vermittler der Kunst Leonardo da Vincis in den Norden Europas; allgemein wird heute der anonyme »Meister des Todes Mariä« der Flügelaltäre in Köln (1515) und München (um 1523) mit J. v. C. identifiziert.

Cleveland [ˈkliːvlənd], Stephen Grover, 22. und 24. Präs. der USA (1885–89, 1893–97; Demokrat), *Caldwell (N.J.) 18. 3. 1837, †Princeton (N.J.) 24. 6. 1908; kämpfte gegen die Korruption, auch in der eigenen Partei; Gegner einer Schutzzollpolitik; verfolgte eine antiimperialist. Linie in der Außenpolitik: 1893 verhinderte er die Annexion Hawaiis.

Cleveland [ˈkliːvlənd], **1)** Hafenstadt in Ohio, USA, am S-Ufer des Eriesees; 505600 Ew.; drei Univ., TH u.a. kulturelle Einrichtungen (u.a. Rock 'n' Roll-Museum); NASA-Forschungszentrum. Infolge günstiger Verkehrslage ist C. eine bed. Ind.- und Handelsstadt mit Eisen- und Stahlwerken, Maschinen-, Schiff-, Fahrzeugbau, Textil-, chem. und elektron. Industrie; über den St.-Lorenz-Seeweg ist C. mit dem Meer verbunden. – Gegr. 1796.

2) Cty. in NO-England, 597 km², (1993) 559500 Ew.; Hptst. Middlesbrough.

Clever, Edith, Schauspielerin, *Wuppertal 13. 12. 1940; Charakterdarstellerin, u.a. in Berlin (v.a. Schaubühne, Hebbel-Theater), Zusammenarbeit mit P. Stein und H. J. Syberberg; auch Filmschauspielerin (»Die Marquise von O.«, 1975).

Cliburn [ˈklaɪbəːn], Van, eigtl. Harvey Lavan C., amerikan. Pianist, *Shreveport (La.) 12. 7. 1934; interpretiert u.a. virtuose Klavierwerke der Romantik sowie zeitgenössische amerikan. und russ. Komponisten.

Clichy [kliˈʃi], Stadt im frz. Dép. Hauts-de-Seine, im nordwestl. Vorortbereich von Paris, 48000 Ew.; Automobilbau, chem. Ind., Maschinenbau.

Cliff-Dwellings, →Anasazikultur.

Clifford [ˈklɪfəd], William Kingdon, engl. Mathematiker und Philosoph, *Exeter 4. 5. 1845, †auf Madeira 3. 3. 1879; arbeitete über die höherdimensionale und nichteuklid. Geometrie; suchte die Sozialethik philosophisch zu begründen.

Clinch [klɪntʃ, engl.] *der, Boxen:* die Umklammerung.

Clinton [ˈklɪntən], Bill, eigtl. William Jefferson Blythe, 42. Präs. der USA (seit Jan. 1993), *Hope (Ark.) 19. 8. 1946; Jurist, 1979–81 und 1983–93 Gouv. von Arkansas; gewann als Kandidat der Demokrat. Partei die Präsidentschaftswahlen von Nov. 1992 (gegen den amtierenden Präsidenten G. H. W. Bush, Republikan. Partei) und von Nov. 1996 (gegen den Republikaner R. Dole). Bei der Umsetzung seines zunächst stark innenpolitisch bestimmten Reg.programms (Impulse zur Stärkung der Wirtschaft, Reformen des Bildungs- und Gesundheitswesens, stärkere Schusswaffenkontrolle) geriet er seit Ende 1994 zunehmend unter den Druck der Republikaner, die seit Nov. 1994 in beiden Häusern des Kongresses die Mehrheit besitzen, Ende 1995 dann bes. in der Frage der Gestaltung des Staatshaushaltes. In der Außenpolitik verfolgt C. das Ziel einer Osterweiterung der NATO und unterstützt den Friedensprozess im Nahostkonflikt. Nach anfängl. Zögern führten seine Initiativen zur friedl. Lösung des Bürgerkrieges in Bosnien und Herzegowina zum Friedensabkommen von Dayton (Nov. 1995).

Clio (Klio, grch. Kleio), eine der Musen, in der Überlieferung meist die Muse der Geschichtsschreibung.

Clip [engl.] *der,* **1)** mod. Schmuckspange mit federnder Klemme; auch als **Ohr-C.** gebraucht.

2) → Videoclip.

Clipper, → Klipper.

Clique [klik, 'klikə; frz. »Sippschaft«] *die, Soziologie:* kleine, informelle, spontan gebildete Gruppe mit engem Zusammenhalt innerhalb einer größeren, auf deren Ordnung die C. auflösend wirkt; gewöhnlich abwertend gebrauchte Bezeichnung.

Clitoris [grch. »kleiner Hügel«] *die,* → Kitzler.

Clive [klaɪv], Robert, Baron (seit 1762) C. of Plassey, Begründer der brit. Herrschaft in Ostindien, * Styche Hall (bei Market Drayton, Shropshire) 29. 9. 1725, † (Selbstmord) London 22. 11. 1774; siegte im Dienst der Ostind. Kompanie 1757 bei Plassey über den Nawab (Fürst) von Bengalen. Als Gouv. und Oberbefehlshaber in Ostindien (1764–67) erreichte er, dass der Großmogul 1765 Bengalen, Bihar und N-Orissa der Kompanie überließ.

Clivi|e (Clivia), südafrikan. Gattung der Amaryllisgewächse mit riemenförmigen Blättern und großen gelbroten Blütendolden; Zierpflanzen.

Clochard [klɔ'ʃa:r, frz.] *der,* Obdachloser, Stadtstreicher, bes. in Paris.

Cloete ['klu:tɪ], Stuart, südafrikan. Schriftsteller, * Paris 23. 7. 1897, † Kapstadt 19. 3. 1976; schrieb u. a. den Roman des Burentrecks von 1838 (»Wandernde Wagen«, 1937).

Cloisonné [klwasɔ'ne, frz.] *das* (Émail cloisonné, Zellenschmelz), eine Technik der → Emailkunst.

Cloppenburg, 1) Landkreis im RegBez. Weser-Ems, Ndsachs., 1 417 km², (1996) 142 100 Einwohner.

2) Stadt in Ndsachs., an der Soeste im Oldenburg. Münsterland, Verw.sitz von 1), 28 000 Ew.; »Museumsdorf C.« – Niedersächs. Freilichtmuseum (gegr. 1934); Fleischind., Fahrradfabrik; Viehmärkte. – C. entstand bei einer bereits vor 1297 bezeugten Burg und erhielt 1435 Stadtrecht.

Cloqué [klɔ'ke, frz.] *der,* Gewebe mit aufgeworfener blasiger Musterung.

Clos [klo:, frz.] *das,* in einigen frz. und schweizer. Weinbaugebieten von einer Mauer oder Hecke eingefriedeter Weinberg; meist Bez. für eine Einzellage.

Close [kləʊz], Glenn, amerikan. (Film-)Schauspielerin, * Greenwich (Conn.) 19. 3. 1947; spielte u. a. die Hauptrolle im Musical »Sunset Boulevard«, dann Charakterrollen im Film (»Gefährl. Liebschaften«, 1988; »Das Geisterhaus«, 1993).

Closed Shop ['kləʊzd 'ʃɔp, engl.] *der,* ein Betrieb, in dem aufgrund eines Abkommens zw. Gewerkschaften und Unternehmen nur organisierte Arbeitnehmer eingestellt werden; in Dtl. nicht zulässig.

Clostridi|en [zu grch. klōstḗr »Spindel«], grampositive, anaerobe, Sporen bildende Bakterien. Clostridium botulinum verursacht den → Botulismus, Clostridium tetani den Tetanus (→ Wundstarrkrampf); andere C.-Arten rufen → Gasbrand, → Bradsot und → Rauschbrand hervor.

Clouet [klu'ɛ], **1)** François, frz. Maler, * Tours zw. 1505 und 1510, † Paris 22. 9. 1572, Sohn von 2); seit 1540 Hofmaler Franz I.; seine Porträts erinnern in ihrer Meisterschaft an Werke von H. Holbein dem Jüngeren. BILD S. 42

2) Jean, gen. Janet, frz. Maler, * in Flandern um 1480, † Paris 1540 oder 1541, Vater von 1); Hofmaler Franz I.; bekannt wurde C. durch meisterhafte Porträts in schwarzer Kreide und Rötel.

Clouzot [klu'zo], Henri-Georges, frz. Filmregisseur, * Niort 20. 11. 1907, † Paris 12. 1. 1977; zu seinen wichtigsten Filmen zählen »Lohn der Angst« (1952), »Die Teuflischen« (1954), »Picasso« (1955), »Die Hölle« (1964).

Clown [klaʊn; engl. »Tölpel«, »Rüpel«] *der,* urspr. die lustige Gestalt der engl. Bühne (seit An-

Glenn Close

Stuart Cloete

Joos van Cleve: »Tod Mariä« (um 1523; München, Alte Pinakothek)

François Clouet: »Der Apotheker Pierre Quthe« (1562; Paris, Louvre)

fang des 16. Jh.), im 18. und 19. Jh. vom Theater verbannt; heute Spaßmacher im Zirkus.

📖 Borne, R. von dem: *Der C. Geschichte einer Gestalt. Stuttgart 1993.*

CLT [seɛlˈte], Abk. für **C**ompagnie **L**uxembourgeoise de **T**élédiffusion, luxemburg. Medienkonzern, gegr. 1929; Sitz Luxemburg; Betreiber und Anteilseigner von RTL-Hörfunk- und -Fernsehprogrammen.

Club of Rome [klʌb əv ˈrəʊm], informeller Zusammenschluss (1968) von Wissenschaftlern, Politikern und Wirtschaftsführern aus 53 Ländern mit dem Ziel der Erforschung der Menschheitsprobleme, v. a. der wirtsch., polit., ökolog., sozialen und demograph. Situation der Menschheit. Mit der Untersuchung von D. Meadows u. a. über »Die Grenzen des Wachstums« (erstmals 1972) fand die Arbeit des C. o. R. ein weltweites Echo. 1973 erhielt er den Friedenspreis des Dt. Buchhandels.

📖 Moll, P.: *From scarcity to sustainability. Future studies and the environment: the role of the C. of R. Vorw. v.* R. Jungk. *Frankfurt am Main u. a. 1991.* – King, A. *u.* Schneider, B.: *Die erste globale Revolution. Bericht zur Lage der Welt. Zwanzig Jahre nach »Die Grenzen des Wachstums«. A. d. Engl. Taschenbuchausg. München 1993. – Die Grenzen des Wachstums. Bericht des C. of R. zur Lage der Menschheit. Beiträge v.* D. L. Meadows *u. a. A. d. Amerikan. Stuttgart* [16]*1994.*

Cluj-Napoca [ˈkluʒnaˈpoka], rumän. Stadt, →Klausenburg.

Cluny [klyˈni], Stadt im frz. Dép. Saône-et-Loire, 4400 Ew. – C. verdankt seine Entstehung der 909 gegr. berühmten Benediktinerabtei C. (lat. **Cluniacum**), dem Ausgangspunkt der großen Erneuerung (→kluniazensische Reform) des benediktin. Mönchtums im MA., aus der im 11. Jh. auch die Kirchenreform hervorging. Sehr starken Einfluss übte C. auch auf die Baukunst aus, sowohl durch den zweiten, asketisch-strengen Bau seiner Abteikirche (geweiht 981) als auch durch den gewaltigen, prunkvollen dritten Bau (begonnen 1089). Seit der Mitte des 12. Jh. verlor C. an Ansehen. Das Kloster wurde während der Frz. Revolution aufgehoben und zum Abbruch freigegeben. Erhalten blieben nur einige Abteigebäude (z. T. Museum), von der Kirche nur der südl. Arm des Hauptquerschiffs mit achteckigem Turm, dem »Clocher de l'eau bénite«.

📖 Wollasch, J.: *C. – »Licht der Welt«. Aufstieg u. Niedergang der klösterl. Gemeinschaft. Zürich u. a. 1996.*

Clụsius-Dịckel-Trennrohr [nach den Physikochemikern K. Clusius, *1903, †1963, und G. Dickel, *1913], *Physik:* →Trennrohr.

Cluster [ˈklʌstə; engl. »Klumpen«, »Traube«] *der,* **1)** *Musik:* Komplex mehrerer benachbarter Töne im Abstand von Sekunden oder kleineren Intervallen. C. werden z. B. auf dem Klavier mit der flachen Hand oder dem Unterarm hervorgebracht.

2) *Physik:* als einheitl. Ganzes zu betrachtende Menge von (ggf. nur zeitweilig) zusammenhängenden Teilchen.

Clwyd [kluɪd], ehem. County in Wales, Großbritannien, heute geteilt in die Verw.gebiete Conwy, Denbighshire, Flintshire und Wrexham.

Clyde [klaɪd] *der,* längster Fluss in W-Schottland, 171 km lang, entspringt im südschott. Bergland, mündet in den **Firth of C.,** eine fjordartige Meeresbucht, die sich zum Nordkanal öffnet.

Cluny

Bernhard von Clairvaux kritisiert die Prunksucht der Kluniazenser (Apologia XII. 28, ca. 1125):

»Ich störe mich nicht so sehr an den gewaltigen Ausmaßen der Kirchen, den maßlosen Weiten der Räume, den verschwenderischen Fresken und seltsamen Malereien (...). Aber ich frage als Mönch die Mönche: Was hat das Gold dort zu schaffen? (...) Die Kirche erstrahlt in ihren eigenen Wänden und ist ärmlich gegenüber den Armen. Sie kleidet ihre Steine in Gold, ihre Kinder läßt sie unbekleidet. Auf Kosten der Armen bedient man die Augen der Reichen. Die Neugierigen strömen herbei, um sich zu ergötzen, es kommen nicht die Bedürftigen, um gespeist zu werden. (...) Was sollen im Kreuzgang (...) die wüsten Affen, die wilden Löwen, die gewaltigen Zentauren, die Halbmenschen, die gefleckten Tiger, die kämpfenden Krieger, die Mißgestalten mit einem Kopf und vielen Körpern, dann wieder solche mit einem Körper und vielen Köpfen? (...) Bei Gott! Wenn man sich schon nicht der Albernheiten schämt, warum reuen einen nicht wenigstens die Kosten?«

Cluny: Das vom Abbruch verschonte Hauptquerschiff der romanischen Abteikirche mit dem achteckigen Turm »Clocher de l'eau bénite«

Cm, chem. Symbol für → Curium.

CMA, Abk. für **C**entrale **M**arketinggesellschaft der deutschen **A**grarwirtschaft mbH, Gesellschaft zur Erschließung und Pflege von Märkten für dt. Agrarprodukte im In- und Ausland, gegr. 1969 von Verbänden der Land- und Forstwirtschaft sowie der Ernährungsind., Sitz Bonn. Die CMA verwendet eigene Gütezeichen; sie wird finanziert durch einen ihr zur Verfügung gestellten (öffentlich-rechtl.) Fonds.

Cluster 1): Notation (links) und Ausführung (rechts)

C+M+B, Abk. für die Hl. Drei Könige **C**aspar, **M**elchior, **B**althasar, bes. im kath. S-Dtl., am Vorabend des Dreikönigsfestes zus. mit Jahreszahl und Kreuzzeichen als Segensformel mit Kreide an Türen geschrieben; auch gedeutet als »**C**hristus **man**sionem **b**enedictat« (Christus segne die Wohnung).

CMOS-Technologie (CMOS, Abk. für engl. **c**omplementary **m**etal **o**xide **s**emiconductor), eine Halbleitertechnologie zur Herstellung von integrierten Schaltungen mit hohem Zuverlässigkeitsgrad; → MOS-Technik.

📖 *CMOS-Taschenbuch,* 2 *Bde. Vaterstetten* $^{5-11}$*1994.*

CN, Code-Name für den stark Tränen erzeugenden Reizkampfstoff Chloracetophenon; von der UNO 1969 internat. geächtet.

CNC, Abk. für engl. **c**omputerized **n**umerical **c**ontrol, computergestützte numer. Steuerung für Werkzeugmaschinen.

CNN International [sien'en ɪntə'næʃnl; CNN, Abk. für engl. **C**able **N**ews **N**etwork], zur Time Warner Inc. gehörender TV-Nachrichtensender.

C/N-Verhältnis, Mengenverhältnis zw. Kohlenstoff (C) und Stickstoff (N) in organ. Bestandteilen des Bodens (Humus, Ernteabfälle), wichtig für das Tempo des mikrobiellen Abbaues. Günstig ist ein enges C/N-V. (z.B. 15:1 in reifem Stapelmist) mit relativ hohem Stickstoffanteil. Wegen des weiten C/N-V. bei Getreidestroh (bis zu 100:1) verbessert Stickstoffdüngung seine Umsetzung im Boden.

CN-Zyklus, kurz für Kohlenstoff-Stickstoff-Zyklus, → Bethe-Weizsäcker-Zyklus.

c/o ['siː 'əʊ, engl.], Abk. für **c**are **o**f, auf Briefen: (wohnhaft) bei, per Adresse.

Co, chem. Symbol für → Kobalt.

Co., Abk. für frz. **Co**mpagnie und engl. **Com**pany.

Côa ['koa], im Tal des Rio Côa im Nordosten Portugals soll 1998, dem Jahr der Weltausstellung in Lissabon, ein archäologischer Park mit mehr als hundert Felszeichnungen aus der Altsteinzeit eröffnet werden. Die etwa 18000 Jahre alten Gravierungen – Bisons, Pferde, Hirsche und Stiere –, deren Entdeckung fast zwei Jahre lang geheim gehalten wurde, drohten durch den Bau einer Talsperre überflutet zu werden.

Coach [kəʊtʃ, engl.] *der, Sport:* Trainer, Berater, Betreuer.

Coaching ['kəʊtʃɪŋ; engl. to coach »auf eine Prüfung vorbereiten«, »trainieren«] *das, Betriebswirtschaftslehre:* i.w.S. die Förderung von Mitarbeitern (Anlagenentfaltung, Motivations- und Produktivitätssteigerung) durch ihre Vorgesetzten; i.e.S. die individuelle, meist länger andauernde Beratung von Führungskräften bei psych. Nöten (z.B. Probleme im Kommunikations- und Führungsverhalten, Burn-out-Syndrom) und Schwierigkeiten im persönl. Arbeitsverhalten (z.B. Zeitmanagement).

Coahuila, Staat in → Mexiko.

Coase [kəʊs], Ronald Harry, brit. Volkswirtschaftler, *Willesden (heute zu London) 29. 12. 1910; Begründer der modernen Institutionenökonomik und der Transaktionskostentheorie. Mit dem sog. **C.-Theorem** entwickelte er einen Lehr-

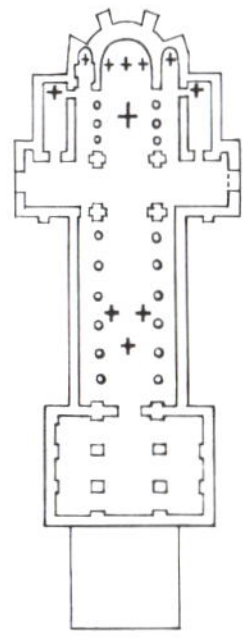

Cluny: Grundriss der zweiten Abteikirche (geweiht 981)

Ronald Harry Coase

satz der Wohlfahrtsökonomie, der den aktuellen Problemen einer optimalen Beseitigung von Umweltschäden wichtige Impulse liefert. C. erhielt für die Klärung der Bedeutung der Transaktionskosten und der Eigentumsrechte 1991 den Nobelpreis für Wirtschaftswissenschaften.

Coast Ranges ['kəʊst 'reɪndʒɪz], die parallel zur pazif. Küste der USA verlaufenden Gebirgsketten, bis 2744 m hoch; sie setzen sich in Kanada und im angrenzenden Alaska auf den der Küste vorgelagerten Inseln (von Vancouver Island bis zum Alexanderarchipel) fort. – Die sich auf dem Festland entlang dieser Küste erstreckenden, stark vergletscherten Gebirge sind die **Coast Mountains;** sie erreichen im Mount Waddington (Kanada) 3994 m ü. M.

Richard Cobden (Holzstich, um 1860)

Coati [brasilian.] *der,* →Kleinbären.

Coatzacoalcos (früher Puerto México), Stadt im Staat Veracruz, Mexiko, am Golf von Campeche, 429000 Ew.; wichtiger Ind.standort und Ausfuhrhafen für Erdölerzeugnisse und Holz.

Cobaea *die,* die →Glockenrebe.

Cobalt *das,* fachsprachlich für →Kobalt.

Cobaltin *der,* Mineral, →Kobaltglanz.

Cobden, Richard, brit. Wirtschaftspolitiker, *Dunford (bei Portsmouth) 3. 6. 1804, †London 2. 4. 1865; Kattunfabrikant in Manchester; trat für den wirtschaftspolitischen Liberalismus ein (Manchestertum). 1839 gründete er die Liga gegen die Korngesetze (Anti-Corn-Law-League), 1860 schloss er einen britisch-frz., auf freihändler. Grundsätzen beruhenden Handelsvertrag, den **C.-Vertrag,** ab.

Samuel von Cocceji (Kupferstich von Johann Haid)

COBOL [Abk. für engl. **co**mmon **b**usiness **o**riented **l**anguage, eine →Programmiersprache für kommerzielle Anwendungen.

Cobra, Abk. für **Co**penhagen, **Br**üssel, **A**msterdam, eine 1948 gegr. avantgardist. Gruppe von dän., fläm. und niederländ. Malern (A. Jorn, K. Appel, P. Alechinsky, C. A. Nieuwenhuys, gen. Constant, G. Corneille u. a.); gab bis 1951 die gleichnamige Zeitschrift heraus; strebte eine von populären Bildsprachen ausgehende »Volkskunst« an, die sie unter Verschmelzung von Expressionismus, Surrealismus und Abstraktion mit den Mitteln der informellen Kunst zu gestalten suchte.

📖 *COBRA. Eine internationale Bewegung in der Kunst nach dem 2. Weltkrieg, bearb. v.* W. STOKVIS. *A. d. Engl. Braunschweig 1989.*

Coburg, 1) Landkreis im RegBez. Oberfranken, Bayern, 592 km², (1996) 91100 Einwohner.

2) kreisfreie Stadt und Verw.sitz von 1), Bayern, im Vorland des Thüringer Waldes, 44200 Ew.; Staatsarchiv, FH, Naturkundemuseum, Landestheater; Maschinenbau, Holz-, Papier-, Bekleidungsind. – Spätgot. Morizkirche (innen barock umgestaltet), Spätrenaissancebauten (Stadthaus, Gymnasium, Zeughaus), Rathaus (1578ff., 1750 verändert), Schloss Ehrenburg (1543–49 erbaut, im englisch-got. Stil des 19. Jh. verändert) mit Festsaal und Barockkirche. Über der Stadt die **Veste C.,** eine der größten dt. Burganlagen, entstanden als mittelalterl. Ringburg, im 16./17. Jh. zur Landesfestung ausgebaut; 1911–23 in wesentl. Teilen durch B. Ebhardt erneuert; beherbergt heute Kunstsammlungen. – C. erhielt 1331 Stadtrecht; war seit 1572 mehrfach Residenz, 1826–1918 eine der Hauptstädte des Herzogtums Sachsen-C.-Gotha. 1920 schloss sich die Pflegschaft C. durch Volksabstimmung Bayern an.

Coburg 2) Stadtwappen

Coburger Convent, Abk. **CC,** →studentische Verbindungen.

Coca [indian.] *die,* →Kokastrauch.

Coca-Cola Co. ['kəʊkə'kəʊlə 'kʌmpənɪ], amerikan. Getränkekonzern, Sitz Atlanta (Ga.), gegr. 1886; weltgrößter Hersteller von Konzentraten für alkoholfreie Getränke (Coca-Cola, Fanta, Sprite, New Coke), die an mehr als 1400 unabhängige und in Eigenbesitz befindliche Abfüller in mehr als 195 Ländern verkauft werden.

Cocain, →Kokain.

Cocanada, ind. Stadt, →Kakinada.

Cocceji [kɔk'tseji], Samuel Freiherr von (seit 1749), Jurist und preuß. Staatsmann, *Heidelberg 20. 10. 1679, †Berlin 4. 10. 1755, Sohn des Staats- und Völkerrechtlers Heinrich von C. (*1644, †1719); machte sich durch umfassende Justizreformen in Preußen verdient (Prozessordnung von 1747/49).

Cobra: Asger Jorn, »Lustige Vorgänge« (1957/58; München, Galerie van de Loo)

Cochabamba [kotʃa'βamba], Hptst. des bolivian. Dep. C., 2560 m ü. M., 407800 Ew.; Univ., Erzbischofssitz; Erdölraffinerie (Pipeline von Camiri); internat. Flughafen.

Cochem, Krst. des Landkr. C.-Zell, Rheinl.-Pf., beiderseits der Mosel; 5600 Ew.; Weinbau und -handel, Fremdenverkehr. – Über der Stadt die

Burg C. (um 1020; 1689 von den Franzosen zerstört, 1871–79 wieder aufgebaut). – 866 erstmals genannt; erhielt 1332 Stadtrechte.

Cọchem-Zẹll, Landkreis im RegBez. Koblenz, Rheinl.-Pf., 719 km², (1996) 64 900 Ew.; Krst. ist Cochem.

Cockerspaniel (Schulterhöhe bis etwa 40 cm)

Cochenille [kɔʃ'nij, frz.] *die,* →Koschenille.

Cochin ['kəʊtʃɪn] (Kochi), Hafenstadt und Marinebasis in Kerala, Indien, 565 000 Ew.; Univ.; kath. Erzbischofssitz; Erdölraffinerie, Werften, Reismühlen, Spinnereien; bed. Fischfang. – C., die alte Hptst. eines gleichnamigen Fürstentums, war der erste Ort Indiens, an dem sich Europäer festsetzten: 1502 errichtete Vasco da Gama eine Faktorei, 1503 A. de Albuquerque eine Festung; unter niederländ. Herrschaft (1663–1795) Handelszentrum, seit 1795 wichtiger brit. Handelshafen.

Cochinchina [-tʃ-] (Kotschinchina, vietnames. Nam Bô), das Tiefland des Mekong im südl. Teil Vietnams, eines der größten und fruchtbarsten Reisanbaugebiete Asiens. – Das Gebiet war jahrhundertelang zw. dem Reich der Cham (Champa) und dem Khmerreich geteilt, geriet Ende des 16. Jh. unter vietnames. Herrschaft; 1858–67 von Frankreich erobert, seit 1887 Bestandteil der Indochines. Union; kam 1945/49 zu Vietnam.

Cochisekultur ['kəʊtʃiːz-], vorgeschichtliche indian. Kultur im südwestl. Nordamerika (etwa 8000 bis 200 v. Chr.).

Cochläus, Johannes, eigtl. J. Dobeneck kath. Theologe, *Wendelstein (bei Nürnberg) 10. 1. 1479, †Breslau 11. 1. 1552; seit 1530 an nahezu allen kirchenpolitischen Verhandlungen beteiligt. Seine schroff lutherfeindl. Lutherkommentare (1549) haben das kath. Lutherbild bis ins 19. Jh. beeinflusst.

Cockcroft ['kəʊkrɔft], Sir (seit 1948) John Douglas, brit. Atomphysiker, *Todmorden (bei Rochdale) 27. 5. 1897, †Cambridge 18. 9. 1967; baute mit E. T. S. Walton den ersten →Kaskadengenerator **(C.-Walton-Generator)** für Kernspaltungsversuche. Beide erhielten 1951 den Nobelpreis für Physik für ihre Pionierarbeit bei Kernumwandlungen durch hoch beschleunigte Protonen und α-Teilchen.

Joe Cocker

Cocker ['kɔkə], Joe, eigtl. John Robert, brit. Rocksänger, *Sheffield 20. 5. 1944. Sein Vokalstil ist von farbigen Blues- und Soulvorbildern geprägt.

Cọckerspani|el, engl. Jagdhunderasse, lebhafter Stöberhund mit lappenförmigen, tief angesetzten Ohren; Schulterhöhe etwa 40 cm.

Cockney ['kɔknɪ; engl., aus mittelengl. cockeney »verweichlichter Mensch«], **1)** *der,* Bez. für den Londoner Spießbürger.

2) *das,* Mundart der Bewohner der City von London, mit vulgärem Einschlag; wird als Zeichen der Unbildung angesehen.

Cọckpit [engl., eigtl. »Hahnengrube«] *das,* **1)** im Flugzeug die Pilotenkabine.

2) im Kraftwagen (bes. Sport- und Rennwagen) Platz des Fahrers.

3) bei Segelbooten die →Plicht.

Cocktail ['kɔkteɪl; engl., eigtl. »Hahnenschwanz«] *der,* urspr. amerikan. Bargetränk, heute appetitanregendes kaltes Mischgetränk mit unterschiedlich hohem Alkoholgehalt, auch alkoholfrei (→Mixgetränke).

Cocktailtomaten ['kɔkteɪl-] (Partytomaten), hoch und buschig wachsende Tomatensorten mit aromat., kirschgroßen Früchten.

Cocobọlo [indian.-span.] *das,* schön gezeichnetes, schweres Drechsler- und Kunsttischlerholz; stammt von der Schmetterlingsblütlergattung Dalbergia.

CỌCOM, Abk. für engl. **Co**ordinating **Com**mittee for East-West-Trade-Policy, 1949 in Paris gegr. Komitee zur Kontrolle der Ausfuhr von Spitzentechnologien und strategisch wichtigen Gütern in die damaligen Staatshandelsländer und Problemregionen. Die von den 16 C.-Mitgl. (NATO-Staaten ohne Island sowie Japan und Australien) erstellten Embargolisten **(C.-Listen)** erfassten die Güter und Technologien, die nicht oder nur unter bestimmten Voraussetzungen in die genannten Regionen exportiert werden durften. Aufgrund der Beendigung der Ost-West-Konfrontation liefen die C.-Bestimmungen zum 1. 4. 1994 aus.

Jean Cocteau

Cocteau [kɔk'to], Jean, frz. Schriftsteller, Filmregisseur und Grafiker, *Maisons-Laffitte (Dép. Yvelines) 5. 7. 1889, †Milly-la-Forêt (Dép. Essonnes) 11. 10. 1963; nahm u. a. Anregungen aus Futurismus, Dadaismus und Surrealismus auf, blieb aber auch den traditionellen Formen verpflichtet, wobei er immer eine provokante Unabhängigkeit wahrte; schrieb in suggestivem, elegantem Stil Lyrik (u. a. »Clair-obscur«, 1954), Romane (»Thomas der Schwindler«, 1923; »Der große Sprung«, 1923; »Kinder der Nacht«, 1929), Theaterstücke (»Orpheus«, 1927; »Die geliebte Stimme«, 1930; »Die Höllenmaschine«, 1934), Opernlibretti, Film-

John Douglas Cockcroft

skripte sowie Kritiken und schuf poet., z.T. surreale Filme (»Le sang d'un poète«, 1933; »La belle et la bête«, 1946; »Orphée«, 1949), Ballette, Choreographien und Grafiken.

🕮 LANGE, M.: *J. C. – Prinz ohne Reich. Biographie. A. d. Frz. Freiburg im Breisgau 1991.*

Jean Cocteau: Zeitgenössische Zeichnung des Berliner Grafikers Rudolf Grossmann

Cod., Abk. für **Cod**ex (→Kodex).

Coda *die,* →Koda.

Code [ko:t, frz. und engl.] *der* (Kode), **1)** *Biologie:* →genetischer Code.

2) *Informatik, Nachrichtentechnik:* Vorschrift für die eindeutige Zuordnung eines Zeichenvorrates; die Regeln zur Bildung der Signale, Verschlüsselung, Übertragung, Empfang, Entschlüsselung und Verarbeitung.

3) *Recht:* Gesetzbuch, v.a. Bez. für die von Napoleon I. veranlasste frz. Gesetzessammlung aus fünf Teilen (»Cinq Codes«): der noch heute gültige, die Grundgedanken der Frz. Revolution (Gleichheit vor dem Gesetz, Zivilehe, Eigentumsfreiheit) aufgreifende zivilrechtl. **C. civil (C. Napoléon)** von 1804, der **C. de commerce** von 1807 (Handelsrecht), der **C. de procédure civile** von 1806 (ZPO), der **C. pénal** von 1810 (Strafrecht) und der **C. d'instruction criminelle** von 1808 (StPO); Letzterer wurde durch den **C. de procédure pénale** von 1957/58 ersetzt.

CODEC, Abk. für **Co**dierer/**Dec**odierer, Einrichtung zur Umsetzung von analogen Signalen (z.B. Sprache im Telefonverkehr) in eine digitale Impulsfolge zur Übertragung in einem digitalen Nachrichtennetz und umgekehrt.

Codein [zu grch. kṓdeia »Mohnfrucht«] *das* (Kodein, Methylmorphin), Alkaloid des →Opiums mit morphinähnl., jedoch wesentlich schwächerer Wirkung. Verwendung v.a. als Hustenmittel.

Codex [lat.] *der,* Abk. Cod., **1)** →Kodex.

2) im röm. Recht Gesetzessammlung; z.B. C. Justinianus (→Corpus Iuris Civilis).

Codex argenteus [lat. »silbernes Buch«] *der,* in Silber- und Goldschrift auf purpurrotem Pergament in Oberitalien geschriebene Handschrift des 6. Jh. mit der Evangelienübersetzung des Wulfila; jetzt in Uppsala.

Codex aureus [lat. »goldenes Buch«] *der,* Bez. für Prachthandschriften des MA. mit goldenen Buchstaben oder goldenen Einbanddeckeln, z.B. der C.a. epternacensis aus Echternach (um 1040, jetzt in Nürnberg, German. Nationalmuseum) und bes. der C.a. aus dem Kloster St. Emmeram in Regensburg (seit 1811 in München, Bayer. Staatsbibliothek), ein Evangeliar mit reichem Bildschmuck, das 870 für Karl den Kahlen angefertigt wurde.

Codex Iuris Canonici *der,* Abk. CIC, das am 19. 5. 1918 in Kraft getretene »Gesetzbuch des kanon. Rechts«, enthält das geltende Recht der kath. Kirche des lat. Ritus, das in der Neufassung (seit dem 27. 11. 1983) den Beschlüssen des 2. Vatikan. Konzils entspricht. Dieser CIC besteht aus 1752 Canones (Abk. cc) in sieben Büchern.

Codierplatz, *Postwesen:* Bearbeitungsplatz, an dem auf abgehende Sendungen die Postleitzahl des Bestimmungsortes, auf ankommende die Kennziffer des Zustellbezirks in einem für die nachfolgende Briefverteilmaschine lesbaren Code aufgedruckt wird.

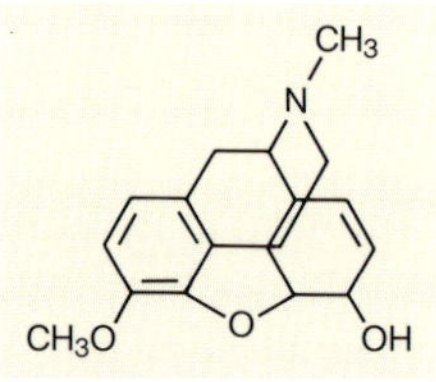

Codein

Codierung, *Informatik, Nachrichtentechnik:* Darstellung einer Nachricht in anderer Form, d.h. Umsetzung eines Zeichenvorrats in einen anderen. Jede Nachricht lässt sich prinzipiell durch beliebige gleichwertige Zeichenmengen ausdrücken (Sprache durch Schrift, Schrift durch Telegrafiezeichen usw.). Die Umsetzungsvorschrift heißt **Code** und ist meist umkehrbar eindeutig, ermöglicht also auch eine **Decodierung** (Rückumsetzung). –

Daten- und nachrichtentechn. C. ist meist die Umsetzung einzelner Zeichen aus einem umfangreichen Zeichenvorrat in mehrere Zeichen aus geringerem Zeichenvorrat, da diese durch Signale mit wenigen Stufen (Zuständen) übertragbar sind. Grenzfall ist der Binärcode mit dem Zeichenvorrat 2, der bes. für die Digitaltechnik und die elektron. Datenverarbeitung von großer Bedeutung ist. Die **Codierungstheorie** befasst sich mit den mathemat. Methoden der Codierung.

C. für Quelle, Kanal u. Übertragung, hg. v. J. HAGENAUER. *Berlin u. a. 1994.*

Codon [frz.] *das,* drei Nucleotide in bestimmter Reihenfolge in der DNS oder Messenger (Boten)-RNS.

Codreanu, Corneliu Zelea, eigtl. Zelinski, rumän. Politiker, *Iași 13. 9. 1899, †bei Bukarest 30. 11. 1938; gründete 1930 die antisemit. und antikommunist. Organisation der →Eisernen Garde; wegen Hochverrats verurteilt, in der Haft ermordet.

Coelestinus, Päpste, →Cölestin.

Coelostat [tsø-], *Astronomie:* →Zölostat.

Coen [ku:n], Jan Pieterszoon, Gründer des niederländ. Kolonialreichs in SO-Asien, *Hoorn 8. 1. 1587, †Batavia (heute Jakarta) 21. 9. 1629; 1618–23 und seit 1627 Generalgouv. von Niederländisch-Indien, gründete 1619 Batavia.

Coenzym, →Enzyme.

Coenzym A, Abk. **CoA,** wichtigstes Coenzym bei Auf- und Abbaureaktionen in der Zelle, das Carbonsäuregruppen v. a. im Zuge des Stoffwechsels übernimmt und auf andere Substrate überträgt.

Coesfeld ['ko:s-], **1)** Kreis im RegBez. Münster, NRW, 1110 km^2, (1996) 204 000 Einwohner.

2) Krst. von 1), NRW, an der oberen Berkel, 34 900 Ew.; Textil-, Nahrungsmittelind., Maschinen-, Apparatebau; spätgot. Lambertikirche. – C. erhielt 1197 Stadtrecht.

Coesit [tsø-] *der,* Mineral, Hochdruckmodifikation von Siliciumdioxid, SiO_2; klare, farblose Kristalle, 1953 erstmals synthetisch hergestellt, 1960 in Meteoritenkratern nachgewiesen.

Coffein *das,* →Koffein.

cogito ergo sum [lat., »ich denke, also bin ich«], Grundsatz der Philosophie von Descartes, der in seiner unmittelbar einleuchtenden Gewissheit dem method. Zweifel an allen Erkenntnisinhalten standhält.

Cognac [kɔ'ɲak; nach der frz. Stadt C.] *der,* frz. Weinbrand aus Weißweinen des Weinbaugebietes Cognac (Bez. gesetzlich geschützt); wird durch zweimalige Destillation erzeugt und bei 70 Vol.-% Alkohol in Eichenfässern mindestens zwei Jahre gelagert, wobei er vom Holz die goldbraune Farbe annimmt. Zur Abfüllung wird das Destillat mit Wasser auf meist 40 Vol.-% verdünnt.

C. Text v. G. VON PACZENSKY, *Fotos v.* JÜRGEN D. SCHMIDT, *Aquarelle u. Zeichnungen v.* J.-P. HAEBERLIN. *Weil der Stadt [4]1995.*

Cognac [kɔ'ɲak], Stadt im südfrz. Dép. Charente, 19 500 Ew.; im Mittelpunkt des Weinbaugebietes Cognac, Herstellung von →Cognac; Kirche Saint-Léger (12. und 15. Jh.), Häuser des 15. und 16. Jh., mittelalterl. Stadttor (15. Jh.). – In der **Liga von C.** schlossen König Franz I. von Frankreich, Papst Klemens VII. sowie Mailand, Florenz und Venedig 1526 ein Bündnis zur Wiederaufnahme des Kampfes gegen Kaiser Karl V. (2. Krieg zw. Frankreich und dem Reich, 1527–29, beendet durch den Frieden von Cambrai).

Codex aureus: Einband der Handschrift von Sankt Emmeran in Regensburg, Vorderdeckel (870; München, Bayerische Staatsbibliothek)

Cognomen [lat. »Beiname«] *das,* bei lat. Namen der dritte Bestandteil des Gesamtnamens, z. B. Caesar bei Gaius Julius Caesar.

Cohan ['kəʊən], Robert, amerikan. Choreograph und Ballettdirektor, *New York 27. 3. 1925; 1967–82 Direktor der »London School of Contemporary Dance«, 1983–89 Direktionsmitglied und künstler. Ratgeber des »London Contemporary Dance Theatre«.

Cohen, 1) Hermann, Philosoph, *Coswig (Anhalt) 4. 7. 1842, †Berlin 4. 4. 1918; mit P. Natorp Begründer der Marburger Schule des Neukantianismus. Die polit. Philosophie seines »eth. Sozialismus« hatte großen Einfluss auf die deutsche Sozialdemokratie. – *Werke:* Kants Theorie der Erfahrung (1871), System der Philosophie, 4 Bde. (1902–12).

Leonard Cohen

2) ['kəʊɪn], Leonard, kanadischer Schriftsteller, Komponist und Sänger, *Montreal 21. 9. 1934; schrieb Lyrik und Romane (»Schöne Verlierer«,

Coimbra: Portugals älteste Universität (1290 in Lissabon gegr., 1309 nach Coimbra verlegt) ist seit 1540 im ehemaligen königlichen Schloss untergebracht; der Uhrturm links daneben stammt aus dem 18. Jahrhundert

1966). Bekannt als Sänger seiner Liedkompositionen.

Stanley Cohen

3) ['kəʊɪn], Stanley, amerikan. Biochemiker, *New York 17. 11. 1922; seit 1962 Prof. in Nashville (Tenn.), entdeckte einen speziellen Epidermiswachstumsfaktor (Epithelial Growth Factor, Abk. EGF) und erhielt hierfür mit R. Levi-Montalcini 1986 den Nobelpreis für Physiologie oder Medizin.

Cohunepalme (Orbignya cohune), fiederblättrige Palme mit ölreichen **(Cohuneöl)** Samen; bildet in Belize ausgedehnte Wälder **(Covozales).**

Coiffeur [kwa'fœ:r; frz., von coiffe »Haube«] *der,* Friseur.

Coimbatore ['kɔɪmbə'tɔ:], Stadt in Tamil Nadu, S-Indien, 816 000 Ew.; Maschinenbau, Baumwollverarbeitung.

Coimbra
Stadtwappen

Coimbra [ku-], Hptst. des portugies. Distrikts C., am Unterlauf des Mondego, 96 100 Ew.; älteste portugies. Univ. (gegr. 1290 in Lissabon, seit 1309 in C.); keram., Nahrungsmittelind. – C., das röm. **Aeminium,** seit Ende des 9. Jh. **Conimbriga** (nach einem aufgegebenen benachbarten Ort, einem Bischofssitz, ben.), 715/16 bis 1064 maur. Festung, war im 12. und 13. Jh. Sitz der portugies. Könige.

Co|incidentia Oppositorum [lat. »Zusammenfall der Gegensätze«] *die,* ein in der Theorie der »Docta Ignorantia« des Nikolaus von Kues geprägter Ausdruck für die Lehre, dass die im Endlichen unvereinbaren Gegensätze in der unendl. Einheit Gottes eins werden. Aus ihr entfalte sich das in Gott Geeinte zu dem Vielen und Verschiedenen der Welt. – Dieser Gedanke wurde vielfach als eigentl. Beginn der modernen Philosophie bezeichnet; er wirkte nachhaltig auf Kant, Fichte, Schelling, Hegel u. a. und geht zurück auf die Lehren Plotins, des Neuplatonismus und Meister Eckharts.

Coitus [lat.] *der,* der →Geschlechtsverkehr.

Coitus interruptus [lat.] *der,* →Empfängnisverhütung.

Coke [kəʊk], Sir Edward, engl. Rechtsgelehrter, *Mileham (bei Norwich) 1. 2. 1552, †Stoke Poges 3. 9. 1634; Urheber der →Petition of Right (1628).

Col [kɔl, frz.] *der,* im frz. Sprachraum Pass oder Einsattelung in Gebirgen. – Einzelstichwörter suche man unter dem Eigennamen.

Col. (Colo., CO), Abk. für den Staat **Col**orado, USA.

Cola, →Kolabaum.

Colani, Luigi, Designer, *Berlin 2. 8. 1928; wurde bekannt mit futuristisch anmutenden Entwürfen für Gebrauchsgegenstände, Mode und Schmuck sowie für aerodynam. Fahrzeuge und Flugzeuge.

Colbert [kɔl'bɛ:r], Jean-Baptiste, Marquis (seit 1658) de Seignelay [sɛɲ'lɛ], frz. Staatsmann, *Reims 29. 8. 1619, †Paris 6. 9. 1683; staatspolit. und volkswirtsch. Reformator Frankreichs unter Ludwig XIV.; wurde 1661 Oberintendant der Finanzen, später auch der Fabriken und königl. Bauwerke, seit 1665 Generalkontrolleur der Finanzen. 1669 Marinemin. Durch planvolle Steigerung und zentralist. Zusammenfassung der Wirtschaftskräfte schuf er die materiellen Grundlagen für die Außenpolitik Ludwigs XIV. C. war einer der bedeutendsten Vertreter des →Merkantilismus **(Colbertismus).** Vor allem förderte er die Industrie, die Flotte und die Kolonialpolitik, den Bau von Straßen und Kanälen und eine straffe Ordnung der Verwaltung und bahnte die innere Zolleinheit Frankreichs an. Sein Versuch, die Steuerpolitik zu reformieren, scheiterte durch die kostspielige Kriegspolitik Ludwigs XIV.

Colbitz-Letzlinger Heide (Letzlinger Heide), Teil des südl. Landrückens westlich der Elbe, südlich von Stendal, in der Altmark, Brandenburg; im Zackelberg bis 139 m ü. M., hügeliges Waldgebiet, z. T. Naturschutzgebiet.

Colchester ['kəʊltʃɪstə], Stadt in der Cty. Essex, SO-England, 96 100 Ew.; Univ.; Maschinenbau, Marktzentrum; Garnison; normann. Burg (um 1080, heute Museum). – C., das antike **Camulodunum,** war die erste röm. Kolonie in Britannien, gegr. 43 n. Chr. von Kaiser Claudius (Reste röm. Bauten sind erhalten).

Colchicin [lat.-grch.] *das* (Kolchizin), sehr giftiges Alkaloid der Herbstzeitlose; wird zur Behandlung des akuten Gichtanfalls verwendet sowie als Zytostatikum.

Cọlchicum [nach der grch. Landschaft Kolchis, der Heimat der Giftbereiterin Medea], Pflanzengattung mit der giftigen Art →Herbstzeitlose.

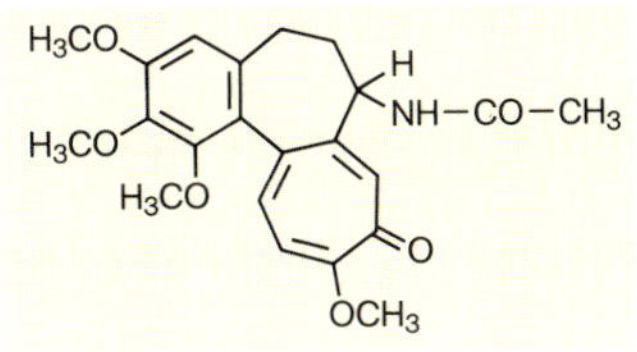

Colchicin

Cọlditz, Stadt im Muldentalkreis, Sachsen, über der Zwickauer Mulde, 6200 Ew.; Porzellanfabrik u.a. Industrie. – C., bereits 1265 als Stadt erwähnt, war bis 1404 Mittelpunkt der ausgedehnten Herrschaft C.; wurde 1404 wettinisch, 1485 ernestinisch. Das Schloss (15./16. Jh.) war 1939–45 Gefangenenlager (v.a. für brit. Offiziere).

Cole [kəʊl], Thomas, amerikan. Maler, *Bolton 1. 2. 1801, †Catskill (N. Y.) 11. 2. 1848; romantischer Landschaftsmaler; auch religiöse Ideallandschaften.

Coleman ['kəʊlmæn], Ornette, amerikan. Jazzmusiker (Saxophon, Violine, Trompete), *Fort Worth (Tex.) 19. 3. 1930; Wegbereiter des Freejazz.

Colemanịt [nach dem amerikan. Bergwerksunternehmer W. T. Coleman, *1824, †1893] *der,* weißes bis graues, monoklines, wichtiges Bormineral, $Ca[B_3O_4(OH)_3] \cdot H_2O$; Mohshärte 4,5, Dichte 2,42 g/cm^3.

Coleridge ['kəʊlrɪdʒ], Samuel Taylor, engl. Dichter und Kritiker, *Ottery Saint Mary (bei Exeter) 21. 10. 1772, †London 25. 7. 1834; gab 1798 mit W. Wordsworth die »Lyrical Ballads« (u.a. »The ancient mariner«, 1798), die Schilderung einer albtraumhaften Seefahrt, heraus. Seit 1808 hielt C. in London Vorlesungen über Shakespeare. Daneben veröffentlichte er viel diskutierte Visionen in »Kubla Khan« (1797). In seiner Literaturkritik stand er unter dem Einfluss der dt. idealistischen Philosophie (I. Kant, J. G. Fichte) und der dt. Romantik.

📖 Holmes, R.: *C. Early visions. London 1989.*

Cölestịn *der,* rhomb. Mineral, $SrSO_4$, farblos, weiß, auch bläulich, Mohshärte 3–3,5; Dichte 4 g/cm^3; kommt v.a. in Klüften und Lösungshohlräumen oder knollenförmig in Kalk und Mergel vor; wichtigstes Strontiumerz.

Cölestịn (Coelestinus) [lat. »der Himmlische«], Päpste: **1) C. I.** (422–432), †Rom 27. 7. 432; verurteilte den Pelagianismus und den Semipelagianismus; Heiliger, Tag: 6. 4.

2) C. V. (5. 7.–13. 12. 1294), eigtl. Pietro del Murrone, *Isernia um 1215, †Schloss Fumone (bei Anagni, Prov. Frosinone) 19. 5. 1296; Benediktiner, später Einsiedler auf dem Berg Murrone bei Sulmona, gründete seit 1250 Einsiedlergemeinden, die nach der Benediktinerregel lebten und bis zur Reformation eine blühende Kongregation waren **(Zölestiner),** dann aber ausstarben. C. wurde unter dem Einfluss Karls II. von Anjou gegen seinen Willen gewählt; hilflos gegenüber der Korruptheit der Kurie, dankte er ab. Sein Nachfolger Bonifatius VIII. hielt ihn bis zu seinem Tod in Haft. Heiliger, Tag: 19. 5.

Colette [kɔ'lɛt], Sidonie-Gabrielle, frz. Schriftstellerin, *Saint-Sauveur-en-Puisaye (Dép. Yonne) 28. 1. 1873, †Paris 3. 8. 1954; schilderte eine mit allen Sinnen wahrgenommene diesseitige Welt (mehrere »Claudine«-Romane, 1900 ff.; »Mitsou«, 1919; »Chéri«, 1920; »Die Katze« (1933); »Gigi«, 1945).

📖 Lottman, H.: *C. Eine Biographie. A. d. Frz. Neuausg. München 1993.*

Coligny [kɔli'ɲi], Gaspard de, Seigneur de Châtillon [ʃati'jɔ̃], frz. Heerführer und Staatsmann, *Châtillon-sur-Loing (heute Châtillon-Coligny, Dép. Loiret) 16. 2. 1519, †(ermordet) Paris 24. 8. 1572; wurde 1552 Admiral von Frankreich, trat in span. Gefangenschaft (1557–59) zum Kalvinismus über; übernahm nach seiner Freilassung die Führung der →Hugenotten; gewann großen Einfluss auf Karl IX. und versuchte, Frankreich in die prot. Front gegen Spanien einzugliedern; zog sich die Gegnerschaft Katharinas von Medici zu und wurde in der →Bartholomäusnacht ermordet.

Colịma, 1) zwei benachbarte Vulkankegel in Mexiko, in der Cordillera Neovolcánica (nahe der Stadt C.: der erloschene **Nevado de C.,** 4340 m hoch) und der aktive **Volcán de C. (Volcán de Fuego),** 3900 m hoch.

2) Staat von →Mexiko.

3) Hptst. von 2), 117000 Ew.; Univ., Bischofssitz; Verarbeitung landwirtschaftl. Erzeugnisse.

Colịtis [grch.] *die,* die →Darmentzündung.

cọlla dẹstra [italien.], Abk. **c. d.,** beim Klavierspiel Anweisung, mit der rechten Hand zu spielen.

Samuel Coleridge

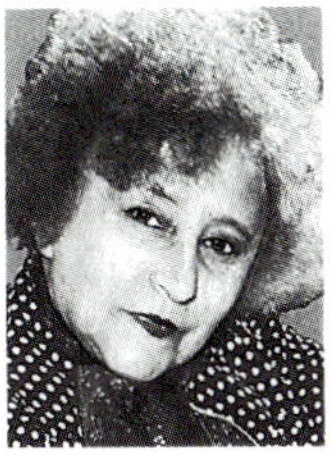

Colette

Gaspard de Coligny
(Ausschnitt aus einem Gemälde von François Clouet)

Thomas Cole: Der Ochsenbogen, der Connecticut River bei Northampton (1836; New York, Metropolitan Museum)

Collage [kɔ'la:ʒə, frz.] *die,* **1)** *Kunst:* Bild aus aufgeklebten Stücken von Papier (auch mit Text), Tapete, Stoff, Drahtgaze u.a. Material, z.T. auch übermalt. Das Prinzip der C. geht auf die »Papiers collés« von G. Braque und P. Picasso zurück; es wurde von vielen Kubisten und Futuristen angewendet. Dadaisten und Surrealisten vermehrten den Textanteil und entwickelten die **Fotocollage.** Erweiterte Erscheinungsformen der C. sind →Assemblage und →Combinepainting. Das Gegenstück zur C. bildet die →Décollage.

📖 *C. u. Objektkunst vom Kubismus bis heute, bearb. v.* D. WALDMAN. *A.d. Amerikan. Köln 1993.*

Collage 1) von Kurt Schwitters (1921; Privatbesitz)

2) *Literatur:* Text, in dem vorgefertigtes sprachl. Material, Zitate verschiedenster Herkunft kombiniert werden; früher meist →Montage genannt.

coll'arco [italien.], Abk. **c.a.,** Spielanweisung für Streicher, nach vorausgegangenem →pizzicato mit dem Bogen zu spielen.

colla sinistra [italien.], Abk. **c.s.,** beim Klavierspiel Anweisung, mit der linken Hand zu spielen.

Colle *der,* im italien. Sprachraum: Pass.

College ['kɔlɪdʒ, engl.] *das,* **1)** in *Großbritannien* a) Studienhäuser für die akadem. Lebensgemeinschaft von Dozenten und Studenten, entweder den Univ. angegliedert mit Selbstverwaltung (durch einen vom Lehrkörper, den Fellows, gewählten Präsidenten, den Master) und häufig auch finanzieller Selbstständigkeit (oft klösterl. Ursprungs, bis ins 13. Jh. zurückzuverfolgen) oder als höhere Bildungseinrichtung mit Internat (älteste Gründung: Eton-College, 1440); b) Unterrichtsanstalt (z.B. Polytechnic C., C. of Education) meist mit Hochschulcharakter, selbstständig oder einer Univ. angegliedert; c) Institution der Erwachsenenbildung (Further Education College).

2) In den *USA* a) versch. auf der High School aufbauende Hochschuleinrichtungen: Undergraduate C. (Unterrichtszeit vier Jahre), das etwa der 12. und 13. Klasse und den ersten vier Hochschulsemestern in Dtl. entspricht (Abschluss: Bachelor), und Graduate C., das auf dem Ersteren aufbaut (Abschluss: Master); b) Unterrichtsstätten für fachl. Ausbildung (Teacher C., Technical C.); c) Bezeichnung für eine Fakultät oder eine ganze Universität.

Collège [kɔ'lɛ:ʒ] *das,* im frz. Sprachbereich Bez. für eine öffentliche oder private weiterführende Schule.

Collège de France [kɔlɛ:ʒdə'frãs], wiss. Institut in Paris (gegr. 1529, untersteht dem Unterrichtsministerium), dessen Aufgabe die freie Forschung auf allen Fachgebieten ist, ohne Prüfungen und regelmäßige Lehrverpflichtungen. Die Ernennung zum Dozenten erfolgt nur aufgrund der wiss. Leistung ohne Bindung an Titel und Grade; sie gilt als höchste akadem. Auszeichnung. Die Unterrichtsveranstaltungen sind für jedermann unentgeltlich.

Collegium musicum [lat.], freie Vereinigung von Musikliebhabern zur Pflege von Vokal- und Instrumentalmusik; entwickelte sich im 16. Jh. und lebte zu Beginn des 20. Jh. bes. an Universitäten und Musikschulen wieder auf.

col legno [-'lɛŋo; italien. »mit dem Holz«], Spielanweisung für Streicher, die Saiten mit dem Holz des Bogens zu streichen oder anzuschlagen.

Colleoni (Coleone), Bartolomeo, italien. Söldnerführer, *Solza (heute zu Medolago, bei Bergamo) 1400, †Malpaga (heute zu Cavernago, bei Bergamo) 4. 11. 1475; kämpfte im Dienste Neapels, Venedigs, Mailands und dann wieder Venedigs (die Stadt erhielt sein Erbe und ließ ihm das berühmte Reiterstandbild errichten).

Collider [kə'laɪdə, engl.] *der,* →Teilchenbeschleuniger.

Collie (Schulterhöhe 51–61 cm)

Collie [engl.] *der,* mittelgroßer (Schulterhöhe 51–61 cm) schott. Schäferhund mit sehr dekorativem, langem Haar mit dichter Unterwolle; Kopf lang und schmal; die Rasse wurde durch Einkreuzen des →Barsoi veredelt.

Collier [kɔl'je, frz.] *das,* →Kollier.

Collin, Heinrich Josef von (seit 1803), österr. Schriftsteller, *Wien 26. 12. 1771, †ebd. 28. 7. 1811; zu seinem Trauerspiel »Coriolan« (1804) komponierte Beethoven die Ouvertüre.

Collins ['kɔlɪnz], **1)** Michael, irischer Politiker, *bei Clonakilty (Cty. Cork) 16. 10. 1890, ⚔bei Bandon 22. 8. 1922; organisierte mit E. de Valera den ir. Aufstand (1919–21) gegen die brit. Herrschaft, unterzeichnete 1921 den Teilungsvertrag mit Großbritannien.

2) Phil, brit. Rockmusiker (Sänger, Schlagzeuger), *Chiswick (heute zu London) 31. 1. 1951; kam 1970 als Schlagzeuger zu »Genesis«, seit 1975 Sänger der Gruppe, daneben Solokarriere; wirkte mit in dem Film »Buster« (1988).

3) William Wilkie, engl. Schriftsteller, *London 8. 1. 1824, †ebd. 23. 9. 1889; schrieb spannende, melodramat. Werke, die als Vorläufer der modernen Detektivromane gelten (»Die Frau in Weiß«, 1860; »Der rote Schal«, 1866; »Der Monddiamant«, 1868; »Lucilla«, 1872).

Collodi, Carlo eigtl. C. Lorenzini, italien. Schriftsteller, *Florenz 24. 11. 1826, †ebd. 26. 10. 1890; schrieb u.a. das in viele Sprachen übersetzte Kinderbuch über die Abenteuer des »Pinocchio« (1883, dt. auch u.d.T. »Die Gesch. vom hölzernen Bengele«).

Collor de Mello, Fernando Affonso, brasilian. Politiker, *Rio de Janeiro 12. 8. 1949; Jurist, 1987–89 Gouv. im Bundesstaat Alagoa; gründete 1989 den Partido da Recontrução Nacional. Im Dez. 1989 zum Staatspräs. gewählt, präsentierte er nach seinem Amtsantritt (März 1990) mit dem »Plan Collor« den Versuch einer Wirtschaftsreform. Außenpolitisch förderte er maßgeblich den Abschluss (1991) des Vertrages über die Schaffung eines gemeinsamen Marktes in Lateinamerika.

Bartolomeo Colleoni: Das von Andrea del Verrocchio geschaffene Reiterstandbild auf dem Campo di Santi Giovanni e Paolo in Venedig (1480 ff.)

Colmar: Fachwerkhäuser der Altstadt

Colloredo, österr. Adelsgeschlecht, seit 1591 C.-Waldsee, 1629 und 1724 in den Reichsgrafenstand erhoben; der fürstl. Zweig, seit 1763, nannte sich seit 1789 C.-Mannsfeld.

Wilkie Collins

Colmar, Hptst. des Dép. Haut-Rhin im Oberelsass, Frankreich, 63 500 Ew.; in der Oberrheinebene am Fuß der Vogesen gelegen sowie an einem Zweigkanal des Rhein-Rhone-Kanals; Technolog. Inst.; feinmechan., Textil- u.a. Ind., Aluminiumwerk; Weinbau. – Die Stadt hat das Gepräge der ehem. Reichsstadt mit zahlr. Fachwerkhäusern und bed. Kirchen bewahrt, u.a. got. Pfarrkirche Saint Martin (1234 bis Ende 15. Jh., Seitenaltar mit M. Schongauers Gemälde »Madonna im Rosenhag«). Das Unterlinden-Museum (ehemaliges Dominikanerinnenkloster, 1232 gegr., Kirche 1252–1569) bewahrt u.a. Werke Schongauers und Grünewalds Isenheimer Altar. – C., 823 als **Columbarium** erstmals erwähnt, war urspr. ein karoling. Königshof; es hat seit 1226 Markt-, seit 1278 Stadtrecht. C. war reichsunmittelbar und wurde ab 1282 zu einer der stärksten Festungen des Reichs ausgebaut; 1575 wurde die Reformation eingeführt. 1673 kam die Stadt unter frz. Herrschaft.

Colmar
Stadtwappen

Colmarer Liederhandschrift, aus Colmar stammende älteste Sammlung von Meisterliedern (→Meistersang), um 1460 geschrieben; jetzt in der Bayer. Staatsbibliothek, München.

Colo. (Col., CO), Abk. für den Staat **Colo**rado, USA.

Cologno Monzese [ko'loɲo-], Industriestadt in der Lombardei, Prov. Mailand, Italien, 50 500 Ew.; Lack-, Kunststoff-, Teigwaren- u. a. Industrie.

Colomannus, →Koloman.

Colombo: Die Davatagaha Moschee (links) stammt aus dem 19. Jahrhundert

Colombes [kɔ'lɔ̃b], Industriestadt nordwestlich von Paris, Dép. Hauts-de-Seine, Frankreich, 78 500 Ew.; Olympiastadion (1924); metallurg., elektron., Reifenind., Maschinenbau.

Colombina [italien. »Täubchen«], eine weibl. Hauptfigur der Commedia dell'Arte; kokette Zofe, Geliebte des Arlecchino.

Vittoria Colonna (Ausschnitt aus einem Gemälde von Girolamo Muziano)

Colombo, Hptst. von Sri Lanka (Parlamentssitz ist seit 1982 das benachbarte Sri Jayawardanapura) an der W-Küste der Insel Ceylon, 615 000 Ew.; kath. Erzbischofssitz; zwei Univ., Forschungsinstitute, Akademie der Wiss.; bed. Seehafen (Freihandelszone seit 1977); wichtigster Ind.standort des Landes mit Erdölraffinerie, Stahlwerk, Textil-, chem. u. a. Ind.; internat. Flughafen. – Charakteristisch ist das Nebeneinander fernöstl. und westl. Architektur: zahlreiche Hindutempel, sowie buddhist. Tempel, Moscheen und Basare, bed. christl. Kirchen, repräsentative Profanbauten im niederländ.-angelsächs. Kolonialstil. – Der Vorort Kotte war im 15./16. Jh. Residenz der Könige Ceylons. C. entwickelte sich um ein Anfang des 16. Jh. von den Portugiesen errichtetes Fort; es wurde 1656 von Niederländern erobert, 1796 den Briten übergeben (unter beiden Verw.sitz); seit 1948 Hptst. von Ceylon (seit 1972 Sri Lanka).

Emilio Colombo

Colombo, Emilio, italien. Politiker (DC), *Potenza 11. 4. 1920; Jurist, bemühte sich als Schatzmin. (1963–70) um einen Ausgleich des wirtschaftlich-sozialen Nord-Süd-Gefälles in Italien. 1970–72 war er MinPräs., 1977–79 Präs. des Europ. Parlaments. Als Außenmin. (1980–83 und 1992–93) verfolgte er eine Politik enger europ. Zusammenarbeit. 1993 wurde C. Vors. der Christdemokrat. Internationale.

Colombo-Plan, eine internat. Organisation, 1950 in Colombo von sieben Staaten des Commonwealth geschaffen zur Koordinierung und Förderung der techn. und wirtschaftl. Entwicklung seiner Mitgliedsländer (1997: 24) im süd- und südostasiat. sowie pazif. Raum. Der C.-P. wird finanziell und technisch unterstützt durch die Mitgliedschaft des Austral. Bundes, Japans, Neuseelands und der USA.

Colon [grch.] *das, Medizin:* der Grimmdarm (→Darm).

Colón, Provinz-Hptst. in Panama, am karib. Eingang des Panamakanals, 140 900 Ew.; mit dem benachbarten Cristóbal bed. Hafen am Karib. Meer; Freihandelszone.

Colón, Cristóbal, span. Name von Christoph →Kolumbus.

Colonel [kɔlɔ'nɛl, frz.; kəːnl, engl.] *der,* frz. und engl. Bez. für einen Stabsoffizier im Range eines Obersten.

Colonia [lat. »Ansiedlung«, »Kolonie«] *die,* in der Antike eine Ansiedlung röm. Bürger auf erobertem Gebiet, z. B. C. Agrippinensis, das heutige Köln.

Colonia Konzern, 1839 gegr. Versicherungsgruppe, Sitz Köln, zu der auch die Nordstern Versicherungsgruppe gehört; ist seit 1993 mehrheitlich im Besitz des frz. Versicherungskonzerns Assurances de Paris.

Colonna, röm. Adelsgeschlecht; seit dem 13. Jh. als Gegner der Orsini meist aufseiten der Ghibellinen. **1)** Oddo, →Martin V., Papst.

2) Vittoria, Dichterin, *Castillo di Marino (bei Rom) um 1492, †Rom 25. 2. 1547; heiratete 1509 Ferrante d'Avalos, Marchese von Pescara; schrieb Sonette und Kanzonen im Stil F. Petrarcas (»Rime«, 1538).

Colorado [kɔlə'rɑːdəʊ; von span. »rot«], **1)** *der* (C. River), Fluss in Texas, USA, 1 352 km lang, entspringt auf dem Llano Estacado, mündet in den Golf von Mexiko.

2) *der* (C. River), Fluss im SW der USA, 2 334 km lang, entspringt in den Rocky Mountains, im Staat C., durchfließt die Landschaften zw. den Rocky Mountains und den östl. Randketten des Großen Beckens, durchschneidet das C.-Plateau in gewaltigen Schluchten (→Grand Canyon) und mündet (in Mexiko) in den Golf von Kalifornien. Als Schutz vor Hochwasser und Verlagerung des Strombetts im Unterlauf wurden Schutzdämme gebaut, zur Regulierung der Wasserführung, Energieerzeugung und Bewässerung mehrere große Stauanlagen (z. B. →Hoover Dam) errichtet. Durch Tunnel wird Wasser aus dem oberen C. und seinen Nebenflüssen durch die kontinentale Wasserscheide auch auf die Ostseite der Rocky Mountains geführt (C. Big Thompson Project).

3) (Abk. Col., Colo., CO), Bundesstaat im W der USA, 269 619 km², (1993) 3,56 Mio. Ew.; Hptst. Denver.

Im W Gebirgsland (Rocky Mountains, C.plateau), im O Hochland (Great Plains). Rocky Mountain National Park und Mesa Verde National Park. Wichtigster Wirtschaftsfaktor ist die Ind., gefolgt von Landwirtschaft, Fremdenverkehr (bes. Wintersport) und Bergbau. Die reiche agrar. Produktion (Luzerne, Getreide, Obst, Zuckerrüben), bes. des Bewässerungslandes am Fuß der Rocky Mountains **(C. Piedmont)** und entlang den Flussläufen, sowie die Viehzucht (Rinder, Schafe, Schweine) sind Grundlage der Nahrungsmittelind.; daneben Maschinenbau, elektron., Raumfahrt- u.a. Industrie. Der Bergbau fördert v.a. Kohle, Erdöl und Erdgas, Molybdän- (größter Erzeuger der Erde), Zinn- und Uranerz. C. besitzt große Vorräte an (noch nicht genutzten) Ölschiefern. – C. wurde im 16. Jh. von Spaniern erkundet. Die USA erwarben den östl. Teil 1803 durch den Kauf Louisianas von Frankreich, den westl. 1848 durch den Frieden von Guadalupe Hidalgo von Mexiko; seit 1876 der 38. Staat der Union.

Coloradoplateau [kɔlə'rɑ:dəʊplætəʊ], steppenhaftes Tafelland im SW der USA (Utah, Colorado, Arizona, New Mexico), 1500–3300 m ü. M., vom Colorado und seinen Nebenflüssen in tiefen Schluchten, den Canyons, durchschnitten.

Colorado Springs [kɔlə'rɑ:dəʊ 'sprɪŋz], Stadt in Colorado, USA, 1924 m ü.M., 281 100 Ew.; Hauptquartier des militär. Weltraumkommandos der USA; Luftwaffenakademie, Univ.institute; wegen seiner Lage am Rand der Rocky Mountains starker Fremdenverkehr. – Gegr. 1871.

Colt [kəʊlt], Samuel, amerikan. Ingenieur und Waffenfabrikant, *Hartford (Conn.) 19. 7. 1814, †ebd. 10. 1. 1862; konstruierte 1835 einen Revolver mit Trommelmagazin, den »Colt«.

Coltrane [kəʊl'treɪn], John, amerikan. Jazzmusiker (Tenor- und Sopransaxophon), *Hamlet (N. C.) 23. 9. 1926, †Huntingdon (N. Y.) 17. 7. 1967; zunächst Vertreter des Hardbop, dann Mitbegründer des Freejazz.

Colum ['kɔləm], Padraic, irischer Schriftsteller, *Longford 8. 12. 1881, †Enfield (Conn.) 11. 1. 1972; sammelte ir. Volksmärchen (»Der Königssohn von Irland«, 1920) und arbeitete über hawaiische Folklore.

Columba [lat.] (Taube), Sternbild des Südhimmels.

Columban (Columba) **1) C. d. Ä.,** Abt, Apostel Schottlands, *Gartan (Cty. Donegal, Irland) 7. 12. um 520, †597 in dem von ihm auf der Hebrideninsel Hy (jetzt Iona) gegr. Kloster, von dem aus er 34 Jahre lang Schottland missionierte. Heiliger, Tag: 9. 6.

2) C. d. J., Abt, *in der Leinster, Irland, um 530, †Bobbio (Prov. Piacenza) 23. 11. 615; wirkte seit 590 als Missionar in England, Frankreich, bei den Alemannen am Zürich- und Bodensee sowie in Norditalien; gründete mehrere Klöster (u.a. in Bobbio 612 das älteste Norditaliens); verfasste eine strenge Mönchsregel und zwei Bußbücher. Heiliger, Tag: 23. 11.

Columbarium [lat. »Taubenschlag«] *das,* in röm. und frühchristl. Grabstätten Wandnische zur Aufnahme von Aschenurnen.

Columbia [kə'lʌmbɪə], Name der ersten Ausführung des wieder verwendbaren amerikan. Raumtransporters (→Spaceshuttle).

Columbia [kə'lʌmbɪə], **1)** *der* (C. River), Fluss im W Nordamerikas, entspringt in den kanad. Rocky Mountains und erreicht nach mehrmaliger Richtungsänderung den Pazifik, 2 000 km lang (davon 801 km in Kanada) mit mehreren Staudämmen (u.a. Grand Coulee Dam, Bonneville Dam) zur Energiegewinnung, Hochwasserregulierung und Bewässerung. Seit 1964 wird der C. auch auf kanad. Seite ausgebaut.

2) Hptst. des Staates South Carolina, USA, an der Fall-Linie, 104 100 Ew.; Univ. von South Carolina (gegr. 1901); Theater, Museum; Baumwoll- und Kunstfaser-, elektron. Industrie. – Gegr. 1786.

3) →District of Columbia.

Columbia University [kə'lʌmbɪə ju:nɪ'və:sɪtɪ], angesehene, private Univ. in New York, gegr. 1754 als »King's College«.

Columbit [nach dem District of Columbia] *der,* Sammelname für die schwarzen Minerale der Mischkristallreihe Niobit, chemische Formel $(Fe,Mn)Nb_2O_6$, und Tantalit, chemische Formel $(Fe,Mn)Ta_2O_6$; v.a. in Granitpegmatiten; Mohshärte 6, Dichte 5,3 bzw. 8,2 g/cm³; wichtige Niob- und Tantalerze.

Columbus, Christoph, genues. Seefahrer, →Kolumbus.

Columbus [kə'lʌmbəs], **1)** Hptst. von Ohio, USA, zw. dem Ohio und dem Eriesee gelegen, 632 900 Ew.; drei Univ., Forschungsinstitute; Maschinen-, Fahrzeug-, Flugzeugbau, Elektrogeräte- u.a. Industrie. – Gegr. 1797 als Franklinton.

2) Stadt im Staat Georgia, USA, am Chattahoochee River, 178 700 Ew.; Textil-, Holz-, Lebensmittelind., Eisenhütte. – Gegr. 1827.

Coma Berenices [lat.], Sternbild, →Haar der Berenike.

COMAL, Abk. für engl. **com**mon **al**gorithmic **l**anguage, eine imperative Programmiersprache, die auf BASIC basiert. Ihr Vorteil liegt in der interaktiven Arbeitsweise, die Anfängern den Umgang mit einem Compiler erspart und andererseits eine schnellere Programmherstellung ermöglicht; wird v.a. in Dänemark angewendet.

Colorado 3)
Flagge

Samuel Colt

Comics: Szenenfolge aus »Asterix und die Trabantenstadt« von René Goscinny (Texter) und Albert Uderzo (Zeichner)

Comanchen [-tʃ-] (Komantschen), nordamerikan. Indianerstamm der südl. Great Plains, heute in Oklahoma, etwa 6600 C. (früher 12000); sprechen eine utoaztek. Sprache. Sie sind heute Farmer. (→Prärie- und Plains-Indianer)

Comasken, Baumeister und Steinmetzen aus der Gegend von Como, deren Zusammenschluss bereits 643 urkundlich bezeugt ist. Die Einflüsse ihrer Kunst lassen sich bis in die Barockzeit (auch nördlich der Alpen) verfolgen. Im 17. und 18. Jh. gingen bed. Baumeister und Bildhauer aus den Familien hervor, u.a. C. und D. Fontana, C. und S. Maderno, F. Borromini.

Johann Amos Comenius

Combe-Capelle [kɔ̃bka'pɛl], bei Montferrand-du-Périgord (Dép. Dordogne, Frankreich) gelegener Fundort eines männl. Skeletts von neanthropinem Typ, gilt mit etwa 34000 Jahren als einer der ältesten Funde des Homo sapiens sapiens in Europa; 1909 gefunden.

Combin [kɔ̃'bɛ̃], Gipfelgruppe der Walliser Alpen, Schweiz, im **Grand C.** bis 4314 m hoch.

Combinepainting [kəm'baɪnpeɪntɪŋ; engl. »kombinierte Malerei«] *das,* von R. Rauschenberg geprägte Bez. für die von ihm ab 1953 in Verbindung mit Malerei gestalteten →Assemblagen; später auch auf vergleichbare Werke anderer Künstler übertragen.

Combo [engl.] *die,* kleines Jazz- und Tanzmusikensemble, in dem jedes Instrument nur einmal vertreten ist.

Come-back [kʌm'bæk, engl.] *das,* erfolgreiches Wiederauftreten eines Politikers, Sportlers oder Künstlers nach längerer Pause als Neubeginn oder Fortsetzung seiner früheren Karriere.

Comecon (COMECON), der →Rat für gegenseitige Wirtschaftshilfe.

Comedia *die,* in der span. Literatur das nat. dreiaktige Kunstdrama des ausgehenden 16. und des 17. Jh.; beeinflusste im 17. Jh. die Literatur Portugals, Frankreichs und Italiens, im 19. Jh. bes. die Dtl.s und Österreichs.

Comédie [kɔme'di] *die,* in der frz. Literatur das Schauspiel, bes. Lustspiel.

Comédie-Française [kɔme'di frɑ̃'sɛ:z], Frankreichs Nationaltheater, gegr. 1680; pflegt ein stark konservatives Repertoire (klassische frz. Tragödien, Komödien von Molière u.a.) und einen traditionellen deklamator. Inszenierungs- und Spielstil. Seit 1986 ist ihr das Théâtre de l'Odéon angeschlossen.

🕮 Devaux, P.: *La C.-F. Paris 1993.*

Comédie larmoyante [kɔme'di larmwa'jɑ̃:t] *die,* Rührstück; Vorläufer des →bürgerlichen Trauerspiels.

Comenius (tschechisch Komenský), Johann Amos, * Nivnice (bei Zlín) 28. 3. 1592, † Amsterdam 15. 11. 1670; Prediger und Pädagoge, 1632 Bischof der böhm. Brüdergemeine und Leiter ihres Schulwesens. Seine Bemühungen standen unter dem Anspruch, das Friedensreich Gottes anzubahnen. Diesem Ziel dienten sowohl seine Schriften, die das gesamte Wissen der Zeit enzyklopädisch und anschaulich vermitteln sollten (»Pansophie«), als auch seine Bestrebungen, ein universales Kollegium von Gelehrten und Seelsorgern zu bilden. Die Schule solle in einer gelösten Unterrichtsatmosphäre zur Entwicklung der besten Anlagen führen und als Ziel Frömmigkeit, Tugend und Bildung (zur Weisheit) haben. Die pädagog. Gedanken, v.a. die method. Gesichtspunkte und die Lehrbücher, haben u.a. stark in die Schulordnungen des 17. Jh. hineingewirkt.

Weitere Werke: Große Didaktik (1627–32); Informatorium der Mutterschule (1628–31); De rerum humanarum emendatione Consultatio Catholica (1643 ff.; daraus Teil IV: Pampaedia, hg. 1960, lat.-dt.); Linguarum methodus novissima (1648); Orbis sensualium pictus (»Gemalte Welt«, 1658).

🕮 Dieterich, V.-J.: *J. A. C. Reinbek 8.–9. Tsd., ^{2}1995.*

Comer See (Lago di Como, Lario), langgestreckter Voralpensee in N-Italien zw. Luganer und Bergamasker Alpen, 198 m ü. M., 51 km lang, bis 4,5 km breit, 146 km², erfüllt das Zungenbecken des eiszeitl. Addagletschers, von der Adda durchflossen; teilt sich im S in die Arme von Como (bis 414 m tief) und Lecco. An seinen Ufern liegen dank mildem Klima und mediterraner Pflanzenwelt viel besuchte Fremdenverkehrsorte.

Comes [lat. »Begleiter«] *der,* **1)** *Geschichte:* 1) im alten Rom Begleiter und Berater des Kaisers, im 4. Jh. Titel für hohe Beamte im militär. und zivilen Bereich; 2) im MA. der → Graf; Comes palatinus, der → Pfalzgraf.

2) *Musik:* Antwortform des Themas (→ Dux) in der Fuge.

Comics: Szene aus »The Katzenjammer Kids« von Rudolf Dirks (um 1897)

Comics ['kɔmɪks, engl.] (Comicstrips), gezeichnete Bildergeschichten mit »Sprechblasen«, die in regelmäßigen Fortsetzungen in Zeitschriften und Zeitungen erscheinen. Es gibt auch Hefte und Kinderbücher, die nur solche Bilderfolgen enthalten **(Comicbooks).** Die C. erfreuten sich zuerst in den USA (erste C.: »The origin of a species«, 1894; »The Katzenjammer Kids«, seit 1897) größter Beliebtheit und finden als moderne Art des → Bilderbogens weite Verbreitung. Die C.-Figuren werden auch durch den Film und seine Montagemöglichkeiten beeinflusst, so sind bekannte Figuren, wie z. B. »Mickey Mouse«, urspr. Zeichentrickfilm-Figuren; umgekehrt werden auch C. in Zeichentrickfilme umgesetzt. In Europa finden C. (so seit 1959 die frz. »Asterix«-Reihe) immer stärkere Verbreitung. Stoffe der C. sind spannende, komische, oft brutale Detektiv-, Reise- oder Kriegsabenteuer, Horrorgeschichten, Sciencefiction; auch Themen der Weltliteratur und der Geschichte werden behandelt. C.-Helden sind u. a. »Tarzan«, »Superman«, »Batman«, »Garfield«. Zu den bekanntesten dt. C.-Zeichnern gehören u. a. Brösel (eigtl. R. W. Feldmann) mit der »Werner«-Serie und G. Seyfried mit politisch-satirischen Comics.

📖 MOSCATI, M.: *C. u. Film. A. d. Italien., bearb. u. ergänzt v.* A. DREXEL *u.* G. SEESSLEN. *Frankfurt am Main u. a. 1988.* – DOLLE-WEINKAUFF, D. *u. a.: C. Gesch. einer populären Literaturform in Deutschland seit 1945. Weinheim u. a. 1990. – C. zwischen Zeitgeschehen u. Politik, hg. v.* TH. HAUSMANNINGER *u.* H. J. KAGELMANN. *München u. a. 1994.*

Comics: Szene aus »Peanuts« von Charles M. Schulz

Commedia dell'Arte [italien., eigtl. »Berufskomödie«] *die,* italien. Stegreifkomödie, um 1550 entstanden, durch Berufsschauspieler aufgeführt. Der Spieltext lag nur in Handlungsverlauf und Szenenfolge fest; die Dialoge wurden improvisiert (mithilfe eines Repertoires von Monologen und Dialogen), bestimmte Clownspäße (lazzi) kehrten häufig wieder. Haupthandelnde waren kom. Charaktertypen in stets gleicher Maske und Kostüm: Arlecchino, Pantalone, der Capitano, der Dottore u. a., später auch Frauen: Isabella, Colombina. Goldonis Reform des italien. Theaters (Mitte des

Commedia dell'Arte: (von links) Capitano, Colombina und Arlecchino, kolorierter Stich

18. Jh.) bedeutete ihr Ende. Seit 1947 setzt sich das Piccolo Teatro in Mailand erfolgreich für eine Wiederbelebung der C. d. A. ein.

📖 KRÖMER, W.: *Die italien. C. d.' a. Darmstadt* [3]*1990.* – RIHA, K.: *C. d.' a. Frankfurt am Main* [8]*1993.*

comme il faut [kɔmil 'fo, frz.], frz. Redewendung: wie es sein muss, musterhaft, vorbildlich.

Commercial Banks [kə'məːʃl 'bæŋks; engl. »Handelsbanken«], im Bankwesen der USA die Depositenbanken. Sie nehmen Einlagen an (z. T. auch Spareinlagen) und pflegen das kurzfristige Kreditgeschäft, dürfen jedoch keine Effektengeschäfte betreiben.

Commerzbank AG, dt. Großbank, gegr. 1870 als Commerz- und Disconto-Bank, nach Umfirmierung 1920 in Commerz- und Privat-Bank AG kam es 1929 zur Fusion mit der Mitteldt. Kreditbank; seit 1940 jetziger Name; Sitz: Düsseldorf. Nach Bankendezentralisierung (1948) und dem Großbankengesetz (1952) entstanden drei Nachfolgeinstitute, die sich 1958 erneut zur C. AG zusammenschlossen. Eine der zahlreichen Beteiligungen ist die Rheinhyp Rhein. Hypothekenbank AG. (→ Banken, ÜBERSICHT)

Lucius Aurelius Commodus als Hercules, römische Marmorskulptur (Rom, Konservatorenpalast)

Commissioner [kə'mɪʃnə, engl.] *der,* im angloamerikan. Recht Reg.- oder Gerichtsbeauftragter, Beamter für Sonderaufgaben; als Titel **High C.** (→ Hochkommissar).

Commodus, Lucius Aelius Aurelius C., röm. Kaiser (180–192 n. Chr.), *bei Lanuvium (?) 31. 8. 161, † Rom 1. 1. 193; Sohn Mark Aurels; seine Willkürherrschaft führte zu seiner Ermordung.

Commoner ['kɔmənə; engl. »Gemeiner«] *der,* in Großbritannien jeder, der nicht zum hohen Adel (Nobility, → Peer) gehört, darunter die → Gentry, die Bischöfe, die jüngeren Sprosse der großen Adelsfamilien und die Unterhausabgeordneten.

Common Law ['kɔmən 'lɔː; engl. »gemeines Recht«] *das,* im Geltungs- und Einflussbereich brit. Rechts mehrdeutiger Begriff: **1)** (gemeines Recht) das in England entwickelte Recht im Unterschied zum **Civil Law,** dem auf röm. Recht basierenden kontinentaleurop. Recht.

2) das in England seit dem 12. Jh. von königl. Richtern entwickelte, für alle Personen geltende Recht, das das anglo-saxon. Lokalrecht der Gemeinden, Großgrundbesitzer u. Ä. verdrängte.

3) das von den Gerichten geschaffene Fallrecht **(Case-Law)** im Ggs. zum Gesetzesrecht **(Statute-Law).**

4) die starren Regeln des C.-L.-Klageformensystems im Unterschied zum Einzelfall-Billigkeitsrecht **(Equity),** das heute das C. L. ergänzt.

Common Prayer Book ['kɔmən 'preɪə 'bʊk; engl. »allgemeines Gebetbuch«] *das,* das liturg. Buch der Kirche von England und der Anglikan. Kirchengemeinschaft; 1549 eingeführt; zeigt den Einfluss der Reformation, bes. von M. Bucer.

Commons ['kɔmənz; engl. »Gemeine«], im brit. Verfassungsrecht die Mitglieder des Unterhauses **(House of C.),** im Unterschied zu dem aus den Peers gebildeten Oberhaus **(House of Lords).**

Commonsense ['kɔmənsens; engl. »allgemeiner Verstand«] *der,* gesunder Menschenverstand. Die Philosophie des C. wurde in neuerer Zeit v. a. im angelsächs. Raum vertreten und mit sprachphilosoph. Untersuchungen verbunden (→ analytische Philosophie).

Commonwealth ['kɔmənwelθ; engl. »öffentl. Wohl«, »Gemeinwesen«] *das,* 1649–60 Name für den engl. Staat. 1653 wurde diese Bez. auch auf Schottland und Irland ausgedehnt. In den brit. Kolonien Nordamerikas ging der Name C. als Bez. für den Staat in die Verf. ein. Die brit. Kolonien in Australien nannten sich nach ihrem Zusammenschluss 1901 **C. of Australia.**

Commonwealth of Nations ['kɔmənwelθ əv 'neɪʃnz], offizielle Bez. für eine Staatengemeinschaft, die aus dem früheren **British Empire** (→ Britisches Reich und Commonwealth) hervorgegangen ist. Im Westminster-Statut von 1931 wurde zunächst der Name **British C. of N.** verfassungsrechtlich festgelegt; im Zuge der Entkolonialisierung verstand sich die Gemeinschaft nicht mehr als »british«, sondern als »multiracial« (vielrassiges) C. of N. Es besteht aus **Members of the Commonwealth,** unabhängigen, gleichberechtigten und in freier Vereinigung verbundenen Staaten, in denen der brit. Monarch entweder Staatsoberhaupt ist und durch einen Generalgouv. vertreten wird (z. B. in Kanada, Neuseeland oder im Austral. Bund) oder lediglich symbolisch als Haupt des C. of N. anerkannt ist (z. B. in den Republiken Indien, Bangladesh und Namibia sowie in den Monarchien Malaysia oder Tonga). Den unabhängigen Staaten des C. of N. steht der Austritt aus dem Verband jederzeit frei; eine gegenseitige Bündnispflicht besteht nicht. Alle zwei Jahre finden Konferenzen der Staats- und Reg.chefs **(Commonwealth-Konferenzen)** statt, die der Klärung gemeinsamer Probleme dienen. Seit 1965 unterhalten die Mitgliedsländer in London ein **Commonwealth-Sekretariat.** 1971 wurde ein **Commonwealth-Fonds** für techn. Zusammenarbeit gegründet.

📖 *The growth of the British Commonwealth 1880–1932, hg. v.* I. M. CUMPSTON. *London 1973.* – GALLAGHER, J.: *The decline, revival and fall of the British Empire. Cambridge u. a. 1982.* – *The Cambridge illustrated history of the British Empire, hg. v.* P. J. MARSHALL. *Cambridge u. a. 1996.*

Como 2): Fassade der romanischen Kirche Sant'Abbondio (1013-95)

Commotio [lat.] *die, Medizin:* Erschütterung einer Körperregion oder eines Organs durch stumpfe Gewalteinwirkung mit vorübergehender Funktionsstörung, z.B. C. cerebri (→Gehirnerschütterung).

Communauté Française, La [- kɔmyno'te frã'sɛ:z, frz.], die →Französische Gemeinschaft.

Communicatio in sacris [lat.] *die,* →Sakramentsgemeinschaft.

Commynes [kɔ'min] (Commines), Philippe de, frz. Diplomat und Geschichtsschreiber, *Schloss Commynes (bei Hazebrouck, Dép. Nord) um 1447, †Schloss Argenton (Dép. Deux-Sèvres) 18. 10. 1511; stand im Dienst Karls des Kühnen, Ludwigs XI., Karls VIII. und Ludwigs XII. Seine »Mémoires« (1524) sind das erste Beispiel moderner polit. Historiographie.

Como, 1) Provinz im NW der Lombardei, Italien, 1251 km², (1995) 530300 Einwohner.

2) Hptst. von 1), an der SW-Spitze des Comer Sees, 85200 Ew.; Seidenind., Fremdenverkehr. – Dom (Ende 14.–16. Jh.) und Basilika Sant'Abbondio (1013–95), mehrere Palazzi, Stadtbefestigung. – Das antike **Comum** war eine reiche röm. Handelsstadt; 1127 von den Mailändern zerstört, wurde C. 1159 von Kaiser Friedrich I. Barbarossa wieder aufgebaut. Seit dem 15. Jh. endgültig unter der Herrschaft Mailands.

comodo [italien. »bequem«], musikal. Vortragsbezeichnung: mäßig, gemächlich, ruhig.

Comodoro Rivadavia [komo'ðorɔ riβa'ðaβia], Hafenstadt in Patagonien, Argentinien, 124200 Ew.; Univ.; Bischofssitz. In der Nähe bed. Erdöl- und Erdgasgebiet; Erdölraffinerie, Erdgasleitung nach Buenos Aires.

Comorin, Kap [- 'kɔmərɪn, engl.] (Hindi: Kanyakumari), südlichster Punkt Vorderindiens (8° 5' n. Br., 77° 33' ö. L.); hinduist. Wallfahrtstempel.

Compactdisc [engl. kəm'pækt-] *die,* Abk. **CD,** Schallplatte mit digital aufgezeichneten Toninformationen. Anstelle der herkömml. Rille hat die CD spiralförmig angeordnete winzige Vertiefungen (Pits), die die digitalisierten Tonsignale enthalten. Diese werden von einem feinen Laserstrahl abgetastet und von der Elektronik des Abspielgeräts wieder in analoge Musiksignale umgesetzt. Vorteile sind geringe Abmessung (12 cm Durchmesser), Verschleißfreiheit, längere Spieldauer (bis zu einer Stunde), bessere Tonqualität. CDs werden heute auch im Unterhaltungs- und Multimediabereich eingesetzt, wofür es spezielle Weiterentwicklungen gibt. So verknüpft die **CD-I** (Abk. für **CD-Interaktiv**) Ton und Bild mit Software-Anwendungen, deren Wiedergabe über Fernseher oder Stereoanlage erfolgt. Die **Multimedia-CD (MMCD)** und die **Super-Density-Disc (SD-Disc)** erlauben es, komplette Spielfilme auf einer 12-cm-CD unterzubringen. Zudem bleibt genügend Raum für Klang in Dolby-Surround-Stereo (Kinoqualität), versch. Sprachversionen und Untertitel. Für diese CDs werden besondere Abspielgeräte benötigt. Auf der Ebene der Personalcomputer wurde die →CD-ROM entwickelt.

Compagnie [kɔmpa'ni:, frz.] *die,* Abk. **Co.,** veraltet und schweizer.: **Cie.,** Kompanie, Handelsgesellschaft.

Compagnie Générale des Eaux [kɔ̃pa'ɲi ʒene'ral dɛ'zo], Abk. **CGE,** Paris, in den Bereichen Baugewerbe, Wasserversorgung, Abfallwirtschaft, Energiewesen sowie Medien (Beteiligungen u.a. an Havas, Canal Plus, Studio Babelsberg) tätiger frz. Konzern, gegr. 1853.

Como 2) Stadtwappen

Company ['kʌmpənɪ, engl.] *die,* Abk. **Co.** oder **Comp.,** engl. Bez. für Handelsgesellschaft.

Compiègne [kɔ̃'pjɛɲ], Stadt in der Picardie, Frankreich, Dép. Oise, an der Oise, 41900 Ew.; TU, Militärschule, Museen; Nahrungsmittel-, chem., Reifenind., Glasfabrik. – Schloss (1751 ff.) und Park, ehem. Landresidenz der frz. Herrscher; Merowingerpfalz **Compendium.** – Im angren-

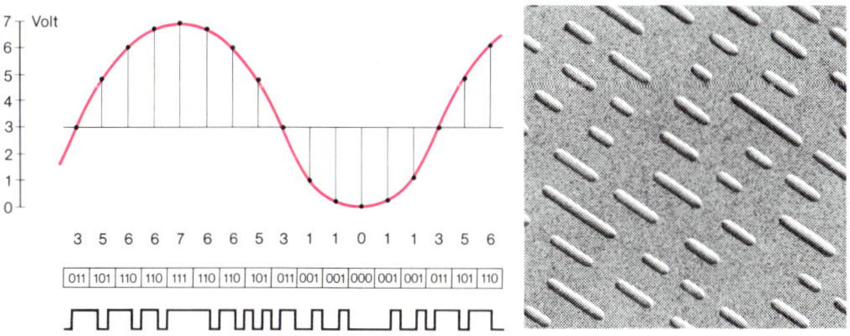

Compactdisc: Links das Schema der Digitalisierung von analogen akustischen Signalen durch Abtasten der Signalspannungen bei der Aufnahme einer CD, die Messwerte sind in Dezimal- und Binärzahlen angegeben (oben); Umsetzung der Binärzahlen in digitale elektrische Signale (unten); rechts elektronenmikroskopische Aufnahme der winzigen Vertiefungen (Pits)

zenden **Wald von C.** (Staatsforst, 14450 ha) wurde am 11. 11. 1918 der Waffenstillstand zw. Dtl. und der Entente, am 22. 6. 1940 der zw. Dtl. und Frankreich unterzeichnet.

Arthur H. Compton

Compiler [kəmˈpaɪlə(r), engl.] *der* (Übersetzer, Umwandler), Computerprogramm, das ein vollständiges, in einer problemorientierten höheren Programmiersprache formuliertes »Quellprogramm« in das Maschinenprogramm (»Objektprogramm«) übersetzt. Im Unterschied zum →Interpreter wird das Programm erst nach Übersetzung aller Anweisungen abgearbeitet.

Completorium [lat. »Abschluss«] *das,* die →Komplet.

Compliance [kəmˈplaɪəns; engl. »Willfährigkeit«] *die,* **1)** *Medizin:* Bereitschaft eines Patienten zur aktiven Mitwirkung an den vom Arzt vorgeschlagenen Maßnahmen (z. B. Zuverlässigkeit bei der Einnahme von Medikamenten).

2) *Physiologie:* die elast. Volumendehnbarkeit von Atmungs- (Lunge und Brustkorb) und Gefäßsystemen.

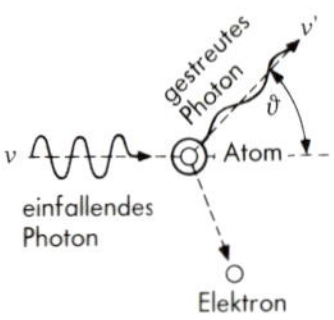

Compton-Effekt

3) *Technik:* bei Plattenspielern die Nachgiebigkeit des bewegten Tonabnehmerteils gegenüber den durch die Schallplatte erzwungenen Auslenkungen. Hohe C. ist für die Abtastung der tiefen Frequenzen wichtig.

Composer-Satz [kəmˈpəʊzə(r)-, engl.], auf dem einer Schreibmaschine ähnlichen **Composer** angefertigte Druckvorlage mit elektronisch bewirktem Randausgleich.

Compoundkern [kɔmˈpaʊnd-; englisch »Zusammensetzung«] (Verbundkern, Zwischenkern), hoch angeregter, instabiler Atomkern, der bei einer Kernreaktion aus der Verschmelzung der Reaktionspartner **(Compoundzustand)** entsteht und nach für Kernreaktionen relativ langer Zeit (etwa 10^{-16} bis 10^{-19} s) unter Teilchenemission in einen neuen, stabilen Endkern übergeht.

Compoundmaschine [kɔmˈpaʊnd-, engl.], eine Dampfmaschine mit einem Hoch- und einem Niederdruckzylinder.

Comprehensive School [kɔmprɪˈhensɪf skuːl; engl. »umfassende Schule«], seit 1944 eingeführtes Modell einer Gesamtschule in Großbritannien für Schüler ab dem 8./9. Lebensjahr. Alle Schüler haben gleiche Kernfächer und nach Wahl Spezialfächer; hat die bisherigen höheren Schulen weitgehend abgelöst.

Compton [ˈkɔmptən], Arthur Holly, amerikan. Physiker, *Wooster (Oh.) 10. 9. 1892, †Berkeley (Calif.) 15. 3. 1962; entdeckte 1922 den →Compton-Effekt, erhielt dafür 1927 den Nobelpreis für Physik (gemeinsam mit C. T. R. Wilson); maßgebend an der Entwicklung der Atombombe und des Radars beteiligt.

Compton-Burnett [ˈkɔmptən ˈbəːnɪt], Dame (seit 1967) Ivy, engl. Schriftstellerin, *London 5. 6. 1884, †ebd. 27. 8. 1969; stellte kritisch Familienkonflikte im Bürgertum vor dem 1. Weltkrieg dar: »Eine Familie und ein Vermögen« (1939).

Compton-Effekt [ˈkɔmptən-; nach A. H. Compton], die Streuung elektromagnetischer Strahlung (Licht-, Röntgen-, γ-Quanten) an freien oder schwach gebundenen Elektronen **(Compton-Streuung),** wobei sich die Wellenlänge der Strahlung vergrößert. Der C.-E. wird als Stoß eines Photons mit einem Elektron gedeutet; die Wellenlängenänderung folgt aus dem (relativist.) →Impulssatz und →Energiesatz beim Stoß. Der C.-E. beweist den Teilchencharakter des Lichts und bestätigte erstmals die Gültigkeit der Stoßgesetze auch für Elementarvorgänge.

CompuServe® [ˈkɔmpjuːsəːv, engl.], kommerzieller →Onlinedienst.

Computer [kɔmˈpjuːtər, engl.] *der* (Rechner, Rechenanlage, Datenverarbeitungsanlage), programmgesteuerte elektron. Anlage zur →Datenverarbeitung und -speicherung sowie zur Steuerung von Geräten und Prozessen. Unter C. versteht man heute fast ausschließlich →Digitalrechner im Unterschied zum →Analogrechner und zum →Hybridrechner. Der Begriff C. reicht dabei vom fest programmierten C., der als Steuerungsautomat z. B. in Haushaltsgeräten verwendet wird, bis zum frei programmierbaren universellen Großrechner und zum Super-C. für komplizierteste mathemat. Aufgaben.

Klassifizierung: C. werden häufig in Super-C., Groß-C., Mikro-C. und Mini-C. eingeteilt oder nach ihrer Anwendung in Büro-C. (Arbeits-

Computer

*An der Universität von Pennsylvania nahm 1946 der elektronische Rechner ENIAC den Betrieb auf. Dieser Electronic Numerical Integrator and Calculator wurde im Auftrag der Armee der Vereinigten Staaten gebaut. Er bedeckte 140 m² Fläche bei einem Gewicht von 30 Tonnen. Die Maschine bestand aus rund 18000 Elektronenröhren und 50000 Schaltungen; sie verbrauchte ebenso viel Strom wie drei U-Bahn-Linien. Sie konnte 300 verschiedene Rechenoperationen oder 5000 Additionen in der Sekunde bewältigen. Als Väter dieses Rechners gelten John Presper Eckert (*1919, †1995) und John William Mauchly (*1907, †1980).*

Zur gleichen Zeit untersuchte John von Neumann in Princeton die Struktur elektronischer Rechner und entwickelte das Konzept der freien Programmierbarkeit. Von einer Gruppe an der Universität Cambridge wurde dann 1949 der Electronic Delay Storage Automatic Computer gebaut, ein frei programmierbarer Rechner. Aber schon während des Krieges hatte ein anderer Pionier programmgesteuerte Rechenmaschinen gebaut: Konrad Zuse entwickelte in Berlin seine Rechner mit Relaistechnik. Die Konkurrenten arbeiteten ohne Wissen voneinander, da der Krieg jeden Informationsfluss verhinderte.

platz-C., Workstation), Heim-C. (Home-C.) und Personal-C. (PC), zu denen z.B. Laptop, Notebook und Notepad gehören. Eine systemat. Klassifizierung ist wegen ihrer vieldimensionalen Leistungs- und Anwendungsmöglichkeiten problematisch.

Struktur und Arbeitsweise: Arbeitsweise und Anwendungsmöglichkeiten eines C. werden außer durch die gerätetechn. Einrichtungen **(Hardware)** von den verfügbaren programmtechn. Hilfsmitteln **(Software)** bestimmt, bes. von dem **Betriebssystem** (Systemsoftware), das die Abwicklung der auszuführenden Programme (Anwendersoftware) steuert und überwacht. Alle C. besitzen ein oder mehrere Ein- und Ausgabegeräte (→Peripheriegeräte), die über Kanäle mit der **Zentraleinheit,** dem Hauptbestandteil eines C., verbunden sind. Die Eingabe von Daten und Programmen geschieht meist über eine Tastatur und/oder Maus, aber auch von Massenspeichern oder über Telekommunikation von anderen Computern. Der Datenausgabe dienen i.d.R. Bildschirme und

Computer: Personalcomputer mit Farbbildschirm, CD-ROM-Laufwerk, Tastatur und Maus

Drucker oder Plotter. Die Zentraleinheit (meist Mikroprozessor) besteht aus einem oder mehreren Prozessoren mit **Steuer-** und **Rechenwerk** sowie einem **Hauptspeicher (Arbeitsspeicher).** Er enthält die auszuführenden Programme sowie die zu verarbeitenden Daten und wird vorwiegend als Halbleiterspeicher eingesetzt. Das Steuerwerk wird durch die Befehle der Software gesteuert (→Programmsteuerung). Es liest die Befehle aus dem Arbeitsspeicher, interpretiert sie und erzeugt die erforderl. Steuersignale für die Befehlsausführung, die von integrierten Schaltungen, den Chips, realisiert wird. Das Rechenwerk führt die Rechenoperationen aus. Um mehr Daten und Programme speichern zu können, wird der Arbeitsspeicher eines C. um externe Speicher (z.B. Magnetplatten, Disketten, CD-ROMs) ergänzt.

Geschichte: Eine mechan. Rechenanlage mit Lochstreifensteuerung entwarf C. Babbage um 1840. Seine Idee der Programmsteuerung von Rechenanlagen und das von G. W. Leibniz entwickelte Dualsystem waren die Grundlage für die ersten elektromechan. Relaisrechner (K. Zuse 1941, H. H. Aiken 1944). Das Konzept der internen Programmspeicherung formulierte J. von Neumann 1945. Die Geschichte der C.-Entwicklung vollzog sich nach den verwendeten Bauelementen in **C.-Generationen:** Die erste C.-Generation begann mit dem Einsatz von Elektronenröhren (1946), die zweite (1955) mit der Verwendung von Transistoren. Integrierte Schaltungen (seit 1962) bestimmten die dritte, der Einsatz hoch- bzw. höchstintegrierter Schaltkreise (seit 1978) die vierte C.-Generation. Durch die Verwendung elektron. und opt. Schaltelemente sind Verarbeitungsgeschwindigkeit und Speicherkapazität von C. bei zunehmender räuml. Miniaturisierung sehr hoch. Die Leistungsfähigkeit von Super-C. liegt heute in der Größenordnung von Mrd. Operationen pro Sekunde. – Die C. der nächsten Generation werden spezielle Aufgaben selbstständig lösen (→künstliche Intelligenz), in bestimmtem Maße lernfähig sein sowie die natürl. Sprache und Bildinformationen verarbeiten.

📖 Coy, W.: *Aufbau u. Arbeitsweise von Rechenanlagen. Braunschweig u. a.* ^{2}*1992.* – Giloi, W. K.: *Rechnerarchitektur. Berlin u. a.* ^{2}*1993.* – *Mikrorechner-Systeme. Beiträge v.* H. Bähring *u. a. Berlin u. a.* ^{2}*1994.* – Schulze, Hans Herbert: *PC-Lexikon. Fachbegriffe schlüssig erklärt. Neuausg. Reinbek 25.–39. Tsd. 1996.* – *Lexikon Informatik u. Datenverarbeitung, hg. v.* H.-J. Schneider. *München* ^{4}*1997.*

Computerdichtung [kɔm'pju:tər-], mittels Rechenanlagen erzeugte literar. Texte, v.a. Lyrik; angeregt u.a. von der informationstheoret. Ästhetik M. Benses Ende der 1960er-Jahre. Die Computer enthalten Programme mit einem Repertoire von Wörtern, grammatikal. Regeln, Versregeln, Reimmöglichkeiten und arbeiten mit sog. Zufallsgeneratoren. Die entstehenden überraschenden Wendungen, Bilder oder Metaphern sind Zufallsprodukte. Die C. steht in der Tradition der Zufalls- und Würfeltexte (aleatorische Dichtung).

📖 Krause, M. *u.* Schaudt, G. F.: *Computer-Lyrik. Düsseldorf* ^{2}*1969.* – Bense, M.: *Einführung in die informationstheoret. Ästhetik. Grundlegung u. Anwendung in der Texttheorie. Reinbek 19.–23. Tsd. 1971.* – Hartman, Ch. O.: *Virtual muse. Experiments in computer poetry. Hanover, N. H., 1996.*

Computergeld [kɔm'pju:tər-] (elektronisches Geld), eine besondere Art von →Buchgeld, über

Computer

Eines Tages werden Maschinen vielleicht denken können, aber sie werden niemals Phantasie haben.

Theodor Heuss

das beleglos, allein mithilfe eines Computers verfügt wird.

Computergrafik [kɔm'pju:tər-] (grafische Datenverarbeitung), die Erfassung, Verarbeitung und Ausgabe von Grafiken durch einen Computer, wobei Daten und Informationen als farbige ein- oder mehrdimensionale grafische Darstellung mittels Drucker ausgedruckt, mittels Plotter gezeichnet oder mittels Bildschirm ausgegeben werden.

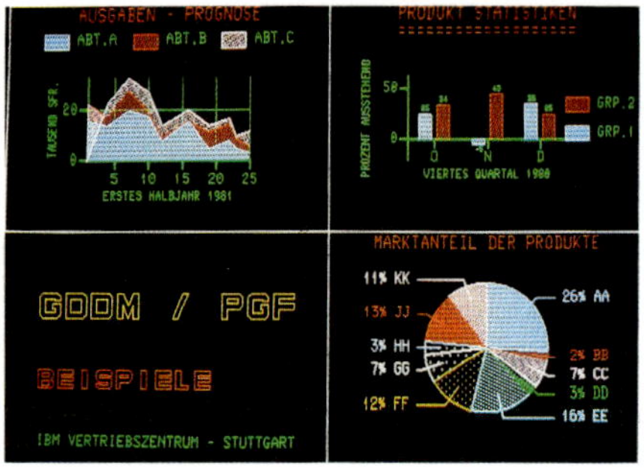

Computergrafik

Computerkunst [kɔm'pju:tər-], mithilfe von Computern hergestellte ästhetische Objekte (graf. Blätter, Musikkompositionen, Texte u.a.); z.T. mithilfe von Zufallsgeneratoren wird eine vorgegebene Reihe von Zeichen durch die verschiedenen Operationen (Vertauschung, Verknüpfung, u. Ä.) zufällig oder nach Regeln variiert.

📖 STELLER, E.: *Computer u. Kunst. Mannheim u. a. 1992. – Wege zur C., Beiträge v.* H. W. FRANKE *u. a. Wien 1995.*

Computerkunst: Turner Whitted, »Spiegelungen spiegelnder Spiegelungen ...«; jede Kugel fängt, während sie sich dreht, die Spiegelung des Hintergrunds ein und gibt die Spiegelung der anderen Kugel wieder

Computerlinguistik [kɔm'pju:tər-] (linguistische Datenverarbeitung), Teilgebiet der Linguistik, das die Möglichkeiten einer Anwendung der nichtnumer. Datenverarbeitung auf natürl. Sprachen mit dem Ziel einer Sortierung großer Materialmengen und deren Auswertung untersucht.

Computermusik [kɔm'pju:tər-], Klangwerke, die unter Verwendung eines mit Klangelementen und ihren Verknüpfungsgesetzen programmierten Computers entstehen; die Ergebnisse werden entweder in übl. Notenschrift übersetzt und sind dann für das herkömml. Instrumentarium bestimmt, oder sie erscheinen mithilfe eines Konverters direkt (ohne Partitur) in Form elektron. (all-digitaler) Klangerzeugung. Der Anteil des Komponisten beschränkt sich auf die Programmierung.

Computersatz [kɔm'pju:tər-], Vorbereitungsstufe für automat. Blei-, Foto- oder Lichtsatz (→Setzmaschine). Auf dem →Perforator wird ein Lochband ohne Berücksichtigung der Zeileneinteilung »endlos« getastet und danach in der Rechenanlage **(Satzrechner)** in ein neues Lochband mit Zeilenaufteilung gewünschter Länge eingeteilt. Dazu wird der Satzrechner mit dem →Silbentrennungsprogramm für die betreffende Sprache programmiert. In Fotosetzmaschinen bes. hoher Leistung werden anstelle des Lochbandes Magnetbänder verwendet.

Computerstraftaten [kɔm'pju:tər-], Straftaten, die als **Computerbetrug** (Schädigung des Vermögens eines anderen in der Absicht rechtswidriger Bereicherung dadurch, dass jemand das Ergebnis eines Datenverarbeitungsvorgangs durch unrichtige Gestaltung des Programms, durch Verwendung unrichtiger oder unvollständiger Daten oder sonst durch unbefugte Einwirkungen auf den Ablauf beeinflusst [§263a StGB]) und **Computersabotage** (rechtswidrige Datenveränderung oder Zerstörung einer Datenverarbeitungsanlage oder eines Datenträgers, der für ein fremdes Unternehmen oder eine Behörde von wesentl. Bedeutung ist [§303b StGB]) geahndet werden. Die C. sind mit Freiheitsstrafe bis zu fünf Jahren oder Geldstrafe bedroht.

Computertomographie [kɔm'pju:tər-], Abk. **CT,** ein 1972 eingeführtes Verfahren der Röntgenuntersuchung, das in seinen Grundzügen von A. M. Cormack und G. N. Hounsfield entwickelt wurde und eine direkte Darstellung von Weichteilstrukturen des menschl. Körpers auf dem Bildschirm eines Monitors oder Datensichtgeräts ermöglicht. Bei der CT werden mit einem dünnen, fächerartigen Röntgenstrahlbündel die zu untersuchenden Körperregionen schichtweise aus allen Richtungen und in gegeneinander versetzten Schichten (Schichtdicke einige Millimeter) mit einem Auflösungsvermögen von etwa 0,5 mm abgetastet, wobei die jeweilige Röntgenstrahlabsorption in den versch. Volumenelementen mit Strahlendetektoren gemessen wird; die Messdaten dieser Detektoren werden an einen angeschlossenen Computer weitergegeben, der sie aufbereitet und aus einigen Mio. Einzeldaten bereits nach einigen Sekunden ein Fernsehbild **(Computertomogramm)** aufbaut. Bei der CT des Gehirns **(kraniale CT,** Abk. **CCT)** lassen sich geringe Veränderungen des Hirngewebes infolge Durchblutungsstörungen, Ödemen, Blutungen, Tumorbildungen u.a. erkennen und darstellen, während man bei der CT des Körpers **(Ganzkörper-CT)** v.a. Tumoren der Nieren, Oberbauchorgane sowie des Lymphsystems im Brustraum frühzeitig nachweisen kann. (→Emissionscomputertomographie, →Kernspintomographie)

Computerverbundnetz [kɔm'pju:tər-] (Rechnerverbundnetz), System verteilt aufgestellter, kompatibler Datenverarbeitungsanlagen, die miteinander durch Übertragungsleitungen verbunden sind. Durch das C. ist eine gegenseitige Verständigung und Aufgabenteilung in bestimmten Funktionen ohne Um- oder Übersetzung möglich. Der **Datenverbund** oder **Programmverbund** erlaubt den Austausch von Daten oder Programmen.

Computerviren [kɔm'pju:tər-], Computerprogramme, die unbemerkt von »Attentätern« in einen Computer oder in ein Computerverbundnetz eingeschleust werden, sich dort vervielfältigen und in der Lage sind, Anwender- und/oder Systemsoftware zu »infizieren«, d.h. zu manipulieren und zu schädigen oder zu vernichten. Infizierte Programme reichen die C. weiter.

COMSAT ['kɔmsæt], Abk. für engl. **Com**munication **Sat**ellite Corporation, 1962 in den USA gegr. Organisation für Errichtung und Betrieb von Nachrichtensatellitensystemen. COMSAT war bis 1972 mit dem Management von →INTELSAT beauftragt.

Comte [kɔ̃t, frz.] *der,* frz. Adelstitel: Graf; **Comtesse,** Gräfin; eingedeutscht: **Komtess, Komtesse,** bes. für unverheiratete Frauen gräfl. Standes.

Comte [kɔ̃t], Auguste, frz. Philosoph, *Montpellier 19. 1. 1798, †Paris 5. 9. 1857; Schüler von H. de Saint-Simon, Mitbegründer des →Positivismus. C. lehnte alle Metaphysik ab und sah als einzige Aufgabe der Wissenschaft die Ableitung von Gesetzen aus der Beschreibung von Tatsachen und deren Beziehungen als Beschreibung konstanter Zusammenhänge der Aufeinanderfolge und der Ähnlichkeit. Höchste Wissenschaft sei die von den Daseins- und Entwicklungsformen der Gesellschaft, für die er den Namen »Soziologie« prägte. Nach seinem »Dreistadiengesetz« deutete er die gesellschaftl. Entwicklung als Fortschritt von der theolog. über die metaphys. zur positiven Weltdeutung. – *Werke:* Soziologie, 6 Bde. (1830–42); Rede über den Geist des Positivismus (1844).

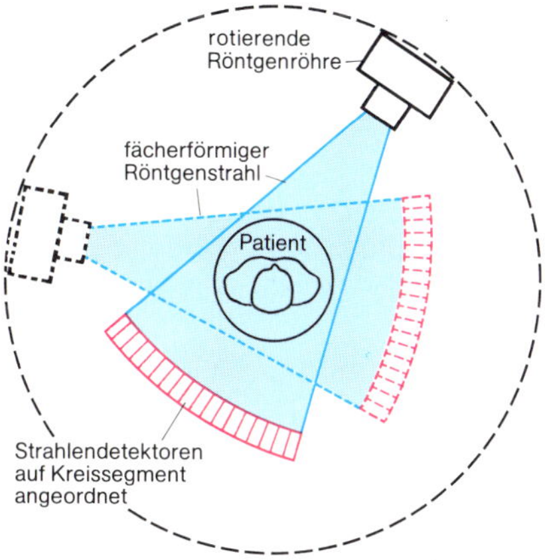

Computertomographie: Schema der Wirkungsweise rotierender Computertomographen; die Bestrahlungszeit beträgt etwa 1 Sekunde

🕮 Harp, G. J.: *A. C. and the reconstruction of American liberalism. University Park, Pa., 1995.* – Grange, J.: *La philosophie d'A. C. Paris 1996.*

Auguste Comte

Conakry [kɔna'kri], Hptst. der Rep. Guinea, W-Afrika, am Atlantik, z.T. auf der Halbinsel Kaloum, z.T. auf der vorgelagerten Insel Tumbo (Straßendamm), 950 000 Ew. (städt. Agglomeration: 1,3 Mio.); kath. Erzbischofssitz; Univ., polytechn. Hochschule, Nationalmuseum; See- und Flughafen; Eisenbahn ins Landesinnere; bei C. Eisenerz- und Bauxitabbau. – Gegr. um 1884 von Franzosen.

Concẹntus [lat.] *der,* in der Liturgie Bez. für die stärker melodisch gestalteten Gesänge; Ggs.: Accentus.

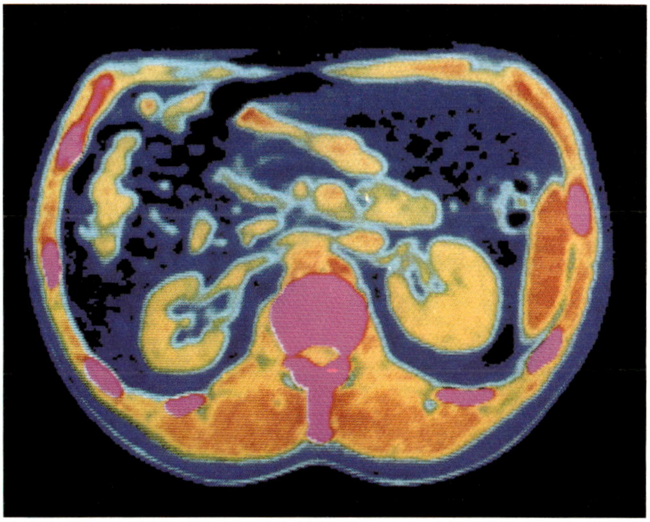

Computertomographie: Computertomogramm der Nieren

Concorde

Concepción [kɔnsɛp'sjɔn], Hptst. der Region Bío-Bío im südl. Zentralchile, 330 400 Ew.; wirtsch. Mittelpunkt; Univ., Erzbischofssitz; Textil- und Papierfabriken, Stahlwerk, Kohlebergbau. – Gegr. 1550; mehrfach durch Erdbeben zerstört.

Concordia: Die thronende Göttin mit Opferschale, den linken Arm auf ein Füllhorn gestützt, auf einem römischen Aureus (2. Jh. n. Chr.)

Conceptart ['kɔnseptɑ:t, engl.] *die* (Conceptual Art, Konzeptkunst), Kunstrichtung, die sich ab Mitte der 1960er-Jahre v.a. unter dem Einfluss von S. Le Witt aus der →Minimalart entwickelte. Losgelöst von dem materiellen Kunstwerk steht die Idee als rein geistige Konzeption im Mittelpunkt. Sie wird nur durch schriftl. Aufzeichnungen, Fotos, Diagramme, Berechnungen u.a. dokumentiert und erst durch gedanklich assoziative Prozesse in der Vorstellung des Betrachters existent (R. Barry, H. Darboven, J. Dibbets, On Kawara, J. Kosuth, T. Ulrichs).

📖 PAETZOLD, H.: *Ästhetik der neueren Moderne. Sinnlichkeit u. Reflexion in der konzeptionellen Kunst der Gegenwart. Mit Arbeitsnotizen v.* RAIMER JOCHIMS. *Stuttgart 1990.* – DREHER, TH.: *Konzeptuelle Kunst in Amerika u. England zwischen 1963 u. 1976. Frankfurt am Main u. a. 1992.*

Louis II. von Bourbon, Prinz von Condé

Concẹptio [lat.] *die, Medizin:* die →Empfängnis.

Concertgebouw [kɔn'sɛrtxəbɔu], Konzertsaal in Amsterdam, 1882–88 erbaut. Das **C.-orkest** wurde 1888 gegründet und bis 1895 von Willem Kes, dem Reformer des niederländ. Orchesterwesens, geleitet; weitere Dirigenten: W. Mengelberg, E. van Beinum, E. Jochum, K. Kondraschin, B. Haitink, R. Chailly (seit 1988).

Concertino [kɔntʃɛr'ti:no, italien.] *das, Musik:* 1) die dem Orchester gegenüberstehende Solistengruppe v.a. im Concerto grosso; 2) kleines Konzertstück für Soloinstrument und Orchester.

Concerto grọsso [kɔn'tʃɛrto-, italien.] *das,* →Konzert.

Concierge [kɔ̃'sjɛrʒ, frz.] *der, die,* Hausmeister(in), bes. in Paris.

concitạto [-tʃ-, italien.], musikal. Vortragsbezeichnung: erregt, bewegt.

Concord ['kɔŋkɔ:d], Hptst. des Staates New Hampshire, USA, am Merrimack River, 36 400 Ew.; Schuh-, Textil-, Elektromaschinenind., Druckereien. – Entstand nach 1725 als **Penacook,** seit 1765 heutiger Name, Hptst. seit 1808.

Concorde [kɔ̃'kɔrd] *die,* von der frz. und brit. Luftfahrtind. entwickeltes Überschall-Verkehrsflugzeug (Mach 2,2) für 128 Passagiere. Aufnahme des Liniendienstes am 21. 1. 1976 durch Air France und British Airways. Insgesamt wurden nur 16 Serienflugzeuge gebaut.

Concọrdia [lat.], röm. Göttin der Eintracht. Attribute: Füllhorn und Opferschale.

Concours hippique [kɔ̃'ku:r i'pik, frz.] *der,* Abk. **CH,** *Sport:* Reitturnier; **CS:** Concours de Sauts, Springturnier; **CD:** Concours de Dressage (Dressurturnier); **CC:** Concours Complet (Militaryturnier); **CA:** Concours d'Attelage (Fahrturnier). Die Zusätze bedeuten: **N** Nationales, **A** d'Amitié (Freundschafts-), **I** Internationales, **IO** Offizielles Internationales Turnier.

Condé [kɔ̃'de], 1830 erloschene Seitenlinie der Bourbonen, aus der auch der Herzog von →Enghien stammte.

1) Louis I. von Bourbon, Prinz von C. (*1530, † (erschossen) 1569); Führer der Hugenotten.

2) Henri I. von Bourbon, Prinz von C. (*1552, †1588); Führer der Hugenotten.

3) Louis II. von Bourbon, Prinz von C., »Der Große C.« gen., *Paris 8. 9. 1621, †Fontainebleau 11. 12. 1686; bed. Heerführer, besiegte 1643 die Spanier bei Rocroi und eroberte 1646 Dünkirchen. Er hielt in den Wirren der Fronde anfangs zu Mazarin, überwarf sich aber dann mit ihm. 1652 ging er zu den Spaniern über. Nach dem Pyrenäenfrieden von 1659 rehabilitiert, konnte er nach Paris zurückkehren. C. erhielt 1675 den Oberbefehl über die frz. Armee in Deutschland.

Condillac [kɔ̃di'jak], Étienne Bonnot de, frz. Philosoph und Volkswirtschaftler, *Grenoble 30. 9. 1715, †Abtei Flux (bei Beaugency, Dép. Loiret) 3. 8. 1780; begründete, sich von J. Locke abgrenzend, einen konsequenten →Sensualismus, indem er alle Erkenntnisinhalte und ebenso die Entstehung der geistigen Fähigkeiten auf die Sinneswahrnehmung zurückführte. Er hielt aber an der Immaterialität der Seele und der Willensfreiheit fest.

Condịtio sịne quạ nọn [lat.] *die,* Bedingung, ohne die etwas nicht eintreten kann.

Condọm *das,* →Kondom.

Condomịnium [lat.] *das* (Kondominium), die auf einvernehml. Grundlage beruhende gemeinsame Ausübung der Gebietshoheit über ein Territorium durch zwei oder mehrere Staaten, z.B. das preußisch-österr. C. über Schleswig-Holstein (1864–66).

Condorcet [kɔ̃dɔr'sɛ], Marie Jean Antoine Nicolas Caritat, Marquis de C., frz. Mathematiker, Politiker und Philosoph, *Ribemont (bei Saint-Quentin) 17. 9. 1743, †Clamart (bei Mendon) 29. 3. 1794; einer der Enzyklopädisten, schrieb Arbeiten über die Integralrechnung (1765), zum Dreikörperproblem (1768) sowie bes. zur Wahrscheinlichkeitsrechnung. 1789 schloss sich C. der Revolution an; er war ein überzeugter Vertreter einer demokratisch-egalitären Staatstheorie. Als Präs. der Nationalversammlung (1792) forderte er in seinem Entwurf einer »Nationalerziehung« die Beseitigung der Klassenunterschiede im Bildungswesen, dessen Autonomie gegenüber Kirche und Staat sowie eine Weiterbildung der Erwachsenen. Er setzte sich auch für die Gleichberechtigung aller Menschen (Emanzipation der Frau, Sklavenbefreiung) sowie aller Nationen ein. Als Girondist 1793 angeklagt, starb er am Tag nach seiner Verhaftung.

Condottiere [italien.] *der* (Kondottiere), italien. Söldnerführer im 14./15. Jh.; einige von ihnen begründeten dauerhafte Herrschaften, z.B. die Sforza in Mailand.

Confederazione Generale dell'Industria Italiana [- dʒene'ra:le -], Abk. **Confindustria,** Rom, Spitzenorganisation der italien. Arbeitgeberverbände und der angeschlossenen Unternehmen; neu gegr. 1944.

Conférencier [kɔ̃ferɑ̃'sje, frz.] *der,* unterhaltender Ansager im Kabarett, auch bei öffentl. oder privaten Veranstaltungen.

Confessio [lat.] *die,* **1)** *christl. Theologie:* (Konfession) Glaubensbekenntnis (auch lat. **C. fidei**), Bekenntnisschrift; Sündenbekenntnis, Beichte.

2) *frühchristl. Baukunst:* Märtyrergrab; der zw. einem Märtyrergrab und dem darüber errichteten Altar eingeschobene Raum, dann auch die Bez. für die erweiterte Anlage (die C. entwickelte sich zur Krypta).

Confessio Augustana [lat.] *die,* →Augsburgische Konfession.

Confessio Helvetica [lat.] *die,* Name zweier reformator. Bekenntnisschriften (→reformierte Kirchen).

Confessor [lat. »Bekenner«] *der,* in der frühchristl. Kirche Ehrenname für Christen, die ein Martyrium lebend überstanden hatten, teilweise auch für eigentl. Märtyrer.

Confiteor [lat. »ich bekenne«] *das, kath. Kirche:* das allg. und öffentl. Schuldbekenntnis zu Beginn der Messe.

Conformists [kən'fɔ:mɪsts, engl.] (Konformisten), anglikan. Christen, die sich im Ggs. zu den Dissenters (Nonkonformisten) zu Liturgie und Glaubensartikeln der Kirche von England bekennen.

con fuoco [italien.], *Musik:* feurig, heftig.

Confutatio pontificia [lat. »päpstliche Widerlegung«] *die,* die auf dem Reichstag zu Augsburg (1530) als Antwort Karls V. verlesene kath. Widerlegung der Augsburgischen Konfession.

Congar [kɔ̃'ga:r], Yves, eigtl. Marie-Joseph C., frz. Dominikaner (1925), *Sedan 13. 4. 1904, †Paris 22. 6. 1995; 1931–54 Prof. für systemat. Theologie an der Dominikanerhochschule Le Saulchoir bei Paris; einflussreicher Berater des 2. Vatikan. Konzils.

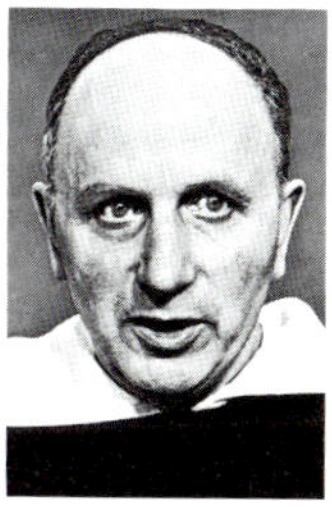
Yves Congar

Congreve ['kɔngri:v], William, engl. Dramatiker, *Bardsey (bei Leeds) 24. 1. 1670, †London 19. 1. 1729; schrieb bühnenwirksame Sittenkomödien: »Der Arglistige« (1694), »Der Lauf der Welt« (1700); war u.a. mit R. Steele, A. Pope und J. Swift befreundet.

📖 Thomas, D.: *W. C. London u. a. 1992.*

Coniin [grch.] *das,* giftiges Alkaloid aus den Früchten des Gefleckten Schierlings.

Coninxloo, Gillis van, niederländ. Maler, *Antwerpen 24. 1. 1544, begraben Amsterdam 4. 1. 1607; seit 1595 in Amsterdam. Seine Waldlandschaften mit den hintereinander gestaffelten Raumzonen waren im 17. Jh. richtungweisend für die niederländ. Malerei.

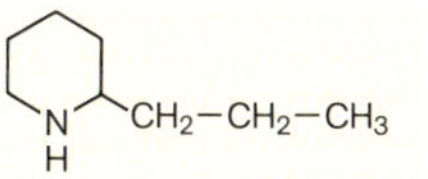

Coniin

Conjunctiva [lat.] *die* (Konjunktiva), *Medizin:* die Bindehaut des Auges.

Conjunctivitis [lat.] *die* (Konjunktivitis), die →Bindehautentzündung.

Conn., Abk. für den Bundesstaat **Conn**ecticut, USA.

Connacht ['kɔnɔ:t] (Connaught, irisch Cúige Chonnacht), histor. Prov. im NW der Rep. Irland, 17122 km², (1991) 423000 Ew.; umfasst die Counties Galway, Leitrim, Mayo, Roscommon, Sligo; Fremdenverkehr. Die Bev. spricht z.T. noch Gälisch.

Connecticut [kə'netɪkət], **1)** (Abk. Conn., CT) Bundesstaat im NO der USA (südlichster der »Neuengland-Staaten«), 12547 km², (1994) 3,3 Mio. Ew. (rd. 80% in Städten); Hptst.: Hartford. C. erstreckt sich vom Long Island Sound in die Ausläufer der nördl. Appalachen. 55% der Fläche sind Wald. 87% der Bev. sind Weiße, 8% Schwarze. Schiffbau und Eisenerzeugung setzten bereits im 17. Jh. ein. Im 19. und 20. Jh. entwickelten sich Waffen-, Textil- und elektron. Industrie. Schon Mitte des 19. Jh. Rückgang der Landwirtschaft; im Vordergrund stehen Milchwirtschaft, Obst-, Gemüse-, Tabakanbau, Geflügelzucht. – C. wurde seit 1614 von Europäern (Niederländer) besiedelt; seit 1654 engl.; seit 1662 weitgehende Selbstverwaltung der Kolonie; 1664 Angliederung von New Haven. Am nordamerikan. Unabhängigkeitskampf war C. führend beteiligt; 1788 trat es als 5. Staat der Union bei.

Connecticut 1)
Flagge

2) *der* (C. River) Fluss im NO der USA, rd. 650 km, kommt aus den **C.-Seen** in den nördl. Appa-

Antoine Marquis de Condorcet

lachen, mündet in den Long Island Sound; Wasserkraftwerke.

Sean Connery

Connery ['kɔnərɪ], Sean, brit. Schauspieler, *Edinburgh 25. 8. 1930; wurde bekannt durch die Darstellung des »James Bond« in den »007-Filmen« (seit 1961) u.a. »Goldfinger« (1965); weitere Rollen in »Der Name der Rose« (1985), »Die Unbestechlichen« (1987), »Jagd auf Roten Oktober« (1989) u.a.

Connétable [kɔne'ta:bl, frz.] *der,* in Frankreich seit dem 14. Jh. bis 1627 der Oberbefehlshaber der Armee.

Conodonten [grch.], bis 3 mm, selten bis 6 mm lange, meist zahnartige, lamellenförmig aus Fluor- und Carbonat-Apatit aufgebaute Fossilien in marinen Sedimenten vom Unterkambrium bis zur Oberen Trias; drei Typen: Einzelzähne, Zahnreihen-C. und Plattform-C. Sie bildeten die Bezahnung der C.-Träger, kleinen, im Meer lebenden, den Aalen ähnelnden Fleisch fressenden Wirbeltieren.

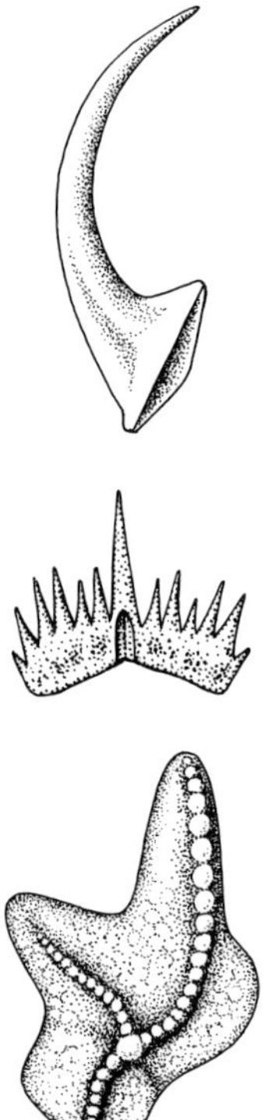

Conodonten (von oben): Einzelzahn, Zahnreihenconodont und Plattformconodont in stark vergrößerter Zeichnung

Conques [kɔ̃k], Gemeinde im frz. Dép. Aveyron, im SW des Zentralmassivs, 400 Ew.; im MA. bekannter Wallfahrtsort an der Pilgerstraße nach Santiago de Compostela, die Abteikirche Sainte-Foy (11./12. Jh.) ist ein Hauptwerk der roman. Baukunst in S-Frankreich.

Conrad, 1) ['kɔnræd], Joseph, eigtl. Teodor Józef Konrad Korzeniowski, engl. Schriftsteller poln. Herkunft, *Berditschew (Ukraine) 3. 12. 1857, †Bishopsbourne (Cty. Kent) 3. 8. 1924; befuhr als Kapitän auf brit. Handelsschiffen (bis 1894) die Weltmeere. Viele seiner Romane (»Almayers Wahn«, 1895; »Der Verdammte der Inseln«, 1896; »Der Nigger vom Narzissus«, 1897; »Lord Jim«, 1900; »Nostromo«, 1904; »Der Geheimagent«, 1907; »Mit den Augen des Westens«, 1911; »Spiel des Zufalls«, 1912; »Die Rettung«, 1920) und Novellen (»Taifun«, 1903; »Geschichten vom Hörensagen«, hg. 1925) berichten von fernen Ländern, einige behandeln polit. und histor. Stoffe; C. stellt seine Figuren in schwierige Entscheidungssituationen. In den späteren Werken verwendet er eine auf H. James verweisende wechselnde »Standpunkttechnik«.

📖 Haefner, G.: *Klassiker des engl. Romans im 20. Jh. J. C., D. H. Lawrence, James Joyce, Virginia Woolf, Samuel Beckett. Begründung der Moderne u. Abrechnung mit der Moderne. Heidelberg 1990.* – Meyers, Jeffrey: *J. C. A biography. London u. a. 1991.* – Krudewig, R.: *Der Raum als Erzählfaktor in Werken J. C.s. Göttingen 1994.* – Griem, J.: *Brüchiges Seemannsgarn. Mündlichkeit u. Schriftlichkeit im Werk J. C.s. Tübingen 1995.*

2) Michael Georg, Schriftsteller, *Gnodstadt (heute zu Marktbreit, Landkr. Kitzingen) 5. 4. 1846, †München 20. 12. 1927; Erzähler des frühen Naturalismus; seit 1885 Hg. der Ztschr. »Die Gesellschaft«.

Conrad-Diskontinuität [nach dem österr. Geophysiker Victor Conrad, *1876, †1962], 1925 entdeckte seismische Unstetigkeitsfläche innerhalb der Erdkruste in 10–20 km Tiefe, an der die Geschwindigkeit der longitudinalen Erdbebenwellen sprunghaft zunimmt.

Conradi, Hermann, Schriftsteller, *Jeßnitz (bei Bitterfeld) 12. 6. 1862, †Würzburg 8. 3. 1890; Vorkämpfer des dt. Naturalismus; wurde nach der Veröffentlichung seines Romans »Adam Mensch« (1889) wegen Verbreitung unsittl. Schriften angeklagt (postum freigesprochen).

Conrad-Martius, Hedwig, Phänomenologin und Naturphilosophin, *Berlin 27. 2. 1888, †Starnberg 15. 2. 1966; eine der ersten Frauen, die in Dtl. das Universitätsstudium aufnahmen; herausragende Vertreterin der phänomenolog. Bewegung. Angeregt von E. Husserl und M. Heideggers »Sein und Zeit« und entwickelt C.-M. gegen sie eine Ontologie des Realen: Das Bewusstsein könne nicht als Maß alles Seienden und alles Seins dienen; das reale Sein selbst müsse auf seine Morphologie und seine Konstitution hin analysiert werden. – *Werke:* Realontologie (1923); Der Selbstaufbau der Natur (1944); Das Sein (1957); Die Geistseele des Menschen (1960).

Conrad von Hötzendorf, Franz Graf (seit 1918), österr.-ungar. Feldmarschall (1916), *Penzing (bei Wien) 11. 11. 1852, †Bad Mergentheim 25. 8. 1925; wurde 1906 Chef des Generalstabs; trat für einen Präventivkrieg gegen Serbien und Italien ein, wurde deshalb im Nov. 1911 seines Postens enthoben, Dez. 1912 zurückberufen; am 1. 3. 1917 wegen polit. Meinungsverschiedenheiten mit Kaiser Karl I. entlassen; Oberbefehlshaber in Tirol (bis Juli 1918).

Conring, Hermann, Gelehrter, *Norden 9. 11. 1606, †Helmstedt 12. 12. 1681; Begründer der dt. Rechtsgeschichte (»De origine iuris germanici«, 1643), führte die Statistik als Universitätslehrfach ein.

Conscience [kɔ̃s'jãs], Hendrik, fläm. Schriftsteller, *Antwerpen 3. 12. 1812, †Brüssel 10. 9. 1883; nahm 1830 am Aufstand der Belgier gegen die Niederlande teil; verfasste mehr als 100 histor. Romane und Novellen mit Schilderungen des fläm. Volkslebens (»Der Löwe von Flandern« (1838).

Consecutio Temporum [lat.] *die, Syntax:* die Beziehung des Tempus in einem Nebensatz zu dem des übergeordneten Satzes; sie regelt, ob die Handlung des Nebensatzes vor, gleichzeitig oder nach der des Hauptsatzes liegt.

Conseil [kɔ̃'sɛj; frz. »Rat«, »Ratschlag«, »Ratsversammlung«] *der,* in Frankreich zahlreiche Institutionen der Regierung, Verwaltung und Justiz.

Consensus [lat.] *der,* **1)** *allg.:* Übereinstimmung, Zustimmung.

2) *kath. Kirche:* Übereinstimmung der Gesamtkirche in bestimmten Glaubenswahrheiten **(C. communis);** als **C. patrum** (»Übereinstimmung der Kirchenväter«) Beweismittel für die Wahrheit von Glaubens- und Sittenlehren.

3) *Philosophie:* als **C. gentium** (»Übereinstimmung der Völker«) antikes Beurteilungskriterium für die Wahrheit einer Sache; als **C. omnium** (»Übereinstimmung aller«) die Übereinstimmung aller Menschen in bestimmten Anschauungen und Ideen, die mit dem sozialen, moral. und polit. Leben verknüpft sind; oft als Kriterium für deren Wahrheit und Verbindlichkeit angesehen.

Consilium [lat.] *das,* Rat, Ratsversammlung.

Consol, bes. im Langwellenbereich arbeitendes Drehfunkfeuer (→Funkfeuer) großer Reichweite mit drei Antennen.

Consolatio [lat.] *die,* Trostrede, Trostschrift; auch Literaturgattung des Altertums; nach grch. Vorbild bei den Römern durch Cicero eingeführt. Sie entwickelte sich bis in die christl. Zeit; ein Beispiel ist bes. die »C. philosophiae« des Boethius.

Consommé [kõsɔ'me, frz.] *die* oder *das,* Kraftbrühe (auch kalt), klare Suppe.

Constable ['kʌnstəbl, engl.] *der* (Konstabler), in *Großbritannien* der beamtete Polizist; in den *USA* ein meist gewählter kommunaler Amtsträger, der die öffentl. Ordnung aufrechtzuerhalten hat; früher in *England* und *Schottland* hoher militär. Beamter des Königs.

Constable ['kʌnstəbl], John, engl. Maler, *East Bergholt (Cty. Suffolk) 11. 6. 1776, †London 31. 3. 1837; neben W. Turner der bedeutendste engl. Landschaftsmaler des 19. Jh. Ausgehend von der niederländ. Tradition zeigt C. eine vom jeweiligen Licht abhängige Naturdarstellung, es entstanden Landschaften, in denen er die sich mit dem Wetter verändernden Stimmungen festhielt. In seinen leuchtkräftigen, skizzenhaften Studien kündigt sich bereits der Impressionismus an.

📖 Werner, Th.: *Studien zum Werk von J. C., R. A. Freiburg im Breisgau 1983.*

Constans, Flavius Iulius C., röm. Kaiser (337–350), *323, †(ermordet) in Südgallien 18. 1. 350, Sohn Konstantins d. Gr.; herrschte als Mitregent mit seinen Brüdern Konstantin II. und Constantius II. über Italien, Afrika und Illyrien, seit 340 Alleinherrscher im W des Röm. Reichs.

Constanța [-tsa] (dt. Konstanza), Hafenstadt in Rumänien, am Schwarzen Meer, in der Dobrudscha, 348 600 Ew.; Umschlagplatz für den rumän. Überseehandel, durch den Donau-Schwarzmeer-Kanal mit der Donau verbunden, Großhafen C.-Süd; Pipelines von Ploești; naut. Schule; Werft; Papier-, Möbel-, Textil-, Nahrungsmittelind.; internat. Flughafen. Bei C. liegen die Seebäder Mamaia, Eforie Nord und Eforie Süd. – Reste aus röm. Zeit (v. a. Fußbodenmosaik eines Handelshauses) sowie zweier Basiliken (3. und 5./6. Jh.), Kirchen des 19. Jh., Leuchtturm (13. Jh.), Moschee 1910). – C., grch. **Tomis,** spätröm. **Constantiniana,** war der Verbannungsort Ovids. 1413–1878 türkisch, seither rumänisch.

John Constable: »Die Kathedrale von Salisbury« (1829; São Paulo, Museu de Arte)

Constant de Rebecque [kõstãdərə'bɛk], Benjamin, frz. Politiker und Schriftsteller schweizer. Abstammung, *Lausanne 23. 10. 1767, †Paris 8. 12. 1830; aus schweizer. Hugenottenfamilie, wurde frz. Staatsbürger, 1799 Mitgl. des Tribunats, 1802 von Napoleon Bonaparte verbannt, lebte in Weimar, dann in Coppet mit Madame de Staël, kehrte 1816 nach Paris zurück und war als Abg. und polit. Denker ein führender Vertreter des gemäßigten Liberalismus (konstitutionelle Monarchie). Er schrieb u. a. den Bekenntnisroman »Adolph« (1816), das staatstheoret. Werk »Über die Gewalt« (1814), die Abhandlung »Die Religion nach ihrer Quelle, ihren Gestalten und ihren Entwicklungen« (5 Bde., 1824–31).

📖 Wood, D.: *Benjamin Constant. A biography. London 1993.*

Joseph Conrad (Ausschnitt aus einem Gemälde von Walter Tittle; 1924, London, National Portrait Gallery)

Benjamin Constant de Rebecque

Constantine [kõstã'tin] (arab. Ksentina), Stadt in O-Algerien, am S-Rand des Tellatlas, auf einem Kalkplateau, das steil zur Schlucht des Oued Rhumel abfällt; 449 600 Ew.; Univ.; Motoren- und Traktorenwerk, Zement-, Lederwaren-, Textilind., Werkzeugmaschinenbau; Bahnknotenpunkt, internat. Flughafen. – C., das antike **Cirta,** eine bed. Stadt Numidiens, seit 46 v. Chr. röm. Kolonie, wurde 311 n. Chr. als Mittelpunkt der Donatisten zerstört und durch Konstantin d. Gr. wieder aufgebaut **(Constantina).** Im 7. Jh. wurde C. von den Arabern, im 16. Jh. von den Türken, 1837 von den Franzosen erobert.

Container: Blick auf den Containerhafen Waltersdorf in Hamburg; die Container werden mit Containerbrücken auf das Schiff gebracht

Constantius, röm. Kaiser: **1) C. I.** (seit 305), Beiname **Chlorus** (»der Blasse«), *in Illyrien um 250, †Eburacum (heute York) 25. 7. 306; wurde 293 von Maximian adoptiert und zum Cäsar erhoben, kämpfte gegen Franken, Alemannen sowie in Britannien und wurde 305 Augustus. Sein Sohn aus erster Ehe mit Helena war Konstantin der Große.

2) C. II. (seit 337), *Sirmium (heute Sremska Mitrovica) 7. 8. 317, †Mopsukrene (Kilikien) 3. 11. 361; Sohn Konstantins d. Gr., seit 324 Cäsar, beherrschte seit 337 als Augustus die oström. Provinzen, seit 353 das ganze Röm. Reich.

Constituante [kɔ̃sti'tɥɑ̃t, frz.] *die* (Konstituante), die verfassunggebende Nationalversammlung (bes. die der Frz. Revolution).

Constitutio [lat.] *die,* Verordnung, Gesetz, Verfassung.

Constitutio Antoniniana *die,* →Caracalla.

Constitutio Feudi [lat.] *die,* Belehnung (→Lehnswesen).

Consulting [kən'sʌltɪŋ; engl. »Beratung«] *das,* →Unternehmensberatung.

Consulting Engineers [kən'sʌltɪŋ endʒɪ'nɪəz, engl.], techn. Beratungsfirmen (z. B. Ingenieurbüros), die v. a. bei der Beschaffung industrieller Anlagen für Beratungs-, Projektierungs- und Ausschreibungsaufgaben zur Verfügung stehen.

Contadora-Staaten, Bez. für die Staatengruppe Kolumbien, Mexiko (bis 1989), Panama und Venezuela, die sich zw. 1983 und 1990 um die Sicherung des Friedens in Zentralamerika bemühte. Sie ist benannt nach der panamaischen Insel Contadora, dem Ort des ersten Treffens der Außenminister.

Container [kɔn'te:nər, engl.] *der,* genormter Großbehälter für die Verwendung in Transportketten, bes. im kombinierten Verkehr. C. vereinfachen den Transport dadurch, dass die Versandeinheit gleich der Lade-, Transport- und Lagereinheit ist. Besondere Bedeutung hat der C. im internat. Schiffsverkehr **(C.-Schiffe).** C. erfordern spezielle Umschlagvorrichtungen **(C.-Hafen, C.-Terminal).** Eine Sonderform sind die Schwimmbehälter (→Lash).

Containment [kən'teɪnmənt; engl. »Eindämmung«] *das,* Bez. für die 1946/47 von G. F. Kennan konzipierte Politik der USA gegen die Ausbreitung des Weltkommunismus (v. a. des sowjet. Einflussbereichs). Instrumente der C.-Politik waren u. a. militär. Bündnisse (NATO, CENTO, SEATO) und Wirtschaftshilfe (Europ. Wiederaufbauprogramm).

Contarini, venezian. Adelsgeschlecht, aus dem acht Dogen hervorgingen.

Conte [italien.] *der,* italien. Adelstitel, entsprach dem Grafen; weibl. Form: **Contessa. Contessina,** unverheiratete Gräfin.

Contenance [kɔ̃t'nɑ̃s, frz.] *die,* →Kontenance.

Contergan® *das,* ehem. Handelsname für →Thalidomid.

Continental Aktiengesellschaft, Unternehmen der Gummi und Kunststoff verarbeitenden Ind., gegr. 1871, seit 1929 AG, Sitz: Hannover; bekannt v. a. durch die Reifenmarken »Continental«, »Semperit« und »Uniroyal«.

Continuo [italien.] *der, Musik:* Kurzform von **Basso continuo,** die fortlaufende Instrumentalbassstimme. (→Generalbass)

Contracting [kən'træktɪŋ; engl. to contract »einen Vertrag schließen«] *das,* Finanzierungsformen von Investitionen zur Effizienzverbesserung im Energiebereich, bei der Investitionstätigkeit und Finanzierung entkoppelt sind. C. liegt vor, wenn ein Energieversorgungsunternehmen auf eigene Kosten die Haustechnik eines Stromabnehmers modernisiert und dafür die eingesparten Betriebskosten erhält.

Contradictio [lat.] *die,* Widerspruch (→Gegensatz). **C. in adiecto,** Widerspruch in der Beifügung, log. Fehler in der Begriffsbildung, der vorliegt, wenn ein Begriff durch eine ihm widersprechende Ergänzung bestimmt werden soll (z. B. »rundes Viereck«).

Contredanse [kɔ̃trə'dɑ̃s; frz. »Gegeneinandertanz«] *die* oder *der,* im 18. Jh. in Frankreich und Dtl. (dort **Contretanz, Kontertanz**) beliebter Gesellschaftstanz. Ursprung der C. sind die altengl. Countrydances (ländl. Tänze) mit ihren Front- (Longways) und Rundreigen (Rounds). Die versch. Formen der C. entwickelten sich zu Quadrille, Cotillon, Anglaise, Française und Écossaise. Die C. ist geradtaktig; mit Menuett und dt. Tanz gehörte sie zu den wichtigsten Tanzformen der Wiener Klassik (J. Haydn, W. A. Mozart, L. van Beethoven).

Controller [kɔn'trəʊlər, engl.] *der,* Baugruppe in elektron. Datenverarbeitungsanlagen, die einfache, meist nur sequenziell ablaufende Steueraufgaben übernimmt.

Controlling [kɔn'trəʊ:lɪŋ, engl.] *das,* Teilfunktion der Unternehmensführung, die Planungs-, Kontroll-, Steuerungs- und Koordinationsaufgaben wahrnimmt, um die Entscheidungsträger mit den notwendigen Informationen zur Steuerung des Unternehmens zu versorgen. Das von **Controllern** durchgeführte C. umfasst u.a. die Durchführung von Analysen, betriebswirtschaftl. Methodenwahl, Entscheidungsvorbereitung, Investitions- und Wirtschaftlichkeitsberechnungen.

🕮 Horváth, P.: *C.* München [6]*1996.*

Conurbation [kɔnə:'beɪʃn, engl.] *die,* städt. Ballungsgebiet, das baulich zusammengewachsen ist und von einem Zentrum beherrscht wird (Berlin, London) oder aus getrennten eigenkernigen Städten (Ruhrgebiet) bestehen kann.

Convari|etät [lat.] *die* (Konvarietät), Abk. **convar.,** *Botanik:* v.a. für Kulturpflanzen verwendete systemat. Einheit, die unter der Unterart steht und mehrere Sorten zusammenfasst.

Convenience-Goods [kon'vi:njəns gʊdz, engl.], Güter des täglichen Bedarfs, die ein Konsument häufig und deshalb mit geringem Aufwand an Kaufanstrengungen kauft; Ggs.: →Shopping-Goods.

Convent [lat. conventus »Zusammenkunft«] *der,* 1) Mitgliederversammlung einer student. Verbindung, z.B. Allgemeiner C. (A.C.), Burschen-C. (B.-C.); 2) Name student. Verbände, z.B. Kösener Senioren-Conventsverband, Weinheimer Senioren-C., örtlich Senioren-C. (S.-C.).

Convertible Bonds [kɔn'və:tɪbl 'bɔndz, engl.], in Großbritannien und den USA Wandelschuldverschreibungen.

Convoi [kɔ̃'vwa, frz.] *der* **(Convoy),** →Konvoi.

Conway ['kɔnweɪ], Anne Finch, engl. Philosophin, *14. 12. 1631 London, †23. 2. 1679 Ragley Hill; vom engl. Neuplatonismus (H. More und R. Cudworth) sowie von paracelsischer und kabbalist. Theosophie (M. van Helmont) beeinflusst; suchte den Dualismus Descartes' aufzulösen: Alle Körper sind fühlende Geister; prägte den Begriff der →Monade und beeinflusste G. W. Leibniz' Philosophie grundlegend.

Conze, Werner, Historiker, *Neuhaus (Landkr. Lüneburg) 31. 12. 1910, †Heidelberg 28. 4. 1986; war seit 1957 Prof. in Heidelberg; Mitbegründer der modernen Sozialgeschichtsforschung in Deutschland.

Cook [kʊk], **1)** Frederick Albert, amerikan. Arzt und Polarreisender, *Callicoon (N. Y.) 10. 6. 1865, †New Rochelle (N. Y.) 5. 8. 1940. C. behauptete, am 21. 4. 1908 (vor R. E. Peary) den Nordpol erreicht zu haben.

2) James, brit. Seefahrer, *Marton (bei Middlesbrough) 27. 10. 1728, †(erschlagen) auf Hawaii 14. 2. 1779. Auf der 1. Reise (1768–71) seiner drei Weltumsegelungen erkannte er, dass Neuseeland eine Doppelinsel ist, erforschte die unbekannte Ostküste Australiens und durchfuhr die bis dahin gleichfalls unbekannte Torresstraße. Bei seiner 2. Reise (1772–75) umsegelte C. erstmals die Erde in Ostrichtung, überquerte auf der Suche nach dem Südland (»Terra Australis«) dreimal den südl.

Werner Conze

Frederick A. Cook

James Cook
(Stich von 1781)

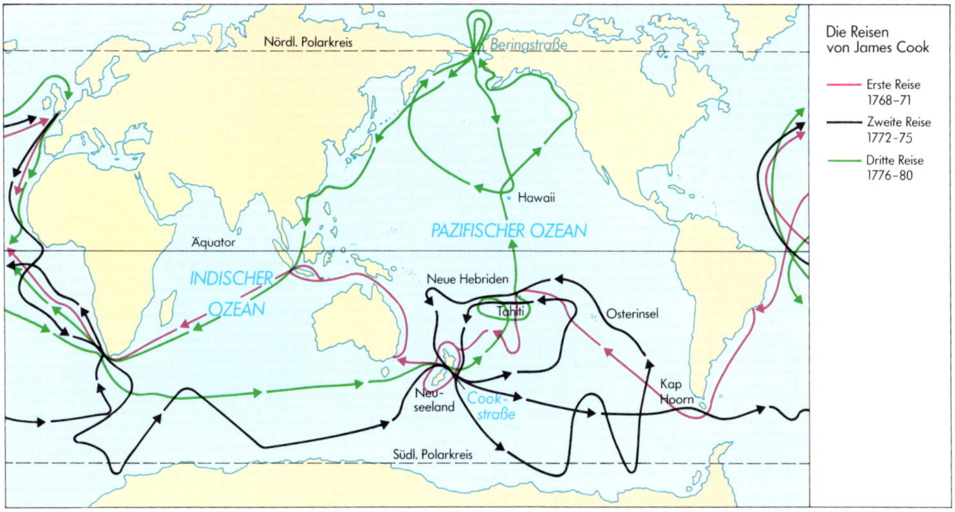

Polarkreis (1773) und besuchte die meisten Inselgruppen des Pazifiks. Während seiner 3. Reise (1776–79) versuchte C. vergeblich, eine nördl. Durchfahrt vom Pazifik zum Atlantik zu finden, kartierte die NW-Küste Amerikas und erforschte die Beringstraße.

📖 Seidel, J.: *Der geträumte Kontinent. Die erste Weltumsegelung des J. C. Taschenbuchausg. München 1993.* – Cropp, W.-U.: *Gletscher u. Glut. Auf C.s Spuren durch den Pazifik. Bielefeld 1995.*

James Fenimore Cooper

*Wie Cooper selbst bestätigte, war der Trapper Daniel Boone (*1734, †1820) das Vorbild für die Figur des Natty Bumppo seiner Lederstrumpf-Romane. Boone hatte als alter Mann Cooper von seinem Leben als Abenteurer, Jäger und Siedlungsgründer im Wilden Westen erzählt. Als Boone starb, war er schon längst zum amerikanischen Volkshelden avanciert, und der Kongress unterbrach seine Sitzung, als die Nachricht von seinem Tod eintraf.*

Cook [kʊk] (Thos. C. & Son), London, ältestes Reisebüro, gegr. 1845 in Leicester durch Thomas Cook (*1808, †1892), 1928 mit der **Internat. Schlaf- und Speisewagengesellschaft (ISG)** zusammengeschlossen. Nach Übernahme in brit. Staatsbesitz (1948–72) seit 1972 im Teil-, seit 1976 im Alleineigentum der Midland Bank.

Gary Cooper

Cookinseln ['kʊk-], Inselgruppe im SW-Pazifik (Polynesien), 240 km², 18500 Ew. (meist Polynesier; weitere rd. 19000 leben in Neuseeland); Verw.sitz: Avarua auf Rarotonga. Die C. erstrecken sich von N nach S über 1300 km, bestehen aus den **Nördlichen C.** (sieben Atolle) und den **Südlichen C.** (sechs Vulkaninseln, darunter Rarotonga, und zwei Atolle). Erzeugung von Kopra, Zitrusfrüchten, Bananen; Fremdenverkehr; internat. Flughafen auf Rarotonga. – 1595 von Spaniern entdeckt und 1773 teilweise von J. Cook erkundet, wurden die C. 1888 britisch, kamen 1901 zu Neuseeland. 1965 erhielten sie innere Autonomie bei freier Assoziation mit Neuseeland.

Cook, Mount [maʊnt 'kʊk] (Maoriname: Aorangi), höchster Berg Neuseelands, 3764 m ü. M., auf der Südinsel in den Neuseeländ. Alpen; Nationalpark, Wintersportgebiet; viele Gletscher (Tasmangletscher, 29 km lang).

Leon N. Cooper

Cookstraße ['kʊk-], Meerenge zw. der Nord- und Südinsel Neuseelands, an der engsten Stelle 23 km breit; von J. Cook 1769 entdeckt.

Cooley ['ku:lɪ], Charles Horton, amerikan. Soziologe, *Ann Arbor (Mich.) 17. 8. 1864, †ebd. 8. 5. 1929; entwickelte die Unterscheidung von Primär- und Sekundärgruppe (→Gruppe).

Coolidge ['ku:lɪdʒ], **1)** Calvin, 30. Präs. der USA (1923–29), *Plymouth (Vt.) 4. 7. 1872, †Northampton (Mass.) 5. 1. 1933; 1919–20 Gouv. von Massachusetts, 1921–23 Vizepräs. der USA, verfolgte als Präs. (1923–29) einen Kurs der Sparsamkeit nach innen und der Isolation gegenüber Europa nach außen.

2) William David, amerikan. Physiker, *Hudson (Mass.) 23. 10. 1873, †Schenectady (N. Y.) 3. 2. 1975; entwickelte die **C.-Röhre,** eine Röntgenstrahlröhre mit Glühkathode aus Wolframdraht.

Cooljazz ['ku:ldʒæz; engl. »kühler Jazz«], um 1950 in den USA entstandene Form des →Jazz.

Cooper ['ku:pə], **1)** Gary, amerikan. Filmschauspieler, *Helena (Mont.) 7. 5. 1901, †Los Angeles 13. 5. 1961; verkörperte den unkompliziert-tatkräftigen Heldentypus v. a. in Abenteuer- und Westernfilmen: »Mr. Deeds geht in die Stadt« (1936), »Wem die Stunde schlägt« (1943), »Zwölf Uhr mittags« (1952), »Vera Cruz« (1954).

2) James Fenimore, amerikan. Schriftsteller, *Burlington (N. J.) 15. 9. 1789, †Cooperstown (N.Y.) 14. 9. 1851. Seine Indianer- und Grenzer- sowie histor. Romane (Lederstrumpf-Romane: u. a. »Der Letzte der Mohikaner«, 1826; »Die Prärie«, 1827; »Der Pfadfinder«, 1840) sind aufschlussreiche Aufarbeitungen der amerikan. Geschichte; übte zunehmend Kritik an neueren Entwicklungen der amerikan. Gesellschaft und Politik.

📖 Hermann, E.: *Opfer der Geschichte. Die Darstellung der nordamerikan. Indianer im Werk J. F. C.s u. seiner Zeitgenossen. Frankfurt am Main u. a. 1986.*

James F. Cooper: Ausschnitt aus einem anonymen Stahlstich (um 1850)

3) Leon N., amerikan. Physiker, *New York 28. 2. 1930; erkannte 1956 als Erster die Möglichkeit der paarweisen Bindung von Leitungselektronen in Supraleitern **(C.-Paare),** die die außergewöhnlichen physikal. Effekte der Supraleitung bewirken. Er erhielt 1972 mit J. Bardeen und J. R. Schrieffer den Nobelpreis für Physik für die quantenmechan. Deutung der Supraleitung (→BCS-Theorie).

Cooperative for American relief to everywhere [kəʊ'ɔpərətɪv fɔ ə'merɪkən rɪ'li:f tʊ: 'evrɪweə], →CARE.

»co op«-Gruppe, konsumgenossenschaftlich orientierte Unternehmensgruppe des Groß- und Einzelhandels, die aus 40 selbstständigen Konsumgenossenschaften sowie aus **co op AG** (gegr. 1974) bestand. Ein Konkurs des hochverschuldeten Unternehmens wurde 1988/89 durch einen außergerichtl. Vergleich der 143 Gläubigerbanken verhindert. Ende 1989 wurde ein Sanierungskonzept wirksam, das mit der Schließung zahlr. Läden und der Veräußerung von Unternehmensbereichen verbunden war. 1990 wurde die stark verkleinerte co op-Gruppe an die Metro-Tochtergesellschaft Asko Dt. Kaufhaus AG, Saarbrücken, verkauft und die co op AG in Deutsche SB-Kauf AG umbenannt.

Im »co op-Prozess« (Beginn: Febr. 1992) wurden vier ehemalige coop-Manager (darunter Bernd Otto, *1940) sowie der ehemalige Aufsichtsratsvorsitzende wegen Vermögensgefährdung, Untreue oder Beihilfe zur Untreue zu mehrjährigen Freiheitsstrafen verurteilt.

Coop Himmelblau, Architektengruppe, 1968 u.a. von Wolf Dieter Prix (*1942) und Helmut Swiczinsky (*1944) in Wien gegründet; stellt durch utop. Projekte herkömml. Architekturvorstellungen infrage. – *Werke:* Fabrikanlage Funder Werk 3 in Sankt Veit an der Glan, 1988–89; Kunstmuseum in Groningen, in Zusammenarbeit mit anderen, 1992–94.

Coop Schweiz, schweizer. Handelsunternehmen (Sitz Basel), das mit sechs regionalen Coop-Genossenschaften und mehreren Produktions-, (Einzel-)Handels- und Dienstleistungsunternehmen (u.a. Tankstellen, Hotels, Restaurants, Ladenketten z.B. »K 3000«, »Sineco-Gruppe«, »Bell-Gruppe«) die Coop-Gruppe bildet.

Cop [engl.] *der,* amerikan. umgangssprachliche Bez. für Polizist.

Copacabana, Stadtteil von Rio de Janeiro, Wohn- und Badeviertel.

Copán, eine der großartigsten Ruinenstätten der Maya in Honduras, Blütezeit der Stadt um 600–800 n.Chr.; zahlreiche große reliefbedeckte Stelen in klass. Maya-Stil (UNESCO-Weltkulturerbe).

Copeau [kɔ'po], Jacques, frz. Schriftsteller und Theaterregisseur, *Paris 4. 2. 1879, †Beaune 20. 10. 1948; gründete 1913 in Paris das Théâtre du Vieux-Colombier; befreite das frz. Theater vom realistisch-naturalist. Inszenierungsstil und trat für eine der Dichtung dienende Darstellungsweise ein.

Copiapó, Hptst. der nordchilen. Provinz Atacama, in einer Flussoase der Wüste Atacama und erdbebenreicher Gegend, 101 000 Ew.; Bischofssitz; Bergakademie; bed. Bergbau auf Eisen-, Kupfer-, Gold- und Silbererze. – Gegr. 1540.

Coop Himmelblau: Papierbeschichtungsfabrik Funder, Werk 3, in Sankt Veit an der Glan (1988/89); links die Energiezentrale mit »tanzenden Kaminen«

Copland ['kɔplənd], Aaron, amerikan. Komponist, *Brooklyn (heute zu New York) 14. 11. 1900, †Westchester (N. Y.) 2. 12. 1990; seine Musik (Orchester-, Kammermusik, Ballett-, Filmmusiken) ist von Einflüssen des Neoklassizismus, des Jazz und der Zwölftontechnik geprägt.

Aaron Copland

Copolymere, Kunststoffe, bei denen am Aufbau der Polymerkette mindestens zwei verschiedene Struktureinheiten (Monomere) beteiligt sind. Nach Anordnung der Monomere A und B unterscheidet man **alternierende C.** (regelmäßiger Wechsel, -A-B-A-B-), **statist. C.** (unregelmäßige Verteilung, z.B. -A-A-B-A-B-B-B-) und **Block-C.** mit jeweils langen Sentenzen der Struktureinheiten A und B. Bei **Pfropf-C.** sind B-Segmente als Seitenketten an einer A-Kette angehängt (→Polymere).

Coppée [kɔ'pe], François, frz. Schriftsteller, *Paris 12. 1. 1842, †ebd. 23. 5. 1908; gehörte vorü-

Copán: Kultischer Ballspielplatz (Spielfeldlänge etwa 26 m, Breite 7 m) umgeben von Stelen und Altären (um 775 n. Chr.)

Córdoba 2): Ehemalige Omaijadenmoschee »La Mezquita« (785–990), davor eine von den Mauren erneuerte Römerbrücke, die über den Guadalquivir (Länge 240 m, 16 Bogen) führt

bergehend zur Gruppe der Parnassiens; wurde populär mit Gedichten, deren Thema die Kleinbürger sind.

Tristan Corbière aus der Sicht eines Karikaturisten

Copperbelt ['kɔpəbelt, engl.] *der,* der »Kupfergürtel« von Sambia (industrielles Ballungsgebiet), 200 km lang, etwa 60 km breit, bis zu 1400 m ü. M.; setzt sich in der Kupferzone von S-Shaba, Demokrat. Rep. Kongo, fort. Im C. lagern 25–30 % der bekannten Kupfervorräte der Erde. Städt. Zentrum ist Kitwe. Die moderne Bergbauentwicklung begann 1900–10.

Coppola ['kɔpolə], Francis Ford, amerikan. Filmregisseur, -produzent und Drehbuchautor, *Detroit (Mich.) 7. 4. 1939; seine erfolgreichsten Filme waren »Der Pate« (1971, 2. Tl. 1974, 3. Tl. 1989/90), »Apocalypse now« (1979), »Von ganzem Herzen« (1982), »Cotton Club« (1984), »Jack« (1996).

Francis F. Coppola

Copyright ['kɔpɪraɪt; engl. »Recht zur Vervielfältigung«] *das,* Urheberrecht des brit. und des amerikan. Rechts. Das *brit.* Urheberrecht beruht hauptsächlich auf dem C., Designs and Patents Act von 1988, der den C. Act von 1956 abgelöst hat (Schutzfrist für Werke der Kunst und Literatur von 50 Jahren ab Ablauf des Todesjahres des Urhebers). In den *USA* gilt der C. Act von 1976 (wesentlich geändert durch den Computer Software C. Act von 1980), der für nach seinem In-Kraft-Treten geschaffene Werke eine Schutzfrist von 50 Jahren nach dem Tod des Urhebers festlegt (75 Jahre für damals bestehende Werke ab Erstveröffentlichung). Da die USA 1989 der Revidierten Berner Übereinkunft beigetreten sind, ist der C.-Vermerk zum Schutz des Urheberrechts in den USA nicht mehr zwingend.

Córdoba 2) Stadtwappen

Coquilhatville [kɔkija'vil], bis 1966 Name von →Mbandaka, Demokrat. Rep. Kongo.

Coquille [kɔ'kiːj(ə), frz.] *die,* 1) Muschelschale; 2) in Muschelschale angerichtetes feines Ragout.

Cor [lat.] *das,* →Herz.

coram publico [lat.], öffentlich, vor aller Augen.

Corbière [kɔr'bjɛːr], Tristan, eigtl. Édouard-Joachim C., frz. Schriftsteller, *Schloss Coat-Congar (bei Morlaix, Dép. Finistère) 18. 7. 1845, †Morlaix 1. 3. 1875; griff in seiner Dichtung (»Die gelben Liebschaften«, 1873, erweitert 1891) mit bitterer Ironie radikal überlieferte Wertvorstellungen an.

Corbusier [kɔrby'zje], frz. Architekt, →Le Corbusier.

Corcovado [-du; portug. »der Gebuckelte«], aus dem Stadtgebiet von Rio de Janeiro steil aufragender, von einer Christusstatue gekrönter Berg, 704 m hoch; Zahnradbahn zum Gipfel.

Cord [frz.-engl. »Strick«, »Schnur«] *der,* haltbares Gewebe mit kräftigen Längsrippen für Arbeits-, Sport-, Modebekleidung und Möbelbezüge. **Cordsamt,** →Samt.

corda [italien. »Saite«], *Musik:* Spielanweisung beim Klavier: **una corda,** Pianopedal treten; **due corde,** Pianopedal nur halb niedertreten.

Corday [kɔr'dɛ], Charlotte, eigtl. C. de C. d'Armont, *Saint-Saturnin-des-Ligneries (bei Sées, Dép. Orne) 27. 7. 1768, †(hingerichtet) Paris 17. 7. 1793; Royalistin, erstach am 13. 7. 1793 J.-P. Marat, den Präs. des Jakobinerklubs, im Bad, in der Hoffnung, damit dem Terror ein Ende zu machen.

Cordelia, ein Mond des Planeten Uranus.

Cordeliers [kɔrdə'lje; frz. »Strickträger«], ursprünglich frz. Bez. für die Franziskaner. – Während der Frz. Revolution 1790–94 ein radikaler polit. Klub, gegr. 1790 in dem früheren Kloster der C. in Paris; ihm gehörten J.-P. Marat, G.-J. Danton, C. Desmoulins, J.-R. Hébert an.

Cordierit [nach dem frz. Geologen P. L. A. Cordier, *1777, †1861] *der* (Dichroit), meist körniges, rhomb. Mineral, $(Mg,Fe)_2Al_3[AlSi_5O_{18}]$, starker Pleochroismus (gelbgrau bis tiefblau), v. a. in metamorphen Gesteinen; Mohshärte 7–7,5, Dichte 2,60–2,66 g/cm³. Klare blaue Kristalle auch Schmucksteine (»Luchssaphir«, »Wassersaphir«).

Cordillera [korði'ʎɛra] *die,* span. Bez. für Gebirge, Bergkette.

Córdoba ['kɔrðoβa], **1)** Provinz in Andalusien, Spanien, 13718 km², (1991) 754500 Einwohner.

2) Hptst. von 1), am Guadalquivir, am Rand der Sierra Morena, 300200 Ew.; Bischofssitz; Univ., Theolog. Hochschule, Akademien, archäolog. Museum, Kunstmuseum; Umschlagplatz für Olivenöl und Wein; Kupfer-, Eisen-, Silbererzverhüttung, Gießereien, Maschinenbau, Elektro-, Leder-, Baumwoll-, Nahrungsmittelind., Gold- und Silberschmuckfertigung. – Die Bauten der alten Kalifenstadt (zweiteilige Altstadt: Almedina und Ajerquía) sind stark maurisch geprägt, so die riesige ehemalige Omaijadenmoschee »La Mezquita« (785–990), der Betsaal mit über 850 Säulen (aus Marmor, Jaspis, Granit), die in der Längsrichtung durch doppelstöckige Hufeisenbögen verbunden sind, wurde 1523–1766 zur Kathedrale umgestaltet; die gesamte Anlage wurde von der UNESCO zum Weltkulturerbe erklärt. Das ehem. Judenviertel (Judería) ist ebenfalls UNESCO-Weltkulturerbe. Zahlreiche Kirchen mit Mudéjardekor wurden über ehem. Moscheen errichtet; viele Adelspaläste mit reichen Kunstsammlungen. – C., das antike **Corduba,** wurde 169 v. Chr. von den Römern besetzt und wurde in der Kaiserzeit Hptst. der röm. Provinz Baetica. Eine neue Blütezeit erlebte es unter den arab. Omaijaden als Hptst. des maur. Spanien (Al-Andalus; ab 716) und des Kalifats von C. (gegr. 929), d. h. als wichtigstes Kulturzentrum des westl. Islam. Der Eroberung durch Ferdinand III. von Kastilien (1236) folgte ein Niedergang.

📖 MUÑOZ MOLINA, A.: *Die Stadt der Kalifen. Histor. Streifzüge durch C. A. d. Span. Reinbek 1994.*

3) Hptst. der Prov. C. und zweitgrößte Stadt Argentiniens, am Rand der Pampa und am O-Fuß der Sierra de C., 1,15 Mio. Ew.; zwei Univ., Sternwarte, Museen; Erzbischofssitz; ; Ind.- und Handelszentrum, v. a. chem. Ind., Fahrzeugbau; internat. Flughafen. – Maler. kolonialzeitl. Stadtbild, Kathedrale (um 1687–1729), Jesuitenkirche (um 1645–71), Klöster Santa Teresa (Ende des 18. Jh. beendet) und Santa Catalina de Siena, Rathaus (beendet um 1785). – Gegr. 1573.

Córdoba-Durchmusterung, an der Sternwarte in Córdoba (Argentinien) erstellter Sternkatalog, Fortsetzung der →Bonner Durchmusterung für den Südhimmel mit 613 953 Sternen.

Cordon bleu [kɔrdɔ̃'blø, frz.] *das,* doppeltes Kalbsschnitzel, mit Käse und gekochtem Schinken gefüllt, auch von anderem Getier (z. B. Hähnchen-C. b.).

Cordon sanitaire [kɔr'dɔ̃ sani'tɛ:r, frz.] *der,* polit. Schlagwort für den 1919/20 errichteten Staatengürtel von Finnland über die balt. Staaten und Polen bis Rumänien, der Sowjetrussland vom übrigen Europa trennen sollte, um dieses vor der »bolschewist. Weltrevolution« zu schützen. Der »Hitler-Stalin-Pakt« (1939), der eine Aufteilung des »Gürtels« in eine dt. und sowjet. Interessensphäre einschloss, bedeutete das Ende des Cordon sanitaire.

Core [kɔ:; engl. »Kern«] *das,* der innere Teil eines Kernreaktors, der das spaltbare Material enthält.

Corelli, 1) Arcangelo, italien. Komponist und Violinist, *Fusignano (bei Ravenna) 17. 2. 1653, †Rom 8. 1. 1713; hatte als einer der Schöpfer des Concerto grosso großen Einfluss auf die europ. Musik der ersten Hälfte des 18. Jh.; u. a. Triosonaten für 2 Violinen mit Continuo, 12 Solosonaten für Violine mit Continuo, Concerti grossi.

2) Franco, italien. Sänger (Tenor), *Ancona 8. 4. 1921; v. a. Interpret italien. und frz. Opernpartien.

Corey ['kɔ:rɪ], Elias James, amerikan. Chemiker, *Methuen (Mass.) 12. 7. 1928; arbeitete über die Synthese komplexer Naturstoffe und metallorganische Verbindungen; 1990 erhielt er für die Entwicklung der Theorie und Methode der organ. Synthese den Nobelpreis für Chemie.

Cori, Carl Ferdinand, dt.-amerikan. Biochemiker, *Prag 5. 12. 1896, †Cambridge (Mass.) 19. 10. 1984; erforschte den intermediären Stoffwechsel; erhielt 1947 mit seiner Frau Gerty Theresa C. (*1896, †1957) und B. A. Houssay für die Aufklärung der katalyt. Vorgänge beim Glykogenstoffwechsel den Nobelpreis für Physiologie oder Medizin.

Corinth, Lovis, Maler und Grafiker, *Tapiau (heute Gwardejsk, Gebiet Kaliningrad) 21. 7. 1858, †Zandvoort (Prov. Nordholland) 17. 7. 1925; 1915 Präs. der Berliner Sezession. Nach anfänglich dunkler, toniger Malweise verband er eine dem Impressionismus verwandte helle Farbigkeit und lockere Pinselführung mit barockem Pathos und oft drast. Naturalismus. Im Spätwerk näherte er sich dem Expressionismus. C. behandelte religiöse, mytholog. und histor. Themen, schuf Akte, Stillleben und Landschaften (Walchenseebilder), ab 1911 auch Radierungen, Lithographien und Buchillustrationen. BILD S. 72

📖 BEREND-CORINTH, C.: *L. C. Die Gemälde. Werkverzeichnis. München ^{2}1992. – L. C., hg. v.* K. A. SCHRÖDER. *München 1992.*

Coriolanus (Koriolan, Gnaeus Marcius C.), sagenhafter röm. Held, nach 491 v. Chr. als Gegner der röm. Plebs verbannt, zog er mit einem Heer

Charlotte Corday

Elias J. Corey

Carl Ferdinand Cori

Córdoba

Córdoba wurde 711 von den Arabern besetzt und stieg danach zu einem bedeutenden Handelszentrum auf. Die Stadt profitierte in großem Maße von dem Austausch zwischen dem maurischen Spanien und Afrika einerseits und dem christlichen Europa andererseits: Gold aus dem Sudan und schwarze Sklaven sowie Gummi für die Seidenbearbeitung gegen Quecksilber zum Goldabbau. Osteuropäische Pelze, slawische Sklaven und karolingische Schwerter gegen feine Stoffe sowie Gold- und Silbermünzen.

In ihrem Reichtum orientierte sich die herrschende Schicht der Stadt an orientalischen Vorbildern, deren Luxus und Lebensweise man nachahmte, vor allem an Bagdad. So umgab man sich mit entsprechenden Möbeln, Kleidern und Einrichtungsgegenständen. Über das maurische Spanien fand diese verfeinerte östliche Lebensart Eingang ins christliche Abendland. Die Omaijadenmoschee, eine der größten der Erde, weist Córdoba als eine der prunkvollsten Stätten des Islam im Mittelalter aus.

Lovis Corinth: Selbstbildnis mit Skelett (1896; München, Städtische Galerie im Lenbachhaus)

der Volsker gegen Rom; wurde auf Bitten seiner Frau und seiner Mutter zur Umkehr bewogen und von den Volskern ermordet.

Coriolis-Kraft [nach dem frz. Physiker G. G. de Coriolis, *1792, †1843], Trägheitskraft, die ein bewegter Körper, von einem rotierenden Bezugssystem aus betrachtet, senkrecht zu seiner Bahn und zur Drehachse des Bezugssystems erfährt. Für einen raumfesten Beobachter tritt sie nicht auf.

Cork [kɔːk] (irisch Corcaigh), **1)** County in der Rep. Irland, 7459 km², (1991) 410400 Einwohner.

2) grafschaftsfreie Stadt an der Südküste Irlands, Verw.sitz von 1), 127300 Ew.; anglikan. und kath. Bischofssitz; Universitätscollege; bed. Hafen (am Ende des Mündungstrichters des Lee); Stahlwerk, Schiffbau, Erdölraffinerie, Brauerei, Whiskydestillerie, chem. u.a. Industrie; internat. Flughafen. Außenhafen: Cobh. – Gegr. im 10. Jh. von den Wikingern.

Allen M. Cormack

Cormack ['kɔːmæk], Allen McLeod, amerikan. Physiker, *Johannesburg (Rep. Südafrika) 23. 2. 1924; schuf um 1963 die theoret. Grundlagen der →Computertomographie und erhielt dafür 1979 mit G. N. Hounsfield den Nobelpreis für Physiologie oder Medizin.

Corn Belt ['kɔːn -], Maisanbaugürtel im Zentralen Tiefland der USA, von W-Ohio bis NO-Kansas; seit 1950 auch verstärkter Anbau von Sojabohnen.

Cornea [lat.] *die,* Hornhaut des →Auges.

Cornedbeef ['kɔːndbiːf, engl.] *das,* gepökeltes Rindfleisch in Konserven.

Corneille [kɔr'nɛj], Pierre, frz. Dramatiker, *Rouen 6. 6. 1606, †Paris 1. 10. 1684; bis 1628 Advokat, seit 1630 Theaterdichter in Paris, gefördert von Richelieu. Mit der Tragikomödie »Der Cid« (1637, nach span. Vorlage, →Cid), die einen politisch-literar. Streit (»La querelle du Cid«) hervorrief, wurde er berühmt; in diesem Werk gestaltete er den dramat. Konflikt aus den einander widerstreitenden Geboten von Ehre und Leidenschaft, der im Sinne der Pflicht entschieden wird. Die folgenden Tragödien verarbeiten, meist in röm. Stoffen, die Auseinandersetzungen zw. Individuum und Staat vor dem histor. Hintergrund des noch nicht gefestigten Absolutismus: »Horatius« (1641); »Cinna« (1643); »Polyeukt« (1643). Mit den Stücken C.s setzte sich die streng gebaute Tragödie als höchste Gattung auf dem frz. Theater des 17. Jh. endgültig durch. Nach 1670 zog sich C. als Autor zurück, nachdem der jüngere J. Racine die Gunst des Publikums gewonnen hatte.

📖 CLARKE, D.: *P. C. Poetics and political drama under Louis XIII. Cambridge 1992.*

Cornelia, röm. Patrizierin des 2. Jh. v. Chr.; Tochter Scipios des Älteren, Gattin des Tiberius Sempronius Gracchus, Mutter der Volkstribunen Tiberius und Gaius Gracchus.

Cornelisz. [-s], **1)** Cornelis, gen. C. van Haarlem, niederländ. Maler, *Haarlem 1562, †ebd. 11. 11. 1638; einer der wichtigsten Meister des holländ. Manierismus; um 1600 weicht seine überladene Kompositionsweise einem eleganten, beruhigten Stil.

2) Jakob, auch van Oostsanen oder van Amsterdam, niederländ. Maler, *Oostzaan (bei Amsterdam) vor 1470, †Amsterdam vor dem 18. 10. 1533. Kennzeichnend für seine Altarbilder und Porträts

Pierre Corneille: Anonymes Gemälde (1647; Versailles, Musée National)

in kräftiger Zeichnung und lebhafter Farbe sind die Fülle der Details und die Kostbarkeit der Stoffe; schuf auch ein umfangreiches Holzschnittwerk.

Cornelius, Name eines der angesehensten röm. Patriziergeschlechter. Zu ihm gehörten u.a. die Familien Scipio, Sulla, Lentulus und Cinna.

Cornelius, 1) Peter von (seit 1825), Maler, *Düsseldorf 23. 9. 1783, †Berlin 6. 3. 1867, Onkel von 2); bildete sich v.a. unter dem Eindruck altdt. Kunst und ging 1811 nach Rom, wo er sich den Nazarenern anschloss; seit 1821 Direktor der Akademie in Düsseldorf, 1825 Akademiedirektor in München; 1840 von Friedrich Wilhelm IV. nach Berlin berufen.

Werke: Zeichnungen zu Goethes Faust (seit 1808); Fresken für die Casa Bartholdy in Rom (seit 1815; heute in der Alten Nationalgalerie auf der Museumsinsel in Berlin); Entwürfe zu Wandmalereien des geplanten Campo Santo im Zusammenhang mit dem Neubau des Berliner Doms (Apokalyptische Reiter u.a.).

2) Peter, Komponist, *Mainz 24. 12. 1824, †ebd. 26. 10. 1874, Neffe von 1); Vertreter der →neudeutschen Schule; schrieb u.a. die kom. Oper »Der Barbier von Bagdad« (1858), die Oper »Der Cid« (1865); Lieder (u.a. »Weihnachtslieder«, 1856), Chöre und Kirchenmusik.

Cornell [kɔːˈnel], Joseph, amerikan. Maler, Bildhauer und Filmemacher, *Nyack (N. Y.) 24. 12. 1903, †New York 29. 12. 1972; Autodidakt, begann mit Collagen, arrangierte ab 1933 in kastenförmigen Objekten poetische »Stillleben«; als Filmemacher wirkte er auf den amerikan. Untergrundfilm.

Cornelsen Verlag, einer der größten dt. Schulbuchverlage; gegr. 1946; Sitz: Berlin. Zur C. V.-Gruppe gehören u.a. auch die Verlage Volk und Wissen sowie Patmos.

Corner [ˈkɔːnə; engl. »Ecke«] *der, Börse:* →Korner.

Cornflakes [ˈkɔːnfleɪks, engl.], Maisflocken.

Cornforth [ˈkɔːnfɔːθ], John Warcup, austral.-brit. Chemiker, *Sydney 7. 9. 1917; erhielt 1975 mit V. Prelog für Arbeiten über die Stereochemie von Reaktionen, die durch Enzyme katalysiert werden, den Nobelpreis für Chemie.

Cornichon [-ˈʃɔ̃, frz.] *das,* in Essigmarinade eingelegte kleine Gurke.

Corno [italien. »Horn«] *das,* Namensbestandteil versch. Horninstrumente, u.a. **C. da Caccia,** Jagdhorn.

Cornu [kɔrˈny], Alfred, frz. Physiker, *Orléans 6. 3. 1841, †Romorantin-Lanthenay (Dép. Loir-et-Cher) 11. 4. 1902; wurde 1896 Präs. der Académie des sciences; Arbeiten zu opt., elektr. und astronom. Problemen, u.a. spektroskop. Untersuchungen der UV-Strahlung der Sonne; nach ihm heißt die →Klothoide auch C.-Spirale.

Cornwall [ˈkɔːnwəl], County im äußersten SW Englands, 3530 km², (1993) 477000 Ew., Hptst. Truro; westlichster Teil der Halbinsel zw. Ärmelkanal und Kelt. See. Die felsige Küste ist reich gegliedert (Riaküste); die Bergrücken im Innern sind von Heide und Moor bedeckt; in den Tälern Kulturland (mildes Klima); Milch- und Schafwirtschaft, Gartenbau, Kaolinabbau, Fischfang.

Joseph Cornell: »Habitant Group for a Shooting Gallery«, Holzschränkchen mit ausgeschnittenen Papageien, Postkarten und buntem Papier hinter gesprungenem Glas (1943; Privatbesitz)

Coro, Hptst. des Staates Falcón, Venezuela, nahe dem Golf von C., 124500 Ew.; Bischofssitz; Erdölind. – Die Stadt, 1527 gegr. **(Santa Ana de Coriana),** war 1528–46 Sitz der Hauptfaktorei des Augsburger Handelshauses Welser.

John W. Cornforth

Coromandel Coast [kɔrəʊˈmændl kəʊst, engl.], die →Koromandelküste.

Corona [lat. »Kranz«, »Krone«] *die,* **1)** im *antiken Rom* urspr. Schmuck für Gottheiten und Tempel, später Auszeichnung für künstler. Verdienste im friedl. Wettstreit und für militär. Leistungen. BILD S. 74

2) *Astronomie:* **C. Australis** und **C. Borealis,** die Sternbilder Südl. und Nördl. →Krone.

3) *Astrophysik:* →Korona.

Coronaviren (Coronaviridae), Familie der RNS-Viren, durch keulenförmige Vorsprünge (die der Sonnenkorona ähneln) charakterisiert; neben tierpathogenen Stämmen menschenpathogene

Stämme, die Erkrankungen der oberen Luftwege hervorrufen.

Coronel, Hafenstadt in Mittelchile, 83 400 Ew.; Steinkohlenbergbau. Im 1. Weltkrieg siegte hier am 1. 11. 1914 das dt. Kreuzergeschwader unter Admiral M. Reichsgraf von Spee über einen brit. Flottenverband.

Corona 1): Römische Kamee mit dem Adler, der in seinen Krallen die Siegespalme und die Corona civiva, die Auszeichnung für verdienstvolle Bürger, trägt (Anfang 1. Jh. n. Chr.; Wien, Kunsthistorisches Museum)

Coroner ['kɔrənə] *der,* in Großbritannien und den USA Beamter, der in Fällen gewaltsamen oder unnatürl. Todes die Todesursache feststellt und bei Verdacht einer strafbaren Handlung ein Untersuchungsverfahren durchführen kann.

Corot [kɔ'ro], Camille, frz. Maler und Grafiker, *Paris 16. 7. 1796, †ebd. 22. 2. 1875. Mehrere Italienaufenthalte inspirierten ihn zu Darstellungen v. a. röm. Landschaften in zart abgestuften Farben. Seit den 1850er-Jahren bevorzugte er reine atmosphär. Stimmungsbilder, häufig mit Figuren; auch weibl. Akte und Porträts.

📖 GALASSI, P.: *C. in Italien. A. d. Amerikan. München 1991.*

Corpora, Antonio, italien. Maler, *Tunis 15. 8. 1909; seine in zeichenhaft informellem Stil gehaltenen Bilder sind von starker Farbigkeit.

Corporate Identity ['kɔ:pərɪt aɪ'dentɪtɪ, engl.] *die* (Unternehmensidentität), im Rahmen der Öffentlichkeitsarbeit (Public Relations, PR) eines Unternehmens angestrebtes Firmenbild, in dem sich das Selbstverständnis hinsichtlich Leistungsangebot und Arbeitsweise widerspiegelt.

Corporation [kɔ:pə'reɪʃn] *die,* Abk. **Corp.,** Körperschaft, jurist. Person, in den USA bes. die Kapitalgesellschaft (vergleichbar mit der AG), in Großbritannien auch Stadtbehörde, Gilde.

Corps [kɔ:r, frz.] *das,* → Korps.

Corps de Ballet [kɔ:rdəba'lɛ, frz.] *das,* in einem Ballettensemble die Gruppentänzer; im Ggs. zu den Solotänzern.

Corps diplomatique [kɔ:rdiplɔma'tik, frz.] *das,* → diplomatisches Korps.

Corpus [lat.] *das,* **1)** *Anatomie:* Bez. für bestimmte Körperstrukturen, bes. Hauptteil eines Organs oder Körperteils, z. B. C. luteum, der Gelbkörper (→ Eierstock).

2) *Botanik:* Bildungsgewebe im Innern des Sprossscheitels.

3) *Musik:* → Korpus.

Corpus Christi [lat. »Leib Christi«], → Fronleichnam.

Corpus Christi ['kɔ:pəs 'krɪstɪ], Stadt in Texas, USA, Seehafen an einer Lagune der Golfküste, 258 000 Ew.; kath. Bischofssitz, Univ.; petrochem., metallurg. (Aluminium, Zink) Industrie. – Gegr. 1838.

Corpus Delicti [lat. »Gegenstand des Vergehens«] *das, Recht:* Beweisstück.

Corpus evangelicorum [lat.] *das,* die entsprechend den Bestimmungen des Westfäl. Friedens am 22. 7. 1653 auf dem Reichstag zu Regensburg gebildete Vereinigung der evang. Reichsstände, geführt von Kursachsen. Die kath. Reichsstände unter Führung von Kurmainz blieben ohne feste Organisation, seit 1700 **Corpus catholicorum** genannt.

Corpus Iuris Canonici [lat.] *das,* teils amtl., teils außerhalb der amtl. Sammlungen umlaufende Rechtsvorschriften, eine Zusammenfassung v. a. der kirchl. Rechtsquellen des MA. (Decretum Gratiani, Liber Extra, Liber Sextus, Klementinen, Extravaganten). Die im C. I. C. enthaltenen Rechtsvorschriften wurden 1918 zus. mit dem übrigen kirchl. Recht durch den Codex Iuris Canonici außer Kraft gesetzt.

Camille Corot: »Die Frau mit der Perle« (um 1863–70; Paris, Louvre)

Corpus Iuris Civilis [lat.] *das,* eine mit Gesetzeskraft ausgestattete Sammlung des röm. Rechts, die Kaiser Justinian I. 528–542 zusammenstellen ließ. Sie umfasst: 1) die Institutionen, ein amtl. Lehrbuch, 2) die Digesten oder Pandekten, 50 Auszüge aus den Schriften röm. Juristen, 3) den Codex Justinianus, rd. 4600 kaiserl. Erlasse aus der Zeit von Hadrian bis Justinian I., und 4) die Novellen, Nachtragsgesetze Justinians I. Das C. I. C. wurde im MA. durch die Rechtsschulen der Glossatoren und Kommentatoren bearbeitet und den prakt. Bedürfnissen der Zeit angepasst; in Dtl. war es eine der Quellen des geltenden Rechts (→Rezeption). Als »Gemeines Recht« galt es teilweise bis zum In-Kraft-Treten des BGB (1900).

Correggio: »Danae« (um 1530; Rom, Galleria Borghese)

Correggio [kor'reddʒo], eigtl. Antonio Allegri, italien. Maler, gen. il C., *Correggio (bei Modena) um 1489, †Reggio nell'Emilia 5. 3. 1534; malte religiöse und mytholog. Darstellungen von sinnlich-heiterer Schönheit und gefühlvollem Ausdruck, deren stark bewegte Kompositionen bereits barock anmuten. Seine Tafelbilder zeichnen sich durch reiches Helldunkel aus, seine Deckenfresken durch die Kühnheit der perspektiv. Untersicht.

Werke: Kuppelfresken im Dom zu Parma (1526–30). Altarbilder: Madonna mit dem hl. Hieronymus, gen. »il Giorno« (um 1527; Parma, Galleria Nazionale); Die Hl. Nacht (um 1530; Dresden, Gemäldegalerie). Mytholog. Bilder: Danae (um 1530; Rom, Galleria Borghese); Raub des Ganymed (um 1530; Wien, Kunsthistor. Museum); Leda (um 1530; Berlin-Dahlem, Gemäldegalerie).

📖 *C. Die Zeichnungen, bearb. v.* M. DI GIAMPAOLO *u. a. A. d. Italien. Basel 1990.*

Correns, Carl Erich, Botaniker, *München 19. 9. 1864, †Berlin 14. 2. 1933; einer der Wiederentdecker der mendelschen Vererbungsgesetze, seit 1914 Direktor des Kaiser-Wilhelm-Instituts für Biologie in Berlin-Dahlem.

Corrente [italien.] *die,* ein Tanz, →Courante.

Corrèze [kɔ'rɛ:z], Dép. im frz. Zentralmassiv, 5857 km², (1990) 237900 Ew.; Hptst.: Tulle.

Corrida de toros [span.] *die,* der →Stierkampf.

Corrientes, Hptst. der Provinz C., Argentinien, unterhalb der Vereinigung des Paraná und Paraguay; 267700 Ew.; Erzbischofssitz; Univ., Kunstakademie, Museum; Flussschifffahrt; Agrarhandel. – Gegr. 1588.

Corriere della Sera [»Abendbote«], liberale italien. Tageszeitung, gegr. 1876 in Mailand.

Corrigan ['kɔrɪgən], Mairead, nordir. Politikerin, *Belfast 27. 1. 1944; gründete 1976 in Belfast mit Betty Williams eine Friedensbewegung von Frauen beider Konfessionen zur Beendigung des Bürgerkriegs in Nordirland; dafür erhielten beide 1977 nachträglich den Friedensnobelpreis für 1976.

Corse, La [la'kɔrs], frz. Name der Insel →Korsika, mit den Dép. **Corse-du-Sud** (4014 km², [1990] 119000 Ew., Hptst.: Ajaccio) und **Haute-Corse** (4666 km², [1990] 132000 Ew.; Hptst.: Bastia).

Cortaillodkultur [kɔrta'jo-], nach dem Fundort Cortaillod (Kt. Neuenburg, Schweiz) benannte Kulturgruppe der Schweizer Jungsteinzeit (1. Hälfte des 3. Jt. v. Chr.); gut erhaltene Feuchtbodenfunde aus organ. Material (Reste von Holzgefäßen und -geräten, Gewebe, Netze), meist im Bereich von Seeufersiedlungen (Pfahlbauten).

Cortázar [-sar], Julio, argentin. Schriftsteller, *Brüssel 26. 8. 1914, †Paris 12. 2. 1984; lebte seit 1951 in Paris (seit 1981 frz. Staatsbürgerschaft); in seinen Erzählungen (»Gesch. der Cronopien und Famen«, 1962; »Das Feuer aller Feuer«, 1966; »Unzeiten«, 1984) und Romanen (»Rayuela, Himmel-

Carl Erich Correns

Mairead Corrigan

Julio Cortázar

Correggio

Für Correggios um 1526/27 entstandenes Bild »Die mystische Hochzeit der heiligen Katharina von Alexandria« zahlte der französische König Ludwig XIV. dem Kardinal Mazarin im Jahr 1665 den Rekordpreis von 20 000 Livres. Von diesem Bild, das heute im Louvre hängt, schwärmte ganz Frankreich. Correggio gehört zu den bedeutendsten Künstlern der ausgehenden Renaissance. Seine Werke waren schon damals bei Sammlern besonders begehrt. Entscheidend für ihn war die Begegnung mit den Werken Andrea Mantegnas. Sehr bald spielten für seine künstlerische Entwicklung auch Leonardo da Vinci, Raffael und Michelangelo eine Rolle.

Correggios Fresken (etwa die Kuppelfresken des Doms von Parma) zeichnen sich durch eine kühne, perspektivische Untersicht aus. Seine Altarbilder und mythologischen Gemälde, für die raffinierte Verkürzungen in lichtreicher Atmosphäre, stimmungsvolle Landschaften, eine zarte, unaufdringliche Bewegtheit der Figuren und flüssige Konturen charakteristisch sind, haben die italienische Malerei und die gesamte europäische Barockmalerei nachhaltig beeinflusst.

und-Hölle«, 1963; »Album für Manuel«, 1973) ein Meister des Fantastischen.

📖 BERG, W. B.: *Grenz-Zeichen C. Leben u. Werk eines argentin. Schriftstellers der Gegenwart. Frankfurt am Main 1991.*

Cortemaggiore [-mad'dʒo:re], Ort in der Emilia Romagna, Italien, Prov. Piacenza, 4500 Ew.; Zentrum der italien. Erdöl- und Erdgasförderung in der Po-Ebene, Erdölraffinerie.

Pietro da Cortona: Vorbau der Kirche Santa Maria della Pace in Rom (1655)

Cortenuova, Gemeinde in Oberitalien, Prov. Bergamo. Hier siegte am 27. 11. 1237 Kaiser Friedrich II. über die Lombarden.

Cortes [span. 'kɔrtes, portug. 'kortɪʃ], die Volksvertretung in Spanien, früher auch in Portugal.

Cortés, Hernán, →Cortez, Hernando.

Cortex [lat.] *der,* die Rinde, Schale, z.B. C. cerebri, die Großhirnrinde der Wirbeltiere und des Menschen.

Hernando Cortez

Cortez ['kɔrtɛs], Hernando (Hernán Cortés), span. Konquistador, *Medellín (Extremadura) 1485, †Castilleja de la Cuesta (bei Sevilla) 2. 12. 1547; unternahm von Kuba aus im Auftrag des Statthalters D. Velázquez seinen Eroberungszug gegen Mexiko und unterwarf 1519–21 das Aztekenreich; 1522–28 Statthalter des Landes (Neuspanien); drang 1524/25 nach Honduras vor; 1528 in Spanien zum Marqués del Valle de Oaxaca erhoben. Seit 1530 wieder in Mexiko, gelangte er auf einem weiteren Erkundungszug 1535 bis nach Kalifornien. 1541 nahm C. am erfolglosen Feldzug Karls V. gegen Algier teil.

📖 HARTAU, C.: *Hernando Cortés. Reinbek 1994.*

Corti, 1) Axel, österr. Regisseur und Journalist, *Paris 7. 5. 1933, †Oberndorf (bei Salzburg) 1993; Dramaturg und Regisseur am Wiener Burgtheater; bekannt wurden v.a. seine Literaturverfilmungen: »Herrenjahre«, nach G. Wolfsgruber (1984); »Eine blaßblaue Frauenhandschrift«, nach F. Werfel (1984); »Der Radetzkymarsch«, nach J. Roth (1994).

2) Egon Cäsar Graf (Conte) C. alle Catene, österr. Schriftsteller, *Agram (heute Zagreb) 2. 4. 1886, †Klagenfurt 17. 9. 1953; verfasste romanhafte Biographien, u.a. »Das Haus Rothschild« (2 Bde., 1927/28); »Elisabeth, die seltsame Frau« (1934); »Kaiser Franz Joseph I.« (3 Bde., 1951–55).

Corticosteroide [lat.-grch.] (Corticoide, Kortikosteroide), Hormone der Nebennierenrinde; gehören zur Gruppe der Steroidhormone, werden nach ihrer Wirkung in Glucocorticoide und Mineralocorticoide unterteilt.

Corticotropin [lat.-grch.] *das* (Kortikotropin), das adrenocorticotrope Hormon, →ACTH.

Cortina d'Ampezzo, Gemeinde in Venetien, Italien, Prov. Belluno, 1210 m ü.M., in den Dolomiten, 7100 Ew.; Kurort, Wintersportplatz; Austragungsort der Olymp. Winterspiele 1956.

Corti-Organ [nach dem italien. Anatomen A. Corti, *1822, †1876], Teil des Gehörorgans (→Ohr).

Cortisol [Kw.] *das* (Kortisol, Hydrocortison), zu den Glucocorticoiden gehörendes Nebennierenrindenhormon, dessen Wirkung der des →Cortisons ähnlich ist.

Cortison [Kw.] *das* (Kortison), zu den Glucocorticoiden gehörendes Nebennierenrindenhormon. C. ist Gegenspieler des Insulins; steigert den Blutzuckerspiegel, beschleunigt den Eiweiß- und Fettabbau.

Cortona, Stadt in der Toskana, Italien, Prov. Arezzo, 22600 Ew.; alte etrusk. Stadt mit gut erhaltener Kyklopenmauer, Accademia Etrusca mit Museum und Bibliothek, Dom (urspr. romanisch, im Stil der Hochrenaissance erneuert).

Cortona, Pietro da, eigtl. Pietro Berrettini, italien. Maler und Baumeister, *Cortona 1. 11. 1596, †Rom 16. 5. 1669; schuf in täuschender Untersicht gemalte, den Raum scheinbar erweiternde Deckenfresken, die maßgebend für die dekorative Malerei der Barockzeit wurden. Seine architekton. Werke zeichnen sich durch plast. Verwendung von Säulenstellungen und starke Einbeziehung des Umraumes aus (Vorbau von Santa Maria della Pace in Rom, 1655).

Cortot [kɔr'to], Alfred, frz. Pianist, *Nyon (Kt. Waadt) 26. 9. 1877, †Lausanne 15. 6. 1962; trat bes. als Chopin-, Schumann- und Debussy-Interpret hervor; gründete ein Trio mit J. Thibaud (Violine) und P. Casals (Violoncello).

Çorum [tʃ-], Hptst. der Provinz Ç., Türkei (Inneranatolien), 116 200 Ew.; Textil-, Nahrungsmittel- und Zementindustrie.

Corumbá, Stadt im Staat Mato Grosso do Sul, Brasilien, 180 000 Ew.; kath. Bischofssitz; Handelszentrum für das Viehzuchtgebiet des Pantanal; Fleischkonservenind.; Flusshafen am Paraguay, nahebei Eisen- und Manganerzlager (Urucúm).

Coruña, La [-ɲa], span. Stadt und Provinz, →La Coruña.

Corvey [-vai], Stadtteil von Höxter, NRW. Die Reichsabtei der Benediktiner ging hervor aus einem 815/816 gegr. Kloster, das 822 von Ludwig dem Frommen an den heutigen Ort verlegt wurde (die Mönche kamen zum großen Teil aus Corbie an der Somme). 1802/03 wurde C. säkularisiert; 1815 kam es an Preußen. – Die karoling. Abteikirche (844) war eine dreischiffige Basilika mit einer quadrat. Eingangshalle im W, diese wurde 873–885 als Westwerk ausgebaut (Erweiterung im 12. Jh.); nach Zerstörungen im 30-jährigen Krieg wurde die Kirche mit Ausnahme des Westwerks abgebrochen, 1667–71 wurde sie dann mit barocker Ausstattung neu errichtet; die ehem. Klostergebäude (heute Schloss) stammen aus dem 18. Jahrhundert.

Corvina, Kw. für **Bibliotheca Corviniana,** Handschriftensammlung des ungar. Königs Matthias Corvinus (1458–90); von den 2000–2500 Büchern sind 195 Bände (Corvinen) erhalten (heute weit verstreut, u. a. in Budapest und Istanbul).

Corvin-Wiersbitzki, Otto von, Schriftsteller und Journalist, *Gumbinnen (heute Gussew, Gebiet Kaliningrad) 12. 10. 1812, †Wiesbaden 1. 3. 1886; wurde bekannt durch seinen antiklerikalen »Pfaffenspiegel«, 2 Bde. (1845).

Corvus [lat.] *der* (Rabe), *Astronomie:* Sternbild des Südhimmels.

Corynebakteri|en [grch. korýnē »Keule«], grampositive, unbewegl. Stäbchen, häufig keulenförmig angeschwollen; **Corynebacterium diphtheriae** ist Erreger der →Diphtherie. – Bei Rind und Schwein sind C. die häufigsten Eitererreger.

cos, Funktionszeichen für Kosinus, →Winkelfunktionen.

Cosa, Juan de la, span. Amerikafahrer, *Santoña (bei Santander) 1449 oder 1460, †Cartagena (Kolumbien) 28. 2. 1510; Begleiter von Kolumbus auf dessen beiden ersten Fahrten; entwarf 1500 die erste (datierte) Darstellung Amerikas, die u. a. die Entdeckungen von Kolumbus enthält (von A. v. Humboldt 1832 in Paris aufgefunden).

Cosa Nostra [italien. »unsere Sache«], Eigenbezeichnung der →Mafia in den USA.

cosec, Funktionszeichen für Kosekans, →Winkelfunktionen.

Cosecans hyperbolicus, eine →Hyperbelfunktion.

cosech, Funktionszeichen für Hyperbelkosekans, →Hyperbelfunktionen.

Cosel (poln. Koźle), →Kędzierzyn-Koźle.

Cosel, Anna Konstanze Gräfin von (seit 1707), geb. von Brockdorff, *Depenau (heute zu Stolpe, bei Plön) 17. 10. 1680, †Stolpen (bei Dresden) 31. 3. 1765; Geliebte Augusts des Starken, von großem Einfluss am Hof, fiel 1712 in Ungnade und war seit 1716 auf Schloss Stolpen in Haft.

Cosenza, 1) Provinz in Kalabrien, S-Italien, 6650 km², (1995) 753 400 Einwohner.

2) Hptst. von 1), an der Mündung des Busento in den Crati, 78 600 Ew.; Erzbischofssitz; Univ. (1972); Möbel-, Papier-, Textilindustrie; Dom (1185 begonnen, im 18. Jh. verändert). – C. ist das röm. **Consentia,** bei dem 410 n. Chr. der Westgotenkönig Alarich im Flussbett des Busento begraben wurde.

Corvey: Das 873-885 erbaute und im 12. Jh. erweiterte Westwerk der alten karolingischen Abteikirche

Cosgrave ['kɔzgreɪv], **1)** Liam, irischer Politiker, *Templeogue (bei Dublin) 17. 4. 1920, Sohn von 2); 1954–57 Außenmin., 1965–77 Führer der Fine Gael und 1973–77 Ministerpräsident.

2) William Thomas, irischer Politiker, *Dublin 6. 6. 1880, †ebd. 16. 11. 1965, Vater von 1); Kaufmann, nahm 1916 am republikan. Osteraufstand teil (1916–17 in brit. Haft). Nach Ausrufung der Republik (1919) beteiligte sich C. an der Organisation des antibrit. Aufstandes. Im Anschluss an die Unterzeichnung des anglo-brit. Vertrages (Errichtung des Freistaates Irland, 1921) war er 1922–32 MinPräs.; 1923 sammelte er die gemäßigten Kräfte der Unabhängigkeitsbewegung in der Fine Gael. 1932–44 führte C. die parlamentar. Opposition.

cosh, Funktionszeichen für den Hyperbelkosinus (Cosinus hyperbolicus), eine →Hyperbelfunktion.

Cosmaten: Die in Mosaiken gearbeiteten Kreuzgangsäulen des Benediktinerklosters von Monreale stammen aus dem 12. Jahrhundert

Ćosić ['tɕɔːsitɕ], Dobrica, serb. Schriftsteller und Politiker, *Velika Drenova (bei Kruševac) 29. 12. 1921; Partisan im 2. Weltkrieg, vollzog schon mit seinem ersten Roman die literaturhistorisch richtungweisende Abkehr vom sozialist. Realismus; war als serb. Nationalist mitbeteiligt an der Ausarbeitung des »Memorandums« (1986; Ausgangspunkt der »serb. nat. Erweckung«). 1992–93 Präs. des neu gegründeten Jugoslawien.

Cosimo, italien. Maler, →Piero di Cosimo.

Cosinus [lat.] *der* (Kosinus), eine →Winkelfunktion.

Cosinus hyperbolicus [lat.] *der,* Funktionszeichen **cosh,** eine →Hyperbelfunktion.

Cosmas von Prag, tschech. Geschichtsschreiber, *um 1045, †Prag 21. 10. 1125; Prager Domherr, verfasste die älteste lat. Chronik Böhmens »Chronikon Boëmorum« (1119/21–25), in die er auch die sagenhafte Vorgeschichte (→Libussa) mit einbezog.

Francesco Cossiga

Cosmaten, mehrere vom 12. bis 14. Jh. in Mittelitalien tätige Künstlerfamilien, in denen der Vorname **Cosmas** häufig war. Die C. schufen in Marmor gearbeitete und mit farbigen Mosaiksteinen aufs Reichste geschmückte Architekturdekorationen wie Tabernakel, Kanzeln, Chorschranken und Altäre.

Cosquer-Höhle [kɔs'kɛːr-], Höhle mit altsteinzeitl. Felsbildern (Pferde, Rinder, Steinböcke, Hirsche, Vögel, Handabdrücke) an der südfrz. Küste nahe Cassis, östlich von Marseille; entdeckt 1991 von Henri Cosquer (*1950). Die Felsbilder entstanden um 20 000 und um 14 000 v. Chr.; Eingang heute unter dem Meeresspiegel.

Cossa, Francesco del, italien. Maler, *Ferrara 1436, †Bologna 1478. Hauptwerk seiner kraftvollen und herben Kunst sind die Fresken (Darstellungen der Monate März, April, Mai) im Palazzo Schifanoia in Ferrara (1469/70).

Cossiga, Francesco, italien. Politiker, *Sassari 26. 7. 1928; Prof. für Verfassungsrecht an der Univ. Sassari, Mitgl. der DC, 1979–80 MinPräs., 1983–85 Senatspräs., war 1985–92 Staatspräsident. Er übte in den letzten Jahren seiner Amtszeit oft scharfe Kritik am polit. System seines Landes und trat im April 1992 kurz vor Ende seiner Amtszeit zurück.

Costa, 1) ['kɔʃta], Alfonso Agusto da, portugies. Jurist und Politiker, *Seia (bei Guarda) 6. 3. 1871, †Paris 11. 5. 1937; Prof. in Lissabon, 1910/11 erster Justizmin. der Republik, setzte sich bes. für die Trennung von Staat und Kirche ein. 1913–17 war er viermal MinPräs.; 1919 nahm er an den Friedensverhandlungen in Versailles teil. 1926 war C. Präs. der Völkerbundsversammlung.

2) Lorenzo, italien. Maler, *Ferrara (?) um 1460, †Mantua 3. 5. 1535; Maler der Schule von Ferrara; seit 1506 Hofmaler der →Gonzaga in Mantua.

3) Lúcio, brasilian. Architekt, *Toulon 27. 2. 1902, †Rio de Janeiro 13. 6. 1998; baute mit O. Niemeyer (beraten von →Le Corbusier) 1936–43 das Erziehungsministerium in Rio de Janeiro, entwarf 1956 den Generalplan für Brasília.

Costa Blanca [span. »weiße Küste«], span. Mittelmeerküste zw. dem Cabo de la Nao und dem Mar Menor. Seebäder sind bes. Benidorm und Alicante.

Cosquer-Höhle: Der Handabdruck, entstanden durch Besprühen einer an der Wand angelegten Hand mit Farbe, stammt aus der Altsteinzeit

Costa Brava [span. »wilde Küste«], malerischer span. Granitfelsküste am Mittelmeer zw. Barcelona und der frz. Grenze, mit vielen Fischer- und

Costa Rica

Fläche: 51 100 km²
Einwohner: (1995) 3,39 Mio.
Hauptstadt: San José
Verwaltungsgliederung: 7 Prov.
Amtssprache: Spanisch
Nationalfeiertag: 15. 9.
Währung: 1 Costa-Rica-Colón (Fr) = 100 Céntimos (c)
Zeitzone: MEZ –7 Std.

Badeorten (u.a. Blanes, Lloret de Mar, Tossa de Mar) in kleinen Buchten.

Costa de la Luz [-lu:θ; span. »Küste des Lichts«], span. Küstenlandschaft am Atlantik, zw. Tarifa und Portugal; Badestrände, Naturschutzpark Coto de Doñana.

Costa del Azahar [-aθa'a:r; span. »Orangenblütenküste«], span. Mittelmeerküste zw. dem Cabo de la Nao und dem Ebrodelta, am Golf von Valencia; Fremdenverkehr.

Costa del Sol [span. »Sonnenküste«], südspan. Küstenstreifen am Mittelmeer zw. Gibraltar und dem Cabo de Gata, beiderseits von Málaga; Fremdenverkehr; Badeorte: v.a. Marbella, Fuengirola, Torremolinos.

Costa Dorada [-do'raða; span. »Goldküste«], span. Mittelmeerküste zw. Barcelona und dem Ebrodelta; Badeorte: v.a. Castelldefels, Sitges, Salou.

Costa-Gavras [kɔstaga'vra], eigtl. Constantin Gavras, frz. Filmregisseur grch.-russ. Herkunft, *Athen 13. 2. 1933; drehte nach »Mord im Fahrpreis inbegriffen« (1965) politisch brisante Werke, u.a. »Z« (1968), »Vermißt« (1982), »Conseil de famille« (1987), »Music Box« (1989).

Costa Rica [span. »reiche Küste«] (amtl. span. República de C. R., dt. Republik C. R.), Staat in Zentralamerika, grenzt im N an Nicaragua, im O an das Karib. Meer, im SO an Panama und im W an den Pazifik.

Staat und Recht: Nach der Verf. vom 7. 11. 1949 ist C. R. eine präsidiale Republik. Staatsoberhaupt und Reg.chef ist der für vier Jahre direkt gewählte Präs. (Wiederwahl nicht möglich). Er ernennt die Mitgl. des Kabinetts, die ihm verantwortlich sind. Die Legislative liegt bei der Gesetzgebenden Versammlung (57 Abg., für vier Jahre gewählt). In C. R. besteht allg. Wahlpflicht ab 18 Jahren. Einflussreichste Parteien sind die Partei der christlich-sozialen Einheit (PUSC) und die sozialdemokratisch orientierte Partei der nat. Befreiung (PLN).

Landesnatur: C. R. wird von NW nach SO von den Kordilleren durchzogen: Cordillera Guanacaste im NW, Cordillera Central (mit dem Vulkan Irazú, 3 432 m ü. M.), Cordillera de Talamanca im SO (im Chirripó Grande 3 819 m ü. M.). Nördlich und östlich der Gebirge erstreckt sich ein z. T. sumpfiges Tiefland (etwa ein Fünftel der Landesfläche). Nach S geht die Cordillera Central in ein flaches Hochbecken (Meseta Central oder Valle Central, 1 100–1 500 m ü. M.) über, klimabegünstigt und mit fruchtbaren vulkan. Böden das Hauptsiedlungsgebiet des Landes. Die karib. Küste (mit Lagunen und Mangrovesümpfen) ist wenig, die pazifische reicher gegliedert, v.a. durch die Halbinseln Nicoya und Osa, die durch eine Senkenzone von der Kordillere getrennt sind. Das trop. Klima bringt hohe Niederschläge (bis 6 000 mm jährlich) an der karib. und geringere (2 000–3 000 mm) an der pazif. Seite (wechselfeucht). Dem entspricht die Vegetation: immergrüner trop. Regenwald bzw. regengrüner Trocken- und Feuchtwald.

Bevölkerung: C. R. hat als einziges Land Zentralamerikas eine fast ausschl. weiße Bev. (meist altspan. Herkunft); 7 % Mestizen, weiterhin Schwarze, Asiaten und Indianer (3 000 Chibchaindianer). Im Valle Central leben auf 5 % der Landesfläche zwei Drittel der gesamten Einwohner. Bev.wachstum: 2,3 %; Stadtbev.: 49 % (überwiegend in San José). – Allg. Schulpflicht zw. 6. und 12. Lebensjahr (unentgeltl. Unterricht); 3 Univ. in San José (gegr. 1843, 1976, 1977), eine in Heredia (gegr. 1973), TH in Cartago (gegr. 1971). Die Analphabetenquote (rd. 10 %) gehört zu den niedrigsten in Zentralamerika. – Zur kath. (Staats-)Religion bekennen sich rd. 91 % der Bev.; rd. 7 % sind protestantisch.

Wirtschaft, Verkehr: Gemessen an seinem Bruttosozialprodukt gehört C. R. zu den ärmeren lateinamerikan. Entwicklungsländern mit einer relativ hohen Auslandsverschuldung. Wichtigster Sektor der Volkswirtschaft ist die Landwirtschaft. Vorherrschend sind kleine und mittelgroße Familienbetriebe. Angebaut werden bes. für den Ex-

Staatswappen

CR

Internationales Kfz-Kennzeichen

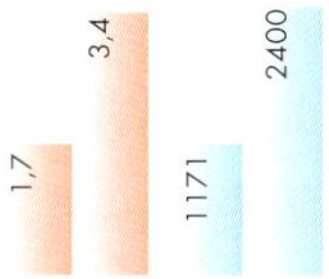

1970 1995 Bevölkerung (in Mio.)
1970 1994 Bruttosozialprodukt je Ew. (in US-$)

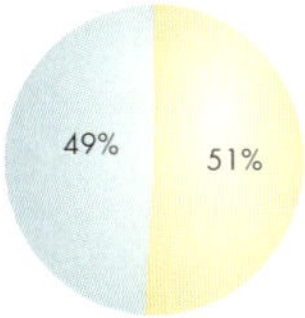

Stadt
Land
Bevölkerungsverteilung 1994

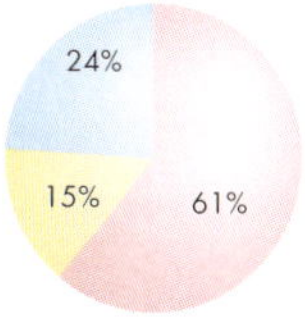

Industrie
Landwirtschaft
Dienstleistung
Bruttoinlandsprodukt 1994

Costa Rica: Landschaft der Halbinsel Nicoya an der Pazifikküste

port: Kaffee (im zentralen Hochland), Bananen (an der karib. und pazif. Küste), ferner Kakao (an der karib. Küste), Manilahanf, Zuckerrohr (Plantagen im zentralen Hochland und im nördl. Tiefland); für die Selbstversorgung: Mais, Reis, Bohnen, Maniok; Viehzucht v.a. im nordwestl. Tiefland. – Der Waldbestand ist auf weniger als ein Drittel der Landesfläche geschrumpft; der Fischreichtum wird noch kaum genutzt. – Mit dem Abbau der Bauxitvorkommen ist begonnen worden; neben Gold- und Silbererz wird u.a. Meersalz gewonnen. Die Ind. stellt hauptsächlich Nahrungsmittel und Verbrauchsgüter her, in Exportfreizonen und Lohnveredlungsbetrieben Elektroteile, chem. Produkte und Bekleidung. Der ökologisch ausgerichtete Tourismus hat in den Naturschutzparks (16% der Landesfläche) gute Voraussetzungen. – Die Handelsbilanz ist traditionell defizitär; Haupthandelspartner sind die USA, Japan, Guatemala und die EU. – Von den 36000 km Straßen (dichtestes Netz in Zentralamerika) sind zwei Drittel unbefestigt. Wichtigste Verbindung ist die Carretera Interamericana. Haupthafen an der atlant. Küste Limón, an der pazif. Küste Puntarenas und Caldera; internat. Flughafen bei San José.

Kevin Costner

Geschichte: Seit dem 12. Jh. siedelten Chibcha sprechende Stämme in diesem Teil Zentralamerikas; 1502 wurde die Küste von Kolumbus entdeckt, ab 1560 eroberten die Spanier das Land. Bis zur Unabhängigkeitserklärung (1821) Provinz des Generalkapitanats Guatemala, schloss sich C. R. dem Mexikan. Kaiserreich A. de Itúrbides an. Nach dessen Sturz 1823 gehörte es bis 1838 zu den Vereinigten Provinzen von Zentralamerika. 1848 konstituierte sich die Republik C. R., die bis zum Ende des 19. Jh. häufig von inneren und äußeren Unruhen erschüttert wurde. Mit Präs. J. J. Rodríguez (1890–94) begann eine demokrat. Entwicklung, die 1917–19 durch die Diktatur von F. Tinoco Granades unterbrochen war. In der Wirtschaft wurde das Land stark von den USA abhängig, v.a. von den Bananenpflanzergesellschaften. 1948 begannen erneut innenpolit. Wirren, die zum Bürgerkrieg führten. J. M. Figueres Ferrer (Präs. 1952–58 und 1970–74) konnte die Lage unter Kontrolle bringen und die demokrat. Ordnung wieder herstellen. Seitdem wechseln die sozialdemokratisch orientierte PLN und konservative Koalitionen in der Regierung einander ab. 1978/79 unterstützte C. R. die Sandinisten beim Sturz des Diktators Somoza in Nicaragua; Präs. O. Arias Sánchez (1986–90, PLN) erwarb sich große Verdienste um den Frieden in der Region. Bei den Präsidentschaftswahlen von 1994 siegte der PLN-Kandidat José María Figueres und trat die Nachfolge von Präs. R. A. Calderón Fournier (PUSC) an; dessen Nachfolger wurde 1998 M. Á. Rodríguez Echevería (PUSC).

🕮 *Entwicklungsprobleme C. R.s, hg. v.* L. Ellenberg *u.* A. Bergemann. *Saarbrücken u. a. 1990.* – Fuchs, J.: *C. R. von der Conquista bis zur »Revolution«. Histor., ökonom. u. soziale Determinanten eines konsensualistisch-neutralist. Modells in Zentralamerika. Berlin 1991.* – Altenburg, T.: *Wirtschaftlich eigenständige Regionalentwicklung. Fallstudien aus Peripherieregionen C. R.s. Stuttgart 1992.* – Brixius, M.: *Externe Beeinflussungsfaktoren der Demokratie in C. R. Münster u. a. 1993.*

Costello [kɔsˈteləʊ], John Aloysius, irischer Politiker (Fine Gael), *Dublin 20. 6. 1891, †ebd. 5. 1. 1976; 1948–51 und 1954–57 MinPräs.; löste 1949 Irland aus dem Commonwealth.

Coster, Charles de, belg. Schriftsteller, →De Coster.

Costner, Kevin, amerikan. Filmschauspieler, -regisseur und -produzent, *Los Angeles (Calif.) 18. 1. 1955; Filme: »Silverado« (1985), »Die Unbestechlichen« (1986), »Der mit dem Wolf tanzt« (1989), »JFK John F. Kennedy – Tatort Dallas« (1991), »Robin Hood« (1991), »Bodyguard« (1992), »Waterworld« (1995), »Der Postmann« (1997).

Costumbrismo [span., zu costumbre »Sitte«] *der,* Richtung der span. Literatur in der ersten Hälfte des 19. Jh., die im Bereich der Prosa die Realität moralisierend und mit Lokalkolorit abzubilden versuchte.

Coswig, 1) Stadt im Kr. Meißen-Radebeul, Sachsen, unterhalb der obstreichen Lößnitzhänge im Elbtal, 25000 Ew.; Walzengießerei, Herstellung von Maschinen, Getrieben, Brems- und Kupplungsbelägen, Lacken u.a. – Stadt seit 1939.

2) C. (Anhalt), Stadt im Landkr. Anhalt-Zerbst, Sa.-Anh., am S-Abhang des Flämings, am rechten Ufer der Elbe, 9400 Ew.; Herstellung von Zement und Bauelementen sowie Kartonagen, Umwelttechnologie. St.-Nikolai-Kirche (13. Jh., barockisiert), Schloss (16./17. Jh.).

cot, Funktionszeichen für Kotangens, →Winkelfunktionen.

Cotangens hyperbolicus, eine →Hyperbelfunktion.

Côte [ko:t; frz., von lat. costa »Rippe«] *die,* Küste, Abhang, Gebirgsrand, (mit Reben bepflanzte) Landstufe.

Côte d'Azur [ko:tda'zy:r; frz. »blaue Küste«], die Frz. →Riviera.

Cottbus: Das 1908 eröffnete Jugendstiltheater wurde 1981–86 restauriert

Côte d'Ivoire [ko:tdiv'wa:r], frz. Name der Rep. →Elfenbeinküste.

Côte d'Or [ko:t'dɔ:r; frz. »goldener Hang«], **1)** Kalkplateau im NO des frz. Zentralmassivs, südwestlich von Dijon, bis rd. 600 m ü. M.; in den unteren Lagen Weinbau (Burgunderwein).

2) Dép. in O-Frankreich, 8763 km^2, (1990) 499000 Ew.; Hptst.: Dijon.

Cotentin [kɔtɑ̃'tɛ̃], weit in den Ärmelkanal hinausragende Halbinsel der Normandie, N-Frankreich, mit dem Hafen Cherbourg; Viehzucht (Rindermast, Milchwirtschaft), in den Küstenniederungen Gemüse- und Frühkartoffelanbau; Kriegshafen Cherbourg.

Côtes-d'Armor [ko:tdar'mɔ:r], Dép. in NW-Frankreich (Bretagne), 6878 km^2, (1990) 539000 Ew.; Hptst.: Saint-Brieuc.

Côtes du Rhône [ko:tdy'r:n], 4000 ha großes Weinbaugebiet beiderseits der Rhône zw. Vienne und Avignon mit mehreren speziellen Appellation-contrôlée-Gebieten, z. B. Châteauneuf-du-Pape, Gigondas, Tavel, Lirac, Hermitage, Côte Rôtie.

coth, Funktionszeichen für Hyperbelkotangens, →Hyperbelfunktionen.

Coto de Doñana [-ðe do'ɲa:na], span. Nationalpark, →Doñana.

Cotonou [-'nu] (Kotonu), größte Stadt, Wirtschaftszentrum und Haupthafen der Rep. Benin, 533000 Ew.; Sitz der Reg.behörden, des Obersten Gerichtshofs und der diplomat. Vertretungen, kath. Erzbischofssitz; Univ.; Brauerei, Textil-, Zementfabrik, Kfz-Montage; Tiefwasserhafen (Transithafen für Niger), internat. Flughafen.

Cotopaxi *der,* einer der höchsten tätigen Vulkane der Erde, in Ecuador, 5897 m ü. M.; letzte größere Ausbrüche 1904 und 1928; Erstbesteigung 1872 durch W. Reiss und A. M. Escobar.

Cotta, 1) Heinrich, Forstwissenschaftler, * Zillbach (heute zu Schwallungen, bei Schmalkalden) 30. 10. 1763, † Tharandt 25. 10. 1844; Leiter der Forstakademie ebd.; einer der Begründer der wirtschaftl. Forstwissenschaft.

Johann Friedrich Cotta von Cottendorf (zeitgenössische Lithographie)

2) C. von Cottendorf, Johann Friedrich Freiherr (Adelserneuerung 1817), Buchhändler, * Stuttgart 27. 4. 1764, † ebd. 29. 12. 1832; war Inhaber der **J. G. Cotta'schen Buchhandlung** in Tübingen; durch seine persönl. Beziehungen bes. zu Schiller und Goethe der bedeutendste Verleger zeitgenöss. dt. Literatur; er gründete die für Jahrzehnte maßgebende »Allgemeine Zeitung«. Der Verlag ging 1889 an die Familie Kröner über, 1956 wurde er in eine GmbH umgewandelt, 1977 vom Verlag Ernst Klett übernommen.

Cottbus Stadtwappen

Cottbus (sorb. Chośebuz), kreisfreie Stadt in Brandenburg, an der Spree, am Rand des Spreewaldes, 122400 Ew.; Hauptort der Niederlausitz; TU (gegr. 1991), FH Lausitz, mehrere Landesbehörden; Staatstheater, kultureller Mittelpunkt der Sorben (Wend. Haus und Museum). – Ehem. Franziskaner-Klosterkirche (14., 15./16. Jh.), Oberkirche St. Nikolai (16. Jh.), Schlosskirche (1707–14), barocke und klassizist. Bürgerhäuser, Jugendstiltheater (1908, 1981–86 restauriert). – Ende des 12. Jh. entstanden, gehörte seit 1445 zu Brandenburg; 1952–90 war C. Hptst. des gleichnamigen DDR-Bezirks. Nahebei Schloss Branitz (1772) mit dem von H. Fürst von Pückler-Muskau angelegten Landschaftspark.

Cotte [kɔt], Robert de, frz. Baumeister, * Paris 1656, † ebd. 15. 7. 1735; seit 1708 Erster Architekt des frz. Königs, Beteiligung an Rokoko-Schlossbauten in Frankreich, Dtl. (Entwürfe für die Schlösser Poppelsdorf und Brühl) und Spanien. Er beeinflusste auch die Stadtbaukunst. Bild S. 82

Flavio Cotti

Cotti, Flavio, schweizer. Politiker, * Muralto (bei Locarno) 18. 10. 1939; Rechtsanwalt, Mitgl. der CVP, 1984–87 Bundesvors. seiner Partei, seit 1987 Mitgl. des Bundesrates, führte dort bis 1993 das Departement des Inneren; seitdem das Departement für auswärtige Angelegenheiten.

Cottische Alpen, Teil der Westalpen (Frankreich/Italien), zw. dem Tal der Dora Riparia im N und den Seealpen im S, im Monte Viso (Italien) 3841 m hoch.

Cotton [kɔtn, engl.] *der* oder *das,* →Baumwolle.

Charles Augustin de Coulomb (Ausschnitt aus einem zeitgenössischen Gemälde)

Pierre Baron de Coubertin

Cotton Bẹlt ['kɔtn-], früher wichtigstes geschlossenes Baumwollanbaugebiet der USA, von Texas bis North Carolina.

Cotton-Mouton-Effekt [kɔtɔ̃mu'tɔ̃ -; nach den frz. Physikern A. Cotton, *1869, †1951, und H. Mouton], durch ein Magnetfeld induzierte Doppelbrechung des Lichts in einem sonst optisch isotropen Material; kleiner als der →Kerr-Effekt.

Coty [kɔ'ti], René, frz. Politiker, *Le Havre 20. 3. 1882, †ebd. 22. 11. 1962; Rechtsanwalt, 1947–48 Min. für Wiederaufbau, schloss sich in dieser Zeit den Unabhängigen Republikanern an. 1949–53 war er Vizepräs. des Rates der Republik. Als Staatspräs. (1953–59) hatte C. maßgebenden Anteil an der Berufung General C. de Gaulles an die Reg.spitze.

Coubertin [kubɛr'tɛ̃], Pierre Baron de, frz. Pädagoge und Historiker, *Paris 1. 1. 1863, †Genf 2. 9. 1937; Begründer der modernen olymp. Bewegung (Gründungskongress 1894). C. leitete bis 1925 das Internat. Olymp. Komitee.

Coudenhọve-Kalẹrgi [ku-], Richard Nikolaus Graf von, polit. Schriftsteller, *Tokio 16. 11. 1894, †Schruns (Vorarlberg) 27. 7. 1972; Begründer der Paneuropa-Bewegung (1923 in Wien), vertrat das Ziel eines europ. Staatenbundes. 1938 in die Schweiz emigriert, 1940 nach New York; 1952–65 war er Ehrenpräs. der Europa-Bewegung.

Werke: Kampf um Paneuropa (3 Bde., 1925–28); Die Europäische Nation (1953); Weltmacht Europa (1971).

Coudé-System [ku'de-], *Astronomie:* →Spiegelteleskop.

Robert de Cotte: Schloss Rohan in Straßburg (1730–42; heute Museum)

Coué [ku'e], Emile, frz. Apotheker, *Troyes 26. 2. 1857, †Nancy 2. 7. 1926; entwickelte ein psychotherapeut. Verfahren **(Couéismus)**, das auf autosuggestiven Wiederholungen (z. B. »es geht mir täglich besser«) beruht.

Couleur [ku'lœ:r; frz. »Farbe«] *die,* **1)** Trumpf (im Kartenspiel).

2) Farbe einer Studentenverbindung.

Coulomb [ku'lɔ̃] *das,* Einheitenzeichen **C,** SI-Einheit der elektr. Ladung (Elektrizitätsmenge): 1 C ist gleich der Elektrizitätsmenge, die während 1 s bei einem zeitlich unveränderl. Strom der Stärke 1 A durch den Querschnitt eines Leiters fließt: 1 C = 1 As bzw. 1 A · s (Amperesekunde).

Coulomb [ku'lɔ̃], Charles Augustin de, frz. Physiker und Ingenieur, *Angoulême 14. 6. 1736, †Paris 23. 8. 1806; führte u. a. den Begriff des magnet. Moments ein und begründete die Theorie der elektr. Polarisation, fand 1785 mithilfe der von ihm erbauten Drehwaage das Grundgesetz der Elektrostatik **(coulombsches Gesetz).**

Coulombmeter [ku'lɔ̃-] *das,* das →Voltameter.

Coulometrie [ku-] *die,* elektrochem. Analyseverfahren, das nach dem faradayschen Gesetz die quantitative Bestimmung einer elektrolytisch umgesetzten Stoffmenge erlaubt.

Council [kaʊnsl, engl.] *der,* mehrköpfiges Beratungsorgan, in Großbritannien als **Privy C.** der geheime Staatsrat der Krone (hat nur noch Bedeutung als oberste Revisionsinstanz für einige Länder des Commonwealth), in den USA beratende Gremien der Bundesregierung und der Regierungen der Einzelstaaten (z. B. der **National Security C.,** der »Nat. Sicherheitsrat«).

Count [kaʊnt, engl.] *der,* engl. Bez. für den nichtbrit. Grafen; der brit. Graf heißt →Earl.

Count-down [kaʊnt'daʊn; engl. »das Herabzählen«] *der,* Rückwärtszählen meist von 10 bis 0, in der Raumfahrt Ausdruck für einen nach einem exakten Zeitplan durchgeführten Verlauf der Startvorbereitungen bis zum Moment des Zündens der Triebwerke.

Counter Intelligence Corps ['kaʊntə ɪn'telɪdʒəns kɔ:], Abk. **CIC,** 1945–65 Organisation der amerikan. Streitkräfte für militär. Abwehrfragen (Gegenspionage); seitdem organisatorisch aufgespalten für die einzelnen Teilstreitkräfte.

Counterpart-Funds ['kaʊntəpɑ:t 'fʌndz, engl.], →Gegenwertfonds.

Countertenor ['kaʊntətenə; engl., von lat. Contratenor (altus)] (Kontratenor), Männeraltist, v. a. in der engl. Kirchenmusik des 16./17. Jh., erreicht durch Falsettieren fast die Höhe der weibl. Altstimme; in der Gegenwart bes. in Oper und Konzert wieder belebt.

Counterurbanization ['kaʊntəə:bənaɪzeɪʃn, engl.] *die,* der Urbanisation entgegengerichtete Bev.entwicklung; Umverteilung von Bev. und Arbeitsplätzen von den Verdichtungsräumen und großen Städten auf kleinere Städte und ländlich geprägte Räume.

Countervailing Power ['kaʊntəveɪlɪŋ 'paʊə; engl. »gegengewichtige Marktmacht«], von J. K. Galbraith entwickeltes wettbewerbspolit. Konzept, wonach die auf einer Marktseite bestehende wirtsch. Macht neutralisiert wird, wenn auf der anderen Marktseite eine Gegenmacht (durch die Wettbewerbspolitik oder von selbst) entsteht.

Countess ['kaʊntɪs, engl.] *die,* engl. Bez. für die nichtbrit. Gräfin.

Countrydances ['kʌntrɪdɑ:nsɪz; engl. »ländl. Tänze«], →Contredanse.

Countrymusic ['kʌntrɪmju:zɪk, engl.] *die,* die euroamerikan. (weiße) Volksmusik in den USA und die daraus abgeleiteten Formen der populären Musik. In den 1930er- und 1940er-Jahren wurde sie mit dem romantisch verklärten Bild des »singenden Cowboys« verbunden, wofür das Etikett **Country and Western** in Umlauf gebracht wurde. Als **Countryrock** bezeichnet man in der Rockmusik eine Rückwendung (seit Mitte der 1960er-Jahre) zu ländlichen Musizierstilen und den ihnen entsprechenden Instrumenten (u.a. Banjo, Gitarre).

County ['kaʊntɪ; engl., von lat. comitatus »Grafschaft«] *die,* **1)** in Großbritannien Gerichts- und Verwaltungsbezirk zur örtl. Selbstverwaltung mit einem für drei Jahre gewählten Grafschaftsrat **(C. Council).** Durch die grundlegende Gebietsreform im Rahmen des **Local Government Act** (1972) wurde die Zahl der C. in England und Wales erheblich verringert; außerdem wurden Grafschaftsdistrikte **(C. Districts)** als einheitl. Untergliederung der C. geschaffen; für London gelten Besonderheiten.

2) in den USA mit Ausnahme von Louisiana (dort: Parish) Verw.- und Gerichtsbezirk der Einzelstaaten mit gewählten Räten **(Boards),** die Rechtsetzungs- und Verw.befugnisse haben.

Coup [ku, frz.] *der,* überraschend durchgeführtes, erfolgreiches Unternehmen; Handstreich. **Coup d'État,** Staatsstreich.

Coupé [ku'pe, frz.] *das,* 1) geschlossene Kutsche mit zwei Sitzen; 2) geschlossener zwei- bis viersitziger Pkw; 3) veraltet für Bahnabteil.

Couperin [kupə'rɛ̃], frz. Organistenfamilie des 17./18. Jh. in Paris; am bedeutendsten François C. *Paris 10. 11. 1668, †ebd. 11. 9. 1733; 1685–1723 Organist an Saint Gervais in Paris, daneben seit 1693 Hoforganist. Er ist der Hauptmeister der aus der Lautenmusik entwickelten, an Verzierungen reichen Cembalomusik des frz. Rokoko und hat auf J.-P. Rameau, J. S. Bach, G. F. Händel und G. P. Telemann gewirkt. – Vier Bücher »Pièces de clavecin« (1713–30); Triosonaten; Klavierschule.

Couplet [ku'ple; frz., von lat. copula »Verbindung«] *das,* scherzhaft-satir. Strophenlied mit Kehrreim, meist aktuellen (polit.) oder pikanten Inhalts.

Coupon [ku'pɔ̃, frz.] *der,* →Kupon.

Cour [ku:r; frz. von lat. curia] *die,* frz. Bez. für 1) Hof, Hofhaltung; 2) Gerichtshof.

Courant ['ku:rant], Richard, amerikan. Mathematiker dt. Herkunft, *Lublinitz (heute Lubliniec, bei Tschenstochau) 8. 1. 1888, †New York 27. 1. 1972; Prof. in Münster und Göttingen, emigrierte 1933 in die USA; lieferte bed. Beiträge v.a. zur Analysis sowie zur mathemat. Physik.

Courante [ku'rãt; frz. »die Laufende«] *die* (italien. Corrente), schneller frz. Tanz des 16. und 17. Jh., beliebt im raschen, ungeraden Takt; erfuhr am Hofe Ludwigs XIV. eine Umwandlung zu einem zeremoniellen Schreittanz; auch Bestandteil der Suite.

Courbet [kur'bɛ], Gustave, frz. Maler, *Ornans (bei Besançon) 10. 6. 1819, †La-Tour-de-Peilz (bei Vevey) 31. 12. 1877; stellte im Ggs. zur romant. Richtung nur die alltägl. Wirklichkeit dar, die er im farbigen Reiz ihrer äußeren Erscheinung im Stil des Realismus erfasste. Sein Werk umfasst Stillleben, Landschaften, Porträts, Akte und Tierdarstellungen.

Gustave Courbet: »Hängematte« (1844; Winterthur, Sammlung Oskar Reinhart)

Courbette [kur'bɛt(ə); frz. »Bogensprung«] *die* (Kurbette), *Pferdesport:* Schulsprung der hohen Schule, bei dem das Pferd in der Levadehaltung mehrfach auf der Hinterhand vorwärts springt.

Courbevoi [kurbə'vwɑ], Stadt im Dép. Hauts-de-Seine, Frankreich, nordwestlich von Paris, 65300 Ew.; Maschinen- und Fahrzeugbau, elektron. und chem. Industrie.

Cour d'Honneur [ku:rdɔ'nœ:r, frz.] *die,* →Ehrenhof.

Courmayeur [kurma'jœ:r], Kur-, Wintersportplatz in der Region Aostatal, Italien, 2500 Ew.; am Fuß der Montblanc-Kette, 1224 m ü.M.; mit Chamonix durch den Montblanc-Straßentunnel verbunden.

André Cournand

Cournand [kur'nã], André, frz.-amerikan. Arzt, *Paris 24. 9. 1895, †Great Barrington (Mass.) 2. 2. 1988; erforschte angeborene Herzdefekte, chronische Lungenkrankheiten und verbesserte die von W. Forßmann eingeführte Herzkatheterisierung. C. erhielt 1956 mit W. Forßmann und D. W. Richards den Nobelpreis für Physiologie oder Medizin.

Cournot [kur'no], Antoine Augustin, frz. Volkswirtschaftler, Mathematiker und Philosoph, *Gray (Dép. Haute-Saône) 28. 8. 1801, †Paris 31. 3. 1877; gilt als Begründer der mathemat. Schule der Nationalökonomie, untersuchte bes. die Beziehungen zw. Angebot, Nachfrage und Preis und entwickelte eine Theorie des Konkurrenz- und Monopolpreises **(cournotscher Punkt).**

Court [kɔ:t, engl.] *der, Recht:* Gerichtshof in Großbritannien und den USA. **C. of Appeal,** Berufungsgericht. **Supreme C.,** oberstes ordentl. Gericht in den USA (Bundesgericht).

Courtage [kur'ta:ʒ(ə); frz., von lat. curare »besorgen«] *die* (Kurtage), Maklergebühr, Vermittlungsgebühr.

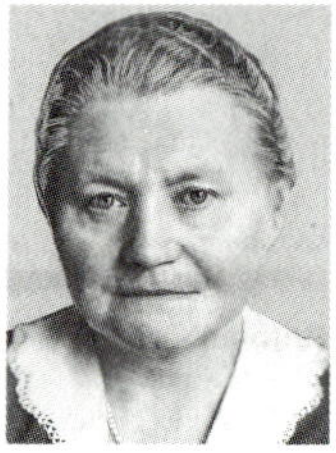
Hedwig Courths-Mahler

Courths-Mahler [ku-], Hedwig, geb. Mahler, Schriftstellerin, *Nebra 18. 2. 1867, †Tegernsee 26. 11. 1950; schrieb über 200 Unterhaltungsromane (»Die Bettelprinzeß«, 1914).

📖 Pistorius, S. M.: *H. C.-M. Ihr Leben. Bergisch-Gladbach 1992.*

Courtrai [kur'trɛ], frz. Name der Stadt →Kortrijk.

Couscous [kus'kus, arab.-frz.] *das,* arab. Gericht, →Kuskus.

Cousin [ku'zɛ̃, frz.] *der* (Vetter), Sohn von Bruder oder Schwester eines Elternteils. **Cousine,** Tochter von Bruder oder Schwester eines Elternteils.

Jacques-Yves Cousteau

Cousteau [kus'to], Jacques-Yves, frz. Meeresforscher, Dokumentarfilmer und Schriftsteller, *Saint-André-de-Cubzac (Dép. Gironde) 11. 6. 1910, †Paris 25. 6. 1997; 1957–89 Leiter des Ozeanograph. Museums in Monaco; Expeditionen mit dem Forschungsschiff »Calypso«, Tauchaktion in der Ägäis auf der Suche nach Atlantis (1975/76), Expedition ins Amazonasgebiet (1983/84); engagierter Vertreter des Umweltschutzes.

Coutume [ku'tym, frz.] *die,* das frz. Gewohnheitsrecht, das bis zur Einführung des Code civil (1804) galt. Vor der Revolution von 1789 war Frankreich in die Rechtsgebiete der **pays de droit écrit** (bes. der Süden mit röm. Recht) und der **pays de droit coutumier** mit altüberliefertem Volksrecht geteilt; die C. von Paris und Orléans beeinflussten den Code civil.

Couturat [kuty'ra], Louis, frz. Logiker und Philosoph, *Paris 17. 1. 1868, †Ris-Orangis (Dép. Essonne) 3. 8. 1914; Mitbegründer der mathemat. Logik, Platon- und Leibniz-Forscher; arbeitete über den Unendlichkeitsbegriff in der Mathematik und entwickelte (mit L. Léau) die Kunstsprache »Ido«. – *Werke:* De Platonicis mythis (1896); La Logique de Leibniz (1901).

Couture [ku'ty:r, frz.] *die,* Schneiderei, →Haute Couture.

Couvade [ku'va:də, frz.] *die,* das →Männerkindbett.

Couve de Murville [ku:vdəmyr'vil], Maurice, frz. Diplomat und Politiker, *Reims 24. 1. 1907; Jurist und Finanzwissenschaftler, Anhänger General C. de Gaulles, leitete 1943–44 im Frz. Komitee der Nationalen Befreiung (Algier) die Finanzangelegenheiten. 1950–58 war er Botschafter (u.a. 1955–56 in Washington, 1956–58 in Bonn). Nach Errichtung der V. Republik und der Berufung de Gaulles (1958) an die Spitze der Regierung folgte er als Außenmin. (1958–68) und MinPräs. (1968–69) dessen Leitlinien.

Covadonga, Nationalheiligtum und Marienwallfahrtsort im östl. Asturien, Prov. Oviedo, Spanien; ehem. Benediktinerkloster (im 8. Jh. gegr.), heutige Basilika aus dem 19. Jh.; Nationalpark (169 km^2). Bei C. siegten 722 (718?) die Christen zum ersten Mal über die Araber.

Covellin [nach dem italien. Chemiker N. Covelli, *1790, †1829] *der,* das Mineral →Kupferindig.

Covenant ['kʌvənənt; engl. »Bund«] *der,* **1)** in alttestamentl. Anschauungen wurzelnde Lehre, die das Verhältnis zwischen Gott und Kirche als Bund auffasst: gewann durch den Reformator John Knox und durch O. Cromwell Bedeutung für die Puritaner.

2) Bündnis der schott. Presbyterianer zur Verteidigung ihres Glaubens und ihrer religiösen Rechte, zuerst 1557 und 1559; wichtige C. sind ferner der »National C.« von 1638 gegen die Einführung einer neuen Liturgie und »The solemn league and C.« von 1643 für das Parlament und gegen Karl I.

Covent Garden Opera ['kɔvənt 'gɑ:dn 'ɔpərə], London, 1732 als Schauspielhaus gebaut, erhielt nach mehreren Bränden 1858 durch Sir C. Barry die heutige Gestalt; seit 1846 Opernhaus, seit 1892 »Royal Opera«. Leiter u.a. T. Beecham, G. Solti, C. Davis; seit 1987 B. Haitink.

Coventry
Stadtwappen

Coventry ['kɔvəntrɪ], Stadt in der Metrop. County West Midlands, 294400 Ew.; anglikan. Bischofssitz; Univ., TH; Landmaschinen-, Flugzeug-, Textil-, chem. Industrie. – Got. Kathedrale (14. Jh.), durch dt. Luftangriffe (1940) stark zerstört; Neubau der Kathedrale 1956–62. – Stadtrecht seit 1140.

Cover ['kʌvə, engl.] *das,* Schutzumschlag, (Platten-)Hülle, Titelseite, Titelbild (von Zeitungen, Illustrierten). **Coverstory,** die Titelgeschichte;

Covergirl, auf der Titelseite einer Zeitschrift abgebildetes Mädchen.

Covercoat ['kʌvəkəʊt, engl.] *der,* Gewebe in Steilgratköperbindung, Kette immer aus Moulinézwirnen, oft Wasser abstoßend imprägniert; auch Mantel daraus.

Coward ['kaʊəd], Sir (seit 1970) Noël, engl. Schauspieler und Dramatiker, *Teddington (heute zu London) 16. 12. 1899, †Port Maria (Jamaika) 26. 3. 1973; schrieb witzige und iron. Gesellschaftsstücke (»Intimitäten«, 1930; »Geisterkomödie«, 1941; »Akt mit Geige«, 1956), Drehbücher, Musicaltexte.

Cowboy ['kaʊbɔɪ; engl. »Kuhjunge«] *der,* berittener Rinderhirt im nordamerikan. Westen. Die C. übernahmen um 1820, bes. in Texas, die Methoden und Ausrüstung (breitkrempiger Hut, Stiefel mit großen Sporen, lederne Beinschützer und Weste) der ortsansässigen mexikan. Hirten; sie überwachten die Herden und trieben sie zu den Vieh- und Fleischmärkten im Mittleren Westen. Ihre Erscheinung, ihre Lieder sowie ihr männl. Lebensstil bilden eine romant. Erinnerung an die Besiedlung und den zeitweiligen polit. Einfluss des »Wilden Westens«.

RÜNZLER, D.: *Im Westen ist Amerika. Die Metamorphose des C.s vom Rinderhirten zum amerikan. Helden. Wien 1995.*

Cowes [kaʊz], Hafenstadt und Seebad an der N-Küste der südengl. Insel Wight, 19700 Ew.; Boots- und Flugzeugbau; internat. Jachthafen.

Cowley ['kaʊlɪ], Abraham, engl. Dichter, *London 1618, †Chertsey (Cty. Surrey) 28. 7. 1667; schuf eine neue, später nach ihm benannte Odenform (»Cowley Ode«). Zu seiner Zeit galt er als der bedeutendste engl. Dichter neben Shakespeare und E. Spenser.

Cowper ['kaʊpə], **1)** Edward Alfred, brit. Ingenieur, *10. 12. 1819, †Weybridge (heute zu Walton and Weybridge, Cty. Surrey) 9. 5. 1893; erfand den **C.-Apparat** (→Winderhitzer) an Hochöfen, führte 1868 die Tangentialspeichen beim Fahrrad ein.

2) William, engl. Dichter, *Great Berkhampstead (bei Watford) 26. 11. 1731, †East Dereham (bei Norwich) 25. 4. 1800; Wegbereiter der Romantik. Aus seinen »Olney hymns« (1779) blieben viele als Kirchenlieder lebendig.

Cowper-Drüsen ['kaʊ-; nach dem engl. Anatomen und Chirurgen W. Cowper, *1666, †1709], Schleim produzierende paarige Drüse zw. Hodensack und After im Beckenboden, deren Sekret Bestandteil der Samenflüssigkeit ist.

Coxa [lat.] *die,* →Hüfte.

Cox|algie *die* (Koxalgie), Hüftschmerz.

Coxitis *die* (Koxitis), die →Hüftgelenkentzündung.

Cox' Orange ['kɔks ɔ'rã:ʒə], die Cox' Orangen-Renette, →Apfel.

Coxsackie-Viren [kʊk'sɔkɪ-; nach der amerikan. Stadt Coxsackie, N. Y.], zu den humanpathogenen Enteroviren zählende Gruppe der Picornaviren. C. sind oft Erreger leichterer Erkrankungen, z.B. Erkältungen, selten auch schwererer Erkrankungen, z.B. Gehirnentzündungen.

Coysevox [kwaz'vɔks], Antoine, frz. Bildhauer, getauft Lyon 29. 9. 1640, †Prag 10. 10. 1720; arbeitete im klassizistisch gemäßigten Stil des frz. Barock (u.a. mytholog. und allegor. Figuren für die königl. Schlösser und Gärten).

Cozens ['kʌznz], **1)** Alexander, engl. Maler, *Sankt Petersburg um 1717, †London 23. 4. 1786, Vater von 2); spezialisierte sich auf die Wiedergabe des atmosphär. Elements in der Landschaft.

2) John Robert, engl. Maler, *London 1752, †ebd. Ende 1797, Sohn von 1); 1776–79 und 1782/83 in Italien; bes. großformatige Landschaftsveduten (Alpen- und Campagnamotive).

Cozumel [-z-], mexikan. Insel im Karib. Meer, vor der O-Küste von Yucatán, rd. 490 km², rd. 60000 Ew.; von Korallenriffen umgeben; bed. Fremdenverkehrszentrum; Flughafen.

CP/M, Abk. für engl. **c**ontrol **p**rogram for **m**icrocomputers, weit verbreitetes Betriebssystem für Mikrocomputer.

Coventry: Neben der Ruine der 1940 zerstörten gotischen Kathedrale aus dem 14. Jh. das Eingangsportal des Neubaus von Basil Spence (1956–62); die von Jacob Epstein 1958 geschaffene Bronzegruppe rechts daneben stellt den Erzengel Michael mit besiegtem Teufel dar

CPT-Theorem, eine Aussage der theoret. Physik, nach der die Gleichungen zur Beschreibung physikal. Gesetze unverändert bleiben, wenn darin gleichzeitig alle Teilchen mit ihren Antiteilchen vertauscht (Ladungskonjugation *C*), der Raum gespiegelt (Paritätstransformation *P*) und die Zeitrichtung umgekehrt werden (Zeitumkehr *T*); man spricht daher von **CPT-Invarianz.** Bis zur Entdeckung der Nichterhaltung der →Parität im Jahre 1957 nahm man an, dass die Naturgesetze bei allen

Noël Coward

Antoine Coysevox (Selbstbildnis, 1678; Paris, Louvre)

Wechselwirkungen gegenüber jeder einzelnen dieser drei Operationen invariant seien. Heute ist sicher, dass die schwache Wechselwirkung, die z.B. den β-Zerfall bestimmt, keine der diskreten Symmetrien *C, P, T* und *CP* aufweist.

CPT-Theorem

Eine der Grundannahmen der Physik war bis in die Neuzeit, dass ihre Gesetze immer gleich aussehen: Sie sollten invariant gegen alle Arten von Spiegelungen und Umkehrungen sein. Es hat dem physikalischen Denken darum einen schweren Schlag versetzt, als Tsung Dao Lee und Chen-Ning Yang die Paritätsverletzung feststellten: Dazu brachten sie Kobalt-60 in ein so starkes Magnetfeld, dass alle Kerne ausgerichtet waren. Beim β-Zerfall wurden die Elektronen stets entgegen dem Magnetfeld emittiert. Der »gespiegelte« Prozess (Kerne gleich ausgerichtet, Elektronen in entgegengesetzter Richtung) kommt dagegen nicht vor. Erst bei gleichzeitiger Transformation von Ladung (Charge) C, Parität P und Zeit (Time) T gemäß dem CPT-Theorem bleibt auch der β-Zerfall invariant.

CPU [Abk. für engl. **c**entral **p**rocessing **u**nit, »zentrale Verarbeitungseinheit«], *Datenverarbeitung:* →Zentraleinheit.

Cr, chem. Symbol für →Chrom.

Richard Cragun

Crabnebel ['kræb-, engl.] (Krebsnebel), heller (»krebsförmiger«) Nebelfleck im Sternbild Stier, bestehend aus leuchtenden Gasmassen, dem Rest einer 1054 n.Chr. aufgetretenen Supernova. Im Zentrum des C. befindet sich der 1968 entdeckte **Crabpulsar (Krebspulsar),** ein schnell rotierender Neutronenstern (Rotationsdauer 0,0331 Sekunden), der sichtbare, ultraviolette und Röntgenstrahlung emittiert.

Crack [kræk; engl. to crack »abbröckeln«], seit Mitte der 1980er-Jahre bekanntes Rauschmittel, das aus mit Wasser und Backpulver verbackenem Kokain besteht und das geraucht wird. Im Unterschied zu Kokain tritt die Wirkung bei C. innerhalb von Sekunden ein; das Suchtpotenzial ist so hoch, dass die meisten Erstverbraucher zu Dauerkonsumenten werden.

Cracken ['krækən; engl. to crack »spalten«] (Kracken), Aufspaltung von Kohlenwasserstoffmolekülen in kleinere Bruchstücke. Das C. kann allein durch hohe Temperatur (therm. C.) oder durch zusätzliche Anwendung von Katalysatoren (katalytisches C.) erreicht werden. Die Spaltung erfolgt an irgendeiner Stelle der Kohlenwasserstoffkette. Im Ggs. zum →Hydrocracken entstehen beim C. stets auch ungesättigte Verbindungen. Das C. ist ein wichtiges Verfahren der Erdölverarbeitung, bei dem höher siedende Destillate und Destillationsrückstände in Benzin und Mitteldestillate umgewandelt werden. Das →Steamcracken dient demgegenüber der Herstellung von chem. Grundstoffen wie Äthylen und Propylen (→Petrochemie).

Gordon A. Craig

Das **thermische C.** läuft über Radikale ab und benötigt Temperaturen bis 800 °C. Eine Variante, bei der bei etwa 450 °C gespalten wird, ist das **Visbreaking,** bei dem die Destillationsrückstände z.T. in Benzin und Mitteldestillate umgewandelt werden. **Cokingverfahren** verwenden anstelle eines Katalysators feinstverteilten Koks und erreichen bei Reaktionstemperaturen über 510 °C eine vollständige Umwandlung der Destillationsrückstände in Petrolkoks und flüchtige Crackprodukte.

Beim **katalytischen C.** werden heute fast ausschl. Zeolithe als Katalysatoren eingesetzt. Vorteile gegenüber dem therm. C. sind die niedrigere Reaktionstemperatur, der geringere Gasanfall und die höhere Klopffestigkeit des Crackbenzins. Der Katalysator überzieht sich während der Reaktion sehr schnell mit einer teerartigen Schicht und muss deshalb kontinuierlich regeneriert werden. Bei dem verbreiteten **Fließbettverfahren** wird ein feinkörniger Katalysator verwendet, der sich im aufgewirbelten Zustand zw. Reaktor und Regenerator hin- und hertransportieren lässt.

Crackers ['krækəz, engl.], knuspriges, meist leicht gesalzenes Kleingebäck.

Cragun ['krægən], Richard, amerikan. Tänzer, *Sacramento (Calif.) 5. 10. 1944; kam 1962 zum Stuttgarter Ballett und wurde 1965 Solist (ständiger Partner von M. Haydée); seit 1996 Ballettdirektor der Dt. Oper Berlin; tanzte Rollen des klass. und des modernen Balletts.

Crabnebel mit Filamenten aus ionisierten Gasen, die als rötliche Gebiete erscheinen

Craig [kreɪg], **1)** Edward Gordon, engl. Schauspieler und Bühnenbildner, *London 16. 1. 1872, †Vence (Dép. Alpes-Maritimes) 29. 7. 1966; gewann mit seinem Programm des antiillusionist. Theaters Einfluss auf die moderne Regiekunst.

2) Gordon Alexander, amerikan. Historiker, *Glasgow (Schottland) 26. 11. 1913; kam 1925 in die USA, 1950–61 Prof. an der Princeton University, ab 1961 an der Stanford University.

Werke: Die preußisch-dt. Armee 1640–1945 (1955); Gesch. Europas im 19. und 20. Jh. (2 Bde., 1974); Dt. Gesch. 1866–1945 (1978); Über die Deutschen (1982); Zw. Krieg und Frieden. Konfliktlösung in Gesch. und Gegenwart (1983).

Craigavon ['kreɪgævn], Distrikt in Nordirland, am S-Ufer des Lough Neagh, 379 km^2, (1991) 75 000 Ew., Verw.sitz ist Portadown.

Crailsheim, Große Kreisstadt im Landkr. Schwäbisch Hall, Bad.-Württ., an der Jagst, 31 200 Ew.; Kupplungsbau, Kunststoff-, pharmazeut. Ind., Maschinenbau. – 1945 wurde C. zu fast 90% zerstört. Die Johanneskirche (12.–15. Jh.) und die Liebfrauenkapelle (14. Jh.) wurden wieder hergestellt. – Als Stadt erstmals 1323 genannt.

Craiova, Hptst. des Bezirks Dolj in SW-Rumänien, am Jiu, 306 800 Ew.; wirtsch. und kultureller Mittelpunkt der Kleinen Walachei; Univ., Nationaltheater, Philharmonie, Museen; Maschinen- und Fahrzeugbau, chem., Nahrungsmittelindustrie; Flughafen. – Im **Vertrag von C.** (7. 9. 1940) trat Rumänien die S-Dobrudscha unter dt. Druck wieder an Bulgarien ab.

Cram [kræm], Donald James, amerikan. Chemiker, *Chester (Vt.) 22. 4. 1919; forschte auf dem Gebiet der Komplex- und Enzymchemie. 1987 erhielt er für die Entwicklung und Verwendung von Molekülen mit hochselektiver, strukturspezif. Wechselwirkung den Nobelpreis für Chemie (mit J.-M. Lehn und C. J. Pedersen).

Lucas Cranach d. Ä.: »Ruhe auf der Flucht« (1504, Berlin, Gemäldegalerie)

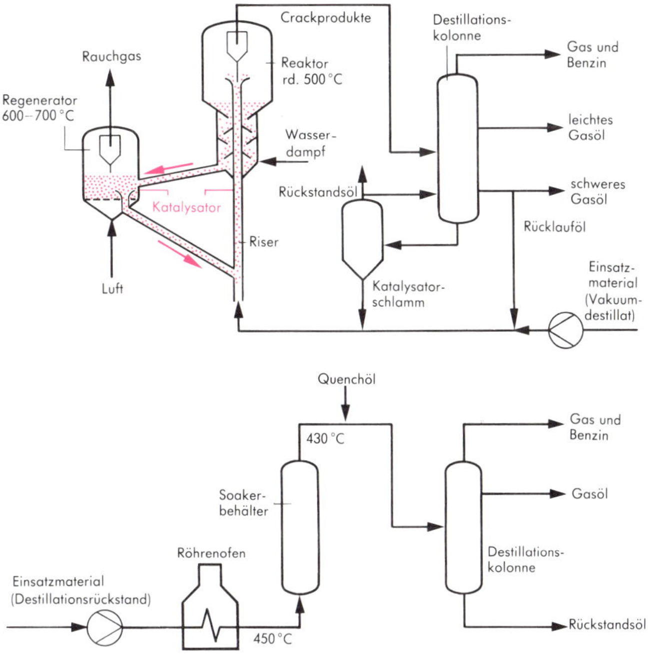

Cracken (von oben): Schema einer katalytischen Crackanlage nach dem Fließbettverfahren; Schema einer Visbreaking-Anlage

Cramer, Johann Baptist, Pianist und Komponist, *Mannheim 24. 2. 1771, †London 16. 4. 1858; schrieb u. a. über 100 Klaviersonaten sowie die »Große prakt. Pianoforte-Schule« (1815; 84 Etüden, später um 16 Etüden erweitert), deren Etüden z. T. noch heute im Unterricht verwendet werden.

Cramm, Gottfried Freiherr von, Tennisspieler, *Nettlingen (heute zu Söhlde, bei Hildesheim) 7. 7. 1909, †(Autounfall) bei Kairo 9. 11. 1976; war 1932–35 und 1948/49 internat. Dt. Meister; 1935–37 Wimbledon-Finalist, gewann 1933 in Wimbledon im Mixed mit Hilde Krahwinkel.

Cranach, Lucas d. Ä., Maler und Zeichner, *Kronach Okt. 1472, †Weimar 16. 10. 1553. Seine ersten bekannten, seit etwa 1500 in Österreich entstandenen Werke, in denen sich Figurendarstellung und Landschaft zu maler. Einheit verbinden, gehören zugleich zu den frühesten Bildern der →Donauschule. 1505 wurde er von Friedrich dem Weisen nach Wittenberg berufen, wo sich seine Kunst sehr bald zur linienbetonten Form seiner Spätzeit zu wandeln begann. Durch die Aufnahme des weibl. Aktes, v. a. unter mytholog. Vorwand, wurde sein Themenkreis erweitert. C. wurde durch seine Freundschaft mit Luther und Melanchthon zum Schöpfer einer prot. Kunst (u. a. Holzschnitte zur Bibel und für Reformationsschriften). Die Ausführung der Aufträge für Bildnisse, religiöse und mytholog. Bilder überließ C. immer

Walter Crane: »Die Rosse des Neptun« (Ausschnitt, 1892; München, Neue Pinakothek)

John Cranko

Thomas Cranmer (zeitgenössischer Kupferstich)

mehr seiner Werkstatt, in der auch seine Söhne Hans C. (* um 1510, † 1537) und v. a. Lucas C. d. J. (* 1515, † 1586) arbeiteten.

Werke: Klage unter dem Kreuz (1503; München, Alte Pinakothek); Ruhe auf der Flucht (1504; Berlin-Dahlem, Gemäldegalerie); Katharinenaltar (1506; Dresden, Staatl. Kunstsammlungen); Torgauer Altar (1509; Frankfurt am Main, Städelsches Kunstinstitut); Venus und Amor (1509; Sankt Petersburg, Eremitage); Der Jungbrunnen (1544; Berlin-Dahlem, Gemäldegalerie); dazu Marienbilder, Bildnisse der Reformatoren und sächs. Fürsten, Holzschnitte, Kupferstiche.

📖 *L. C. Ein Maler-Unternehmer aus Franken, hg. v.* C. Grimm *u. a. Regensburg 1994.*

Crane [kreɪn], **1)** Hart, amerikan. Schriftsteller, * Garretsville (Oh.) 21. 7. 1899, † (Freitod) im Golf von Mexiko 27. 4. 1932; Gedichte von kühner Metaphorik; myst. Interpretation Amerikas in »Die Brücke« (1930).

2) Stephen, amerikan. Schriftsteller, * Newark (N. J.) 1. 11. 1871, † Badenweiler 5. 6. 1900; schrieb den psychologisch-naturalist. Roman »Das Blutmal« (1895; auch u. d. T. »Das rote Siegel« und »Die rote Tapferkeitsmedaille«).

3) Walter, engl. Maler und Kunstgewerbler, * Liverpool 15. 8. 1845, † Horsham (Cty. Sussex) 17. 3. 1915; als Maler den → Präraffaeliten verpflichtet; schuf Illustrationen (bes. Kinderbücher) und beeinflusste mit seinen Entwürfen für Tapeten, Teppiche, Stoffe, Buchausstattungen u. a. nachhaltig das engl. Kunsthandwerk; mehrere Schriften über Design.

📖 Dölvers, H.: *W. C.s »Aesop« im Kontext seiner Entstehung. Buchkunst u. Bilderbuch im viktorian. England. Kassel 1994.*

Craniota [lat.], Schädeltiere, → Wirbeltiere.

Cranium [lat.] *das,* der → Schädel.

Cranko ['kræŋkəʊ], John, engl. Tänzer und Choreograph, * Rustenburg (Südafrika) 15. 8. 1927, † (auf einem Flug von Amerika nach Europa) 26. 6. 1973; seit 1961 Leiter des Stuttgarter Balletts, 1968–71 auch Chefchoreograph in München; bemühte sich um eine Wiederbelebung des abendfüllenden Handlungsballetts.

Cranmer ['krænmə], Thomas, engl. Erzbischof, Förderer der Reformation, * Aslacton (bei Norwich) 2. 7. 1489, † Oxford 21. 3. 1556; wurde 1533 als Erzbischof von Canterbury bestätigt, erklärte die Ehe Heinrichs VIII. mit Katharina von Aragón für nichtig, hob 1535 dessen Ehe mit Anna Boleyn auf und 1540 die Ehe mit Anna von Cleve. Von ihm stammen die Fassungen des Common Prayer Book von 1549 und 1552 und die 42 Artikel der anglikan. Kirche von 1553, auf denen die späteren 39 Artikel der Kirche von England beruhen. Auf C. geht u. a. auch die Verbreitung der Bibel in engl. Sprache zurück. Unter der gegenreformator. Regierung Marias der Katholischen wurde C. auf dem Scheiterhaufen als Häretiker verbrannt.

Cranz, Stadt in Russland, → Selenogradsk.

Craquelé [kra'kle; frz. »rissig«], **1)** *der,* Gewebe mit rissiger und längsgenarbter Oberfläche, → Krepp.

2) *das,* Netz von zufälligen oder beabsichtigten feinen Glasurrissen bei Porzellan und Keramiken, deren Scherben und Glasur sich beim Erkalten unterschiedlich zusammenziehen.

Craquelure [kra'klyr, frz.] *die,* Sprünge und Risse in alten Gemälden.

Crashtest ['kræʃ-; engl. crash »Zusammenstoß«], Versuchsverfahren zur Untersuchung des Verhaltens von Kraftfahrzeugen und Insassen bei Unfällen. Beim C. prallt das meist mit Testpuppen (Dummys) besetzte Fahrzeug gegen ein starres Hindernis oder ein anderes Fahrzeug; wesentl. Ergebnisse des C. sind die Karosserieverformungen und die auf die Insassen wirkenden Kräfte als Kriterium für die zu erwartenden Verletzungen.

Crassus, Marcus Licinius C. Dives (»der Reiche«), röm. Staatsmann, *um 115, †(getötet) bei Karrhai 53 v. Chr.; schlug 71 den Aufstand des →Spartacus nieder; 70 und 55 zus. mit Pompeius Konsul. 60/59 bildete er mit Cäsar und Pompeius das 1. Triumvirat; als Prokonsul von Syrien 53 von den Parthern bei Karrhai geschlagen.

Crataegus [grch.-lat.] *der,* Pflanzengattung, →Weißdorn.

Crater [lat.] (Becher), *Astronomie:* ein Sternbild des Südhimmels.

Crater Lake ['kreıtə 'leık], Kratersee in der Cascade Range, Oregon, USA, 1880 m ü. M., 50 km², 589 m tief, durch Explosion eines Vulkans entstanden; gehört seit 1902 zum **C. L. National Park** (741 km²).

Crau, La [la'kro], Landschaft in S-Frankreich, im Dép. Bouches-du-Rhône, rd. 500 km², ein Schuttfächer aus eiszeitl. Durance-Schottern; durch Bewässerung bes. im N (Petite C.) in fruchtbares Acker- und Gartenland (Reis, Gemüse) umgewandelt, im S der Ind.komplex von Fos-sur-Mer.

Crawl [krɔ:l; engl. »kriechen«] *das,* →Kraul.

Crawley ['krɔ:lı], Stadt (New Town) in der engl. Cty. West Sussex, südlich von London, 88 200 Ew.; Maschinenbau, Holz-, Nahrungsmittel- u. a. Industrie.

Craxi, Benedetto (»Bettino«), italien. Politiker, *Mailand 24. 2. 1934; Sozialist, 1976–93 Gen.-Sekr. der »Sozialist. Partei Italiens« (PSI), führte als erster sozialist. MinPräs. (1983–87) der Rep. Italien eine Fünfparteienkoalition. In den Mailänder Bestechungsskandal verwickelt, wurde C., der nach Tunesien flüchtete, in mehreren Gerichtsverfahren (1993–94) zu mehrjährigen Haftstrafen verurteilt (rechtskräftig seit 1996).

Crayonmanier [krɛ'jɔ̃-, frz.], →Kupferstich.

Crazy Horse ['kreızı 'hɔ:s, engl.] (indian. Tashunka Witko), Kriegshäuptling der Oglala-Indianer, *am Rapid Creek (S. D.) um 1842, †Fort Robinson (Nebr.) 5. 9. 1877; einer der Führer des Freiheitskampfes der Dakota in den 1870er-Jahren.

Creangă [-gə], Ion, rumän. Schriftsteller, *Humulești (Moldau) 10. 6. 1839, †Iași 31. 12. 1889; Diakon. Sein Sinn für Komik bevorzugt u. a. die iron. Verstellung und das Absurde.

Creatio continua [lat. »fortlaufende Schöpfung«], nach der christl. Lehre der Schöpfungsakt Gottes als unausgesetzter, die Welt im Dasein erhaltender Akt.

Creatio ex nihilo, ein für das christl. Denken gültiges, von den Kirchenvätern formuliertes Grundprinzip: Im Gegensatz zur grch. Philosophie – sie hält seit Melissos (um 440 v. Chr.) daran fest, dass Seiendes nur aus Seiendem und nicht aus Nichtseiendem entstehen könne – wird die Schöpfung der Welt aus dem Nichts durch einen ewigen göttl. Willensakt postuliert, wobei (unter platon. Einfluss) dem Geschaffenen ewige vorbildl. Ideen zugrunde liegen, die ihren Ursprung im göttl. Logos haben. – Gegenpositionen (Ewigkeit der Materie) werden, in Anlehnung an Aristoteles, von den Averroisten vertreten.

Crébillon [krebi'jɔ̃], **1)** Claude Prosper Jolyot de, frz. Schriftsteller, *Paris 14. 2. 1707, †ebd. 12. 4. 1777, Sohn von 2); schrieb erotisch-psycholog. Romane, u. a. »Das Sopha« (1742).

2) Prosper Jolyot, eigtl. P. J. Sieur de Crais-Billon, frz. Dramatiker, *Dijon 13. 1. 1674, †Paris 17. 6. 1762, Vater von 1); schuf durch Schreckens- und Schauerszenen übersteigerte Tragödien.

Crécy-en-Ponthieu [kresiãpɔ̃'tjø], Gemeinde im frz. Dép. Somme, 1500 Einwohner. – Hier erfocht am 16. 8. 1346 der engl. König Eduard III. einen entscheidenden Sieg über die Franzosen.

Credé, Karl, Gynäkologe, *Berlin 23. 12. 1819, †Leipzig 14. 3. 1892; führte den **C.-Handgriff** (Lösung einer verzögerten Nachgeburt durch Druck von außen) und das Einträufeln einer schwachen Silbernitratlösung (heute durch Penicillinlösung ersetzt) in die Augen Neugeborener zur Verhütung des Augentrippers ein **(C.-Prophylaxe).**

Credi, Lorenzo di, italien. Maler, *Florenz um 1459, †ebd. 12. 1. 1537; schuf Madonnenbilder und Altartafeln in lichten Farben; auch mytholog. Figuren.

Crédit Agricole [kre'di agri'kɔl], Gruppe frz. Kreditgenossenschaften, die v. a. auf die Betreuung des ländl. Bereichs ausgerichtet ist (Agrarkassen); gegr. 1920, Sitz: Paris. Die C. A. übernahm 1996 die Bank Indosuez.

Creditanstalt-Bankverein AG, älteste österr. Großbank, gegr. 1855 als »k. k. privilegierte Österr. Credit-Anstalt für Handel und Gewerbe«, seit 1939 jetziger Name, Sitz: Wien; 1946 verstaatlicht. 1997 beschloss die österr. Reg., ihren Anteil auf 48,6% (Stimmrechte 69,45%) an die Bank Austria zu veräußern.

Crédit Lyonnais [kre'di ljɔ'nɛ], eines der größten frz. Kreditinstitute, gegr. 1863, verstaatlicht 1946, Sitz: Lyon (Zentralverwaltung: Paris). Die C. L. ist Hauptaktionär der BfG Bank. 1995 konnte sie nur durch staatl. Unterstützung vor dem Konkurs bewahrt werden.

Creditreform, eigtl. Verein Creditreform e. V., eine der größten europ. Auskunftei- und Inkassoorganisationen, gegr. 1879, Sitz: Neuss.

Credit Suisse Group ['kredıt swıs gru:p], global tätige schweizer. Finanzdienstleistungsgruppe, gegr. 1982, Sitz: Zürich. Zur C. S. G. gehören u. a.

die Schweizer. Kreditanstalt, die Schweizer. Volksbank, CS First Boston und die Bank Leu.

Credo [lat. »ich glaube«] *das,* das mit diesem Wort beginnende → Nicänische Glaubensbekenntnis.

credo, quia absurdum [lat. »ich glaube, weil es widersinnig ist (d. h., weil es das Fassungsvermögen der Vernunft übersteigt)«], Satz, der den Glauben an die Wahrheit der christl. Offenbarung auf deren Absurdität (d.h. Uneinsehbarkeit für den menschl. Verstand) gründet. Gedanklich bereits bei Tertullian vorgebildet, war dieser Satz in der nachreformator. Zeit gegen eine dogmat. Glaubensfestlegung durch die Amtskirchen gerichtet.

credo, ut intelligam [lat. »ich glaube, um zu begreifen«], der von Anselm von Canterbury im Anschluss an Augustinus geprägte Grundsatz, die Vernunft diene als Mittel zur Auslegung von Glaubenswahrheiten, der Glaube sei die Quelle unserer Einsichten. Diese Formel wurde kennzeichnend für die mittelalterl. Synthese, die Einbindung der Philosophie in die Theologie.

Cree [kri:], große, weit verbreitete Gruppe von Algonkinstämmen in Kanada, in der zentralen und östl. Subarktis, im Waldland beiderseits der südl. Hudsonbai; heute etwa 70 000 C. in vielen kleinen Reservationen; meist Jäger, Fischer, Fallensteller.

William Randal Cremer

Creek [kri:k, engl.] *der,* kleiner Fluss; in Australien Name für kleine, periodisch Wasser führende Flüsse.

Creek [kri:k], nordamerikan. Indianerstamm, als sesshafte Feldbauern beheimatet im SO der USA, in N-Georgia und Alabama; 1836 wurden 17 000 C. in das »Indian Territory« im heutigen Oklahoma umgesiedelt, wo sie zu den Hauptgruppen der »Fünf Zivilisierten Nationen« gehörten; heute etwa 45 000 Menschen; Sprache: Muskogean.

Fritz Cremer: Mahnmal in Buchenwald (1952–58)

Creglingen: »Mariä Himmelfahrt«, Mittelteil des Marienaltars von Tilman Riemenschneider (1502–05) in der Herrgottskirche

Creglingen, Stadt im Main-Tauber-Kreis, Bad.-Württ., im Taubertal, 4 800 Ew.; Holzind.; Museen; got. Herrgottskirche, 1384–99 erbaut, mit Marienaltar von T. Riemenschneider (1502–05) und zwei weiteren spätgot. Schnitzaltären. – Stadtrecht seit 1349.

Creme [krɛ:m, kre:m] *die* (Krem), **1)** sahnige Süßspeise, Tortenfüllung.

2) salbenartiges Hautpflegemittel (Öl-in-Wasser- oder Wasser-in-Öl-Emulsion).

Cremer, 1) Fritz, Bildhauer und Grafiker, *Arnsberg 22. 10. 1906, †Berlin 1. 9. 1993; 1946–50 Prof. in Wien, wurde 1950 Leiter eines Musterateliers der Akademie der Künste in Berlin (Ost); ein Hauptvertreter realist. Plastik (Mahnmale Auschwitz, Buchenwald, Ravensbrück; Einzelfiguren, Porträts).

2) ['kri:mə], Sir (seit 1907) William Randal, brit. Gewerkschafter und Politiker, *Fareham (bei Portsmouth) 18. 3. 1838, †London 22. 7. 1908; Tischler, Unterhaus-Abg. 1885–95 und 1900–08. Er gründete 1887 die Interparlamentar. Friedenskonferenz für die Schlichtung internat. Streitigkeiten. 1903 erhielt er den Friedensnobelpreis.

Crémieux [kre'mjø], Benjamin, frz. Kritiker, *Narbonne 1. 12. 1888, †KZ Buchenwald 12. 4. 1944; Studien zur zeitgenöss. frz. und italien. Literatur; auch Romanautor.

Cremona, 1) Provinz im S der Lombardei, Italien, 1770 km², (1995) 330 600 Einwohner.

2) Hptst. von 1), am Po unterhalb der Addamündung, 72 800 Ew.; Bischofssitz; Agrarmarkt, Landmaschinen-, Textilind., Erdgasförderung, Erdölraffinerie; Musikinstrumentenmesse. – Zahlr. Kirchen und Paläste des MA. und der Renaissance erhalten, u.a. roman. Dom (1190 geweiht) mit 111 Meter hohem Glockenturm, dem Kampanile »Torrazo« (13./14. Jh.). – Gegr. 218 v. Chr. als röm. Kolonie. Im 12. Jh. freie Kommune, war mit Kaiser Friedrich Barbarossa gegen Mailand verbündet. 1334 geriet es unter die Herrschaft Mailands, seitdem mit der Gesch. der Lombardei verbunden. – Seit dem MA. bed. Terrakottenindustrie, vom 16. bis 18. Jh. war der Geigenbau berühmt (**Cremoneser Geigen:** v.a. Amati, Stradivari und Guarneri).

Crêpe [krɛp, frz.], **1)** *der,* ein Gewebe, →Krepp. **2)** *die,* dünner Eierkuchen mit Likör getränkt oder gefüllt mit Konfitüre u.a.; als Nachtisch oft flambiert serviert.

Cres [tsrɛs] (italien. Cherso), Adriainsel, in der Bucht des →Kvarner, Kroatien, 404 km², 4 000 Ew.; Hauptort Cres; Weinbau, Fischfang.

Crescas, Don Chisdai (Hasdai), jüd. Religionsphilosoph, *Barcelona um 1340, †Saragossa 1410 oder 1412; seit 1387 Kronrabbiner von Aragonien; trat für einen auf der Liebe und Güte Gottes basierenden Offenbarungsglauben ein.

crescendo [krɛʃˈʃɛndo; italien. »wachsend«], Abk. **cresc.,** musikal. Vortragsbez. für das allmähl. Anwachsen der Tonstärke; Zeichen: <; Ggs.: →decrescendo, →diminuendo.

Cremona 2): Der romanische Dom (mit achteckigem Baptisterium rechts davor) wurde im 12. Jh. erbaut, die Bauzeit seiner rotweißen Marmorfassade erstreckte sich bis ins 15. Jahrhundert

Crescentier, seit Anfang des 10. Jh. bezeugte röm. Patrizierfamilie, benannt nach dem in dieser Familie häufigen Vornamen Crescentius; Rivalen der kaiserfreundlichen Tuskulaner; regierten mit dem Titel »Patricius von Rom« die Stadt. Kaiser Otto III. konnte ihre Macht brechen.

Giuseppe Maria Crespi: »Der heilige Johannes von Nepomuk hört die Beichte der Königin von Böhmen«, Ausschnitt (um 1740-43; Turin, Galleria Sabauda)

Crespi, 1) Giovanni Battista, gen. il Cerano, italien. Maler, *Cerano (bei Novara) um 1557, †Mailand 23. 10. 1632; Leiter der Bildhauerwerkstätten des Doms in Mailand; malte Altarbilder in lebhaft bewegter Komposition.

2) Giuseppe Maria genannt lo Spagnuolo, italien. Maler und Radierer, *Bologna 16. 3. 1665, †ebd. 16. 7. 1747; schuf mytholog. und Historienbilder sowie genrehafte Szenen in starken Helldunkelgegensätzen.

Cressida, ein Mond des Planeten Uranus.

Cresson [krɛˈsɔ̃], Edith, frz. Politikerin, *Boulogne-Billancourt 27. 1. 1934; Agrarwirtschaftlerin, Mitgl. der Sozialist. Partei, 1981–83 Landwirtschafts-, 1983–86 Außenhandels- und 1988–90 Europaministerin; bemühte sich als Premierministerin (1991–92) um die Steigerung der Wettbewerbsfähigkeit der frz. Wirtschaft. Im Jan. 1995 wurde sie EU-Kommissarin für Forschung und Ausbildung.

Crêt de la Neige [krɛdəlaˈnɛːʒ], höchster Gipfel des Jura in Frankreich, 1718 m hoch.

Créteil [kreˈtɛj], Hptst. des Dép. Val-de-Marne, Frankreich, 82 000 Ew.; Univ.; Bischofssitz; Maschinen- und Gerätebau.

Cretonne [krəˈtɔn, frz.] *die* oder *der* (Kretonne), stark appretiertes Gewebe mit hartem Griff, in Leinwandbindung; v.a. für strapazierfähige Bettwäsche.

Creuse [krøːz], Dép. in Mittelfrankreich, 5 565 km², (1990) 130 000 Ew.; Hptst.: Guéret.

Creusot [krøˈzo], die frz. Stadt →Le Creusot.

Creutzfeldt-Jakob-Krankheit [nach den Neurologen Hans G. Creutzfeldt, *1885, †1964, und Alfons Jakob, *1884, †1931], seltene, (seit 1994) meldepflichtige chronisch-degenerative Erkrankung des zentralen Nervensystems mit schnell fortschreitenden Symptomen, v. a. Demenz, spast. Lähmungen, Muskelstarre, die nach ein bis zwei Jahren zum Tode führt. Kennzeichnende Gewebeveränderungen sind ein schwammartig durchlöchertes und mit Eiweißfasern durchsetztes Gehirn. Eine Vererbbarkeit ist möglich; als Krankheitserreger werden Prionen (infektiöse Proteine) oder bisher unbekannte Viren diskutiert. Eine Infektion nach dem Verzehr von Nervengewebe BSE-infizierter Rinder erscheint möglich.

Creuzer, Georg Friedrich, klass. Philologe, *Marburg 10. 3. 1771, †Heidelberg 16. 2. 1858; Hauptwerk: »Symbolik und Mythologie der alten Völker, bes. der Griechen« (4 Bde., 1810–12).

Francis Crick

Crevette [krəˈvɛt(ə), frz.] *die,* Krebstier, →Garnelen.

Crew [kru:, engl.] *die,* Besatzung, Mannschaft, bes. Schiffsmannschaft und Flugzeugbesatzung; auch Kadettenjahrgang der Marine.

Crewe [kru:], Stadt in der engl. Cty. Cheshire, 63 400 Ew.; Lokomotiv-, Automobil-, Maschinenbau, pharmazeut. Industrie.

Crick, Francis Harry Compton, brit. Biochemiker, *Northampton 8. 6. 1916; entwickelte mit J. D. Watson ein Modell für die räuml. Struktur der DNS-Moleküle **(Watson-C.-Modell).** C. erhielt mit M. H. Wilkins und Watson 1962 den Nobelpreis für Physiologie oder Medizin.

Cricket [ˈkrɪkɪt] *das,* engl. Schlagballspiel, →Kricket.

Crikvenica [tsrikˈvɛnitsa], Seebad am Adriat. Meer, Kroatien, gegenüber der Insel Krk (Autofähre); 5 300 Einwohner.

Francesco Crispi

Crime [frz. krim, engl. kraɪm; »Verbrechen«] *das,* **1)** *frz. Strafrecht:* i. e. S. die mit schweren Strafen bedrohten Verbrechen (Aburteilung durch das Schwurgericht) im Ggs. zu den Vergehen; i. w. S. alle Straftaten.

2) *angloamerikanisches Strafrecht:* früher schwere Straftaten, für die verfahrensrechtl. Besonderheiten galten, heute allg. Straftaten.

3) *Völkerrecht:* (International crimes) schwerste Rechtsverstöße, die besondere Konsequenzen nach sich ziehen sollen.

Crimen [lat.] *das, röm. Recht:* das Verbrechen; **C. laesae maiestatis,** spätrepublikan. Straftatbestand zum Schutz der Würde des Staates (später unterschieden in Hochverrat, Majestätsbeleidigung und -verbrechen).

Crimmitschau, Große Kreisstadt im Kr. Zwickauer Land, Sachsen, im Pleißetal, 23 900 Ew.; elektrotechn., Textilind., Gerätebau, Kartonagenherstellung. – Spätgot. Hallenkirche St. Laurentius. – C., 1212 erstmals erwähnt, erhielt 1414 Stadtrecht.

Crinoidea, Stachelhäuter, die →Haarsterne.

Criollismo [-ʎ-; span. criollo »im Lande Geborener«] *der* (Americanismo), geistig-literar. Bewegung Lateinamerikas mit der Tendenz, eine Synthese zw. indian., iberoamerikan. und europ. Kultur zu schaffen.

Cripps, Sir (seit 1930) Stafford, brit. Politiker (Labour Party), *London 24. 4. 1889, †Zürich 21. 4. 1952; war 1940–42 Botschafter in Moskau und 1942–45 Min. für Flugzeugherstellung, versuchte 1942 im Auftrag der brit. Regierung, die ind. Parteien zu einer Einigung über die zukünftige Verfassung Indiens zu bewegen (»C. Mission«). Als Präs. des Handelsamtes (1945–47) und Schatzkanzler (1947–50) betrieb er eine Politik der →Austerity.

Criș [kriʃ], rumän. Name des Theißnebenflusses →Körös.

Crișana [kriˈʃana] *die,* histor. Landschaft in Rumänien im Gebiet der Körös; Ackerbaugebiet.

Carlo Crivelli: »Verkündigung an Maria mit heiligem Emidius« (1486; London, National Gallery)

Crispi, Francesco, italien. Politiker, *Ribera (Prov. Agrigent) 4. 10. 1819, †Neapel 11. 8. 1901; nahm an der Eroberung des Königreichs Neapel durch Garibaldi (1860) teil. Seit 1861 war er ein führender Abg. der radikalen Linken. Als MinPräs. (1887–91 und 1893–96; auch Innen- und Außenmin.) ging er scharf gegen die beginnende sozialist. Bewegung vor. Vor allem war er Hauptvertreter des imperialist. Gedankens in Italien. Sein Versuch, Äthiopien zu erobern, scheiterte mit der Niederlage bei Adua (1. 3. 1896); danach musste er zurücktreten.

Crispinus und Crispinianus, nach der Legende Märtyrer in Soissons, †um 280; Brüder, Schutzheilige der Schuhmacher, Gerber und Sattler, Tag: 25. 10.

Cristóbal [engl. krɪsˈtəʊbəl, span. krisˈtoβal], Hafenstadt am atlant. Eingang des Panamakanals, Panama; bildet mit Colón eine Siedlungseinheit; Containerhafen.

Cristobalit *der,* Mineral, eine Modifikation von Quarz; zw. 1470 und 1710 °C stabil als kub. Hoch-C. Tief-C. ist tetragonal und wandelt sich bei 180–270 °C in Hoch-C. um.

Crivelli, Carlo, italien. Maler, *Venedig um 1435, †Ascoli Piceno nach dem 7. 8. 1494 und vor dem 3. 9. 1495; malte Andachts- und Altarbilder von herbem Ausdruck, in prunkvoll archaisierendem Stil.

Crna Gora [ˈtsr̩:na: ˈgɔra; »schwarzes Gebirge«], →Montenegro.

Croagh Patrick [ˈkrəʊəg ˈpætrɪk], Berg im W der Rep. Irland, 765 m ü. M.; am letzten Sonntag im Juli Ziel einer großen Wallfahrt zu Ehren des hl. Patrick.

Croce [ˈkro:tʃe], Benedetto, italien. Philosoph, Historiker, Literaturwissenschaftler und Politiker, *Pescasseroli (Prov. L'Aquila) 25. 2. 1866, †Neapel 20. 11. 1952; 1943 Neubegründer und bis 1947 Führer der Liberalen Partei. Seine Gegnerschaft zum Faschismus dokumentierte C. 1925 in einem Manifest. – C. gilt, neben G. Gentile, als der Überwinder des italien. Positivismus. Von F. De Sanctis und J. Herbart, später bes. von der Geschichtsphilosophie G. W. F. Hegels ausgehend, entwickelte er einen dialekt. Idealismus. Die Wirklichkeit sei unendl., dialekt. Entwicklung des objektiven Geistes in der Geschichte. Sie vollziehe sich in den Grundformen schöpferischer theoret. (ästhet. Intuition; Intellekt, theoret. Begriff) und prakt. (Ethik, Ökonomik) Tätigkeit. Als jeweilige Vollendung dieser Funktionen sieht C. die Philosophie an. Die Ästhetik verstand er als allgemeine Ausdruckslehre, Schönheit als vollendet geglückte Formung des poet. Stoffs. Wesentl. Wirkung hatte diese Vorstellung in C.s Literaturauffassung (»Poesie und Nichtpoesie«, 1925). 1903–44 Herausgeber der Ztschr. »La Critica«.

Benedetto Croce

📖 LÖNNE, K.-E.: *B. C. als Kritiker seiner Zeit. Tübingen 1967.* – WELLEK, R.: *C. als Kritiker der dt. Literatur. München 1980.* – CASALE, G.: *B. C. between Naples and Europe. New York u. a. 1994.*

Crocin [grch.] *das,* Carotinoid-Farbstoff des Safrans; dient zum Gelbfärben von Lebensmitteln.

Crohn-Krankheit [nach dem amerikan. Arzt B. Crohn, *1884, †1984] (Enteritis regionalis Crohn), Narben bildende, unspezif., chronisch-schubweise auftretende Entzündung vorwiegend des untersten Dünndarmabschnittes (Ileum), deren Ursachen noch ungeklärt sind. Komplikationen sind Fistelbildung und Darmverschluss. – *Behandlung:* u. a. Glucocorticoide, operative Entfernung des erkrankten Darmabschnitts.

Croisé [krwaˈze, frz.] *das,* →Köper.

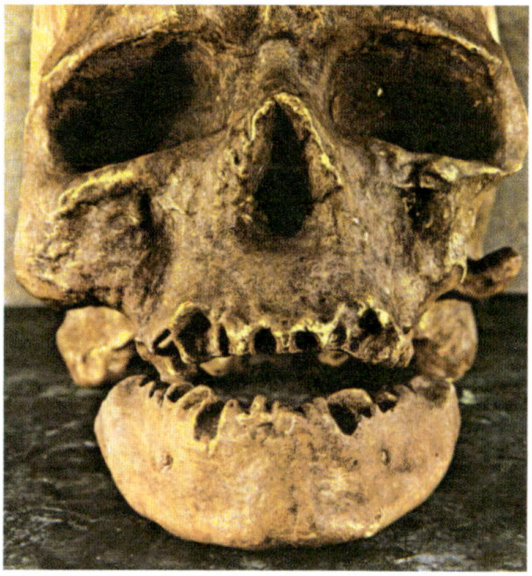

Cro-Magnon: Schädel mit erkennbaren Spuren altersbedingten Zahnausfalls

Cro-Magnon [kromaˈɲɔ̃], Abri (Halbhöhle) im Vézèretal bei Les-Eyzies-de-Tayac (Dép. Dordogne, Frankreich); 1868 wurden hier altsteinzeitl. Siedlungsreste und fünf Skelette (drei Männer, eine Frau, ein Fetus, Alter 25 000–30 000 Jahre) aus dem Aurignacien gefunden. Auf den C.-M.-Typus (langschädelig, große Schädelbreite, niedriges Gesicht) lassen sich breitgesichtige Typen der nordeuropiden Rassengruppe (fälische Rasse) zurückführen. Der C.-M.-Typus gilt heute als Extremtypus des frühen Homo sapiens sapiens.

Cromer [ˈkrəʊmə], Evelyn Baring, Earl of (seit 1901), brit. Politiker, *Cromer Hall (bei Norwich) 26. 2. 1841, †London 29. 1. 1917; war seit 1872 im Kolonialdienst in Indien und Ägypten tätig und 1883–1907 als brit. Generalkonsul in Kairo der eigentl. Regent Ägyptens.

Cromlech [krɔmˈlɛç, ˈkrɔmlɛk, kelt.], →Kromlech.

Crommelynck [krɔmˈlɛ̃:k], Fernand, belg. Dramatiker frz. Sprache, *Paris 19. 11. 1888, †Saint-Germain-en-Laye 17. 3. 1970; schrieb volkstümlich derbe Theaterstücke, in denen sich Realismus mit symbolistisch überhöhter Darstellung verbindet (»Der Hahnrei«, 1921).

Crompton [ˈkrʌmptən], Samuel, brit. Erfinder, *Firewood Fold (bei Bolton) 3. 12. 1753, †Bolton 26. 6. 1827; entwickelte bis 1779 eine periodisch arbeitende Spinnmaschine (»Mule Jenny«).

Cromwell, 1) Oliver, engl. Staatsmann, * Huntingdon (Cty. Cambridgeshire) 25. 4. 1599, † London 3. 9. 1658; Landedelmann, trat seit 1640 im Parlament gegen König Karl I. auf und bildete nach Ausbruch des Bürgerkrieges (1642) aus strengen Puritanern eine Reitertruppe, die Ironsides (»Eisenseiten«), die zum Sammelpunkt der → Independenten wurden und mit denen er die Schlachten bei Marston Moor (1644) und Naseby (1645) gegen die königl. »Kavaliere« entschied. 1648 bezwang C. die königstreuen Schotten bei Preston und schloss danach die in Ggs. zu den Independenten geratenen Presbyterianer aus dem Parlament aus; 1649 ließ er den gefangen genommenen König hinrichten. Nach der blutigen Niederschlagung eines Aufstandes in Irland (1649) besiegte C. erneut die Schotten bei Dunbar (1650) und den in England eingedrungenen Karl II. bei Worcester (1651). Die Republik (Commonwealth of England) trug Züge einer reinen Militärherrschaft C.s, der seit 1653 Lord Protector war, aber den Königstitel 1657 ablehnte. – C. beschleunigte den Ausbau der Flotte, bekämpfte erfolgreich die Handelsrivalität mit den Niederlanden (1651 Navigationsakte; 1652–54 Seekrieg) und begründete im Kampf gegen die See- und Kolonialmacht Spanien (1655 Eroberung Jamaikas, 1658 Dünkirchens) die engl. Weltmachtstellung. – Als Protektor folgte ihm 1658 sein Sohn Richard C. (* 1626, † 1712), der schon im April 1659 zurücktrat und nach Wiederherstellung des Königtums (Karl II.) 1660–80 in Paris lebte.

📖 METZ, K. H.: *O. C. Zur Geschichte eines schließlichen Helden. Göttingen u. a. 1993.* – *O. C. and the English revolution, hg. v.* J. MORRILL. *Neudr. London 1995.* – GAUNT, P.: *O. C. Oxford 1996.*

2) Thomas, Earl of Essex (seit 1540), engl. Staatsmann, * Putney (heute zu London) um 1485, † London 28. 7. 1540; war Schatzkanzler und Großsiegelbewahrer Heinrichs VIII. sowie Generalvikar der engl. Kirche; plante die staatskirchl. Gesetzgebung des Königs, löste die Klöster auf und wurde durch seine Verwaltungsreformen zum Begründer des modernen engl. Zentralstaates. Er fiel jedoch in Ungnade und wurde hingerichtet.

James W. Cronin

Cronin ['krəʊnɪn], **1)** Archibald Joseph, engl. Schriftsteller, * Cardross (bei Dumbarton) 19. 7. 1896, † Montreux 6. 1. 1981; urspr. Arzt; schrieb u. a. die Romane »Die Sterne blicken herab« (1935), »Die Zitadelle« (1937), »Ein Held im Schatten« (1978).

2) James Watson, amerikan. Physiker, * Chicago (Ill.) 29. 9. 1931; erhielt für die Entdeckung von Verletzungen fundamentaler Symmetrieprinzipien (→ CPT-Theorem) beim Zerfall neutraler K-Mesonen 1980 zus. mit V. L. Fitch den Nobelpreis für Physik.

Crookes [krʊks], Sir (seit 1897) William, brit. Physiker und Chemiker, * London 17. 6. 1832, † ebd. 4. 4. 1919; entdeckte 1861 das Thallium, erfand 1874 das Radiometer, untersuchte die elektr. Entladungen in verdünnten Gasen und charakterisierte die → Kathodenstrahlen.

Croquis [krɔ'ki], frz. Schreibung für → Kroki.

Crosby ['krɔzbɪ], Bing, eigtl. Harry Lillis C., amerikan. Sänger und Filmschauspieler, * Tacoma (Wash.) 2. 5. 1904, † Madrid 14. 10. 1977; bekannt durch Filme wie »Weiße Weihnachten« (1954) und »Die oberen Zehntausend« (»High Society«, 1956).

Crosscountry [-kʌntrɪ, engl.] *das, Sport:* Querfeldeinwettbewerb (z. B. Leichtathletik, Geländelauf; Motorsport, Radsport); früher auch im Pferdesport Bez. für die Querfeldeinstrecke bei der Vielseitigkeit (Militäry).

Crossen (Oder), Stadt in Polen, → Krosno Odrzańskie.

Crossing-over [-'əʊvə, engl.] *das* (Cross-over, Genaustausch, Faktorenaustausch), *Genetik:* wechselseitiger, im Prophasestadium der ersten meiot. Teilung stattfindender Stückaustausch zw. homologen Chromatidenpartnern bei der Chromosomenpaarung.

Crossopterygii [grch.], → Quastenflosser.

Cross River [-'rɪvə; engl. »Kreuzfluss«], **1)** Fluss in Nigeria, entspringt in NW-Kamerun, mündet in den Golf von Guinea, 500 km lang; weithin schiffbar.

2) Bundesstaat von Nigeria (seit 1976); Hptst.: Calabar.

Croton [grch.] *der,* Gattung der Wolfsmilchgewächse, in den Tropen beheimatete Sträucher und Bäume. Die sehr giftigen Samen (Purgierkörner) des südasiat. **Tiglibaums** (Croton tiglium) enthalten das **Crotonöl** mit stark abführender und hautreizender Wirkung; eines der stärksten Kokarzinogene.

Crotone, 1) Provinz in Kalabrien, Italien, 1 717 km², (1995) 179 000 Einwohner.

2) (bis 1928 Cotrone), Hptst. von 1), Hafenstadt und Seebad, 59 500 Ew.; Bischofssitz; Düngemittelfabrik, Nahrungsmittelind., Zinkmetallurgie. – Das antike grch. **Kroton** herrschte im 6. Jh. v. Chr. über Großgriechenland (das griechisch besiedelte Unteritalien).

Crotonsäure, ungesättigte Carbonsäure, die in Copolymeren verwendet wird.

Crotus Rubianus, eigtl. Johann Jäger, Humanist, * Dornheim (bei Arnstadt) 1480, † Halberstadt um 1545; gehörte zum Erfurter Kreis um Mutianus Rufus; gab 1515 anonym die »Epistolae obscurorum virorum« (→ Dunkelmännerbriefe) heraus; war urspr. Anhänger Luthers, kehrte aber zur kath. Kirche (»Apologia«, 1531) zurück.

Croupier [kru'pje, frz.] *der,* an Spielbanken: Angestellter, dem die Abwicklung des Spieles obliegt.

Croupon [kru'pɔ̃, frz.] *der,* der das beste Leder liefernde Rückenteil einer gegerbten Tierhaut.

Crow [krəʊ; engl. »Krähe«], die →Krähenindianer.

Crown [kraʊn; engl. »Krone«] *die,* engl. Gold- und Silbermünze. Die **goldene C.** wurde 1526 eingeführt und 1663 durch die Guinea abgelöst. Die **silberne C.** wurde erstmals 1551 in Umlauf gebracht; letztmalig wurde sie, allerdings in Kupfer-Nickel, 1965 ausgehändigt.

Croy [frz. krwa, dt. krɔi], aus der picard. Grafschaft Ponthieu stammendes wallonisch-flämisch-westfäl. Adelsgeschlecht, erstmals im 12. Jh. erwähnt. Es erhielt 1598 die Herzogswürde, wurde 1667 in den Reichsfürstenstand erhoben und 1803 mit dem zuvor zum Hochstift Münster gehörenden Amt Dülmen in Westfalen für verlorene linksrhein. Besitzungen entschädigt. – Wilhelm von C., Herr von Chièvres (*1458, †1521) war Erzieher und Berater des jungen Kaisers Karls V.

Croydon ['krɔɪdn], ehem. selbstständige Stadt in England, seit 1965 Stadtbezirk im S von London, 298 500 Ew.; vielseitige Ind., Bürozentrum.

Crozetinseln [kro'zɛ-], vulkan. Inselgruppe im südlichsten Teil des Ind. Ozeans, 476 km²; wiss. Station auf der Île de la Possession, sonst unbewohnt; 1772 entdeckt, seit 1924 französisch.

Cru [kry; frz. »Gewächs«], *Weinbau:* Lage; Weinberg, aus dem hochwertige Weine gewonnen werden; mit klassifizierendem Zusatz Güteangabe bestimmter frz. Weine.

Crüger, Johann, evang. Kirchenmusiker, *Großbreesen (heute zu Guben) 9. 4. 1598, †Berlin 23. 2. 1663; schuf die Melodien zahlreicher evang. Kirchenlieder, z. B. »Jesu meine Freude«.

Cruikshank ['krʊkʃæŋk], George, engl. Karikaturist, *London 27. 9. 1792, †ebd. 1. 2. 1878; geißelte polit. und soziale Missstände; illustrierte u. a. auch Bücher von C. Dickens und Märchen der Brüder Grimm.

📖 SCHENK, CHR.: *G. C.s Karikatur im Wandel der Bildmedien. Frankfurt am Main u. a. 1992.*

Cruise ['kru:z], Tom, eigtl. Thomas C. Mapother IV, amerikan. Filmschauspieler, *Syracuse (N. Y.) 3. 7. 1962; seit »Top Gun« (1986) Star des amerikan. Films, es folgten »Rain Man« (1988), »Geboren am 4. Juli« (1989), »Die Firma« (1993), »Interview mit einem Vampir« (1994), »Mission: Impossible« (1994).

Cruisemissile [kru:z'mɪsɪl, -'mɪsaɪl, engl.] *das* (Marschflugkörper), in den USA entwickelter unbemannter militär. →Lenkflugkörper für strateg. oder takt. Einsätze mit Strahltriebwerk, konventionellem oder nuklearem Gefechtskopf und außerordentl. Treffgenauigkeit; Reichweite zw. 500 und 5 000 km. Die C. fliegen ihre Ziele im →Kon-

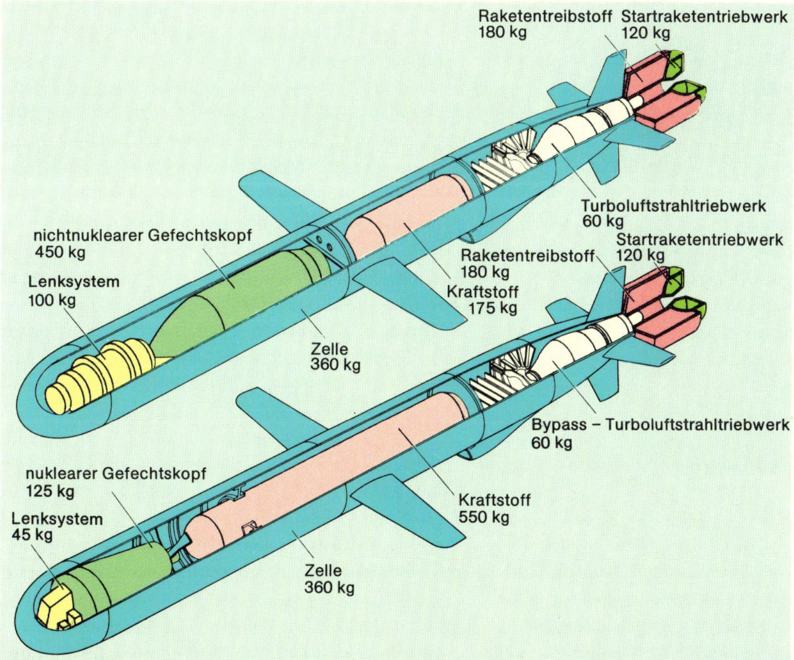

Cruisemissile: (von oben): taktischer Marschflugkörper mit etwa 500 km Reichweite; strategischer Marschflugkörper mit etwa 2 500 km Reichweite (Länge jeweils 6 m)

turenflug an, sodass die Radarerfassung unterflogen werden kann.

Crush-Syndrom [ˈkrʌʃ-; engl. to crush »zerquetschen«], *Medizin:* akute, lebensbedrohl. Nierenschädigung durch Zutritt von Muskelfarbstoff ins Blut infolge ausgedehnter Muskelquetschung bei Unfällen, auch nach schweren Verbrennungen. Symptome sind Schwellungen der betroffenen Muskelbereiche, Rückgang der Harnausscheidung mit drohendem Nierenversagen.

Czech Airlines

Crustaceae [lat.], die →Krebstiere.

Paul Crutzen

Crutzen [ˈkrutsə], Paul Joseph, niederländ. Chemiker und Meteorologe, *Amsterdam 3. 12. 1933; betreibt Forschung zur Chemie der Stratosphäre, insbes. zum →nuklearen Winter und zur Entstehung des →Ozonlochs; erhielt 1995 zus. mit M. J. Molina und F. S. Rowland den Nobelpreis für Chemie.

Crux [lat. »Kreuz«] *die,* das Sternbild →Kreuz des Südens.

Cruz-Díez [ˈkrusˈðiɛs], Carlos, venezolan. Maler, *Caracas 17. 8. 1923; Vertreter der kinet. Kunst, übersiedelte 1960 nach Paris. C. schuf Metallreliefs aus farbigen Lamellen auf farbigem Grund, die sich durch Perspektivwechsel zu neuen Farbornamenten mischen (»Physichromics«); auch Environments und Errichtung chromat. Architekturfassaden.

Cruzeiro [kruˈzeiru, portugies.] *der,* →Währung (ÜBERSICHT).

Crwth aus Wales, Länge 56 cm (Brüssel, Musée Instrumental du Conservatoire Royal)

Crwth [kru:θ, kymrisch] *der* (Crewth, lat. Chrotta), in Wales und Irland beheimatete, seit dem 10. Jh. nachweisbare Leier mit Griffbrett und kastenförmigem Korpus, deren Saiten (3–4 Melodie-, 2 Bordunsaiten) zunächst gezupft und seit dem 11. Jh. mit einem Bogen gestrichen wurden. Die C. war wahrscheinlich das Instrument der walisischen →Barden.

Cs, chem. Symbol für →Cäsium.

CS, *Chemie:* Codename für den Reizkampfstoff 2-Chlorbenzylidenmalonsäuredinitril, in Tränengaspatronen.

c. s., *Musik:* Abk. für →**c**olla **s**inistra.

ČSA [tʃe:-], Abk. für **Czech Airlines,** aus der Československé Aerolinie (Vorläufer gegr. 1923) durch Privatisierung 1992 hervorgegangene tschech. Luftverkehrsgesellschaft; Sitz: Prag.

Csárdás [ˈtʃardas; ungar., von czárda »Schenke«] *der,* ungar. Nationaltanz mit ruhiger Einleitung (Lassu) und schnellem Hauptteil (Friss oder Friska) in geradem Takt; wird zu Zigeunermusik getanzt.

CSB, Abk. für →**c**hemischer **S**auerstoff**b**edarf.

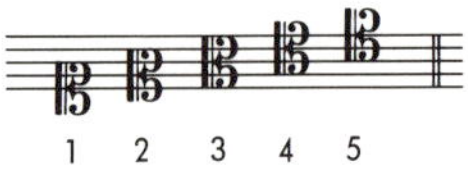

C-Schlüssel: 1 Sopran-, 2 Mezzosopran-, 3 Alt-, 4 Tenor-, 5 Baritonschlüssel

C-Schlüssel, in der Notenschrift das aus dem Tonbuchstaben C entwickelte Zeichen, mit dem im Liniensystem die Lage des eingestrichenen c (c^1) festgelegt wird; unterschieden werden Sopran-, Mezzosopran-, Alt-, Tenor- und Baritonschlüssel.

Csepel [ˈtʃɛpɛl], Donauinsel südlich von Budapest, 257 km^2; im N metallurg. Ind. und Maschinenbau, Donaufreihafen.

ČSFR [tʃe:-], Abk. für tschech. **Č**eská a **S**lovenská **F**ederativna **R**epublika bzw. für slowakisch **Č**eská a **S**lovenská **F**ederatívna **R**epublika, →Tschechoslowakei.

Csokor [ˈtʃɔkɔr], Franz Theodor, österr. Schriftsteller, *Wien 6. 9. 1885, †ebd. 5. 1. 1969; emigrierte 1938, kehrte 1946 nach Wien zurück; schrieb, vom Expressionismus beeinflusst, geschichtl. und zeitgeschichtl. Dramen, von humanist. Grundhaltung (»Gesellschaft der Menschenrechte«, 1929; »Europ. Trilogie«, 1952), ferner Gedichte, den Wiedertäuferroman »Das Reich der Schwärmer« (1933, 1955 u. d. T. »Der Schlüssel zum Abgrund«) sowie autobiograph. Schriften.

📖 KLAUHS, H.: *F. T. C. Leben u. Werk bis 1938 im Überblick. Stuttgart 1988. – Lebensbilder eines Humanisten. Ein F.-T.-C.-Buch, hg. v.* U. N. SCHULENBURG *u. a. Wien 1992.*

ČSR [tʃe:-], Abk. für **Č**eskoslovenská **R**epublika. **ČSSR,** Abk. für **Č**eskoslovenská **S**ocialistická **R**epublika. (→Tschechoslowakei)

CSU, Abk. für →**C**hristlich-**S**oziale **U**nion.

C-Symmetrie, *Physik:* die →C-Invarianz.

CT, 1) Abk. für →**C**omputer**t**omographie.

2) Abk. für →**C**able-**t**ransfer.

c. t., Abk. für **c**um **t**empore, mit dem akadem. Viertel, d. h. eine Viertelstunde nach der angesetzten Zeit. (→s. t.)

C-Tel, Weiterentwicklung des früheren **C-Netzes,** analoges Funktelefonnetz für Mobiltelefone; kann außer Sprache auch Bilder und Daten in einem größeren Territorium übermitteln.

CT-Komplexe, die →Charge-Transfer-Komplexe.

Enzo Cucchi: »Ein gesunkenes Schiff mit gekappten Masten liegt auf dem Grund des Meeres« (1985; Privatbesitz)

Cu [von lat. cuprum], chem. Symbol für →Kupfer.

Cuanza, Fluss in Angola, →Kwanza.

Cuba, span. Schreibung von →Kuba.

Cubango *der* (Kubango), Oberlauf des →Okawango in Südangola.

Cubiculum [lat.] *das,* urspr. Schlafzimmer, dann allg. Zimmer des altröm. Wohnhauses; auch Grabkammer in den christl. Katakomben.

Cucchi ['kukki], Enzo, italien. Maler und Zeichner, *Morra d'Alba (bei Ancona) 14. 11. 1950; Vertreter der →Transavanguardia; dynamisch bewegte (Kohle-)Zeichnungen und Ölbilder von kräftiger, oft pastoser Farbigkeit, häufig mit mytholog. Themen.

Cucumis [lat.], Kürbisgewächsgattung mit Gurke und Melone.

Cucurbita, Pflanzengattung, →Kürbis.

Cúcuta (San José de C.), Hptst. des Dep. Norte de Santander, Kolumbien, 450300 Ew.; Univ.; Bischofssitz; Zentrum eines Agrargebietes (Kaffee, Reis, Mais), Umschlagplatz für den Handel mit Venezuela; Flugplatz.

Cudworth ['kʌdwəːθ], Ralph, engl. Philosoph, *Aller (bei Taunton) 1617, †Cambridge 26. 6. 1688; neben H. More Haupt der Cambridger Schule; vertrat einen auf die Übereinstimmung von Vernunft und Glauben gegründeten christl. Platonismus. In Auseinandersetzung mit dem Materialismus T. Hobbes' lehrte er den Dualismus von Körper und immaterieller Seele.

Cuenca, 1) Provinz in der Region Kastilien-La Mancha, Spanien, 17061 km², (1991) 205200 Einwohner.

2) Hptst. von 1), 1001 m ü. M. auf einem Bergsporn im Mündungsdreieck des Júcar und Huécar, 44100 Ew.; Bischofssitz; Möbel-, Leder-, Seifen-, Nahrungsmittelind., Likör-, Teppichherstellung, Wollspinnerei. – Die Altstadt hat mittelalterl. Gepräge; got. Kathedrale (13. Jh.). – C., das antike **Conca,** wurde 1177 kastilisch, 1257 Stadt.

3) Santa Ana de C., Hptst. der Prov. Azuay in Ecuador, 2543 m ü. M., 195000 Ew.; zwei Univ.; Erzbischofssitz; Binnenhandelszentrum. – Kolonialzeitl. Architektur, Kloster und Kirche La Concepción (gegr. 1599). – Gegr. 1557.

Cuernavaca [kuɛrna'βaka], Hptst. des mexikan. Staates Morelos, 1540 m ü. M., 383000 Ew.; Univ.; Bischofssitz; Mühlen, Textil-, Zementind.; Flugplatz. – Kathedrale (begonnen 1529; restauriert 1957), Palast von H. Cortez (begonnen um 1530). – Im 12. Jh. gegr., 1439 von den Azteken, 1521 von den Spaniern erobert.

Cueva ['kueβa], Juan de la, span. Dichter und Dramatiker, *Sevilla um 1550 (?), †ebd. um 1610; schrieb Liebesgedichte im Stil F. Petrarcas; in seinen Dramen verwendete er erstmals volkstümliche Romanzen und Stoffe aus der spanischen Geschichte.

Franz Theodor Csokor

Cui [ky'i], César, →Kjui, Zesar Antonowitsch.

Cuiabá, Hptst. des brasilian. Bundesstaates Mato Grosso, 401300 Ew.; Erzbischofssitz; Univ.; Fleischfabriken, Leder und Metall verarbeitende Industrie.

cui bono? [lat. »wem (dient es) zum Guten?«, Zitat aus einer Rede Ciceros], wem nützt es? wer hat davon einen Vorteil? – Kernfrage der Kriminalistik nach dem Tatmotiv bei der Aufklärung eines Verbrechens.

Cuernavaca: Die 1957 restaurierte Kathedrale wurde im 16. Jh. erbaut

cuius regio, eius religio [lat. »wessen das Land, dessen die Religion«], Grundsatz des Augsburger Religionsfriedens von 1555, wonach der Landesherr die Religion bestimmte.

7 B 15/3

Cul de Paris

Birgit Cullberg

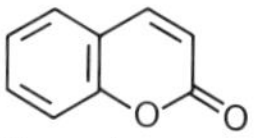

Cumarin

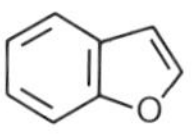

Cumaron

Cukor ['kju:kɔ:], George, amerikan. Filmregisseur ungar. Abstammung, *New York 7. 7. 1899, †Los Angeles 24. 1. 1983; zunächst Theaterregisseur; realisierte v.a. Literaturverfilmungen, u.a. »Die Kameliendame« (1936); »Das Haus der Lady Alquist« (Gaslight, 1944); »My Fair Lady« (1964); »Der blaue Vogel« (1976).

Çukurova [tʃ-], Schwemmlandebene an der östl. Südküste der Türkei, im Sommer feuchtheiß; dank Bewässerung heute wichtiges Anbaugebiet für Baumwolle, Zitrusfrüchte und Reis; Industriestandort Adana, Hafenstadt Mersin.

Cul de Paris [kyd(ə)pa'ri; frz. »Gesäß von Paris«] *der,* Polster oder Halbreifengestell, in den 1880er-Jahren über dem Gesäß unter dem Frauenkleid getragen.

Culemeyer-Fahrzeug, →Straßenroller.

Culiacán (C.-Rosales), Hptst. des mexikan. Staates Sinaloa, 415 000 Ew.; Univ.; Bischofssitz; Leder-, Textil-, Zuckerindustrie.

Cullberg [-bærj], Birgit, schwed. Tänzerin, Choreographin und Ballettdirektorin, *Nyköping 3. 8. 1908; leitete 1967–81 die »C.-Baletten« in Stockholm; Choreographien: u.a. »Fräulein Julie« (1950); »Medea« (1957); »Don Quixote's Dreams« (1988).

Cullinan ['kʌlɪnən], Bergbauort in Gauteng, Rep. Südafrika, Fundort (1905) des **C.-Diamanten** (3 106 Karat).

Culloden Muir [kə'lɔdn 'mjʊə] (C. Moor), Heidemoor nordöstlich von Inverness (Schottland); hier siegten am 16. 4. 1746 die Engländer über die schott. Stuartanhänger.

Culm, Stadt in Polen, →Chełmno.

Culotte [ky'lɔt, frz.] *die,* Ende des 17. Jh. in der höfischen Mode aufgekommene knielange Hose. (→Sansculotten)

Culpa [lat.] *die, Recht:* die Schuld; i.e.S. →Fahrlässigkeit im Ggs. zum Vorsatz.

Cultural Lag ['kʌltʃərəl læg; engl. »kulturelles Zurückbleiben«] *der, Soziologie:* kulturelle Verspätung bzw. Phasenverschiebung; von W. F. Ogburn 1922 geprägte Bez. für das krisenhafte Phänomen des Anpassungsrückstandes der immateriellen Kultur (z.B. soziale Organisation, Recht, Ethik) gegenüber der sich beschleunigt wandelnden materiellen Kultur (naturwissenschaftlich-technisch-ökonom. Fortschritt) im Industriezeitalter.

Cumae, Ausgrabungsstätte westlich von Neapel. Als **Kyme** um 750 v.Chr. als älteste griech. Siedlung in Italien gegründet, mit großem kulturellem Einfluss auf Etrusker und Römer (Blütezeit um 700–500 v.Chr.). Um 420 v.Chr. wurde C. von den Samniten erobert, 334 v.Chr. erhielt es röm. Munizipalrecht; in der Kaiserzeit verlor es seine Bedeutung. C. war im Mythos Sitz der Sibylle.

Cumaná, Hptst. des Bundesstaates Sucre, Venezuela, am Manzanares und Golf von Cariaco; 212 500 Ew.; Univ.; Bischofssitz; Handelszentrum; Baumwoll-, Fischkonservenind., Metallverarbeitung. – Gegr. 1521/23 als **Nueva Córdoba,** seit 1569 als C. am heutigen Ort.

Cumarin [indian.] *das* (Kumarin), im Pflanzenbereich weit verbreitete Verbindung mit waldmeisterartigem Geruch. C. wird aus o-Kresol über Salicylaldehyd synthetisch hergestellt und hat in der Parfüm- und Seifenind. große Bedeutung. Bestimmte C.-Derivate werden als blutgerinnungshemmende Medikamente verwendet.

Cumaron [indian.] *das* (Kumaron, Benzofuran), im Steinkohlenteer enthaltener oder synthetisch hergestellter Ausgangsstoff für C.-Inden-Harze, die ältesten thermoplast. Harze.

Cumberland ['kʌmbələnd], ehem. County in NW-England; seit 1974 Teil der County Cumbria.

Cumberland ['kʌmbələnd], engl. Herzogstitel (seit 1644), der wiederholt königl. Prinzen verliehen wurde. – Ernst August, Herzog von C. und zu Braunschweig-Lüneburg, *Hannover 21. 9. 1845, †Gmunden 14. 11. 1923; als einziger Sohn König Georgs V. Kronprinz von Hannover, als dieses 1866 von Preußen annektiert wurde. Da er an seinen hannover. Thronansprüchen festhielt, wurde 1884 auch seine Erbfolge im Herzogtum Braunschweig nicht zugelassen; erst sein Sohn Ernst August (→Ernst, Herrscher; Braunschweig-Lüneburg) gelangte hier 1913 zur Regierung, ohne einen Verzicht auf Hannover auszusprechen.

Cumberlandplateau ['kʌmbələndplato], südl. Teil des Appalachenplateaus, von W-Virginia im N bis Alabama im S, USA; stark bewaldet, reich an Kohle; in den **Cumberland Mountains** bis 1263 m hoch.

Cumberlandsoße ['kʌmbələnd-], kalte Soße aus Senf, Apfelsine und Zitrone, Portwein oder Madeira, Johannisbeergelee, Schalotten und Ingwer; meist zu kaltem Wildbraten gereicht.

Cumbria ['kʌmbrɪə], County in NW-England, 6 810 km², (1991) 486 900 Ew.; Hptst. Carlisle.

Cumbrian Mountains ['kʌmbrɪən 'maʊntɪnz] (Kumbrisches Bergland), Bergland in NW-England, im Scafell Pike 978 m ü.M., mit dem Lake District (von Moränen abgedämmte Seen, unter Landschaftsschutz).

cum grano salis [lat. »mit einem Körnchen Salz«], mit entsprechender Einschränkung, nicht ganz wörtlich zu nehmen.

Cuminöl, ätherisches Öl aus den Früchten des Kreuzkümmels, Hauptbestandteil **Cuminaldehyd;** riecht sehr intensiv, wird in geringsten Mengen Parfüms zugesetzt.

cum laude [lat. »mit Lob«], Examensnote bei der Promotion: gut.

Cummings ['kʌmɪŋz], E. E. (Edward Estlin), amerikan. Lyriker, *Cambridge (Mass.) 14. 10. 1894, †North Conway (N. H.) 3. 9. 1962; autobiograph. Antikriegsbuch »Der ungeheure Raum« (1922), experimentelle Gedichte bei vielfach konventioneller Thematik.

Cumol [grch.] *das* (2-Phenylpropan), farblose, reizende Flüssigkeit, aus Benzol und Propylen hergestellt, weiterverarbeitet über C.-Hydroperoxid zu Phenol und Aceton.

cum tempore, →c.t.

Cumulus [lat.] *der,* Haufenwolke, →Wolken.

Cuna (Kunatulemar), Indianerstamm der Chibchasprachfamilie in O-Panama (etwa 30000) und NW-Kolumbien (etwa 2000); zur Zeit der span. Eroberung hoch stehende Goldverarbeitung; seit dem 18. Jh. einzigartige textile Volkskunst (Molakunst); innere Autonomie auf den San-Blas-Inseln vor der karib. Küste Panamas.

Cunard ['kju:nɑ:d], Sir Samuel, brit. Reeder, *Halifax (Kanada) 1787, †London 28. 4. 1865; richtete 1840 einen regelmäßigen Personen- und Frachtverkehr zw. Europa und Nordamerika ein, aus dem die **C. Steamship Company** hervorging.

Cunctator [lat.], Zauderer; Beiname des röm. Feldherrn Quintus Fabius Maximus Verrucosus (→Fabius).

Cunene, Fluss im südl. Afrika, →Kunene.

Cuneo, 1) Provinz in Piemont, NW-Italien, 6903 km², (1995) 550300 Einwohner.

2) Hptst. von 1), im SW der Po-Ebene, 54900 Ew.; Gummi-, Papier-, Glas-, Textilind. (Seidenraupenzucht); internat. Jagdmesse. – Ende des 12. Jh. entstanden.

Cunnilingus [zu lat. cunnus »weibl. Scham«, lingua »Zunge«] *der,* Form des sexuellen Kontakts, bei dem die weibl. Geschlechtsteile mit Zunge oder Mund stimuliert werden.

Cuno, Wilhelm, Reeder und Politiker, *Suhl 2. 7. 1876, †Aumühle (bei Hamburg) 3. 1. 1933; 1918–22 und 1926–30 Leiter der Hamburg-Amerika-Linie (HAPAG). Als parteiloser Reichskanzler (Nov. 1922 bis Aug. 1923) versuchte er vergeblich, die Währung zu stabilisieren und die Reparationsfrage zu lösen. Nach der Besetzung des Ruhrgebiets durch frz. und belg. Truppen rief er dort den passiven Widerstand aus.

Cup [kʌp; engl. »Becher«] *der, Sport:* Pokal (als Siegespreis).

Cuphea [grch.] *die* (Höckerkelch, Köcherblümchen), amerikan. Gattung der Weiderichgewächse. Das **Zigarettenblümchen** (C. ignea) mit roten Blütenröhren ist eine Gartenpflanze.

Cupido [lat.], der altröm. Liebesgott, entspricht dem grch. Liebesgott →Eros.

Cuprit *das,* das →Rotkupfererz.

Cupro *das,* Bez. für Chemiefasern aus Celluloseregenerat, hergestellt durch Lösung in Kupferhydroxid und Ammoniakwasser.

Cuprum *das,* lat. Bez. für →Kupfer.

Cupula [lat. »Becher«] *die* (Fruchtbecher), verholzendes Achsengebilde mit Schuppen oder Stacheln, das die Früchte der Buchengewächse ganz oder teilweise umhüllt, z. B. Buchecker, Eichel.

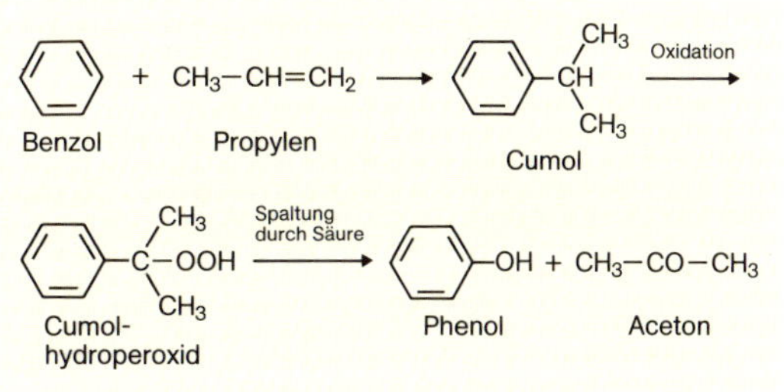

Curaçao [kyra'sao], bedeutendste, zu den »Inseln unter dem Winde« gehörende Insel der →Niederländischen Antillen, 444 km², (1994) 149000 Ew.; Hptst.: Willemstad. Hauptwirtschaftszweig ist der Umschlag und die Raffinierung des am Golf von Maracaibo gewonnenen Erdöls; Tourismus, Offshorebanken. – C. wurde 1499 von A. de Ojeda entdeckt, 1527 von den Spaniern, 1634 von den Niederländern besetzt.

Curare [indian.] *das* (Kurare), Gemisch von Alkaloiden und Begleitstoffen aus der Rinde versch. Strychnosarten und Mondsamengewächse (Pfeilgift südamerikan. Indianer); auch Bez. für die Reinalkaloide aus C. (z. B. Curarin, Tubocurarin, Toxiferin). Medizinisch wird v. a. Tubocurarin als muskelerschlaffendes Mittel und zur Behandlung des Wundstarrkrampfes verwendet.

Curcumin *das,* gelber bis roter Farbstoff aus der →Gelbwurzel.

Curé [ky're, frz.] *der,* der kath. Pfarrer in Frankreich.

Curiatiler, altröm. Geschlecht, →Horatier.

Curie [ky'ri] *das,* **Ci,** veraltete Einheit der Aktivität eines radioaktiven Strahlers. 1 Ci entspricht $3{,}7 \cdot 10^{10}$ Zerfallsakten pro Sekunde ($3{,}7 \cdot 10^{10}$ →Becquerel).

Curie [ky'ri], **1)** Irène, frz. Physikerin, →Joliot-Curie, Irène.

Wilhelm Cuno

2) Marie, geb. Skłodowska, frz. Chemikerin und Physikerin poln. Herkunft, *Warschau 7. 11. 1867, †Sancellemoz (Dép. Haute-Savoie) 4. 7. 1934, ⚭ mit 3); seit 1906 Nachfolgerin ihres Mannes als Prof. für Physik an der Sorbonne und übernahm 1914 die Leitung des Institut du radium in Paris. Entdeckte 1898 gemeinsam mit ihrem Mann die radioaktiven Elemente Polonium und Radium (dafür Nobelpreis für Chemie 1911). Schon 1903 war sie gemeinsam mit ihrem Mann und A. H.

Becquerel für ihre Untersuchungen der Radioaktivität mit dem Nobelpreis für Physik ausgezeichnet worden.

📖 CURIE, E.: *Madame C. Eine Biographie. A. d. Frz. Neuausg. Frankfurt am Main 226.–227. Tsd. 1994.*

Marie und Pierre Curie

3) Pierre, frz. Physiker, *Paris 15. 5. 1859, †ebd. 19. 4. 1906, ⚭ mit 2); seit 1904 Prof. an der Sorbonne. C. entdeckte 1880 die Piezoelektrizität der Kristalle und mit seiner Frau 1898 die radioaktiven Elemente Polonium und Radium. Mit ihr und A. H. Becquerel erhielt er 1903 den Nobelpreis für Physik.

Curie-Gesetz [ky'ri-], von P. Curie gefundenes Gesetz, nach dem bei vielen paramagnet. Stoffen die magnetische →Suszeptibilität χ_m der absoluten Temperatur T umgekehrt proportional ist: $\chi_m = C/T$, wobei C die stoffabhängige **Curie-Konstante** ist.

Curie-Temperatur [ky'ri-] (Curie-Punkt), die Temperatur, oberhalb deren ein ferromagnet. Material sich paramagnetisch verhält. Sie beträgt für Eisen 768 °C.

Curling

Curitiba (früher Curityba), Hptst. des brasilian. Bundesstaates Paraná, 1,31 Mio. Ew.; Erzbischofssitz, zwei Univ.; Metall-, Papier-, Möbel-, Textilind., Zementwerk; Flughafen. – Aus einer 1654 angelegten Goldgräbersiedlung entstanden, Hptst. seit 1854.

Curium [nach M. und P. Curie] *das,* **Cm,** künstl. radioaktives Element aus der Gruppe der →Transurane, ein →Actinoid. Ordnungszahl 96, Isotope 238–251, das häufigste ist ^{244}Cm (Halbwertzeit 18,11 Jahre). Das silberweiße, duktile, an der Luft sehr unbeständige Metall ist ein starker Alphastrahler und lässt sich deshalb nur schwer handhaben. C. fällt in kg-Mengen in Reaktoren und Kernkraftwerken an. – C.-Isotope werden in Isotopenbatterien zur Stromversorgung und als Strahlungsquellen verwendet.

Curl [kəːl], Robert F., amerikan. Chemiker, *Alice (Texas) 23. 8. 1933; entdeckte bei der Laserverdampfung von Graphit die Fullerene, wofür er 1996 gemeinsam mit H. Kroto und R. E. Smalley den Nobelpreis für Chemie erhielt.

Curling ['kəːlɪŋ, engl.] *das,* Mannschaftssport auf einer Eisfläche. Zwei Mannschaften zu je vier Spielern versuchen, den flachrunden Spielstein durch die Bahnlänge möglichst nahe an das Ziel gleiten zu lassen. Gespielt wird auf zwei nebeneinander liegenden, 4,75 m breiten und 44,5 m langen Bahnen. Die Steine sind 16 kg schwer, haben einen Höchstumfang von 91 cm, eine abgeflachte Lauffläche und einen Metallgriff. Jeder Spieler hat zwei Steine, sodass während eines Spiels acht Steine auf jeder Bahn sind. Für jeden Stein, der näher am Mittelpunkt (dolly) des Zielkreises (tee) liegt als ein Stein der Gegenmannschaft, wird ein Punkt vergeben. Sieger ist die Mannschaft, die bei Spielende die meisten Punkte erzielt hat. Meisterschaftsspiele haben zehn Durchgänge (ends) mit Verlängerung bei Unentschieden.

Currencytheorie ['kʌrənsɪ-; engl. »Währung«], im 19. Jh. in England entwickelte Geldtheorie, nach der nur Banknoten und Münzen Geldfunktion ausüben und somit das Preisniveau beeinflussen. Geldsurrogate werden als proportionale Größen zur Geldmenge behandelt und haben demzufolge keine eigenständige Bedeutung für das Preisniveau. Um inflationist. Tendenzen entgegenzuwirken, wird eine 100%ige Golddeckung der Banknoten gefordert. Ggs. →Bankingtheorie.

Curriculum [lat.] *das,* in der Bildungstheorie des Barock gebräuchl. Bez. für Lehrplan; von S. B. Robinsohn 1967 wieder aufgegriffen mit dem Ziel einer wiss. fundierten Reform von Inhalten, Methoden und Zielen organisierten Lernens einschl. einer Erfolgsbewertung. Die **C.-Forschung** strebte zunächst feste Lernziele mit detaillierter Vorausplanung an, orientierte sich dann aber stärker auf »offene Curricula« mit Freiräumen für Schüler und Lehrer.

Curry ['kœri, engl. 'kʌrɪ] *der* oder *das,* **1)** Gericht ostind. Herkunft von Fisch, Fleisch, Wild, Geflügel oder Gemüse in Currysoße mit Reis angerichtet.

2) (Currypulver) scharfes ostind. Mischgewürz aus 10 bis 20 Gewürzen, bes. aus der Gelbwurzel, daneben Ingwer, Pfeffer, Muskatblüte, Nelken, Piment, Paprika oder Chili, Zimt u.a.; fördert die Gallenabsonderung.

Cursor ['kə:sə; engl., von lat. cursor »Läufer«] *der,* auf dem Bildschirm eines Computers verschiebbare Marke, die anzeigt, auf welcher Stelle die nächste Eingabe erscheint. Der C. ist oft als Strich mit normaler Zeichenbreite oder als Pfeil ausgebildet, der zur besseren Erkennung eventuell blinkt.

Curtainwall-Konstruktion ['kə:tnwɔ:l-; engl. »Vorhangwand«], amerikan. Bez. für die nicht tragenden Konstruktionen aus Leichtmetall, Beton, Glas, Kunststoff, die bei Stahl-, Stahlbetonskelett- und Großtafelbauten an die tragenden Teile gehängt werden.

Curtea de Argeș [-'ardʒɛʃ], Stadt in Rumänien, am Südrand der Karpaten, 35400 Ew.; orth. Bischofssitz. – Die Fürstenkirche (um 1330; heute Museum) ist byzantinisch; die Bischofskirche (1512–17) zeigt Einflüsse byzantin. und islam. Baukunst (1886 restauriert). – Im 14. Jh. Residenz der Fürsten der Walachei.

Curtea de Argeș: In der von byzantinischer und islamischer Baukunst beeinflussten Bischofskirche (1512–17; 1886 restauriert) befinden sich die Gräber Ferdinands I. und Karls I. nebst Frauen

Curtis [mlat.] *die,* großer Wirtschaftshof im frühen MA., bes. die **C. regia,** der fränk. Königshof, der auch befestigt sein konnte.

Curtis-Turbine ['kə:tɪs-], von dem amerikan. Ingenieur C. G. Curtis (*1860, †1953) erfundene mehrstufige →Dampfturbine.

Curtius, 1) Ernst, Historiker, Archäologe und Philologe, *Lübeck 2. 9. 1814, †Berlin 11. 7. 1896, Bruder von 3), Großvater von 2); war 1844–49 Erzieher des späteren Kaisers Friedrich III., Prof. in Berlin und Göttingen. C. veranlasste und leitete 1875–81 die Ausgrabung von Olympia.

Werke: Grch. Gesch. 3 Bde. (1857–67); Die Stadtgesch. von Athen (1891); Altertum und Gegenwart, 3 Bde. (1892).

2) Ernst Robert, Romanist, *Thann (Elsass) 14. 4. 1886, †Rom 19. 4. 1956, Enkel von 1); Prof. in Marburg, Heidelberg und Bonn, trug zur Erschließung der zeitgenöss. frz. Literatur bei und widmete zahlr. Arbeiten dem Verständnis der frz. Kultur. Später wandte er sich der mittelalterl. Kultur zu und spürte dem Fortleben antiker Formen als einem gemeinsamen Erbe der europ. Welt durch das MA. bis in die Neuzeit nach; auch Übersetzer (aus dem Französischen und Spanischen).

Werke: »Die literarischen Wegbereiter des neuen Frankreich«, 1919, erweiterte Neuaufl. u.d.T. »Frz. Geist im 20. Jh.«, 1952; »Europ. Lit. und lat. Mittelalter«, 1948.

3) Georg, klass. Philologe, *Lübeck 16. 4. 1820, †Hermsdorf am Kynast (heute als Sobieszów zu Jelenia Góra) 12. 8. 1885, Bruder von 1); führte die Methoden der vergleichenden Sprachwissenschaft in die klass. Philologie ein.

4) Julius, Politiker (DVP), *Duisburg 7. 2. 1877, †Heidelberg 10. 11. 1948; 1926–29 Reichswirtschaftsmin., betrachtete sich als Reichsaußenmin. (1929–31) als »Testamentsvollstrecker« G. Stresemanns; setzte die Annahme des Youngplans durch.

Ernst Robert Curtius

5) Ludwig, Archäologe, *Augsburg 13. 12. 1874, †Rom 10. 4. 1954; 1928–37 Erster Direktor des Dt. Archäolog. Inst. in Rom, Forscher auf dem Gebiet der antiken Kunstgeschichte und Ikonographie.

Werke: Die Wandmalerei Pompejis (1929); Die antike Kunst, in: Hb. der Kunstwiss. Bd. 1 und Bd. 2 (1938).

Curzon ['kə:zn], **1)** Sir (seit 1977) Clifford, brit. Pianist, *London 18. 5. 1907, †ebd. 1. 9. 1982; v.a. bekannt als Mozart-, Beethoven-, Schubert- und Brahms-Interpret.

2) George Nathaniel, Marquess (seit 1921) C. of Kedlestone, brit. konservativer Politiker, *Kedlestone Hall (bei Derby) 11. 1. 1859, †London 20. 3. 1925; dehnte als Vizekönig von Indien (1898–1905) den brit. Einfluss nach Tibet, Afghanistan und Persien aus. 1916 wurde er Mitgl. des Kriegskabinetts unter Lloyd George. 1919–24 war er Außenminister.

George Nathaniel Curzon

Curzon-Lini|e ['kə:zn-], 1920 vom brit. Außenmin. G. Curzon vorgeschlagene Demarkationslinie zw. Polen und dem bolschewist. Russland zur Beilegung des Polnisch-Sowjet. Krieges; verlief von Dünaburg über Wilna, Grodno, Brest bis nach Przemyśl: Nach der Grenzziehung im Frieden von Riga (1921) zunächst bedeutungslos, wurde die C.-L. im 2. Weltkrieg Grundlage sowjet. Gebietsansprüche an Polen, dessen 1945 festgelegte Ostgrenze im Wesentlichen der C.-L. entspricht.

Cusanus, der Philosoph →Nikolaus von Kues.

Cusanuswerk · Bischöfliche Studienförderung [nach Nikolaus von Kues], Sitz: Bad Godesberg, gegr. 1956, Studienförderung für bes. begabte kath. Studentinnen und Studenten aller Fakultäten (außer Priesteramtskandidaten) an wiss. Hochschulen; die entsprechende Einrichtung der evang. Kirche ist das →Evangelische Studienwerk.

Cushing-Syndrom ['kʊʃɪŋ-], *Medizin:* eine von dem amerikan. Gehirnchirurgen H. Cushing (*1869, †1939) beschriebene Stoffwechselstörung durch Überproduktion von Hormonen der Nebennierenrinde. Die vom Hypothalamus ausgelöste Wucherung der Nebennierenrinde ist dafür die häufigste Ursache. Krankheitszeichen sind Fettleibigkeit, übermäßige Behaarung sowie Bluthochdruck. – Behandlung: Röntgenbestrahlung der Hirnanhangdrüse, chirurg. Entfernung der Geschwulst.

François de Cuvilliés d. Ä.: Zuschauerraum des Alten Residenztheaters in München (1750–53)

Custard-Apple ['kʌstəd æpl, engl.] *der,* trop. Obst, Frucht der →Netzannone.

George Armstrong Custer

Custer ['kʌstə], George Armstrong, amerikan. Offizier, *New Rumley (Oh.) 5. 12. 1839, ⚔ am Little Bighorn River (Mont.) 25. 6. 1876; erlitt als Kommandeur des 7. Kavallerieregiments 1876 in einem Gefecht mit den Sioux unter Sitting Bull eine vernichtende Niederlage.

Custodia [lat. »Wache«, »Schutz«] *die, kath. Kirche:* Gefäß, in dem die große Hostie für die Aussetzung des Allerheiligsten in der Monstranz aufbewahrt wird.

Custoza (fälschl. Custozza), Teil der italien. Gemeinde Sommacampagna, Prov. Verona; bekannt durch den Sieg der Österreicher am 25. 7. 1848 über König Karl Albert von Sardinien, am 24. 6. 1866 unter Erzherzog Albrecht über A. F. La Marmora.

Cutaway ['kʌtəweɪ; engl. »weggeschnitten«] *der,* Kurzform **Cut,** Herrenrock aus schwarzem Tuch mit vorn schräg geschnittenen Schößen; in Verbindung mit grauschwarz gestreifter Hose, heller Weste und Krawatte Tagesgesellschaftsanzug; kam in der 2. Hälfte des 19. Jh. auf.

Cuthbert, einer der meistverehrten Heiligen der angelsächs. und kelt. Kirche, *um 635, †Farne Islands 687; urspr. Schafhirt, nach 651 Prior des Klosters Old Melrose und in Lindisfarne; seit 676 Einsiedler auf Farne, 684–86 Bischof. Tag: 20. 3.

Cuticula, →Kutikula.

Cutis [lat.] *die,* →Haut.

Cutter ['kʌtə, engl.] *der,* **Cutterin** *die,* Schnittmeister(in) bei Film, Hörfunk und Fernsehen; schneidet z. B. aus den getrennt aufgenommenen Szenen den Gesamtfilm zu, d. h., entfernt unbrauchbare Szenen(teile), legt die Szenenfolge fest.

Cuvée [ky've, frz.] *die* auch *das,* Mischung verschiedener Weine, bes. zur Gewinnung eines bestimmten einheitl. Weines (u. a. bei Bordeauxweinen) oder Schaumweins sowie von Destillaten bei der Weinbrandherstellung. **Tête de C.,** Spitzenwein.

Cuvier [ky'vje], Georges Baron de, frz. Naturforscher, *Montbéliard 23. 8. 1769, †Paris 13. 5. 1832; teilte das Tierreich in vier Typen: Wirbel-, Weich-, Glieder- und Strahltiere; Mitbegründer der wiss. Paläontologie. Nach seiner »Katastrophentheorie« ist das Leben periodisch durch Katastrophen vernichtet und wieder erschaffen worden.

Cuvilliés [kyvi'je], François de (d. Ä.), Baumeister und Dekorateur, *Soignies (Prov. Hennegau) 23. 10. 1695, †München 14. 4. 1768; trat mit 13 Jahren als Hofzwerg in den Dienst des Kurfürsten Max Emmanuel von Bayern, der ihn in Paris u. a. bei F. Blondel d. J. zum Architekten ausbilden ließ. In seinen Innenräumen verbindet sich Pariser Eleganz mit der Fantasiefülle des Rokoko: Amalienburg im Park von Schloss Nymphenburg (1734–39), Altes Residenztheater (C.-Theater) München (1750–53).

Cuxhaven, 1) Landkreis im RegBez. Lüneburg, Ndsachs., 2 072 km^2, (1996) 199 000 Einwohner.

2) Krst. von 1) in Ndsachs., an der Elbmündung, 55 100 Ew.; Seefahrtschule, Lotsenstation, Forschungseinrichtungen für Fischerei; Seefischerei, Fischind. und -großhandel. Vor dem alten Hafen liegt das bekannte Bollwerk »Alte Liebe« und das »Steubenhöft« als moderner Lande- und Ausreiseplatz des Passagierverkehrs. Seit 1964 staatlich anerkanntes Seebad mit vom Hafen getrennten Stränden (C.-Duhnen, C.-Döse, C.-Sahlenburg). – C. (1570 erstmals erwähnt) erhielt 1907 Stadtrecht. 1937 kam C. an Preußen.

Cuyp [kœjp], Aelbert Gerritsz, niederländ. Maler, *Dordrecht Okt. 1620, begraben ebd. 15. 11. 1691; schuf Seestücke, Interieurs und Landschaften in lichtdurchfluteter Atmosphäre.

Cuza ['kuza], Alexandru Ioan I., erster gewählter Fürst von Rumänien, *Bârlad 20. 3. 1820, †Heidelberg 15. 5. 1873; wurde 1859 zum Fürsten der Moldau und der Walachei ausgerufen, die er 1862 unter dem Namen Rumänien vereinigte; führte liberale Reformen durch; 1866 gestürzt.

Cuzco ['kusko] (Cusco), Hptst. des peruan. Dep. C., im Andenhochland, 3380 m ü. M., 255 600 Ew.; Erzbischofssitz, Univ.; Textilind; Flugplatz. – Auf den Mauerresten von Palästen und Tempeln der ehem. Inkahauptstadt (1440–1532) errichteten die Spanier das koloniale C.: Kathedrale (1560–1654, indian. Steinmetzarbeiten) an der Plaza de Armas u. a. Kirchen und Klöster, wie Santo Domingo (z. T. vor 1650, auf den Resten des Sonnentempels), La Merced (begonnen 1534), Santa Catalina (churrigueresker Retabel), Jesuitenkirche (1650–68). Die Altstadt wurde von der UNESCO zum Weltkulturerbe erklärt. In der Umgebung →Sacsayhuamán. – C., Ende des 12. Jh. gegr., Hptst. des Inkareiches, wurde 1533 durch Pizarro erobert; mehrfach von Erdbeben heimgesucht.

Cuzco: Die Kathedrale an der Plaza de Armas (1560–1654)

CV, Abk. für **C**artell-**V**erband, →studentische Verbindungen.

CVD-Verfahren [CVD, Abk. für engl. **c**hemical **v**apor **d**eposition], die Abscheidung verschleiß- und korrosionsschützender Schichten auf Werkstücken, von Dotierungselementen auf Halbleiteroberflächen oder von hochreinen Gläsern auf einem Substrat. Im Ggs. zum Aufdampfen entsteht das aufzubringende Material chemisch aus der Gasphase bei Temperaturen zw. 500 und 1100 °C.

CVFR, Abk. für engl. **c**ontrolled **v**isual **f**light **r**ules, ein durch den Flugverkehrskontrolldienst überwachter Flug (→Sichtflug).

CVJM, Abk. für →**C**hristlicher **V**erein **J**unger **M**änner.

CVP, Abk. für →**C**hristlichdemokratische **V**olks**p**artei der Schweiz.

C-Waffen-Abkommen, Kurzbezeichnung für die →Konvention über das Verbot der Entwicklung, Herstellung und Lagerung chemischer Waffen.

c_w-Wert (Widerstandsbeiwert), Formelzeichen c_w, eine experimentell bestimmte, dimensionslose Kennzahl, die die aerodynam. Güte eines Körpers kennzeichnet; Körper (z. B. Kraftfahrzeuge) mit geringerem c_w-W. sind »windschlüpfiger«.

Cyan [von grch. kýanos »stahlblau«] *das, Farbenlehre* und *Drucktechnik:* Kurzbez. für die Farbe Cyanblau, ein grünstichiges Blau; eine der drei Grundfarben bzw. Normdruckfarben.

Cyan... (Zyan...), Bez. der chem. Nomenklatur für die aus einem Kohlenstoff- und einem Stickstoffatom bestehende Gruppe –C≡N; bei organ. Verbindungen durch das Präfix **Cyan(o)-** oder das Suffix **-nitril** gekennzeichnet.

Cyanate, Salze und Ester der Cyansäure.

Cyanide, Salze der Blausäure.

Cyanidlaugerei, Gold- und Silbergewinnungsverfahren mithilfe von Natriumcyanid; die Edelmetalle werden als Cyanokomplexe aus dem gemahlenen Erz gelöst und dann elektrolytisch abgeschieden.

Cyanit [nach der Farbe, vgl. Cyan] *der,* Mineral, →Disthen.

Cyankali (Cyankalium, Kaliumcyanid), →Blausäurevergiftung.

Cyanobakterien (Cyanophyta, Blaualgen), einzellige oder zu Kolonien bzw. Zellfäden verbundene, meist sehr kleine, vorwiegend blau- oder olivgrüne, aber auch rote oder schwarze, autotrophe Prokaryonten. C. sind bis in arkt. Bereiche verbreitet, können jedoch auch in heißen Quellen leben; frei schwebend in Seen bilden sie die »Wasserblüte«; einige Arten sind giftig.

c_w-Wert

Der Luftwiderstand F_R eines Körpers berechnet sich aus seinem Querschnitt A, dem durch die Form bestimmten c_w-Wert, der Luftdichte ρ und der Geschwindigkeit v nach

$$F_R = (1/2) \cdot c_w \cdot \rho \cdot A \cdot v^2$$

Bei einer Verdopplung der Geschwindigkeit steigt der Luftwiderstand auf das Vierfache! Unterschätzt wird meist auch der Einfluss der Stirnfläche A: Der Luftwiderstand eines »Minivans« ist (bei gleichem c_w-Wert) allein aufgrund der größeren Höhe ca. 25 % höher als bei einem vergleichbaren Kombiwagen.

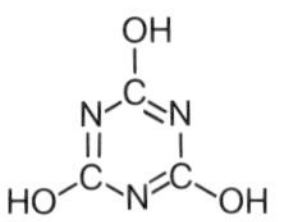

Cyansäure:
Cyanursäure,
$C_3H_3N_3O_3$

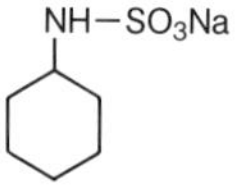

Cyclamate:
Natriumcyclamat

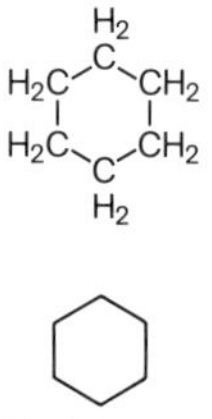

Cyclohexan
(unten vereinfachte Schreibweise)

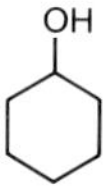

Cyclohexanol

Józef Cyrankiewicz

Cyansäure, farblose, unbeständige Säure mit der Normalform H–O–C≡N; ihre Salze heißen **Cyanate.** Die tautomere Isoform H–N=C=O (Isocyansäure) bildet Isocyanate. Eine weitere isomere Form der C. ist die →Knallsäure. **Cyanursäure** ist eine trimere Form der C. Ihre Chlorderivate werden in Scheuer- und Geschirrspülmitteln sowie als Desinfektionsmittel verwendet. **Cyanurchlorid** wird u.a. zu Herbiziden und Reaktivfarbstoffen weiterverarbeitet.

Cyanverbindungen, chem. Verbindungen mit der Atomgruppe CN–, die in ihren chem. Eigenschaften dem Halogenidion ähnlich ist **(Pseudohalogenid).** – Die einfachste C. ist die Blausäure. Ihre Salze sind die **Cyanide,** z.B. das weiße, leicht lösl., giftige **Kaliumcyanid,** KCN. Einige komplexe Cyanide, wie das **Blutlaugensalz,** haben wiss. und techn. Bedeutung. – Die Alkalicyanide werden in der Cyanidlaugerei und in der Galvanotechnik verwendet, **Calciumcyanid,** $Ca(CN)_2$, zur Schädlingsbekämpfung. Durch Aufnahme von Schwefel gehen die Cyanide in die Thiocyanate über.

Cyanwasserstoff, die →Blausäure.

Cyberspace ['saɪbəspeɪs; engl. »künstlicher Raum«], vom Sciencefictionautor W. Gibson (1948) geprägter Begriff für eine futuristische Welt, in der alle Computer vernetzt sind; wird heute oftmals für →Internet, World Wide Web (→www) oder →virtuelle Realität verwendet.

Cyclamate, Salze der Cyclohexylsulfaminsäure, künstl. →Süßstoffe, die kalorienfrei und kochbeständig sind und rasch durch Nieren und Darm ausgeschieden werden; z.B. Natrium-C.

Cyclamen [grch.] *das,* →Alpenveilchen.

cycl(o)... (zykl(o)...) [grch. kýklos »Kreis«], in chem. u.a. Namen: kreisförmige oder periodisch wiederkehrende Erscheinungen.

Cyclo|alkane, →Alkane.

Cyclo|alkene (Cycloolefine), ungesättigte alizykl. Kohlenwasserstoffe der allg. Formel C_nH_{2n-2}.

Cyclohexan, flüssiger Kohlenwasserstoff, der im Erdöl vorkommt und technisch durch Hydrierung von Benzol hergestellt wird. C. und seine Derivate **Cyclohexanol** und **Cyclohexanon** werden als Lösungsmittel und als Ausgangsstoff für die Herstellung von Adipinsäure und Caprolactam verwendet.

Cyclohexanol, Kurzbez. **Anol,** einwertiger, zykl. Alkohol, farblose Flüssigkeit, Herstellung durch katalyt. Hydrierung von Phenol. Verwendung als Lösungsmittel, bes. aber mit Cyclohexanon zur Herstellung von Caprolactam und Adipinsäure.

Cycloparaffine, →Alkane.

Cyclostomata, die →Rundmäuler.

Cygnus [lat.], das Sternbild →Schwan.

Cymbala [grch.], **1)** im Altertum zwei kleine Metallbecken, die an winkelförmig verbundenen Stäben befestigt waren.

2) im MA. ein Glockenspiel.

Cymophan [grch.] *der,* Edelsteinvarietät des →Chrysoberyll.

Cynewulf ['ky:nə-, engl. 'kɪnɪwʊlf], altengl. Dichter der 2. Hälfte des 8. oder der 1. Hälfte des 9. Jh.; vermutlich Kleriker; über sein Leben ist nichts bekannt, allerdings können ihm vier Dichtungen sicher zugeschrieben werden, deren Stoff nach lat. Vorlagen in altengl. Stabreimdichtung gestaltet ist.

Cypern, Mittelmeerinsel, →Zypern.

Cyprianus, Thascius Caecilius, Kirchenvater, *um 200/210, †Karthago 14. 9. 258; wurde 248 Bischof von Karthago; leitete die Kirche während der Christenverfolgungen unter Decius und Valerian; 258 enthauptet; bed. Kirchenschriftsteller, Heiliger, Tag: 16. 9.

📖 ADOLPH, A.: *Die Theologie der Einheit der Kirche bei Cyprian. Frankfurt am Main 1993.*

Cyrankiewicz [tsiraŋ'kjɛvitʃ], Józef, poln. Politiker, *Tarnów 23. 4. 1911, †Warschau 20. 1. 1989; als Widerstandskämpfer 1941–45 in dt. KZ, wurde 1945 Gen.-Sekr. der Sozialist. Partei (PPS), die er 1948 mit den Kommunisten zur Poln. Vereinigten Arbeiterpartei (PZPR) verschmolz. 1947–52 und 1954–70 war er Min.Präs., 1970–72 Vors. des Staatsrats (Staatsoberhaupt).

Cyrano de Bergerac [sira'no də bɛrʒə'rak], Savinien de, eigtl. Hector-Savinien de Cyrano, frz. Schriftsteller, *Paris 6. 3. 1619, †ebd. 28. 7. 1655; ein Vorläufer der Aufklärung, schrieb zwei fantast. Romane von Reisen zu den Mond- und Sonnenbewohnern (hg. 1657 bzw. 1662, beide zus. dt. u. d. T. »Mondstaaten und Sonnenreiche«), eine Tragödie und ein Prosalustspiel. Hauptfigur in E. Rostands gleichnamigem Versdrama »C. d. B.« (1897).

📖 ALCOVER, M.: *Cyrano relu et corrigé. Genf 1990.*

Cyrenaika (altgrch. Kyrenaika, arab. Al-Barka), geschichtl. Landschaft in O-Libyen, reicht von W nach O von der Großen Syrte bis nach Ägypten hinein. Den NW der C. nimmt das verkarstete, nach N in Terrassen abfallende Hochland von **Barka** ein, im Djebel al-Achdar 876 m hoch. Östlich davon das Küstengebiet der **Marmarika,** vereinzelt bis zu 300 und 400 m ü.M. Südlich greift die C. tief in die **Libysche Wüste** (u.a. mit den Djalo- und Kufra-Oasen) ein. An der Mittelmeerküste liegen die Häfen Tobruk und Bengasi. – Die C., nach der im 7. Jh. v.Chr. gegr. Stadt **Kyrene** benannt, war altes grch. Kolonialgebiet; sie stand 322 bis 96 unter der Herrschaft der Ptolemäer und wurde 74 v.Chr. römisch. Die Araber eroberten 641/643 n.Chr. das Land und nannten es nach der Stadt

Barka. Mit Tripolitanien wurde es 1517 türkisch und kam 1912 zu Italien. Der bewaffnete Widerstand der Senussi unter Omar al-Mukhtar (*1862, †1931) konnte erst 1931 gebrochen werden; die C. wurde durch italien. Siedler erschlossen. 1940–42 von italien. und dt. sowie brit. Truppen stark umkämpft. 1949 kam die C. zum neuen Königreich Libyen.

Cyriacus, röm. Märtyrer, † um 309; einer der 14 Nothelfer, angerufen gegen böse Geister. Heiliger, Tag: 8. 8.

Cyrus, pers. Könige, →Kyros.

Cystein *das,* Abk. **Cys,** schwefelhaltige nichtessenzielle Aminosäure, die im Zellstoffwechsel eine bed. Rolle spielt; Eiweißbaustein. Oxidation der SH-Gruppen zweier C.-Moleküle führt zur Bildung von Disulfidbrückenbindungen zw. zwei Eiweißketten **(Insulin),** flächenförmiger »Vernetzung« **(Keratin),** Bildung von Schlingen **(Trypsin).**

Cystin [grch.] *das,* schwefelhaltige Aminosäure mit Disulfidbindung, Oxidationsprodukt des Cysteins. Vorkommen in Hornsubstanzen. Auftreten von C. im Harn **(Cystinurie)** kann zur Bildung von Harnsteinen führen.

Cystitis [grch.] *die* (Zystitis), die →Blasenentzündung.

cyt(o)... (zyt(o)...) [grch.], zell...

Cytochrome (Zytochrome), Hämoproteine, die u. a. an der Zellatmung als Redoxkatalysatoren, an der →Photosynthese oder an Hydroxylierungsreaktionen beteiligt sind.

Cytosomen, *Zellbiologie:* Sammelbez. für membranumschlossene Bläschen, die durch Abschnürungen aus dem endoplasmat. Retikulum oder den Dictyosomen entstehen.

Cytostatika (Zytostatika), →zytostatische Mittel.

Czarna Woda [tʃ-], Fluss in Polen, →Schwarzwasser.

Czartoryski [tʃartɔ'rɪski], litauisch-poln. Adelsgeschlecht, 1623 in den Reichsfürstenstand erhoben. Fürst Adam Jerzy, *Warschau 14. 1. 1770, †Schloss Montfermeil bei Paris 15. 7. 1861; war seit 1795 Vertrauter des späteren Kaisers Alexander I., Kurator aller Lehranstalten im russ. Polen und 1804–06 russ. Außenmin. Er entwarf 1815 die Verfassung des Königreiches Polen (Kongresspolen). Obwohl Gegner des poln. Aufstandes von 1831, übernahm er den Vorsitz in der Nationalreg. Danach lebte er in Paris, wo sein Wohnsitz, das Hôtel Lambert, zum Zentrum der poln. Emigration wurde.

Czech [tʃɛç], Ludwig, sudetendt. Politiker, *Lemberg 14. 2. 1870, †KZ Theresienstadt 20. 8. 1942; seit 1920 Vors. der »Dt. Sozialdemokrat. Arbeiterpartei in der Tschechoslowak. Republik« (DSAP), bekannte sich zu einer Zusammenarbeit der Sudetendeutschen mit dem tschechoslowak. Staat. 1929–38 war er Min. in versch. Regierungen, u. a. Gesundheitsmin.; 1941 inhaftierte ihn die dt. Besatzungsmacht im KZ Theresienstadt.

Czechowski [tʃ-], Karl Heinz, Schriftsteller, *Dresden 7. 2. 1935; schreibt v. a. von seiner sächs. Heimat geprägte Natur- und Gedankenlyrik: »Nachmittag eines Liebespaares« (1962); »An Freund und Feind« (1983); »Auf die im Feuer versunkene Stadt« (Gedichte und Prosa, 1990).

Czenstochau [tʃ-], Stadt in Polen, →Tschenstochau.

Czernin ['tʃɛrni:n], Ottokar, Graf C. von und zu Chudenitz, österr.-ungar. Politiker, *Dymokury (bei Nymburk, Mittelböhm. Gebiet) 26. 9. 1872, †Wien 4. 4. 1932; dem Thronfolger Franz Ferdinand nahe stehend, 1913 Gesandter in Bukarest und im Dez. 1916 Außenmin.; erstrebte eine rasche Beendigung des Krieges; musste nach der Sixtusaffäre (→Sixtus, Prinz von Bourbon-Parma) 1918 zurücktreten.

Czernowitz ['tʃɛr-], Stadt in der Ukraine, →Tschernowzy.

Cystin

Czerny ['tʃɛrni], **1)** Carl, österr. Klavierpädagoge, Komponist, *Wien 21. 2. 1791, †ebd. 15. 7. 1857; Schüler Beethovens, Lehrer Liszts. Von seinen über 1000 Kompositionen behielten nur die klavierpädagog. Werke Bestand (u. a. »Schule der Geläufigkeit«).

2) Vinzenz, Chirurg, *Trautenau 19. 11. 1842, †Heidelberg 3. 10. 1916; Prof. in Freiburg im Breisgau und in Heidelberg (ab 1877), ab 1906 Direktor des von ihm gegr. Krebsforschungsinst. Heidelberg.

Częstochowa [tʃɛ̃stɔ'xɔva], Stadt in Polen, →Tschenstochau.

Czibulka [tʃ-], Alfons Freiherr von, Schriftsteller, *Schloss Radboř bei Prag 28. 6. 1888, †München 22. 10. 1969; schrieb Erzählungen und Romane vorwiegend aus der Welt des alten Österreich: »Der Kerzelmacher von St. Stephan« (1937), »Das Abschiedskonzert« (Haydn-Roman, 1944), »Mozart in Wien« (Biographie, 1962).

Cziffra ['tsifrɔ], **1)** Géza von, Filmregisseur, *Arad (Rumänien) 19. 12. 1900, †Dießen a. Ammersee 28. 4. 1989; war in Wien Journalist, später in Berlin Drehbuchautor und Filmdramaturg, seit 1942 vorwiegend Musik- und Revuefilme; begr. 1945 die C.-Film GmbH in Wien.

2) György (Georges), frz. Pianist ungar. Herkunft, *Budapest 5. 11. 1921, †Paris 15. 1. 1994; bes. Chopin- und Liszt-Interpret.

Człuchow ['tʃu̯uxuf] (dt. Schlochau), Stadt in der Wwschaft Słupsk (Stolp), Polen, 14 700 Ew.; Holz-, chem., Textilind.; Ruine einer der stärksten Burgen des Dt. Ordens.

Altsemitisch | Altgriechisch | Römische Kapitalschrift | Unziale und karoling. Minuskel

d, D [de:], **1)** stimmhafter dentaler Verschlusslaut (→Laut); vierter Buchstabe im dt. Alphabet.

2) Abk. **d** im Lateinischen für →**d**etur, im Englischen für **D**enar (Penny, Pence). **D** für Durchgangszug (→D-Zug); Kfz-Nationalitätszeichen für **D**eutschland.

3) *Chemie:* **d,** vor Verbindungen Zeichen für optisch rechtsdrehend (dextrogyr); **D,** Symbol für →Deuterium.

4) *Einheitenzeichen:* **d** für Tag; *Mathematik:* **d,** Symbol für Differenzial (→Differenzialrechnung).

5) *Formelzeichen: d* für →Durchmesser; *D* für →Brechwert; ***D*** für →elektrische Flussdichte.

6) *Homöopathie:* D, Angabe der Zehnerpotenz der Verdünnung, z.B. D1 = 1:10, D2 = 1:100 usw.

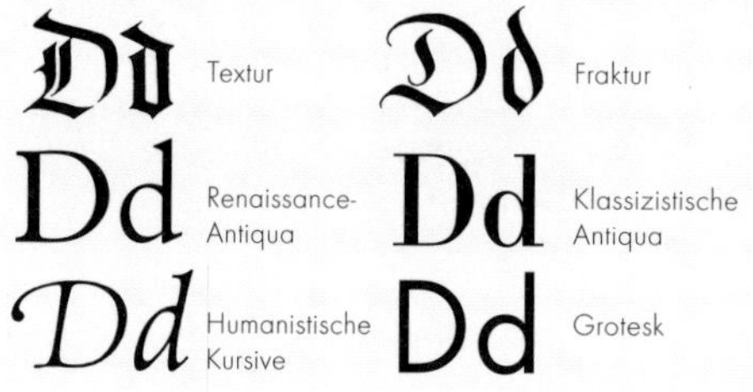

Druckschriftvarianten des Buchstabens **D**

7) *Münzwesen:* **D,** Zeichen für die Prägestätten Graz, Lyon, München u.a.

8) *Musik:* a) **d,** zweiter Ton der C-Dur-Tonleiter. b) als Akkord- und Tonartbez. **d** = d-Moll, **D** = D-Dur. c) **D,** in der Harmonie für →**D**ominante.

9) *Physik:* **d,** Symbol für das →Deuteron.

10) *Vorsatzzeichen:* **d** für →Dezi.

11) röm. *Zahlzeichen:* **D** = 500.

°d, Kurzzeichen für die →Wasserhärte in dt. Härtegraden.

da, Vorsatzzeichen für →Deka.

D. A., in röm. Inschriften Abk. für **D**ivus **Au**gustus, →Divus.

d. Ä., Abk. für **d**er **Ä**ltere.

DAAD, Abk. für →**D**eutscher **A**kademischer **A**ustausch**d**ienst e.V.

DAB, 1) Abk. für →**D**eutsches **A**rznei**b**uch.

2) Abk. für **D**igital **A**udio **B**roadcasting, →digitaler Hörfunk.

Dąbrowa Górnicza [dɔm- gurˈnitʃa], Industriestadt in der poln. Wwschaft Katowice (Kattowitz), Oberschlesien, 132800 Ew.; Eisenhütte, Glashütte, Kohlenbergbau; Metallind., Maschinenbau.

Dąbrowska [dɔm-], Maria, poln. Schriftstellerin, *Russów (bei Kalisz) 6. 10. 1889, †Warschau 19. 5. 1965; schrieb realist. Romane, u.a. »Nächte und Tage« (4 Bde., 1932–34).

da cạpo [italien.], Abk. **d. c.,** von Anfang an; Anweisung zur Wiederholung eines Musikstücks vom Anfang bis zu einer mit »Fine« oder einem Schlusszeichen bezeichneten Stelle.

Dacca [ˈdækə], Hauptstadt von Bangladesh, →Dhaka.

Dach, der obere, gegen Witterungseinflüsse schützende Abschluss eines Gebäudes; besteht aus der Tragkonstruktion **(D.-Verband)** aus Holz **(D.-Gerüst),** Stahl oder Stahlbeton und der Dachdeckung. Nach dem Neigungswinkel unterscheidet man **Flach-D.** (bis 5° D.-Neigung), **mäßig steiles D.** (von über 5° und weniger als 40°) und **Steil-D.** (40° und steiler); nach der Form der D.-Fläche das ungebrochene, gebrochene, gebogene und runde D. Nach der Konstruktion und dem Werkstoff unterscheidet man a) das **zimmermannsmäßige D.,** bei dem das tragende Gerüst der D.-Stuhl ist, der je nach Gebäudetiefe als einfacher, doppelter oder dreifacher Stuhl (stehender oder liegender Stuhl) ausgebildet ist. Typisch zimmermannsmäßige D.-Konstruktionen sind das Sparren-, Kehlbalken- und Pfetten-D.; b) **D.-Konstruktionen für große Spannweiten** nach den Regeln des Ingenieurholzbaus als Hänge- oder Sprengwerk aus Fachwerk- oder Vollwandbindern; c) das **Stahl-D.,** bei dem die D.-Konstruktion aus →Bindern und Pfetten besteht; d) das **Stahlbeton-D.,** bei dem die Tragkonstruktion monolithisch oder in der Montagebauweise ausgeführt wird und meistens zugleich die D.-Fläche

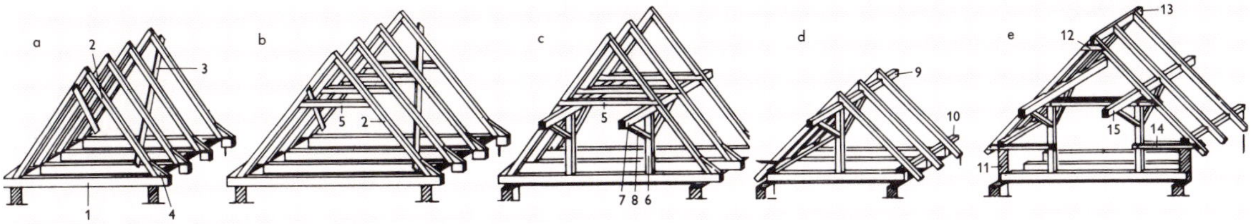

Dach: Dachkonstruktionen: a Sparrendach, b Einfaches Kehlbalkendach, c Kehlbalkendach mit zweifach stehendem Stuhl, d Einfaches Pfettendach, e Pfettendach mit zweifach stehendem Stuhl; 1 Dachbalken, 2 Sparren, 3 Windrispe, 4 Aufschiebling, 5 Kehlbalken, 6 Stuhlsäule (Stiel, Pfosten), 7 Rähm (Seitenpfette), 8 Bug, 9 Firstpfette, 10 Fußpfette, 11 Drempel (Kniestock), 12 Hahnenbalken, 13 Firstlatte (Firstbohle), 14 Doppelzange, 15 Mittelpfette

bildet. Nach bauphysikal. Gesichtspunkten unterscheidet man a) das einschalige **Warm-D.,** bei dem die obere Geschossdecke den Gebäudeabschluss bildet; das entspannte Warm-D. hat von der Traufe bis zum First durchgehende Diffusionskanäle und -einsätze; b) das zweischalige **Kalt-D.** mit einem Luftraum zw. D.-Haut (Wetterschale) und D.-Geschossdecke (Tragschale). – Dachkonstruktionen: BILD

Dach, Simon, Dichter, *Memel 29. 7. 1605, †Königsberg (Pr) 15. 4. 1659; fand in seinen Liedern (z.T. vertont von H. Albert) einen eigenen Ton für den Ausdruck sanfter Schwermut und maßvollen Lebensgenusses. Die Autorschaft des Liedes »Ännchen von Tharau« (D. oder H. Albert) ist umstritten.

Simon Dach (Kupferstich; 1730)

Dachau, 1) Landkreis im RegBez. Oberbayern, 579 km², (1996) 122 100 Ew.; Krst. ist Dachau.

2) Krst. von 1) und Große Kreisstadt in Bayern, an der Amper, am Rand des **Dachauer Mooses,** 36 500 Ew.; elektrotechn. und Papierind., Maschinenbau. Bei D. befand sich 1933–45 ein KZ; heute Gedenkstätte mit Museum, Archiv, Bibliothek, Mahnmal und Sühnekloster. – Schloss (1546–73, z.T. 1806–09 abgebrochen). – 805 erstmals erwähnt, seit 1937 Stadt.

Dachse: Der Europäische Dachs (Kopf-Rumpf-Länge 60–85 cm)

Dachdecker, Bauschaffender, der Hausbedachungen herstellt; handwerklicher Ausbildungsberuf mit dreijähriger Ausbildungsdauer.

Dachfläche, *Geologie:* die obere Begrenzungsfläche einer Schicht; Ggs.: Sohlfläche.

Dachgarten (Dachterrasse), als Garten, Terrasse o.Ä. gestaltetes Flachdach. Als Untergrund eignet sich jede massive Deckenbauart genügender Tragfähigkeit und Dichtheit. Plattenbeläge verlegt man auf eine Sandschicht über mehrere Lagen Dachpappe, Asphaltfilz oder Gussasphalt.

Dachgaupe (Dachgaube), Dachaufbau für ein stehendes Dachfenster; sanft geschweifte **Fledermausgaupen** sind nur möglich bei anschmiegsamer Dachdeckung (Stroh, Schiefer, Metall), sonst werden **Schlepp-, Giebel-** oder **Walmgaupen** gebaut.

Dachgesellschaft, Gesellschaft (meist AG oder GmbH) zur einheitl. Leitung eines Konzerns (→Holdinggesellschaft).

Dachla (Dakhla), größte Oase im Neuen Tal in der Libyschen Wüste, Ägypten, etwa 60 000 Ew.; Hauptort ist Mut; heiße Quellen; Ruinen aus der Zeit des Alten Reiches (um 2300 v.Chr. und später) und der Römer; Felsengräber (1./2. Jh.).

Dachpappe, mit Teer oder Bitumen imprägnierte Rohdachpappe zum Verlegen bes. auf Dächern, häufig mit mineral. Stoffen bestreut. Rohstoffe für die D. sind Altpapier und Hadern.

Dachreiter, kleiner Glockenturm auf dem Dachfirst, bes. auf den sonst turmlosen Zisterzienserkirchen.

Dachrinne, an der Traufe des Dachs angebrachtes Gerinne zur Ableitung des Regenwassers in das Fallrohr; aus Zink-, Kupfer-, verzinktem Stahlblech oder Kunststoff.

Dachschiefer, feinkörnige, harte graue Tonschiefer mit ebenflächiger Spaltbarkeit; die aus D. gewonnenen Platten werden als Dach-, Fassaden-, Boden- und Tischplatten verwendet.

Dachse (Melinae), Unterfamilie der Marder. Der **Europ. D.** (Meles meles) ist 60–85 cm lang; am weißen Kopf je ein schwarzer Längsstreifen über Augen und Ohren; starke Grabkrallen an den Vorderbeinen, eine Drüsentasche am After, kurzer Schwanz, gelblich graues Rückenfell mit langen, harten Grannenhaaren; Bauchseite bräunlich schwarz; Allesfresser. Dämmerungs- und Nachttier, lebt in selbst gegrabenen Bauen und hält keinen echten Winterschlaf. – In SO-Asien lebt der

Schweins-D. (Arctonyx collaris); auf Borneo, Sumatra und Java kommt der **Malaiische Stink-D.** oder **Teledu** (Mydaus javanensis) vor; der **Philippinen-Stink-D.** (Suillotaxus marchei) gehört einer eigenen Gatt. an. Der **Amerikan.** oder **Silber-D.** (Taxidea taxus) bewohnt die Prärie Nordamerikas. Marderähnlich wirken die **Sonnen-D.** (Melogale). Den D. verwandt sind die →Honigdachse.

Dachshunde, die →Dackel.

Dachstein, verkarstetes Kalkhochplateau in den Nördl. Kalkalpen, Österreich, an der Grenze zw. Steiermark, Salzburg und Oberösterreich, im Hohen Dachstein 2995 m ü. M., mit den östlichsten Gletschern der Alpen; am Nordabfall zwei Höhlensysteme (Rieseneishöhle, Mammuthöhle); Seilbahnen von Obertraun und Ramsau; seit Mitte des 19. Jh. für den Tourismus erschlossen.

Dachwurz, Art der Gattung →Hauswurz.

Dachziegel, aus Ton oder tonigen Massen gebrannte Formteile zum Dachdecken, die mit einer angesetzten Nase an der Dachlatte angehängt werden. Nach der Art der Herstellung werden die in Stempelpressen hergestellten **Press-D. (Falzziegel, Reformpfannen, Falzpfannen, Flachdachpfannen, Krempziegel)** und die in Strangpressen hergestellten **Strang-D. (Hohlpfannen, Biberschwänze, Strangfalzziegel)** unterschieden. Daneben gibt es Sonderziegel, z. B. **Mönch-** und **Nonnenziegel** sowie **Klosterpfannen.**

Dackel (Dachshunde, Teckel), niedrige, kurzläufige, lang gestreckte dt. Hunderasse; robuste Tiere mit guten jagdl. Eigenschaften. Die D. werden unterschieden nach der Haarart (Kurzhaar-, Rauhaar-, Langhaar-D.) und nach der Größe (Normal-, Zwerg-, Kaninchendackel).

Dackellähme (Teckellähme), Lähmung der hinteren Gliedmaßen (Nachhand) infolge Bandscheibenvorfalls; tritt vorwiegend bei Hunderassen auf, die ein ungünstiges Verhältnis zw. Körperhöhe und Rumpflänge aufweisen (Dackel, Bassets, Pekinesen u. a.).

Dacko, David, zentralafrikan. Politiker, *Bouchia 24. 3. 1930; 1956–66 MinPräs., 1960–66 auch Staatspräs.; durch J.-B. Bokassa entmachtet, war D. nach dessen Sturz 1979–81 erneut Staatspräsident.

Dackel

Wie ein Dackel aussehen soll, bestimmt der »Deutsche Teckelklub von 1888«. Das geht von der Kopfhaltung bis zur Beinform (»nicht fassbeinig«). Die drei Arten, Rauhaar, Langhaar- und Kurzhaardackel, werden je nach Brustumfang in Kaninchenteckel, Zwergteckel und Normalteckel eingeteilt. Neben den ein- und zweifarbigen Exemplaren gibt es noch eine gefleckte Variante, bei der sich die Hüter des Teckelwesens kühn über Charakter und Aussehen des Tiers hinwegsetzen: Sie nennen ihn stolz »Tigerteckel«!

Dada [frz. kindersprachlich »Pferdchen«] *der,* internat. Kunst- und Literaturrichtung, entstanden unter dem Eindruck des 1. Weltkrieges. In Zürich (1916–18) betrieben H. Ball, Emmy Ball-Hennings (*1885, †1948), R. Huelsenbeck, Marcel Janco (*1895, †1984), T. Tzara, H. Arp u. a. das »Cabaret Voltaire«, das aus Protest gegen Kunstformen und ästhet. Wertmaßstäbe des (Bildungs)bürgertums provokative Antiprogramme mit Geräuschkonzerten, Lautgedichten, literar. →Montagen veranstaltete. Der Berliner D. (1918–20 mit Huelsenbeck, W. Herzfelde und J. Heartfield, G. Grosz, R. Hausmann, Hannah Höch, W. Mehring) veranstaltete im »Club D.« eine »Internat. D.-Messe« (Juni 1920). Der Kölner D. (1919/20 mit M. Ernst und H. Arp) gipfelte in der Ausstellung »D.-Vorfrühling« im April 1920, die nach polizeil. Schließung dann doch gezeigt werden konnte (»D. siegt«). In Hannover proklamierte K. Schwitters eine D.-Version unter dem Namen »Merzkunst«. – Die Bedeutung des D. für die moderne Kunst (Literatur, Musik, Malerei, Film) ist nicht gering. Im neorealist. Roman geht die »Simultanmethode« (J. Joyce, J. Dos Passos, frühe Werke A. Döblins) mit auf ihn zurück. In Frankreich entwickelte sich der D. zum →Surrealismus weiter (A. Breton, L. Aragon, P. Éluard, P. Soupault). Hier wie in Berlin war die politisch linksgerichtete Komponente bes. deutlich.

Dada: Titelblatt der in Zürich erschienenen Zeitschrift »Der Dada« (1919; Nummer 4 und 5)

🕮 *Sinn aus Unsinn. D. International, hg. v.* W. Paulsen *u.* H. G. Hermann. *Bern u. a. 1982.* – Bergius, H.: *Das Lachen Dadas. Die Berliner Dadaisten u. ihre Aktionen. Neuausg. Gießen 1993.* –

Dada: Das von Hans Arp dargestellte Porträt von Tristan Tzara stammt aus dem Gründungsjahr der Züricher Dadaistengruppe (1916; Locarno, Privatbesitz)

D. Eine literar. Dokumentation, hg. v. R. HUELSENBECK. *Neuausg. Reinbek 15.–16. Tsd. 1994.* – *DADA total. Manifeste, Texte, Bilder, hg. v.* K. RIHA *u.* J. SCHÄFER. *Stuttgart 1994.* – KORTE, H.: *Die Dadaisten. Reinbek 1994.*

Dädalus, lat. für →Daidalos.

Daddi, Bernardo, italien. Maler, *Florenz um 1295, †um 1348; steht in der Nachfolge Giottos; neben Fresken (S. Croce, Florenz) Altarwerke und kleine Andachtsbilder.

Dadès *der* (Oued D.), Fluss in S-Marokko, entspringt im Hohen Atlas, 220 km lang, mündet in den Draa. Am unteren D. die »Straße der Kasbas« mit zahlr. Wohnanlagen (v.a. 19. Jh.).

Dadra and Nagar Haveli ['dædrə ænd 'nægə hə'velı], Unionsterritorium in →Indien, an der W-Küste Indiens, nördlich von Bombay. – Bis 1954 portugies., wurde 1961 in die Indische Union eingegliedert.

DAF, Abk. für →**D**eutsche **A**rbeits**f**ront.

DAG, Abk. für **D**eutsche **A**ngestellten-**G**ewerkschaft, →Angestelltengewerkschaften.

Dagermann, Stig, eigtl. Halvard Jansson, schwed. Schriftsteller, *Älvkarleby (bei Gävle) 5. 10. 1923, †(Selbstmord) Enelyberg (heute zu Danderyd, bei Stockholm) 4. 11. 1954; Journalist; gestaltete in z.T. an F. Kafka erinnernden Werken Schuld- und Angstgefühle.

Dagestan [türk.-pers. »Land der Berge«] (Republik D.), Teil-Rep. in der Russ. Föderation, an der NO-Abdachung des Großen Kaukasus und am Kasp. Meer, 50300 km², (1995) 2,07 Mio. Ew. (1989: 28% Awaren, 15,6% →Darginer, 12,8% Kumücken, 9,2% Russen, ferner Lesgier, Laken u.a.); Hptst. ist Machatschkala. Angebaut wird Mais, in der trockenheißen Küstenniederung bes. Weizen, im N bei Bewässerung Baumwolle und Reis. In den Gebirgstälern herrschen Schafzucht, in geschützten Lagen auch Gemüse-, Wein- und Obstbau vor. D. ist reich an Bodenschätzen, bes. Erdöl und Erdgas im Küstengebiet. Die Industrie (Maschinenbau, Nahrungsmittelind., Teppichknüpfereien) ist in Machatschkala (hier auch Univ.) und Derbent konzentriert.

Geschichte: Der südl. Teil des Gebiets von D. wurde im 3. Jh. n. Chr. von den Sassaniden unterworfen, ein Küstenstreifen im 4. Jh. von den Hunnen. Im 7./8. Jh. eroberten die Araber das Land und führten den Islam ein. In der Mitte des 11. Jh. bemächtigten sich die Seldschuken eines Großteils von D. In der ersten Hälfte des 13. Jh. fielen die Mongolen ein (Angliederung an das Reich der Goldenen Horde). Mehrere schon im MA. entstandene Kleinreiche erlebten seit dem 16./17. Jh. ihre Blütezeit. Seit dem 16. Jh. war D. ein Streitobjekt zw. dem Osman. Reich, Persien und Russland, dessen Kosaken in die Terekregion vordrangen. Mit dem russisch-pers. Vertrag von 1813 fiel D. an Russland. Seitdem sah sich dieses immer wieder

Dagestan: Wollteppich, geknüpft Mitte des 19. Jahrhunderts

mit Aufständen der Völker D.s und Tschetscheniens konfrontiert. Der während des russ. Bürgerkrieges (1918–21) ausgebrochene Aufstand wurde von der Roten Armee niedergeschlagen. Am 20. 1. 1921 wurde die Dagestan. ASSR im Rahmen der Russ. SFSR gegründet und damit in die UdSSR eingegliedert. Trotz verschärfter Verfolgung des Islam blieb dieser jedoch fest in der Bev. verankert. Nach dem Zerfall der Sowjetunion (1991) bildeten sich in D. versch. Nationalbewegungen, u.a. der Kumücken und Lesgier, die sich bes. gegen das Übergewicht der Awaren in den Machtpositionen wendeten. Am 31. 3. 1992 unterzeichnete D. als »Republik D.« einen Föderationsvertrag mit Russland. Aufgrund der vielfältigen ethn. Potenziale entwickelten sich zw. den Völkern Konflikte bes. um Verfügungsrechte über den für alle knappen Boden. 1996 zogen die Kämpfe zw. Tschetschenien und der russ. Zentral-Reg. D. stark in Mitleidenschaft.

Dagö, Insel in Estland, → Hiiumaa.

Dagobert I., König der Franken, † 638 oder 639; der letzte wirklich regierende Merowinger, Sohn Chlothars II., wurde 623 König in Austrasien, 629 im ganzen fränk. Reich.

Lil Dagover

Dagomba (Dagbamba), Volk in N-Ghana, zw. Oti und Weißem Volta, etwa 175 000 Menschen. Die D. besaßen einst ein blühendes Staatswesen (14.–18. Jh.). Ihre Sprache, das **Dagbane,** eine Tonsprache, gehört zu den Niger-Kongo-Sprachen.

Dagon, westsemit. Getreidegott, in Ugarit Vater des Baal, nach dem A.T. Hauptgott der Philister (Richter 16,22; 1. Sam. 5,2).

Dagover, Lil, Bühnen- und Filmschauspielerin, * Madiun (auf Java) 30. 9. 1887, † Grünwald (bei München) 23. 1. 1980; seit 1922 zahlr. Stumm-, seit 1930 Tonfilme.

Louis Daguerre

Daguerre [da'gɛ:r], Louis Jacques Mandé, frz. Maler, * Cormeilles-en-Parisis (Dép. Val-d'Oise) 18. 11. 1787, † Bry-sur-Marne (Dép. Val-de-Marne) 10. 7. 1851; erfand 1837 die **Daguerreotypie,** das älteste fotograf. Verfahren: Er belichtete eine Silberjodidschicht, die er mit Quecksilberdämpfen entwickelte, mit Kochsalzlösung fixierte. Man erhielt ein positives seitenverkehrtes Bild; arbeitete seit 1829 mit J. N. Niepce zusammen.

Dahl, 1) Johan Christian Clausen, norweg. Maler, * Bergen 24. 2. 1788, † Dresden 14. 10. 1857; dort seit 1818, mit C. D. Friedrich befreundet; realist. Landschaftsgemälde, Reiseskizzen aus Italien und Norwegen mit frühimpressionist. Zügen.

2) Roald, engl. Schriftsteller norweg. Abstammung, * Llandaff (bei Cardiff) 13. 9. 1916, † Oxford 23. 11. 1990; makabre Erzählungen mit überraschend-witzigen Pointen (u.a. »Kuschelmuschel«, 1974; »Hexen lauern überall«, 1983); auch Kinderbücher sowie Drehbücher und Gedichte.

Dahlak, aus Korallenkalk bestehende Inselgruppe im Roten Meer, vor Massaua, gehört zu Eritrea; Ziegen- und Kamelzucht, Fischerei.

Dahlem, Ortsteil des Bezirks Zehlendorf von Berlin.

Dahn: Das Dahner Felsenland ist aus Buntsandstein aufgebaut, an den Felsen sind Wabenverwitterungen zu erkennen

Dahlerus, Birger, schwed. Industrieller, * Stockholm 6. 2. 1891, † ebd. 8. 3. 1957; als Bekannter H. Görings versuchte er im August 1939 noch eine dt.-brit. Verständigung in der poln. Frage herbeizuführen.

Dahlhaus, Carl, Musikwissenschaftler, * Hannover 10. 6. 1928, † Berlin (West) 13. 3. 1989; veröffentlichte zahlr. Publikationen bes. zur Musikästhetik und zur Musikgeschichte des 19. Jahrhunderts.

Dahlie [nach dem schwed. Botaniker A. Dahl, * 1751, † 1789] *die* (Georgine, Dahlia), Korbblütlergattung mit rd. 15 Arten aus Mexiko und Guatemala. Stauden mit knollig verdickten, gebüschelten Wurzeln und großen, flachen, verschiedenfarbigen Blütenköpfchen. Von den nicht winterharten **Gartendahlien** (Dahlia variabilis) werden zahlr. Sorten mit ungefüllten, halb gefüllten oder gefüllten Blütenköpfen kultiviert.

Friedrich Dahlmann

Dahlmann, Friedrich Christoph, Historiker und Politiker, * Wismar 18. 5. 1785, † Bonn 5. 12. 1860; seit 1829 Prof. der Staatswiss. in Göttingen. 1837 musste er als Führer der → Göttinger Sieben das Land Hannover verlassen. Seit 1842 lehrte er in Bonn; 1848 einer der Führer der kleindt. Partei in der Frankfurter Nationalversammlung. Er vertrat einen am engl. Vorbild geschulten Liberalismus und begründete in seinen Darstellungen der engl. und frz. Revolution die polit. Geschichtsschreibung kleindeutscher Prägung, die von seinem Schüler H. von Treitschke fortgeführt wurde. – Seine »Quellenkunde der dt. Gesch.« (1830; fortgesetzt von G. Waitz u.a.) wurde zum unentbehrl. Hilfsmittel der dt. Geschichtswissenschaft.

Dahme, 1) *die,* linker Nebenfluss der Spree, 95 km lang; entspringt im Fläming, durchfließt mehrere Seen und nimmt kurz vor ihrer Mündung in Berlin-Köpenick den Teltowkanal auf.

2) Gemeinde im Landkreis Ostholstein, Schlesw.-Holst., Ostseeheilbad an der Lübecker Bucht, 1300 Einwohner.

Dahmen, Karl Friedrich, Maler, *Stolberg (Rhld.) 4. 11. 1917, †Rosenheim 12. 1. 1981; schuf seit 1954 Materialbilder (»Erdformationen«), 1956/57 Holzcollagen, seit 1963 mehr raumplast. Montagebilder; wichtiger Vertreter der →informellen Kunst.

Dahme-Spreewald, Landkreis in Brandenburg, 2261 km², 146400 Ew.; Krst. ist Lübben (Spreewald).

Dahn, Stadt im Kr. Pirmasens, Rheinl.-Pf., an der Lauter im **Dahner Felsenland** (stark erodierte Buntsandsteinfelsen) gelegen, 5200 Ew.; Luftkurort; Schuh- und Holzindustrie. – Das Stadtbild bestimmen die vier Burgruinen Altdahn, Neudahn, Grafendahn (alle 13. Jh.) und Tanstein (um 1328).

Dahn, Felix, Jurist, Historiker, Schriftsteller, *Hamburg 9. 2. 1834, †Breslau 3. 1. 1912. Erfolgreich war v.a. sein histor. Roman »Ein Kampf um Rom« (4 Bde., 1876–78).

Dahomey [-'mɛ], bis 1975 Name von →Benin.

Dahrendorf, Ralf, Soziologe und Politiker, *Hamburg 1. 5. 1929; Prof. in Hamburg (1958–60), Tübingen (1960–66) und Konstanz (1966–88), 1974–84 Leiter der »London School of Economics«, seit 1988 Rektor des Saint Anthony's College in Oxford. Mitgl. der SPD (1947–60), der FDP (1967–88, davon 1968–74 im Bundesvorstand), schloss sich in Großbritannien den Sozialliberalen an. 1993 wurde D. als »Baron D. of Clare Market in the City of Westminster« Mitgl. des brit. Oberhauses; 1982–87 Vors. der Friedrich-Naumann-Stiftung. 1970–74 war D. EG-Kommissar. In Anlehnung an seine Marx-Studien sowie in krit. Auseinandersetzung mit der Gesellschaftswissenschaft in den USA (v.a. mit T. Parsons) entwickelte D. eine Theorie des sozialen Konflikts und sozialen Wandels. Er ist ein bed. Vertreter der liberalen Gesellschafts- und Staatsidee.

Werke: Homo sociologicus (1958); Konflikt u. Freiheit. Auf dem Wege zur Dienstleistungsgesellschaft (1972); Plädoyer für die Europ. Union (1973); Lebenschancen (1979); Die Chancen der Krise (1983); Der moderne soziale Konflikt (1988); Betrachtungen über die Revolution in Europa ... (1990); Liberale u. andere. Portraits (1994).

Daidalos [grch.] (lat. Dädalus), myth. Erfinder und Baumeister; baute in Kreta für König Minos das Labyrinth für den Minotaurus; entkam zus. mit seinem Sohn →Ikaros mithilfe kunstvoller Flügel. D. galt als Begründer des grch. Kunsthandwerks und der Großplastik.

Dai-Ichi Kangyo Bank [- itʃi -], Sitz Tokio, eine der größten japan. Banken, entstanden 1971 durch Fusion der Dai-Ichi Bank (gegr. 1873) und der Nippon Kangyo Bank (gegr. 1897).

Daily Express ['deɪlɪ ɪks'pres], brit. Straßenverkaufszeitung, gegr. 1900.

Daily Mail ['deɪlɪ 'meɪl], erste erfolgreiche brit. Straßenverkaufszeitung; gegr. 1896.

Daily Mirror ['deɪlɪ 'mɪrə], labourfreundliche brit. Straßenverkaufszeitung, gegr. 1903.

Daily-Telegraph-Affäre ['deɪlɪ 'telɪgrɑːf-], Verfassungskrise um Kaiser Wilhelm II., ausgelöst durch die Veröffentlichung privater Gespräche im »Daily Telegraph« vom 28. 10. 1908. Die Äußerungen empfand man in Großbritannien als Anmaßung, in Deutschland als Ausdruck eines verfassungswidrigen Regiments des Kaisers.

Daily Telegraph, The [ðə 'deɪlɪ 'telɪgrɑːf], konservative brit. Morgenzeitung, gegr. 1855, erste billige Tageszeitung (Penny Paper) Großbritanniens.

Daimler, Gottlieb, Maschinenbauingenieur, *Schorndorf 17. 3. 1834, †Cannstatt (heute zu Stuttgart) 6. 3. 1900; neben C. →Benz Schöpfer des modernen Kraftwagens. D. wirkte 1872–81 als techn. Direktor der Gasmotorenfabrik Deutz AG. 1882 gründete er mit W. →Maybach eine Versuchswerkstätte in Cannstatt, wo er 1883 einen Einzylinder-Viertakt-Benzinmotor mit Glührohrzündung (Patent 1883) entwickelte. Einen seiner ersten Motoren baute D. 1885 in ein hölzernes Zweirad ein; 1886 wurden ein Boot und eine Kutsche mit einem D.-Motor ausgerüstet. 1890 wurde die durch den Mercedes-Kraftwagen, das erste moderne Automobil (1900/01, Vierzylindermotoren seit 1899), bekannte **D.-Motoren-Gesellschaft** gegr., der D. seit 1895 als Mitgl. des Aufsichtsrats angehörte. (→Daimler-Chrysler AG) – BILD S. 112

Daimler-Benz AG, →Daimler-Chrysler AG.

Daimler-Chrysler AG, Sitz Stuttgart, 1998 durch Fusion der **Daimler-Benz AG** mit dem amerikan. Automobilbauer **Chrysler Corporation** entstandener dt.-amerikan. Automobil- und Technologiekonzern. Die Daimler-Benz AG, das älteste Kfz-Unternehmen der Welt (zusammengefasst im Teilkonzern Mercedes-Benz AG), entstand 1926 durch Fusion der Daimler-Motoren-Gesellschaft, Stuttgart (gegr. 1890), mit der Benz & Cie., Mannheim (gegr. 1883, seit 1899 AG). Sie ent-

Ralf Dahrendorf

Gottlieb Daimler

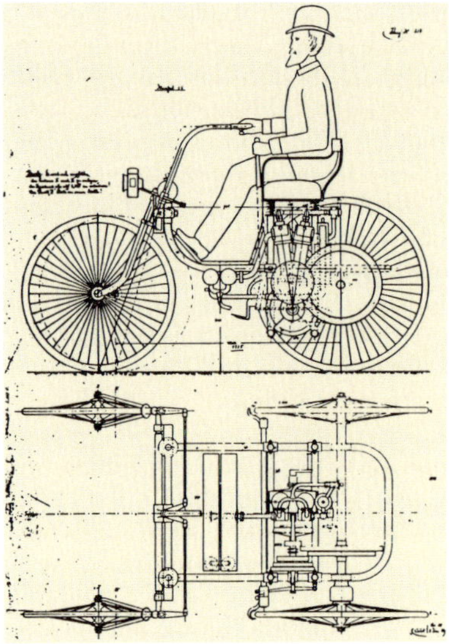

Gottlieb Daimler: Erste Zeichnung zum »Stahlradwagen« von 1889 mit 2-Zylinder-V-Motor (1,5 PS) und Vierganggetriebe (oben Seitenansicht), der Wagen wurde auf der Weltausstellung in Paris gezeigt

wickelte sich durch den (Teil-)Erwerb von Unternehmen der Luft- und Raumfahrtindustrie (1985 MTU Motoren- und Turbinen-Union München, Dornier; 1988/89 gegen den Einspruch des Kartellamts mit ministerieller Ausnahmegenehmigung Messerschmitt-Bölkow-Blohm, MBB; 1993 Fokker) sowie der Elektroindustrie (1985 AEG AG) zum größten dt. Industrie- und auch Rüstungskonzern. Die Luft- und Raumfahrtaktivitäten (Airbus, MRCA Tornado, Eurofighter, Eurocopter, Lenkflugkörper) deckt der Teilkonzern Daimler-Benz Aerospace AG (Dasa, gegr. 1989 als Dt. Aerospace AG, seit 1998 Daimler-Chrysler-Aerospace) ab. Über die Daimler-Benz InterServices (debis) AG ist der Konzern als EDV-Systemhaus und Finanzdienstleister tätig. 1995/96 erfolgte der Teilverkauf der AEG AG, die Auflösung der Zentrale und die Verschmelzung der AEG Daimler-Benz Industrie (Automatisierungs- und Energietechnik, Bahnsysteme Mikroelektronik) auf die Daimler-Benz AG. Im Mai 1998 gab der Konzern seinen Firmenzusammenschluss mit der Chrysler Corporation bekannt. (→Unternehmen, ÜBERSICHT)

Dakar Stadtwappen

📖 *Hundert Jahre D.-B., bearb. v.* M. KRUK *u. a., 2 Bde. Mainz 1986.* – POHL, H. *u. a.: Die D.-B. AG in den Jahren 1933 bis 1945. Wiesbaden u. a. 21987. – Zwangsarbeit bei D.-B. Beiträge v.* B. HOPMANN *u. a. Stuttgart 1994.* – GRÄSSLIN, J.: *D.-B. Der Konzern u. seine Republik. München 1995.*

Daimyō, Bez. der früheren japan. Territorialfürsten, die in ihren Lehen die Gerichtshoheit inne hatten und dort die Zivil- und Militärverwaltung ausübten; sie unterlagen dabei jedoch einer strengen Kontrolle durch die Verwaltung des Shōguns. Im Zuge der Meiji-Reformen gaben die D. 1869 ihre Rechte dem Kaiser zurück.

Dainos [litauisch »Lieder«], litauische Volkslieder, die sich nach Arbeits-, Jahreszeiten-, Braut- und Totenliedern in Form und Thematik unterscheiden.

Dairen, japan. Name für die Stadt Talien, heute Teil der chines. Stadt →Dalian.

Dai-Shimizu-Tunnel [-ʃimizu-], 1980 fertig gestellter Eisenbahntunnel (Strecke Tokio–Niigata) auf Honshū, Japan, 22,2 km lang.

Daisne [dɛn], Johan, eigtl. Herman Thiery, fläm. Schriftsteller, *Gent 2. 9. 1912, †Brüssel 9. 8. 1978; schrieb magisch-realist. Romane (»Der Mann, der sein Haar kurz schneiden ließ«, 1948).

DAK, Abk. für **D**eutsche **A**ngestellten-**K**rankenkasse, eine der größten Ersatzkrankenkassen in Dtl.; Name seit 1930, Sitz Hamburg.

Dakar, Hptst. der Rep. Senegal, an der S-Spitze der Halbinsel Kap Verde am Atlantik, 1,73 Mio. Ew.; Erzbischofssitz, Univ.; Wirtschafts-, Kultur- und Verw.zentrum des Landes; Sitz einer westafrikan. Notenbank; v. a. Nahrungsmittel-, Textilind., Kunststoffverarbeitung, Erdölraffinerie in Mbao; bed. Seehafen, Fischereihafen, internat. Flughafen. – 1857 gegr., seit 1898 bed. Kriegs- und Handelshafen.

Daker (lat. Daci), indogerman., den Geten verwandtes Volk, Teil des nördlichsten Zweigs der Thraker. (→Dakien)

Dakhmas [ˈdax-, Sanskrit], bei den Parsen die »Türme des Schweigens«, auf denen die Toten den Geiern zum Fraß ausgesetzt werden.

Dakilen (Dazien), zur röm. Kaiserzeit das Land zw. Theiß, Donau und Pruth, etwa das heutige Rumänien; seit etwa 300 v. Chr. von den nordthrak. Dakern besiedelt. D. wurde von Trajan 101/102 und 105/106 erobert und als **Dacia** röm. Provinz. Die Römer räumten D. 270 im Kampf mit Goten und Gepiden.

Dakka, Hptst. von Bangladesh, →Dhaka.

Dakota, Name mehrerer nordamerikan. Stammesverbände der →Sioux; einst die Mehrheit der Indianer der zentralen Prärien und Plains; urspr. sesshaft, danach Bisonjäger; etwa 70 000 leben heute in Reservaten.

daktyl... [grch. dáktylos »Finger«], finger...

Daktyloskopie [grch.] *die* (Fingerabdruckverfahren), Wiss. vom Hautrelief der Finger, auch der Handfläche und Fußsohle. Die Auswertung der Merkmale des Hautleistenreliefs, bes. der Fingerbeeren, also der Fingerabdrücke, dient v. a. dem polizeil. Erkennungsdienst (Identifizierung); nach § 81b StPO dürfen dafür, ebenso wie für Zwecke der Durchführung eines Strafverfahrens, Fingerabdrücke des Beschuldigten auch gegen seinen Willen aufgenommen werden. Die D. beruht auf der Unveränderlichkeit des Leistenbildes (→Papillarlinien) während des ganzen Lebens und auf der Fülle von Einzelmerkmalen, die in individueller (zufälliger), aber absolut stabiler Kombination Wiederholungen desselben Bildes bei einem anderen Menschen als praktisch ausgeschlossen gelten lässt. Mit computergesteuerten Anlagen können in kurzer Zeit Fingerabdrücke mit den umfangreichen Abdrucksammlungen der Kriminalämter verglichen und gegebenenfalls einem bestimmten Individuum zugeordnet werden.

Daktylus [grch. »Finger«] *der,* antiker Versfuß aus einer langen (betonten) Silbe und zwei kurzen (unbetonten) Silben (ÜBERSICHT Metrik).

Daladier [dala'dje], Édouard, frz. Politiker, *Carpentras (Dép. Vaucluse) 18. 6. 1884, †Paris 10. 10. 1970; Lehrer, Mitgl. der Radikalsozialist. Partei, wiederholt Minister, 1933, 1934 und 1938–40 MinPräs., unterzeichnete 1938 für sein Land das **Münchner Abkommen.** Nach dem dt. Angriff auf Polen (1. 9. 1939) erklärte seine Regierung jedoch am folgenden 3. 9. Deutschland den Krieg. Nach dem militär. Zusammenbruch Frankreichs (Juni 1940) trat er für die Fortsetzung des Krieges von den Kolonien aus ein. Von der Vichy-Reg. inhaftiert, wurde D. 1943 in Riom vor Gericht gestellt. 1943–45 war er in Dtl. interniert. Nach dem Kriege leitete er 1947–54 die Linksrepublikan. Sammlungsbewegung, 1957–58 war D. Präs. der Radikalsozialist. Partei.

📖 DU RÉAU, É.: *É. D. 1884–1970. Paris 1993.*

Dalai-Lama [zu mongol. dalai »Ozean« (des gelehrten Wissens) und tibet. bla-ma »der Obere«] *der,* das politische und religiöse Oberhaupt des →Lamaismus. Der gegenwärtige 14. D. L., Tenzin Gyatso (*1935, 1940 inthronisiert), floh nach der Besetzung Tibets durch China (1959) nach Indien. Auf internat. Ebene setzt sich der D. L. für Toleranz zw. den Religionen und Völkern und die Wahrnehmung der globalen Verantwortung der Menschheit ein. 1989 erhielt er den Friedensnobelpreis.

📖 LEVENSON, C. B.: *Dalai Lama. Ein menschl. Weg zum Weltfrieden. A. d. Frz. Neuausg. München* ²*1994.*

Daktyloskopie: Mithilfe einer elektronischen Datenverarbeitungsanlage durchgeführte Daktyloskopie-Recherche

Daktyloskopie

Erstmals wurde 1892 in Argentinien ein Doppelmord mithilfe eines blutigen Daumenabdrucks aufgeklärt. Im Polizeibüro von La Plata hatte man eine Identifizierungs- und Archivierungsmethode für Fingerabdrücke entwickelt. International setzte sich das Fingerabdruckverfahren aber erst durch, nachdem Scotland Yard 1901 die Einteilung nach dem so genannten Galton-Henry-Verfahren eingeführt hatte. Von der Unverwechselbarkeit der Fingerabdrücke wussten die Japaner schon seit Jahrhunderten: Das einfache Volk verwendete sie als Unterschrift.

Dalälv *der,* Fluss in Schweden, durchfließt die Landschaft Dalarna, 520 km, mündet in den Bottnischen Meerbusen der Ostsee; Kraftwerke, Holzflößerei.

Dalarna [schwed. »die Täler«] (dt. auch Dalekarlien), gebirgige, waldreiche Landschaft in Mittelschweden, um das Becken des Siljansees dicht besiedelt; Holzind., Fremdenverkehr, im SO Bergbau und Industrie. In Brauchtum und Volkskultur haben sich alte Traditionen bewahrt.

Dalat (Da Lat), Stadt in Vietnam, im südl. Teil des zentralen Berglandes, 1475 m ü. M.; 105100 Ew.; Sommerfrische; Univ., Forschungsinstitute.

Dalbe, in eine Gewässersohle eingerammte Pfahlgruppe zum Festmachen oder Leiten von Schiffen.

Dalberg, mittelrhein. Uradelsgeschlecht, seit 1653 Reichsfreiherrn. **1)** Karl Theodor Reichsfreiherr von, →Karl Theodor, Reichsfreiherr von Dalberg, Kurfürst von Mainz.

2) Wolfgang Heribert Reichsfreiherr von, Intendant, *Herrnsheim (heute zu Worms) 13. 11. 1750, †Mannheim 27. 9. 1806, Bruder von 1); war Staatsmin. und 1778–1803 Leiter des Nationaltheaters Mannheim; förderte vorübergehend Schiller, Uraufführung der »Räuber« (1782). BILD S. 114

Dalbergie [nach dem schwed. Mediziner N. Dalberg, *1730, †1820] *die* (Dalbergia), Schmetterlingsblütlergattung mit wertvollen Hölzern, u. a. Palisander, Cocobolo und Rosenholz.

d'Albert [dal'bɛːr], Eugen, frz. Komponist, →Albert.

Dalcroze [dal'kroːz], Émile, schweizer. Musikpädagoge, →Jaques-Dalcroze.

Dale [deɪl], Sir (seit 1932) Henry Hallet, brit. Physiologe und Pharmakologe, *London 5. 6. 1875, †Cambridge 22. 7. 1968; erhielt 1936 mit O. Loewi

Édouard Daladier

Der 14. Dalai-Lama, Tenzin Gyatso

Henry H. Dale

für die Entdeckung bei der chem. Übertragung von Nervenimpulsen den Nobelpreis für Medizin oder Physiologie.

Wolfgang Heribert von Dalberg: Zeitgenössisches anonymes Ölgemälde (Mannheim, Reißmuseum)

D'Alembert [dalã'bɛ:r], Jean-Baptiste le Rond, → Alembert.

Daleminzen, sorb. Stamm zw. der mittleren Elbe und der oberen Freiberger Mulde. König Heinrich I. leitete mit der Gründung der Burg Meißen 929 die Einbeziehung der D. in die spätere Mark Meißen ein.

Dalen, Nils Gustaf, schwed. Ingenieur, *Stenstorp (Västergötland) 30. 11. 1869, †Stockholm 9. 12. 1937; konstruierte Turbinen, erfand 1906 das **D.-Blinklicht,** eine Signalbeleuchtung mit Acetylenbrenner, sowie selbstwirkende Regulatoren für Leuchttürme und Leuchtbojen; erhielt 1912 den Nobelpreis für Physik.

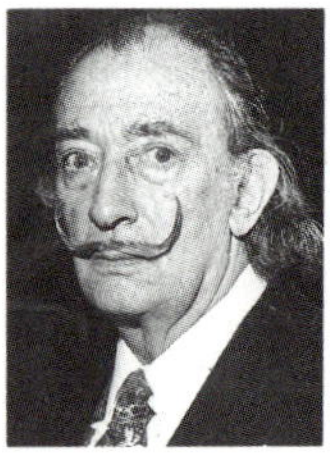

Salvador Dalí

Dalí, Salvador, span. Maler und Grafiker, *Figueres (Katalonien) 11. 5. 1904, †ebd. 23. 1. 1989; 1929–34 Mitgl. der Surrealistengruppe in Paris, 1940–48 in den USA, lebte in Port-Lligat (= Cadaqués; Costa Brava). D.s Motive sind Ausdruck surrealist. Irrationalität und bewegen sich in einer Traum- und Assoziationswelt. Er bevorzugte religiöse und sexuelle Themen. Objekte und Entwürfe für Schmuck sowie Filme (Anteil an Buñuels »Der andalusische Hund« und »L'âge d'or«) und Aktionen zeigen den breiten Fächer seiner Aktivitäten; zahlr. Schriften.

📖 *S. D., hg. v.* J. M. Faerna. *A. d. Span. Dresden 1995.* – Etherington-Smith, M.: *D. Eine Biographie. A. d. Engl. Neuausg. Frankfurt am Main 1996.*

Dalian [da:l'jɛn] (Talien, früher Lüda, Lüta), Stadt und größter Seehafen im N Chinas, an der S-Spitze der Halbinsel Liaodong, Prov. Liaoning, am Gelben Meer, 1,72 Mio. Ew.; entstanden aus den Städten **Lüshun** (früher **Port Arthur**) und **Talien** (japan. **Dairen,** chines. **Dalian**); TU, Fachhochschulen. Bildet seit 1984 eine der chin. Sonderwirtschaftszonen mit Schiffbau, petrochem., elektron., Metall-, Leicht-, Textilind.; internat. Flughafen. – Port Arthur, 1894 von den Japanern erobert, wurde 1898 mit Talien an Russland verpachtet, 1904/05 erneut von Japan besetzt und diesem im Vertrag von Portsmouth (1905) zugesprochen. 1945–55 war Port Arthur sowjet. Flottenstützpunkt.

Dalila, Simsons Geliebte, → Delila.

Dalimu, amtl. chines. für → Tarim.

Dall'Abaco, Evaristo Felice, italien. Komponist und Cellist, *Verona 12. 7. 1675, †München 12. 7. 1742; seit 1704 Violoncellist und 1715–40 Kammerkonzertmeister am Münchner Hof; seine Kompositionen (Violin-, Triosonaten, Konzerte) zählen zu den bedeutendsten Werken der italien. Kammermusik des frühen 18. Jahrhunderts.

Dallapiccola, Luigi, italien. Komponist, *Mitterburg (heute Pazin, Istrien) 3. 2. 1904, †Florenz 19. 2. 1975; Vertreter der Zwölftonmusik, schrieb Orchester- und Kammermusik sowie die Opern »Nachtflug« (1940), »Der Gefangene« (1950) »Ulisse« (1968), das Ballett »Marsia« (1948), Chorwerke u. a.

Dalmatiner: Rüde (Schulterhöhe 50–60 cm)

Dallas ['dæləs], Stadt im nördl. Texas, USA, 1,04 Mio. Ew.; zwei Univ.; Finanz-, Versicherungs- und Handelszentrum im SW der USA, Mittelpunkt eines großen Erdöl- und Erdgasgebietes und einer der größten Baumwollmärkte der Erde, Sitz von Erdölgesellschaften; ein Modezentrum der USA; Erdölverarbeitung, elektronische, Raumfahrtind., Fahrzeugbau; Verkehrsknotenpunkt mit drei Flughäfen. – D. besitzt mehrere herausragende Beispiele moderner Hochhausarchitektur. – In D. wurde am 22. 11. 1963 der amerikan. Präs. John F. Kennedy ermordet.

Dalmatien (serbokroat. Dalmacija), Küstenlandschaft am Adriat. Meer, vorwiegend in Kroatien, reicht von der Insel Pag im N bis zur Bucht von Kotor; die verkarsteten Kalkstöcke der **Dinar. Alpen** (bis 1913 m ü. M.) fallen steil zur Küste ab. Vorgelagert sind die etwa 800 **Dalmatin. Inseln.** D. hat Mittelmeerklima mit sehr mildem Winter und üppiger immergrüner Pflanzenwelt an der Küste und in den Tälern. Die Bev. besteht aus Kroaten; Kultur und Siedlungen zeigen z. T. noch den venezian. Einfluss. Hauptwirtschaftszweige sind Fremdenverkehr, Bergbau (Bauxitlager), Zement-, Konserven-, Holzind., daneben Fischerei und Schifffahrt. Hauptorte sind Zadar, Šibenik, Split, Dubrovnik; zahlr. Badeorte an der Küste und auf den Inseln.

Geschichte. Die 9 n. Chr. errichtete röm. Provinz Dalmatia war urspr. von illyr. Delmaten bewohnt. Sie kam 395 zum Weström., 535 zum Byzantin. Reich. Slawen und Awaren eroberten im 7. Jh. große Teile. Das Binnenland im N besiedelten Kroaten, im S Serben. Seit 1420 wurden die Inseln und Küstenstädte von Venedig beherrscht (bis 1797). Im 16. Jh. eroberten die Osmanen einen Teil von D.; 1815 kam es an Österreich (seit 1816 Königreich), durch den Vertrag von Rapallo (1920) an Jugoslawien (ohne Zadar, Rijeka [Fiume] und einige Inseln). Im 2. Weltkrieg annektierte Italien den größten Teil von D., das nach 1945 wieder an Jugoslawien fiel; es gehört zu Kroatien, kleinere Teile im S sind unter Montenegro sowie Bosnien und Herzegowina aufgeteilt. Im serbisch-kroat. Krieg 1991 kam es an der dalmatin. Küste zu heftigen Kämpfen, bei denen auch große Teile Dubrovniks zerstört wurden.

📖 *Die Kunst D.s vom Mittelalter bis zur Renaissance (800–1520), bearb. v.* J. HÖFLER. *Graz 1989.* – LIBAL, W.: *D. Stadtkultur u. Inselwelt an der jugoslaw. Adriaküste. München 1990.*

Dalmatiner *der,* mittelgroße (Schulterhöhe 50–60 cm) Haushunderasse; kurzhaarig, weiß mit dunklen Flecken.

dal segno [-ˈseɲo, italien.], Abk. **dal s., d. s.,** *Musik:* vom Zeichen an; Anweisung zur Wiederholung eines Musikstücks von der durch ein Zeichen (meist 𝄋) kenntlich gemachten Stelle an.

Dalsland, Landschaft westlich des Vänersees, Schweden, ein seenreiches, meist bewaldetes Gebirgsland; im S die fruchtbare Ebene **Dalboslätten.**

Dalton [ˈdɔːltən], John, brit. Chemiker und Physiker, * Eaglesfield (Cty. Cumbria) 5. oder 6. 9. 1766, † Manchester 27. 7. 1844; untersuchte die physikal. Eigenschaften von Flüssigkeiten und Gasen und entdeckte 1801 das später nach ihm ben. Gesetz über den → Partialdruck. D.s chem. Atomtheorie basierte auf der neuen Erkenntnis, dass sich Atome versch. chem. Elemente in ihrem »Atomgewicht« unterscheiden; führte stöchiometr. Grundgesetze ein (Gesetz der multiplen Proportionen, 1808: Die Gewichtsverhältnisse zweier Elemente, die sich zu versch. Verbindungen vereinigen, stehen im Verhältnis einfacher ganzer Zahlen).

Salvador Dalí: »Die Versuchung des heiligen Antonius« (1946; Brüssel, Musées Royaux des Beaux-Arts)

Daltonplan [ˈdɔːltən-] (Laboratory plan), von der Amerikanerin Helen → Parkhurst entwickelte Unterrichtsmethode, die 1920 in Dalton (Mass.) eingeführt wurde und seitdem bes. in den USA, Großbritannien, Skandinavien und Japan Verbreitung fand; zielt auf eigenständiges, individuelles Lernen nach schriftl. Arbeitsplan unter beratendem Beistand von Lehrern.

Dalwigk, Karl Friedrich Reinhard Freiherr von D. zu Lichtenfels, hess. Politiker, * Darmstadt 19. 12. 1802, † ebd. 28. 9. 1880; war 1850–71 der leitende Minister des Großherzogtums Hessen; innenpolitisch reaktionär, in der dt. Frage preußenfeindlich,

Dallas: Skyline

Adolf Damaschke

Henrik Dam

unterzeichnete dennoch 1870 den Eintritt Hessens in das neue Dt. Reich.

Daly ['deılı], Mary, amerikan. Theologin und Philosophin, *Schenectady (N.Y.) 16.10.1928; Professorin für feminist. Ethik. In »Jenseits von Gottvater, Sohn & Co.« (1973) sucht sie den sexist. Charakter der Christologie, der kath. Morallehre und der christl. Dogmen nachzuweisen. D. propagiert (»Gyn/Ökologie«, 1978; »Reine Lust«, 1984) neue Werte – Leben, Schöpfung, Entwicklung und Solidarität – gegenüber der patriarchalen Ethik und eine neue Sprache, die an Erleben und Erfahrung orientiert ist.

Dam, Henrik Carl Peter, dän. Biochemiker, *Kopenhagen 21.2.1895, †ebd. 17.4.1976; arbeitete u.a. über Probleme des Stoffwechsels und der Ernährung. D. erhielt 1943 für die Entdeckung des Vitamins K mit E. A. Doisy den Nobelpreis für Physiologie oder Medizin.

Dam, José van, belg. Sänger (Bassbariton), *Brüssel 25.8.1940; bed. Mozart-Interpret; ferner Partien in Opern von R. Wagner und O. Messiaen.

Daman (früher portugies. Damão), Stadt an der W-Küste Indiens, nördlich von Bombay, 26900 Ew. – 1559–1961 portugies. Kolonie. Bildete danach mit →Goa und →Diu ein Unionsterritorium, aus dem Goa 1989 als Bundesstaat ausgegliedert wurde.

Damanhur, Provinzhauptstadt in Unterägypten, 226000 Ew.; Baumwollhandel, Pharma- und Textilind.; Bahnknotenpunkt.

Daman und Diu, ind. Unionsterritorium, bestehend aus den territorial getrennten Teilen →Daman und →Diu; 112 km², (1991) 101000 Ew.; Hauptstadt Daman.

Damara, Volksgruppe in Namibia, →Bergdama.

Damas, Léon-Gontran, guayan. Schriftsteller frz. Sprache, *Cayenne 22.3.1912, †Washington (D.C.) 22.1.1978; schrieb Lyrik »Pigments« (1937), Erzählungen und Essays; Mitbegründer der literar. →Négritude.

Damaskus

Sein Damaskus erleben

Die Redewendung wird gebraucht, um auszudrücken, dass sich jemand von Grund auf gewandelt hat, im Wesen oder in seiner Erscheinung völlig anders geworden ist. Man verwendet sie häufig auch in der Form »Seinen Tag von Damaskus erleben«. Sie bezieht sich auf das 9. Kapitel der Apostelgeschichte im Neuen Testament. Hier wird erzählt, wie Jesus vor den Toren von Damaskus dem Christenverfolger Saulus erscheint, ihn bekehrt und zu seinem Jünger macht. Saulus wird fortan in der Bibel nur noch mit dem griechisch-lateinischen Namen Paulus genannt, worauf sich auch die gleichbedeutende Redewendung »Von einem Saulus zu einem Paulus werden« gründet.

Damaschke, Adolf, Bodenrefomer, *Berlin 24.11.1865, †ebd. 30.7.1935; suchte aus der Kenntnis des großstädt. Wohnungselends die soziale Not als Vors. des Bundes dt. Bodenreformer (seit 1898) durch Beschränkung des privaten Bodeneigentums und Besteuerung des Bodenertragszuwachses zu überwinden. Sein Hauptwerk, »Die Bodenreform« (1902), wurde grundlegend.

Damaskus (arab. Dimaschk esch-Scham, frz. Damas), Hptst. Syriens, in einer Flussoase am Osthang des Antilibanon, 1,55 Mio. Ew. D. ist eines der bedeutendsten nationalen und religiösen Zentren des Orients mit über 75 Moscheen, darunter die Omaijaden-Moschee (8. Jh.), ist Sitz mehrerer Bischöfe und Patriarchen, hat Univ. und Akademie; die Altstadt wurde von der UNESCO zum Weltkulturerbe erklärt. Knotenpunkt der Landwege nach Aleppo, Bagdad, Mekka, Beirut, Haifa, Sur; internat. Flughafen. Textil-, Schuh-, Zementind. Das Kunsthandwerk knüpft an die Tradition des MA. an (Woll-, Brokat- und Seidenweberei, Damast, Damaszener Klingen).

Geschichte: Obwohl vorsemit. Ursprungs (3. Jt. v. Chr.), ist D. erst in den Inschriften Thutmosis' III. (1490–1436 v. Chr.) bezeugt. Nach 1000 v. Chr. war D. Zentrum des Aramäerstaates Aram, über dessen Kämpfe mit Israel das A.T. berichtet, nach 732 gehörte es zum assyr., neubabylon., zum achaimenid., zum Alexander- und zum seleukid. Reich. Seit 64 v. Chr. gehörte die Stadt zum Röm., später zum Byzantin. Reich; 636 n. Chr. von den muslim. Arabern erobert, war sie 661–750 Sitz der omaijad. Kalifen und Mittelpunkt der islam. Politik und Kultur; im 12. Jh. Residenz des Aijubiden Saladin. Während der Kreuzzüge heftig umkämpft; nach der Mameluckenherrschaft (seit 1250) 1516–1918 türkisch. 1920 wurde es Hptst. des frz. Völkerbundsmandats Syrien, 1946 des unabhängigen Staats Syrien.

📖 Dettmann, K.: *D. Eine oriental. Stadt zwischen Tradition u. Moderne. Erlangen 1969.*

Damast [nach Damaskus] *der,* Jacquardgewebe, dessen Muster durch den Wechsel von Schuss- und Kettbindung entstehen; Leinen- und Baumwoll-D. für Tisch- und Bettwäsche, Seiden- und Chemieseiden-D. für Polstermöbel- und Dekorationsstoffe, Baumwoll-D. für Möbelbezüge, Decken, Vorhänge.

Damaszieren [nach Damaskus], aus dem Orient stammendes Stahlbearbeitungsverfahren zur Erzielung einer Zeichnung und zur Steigerung der Festigkeit und Zähigkeit des Werkstückes **(Damaszener Klingen).** Dünne Vierkantstäbe versch. Dicke und Drähte aus weichem (früher Weicheisen) und hartem Stahl werden mehrfach übereinander gelegt, verschweißt und durch Hämmern zu neuen Stäben gestreckt.

Dâmbovița ['dimbɔvitsa] *die,* Fluss in Rumänien, 268 km lang, entspringt in den Südkarpaten, mündet bei Bukarest in den Argeş.

Dame [frz. aus lat. domina »Herrin«; engl. deɪm], **1)** allg. gehoben für Frau oder Mädchen, auch in der Anrede (»Meine D.«); im 17. Jh. zunächst Bez. für die gebildete Geliebte, wurde D. fester Titel für die Frau in Adelskreisen; Ende des 18. Jh. wurde D. in die Sprache der bürgerl. Gesellschaft aufgenommen. In Großbritannien ist »D.« Anrede (mit dem Rufnamen) und Titel der Trägerinnen der Ritterwürde, sofern diese keinen höheren Adelstitel führen.

2) Siegerstein im →Damespiel, auch das Spiel selbst.

3) kampfstärkste Figur im Schachspiel.

4) dritthöchste Karte der frz. Spielkarte, dem Ober der dt. Karte entsprechend.

Damenfriede, Friede von →Cambrai.

Damenweg (frz. Chemin-des-Dames), 30 km langer Spazierweg auf dem Höhenrücken zwischen Aisne und Ailette, südlich von Laon, N-Frankreich; urspr. röm. Straße, für die Töchter Ludwigs XV. ausgebaut; im 1. Weltkrieg schwer umkämpft.

Damespiel (Dame), Brettspiel, das auf einem gewöhnlich aus 64 abwechselnd weißen und schwarzen Feldern bestehenden Brett von zwei Spielern mit je 12 schwarzen bzw. weißen Steinen gespielt wird; seit dem MA. bekannt.

Damhirsche (Damwild, Dama dama), zur Unterfamilie der **Echthirsche** (Cervinae) gehörende Hirschart mit zwei Unterarten. Der **Europ. D.** (Dama dama dama) ist rotbraun mit weißl. Fleckung; mit Schaufelgeweih. Der größere **Mesopotam. D.** (Dama dama mesopotamica) lebt heute nur noch in SW-Iran. BILD S. 118

Damiani, Petrus, italien. Kirchenlehrer, →Petrus Damiani.

Damianus, Heiliger, →Kosmas und Damianus.

Damiette [dami'ɛt(ə)] (arab. Dumjat), Hptst. der Provinz D. in Unterägypten, am Ufer des nach D. benannten Nilarms, 15 km vor der Mündung ins Mittelmeer, 113 000 Ew.; Baumwoll- und Seidenweberei, Lederverarbeitung, Herstellung von Jasminöl. Durch Bahn mit Kairo und Alexandria verbunden; Hochseehafen für kleinere Schiffe. – D. war im MA. eine bed. Handelsstadt.

Damm, 1) *Anatomie:* (Perineum) schmale Gewebebrücke zw. After und Scheide (bei der Frau) bzw. Hodensack (beim Mann).

2) *Erd- und Wasserbau:* längl. Baukörper aus Erde, Kies, Schotter oder Schüttsteinen von trapezförmigem Querschnitt; dient als Deich, Staudamm, Umwandung von künstl. Speicherbecken, als Rampen an Brücken sowie als Unterbau von Verkehrswegen und Kanälen.

Damaskus: Anfang der Hauptladenstraße, der Suk al-Hamidija

Damman, Hafenstadt in Saudi-Arabien, Hpst. der Ostprovinz, gegenüber den Bahraininseln am Pers. Golf; 350 000 Ew.; Univ. (1975). D. ist als Überseehafen (seit 1950) und Ausgangspunkt der Bahn nach Riad wichtiger Importplatz.

Dammarharz, weißes, braunes oder schwarzes, fast geruchloses Harz des südostasiat. Dammarbaumes. **D.-Lacke** werden v.a. zur Papierbeschichtung verwendet.

Dammastock, höchster Gipfel (3630 m ü.M.) der **Dammagruppe** in den Urner Alpen, Schweiz, auf der Grenze der Kantone Uri und Wallis; am südwestlichen Abhang liegt das Nährgebiet des Rhônegletschers.

Damme, Stadt im Landkreis Vechta, Ndsachs., am Südrand der **Dammer Berge,** 15 000 Ew.; Luftkurort; Herstellung von Autozubehör, Landmaschinenbau, Kunststoffverarbeitung, Textil- und Holzindustrie. – Seit 1982 Stadt.

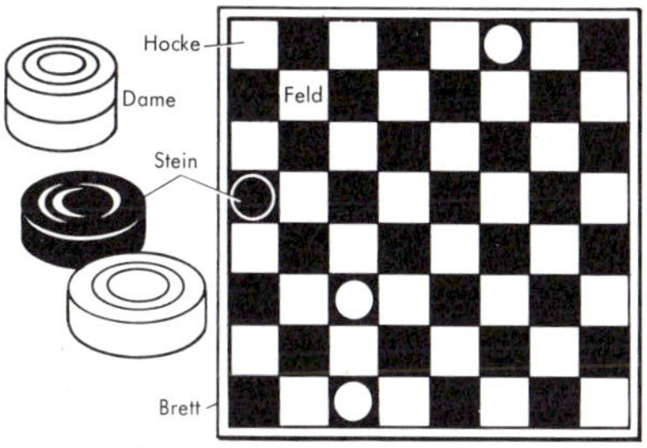

Damespiel

Dämmerschlaf, zu Heilzwecken durch Medikamente herbeigeführter schlafähnl. Zustand.

Dämmerung, die Übergangszeit zw. der vollständigen Nachtdunkelheit und der Taghelligkeit bei Sonnenaufgang **(Morgen-D.)** oder Sonnenuntergang **(Abend-D.),** entsteht durch Reflexion und Streuung der Sonnenstrahlung in höheren Schichten der Atmosphäre, sobald die Sonne für

Damhirsche: Europäischer Damhirsch (Schulterhöhe 80–90 cm)

den Beobachter unter dem Horizont steht. Die **bürgerl. D.** ist die Zeit, während der man ohne künstl. Beleuchtung noch lesen kann; die Sonne steht dann höchstens 6,5° unter dem Horizont. Die **astronom. D.** beginnt oder endet, wenn die Sonne 18° unter dem Horizont steht. In den Tropen ist die D. wegen der steilen Sonnenbahn kurz, in der Polarzone durch die flache Bahn lang anhaltend und farbenreich.

Dämmerungseffekt (Nachteffekt), Störeffekt in der Funkortung und Navigation, der bei Peilanlagen im Mittel- und Langwellenbereich auftritt. Der D. entsteht durch Interferenz von Boden- und Raumwelle während der Dämmerung.

Dämmerungssehen (skotopisches Sehen), Sehen bei niederen Lichtintensitäten, bei dem nur die Netzhautstäbchen in Funktion sind (→Sehen). Die Sehschärfe beim D. beträgt weniger als $^1/_{10}$ der Tagessehschärfe, die spektrale Empfindlichkeit ist verändert.

Dämmerungstiere, bes. in der Dämmerung und nachts aktive Tiere mit großen Augen, gutem Gehör und oft auch feinem Geruchssinn.

Dämmerungszone, in den Meeren der unterhalb der 30–100 m starken durchleuchteten Schicht liegende Bereich von 800 bis 1 000 m Dicke, dessen schwaches blaues Licht nicht mehr für die Photosynthese ausreicht.

Dämmerzustand, Stunden oder Tage, selten länger anhaltende Bewusstseinstrübung, z. B. bei Epilepsie u. a. Gehirnkrankheiten.

Dammfluss, ein Fluss, der sein Bett auf der Talsohle so weit erhöht hat, dass er zw. selbst aufgeschütteten Dämmen über dem Niveau der Talsohle fließt, z. B. Po, Mississippi.

Dammriss, während der Geburt mögliche Verletzung von Scheidenwand und Damm; abhängig von Dehnbarkeit der Weichteile, Größe und Lage des Kindes sowie Art der Entbindung; muss vom Arzt genäht werden.

Dammschnitt (Episiotomie), Scheiden-Damm-Einschnitt in Haut und Beckenbodenmuskulatur während der Austreibungsperiode (→Geburt) zur Erweiterung des weichen Geburtskanals und zur Vermeidung eines Dammrisses.

Dämmstoffe, poröse Stoffe mit niedriger Rohdichte, die meist in Form von Matten, Platten oder Schüttungen zur **Wärmedämmung** (Kälteschutz) und/oder zur **Schalldämmung** (Vermeidung der Entstehung von Schallschwingungen, Verminderung ihrer Übertragung) dienen. Als organ. D. werden Holzprodukte (Holzspan- und Holzfasererzeugnisse) und Kunstharzschäume (Schaumstoffe) sowie auch Kork, Torf, Stroh, Seegras, Kokosfasern genutzt. Anorgan. D. sind Kieselgur, Blähperlit, Blähglimmer, Schaumsand und -glas. Die Wärmedämmung poriger Stoffe beruht auf dem Anteil eingeschlossener Luftteilchen.

Dämmung, das Dämmen, Eindämmen; im Hochbau: Abschirmung gegen störende Einwirkung, meist durch Wärmedämmung und/oder Schalldämmung (→Dämmstoffe).

Damnum [lat.] *das* (Damno), Schaden, Verlust, Abzug; bes. die Differenz zw. Nennbetrag und ausgezahltem Betrag eines Darlehens.

Damodar *der,* Fluss in NO-Indien, 590 km lang, entspringt im Chota-Nagpur-Plateau, mündet südlich von Kalkutta in den Hugli; mehrere Staudämme dienen der Energieerzeugung, Bewässerung und Flutkontrolle; im oberen D.-Tal reiche Kohlevorkommen.

Damokles, Höfling Dionysios' II. (und wohl auch schon Dionysios' I.) von Syrakus (4. Jh. v. Chr.). Als er das Glück des Tyrannen pries, ließ dieser ihn unter einem Schwert, das an einem Pferdehaar hing, alle Genüsse einer fürstl. Tafel kosten. Daher **Damoklesschwert,** Sinnbild ständiger Gefahr; Fabel von C. F. Gellert.

Dämonen [grch. daímōn »Unheilsgeist, Schicksal«], bei Homer urspr. die Götter (in ihrem übermenschl. Wirken), seit Hesiod Wesen zw. Göttern und Menschen, die auf die menschl. Geschicke im Guten oder Bösen einzuwirken vermochten. In vielen Naturreligionen spielt der Glaube an D. eine außerordentl. Rolle. Fast alle Krankheiten und Unglücksfälle, aber auch deren Heilung und Abwendung werden auf die D. zurückgeführt. Teile dieses Glaubens haben sich in manchen Kulturreligionen, doch auch im Volksglauben erhalten. In der frühchristl. Kirche galten die heidn. Götter als D. Belege für den Glauben an D. finden sich im A. T., im N. T. sowie im nachbibl. Judentum. Das MA. übernahm dieses Erbe und fügte den german. Geisterglauben hinzu.

📖 BIEDERMANN, H.: *D., Geister, dunkle Götter. Lexikon der furchterregenden myth. Gestalten.* Bindlach *1993.* – PETZOLDT, L.: *Kleines Lexikon der D. u. der Elementargeister.* München ²*1995.*

Damon und Phintias, zwei Pythagoreer, die zur Zeit Dionysios' II. von Syrakus (4. Jh. v. Chr.) ein Beispiel der Freundestreue gaben (Ballade »Die Bürgschaft« von Schiller, 1798).

Dampf, die gasförmige Phase eines Stoffes, die in thermodynam. Wechselwirkung (Energie- und Masseaustausch) mit seiner flüssigen oder festen Phase steht. Im tägl. Sprachgebrauch wird entgegen obiger Definition gelegentlich eine Suspension von (sichtbaren) Flüssigkeitströpfchen in Luft (z. B. Nebel) als D. bezeichnet (in der Energietechnik als **Nass-D.**); gasförmiger → Wasserdampf dagegen ist unsichtbar. Meist entsteht D. durch Verdampfung (→ Sieden) oder Sublimation. Stehen D. und flüssige oder feste Phase im thermodynam. Gleichgewicht, d. h., ändern sich bei konstanter Temperatur im abgeschlossenen Raum die Stoffmengen infolge Verdampfung bzw. Sublimation und gleichzeitiger Kondensation in den koexistierenden Phasen nicht, so hat der über der flüssigen oder festen Phase befindl. Raum **(D.-Raum)** die größtmögl. Menge an Molekülen aufgenommen. Der D. heißt dann **gesättigter D.** oder **Satt-D.,** der Druck in diesem Sättigungszustand → Dampfdruck (auch Sättigungs- oder Gleichgewichtsdampfdruck). Wird der Satt-D. von seiner flüssigen oder festen Phase getrennt und bei konstantem Druck weitererhitzt, entsteht **Heiß-D. (ungesättigter, überhitzter D.).** Beim Abkühlen von Satt-D. bei gleich bleibendem Druck bildet sich **übersättigter D.;** dieser metastabile Zustand verliert sich wieder durch Kondensation z. B. an Staub oder Ionen (→ Nebelkammer).

Dampfbad, Schwitzbad, bei dem mit Wasserdampf gesättigte oder übersättigte Luft von 40 bis 60 °C auf den ganzen Körper **(Voll-D.,** russisch-türkisches Bad) oder auf bestimmte Körperteile **(Teil-D.,** Dampfdusche) einwirkt. Das D. bewirkt v. a. eine Steigerung der Körpertemperatur, Schweißabsonderung und Durchblutungssteigerung; Anwendung z. B. bei chron. Bronchitis und chron. Erkrankungen des Bewegungsapparates. Natürl. D. bieten die aus heißen (Schwefel-)Quellen oder aus Erdspalten aufsteigenden Dämpfe (z. B. Aachen, Aix-les-Bains). Sol-D. gibt es z. B. in Bad Ischl; auch zur Inhalation.

Dampfdom, kuppelförmiger Aufbau auf Dampfkesseln, z. B. von Dampflokomotiven, in dem sich der erzeugte Dampf zur Entnahme sammelt.

Dampfdruck, der Druck p des gesättigten → Dampfes; er hängt bei einkomponentigen Stoffen nur von der Temperatur T, nicht von den Stoffmengen der beteiligten Phasen ab. Die Temperaturabhängigkeit des D. ist im p-T-Diagramm durch die **D.-Kurven** als Grenzkurven zw. zwei Phasen gegeben; für die flüssige Phase beginnt die D.-Kurve am Tripelpunkt, an dem alle drei Aggregatzustände im Gleichgewicht vorliegen, und endet am krit. Punkt (→ kritischer Zustand), bei dem die gasförmige und die flüssige Phase identisch sind. Der direkte Übergang von der gasförmigen in die feste Phase wird als Sublimation bezeichnet, der zugehörige Gleichgewichts-D. als **Sublimationsdruck.** Setzt man einer reinen Flüssigkeit einen lösl. Stoff zu, so sinkt nach dem raoulschen Gesetz der D. **(D.-Erniedrigung).** In der Folge ist der Siedepunkt erhöht (→ Sieden) und der Gefrierpunkt erniedrigt; aus den Unterschieden gegenüber dem reinen Lösungsmittel läßt sich u. a. die Menge des zugesetzten Stoffes oder dessen Molekülmasse ermitteln.

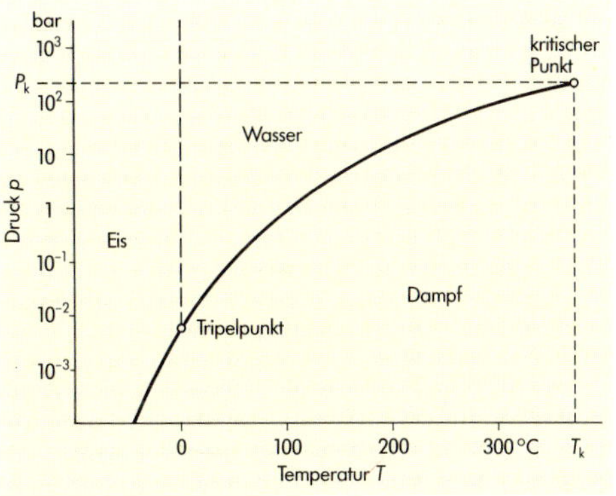

Dampfdruck: Dampfdruckkurve und p-T-Diagramm des Wassers: p_k kritischer Druck, T_k kritische Temperatur

Dämpfen, das Behandeln mit Wasserdampf: Textilien werden in Dämpfapparaten zur Entspannung, Farbentwicklung und Fixierung behandelt; Lebensmittel können durch D. schonend gegart werden.

Dampfer, kurz für → Dampfschiff.

Dämpfer (Sordino), bei Musikinstrumenten Vorrichtung zur Verminderung der Tonstärke und gleichzeitig zur Veränderung der Klangfarbe oder auch (bei Blasinstrumenten mit Kesselmundstück) der Tonhöhe; bei Cembalo und Klavier auch zum Abbruch des Schwingungsvorgangs gebraucht. Der D. bei Streichinstrumenten ist ein auf den Steg aufzusetzender Kamm, bei Blechblasinstrumenten ein in das Schallstück einzuführender Holz- oder Leichtmetallkegel.

Dampferzeuger (Dampfkessel), Anlage zur Erzeugung von Dampf (meist Wasserdampf) bestimmter Temperatur und bestimmten Druckes zur Gewinnung von Sekundärenergie (in Dampfturbinen oder Dampfmaschinen) oder zur Heizung von Gebäuden oder verfahrenstechnischen Anlagen.

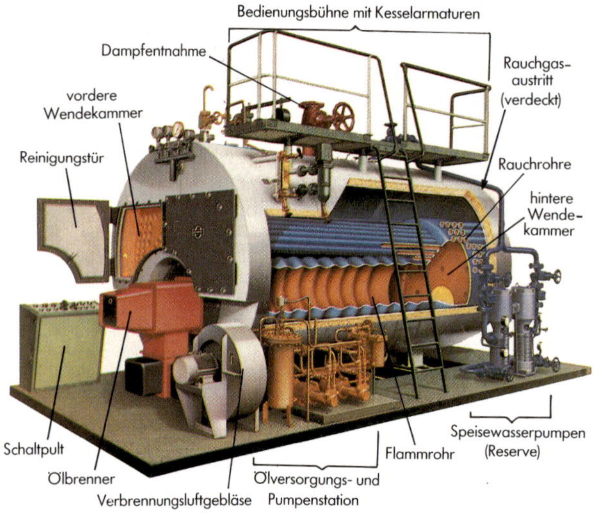

Dampferzeuger: Flammrohr-Rauchrohr-Kessel in Dreizugbauart zur Erzeugung von Hochdruck-Sattdampf

Aufbau und Größe von D. sind unterschiedlich für Kraftwerke, Schiffe u.a. spezielle Anwendungen. Ursprünglich wurde der Wasserraum (Kessel) über in diesem angeordnete Rohre beheizt, die von Rauchgasen durchströmt wurden **(Rauchrohrkessel).** Zum Teil fand die Verbrennung in diesen Rohren statt **(Flammrohrkessel).** Bei heutigen, größeren D. werden zur Erwärmung und Verdampfung des Wassers **Wärmeübertrager** (→Wärmeaustauscher) eingesetzt, wobei die Rauchgase ihre Energie an das Wasser abgeben. Die Wärmeübertrager werden in Speisewasservorwärmer, Verdampfer, Überhitzer und eventuell in Zwischenüberhitzer unterteilt. Im Verdampfer verdampft das Wasser in den Rohren ganz oder teilweise **(Wasserrohrkessel),** während es sie in natürl. Umlauf durchströmt oder in »Zwangsumlauf« gepumpt wird. Anschließend wird dieser Sattdampf in den Überhitzer geleitet.

Dampfkochtopf

*Den Dampfkochtopf gibt es schon seit dem 17. Jahrhundert. Erfunden hat ihn 1679/80 der französische Arzt und Naturforscher Denis Papin (*1647, †1712?). Er lehrte um diese Zeit an der Royal Society in London. 1688 ging er als Mathematikprofessor nach Marburg, 1695 nach Kassel.*

Aus dem Bau des Dampfkochtopfs mit Sicherheitsventil entwickelte er die erste einfache atmosphärische Dampfmaschine, in der Dampfenergie zur Bewegung eines Kolbens genutzt wurde. 1712 ist Papin in England verschollen.

Im Zwischenüberhitzer wird Nassdampf, nachdem er in dem ersten Teil der Turbine teilweise entspannt ist, wieder erwärmt und damit überhitzt. Im Speisewasservorwärmer (Economiser) wird aus dem →Kondensator kommendes Kondensat oder Frischwasser erwärmt, bevor es durch die Kesselspeisepumpe in den Hauptteil befördert wird. Teilweise wird in dem Rauchgasstrom ein Wärmetauscher vorgesehen, der Frischluft erwärmt, bevor sie der Feuerung zugeführt wird. Bei stark schwankender Dampfentnahme wird auch ein →Wärmespeicher (Ruths-Speicher) außerhalb des eigentl. Kessels angebracht. Die Anordnung dieser Teile im und um den Feuerraum oder im Rauchgasstrom wird so gewählt, dass der geeignete Wärmeübergang durch Strahlung (bes. in **Strahlungskesseln**) und Konvektion erreicht wird, ohne dass die Rohrwandungen zu heiß oder ungleichmäßig erwärmt werden. Nach der Lage der Rohre unterscheidet man u.a. **Schrägrohrkessel** und **Steilrohrkessel.** Spezielle Kesselbauarten haben den Zweck, die Abmessungen zu verkleinern oder die Störanfälligkeit zu verringern. Im **Zwangsdurchlaufkessel (Benson-Kessel** und **Sulzer-Einrohr-Kessel)** wird z.B. durch eine Pumpe Wasser eingespritzt, das das Heizrohrsystem nur einmal durchläuft, dabei verdampft und überhitzt wird.

Die wichtigste Kenngröße eines D., die seine Abmessungen bestimmt, ist die **Dampfmenge,** angegeben in 10^3 kg/h (früher t/h). Der Wirkungsgrad eines D. wird ausgedrückt durch kg Dampf/1 kg Brennstoff. Bau und Betrieb von D. werden vom Gesetzgeber kontrolliert (Techn. Überwachungsvereine). Als wichtigste Ausrüstungsstücke sind vorgeschrieben: Wasserstandsanzeiger, Manometer und zwei voneinander unabhängige Sicherheitsventile.

📖 BRANDT, F.: *D. Kesselsysteme, Energiebilanz, Strömungstechnik. Essen 1992. – D., hg. v.* U. WITTE. *Essen [25]1992.*

Dampfhammer, ein →Maschinenhammer.

Dämpfigkeit (Hartschlägigkeit, Bauchschlägigkeit), ein Hauptmangel (→Viehkauf) des Pferdes, mit Atembeschwerden infolge chron., unheilbarer Herz- oder Lungenerkrankung; Gewährfrist 14 Tage.

Dampfkessel, der →Dampferzeuger.

Dampfkochtopf (Schnellkochtopf), fest verschließbares Stahl- oder Aluminiumgefäß mit selbsttätigem Dampfablaßventil, in dem die Speisen bei Überdruck mit weniger Vitaminverlust in bed. kürzerer Zeit garen als im übl. Kochtopf.

Dampfkompresse, *Medizin:* feuchtheißer Umschlag, der mit einem trockenen Tuch abgedeckt wird; zur Wärmebehandlung.

Dampfkraftwerk, ein →Wärmekraftwerk.

Dampfmaschine, eine Wärmekraftmaschine, bei der unter Überdruck stehender Dampf in einem Zylinder einen Kolben bewegt. Die Druckenergie wird durch Entspannung in mechan. Energie umgesetzt. Der Dampf wirkt entweder nur auf eine Seite des Kolbens ein **(einfach wirkende D.)** oder abwechselnd auf beide Seiten **(doppelt wirkende D.).** Der Kolben, die nach außen abgedichtete Kolbenstange und der Kreuzkopf bilden eine Einheit. Am Kreuzkopf, der in einer Geradführung gleitet, ist die Pleuelstange mit einem Ende beweglich befestigt, ihr anderes Ende umfasst die Kurbelwelle am Schwungrad. Mit Hilfe der Pleuelstange wird die hin- und hergehende Kolbenbewegung in die Drehbewegung des Schwungrades umgesetzt. Das Schwungrad gleicht Schwankungen im Drehmoment aus und treibt den Kolben über die Totpunktlagen. Die abwechselnde Freigabe des Dampfzutritts zu der einen oder anderen Seite des Kolbens wird meist mit Schiebern, selten mit Ventilen gesteuert (Schieber- oder Ventilsteuerung). Die Schieber (Muschel- oder Kolbenschieber) werden durch einen Exzenter auf der Kurbelwelle bewegt, die Ventile durch Nocken. D. werden überwiegend mit überhitztem Dampf betrieben **(Heiß-D.).** Nach der Druckhöhe auf der Auslassseite werden Gegendruck-, Auspuff- und Kondensationsmaschinen unterschieden. Zwillings- oder Drillingsmaschinen haben zwei oder drei Zylinder mit gleichem Hubraum, in denen der Dampf vom Kesseldruck auf den Auspuffdruck entspannt wird. In **Verbund-** oder **Compoundmaschinen** wird der Dampf nacheinander in mehreren (meist zwei oder drei) Zylindern mit unterschiedl. Hubraum entspannt.

Die erste direkt wirkende D. baute J. Watt 1765, 1782–84 die erste doppelt wirkende Niederdruckmaschine mit Drehbewegung. 1798 baute R. Trevithick, 1801 O. Evans die Hochdruck-D., 1892 Wilhelm Schmidt die erste Heiß-D. Wegen ihrer im Verhältnis zur Leistung aufwendigen Bauweise und des niedrigen Wirkungsgrades wurde die D. durch →Dampfturbinen verdrängt.

📖 Küttner, K.-H.: *Kolbenmaschinen. Stuttgart* [6]*1993.*

Dampfnudeln, Mehlspeise aus großen, in Milch oder Wasser in gut verschlossener Form gegarten Klößen von Hefeteig.

Dampfpumpe, kurbellose Kolbenpumpe mit Dampf- oder Druckluftantrieb, bei der Dampf- und Pumpenkolben auf der gemeinsamen Kolbenstange sitzen. Bei der **Simplexpumpe** wird die Steuerung der Dampfzufuhr zu beiden Seiten des Dampfkolbens von der gemeinsamen Kolbenstange aus angetrieben, bei der zweizylindrigen **Duplexpumpe** wird die Steuerung des einen Zylinders von der Kolbenstange des anderen angetrieben.

Dampfpunkt, Gleichgewichtstemperatur zw. reinem Wasser und seinem Dampf beim Normdruck von 101,325 kPa, beträgt 100°C; einer der beiden Fundamentalpunkte der Celsius-Skala.

Dampfschiff (Dampfer), mit Dampfkraft angetriebenes Schiff. Die Antriebsanlage besteht aus der Kesselanlage und einer oder mehreren Antriebsmaschinen mit den erforderl. Hilfsmaschinen. Man verwendet nur selten noch Kolbendampfmaschinen; auch der Antrieb durch Seiten- oder Heckräder **(Raddampfer)** ist veraltet. Meist werden D. heute durch Dampfturbinen über Schraubenpropeller **(Schraubendampfer)** angetrieben; die Kessel werden mit Öl beheizt. Für die Rückwärtsfahrt sind besondere Rückwärtsturbinen erforderlich. **Schnelldampfer** hießen die

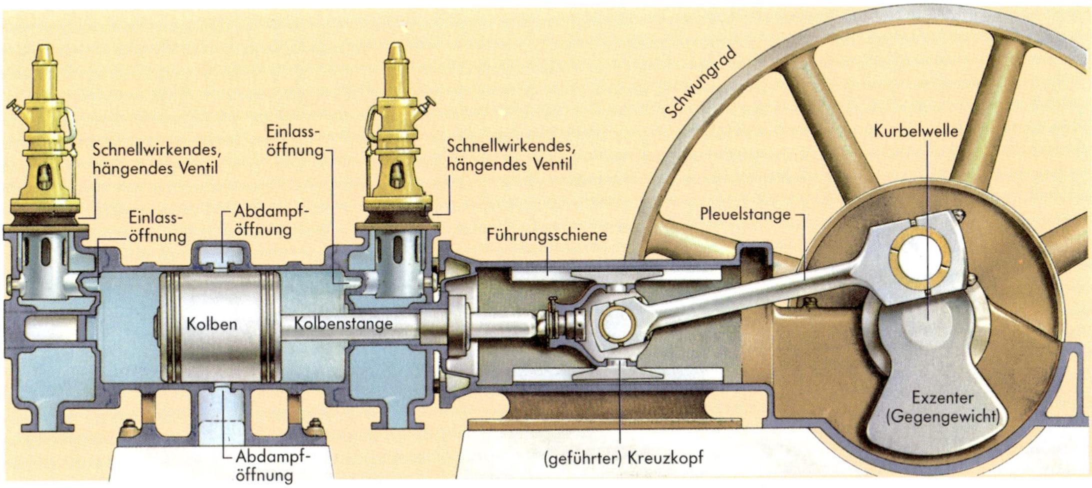

Dampfmaschine: Schnitt durch eine doppelt wirkende Dampfmaschine

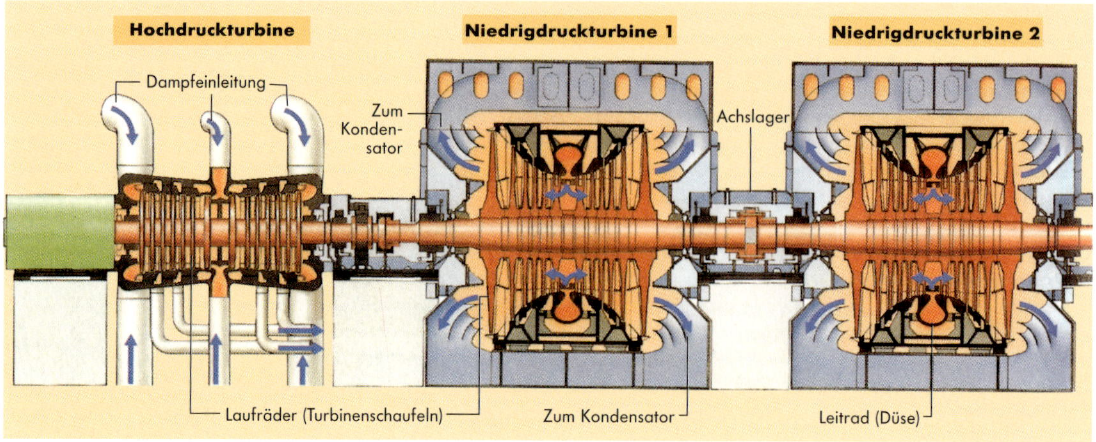

Dampfturbine: Mehrstufige Kondensationsturbine

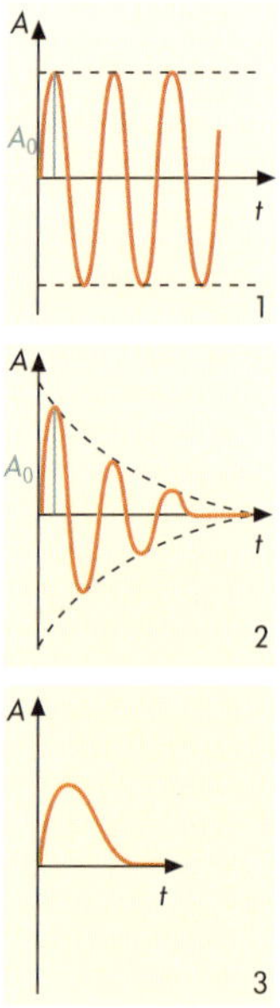

Dämpfung: Amplitude *A* als Funktion der Zeit *t* bei einer ungedämpften Schwingung (1), einer gedämpften Schwingung (2) und einer aperiodischen Bewegung (3)

großen, reich ausgestatteten Überseeschiffe für Personenverkehr; der größte war die brit. »Queen Elizabeth« (83 673 BRT). **Frachtdampfer** wurden überwiegend durch Motorschiffe verdrängt.

Dampfspaltung, das →Steamreforming.

Dampfspeicher, ein →Wärmespeicher.

Dampfsperre, in der Bautechnik vorwiegend bei Umhüllungskonstruktionen eine vollständig oder nahezu dampfundurchlässige Schicht (physikalisch **Dampfbremse**). D. sind z. B. Bitumendachpappen, Metall- oder Kunststofffolien. (→Wasserdampfdiffusion)

Dampfstrahlpumpe, →Injektor.

Dampfturbine, Wärmekraftmaschine, in der im Ggs. zur (Kolben-)Dampfmaschine die potenzielle Energie des Dampfes unter hohem Druck nicht direkt in mechan. Arbeit umgesetzt wird, sondern zunächst in kinet. Energie. Eine Turbinenstufe setzt sich aus einem auf der Turbinenwelle befindlichen Laufrad, das zur Umwandlung der kinetischen Energie in mechanische dient, und einem feststehenden Leitrad (Düse), beide aus Schaufeln bestehend, zusammen. Der Dampf strömt durch das Leitrad, wo er aufgrund der Druckabsenkung stark beschleunigt wird, auf die Laufschaufeln, auf die er Energie überträgt, während sich seine Geschwindigkeit verringert. Bei **Gleichdruckturbinen** wird die gesamte Druckenergie im Leitrad in Bewegungsenergie umgesetzt, es herrscht vor und hinter dem Laufrad gleicher Druck. Einstufige D. dieser Art ist die **Laval-Turbine;** die Unterteilung des Gesamtgefälles in Einzelgefälle führt zu der mehrstufigen D. mit Druckstufung, Bauart **Zoelly-Rateau.** Eine Verbesserung der Laval-Turbine ist die **Curtis-Turbine,** bei der der noch nicht vollständig entspannte Dampf in weiteren Laufrädern entspannt wird (Gleichdruck mit Geschwindigkeitsstufung). Bei **Überdruckturbinen** wird der Dampf je etwa zur Hälfte in einem Lauf- und einem Leitrad entspannt, z. B. **Parsons-Turbine.** Bei **Axialturbinen** strömt der Dampf in Richtung der Achse, bei **Radialturbinen** in Richtung des Radius. Bei **Kondensationsturbinen** wird der Dampf in einem Kondensator niedergeschlagen; bei **Gegendruckturbinen** ist der Gegen- oder Enddruck höher als bei einer Kondensationsturbine, da die Druckenergie nur z. T. in mechan. Arbeit umgewandelt wird. **Abdampfturbinen** nutzen den Abdampf von anderen mit Dampf betriebenen Maschinen aus. Meist sind es Kombinationen der Grundtypen Curtis, Laval, Zoelly-Rateau, Parsons. – D. werden v. a. in Wärmekraftwerken und in Dampfschiffen verwendet.

📖 PFLEIDERER, C. *u.* PETERMANN, H.: *Strömungsmaschinen. Berlin u. a.* [6]*1991.*

Dämpfung, *Physik, Technik:* Schwächung der Amplitude von Schwingungen oder Wellen durch Umwandlung der Schwingungsenergie in andere Energieformen, z. B. Wärme. Die D. wird durch das **D.-Verhältnis** *K* zweier aufeinander folgender Amplituden oder das **logarithm. Dekrement** $\Lambda = \ln K$ gemessen; für die starke D. (→aperiodisch) ist $\Lambda = \infty$. – Achsschwingungen bei Fahrzeugen werden durch →Stoßdämpfer, Zeigerschwingungen bei Messgeräten durch Dämpferflügel oder Wirbelstrom-D. gedämpft. Durch Rückkopplung, d. h. Energiezufuhr zum passenden Zeitpunkt, lassen sich auch gedämpfte Schwingungen **entdämpfen (negative D.).** In der Nachrichtentechnik wird die D. zur Beschreibung übertragungsbedingter Abschwächungen von elektr. Signalen verwendet und in den logarithm. Maßen →Dezibel (dB) oder →Neper (Np) angegeben.

Dampfwagen, Straßenfahrzeuge, angetrieben durch Dampfkraftmaschinen; in der histor. Entwicklung der Kraftfahrzeuge Vorläufer des Antriebs durch Verbrennungskraftmaschinen. Erste Versuche im 18. Jh.

Dampierstraße ['dæmpjə-; nach dem engl. Seefahrer W. Dampier, *1652, †1715], Meeresstraße zw. Neuguinea und dem Bismarckarchipel.

Damüls, Fremdenverkehrsgemeinde im Bregenzerwald, Vorarlberg, Österreich, 1428 m ü. M., 340 Ew.; spätgot. Pfarrkirche. – Durch im 14. Jh. eingewanderte Walser gegründet.

Damwild, die →Damhirsche.

Dan [japan.] *der,* die zehn Rangstufen der Meister in den Budokünsten (→Budo); durch die versch. Farben der Gürtel (1.–5. D. schwarz, 6.–8. D. rotweiß, 9. und 10. D. rosarot) angezeigt.

Dan, Volk der Mande-Gruppe im Waldland von W-Elfenbeinküste und O-Liberia, etwa 200 000; bekannt für ihre künstler. Arbeiten (Masken für Geheimbünde; Bronzeschmuck). BILD S. 124

Dan, 1) Sohn Jakobs und Bilhas, der Magd Rahels.

2) nach D. 1) benannter israelit. Stamm, der im babylon. Exil unterging.

Dana ['deɪnə], James Dwight, amerikan. Geologe und Mineraloge, *Utica (N. Y.) 12. 2. 1813, †New Haven (Conn.) 14. 4. 1895; Teilnehmer einer Meeresexpedition (1838–42) durch den Pazifik; Vertreter der →Kontraktionstheorie.

Danae, *grch. Mythos:* Tochter des Königs Akrisios von Argos, der D. in einen Turm sperrte, da ihm ein Orakel den Tod von der Hand eines Enkels prophezeit hatte. D. wurde durch Zeus, der in Gestalt eines goldenen Regens zu ihr kam, Mutter des Perseus. Darstellung der D. auf grch. Vasen (5. Jh. v. Chr.), auch auf pompejan. Wandbildern, später von Tizian, Correggio, Rembrandt u. a. – Oper von R. Strauss.

Danaer, bei Homer Bezeichnung für alle Griechen oder auch einen (nicht näher bestimmbaren) Teil. **Danaergeschenk,** Geschenk, dessen Annahme gefährlich ist (wie das Trojanische Pferd), sprichwörtlich nach Vergils »Äneis« (II, 49).

Danaiden, Familie trop.-subtrop. Schmetterlinge mit nur wenigen Arten; Spannweite 7–10 cm. Die D. führen regelmäßig Massenwanderungen durch, z. B. der nordamerikan. **Monarchfalter** (Danaus plexippus), der im Herbst vom südl. Kanada bis nach Mexiko und Florida fliegt.

Danaiden, *grch. Mythos:* die fünfzig Töchter des Königs **Danaos,** die (bis auf eine) ihre Männer in der Hochzeitsnacht ermordeten. Zur Strafe mussten sie in der Unterwelt ständig Wasser in ein durchlöchertes Fass schöpfen; daher **Danaidenarbeit,** mühsame, erfolglose Arbeit.

Danakil [arab.] (Eigenname Afar), Hirtennomaden (mit Kamelen, Rindern, Schafen, Ziegen) in NO-Afrika, in der wüstenhaften **D.-Senke** (Afarsenke), bes. im Küstengebiet am Roten Meer (rd. 140 000 in Eritrea und Äthiopien, rd. 60 000 in Djibouti). Die D. sind Muslime und sprechen eine kuschit. Sprache.

Dampfwagen des belgischen Industriellen Albert de Dion und des französischen Mechanikers Georges Bouton in einer Holzschnittdarstellung aus den 1880er-Jahren

Da Nang (früher frz. Tourane), Stadt im mittleren Vietnam, südöstlich von Huê, 370 700 Ew.; Textilind.; Naturhafen. Während des Vietnamkriegs von den USA zu einem Marine- und Luftwaffenstützpunkt ausgebaut.

Danckelman, Eberhard Freiherr von (seit 1695), brandenburg. Staatsmann, *Lingen (Ems) 23. 11. 1643, †Berlin 31. 3. 1722; Erzieher, dann Ver-

Danaer

Als »Danaergeschenk« bezeichnen wir ein Geschenk, das für den Empfänger zunächst etwas Erwünschtes darstellt, sich dann aber als fragwürdig oder gar unheilvoll erweist. Der Ausdruck geht auf eine Stelle im 2. Gesang der »Äneïs« von Vergil zurück: »Quidquid id est, timeo Danaos et dona ferentes.« (»Was es auch sei: ich fürchte die Danaer, auch wenn sie Geschenke machen.«) In der Tragödie »Agamemnon« von Seneca, in der ebenfalls der Kampf um Troja geschildert wird, findet sich die Formulierung: »Danaum fatale munus« (»verhängnisvolles Geschenk der Danaer«). Die Danaer (= die Griechen), die Troja belagert hatten, waren zum Schein abgezogen und hatten am Strand vor der Stadt ein hölzernes Pferd zurückgelassen. Vergebens versuchte der Priester Laokoon die Trojaner vor diesem »Geschenk der Danaer« zu warnen. Man schaffte es in die Stadt, und aus seinem Bauch kam eine Schar Krieger der Danaer hervor, die die Stadt zu Fall brachten. – Auch der Ausdruck »Trojanisches Pferd« wird in der oben angegebenen Bedeutung als Zitat verwendet.

Dan: Geheimbundmaske (Stuttgart, Linden-Museum)

trauter, seit 1688 leitender Minister des Kurfürsten Friedrich III. von Brandenburg (seit 1701 König Friedrich I.); unter seiner Staatsführung entstanden die Univ. Halle (1694) und die Akademie der Künste in Berlin (1696); von seinen Gegnern 1697 gestürzt und trotz erwiesener Unschuld bis 1707 gefangen gehalten.

Dandin, ind. Dichter um 700 n. Chr.; verfasste in kunstvollem Sanskrit den Roman »Die zehn Prinzen« sowie eine für die klass. ind. Literatur bedeutende Poetik »Kavyadarsha« (»Spiegel der Poesie«).

Dandolo, venezian. Patriziergeschlecht, aus dem vier Dogen hervorgingen, u. a. Enrico D. (seit 1192), *Venedig um 1107, †Konstantinopel 14. 6. 1205; leitete den 4. Kreuzzug (gegen das Byzantin. Reich), eroberte Dalmatien und Konstantinopel (1204); begründete die Herrschaft Venedigs im östl. Mittelmeer.

Dandong (Tantung, bis 1965 Antung), Hafenstadt in der Prov. Liaoning, China, am unteren Yalu, 523 700 Ew.; Grenzübergang (Straße, Bahn) nach N-Korea; Leichtmetallind., Papier-, Seidenverarbeitung.

Dandy ['dændɪ, engl.; nach ind. dandi »Stockträger«] *der,* Modenarr, Geck. Das **Dandytum (Dandyismus)** entwickelte sich in England seit 1815 aus einer Clique extravaganter Adliger unter Führung des aus dem Bürgertum stammenden G. B. →Brummell.

Dandyfieber ['dændɪ-, engl.], das →Denguefieber.

Danebrog [altdän. dan(n) »rot« und brog »Tuch«] *der,* die dän. Flagge, rot mit weißem Balkenkreuz.

Dänemark – Wirtschaft

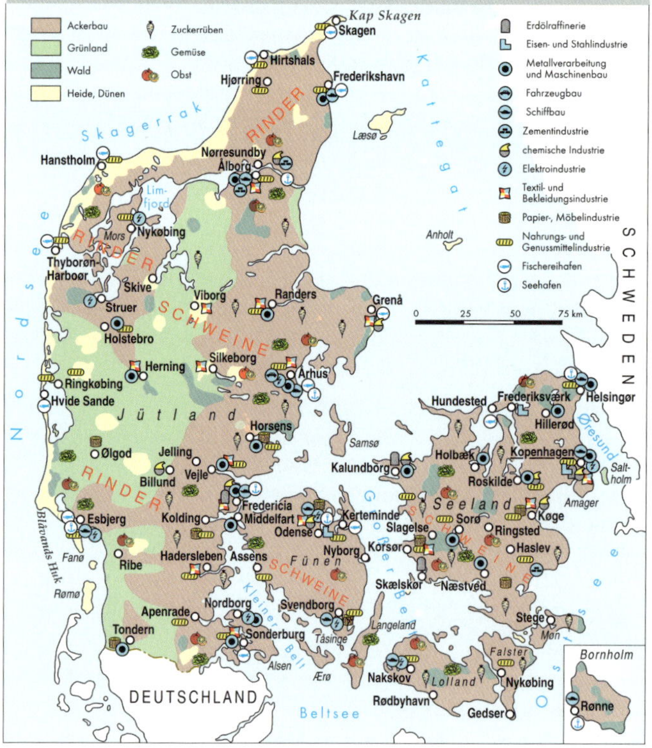

Dänemark (amtl. dänisch Kongeriget Danmark, dt. Königreich D.), Staat in Europa, grenzt im W an die Nordsee, im NW an das Skagerrak, im NO an das Kattegatt, im O an die Ostsee und im S an Dtl. Zum Staatsgebiet gehören auch die Färöer und Grönland, die sich beide in Selbstverwaltung regieren.

Staat und Recht: Nach der Verf. vom 5. 6. 1953 ist D. eine Erbmonarchie (Haus Schleswig-Holstein-Sonderburg-Glücksburg; auch mit weiblicher Thronfolge) mit parlamentarisch-demokrat. Reg.form. Staatsoberhaupt und formal oberster Inhaber der Exekutive ist der König. Er ernennt das Kabinett unter Vorsitz des MinPräs., das dem Parlament verantwortlich ist. Die Legislative liegt beim König (formale Mitwirkung) und beim Einkammerparlament, dem Folketing (179 für vier Jahre gewählte Abg., darunter je zwei aus Grönland und von den Färöern). Einflussreichste Parteien sind die Sozialdemokrat. Partei, die Liberale Partei (Venstre), die Konservative Volkspartei, die Sozialist. Volkspartei und die Fortschrittspartei. Die Schleswigsche Partei vertritt die dt. Minderheit.

Landesnatur: D. umfasst die Halbinsel Jütland und etwa 480 Inseln, von denen rd. 100 bewohnt sind; die größten sind: Seeland, Fünen, Langeland, Falster, Lolland, Møn, Læsø und Bornholm. Als Brücke zw. Mitteleuropa und Skandinavien sowie als Schranke zw. Nord- und Ostsee hat D. große verkehrspolit. Bedeutung. Zw. Jütland, das im N

Dänemark

Fläche: 43 077 km²
Einwohner: (1995) 5,181 Mio.
Hauptstadt: Kopenhagen
Verwaltungsgliederung: 14 Amtsbez. (Amtskommuner) und 2 Stadtbezirke
Amtssprache: Dänisch
Nationalfeiertag: 5. 6.
Währung: 1 Dänische Krone (dkr) = 100 Øre
Zeitzone: MEZ

im Kap Skagen endet, den großen Inseln und Südschweden führen drei Meeresstraßen, der **Kleine** und der **Große Belt** und der **Sund** (Øresund), in die Ostsee. D. ist geomorpholog. in großen Teilen eine Fortsetzung des Norddt. Tieflandes; landschaftsprägend war v.a. die letzte Eiszeit. Im W liegen die aus Geestinseln und eingeebneten Grundmoränenflächen bestehenden jütländischen Heidegebiete, im O die stärker reliefierten, von fruchtbarem Lehmhügelland bedeckten Grundmoränenlandschaften. Differenziert sind die Küstenformen: An die Watten- und Marschküste des südwestl. Jütland schließt sich eine Ausgleichsküste mit dünenbesetzten Nehrungen an. Fester Untergrund (Kreidekalk) tritt nur an wenigen Stellen, z.B. an der Küste von Møn, zutage. Die Küsten der Inseln haben vielfach Boddencharakter; an der O-Küste Jütlands setzt sich die Fördenküste Schlesw.-Holst. mit zahlr. guten Naturhäfen

Dänemark: Größte Inseln

Insel	Fläche in km²	Ew. (1995)
Seeland	7031	2,005 Mio.
Fünen	2985	434 800
Lolland	1243	71 600
Bornholm	588	44 800
Falster	514	42 700
Mors	363	23 100
Alsen	315	51 300
Langeland	284	14 800
Møn	218	10 300
Rømø*)	129	800
Samsø	112	4 300
Læsø	101	2 400
Ærø	88	7 600
Tåsinge	70	6 200
Fanø*)	56	3 200

*) Nordseeinseln; alle anderen in der Ostsee.

nach N fort. Nur auf Bornholm tritt das Grundgebirge (Gneise und Granite) zutage. Die höchste Erhebung D.s liegt im östl. Mitteljütland mit 173 m ü.M. Größere Flüsse fehlen; der längste Fluss ist der Gudenå mit 158 km. Von den zahlr. Seen ist der Arresee (42 km²) auf Seeland der größte.

D. hat Seeklima mit kühlen Sommern und milden Wintern (mittlere Temperaturen im Sommer um 16 bis 18 °C., im Winter um 0 ° C). Die Niederschlagsmengen liegen im W Jütlands bei etwa 800 mm, auf Bornholm bei 450 mm jährlich. – D. gehört noch der Region des mitteleurop. Laubwaldes an; jedoch sind nur 12 % des Landes bewaldet. Dünen, Heideflächen, Hochmoore und Seen nehmen 5 % ein. Fast 70 % der Landesfläche werden landwirtschaftlich und gärtnerisch genutzt.

Bevölkerung: Die Bewohner sind fast ausschließlich Dänen. Die deutschsprachige Minderheit in Südjütland (Nordschleswig) wird auf 35 000 Menschen geschätzt. Die Bevölkerungsdichte beträgt rd. 120 Ew. je km²; mehr als 85 % aller Dänen leben in städt. Siedlungen, mehr als ein Drittel davon in und um Kopenhagen; weitere Großstädte sind Århus, Odense, Ålborg. Allg. Schulpflicht besteht vom 7. bis 16. Lebensjahr. Universitäten gibt es in Kopenhagen (gegr. 1479), Århus (1928), Odense (gegr. 1964), Roskilde (1970) und Ålborg (1974) sowie weitere Hochschulen versch. Art. Rd. 95 % der Bev. gehören zur evang.-luther. Staatskirche, die in 10 Stifte unter der Leitung von Bischöfen gegliedert ist; u.a. auch kath. und jüd. Minderheiten.

Wirtschaft, Verkehr: Die landwirtschaftl. Nutzung verlagert sich vom Hackfruchtanbau zum Getreidebau (Gerste und Weizen). Eine zunehmende Rolle spielen Gärtnereiprodukte (Blumen, Zierpflanzen). Die Viehwirtschaft (Schweine-, Rinder- und Geflügelhaltung) erbringt rd. 45 %, Milchprodukte und Eier 24 % des Gesamtwertes der landwirtschaftl. Erzeugung. Fischfang wird v.a. in der Nordsee betrieben und erbringt hohe Ausfuhrüberschüsse. Seit 1972 fördert D. vor der Nordseeküste Erdöl; seit 1984 besteht auch eine Erdgasproduktion mit allerdings geringen Erträgen. Die Ind. konzentriert sich auf traditionelle Bereiche, v.a. Nahrungsmittel- und Genussmittelherstellung (bes. Konserven, Zucker, Margarine, Schokolade, Bier und andere alkohol. Getränke), aber auch Eisen- und Metallverarbeitung (Maschi-

Staatswappen

DK

Internationales Kfz-Kennzeichen

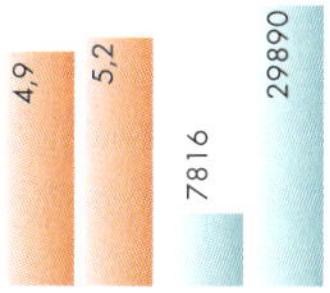

1970 1995 1970 1995
Bevölkerung (in Mio.) Bruttosozialprodukt je Ew. (in US-$)

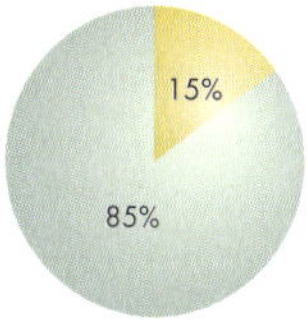

Stadt
Land

Bevölkerungsverteilung 1994

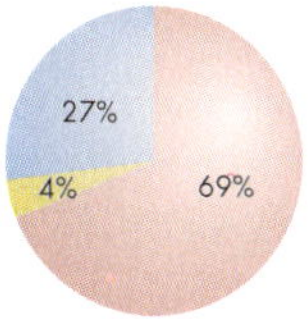

Industrie
Landwirtschaft
Dienstleistung

Bruttoinlandsprodukt 1993

Dänemark: Am Limfjord in Oddesund, Jütland

nen- und Schiffbau), Textil- und Bekleidungs-, Möbel- sowie chem. Industrie (v.a. Düngemittel, Pharmazeutika). Wichtigster Ind.standort ist der Ballungsraum Kopenhagen. – Hauptexportgüter sind Nahrungsmittel, Maschinen und Transportmittel, Fertigerzeugnisse, bearbeitete Waren, chem. Produkte. Wichtigste Importgüter sind Maschinen und Fahrzeuge, bearbeitete Waren, Nahrungsmittel sowie Erdöl, Erdölerzeugnisse und Steinkohle. Haupthandelspartner sind Dtl., Schweden, Großbritannien, die USA und Norwegen. – Das Verkehrsnetz ist gut ausgebaut (1994: 2349 km Eisenbahn; 71255 km Straßen, davon 786 km Autobahnen). Brücken verbinden Jütland mit Fünen, Seeland mit Falster und Lolland; die wichtigsten Fährstrecken führen über den Großen Belt (Nyborg–Korsør), den Sund (Helsingør–Hälsingborg und Kopenhagen–Malmö), den Fehmarnbelt (Rødbyhavn–Puttgarden, →Vogelfluglinie) und von Gedser nach Rostock bzw. Warnemünde. Seit 1991 wird der Bau einer rd. 18 km langen festen Westverbindung (Brücken und Tunnel) zw. Fünen und Seeland für Eisenbahn und Kraftfahrzeuge betrieben. Haupthafen und Mittelpunkt des Luftverkehrs ist Kopenhagen. Weitere wichtige Häfen sind Århus, Ålborg, Frederikshavn und Esbjerg. D. ist mit Schweden und Norwegen an der Flugges. »Scandinavian Airlines System« (SAS) beteiligt.

Geschichte: Vorgeschichte →Nordeuropa.

In das von Germanen besiedelte Land drangen wohl aus S-Schweden die im 6. Jh. erstmals erwähnten Dänen vor, die mehrere Teilkönigtümer bildeten. König Göttrik (Godfred, †810) ließ zum Schutz gegen das Frankenreich das →Danewerk errichten. Gorm der Alte (†um 950), der als eigtl. Staatsgründer gilt, vereinte große Teile des heutigen D. unter seiner Herrschaft; sein Sohn Harald Blåtand (»Blauzahn«, †um 985) nahm um 960 das Christentum an. Dän. Wikinger unternahmen vom 9. bis 11. Jh. ausgedehnte Beutezüge zu den Küstengebieten des europ. Kontinents. Die von Sven Gabelbart (986–1014) begonnene Eroberung Englands vollendete Knut d. Gr. (1018–35), der ferner 1035 das schleswigsche Gebiet zw. Eider und Schlei erwarb und 1028 Norwegen unterwarf. Dieses Nordseegroßreich brach jedoch nach Knuts Tod wieder auseinander (1035 Loslösung Norwegens, 1042 Englands). D. stand durch einen Erbvertrag 1042–47 sogar selbst unter norweg. Herrschaft. Einen neuen Aufschwung der dän. Macht leitete Waldemar I., d. Gr. (1157–82), ein; er und seine Söhne Knut VI. (1182–1202) und Waldemar II., der Sieger (1202–41), unterwarfen die heidn. Wenden der mecklenburgisch-pommerschen Ostseeküste, 1201 das dt. Holstein und 1219 Estland; die wendisch-dt. Eroberungen gingen durch die Niederlage bei Bornhöved (1227) wieder verloren. Waldemar IV. Atterdag (1340–75) verkaufte 1346 Estland dem Dt. Orden, erwarb 1361 Gotland und unterlag im Krieg gegen die dt. Hanse (Friede von Stralsund 1370). Seine Tochter Margarete (1387–1412) war Königin von D. und Norwegen, gewann dazu 1389 Schweden und brachte 1397 die →Kalmarer Union der drei skandinav. Reiche zustande, die (mit Unterbrechungen) bis 1523 bestand.

Mit Christian I. (1448–81) begann die Reihe der Könige aus dem Haus Oldenburg und dessen Nebenlinien; ihn wählten 1460 auch die Stände Schleswig-Holsteins zum Landesherrn. Unter Christian II. (1513–23) gewann Schweden durch die Erhebung Gustav Wasas 1520–23 seine Unabhängigkeit zurück, während Norwegen immer enger mit D. verbunden wurde. Christian III. (1534–59) vereitelte in der →Grafenfehde (1533–36) die von Lübeck unterstützte Wiedereinsetzung seines 1523 gestürzten Vetters Christian II. und führte 1536 die luther. Reformation ein. Christian IV. (1588–1648) griff zugunsten der dt. Protestanten erfolglos in den Dreißigjährigen Krieg ein; an Schweden verlor er im Frieden von Brömsebro 1645 die Prov. Jämtland und Härjedalen, die Inseln Ösel und Gotland, Friedrich III. (1648–70) musste im Frieden von Roskilde 1658 die südschwed. Prov. Schonen, Blekinge und Halland abtreten. 1660 wurde D. in eine Erbmonarchie umgewandelt, 1665 der monarch. Absolutismus verfassungsrechtlich (»Königsgesetz«)

fixiert. Den mit Schweden verbündeten Gottorpern nahm D. im Nord. Krieg (1700–21) ihren Anteil an Schleswig und erwarb 1773 im Austausch gegen das seit 1676 dän. Oldenburg auch den gottorpischen Besitz in Holstein. Im Geist der Aufklärung wirkten die Reformminister J. H. E. von Bernstorff (1751–70), J. F. von Struensee (1771/72) und A. P. von Bernstorff (1773–80, 1784–97), bes. durch die Bauernbefreiung von 1788. Friedrich VI. (seit 1784 Regent, 1808–39 König) musste nach zwei brit. Seeangriffen auf Kopenhagen 1801 und 1807 die dän. Flotte ausliefern; er schloss sich darauf Napoleon I. an und verlor nach dessen Niederlage im Kieler Frieden 1814 Helgoland an Großbritannien sowie Norwegen (aber nicht Island und die Färöer) an Schweden.

In der Folgezeit erwachte der nat. Gegensatz zw. den Dänen und den dt. Schleswig-Holsteinern. Die nationalliberalen »Eiderdänen« forderten die völlige Verschmelzung Schleswigs bis zur Eider mit dem Königreich D. Dagegen verteidigten die Deutschen die 1460 verbriefte Untrennbarkeit der beiden Herzogtümern Schleswig und Holstein und ihre bisherige Selbstständigkeit in Verwaltung und Gesetzgebung (→Schleswig-Holstein, Geschichte). 1848–50 kam es zum Dt.-Dän. Krieg, in dem die Schleswig-Holsteiner schließlich, von der Frankfurter Nationalversammlung und Preußen im Stich gelassen, unterlagen. Die europ. Großmächte bestimmten im Londoner Protokoll von 1852 u. a., dass die Herzogtümer eine selbstständige Stellung behalten sollten. Trotzdem nahmen die Eiderdänen, die inzwischen in D. die liberale Verfassung von 1849 (Einführung der konstitutionellen Monarchie) durchgesetzt hatten, 1863 die verfassungsmäßige Verschmelzung Schleswigs mit D. in Angriff. Die Sanktionierung dieses Gesetzes war die erste Amtshandlung von König Christian IX. (1863–1906) und löste den Dt.-Dän. Krieg von 1864 aus, in dem D. die Herzogtümer Schleswig, Holstein und das seit 1815 in seinem Besitz befindl. Lauenburg an Österreich und Preußen verlor. Seitdem hat es nach außen eine bewusste Neutralitätspolitik eingehalten. Die Innenpolitik wurde bis zur Jahrhundertwende von konservativen Reg. bestimmt, bes. unter MinPräs. J. B. S. Estrup (1875–94); der Einfluss der Liberalen (Venstre; gegr. 1870; seit 1872 stärkste Partei im Folketing) und der Sozialdemokraten (1871 Parteigründung) wuchs stark an. 1901 berief Christian IX. die Venstre an die Regierung, die ein streng parlamentar. System durchsetzten. Friedrich VIII. (1906–12) folgte Christian X. (1912–47). 1915 wurde eine demokrat. Verfassung verabschiedet (Einführung des Frauenwahlrechts). 1917 verkaufte D. die von ihm verwalteten Inseln in der Karibik an die USA. 1918 wurde Island selbstständiges Königreich in Personalunion mit D. 1920 kam Nordschleswig auf Grund einer im Versailler Vertrag festgelegten Volksabstimmung zu D. Eine Sozialreform unter dem sozialdemokrat. MinPräs. T. Stauning (1924–26, 1929–42) begründete D. Ruf als »Wohlfahrtsstaat«. Der Streit mit Norwegen um Grönland wurde 1933 vom Haager Gerichtshof zugunsten D. entschieden. Am 31. 5. 1939 schloss D. mit dem Dt. Reich einen Nichtangriffspakt ab, wurde jedoch am 9. 4. 1940 von dt. Truppen besetzt (bis 1945). Die Reg. blieb zunächst im Amt (1943 abgesetzt); König Christian X. wurde ab 1943 auf Schloss Amalienborg gefangen gehalten. Der 1943 in London gebildete »Dän. Rat« organisierte den Widerstand gegen die dt. Besatzungsmacht. Island, das 1940 von den Alliierten besetzt worden war, proklamierte sich am 17. 6. 1944 zur unabhängigen Republik.

Die Reg. unter E. Buhl (1945) annullierte alle unter dt. Druck beschlossenen Gesetze und ging gegen Kollaborateure vor. 1947 bestieg Friedrich IX. den Thron. 1948 erhielten die Färöer Selbstverwaltung, 1953 wurde Grönland Bestandteil von D. (seit 1979 innere Autonomie). D., das 1945 Mitbegründer der UNO war und sich 1949 dem Europarat und der NATO anschloss, war 1952 Gründungsmitgl. des →Nordischen Rates; 1960 trat

Dänemark (Geschichte): Dänische Artilleriestellung auf einem Wall der Festung Fredericia in Jütland, Foto (1864)

es der EFTA bei, ist jedoch seit 1973 Mitgl. der EG. Nach dem Tode Friedrichs IX. (1972) bestieg seine Tochter Margrethe II. den Thron. Zw. 1947 und 1973 bildeten zumeist die Sozialdemokraten die Reg. (z.T. in Koalitionen mit anderen Parteien), 1950–53 und 1968–71 bürgerl. Kabinette. Seit 1973 wurde D. vorwiegend von Minderheitskabinetten regiert, MinPräs. war 1975–82 A. Jørgensen (Sozialdemokrat), 1982–93 P. Schlüter (Konservative Volkspartei) und ab 1993 P. N. Rasmussen (Sozialdemokrat). In einem 1. Referendum (Juni 1992) stimmte die Bev. gegen, nach Gewährung von Ausnahmeregelungen für D. in einer 2. Abstimmung (Mai 1993) für die Maastrichter Verträge. Das Verhältnis D.s zur EU blieb auch in den folgenden Jahren in der innenpolit. Diskussion, z.B. die Frage, wie viel Souveränität die Regierung an europ. Institutionen abgeben dürfe. Nach den Wahlen vom März 1998 konnte Rasmussen erneut die Führung der Regierung übernehmen.

📖 Glässer, E.: *D. Stuttgart 1980.* – Kamphausen, A.: *D. Ein Führer. München 1980.* – Patitz, A.: *D. Mit Fotos v.* B. Wagner. *Bern u. a. 1981.* – *Luftbildatlas D. Eine Landeskunde in 78 farbigen Luftaufnahmen. Redaktion:* B. Furhauge *u. a. A. d. Dän. Esbjerg/Brenderup 1982.* – Jones, W. G.: *Denmark. A modern history. Neuausg. London u. a. 1986.* – *Historisk atlas Danmark. Redaktion:* Y. Kjærulff Hellesen. *Kopenhagen 1988.* – Meissner, G.: *D. unterm Hakenkreuz. Berlin 1990.* – *D., mit Fotos v.* F. Dressler, *Text v.* B. Henningsen *u.* M. Eysell. *München 1993.* – Hastrup, B.: *Contemporary Danish society. Kopenhagen 1995.* – *Denmark. An official handbook, hg. v.* C. Wulff. *Kopenhagen 1996.*

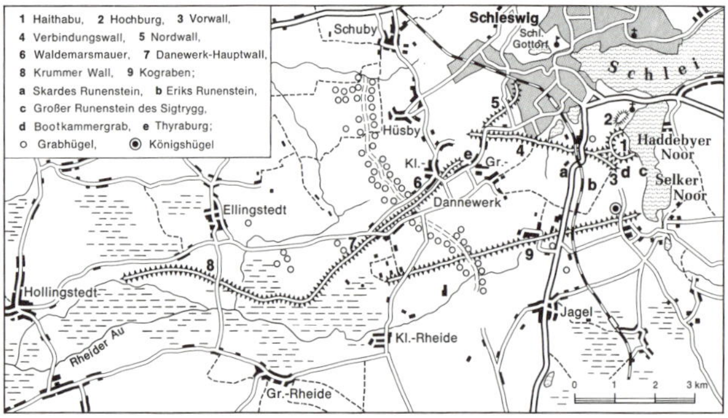

Danewerk

Dänemarkstraße, Meeresstraße zw. Island und Grönland, rd. 300 km breit; wichtiges Fischereigebiet.

Däneninsel (norweg. Danøya), Insel in NW-Spitzbergen. Hier startete 1897 S. →Andrée seinen Versuch, den Nordpol zu überfliegen.

Daniel: Frühchristliches Wandgemälde »Daniel in der Löwengrube« in der Katakombe der Giordani in Rom (4. Jh.)

Danewerk (dän. Danevirke), ein etwa 30 km langes System von Verteidigungswällen des 8.–12. Jh. in Schleswig, das den Zugang nach Jütland zw. Schlei (Ostsee) sowie Treene und Eider (Nordsee) sperrte. Alle Erdwälle hatten urspr. Holzpalisaden und Gräben, im Hauptwall sind Feldstein- und Ziegelmauern (Waldemarsmauer) erhalten; hier lag auch die Thyraburg. 1858 bauten die Dänen das D. erneut für Verteidigungszwecke aus, gaben es aber 1864 im Dt.-Dän. Krieg kampflos auf. (→Haithabu)

Dani|el [hebr. »Gott ist Richter«], im A.T. ein weiser Jude, der Mitte des 6. Jh. v. Chr. am Hof Nebukadnezars II. in Babylon gelebt haben soll. Das erst um 165 v. Chr. entstandene **Buch D.** berichtet über seine Deutung des Traumes des Nebukadnezar (Daniel 2, 29–45) und seiner eigenen Träume und Visionen und kündigt das Kommen des Reiches Gottes an (bedeutender Einfluss auf jüd. und christl. Apokalypsen).

Daniel, Juli Markowitsch, Pseudonym Nikolai Arschak, russ. Schriftsteller, *Moskau 15. 11. 1925, †ebd. 30. 12. 1988; wurde wegen seiner satir. Erzählungen »Hier spricht Moskau« (1962), »Hände« (1963), »Buße« (1969) und deren Veröffentlichung im westl. Ausland zus. mit A. Sinjawski zu Zwangsarbeit (1966–70) verurteilt.

daniellscher Hahn ['dænjəl, nach dem brit. Chemiker und Physiker J. F. Daniell, *1790, †1845], Gasbrenner, →Schweißbrenner.

Daniel-Rops [danjɛl'rɔps], eigtl. Jean Charles Henri Petiot, frz. Schriftsteller und Historiker, *Épinal 19. 1. 1901, †Chambéry 27. 7. 1965; Vertreter des »Renouveau catholique«; Romane

(»Tod, wo ist dein Sieg«, 1934), Essays, histor. Werke.

Däniken, Erich von, schweizer. Schriftsteller, *Zofingen (Kt. Aargau) 14. 4. 1935; war erfolgreich mit Büchern, in denen er den Besuch außerird. Wesen auf der Erde nachzuweisen sucht; seine Thesen blieben wiss. unbestätigt (»Erinnerungen an die Zukunft«, 1968; »Zurück zu den Sternen«, 1969; »Aussaat und Kosmos«, 1972; »Reise nach Kiribati«, 1981; »Der Tag, an dem die Götter kamen«, 1984; »Habe ich mich geirrt?«, 1985).

Erich von Däniken

dänische Kunst: Bertel Thorvaldsen, »Ganymed mit dem Adler« (1817; Kopenhagen, Thorvaldsens Museum)

dänische Kunst. Die aus vorchristl. Zeit (bis etwa 1000 n. Chr.) stammenden Funde auf dän. Boden gehören zur german. Kunst. Im MA. war die d. K. zunächst von Dtl. (Dome zu Lund, Ribe, Viborg), dann von Frankreich beeinflusst (Dom von Roskilde, Zisterzienserkirche von Sorø). Seit etwa 1160 wurde Backstein bevorzugtes Baumaterial (Kirchen von Ringsted und Kalundborg). Die Baukunst der späteren Gotik (St. Peter, Malmö; St. Marien, Helsingborg; St. Olaf, Helsingør; St. Knud, Odense; Dom Århus) entspricht stilistisch der norddt. Backsteingotik. Der auch die Plastik bestimmende dt. Einfluss erreichte seinen Höhepunkt mit der Tätigkeit von B. Notke für Århus und C. Berg für Odense. Die Baukunst und Plastik der Renaissance standen unter niederländ. und dt. Einfluss (Schloss Kronborg in Helsingør; Börse und Schloss Rosenborg in Kopenhagen; Schloss Frederiksborg). Der Barock setzte mit dem Ausbau Kopenhagens als Festungsstadt ein. 1732–40 entstand Schloss Christiansborg (1794 abgebrannt, wieder aufgebaut), an dessen Ausstattung N. Eigtved beteiligt war, nach dessen Plänen weitgehend das Stadtviertel Amalienborg erbaut wurde. Zur Zeit des Klassizismus gaben C. F. Harsdorff und sein Schüler C. F. Hansen der Stadt ihr Gepräge. Die Skulpturen des Bildhauers B. Thorvaldsen gehören zu den Hauptwerken des europ. Klassizismus. Die eigenständigsten Leistungen auf dem Gebiet der Malerei erbrachten im 18. Jh. A. Abildgaard und J. Juel. Zw. 1780 und 1800 war die Blütezeit des Kopenhagener Porzellans. Um 1800 zog die Kopenhagener Akademie viele Deutsche an (J. A. Carstens, P. O. Runge, C. D. Friedrich, F. Kersting). Mit C. W. Eckersberg begann das »goldene Zeitalter« der dän. Malerei, repräsentiert durch C. Købke, C. A. Jensen, C. Hansen und J. T. Lundby. Gegen Ende des 19. Jh. traten V. Hammershøi und P. Krøyer hervor, der sich dem Impressionismus anschloss. Neue Wege in der Baukunst suchten M. Nyrop (Kopenhagener Rathaus), P. V. Jensen-Klint (Grundtvig-Kirche in Kopenhagen) und G. Asplund. Die religiöse Monumentalmalerei erneuerte J. Skovgaard (Fresken im Dom von Viborg); J. F. Willumsen schuf sein expressives Spätwerk in Südfrankreich (ab 1916). Nach dem 2. Weltkrieg erlangten die Architektur und das Kunsthandwerk mit Möbeln, Silber- und Edelstahlgeräten in hervorragendem Design internat. Rang. Neben A. Jacobsen und J. Utzon, den bekanntesten dän. Architekten, wirkten die Bildhauer R. Jacobsen und H. Heerup sowie die Maler R. Mortensen, C. H. Pedersen und A. Jorn. 1948 schlossen sich K. Appel, Corneille, A. Jorn u. a. zur Gruppe →Cobra zusammen. Die jüngere Künstlergeneration, wie die Bildhauer Jørgen Haugen Sørensen, Bjørn Nørgaard und die Maler Poul Janus-Ipsen, Hans C. Rylander, Stig Brøgger, Anders Kierkegaard vertritt so unterschiedl. Richtungen wie die internat. zeitgenöss. Kunst.

📖 POULSEN, V.: *Dän. Maler. A. d. Dän. Neuausg. Königstein im Taunus 54.–73. Tsd. 1961.* – MADSEN, H.: *Kirkekunst i Danmark, 3 Bde. Odense 1964–66.* – *Dansk kunsthistorie. Billedkunst og skulptur, hg. v.* V. POULSEN *u.* E. LASSEN. *5 Bde. Kopenhagen 1972–75.*

dänische Kunst: Jens Ferdinand Willumsen, »Zwei Frauen aus der Bretagne« (1890; Privatbesitz)

dänische Literatur. Vor der Reformation sind die »Gesta Danorum« (um 1200) des Saxo Grammaticus, die »Folkeviser« (Tanzlieder, Balladen) und die »Kaempeviser« (Heldenlieder) Zeugnisse der dän. Volkskultur. Die Übersetzung der Bibel von C. Pedersen (»Christians III. Bibel«, 1550) ist von Luther beeinflusst. Literar. Höhepunkte des 17. Jh. waren Leonora Christina Ulfeldts Autobiographie »Jammersminde« (abgeschlossen 1685) sowie Werke von A. Bording und T. Kingo.

dänische Literatur: Hans Christian Andersen nach einer zeitgenössischen Zeichnung

Der eigentl. Begründer der modernen d. L. war L. Holberg (*1684, †1754), der den beherrschenden Einfluss des dt. Barock zugunsten aufklärer. Ideen und Vorbilder aus England und Frankreich zurückdrängte. Mit dem Klopstockjünger J. Ewald begann die in der Wiss. schon früher einsetzende altnord. Renaissance. Ende des 18. Jh. gewann die dt. Aufklärung fast unumschränkte Vorherrschaft; sie rief auch heftige Gegenwirkung hervor (P. A. Heiberg). Jens Baggesen wollte zw. den Zeitströmungen und Nationen vermitteln. 1802/03 brachte H. Steffens mit seinen Vorlesungen die Ideen der dt. Romantik nach Dänemark. Romantiker, wenigstens in ihren Anfängen, waren A. Oehlenschläger und B. S. Ingemann. Überragende Bedeutung gewann der Philosoph und Theologe S. Kierkegaard. Der moralist. Schriftsteller F. Paludan-Müller und der Theologe und Volkserzieher N. F. S. Grundtvig verkörperten das Gewissen ihrer Zeit. Der Hegelianer J. L. Heiberg wurde der ästhet. und ideelle Erzieher Dänemarks; er rief eine Blüte des dän. Theaters hervor. Weltberühmt wurden die seit 1835 erscheinenden Märchen H. C. Andersens. Georg Brandes forderte in seinen Vorlesungen der 70er- und 80er-Jahre die Verknüpfung der Literatur mit der Gesellschaft; er war ein Vorkämpfer von Realismus und Naturalismus. In wechselnder Auseinandersetzung mit Brandes standen fast alle bedeutenden dän. Autoren des »Modernen Durchbruchs« (J. P. Jacobsen, H. Drachmann, K. Gjellerup, H. Bang). Gleichzeitig mit dem frz. Symbolismus erlebte Dänemark eine lyr. Renaissance (L. Holstein, V. Stuckenberg, J. Jørgensen, S. Claussen u. a.). Anfang des 20. Jh. entstand eine realist. Literatur von großen Talenten aus der Provinz, zu denen J. Aakjaer, J. Knudsen, J. V. Jensen, H. Pontoppidan u. a. zählen. Die Arbeiterbewegung schilderte M. Andersen Nexø. Neuere Erzähler sind u. a. J. Paludan, Tania Blixen, Nils Petersen, Martin A. Hansen, K. Lindemann, H. C. Branner, W. Heinesen, J.-F. Jacobsen, Hans Kirk, K. Rifbjerg, V. Sørensen, L. Panduro; Lyriker: u. a. Paul La Cour, T. Kristensen, O. Wivel, H. Rasmussen; Dramatiker: u. a. K. Munk, K. Abell, C. E. Soya. Die Gegenwartsliteratur vertreten K. Sørensen, J. Møllehave, J. Jensen, E. Kløvedal Reich, T. Hansen, Cecil Bødker. Die dän. Gegenwartsliteratur wird von vielen Schriftstellerinnen geprägt: Elsa Gress, Maria Marcus, Suzanne Brøgger, Jette Drewsen, Dea Trier Mørch u. a.

Vertreter der Postmoderne in den späten 1980er- und frühen 1990er-Jahren sind u. a. Lise Nørgaard, P.-H. Trampe, J. Thorgaard, J. C. Grøndahl. Einige Autoren der jüngsten d. L. wie P. Vad, P. Hultberg und v. a. P. Høeg haben auch internat. Ansehen gefunden.

📖 H. M. *u.* W. SVENDSEN: *Geschichte der d. L. Neumünster 1964. – Nord. Literaturgeschichte. Redaktion:* M. BRØNDSTED *u. a., 2 Bde. A. d. Dän. München 1982–84.* – FRIESE, W.: *Neuere skandinav. Literatur, auf mehrere Bde. ber. Bern 1986 ff.* – FRIESE, W.: *»... am Ende der Welt«. Zur skandinav. Literatur der frühen Neuzeit. Leverkusen 1989. – Dansk litteraturhistorie, Beiträge v.* S. KASPERSEN *u. a., 9 Bde. Neuausg. Kopenhagen 1990. – Grundzüge der neueren skandinav. Literaturen, hg. v.* F. PAUL. *Darmstadt ^{2}1991. – A history of Danish literature, hg. v.* S. H. ROSSEL. *Lincoln, Nebr., 1992. – Präsentationen, hg. v.* K. BRYNHILDSVOLL, *Bd.: Dän. Gegenwartsautoren. Morsbach 1995.*

dänische Musik. In dän. Mooren gefundene Luren aus der Bronzezeit sind älteste Zeugnisse der Musikpflege im german. Raum. – Im Allg. folgte die d. M. der europ. Entwicklung. Eigenständig sind die dän. balladenhaften Volkslieder. Im 17. Jh. wirkte H. Schütz vorübergehend in Kopenhagen, und D. Buxtehude war einige Jahre Organist in Helsingborg und Helsingør. Dt. Musiker pflegten um 1800 das dän. Lied, das dän. Singspiel und die dän. Oper, so F. Kuhlau. Die musikal. Romantik repräsentiert N. W. Gade. Neben ihm wirkten J. P. E. Hartmann und P. A. Heise. Der bedeutendste neuere dän. Komponist war C. A. Nielsen (Hauptwirkungszeit frühes 20. Jh.). Stärker internat. ausgerichtet waren K. Riisager, J. Bentzon und F. Høffding. Weitere bed. Komponisten sind H. D. Koppel, V. Holmboe, N. V. Bentzon und P. Nørgård.

dänische Sprache. Die d. S. gehört zum nordgerman. Zweig der indogerman. Sprachen; im Unterschied zum Norwegischen sind u. a. die Endsilben stärker abgeschliffen; ferner unterscheidet es sich u. a. durch die Ausbildung eines Stimmlippenverschlusslauts (des dänischen Stoßtons). Sprachgeschichtlich unterscheidet man drei Epochen: Runendänisch (800–1100), Altdänisch (1100–1500), Neudänisch (ab 1500). Bis ins 10. Jh. unterschied sie sich nur unwesentlich von den übrigen skandinav. Mundarten. Seit dem Ende des 13. Jh. traten innerhalb des Dänischen mundartl. Unterschiede auf; eine gemeinsame Schriftsprache bildete sich erst zw. 1350 und 1500, vorwiegend aufgrund des seeländischen Dialekts. Im 14. und 15. Jh. machten sich starke Einflüsse des Niederdeutschen geltend (Hanse), später auch des Hochdeutschen (1550–1700) und Französischen (1. Hälfte des 18. Jh.). 1536 bis etwa 1850 war Dänisch die Schriftsprache Norwegens. Mundarten: Dialekt von Bornholm, Inseldänisch, verschiedene jüt. Dialekte. – Geschrieben wird mit lat. Buchstaben; seit der Rechtschreibreform 1948 werden die Substantive (außer den Eigennamen) klein geschrieben.

Dankwarderode, Burg in →Braunschweig.

Dannecker, Johann Heinrich von (seit 1808), Bildhauer, *Stuttgart 15. 10. 1758, †ebd. 8. 12. 1841; bed. Vertreter des dt. Klassizismus; studierte seit 1783 in Paris, ging 1785 nach Rom (Einfluss von Canova); 1790–94 Prof. an der Karlsschule, 1828 Direktor und Lehrer der Kunstschule in Stuttgart. *Werke:* Schillerbüste (1794; Weimar, Kunstsammlungen); Selbstbildnisbüste (1797; Stuttgart, Staatsgalerie); Ariadne auf dem Panther (1806–10; Frankfurt am Main, Liebieghaus).

Dannemora [-mu:ra], Bergbausiedlung in Mittelschweden, gehört zur Gem. Östhammar (Prov. Uppsala); seit 1480 Eisenerzbergbau, früher im Tagebau, heute im Tiefbau.

Dannenberg (Elbe), Stadt im Kr. Lüchow-Dannenberg, Ndsachs., an der Jeetzel, 8600 Ew.; Gummi- und Textilindustrie. – Erhielt um 1293 Stadtrecht.

D'Annunzio, Gabriele, seit 1924 Principe di **Montenevoso,** italien. Schriftsteller, *Pescara 12. 3. 1863, †Cargnacco (bei Gardone Riviera) 1. 3. 1938; im 1. Weltkrieg als Flieger verwundet, verhinderte als Freischarführer 1919/20 die Internationalisierung des Hafens Fiume (heute Rijeka). In Lyrik (»Canto novo«, 1882; »Laudi«, 5 Bücher [»Maia«, 1903; »Elettra«, 1904; »Alcione«, 1904; »Merope«, 1911; »Canti della guerra latina«, 1933]), Roman (»Lust«, 1889; »Der Unschuldige«, 1892; »Triumph des Todes«, 1894; »Feuer«, 1900; »Notturno«, 1921) und Drama (»Die tote Stadt«, 1898; »Francesca da Rimini«, 1902; »La figlia di Iorio«, 1904; »Das Schiff«, 1908; »Das Martyrium des hl. Sebastian«, 1911, in frz. Sprache geschrieben, vertont von C. Debussy) bekannte sich D'A. zu einem heidn. Sinnen- und Schönheitskult. Er verband überfeinertes Ästhetentum im Sinne der europ. Dekadenz und schwelgerischen Pathos mit dem Hang zum Barbarischen. Lebensgier und Egozentrik, Eitelkeit und Prunksucht brachten sein virtuoses Werk ins Zwielicht, ebenso wie seine Nähe zum Faschismus. Für seine Dichtung war seine Bindung an Eleonora →Duse von Bedeutung.

📖 GAZZETTI, M.: *G. d'A. Neuausg. Reinbek 1995.*

Danse macabre [dãsma'kabr, frz.] *der,* Totentanz (→Tod).

Dante Alighieri

Für seine ideale Geliebte Beatrice hatte Dante Jahre vor der Entstehung der »Göttlichen Komödie« ein feierliches und zugleich prophetisches Gelöbnis abgelegt:

»... wenn es dem gefällt, von dem alles Leben kommt, dass mein Leben noch etliche Jahre währe, so hoffe ich von ihr zu sagen, was noch von keiner je gesagt worden ist. Und alsdann wolle es ihm gefallen, der aller Hulden Herr ist, dass meine Seele hingehen möge, zu schauen die Herrlichkeit ihrer Herrin, jener benedeieten Beatrice, welche in der Verklärung Ihm ins Angesicht schauet, der da benedeiet ist in alle Ewigkeit.«

Dante Alighieri [-ali'gjɛ:ri], italien. Dichter, *Florenz im Mai 1265, †Ravenna 14. 9. 1321. Von D. A.s Kindheit und Jugend ist wenig bekannt. Im 9. Lebensjahr sah er zum ersten Mal Beatrice, die er in seinen Dichtungen verherrlichte; sie starb im Alter von 24 Jahren 1290. Um 1293 ⚭ mit Gemma Donati. Von 1296 an bekleidete er versch. Ämter in Florenz. Im Kampf um die Unabhängigkeit von Florenz gegen die Einmischungsversuche des Papstes Bonifatius VIII. verstrickte er sich in eine erfolglose Opposition. Er wurde 1302 aus Florenz verbannt und kurz darauf zum Tod verurteilt. Seitdem führte er ein Wanderleben. Seine großen Hoffnungen auf den Italienzug Kaiser Heinrichs VII. wurden durch den Tod Heinrichs (1313) vernichtet. Die letzten Lebensjahre verbrachte D. A. in Ravenna.

Kleinere Werke: 1) in italien. Sprache: »La vita nuova« (dt. »Das neue Leben«, 1292–95 entstanden), die Darstellung seiner Jugendliebe, Gedichte

Dante Alighieri: »Dante und Vergil in der Unterwelt«, Ölgemälde von Eugène Delacroix (1822; Paris, Louvre)

Georges Jacques Danton
(Lithographie)

Danzig 1)
Stadtwappen

mit Prosatext, dem Dolce stil nuovo verbunden. – »Le rime«, Samml. von Gedichten, spätestens 1305 abgeschlossen. – »Il convivio« (dt. »Das Gastmahl«, 1306–08 entstanden; unvollendet), erstes Beispiel wissenschaftlicher italien. Prosa. – 2) in lat. Sprache: »De vulgari eloquentia« (dt. »Über die Volkssprache«), nach 1305 entstanden; unvollendete Abhandlung über Ursprung und Wesen der Sprache und der dichterischen Formen. – »De monarchia« (dt. »Über die Monarchie«, 1310–15 entstanden), D. A. verficht darin die Selbstständigkeit des Reiches gegenüber der Kirche; Reich und Kirche stehen im Verhältnis der Nebenordnung zueinander. – »Epistulae« (Briefe). – »Eclogae« (zwei Hirtengedichte, um 1319). – Sein Hauptwerk ist die in toskan. Mundart geschriebene »Divina Commedia« (dt. »Die Göttliche Komödie«, entstanden etwa 1311–21), ein allegorisch-lehrhaftes Gedicht in 100 Gesängen mit 14230 Versen in Terzinen, das von D. A. nur »Commedia« genannt wurde. Sie zerfällt in die drei Hauptteile Inferno (Hölle), Purgatorio (Läuterungsberg) und Paradiso (Paradies) und stellt im allegor. Sinn des MA. den Weg der sündigen Seele zum Heil dar. Geleitet wird D. A. von Vergil, der Verkörperung von Vernunft, Wiss. und Philosophie, den Beatrice, die verklärte Jugendliebe, jetzt das Symbol der göttl. Gnade, gesandt hat. Dieser führt ihn durch die neun Höllenkreise auf den Berg der Läuterung. Im ird. Paradies übernimmt Beatrice selbst die Führung durch die neun Himmel bis zur Anschauung der Gottheit. Auf seiner Wanderung spricht D. A. mit den Seelen berühmter Verstorbener über Fragen der Theologie und Philosophie, über die Kirche, den Staat und Italien. So umfasst die »Divina Commedia« enzyklopädisch die geistigen Themen der mittelalterl. Kultur.

📖 ALTOMONTE, A.: *Dante. Eine Biographie. A. d. Italien. Neuausg. Reinbek 1994.* – RISSET, J.: *Dante. Une vie. Paris 1995.*

Dante-Gesellschaften, Vereine zur Verbreitung der Kenntnis von Dantes Werken. D.-G. gibt es in Dtl., Italien, Großbritannien, den USA. **Neue Dt. Dante-Gesellschaft** (1914 neu gegr.; vorher 1865–78 Dt. Dante-Gesellschaft), Sitz wurde Weimar; Organ: »Dt. Dante-Jb.« (1920 ff.). **Società Dante Alighieri,** 1889 gegr., Hauptsitz: Rom; sie dient mit zahlr. Vertretungen im Ausland der Förderung und Verbreitung der italien. Sprache und Kultur.

Danti, Vincenzo, italien. Bildhauer und Goldschmied, * Perugia 1530, † ebd. 26. 5. 1576; einer der Hauptmeister des Manierismus (Bronzestandbild des Papstes Julius III. vor dem Dom in Perugia, 1555).

Danton [dãˈtɔ̃], Georges Jacques, frz. Revolutionär, * Arcis-sur-Aube (Dép. Aube) 28. 10. 1759, † (hingerichtet) Paris 5. 4. 1794; Rechtsanwalt, wurde in der Frz. Revolution als mitreißender Redner Führer der Volksmassen, nach dem Sturm auf die Tuilerien (10. 8. 1792) Justizmin., im Konvent Mitgl. der Bergpartei, organisierte maßgeblich die nat. Verteidigung und verkündete das Prinzip der natürlichen Grenzen Frankreichs. Mit der Duldung der Septembermorde, der Organisation des Revolutionstribunals und des Wohlfahrtsausschusses an der Durchsetzung der Schreckensherrschaft (Grande Terreur) und am Sturz der Girondisten beteiligt. Seit Ende 1793 trat D. für Mäßigung ein, wurde deshalb angeklagt und guillotiniert. – Dramen von G. Büchner (1835) und R. Rolland (1901).

📖 BLUCHE, F.: *D. A. d. Frz. Stuttgart 1988.*

Dantzig [ˈdæntsɪk], George Bernard, amerikan. Mathematiker und Volkswirtschaftler, * Portland (Oreg.) 8. 11. 1914; entwickelte die →Simplexmethode zur Lösung linearer Optimierungsaufgaben.

Danzig, 1) (poln. Gdańsk), Hafenstadt an der Ostsee, Hptst. der Wwschaft Gdańsk, Polen, an der Danziger Bucht, 463 100 Ew.; bildet mit Sopot (Zoppot) und Gdynia (Gdingen) eine Städteballung; Sitz vieler Behörden und kultureller Einrichtungen: Univ., TH u. a. Hochschulen, Medizin. Akademie, Forschungsinstitute, Bibliothek der Poln. Akademie der Wiss., Nationalmuseum, Oper, Philharmonie; wichtige Ind. sind der Maschinenbau, Metall-, chem., elektrotechn., Nahrungsmittel-, Papier- und Textilindustrie, Erdölraffinerie. Die traditionsreiche Danziger Werft wurde 1997 geschlossen. Hafenbecken im Stadtteil Neufahrwasser an der Toten Weichsel und an der Ostsee (Nordhafen); Fährverbindungen nach Helsinki, Nynäshamn (südl. von Stockholm) und Lübeck-Travemünde; internat. Flughafen.

Der mittelalterl. Stadtkern auf dem linken Ufer der Mottlau, dicht oberhalb ihrer Mündung in die Tote Weichsel, besteht aus Recht-, Neu-, Alt- und Vorstadt; die Speicherinsel und die Niederstadt stammen aus dem 15.–17. Jahrhundert. 1945 wurden 95% der Recht- und der Altstadt zerstört. Völlig ausgebrannt war die Oberpfarrkirche St. Marien (1343–1502), schwer zerstört wurden das alte rechtstädt. Rathaus, der Artushof (1476–81, Fassade 1616/17), der Lange Markt, das Krantor (1442–44) und die meisten der fast 40 Kirchen und Klöster, die Giebelhäuser (16.–18. Jh.) mit den »Beischlägen« und die Speicher. Im Kern der Rechtstadt wurde fast jedes Bauwerk mit historisch getreuen Fassaden wieder errichtet; der Artushof ist heute Kulturzentrum, das Krantor Schifffahrtsmuseum. Moderne Wohnviertel entstanden in Langfuhr und zw. Oliva und der Danziger Bucht.

D., 980 erstmals erwähnt, war zu dieser Zeit ein wichtiger Handelsplatz und Hauptort Pommerellens. Die neben der slaw. Siedlung entstandene dt. Marktsiedlung (seit etwa 1178) erhielt um 1240 lüb. Stadtrecht (1263 urkundl. Nachweis). 1308 kam D. in den Besitz des Dt. Ordens, der der Stadt 1343 Culmer Recht verlieh. Seit 1361 gehörte D. der Hanse an. Nach Unterstellung unter poln. Oberhoheit (1454/57) erlangte D. weitgehende Privilegien. 1523–26 setzte sich in D. die Reformation durch, 1576/77 verteidigte es gegen den poln. König Stephan Báthory seine Vorrechte. Seit der 2. Poln. Teilung (1793) preußisch, war es 1816–24 und 1878–1919 Hptst. der Prov. Westpreußen; 1920 zur Freien Stadt D. erklärt (→Danzig 2). 1939–45 Hptst. des dt. Reichsgaues D.-Westpreußen, kam 1945 unter poln. Verwaltung; seine Zugehörigkeit zu Polen wurde 1990 durch den Dt.-Poln. Grenzvertrag anerkannt.

📖 Bogucka, M.: *Das alte D. Alltagsleben vom 15.–17. Jh. A. d. Poln. Leipzig ²1987.* – Hewelt, H.: *D., ein europ. Kulturdenkmal. Lübeck 1988.* – Schleuning, H.: *D., Geschichte einer Stadt im Spiegel ihrer Denkmäler. Bremen 1992.*

2) (Freie Stadt D.), ehem. Freistaat an der Weichselmündung, 1966 km², (1938) 407500 Ew. (95% Deutsche). – Das Gebiet wurde im Versailler Vertrag (1919) trotz des Protests seiner dt. Bev. vom Dt. Reich getrennt, am 15. 11. 1920 als Freistaat errichtet und unter den Schutz des Völkerbunds gestellt, der einen Hochkommissar einsetzte. Oberste Reg.behörde war nach der Verf. vom 11. 8. 1920/14. 6. 1922 der Senat, der dem Parlament (Volkstag) verantwortlich war, oberster Staatsbeamter der Präs. des Senats. 1922 zoll- und wirtschaftspolitisch Polen angeschlossen; 1933 erlangten die Nationalsozialisten die Mehrheit im Volkstag. Mit dem dt. Angriff auf Polen am 1. 9. 1939 wurde D. dem Dt. Reich wieder eingegliedert.

📖 Burckhardt, C. J.: *Meine Danziger Mission. 1937–1939. München ³1980.* – Böttcher, H. V.: *Die Freie Stadt D. Wege u. Umwege in die europ. Zukunft. Bonn 1995.*

Dạnziger Abkommen, →Polen (Geschichte).

Dạnziger Bucht (poln. Zatoka Gdańska), halbkreisförmige, nach NO offene Bucht der Ostsee vor der Weichselmündung, zw. dem Samland im O und der Halbinsel Hela im W; idealer Naturhafen mit den Hafenstädten Danzig, Gdynia und Baltisk.

Dạnziger Nehrung, →Frisches Haff.

Dạnziger Wẹrder (poln. Żuławy Wiślane), der nördl. Teil des zw. dem Unterlauf der Weichsel und der Nogat gelegenen Weichseldeltas; wurde im 17. Jh. urbar gemacht.

Dao [chines. »Bahn«, »Weg«] (Tao) *das,* grundlegender Begriff der chines. Philosophie; im Daoismus ist D. das alle Erscheinungen bestimmende Weltgesetz, der alles hervorbringende und erhaltende Welturgrund; nicht mit dem Verstand, nur in myst. Versenkung erfassbar. Im Konfuzianismus hat D. auch eth. Bedeutung.

Danzig 1): Das 1442–44 erbaute gotische Krantor, eines von zahlreichen mittelalterlichen Torhäusern der Stadtbefestigung, deren Obergeschosse zu Wohn- und Speicherräumen ausgebaut waren, brannte 1945 aus, 1961 wurde es äußerlich originalgetreu wieder aufgebaut

Daodejịng [-dʒɪŋ] (Tao-te-ching), philosophische Aphorismensammlung (»Buch von Dao und De«), ein Hauptwerk des Daoismus aus dem späten 4. Jh. v. Chr., →Laozi zugeschrieben.

Daoịsmus [zu Dao] (Taoismus) *der,* philosoph. Lehre und Religion in China. Der philosoph. D. ist eine im 4. und 3. Jh. v. Chr. entstandene Richtung der chines. Philosophie, deren klassische Bücher (→Laozi, →Zhuangzi) vom Dao und De (dem Wirken des Dao in der Welt) handeln. Der religiöse D., eine weit in vorchristl. Zeit zurückreichende

Religionsform mit Göttern und Geistern, Exorzismus und Wahrsagerei, besaß spätestens seit dem 2. Jh. n. Chr. feste Kultformen, Gemeinden und Mönchswesen, oft in Wettbewerb mit dem gleichzeitig aufkommenden Buddhismus. Der philosoph. D. lebte in der Oberschicht bis in die Neuzeit fort, die daoist. Religion hatte im 7. Jh. n. Chr. ihren Höhepunkt überschritten.

Dara

📖 WALF, K.: *Westliche Taoismus-Bibliographie. Essen ³1992.* – ROBINET, I.: *Geschichte des Taoismus. A. d. Frz. München 1995.*

Daoismus

Die daoistische Götterwelt enthält eine unübersehbare Anzahl von Gottheiten, der je nach vorherrschender Richtung auch stets lokale Helden und Götter eingegliedert wurden. Aus dieser Vielzahl hat sich die Trias der Obersten Reinen Himmelsehrwürdigen (Shangqing tianzun) herausgebildet: Yuanshi tianzun, der Himmelsehrwürdige des Uranfangs, Taishang Daojun, der Allerhöchste Herr des Weges, und Taishang Laojun, der vergöttlichte Laozi mit dem Namen Allerhöchster Alter Herr. In den Volksreligionen gehören zu den bekanntesten Göttern Guandi, der auf den berühmten Feldherrn Guan Yu zurückgeht und später die Rolle eines Kriegsgottes übernahm, Zaojun, der Küchengott, der in jedem Haushalt verehrt wird, sowie Xiwangmu, die Königinmutter des Westens, die über dem Paradies der Unsterblichen in den westlichen Bergen residiert und als Beschützerin vor Epidemien und als Garantin eines langen Lebens betrachtet wird.

Daphne [grch. »Lorbeer«], *grch. Mythos:* eine Nymphe, von Apoll geliebt und verfolgt, auf ihr Flehen in einen Lorbeerbaum verwandelt. Plastik von Bernini (Rom, Villa Borghese). – Opern u. a. von I. Peri (1598; die erste Oper überhaupt), von H. Schütz (1627; erste dt. Oper, Musik nicht erhalten), R. Strauss (1938).

Daphni, grch. Gemeinde westl. von Athen. Das Kloster wurde bereits im 5. Jh. gegründet (heute Museum). Die etwa 1080–1100 entstandenen Mosaiken der Kirche (1960 restauriert) gehören zu den Hauptwerken der mittelbyzantin. Mosaikkunst.

Daphnis, *grch. Mythos:* Sohn des Hermes und einer Nymphe, Hirt auf Sizilien; soll das Hirtenlied erfunden haben; seit → Longos typ. Hirtenname in der Schäferdichtung.

Dapifer [lat. »Speiseträger«] *der,* → Truchsess.

Da Ponte (Daponte), Lorenzo, eigtl. Emmanuele Conegliano, italien. Librettist, * Ceneda (heute zu Vittorio Veneto) 10. 3. 1749, † New York 17. 8. 1838; 1781–91 am Wiener Hof tätig, schrieb u. a. die Textbücher zu W. A. Mozarts Opern »Die Hochzeit des Figaro« (1786), »Don Giovanni« (1787), »Così fan tutte« (1790). Abenteuerl. Leben, Freundschaft mit G. Casanova; lebte ab 1805 in den USA, dort Gründung einer italien. Oper (New York).

Daqing [-tʃiŋ] (Taching), Stadt in Chinas größtem Erdölrevier, Prov. Heilongjiang, 557 300 Ew.; Petrochemie. Im Gebiet D. (15 000 km²) Förderung von über 50 % des chines. Erdöls; Pipelines zu den Häfen Dalian und Qinhuangdao sowie nach Peking und Nord-Korea.

Dara, Abk. für **D**eutsche **A**gentur für **Ra**umfahrtangelegenheiten, 1997 zum → Deutschen Forschungs- und Managementzentrum für Luft- und Raumfahrt e. V. übergegangen.

Darboven, Hanne, Künstlerin, * München 19. 4. 1941; schuf unter dem Einfluss von S. Le Witt Zeichnungen von Zahlensystemen, später weitete sie ihre Methode auf literar. Texte aus und bezog auch die Collage ein.

Dardanellen [nach der antiken Stadt Dardanos im Gebiet von Troja] (türk. Çanakkale Boğazı, im Altertum: Hellespont), Meeresstraße zw. der Halbinsel Gelibolu (Gallipoli) und Kleinasien, verbindet das Marmarameer mit dem Ägäischen Meer, 65 km lang, 2–6 km breit, bis zu 100 m tief.

Geschichte. 480 v. Chr. setzte der Perserkönig Xerxes sein Heer auf einer Schiffbrücke über die Dardanellen; 334 v. Chr. setzte Alexander d. Gr. hier nach Asien über. 1354 osmanisch besetzt; nach 1453 befestigt und für die freie Schifffahrt geschlossen. Der **D.-Vertrag** (1841) zw. der Türkei, Großbritannien, Frankreich, Russland, Österreich und Preußen verbot allen nichttürk. Kriegsschiffen die Durchfahrt. Im 1. Weltkrieg heiß umkämpft (v. a. Febr.–Dez. 1915); 1920 unter internat. Kontrolle, nach dem → Meerengenabkommen (1936) Neubefestigung durch die Türkei.

Dardaner, 1) illyr. Volk der Antike, siedelte zu beiden Seiten des Wardar um Scupi (Skopje); be-

Daphne: Gian Lorenzo Bernini, »Apoll und Daphne«, Marmor (1622–24; Rom, Galleria Borghese)

drohte häufig die N-Grenze Makedoniens; 217 v. Chr. von Philipp V. von Makedonien unterworfen; seit dem 1. Jh. v. Chr. römisch, ab 297 n. Chr. bildete ihr Gebiet die röm. Provinz **Dardania.**

2) Bewohner der antiken Landschaft Troas in Kleinasien.

Dardanos, nach der »Ilias« Sohn des Zeus, Gründer der sagenhaften Stadt Dardanië (lat. Dardania) am troischen Ida und Stammvater des troischen Königsgeschlechts **(Dardaniden).**

Darden, Sammelname für eine Gruppe von Völkerschaften der indoar. Sprachfamilie in NW-Pakistan und O-Afghanistan (Kunartal).

Dareios [grch.] (lat. Darius), drei altpersische Könige aus dem Geschlecht der Achaimeniden.

1) D. I., der Große (522–486 v. Chr.), *550 v. Chr., †486 v. Chr.; Sohn des Hystaspes, erneuerte nach Niederwerfung zahlr. Aufstände das Reich des Kyros, erweiterte es bis zum Indus und teilte es in 20 (zuletzt 28) Satrapien (Statthalterschaften) ein. Seine Kriegszüge gegen Griechenland (492–490) scheiterten. Seine Frau Atossa war die Tochter Kyros d. Gr., beider Sohn war Xerxes I.

2) D. II. Nothos [»Bastard«], eigtl. Ochos (424–404 v. Chr.), †Babylon 404 v. Chr.; Sohn Artaxerxes' I., verlor 405 Ägypten. Seine Unterstützung Spartas (412 v. Chr.) war eine Voraussetzung für den spartan. Sieg über Athen.

3) D. III. Kodomannos (336–330 v. Chr.), *um 380 v. Chr., †bei Hekatompylos (beim heutigen Damghan, Iran) 330 v. Chr.; der letzte Achaimenide, von Alexander d. Gr. 333 bei Issos, 331 bei Gaugamela besiegt und auf der Flucht in Nordiran von dem Satrapen Bessos ermordet. Seine Tochter Stateira heiratete 324 Alexander den Großen.

Dar el-Beida [-bej'da; arab. »weißes Haus«], **1)** amtl. Name für →Casablanca.

Dardanellen

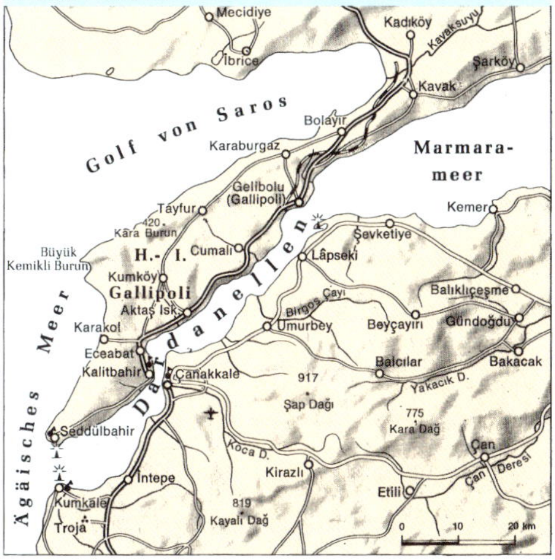

Dareios: Audienz des Königs Dareios I., des Großen; Relief vom Schatzhaus in Persepolis (6./5. Jh. v. Chr.; Teheran, Archäologisches Museum)

2) Industriestadt in Algerien, südöstl. von Algier, mit dessen internat. Flughafen.

Daressalam [arab. »Haus des Friedens«] (Dar es-Salam), größte Stadt und wichtigster Hafen von Tansania, am Ind. Ozean, 1,44 Mio. Ew.; Kultur-, Wirtschafts- und Verkehrszentrum des Landes; kath. Erzbischofssitz, Univ., Nationalmuseum; chem., Nahrungsmittel-, Textil- und Schuhind., Aluminiumwalzwerk, Erdölraffinerie, Zementfabrik, Maschinen- und Fahrzeugbau; Ausgangspunkt mehrerer Eisenbahnlinien und der Pipeline nach Ndola; internat. Flughafen. – D. war Hptst. von Dt.-Ostafrika und 1964–73 Hptst. Tansanias.

Darfur, Plateaulandschaft und ehem. Provinz im zentralen W der Rep. Sudan, 496 371 km², (1983) 3,09 Mio. Ew.; Hauptort ist Al-Faschir. D. ist eine vorwiegend flachwellige Rumpffläche (600 bis 1 000 m ü. M.), vom Basaltzug des Djebel Marra (bis 3 088 m ü. M.) durchzogen. Die Bevölkerung (überwiegend stark arabisierte →Fur, im S Sudannegerstämme) treibt Regenfeldbau und Viehzucht, ergänzt durch Sammelwirtschaft (Akaziengummi).

Geschichte: Das Reich D. wurde vor dem 15. Jh. durch die Dadjo gegr., diese wurden im 16. Jh. jedoch von den Tunjur, die sich z. T. mit den Fur vermischten, als herrschende Schicht abgelöst. 1874 ägypt., 1898 angloägypt. Protektorat, 1916–94 sudanes. Provinz.

Darginer (Dargwa), eines der nordöstl. Kaukasusvölker, in Dagestan, Russ. Föderation; die rd. 365 000 D. sind überwiegend Muslime.

Dargomyschski, Alexandr Sergejewitsch, russ. Komponist, *Troizkoje (heute im Gebiet Tula) 14. 2. 1813, †Sankt Petersburg 17. 1. 1869; schrieb Opern (»Russalka«, 1856; »Der steinerne Gast«, 1866–68, vollendet von Z. A. Kjui, N. A. Rimski-

Korsakow u.a.), Orchesterstücke (z.B. »Baba Jaga«, 1861–62) und Lieder.

Darién, Golf von, Bucht des Karib. Meeres, am Übergang von Süd- zu Zentralamerika, zw. Panama und Kolumbien. Am G. v. D. gründeten die Spanier 1509 San Sebastián als erste Stadt auf dem südamerikan. Festland.

Rubén Darío

Darío, Rubén, eigtl. Félix Rubén García y Sarmiento, nicaraguan. Lyriker, *Metapa (heute Ciudad Darío, Dep. Matagalpa) 18. 1. 1867, †León 6. 2. 1916; erneuerte die rhythm. und metr. Form der span. Dichtung und übte entscheidenden Einfluss auf die span. und lateinamerikan. Lyrik des 20. Jh. aus; Hauptvertreter des Modernismo (→Modernismus); schrieb u.a. »Azul« (Prosa und Verse, 1888), »Prosas profanas y otros poemas« (Ged., 1896).

📖 MARTÍNEZ DOMINGO, J. M.: *Los espacios poéticos de R. D. New York u. a. 1995.*

Darius, altpers. Könige, →Dareios.

Darjeeling [dɑːˈdʒiːlɪŋ], Stadt im Bundesstaat West Bengal, Indien, auf einer Vorkette des Himalaja, 2185 m ü. M., 56900 Ew.; wurde wegen seines milden gemäßigten Klimas ein bekannter Erholungsort; Zentrum des bengal. Teeanbaus; Endpunkt einer Gebirgsbahn, Ausgangspunkt einer Karawanenstraße nach Tibet.

Darlan [darˈlã], François, frz. Admiral, *Nérac (bei Agen) 7. 8. 1881, †(ermordet) Algier 24. 12. 1942; war 1939–40 Oberbefehlshaber der frz. Flotte, unter der Vichy-Regierung 1941 Innen-, 1941–42 Außenmin. und ab April 1942 Oberbefehlshaber der frz. Streitkräfte. Offiziell entlassen, schloss er – im geheimen Einverständnis mit P. Pétain, dem »Chef d'État Français« – im Nov. 1942 mit den Alliierten einen Waffenstillstand.

Darlehen (Darlehn), die Überlassung von Geld oder von vertretbaren Sachen mit der Verpflichtung, das Empfangene in gleicher Art, Güte und Menge zurückzuerstatten (§§ 607 ff. BGB). Das D. ist die rechtl. Grundlage aller Kreditgeschäfte; es kann verzinslich oder unverzinslich sein. Bei Gewährung auf unbestimmte Zeit beträgt die Kündigungsfrist bei D. über 300 DM drei Monate, sonst einen Monat. Bei D.-Verträgen mit bestimmter Laufzeit und festem Zinssatz besteht zugunsten des Schuldners ein unabdingbares Kündigungsrecht nach § 609 a. – Ähnl. Regelungen bestehen in *Österreich* (§§ 983 ff. ABGB) und der *Schweiz* (Art. 312–318 OR).

Darlehnskassen, vom Staat oder den Gemeinden bes. in Notzeiten errichtete Kreditanstalten zur Gewährung von Darlehen. Die D. gewährten Kredit gegen Verpfändung u.a. von Waren und Wertpapieren. (→Kreditgenossenschaften)

Darling [ˈdɑːlɪŋ] *der,* rechter, größter Nebenfluss des Murray im SO Australiens, 2720 km lang; seine Quellflüsse entspringen den Ostaustral. Kordilleren; mehrfach für Bewässerung gestaut.

Darling Range [ˈdɑːlɪŋ reɪndʒ], küstenparalleles Bergland im S von Western Australia, von Flüssen stark zerschnittene Randstufe des Westaustral. Schildes, 320 km lang, bis 582 m hoch.

Darlington [ˈdɑːlɪŋtən], Stadt in der nordengl. Cty. Durham, 85400 Ew.; Maschinen- und Fahrzeugbau, Stahlwerk. Von D. nach Stockton führte 1825 die erste öffentl. Dampfeisenbahn der Welt.

Darłowo [daˈrṷɔvɔ] (dt. Rügenwalde), Stadt in der poln. Wwschaft Koszalin, an der Mündung der Wipper in die Ostsee, 15500 Ew.; Maschinenbau, Schuh-, Nahrungsmittelind., Glasherstellung; Fischereihafen und Strandbad. – Schloss (14.–17. Jh.), Reste der Stadtmauer. – 1271 gegründet.

Darm (lat. Intestinum, grch. Enteron, Darmtrakt, Darmkanal), den Körper teilweise oder ganz durchziehender, der Nahrungsaufnahme und Verdauung dienender Teil des Verdauungskanals. Die D.-Länge beträgt beim erwachsenen Menschen etwa 3 m, völlig ausgedehnt bis etwa 8 m. Der D. gliedert sich in den **Dünn-D. (Intestinum tenue),** einen glatten Schlauch mit vielen bewegl. D.-Schlingen, der die Nahrungsstoffe verdaut und resorbiert, und den an der Oberfläche vielfach ausgebuchteten **Dick-D. (Intestinum crassum),** der das Unverdaute durch Wasserentzug eindickt und entleert. Der Dünn-D. besteht aus dem vom Ma-

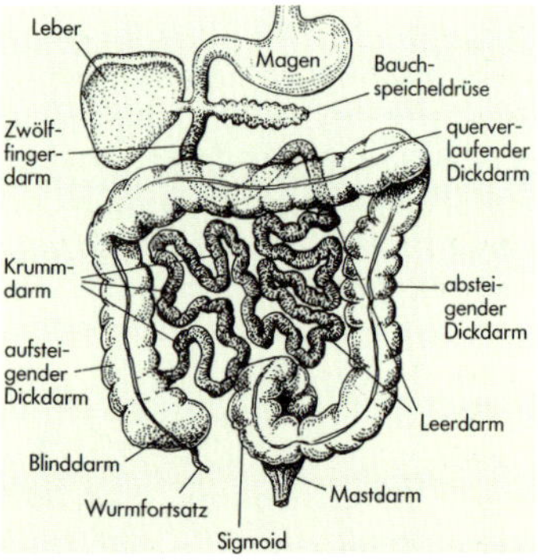

Darm: Schema des menschlichen Darms

gen ausgehenden **Zwölffinger-D. (Duodenum,** etwa 30 cm lang), in den die Ausführungsgänge der Leber und der Bauchspeicheldrüse münden, dem **Leer-D. (Jejunum)** und dem **Krumm-D. (Ileum).** An den Krumm-D. schließt sich der Dick-D. an; er beginnt mit einem kurzen, sackförmigen Anhang, dem **Blind-D.,** an dem der **Wurmfortsatz (Appendix)** hängt. Auf den Blind-D. folgt der **Grimm-D. (Colon, Kolon);** dieser hat beim Menschen einen rechtsseitig aufsteigenden **(aufsteigender Dick-D.),** einen quer laufenden **(Querdick-D., Querkolon),** einen linksseitig nach unten führenden **(absteigender**

Dick-D.) und (vor dem Übergang in den Mast-D.) einen s-förmigen Abschnitt **(Sigmoid, Sigma).** Der unterste Teil des **Mast-D. (Rectum)** ist durch den unwillkürl. inneren Schließmuskel verschlossen und mündet durch den mit dem willkürl. ringförmigen Schließmuskel umgebenen After nach außen. An der Einmündungsstelle des Dünn-D. in den Dick-D. verhindert eine Schleimhautfalte, die **Bauhin-Klappe,** ein Rückfließen des D.-Inhalts. Festgehalten wird der Dünn-D. v.a. durch das **Gekröse (Mesenterium),** eine große Falte des Bauchfells, die die Blut- und Lymphgefäße und die Nerven zum D. leitet. Der Dick-D. ist an der hinteren Bauchwand, am Magen und am großen Netz befestigt. – Die **D.-Wand** besteht aus einer äußeren, glatten Haut, einer mittleren, die →Darmperistaltik bewirkenden Muskelschicht mit Längs- und Ringfasern und einer inneren Schleimhaut, die bes. die Nahrungsstoffe aufnimmt. Die Schleimhaut des Dünn-D. hat viele nahezu kreisförmig verlaufende Falten **(Kerckring-Falten)** mit den zarten, die innere Oberfläche vergrößernden **D.-Zotten** und enthält viele Blut- und Lymphgefäße sowie Drüsen, die den →Darmsaft absondern.

Der D. der einfachsten vielzelligen Tiere, der Hohltiere **(Coelenterata),** hat nur eine Öffnung, die Mund und After ist. Bei höheren Tieren sind Mund und After getrennt, der D. ist von der Verteilung der Nährstoffe im Körper durch das Blutgefäßsystem abgelöst. Dem Darm i.e.S. ist oft, so bei den Wirbeltieren, ein Magen vorgeschaltet. Der Säugetier-D. ist i. Allg. bei Pflanzenfressern länger als bei Fleischfressern, da die pflanzl. Nahrung schwerer aufzuschließen ist. Pflanzenfresser haben deshalb vielfach noch Gärkammern, in denen die Pflanzenkost verdaulich gemacht wird, z.B. Wiederkäuermagen und Blinddarm. Der Wirbeltier-D. ist urspr. im vordersten Abschnitt als Kiemen-D. zur Atmung ausgebildet, so zeitlebens bei den Fischen.

Darmbakteri|en, →Darmflora.

Darmbein, seitl. Teil des Hüftbeins, →Becken.

Darmblutung, Blutung in das Innere des Darmes, die bei entzündl. Krankheiten der Darmschleimhaut (z.B. Dickdarmentzündung, Typhus, Ruhr), Darmgeschwüren, Darmgeschwülsten, Hämorrhoiden u.a. auftritt. Die D. ist an rot oder schwarz gefärbten Stühlen zu erkennen und bedarf dringend der diagnost. Abklärung.

Darmeinklemmung, Einklemmung eines Darmabschnittes, am häufigsten beim →Eingeweidebruch.

Darmentzündung (Darmkatarrh, Enterokolitis), durch Mikroorganismen, z.B. Bakterien, Nahrungsmittelallergie, Ernährungsfehler, Vergiftungen, Durchblutungsstörungen, Strahlenschäden u.a. hervorgerufene Reizung der Darmschleimhaut. Geht die Erkrankung vom Dünndarm aus, spricht man von einer **Enteritis (Dünn-D.),** bei Beteiligung des Magens von einer **Gastroenteritis (Magen-Darm-Katarrh).** Die **Dick-D. (Colitis, Kolitis)** tritt meist gemeinsam mit der Dünn-D. (Enterokolitis) auf. Symptome sind Durchfälle, krampfartige Bauchschmerzen, meist auch Fieber, bei Beteiligung des Magens Übelkeit und Erbrechen. Mit D. verbunden sind Cholera, Ruhr, Typhus, Paratyphus und Tuberkulose.

Darmfäulnis, Zersetzung von unverdauten Nahrungsbestandteilen durch im Dickdarm lebende Bakterien unter Bildung übel riechender Spaltprodukte; diese z.T. giftigen Stoffe werden in der Leber wieder entgiftet und über die Nieren ausgeschieden.

Darmfistel, röhrenförmige, bindegewebige Verbindung zw. Darm und anderen Organen oder Darm und Körperoberfläche, die (selten) angeboren sein kann oder durch Entzündung, Verletzung oder Operation entstehen kann bzw. operativ angelegt wird (z.B. beim Kunstafter).

Darmflora, Gesamtheit der im Darm von Tieren und dem Menschen lebenden Pilze und v.a. Bakterien (Darmbakterien). Wichtigste Funktionen: Lieferung der Vitamine B_{12} und K, Unterdrückung von Krankheitserregern, Hilfe beim Aufspalten einiger Nahrungsbestandteile (z.B. Cellulose).

Darmgeschwülste, abnorme Gewebsneubildungen des Darmes, die gutartig (meist Polypen) oder bösartig (→Darmkrebs) sein können.

Darmgeschwür, Geschwür der Darmwand, entsteht meist als Folge von Dickdarmentzündung oder Infektionskrankheiten wie Typhus, Tuberkulose, Ruhr und auf psychosomat. Grundlage wie bisweilen das →Zwölffingerdarmgeschwür. Bei D. besteht die Gefahr von Blutungen, des Durchbruchs in die Bauchhöhle und damit einer Bauchfellentzündung. Behandlung je nach Ursache.

Darmkatarrh, die →Darmentzündung.

Darmkrebs, bösartige Neubildung der Darmschleimhaut. Fast alle D. entstehen im Dickdarm (die Mehrzahl davon im Mastdarm). Durch die Darmverengung entstehen Blähungen, Leibschmerzen, Durchfälle abwechselnd mit Verstopfung, Abgänge von Schleim und Blut sowie Gewichtsabnahme. – *Behandlung:* frühzeitig operative Entfernung des erkrankten Darmabschnitts, wenn nötig mit Anlegung eines →Kunstafters.

Darmlähmung (paralytischer Ileus), Zustand völliger Bewegungslosigkeit einzelner Darmteile oder des ganzen Darmes, wodurch jede Weiterbeförderung des Darminhalts unmöglich wird. D. tritt auf bei Schock, heftiger Gewalteinwirkung auf den Leib, bei akuter Bauchfellentzündung, Embolie einer Darmarterie, schweren Gallen-

Darmstadt 2) Stadtwappen

und Nierensteinkoliken, Rückenmarksverletzungen, Gehirnhautentzündung sowie als Komplikation nach Bauchoperationen. Äußere Anzeichen und Behandlung sind ähnlich wie beim →Darmverschluss.

Darmneurosen, ungenaue Sammelbez. für psychosomat. Störungen der Darmtätigkeit mit Krankheitswert, die sich in nervöser Diarrhö, Neigung zu Stuhlverstopfung oder Krämpfen äußern. Die Beteiligung psych. Einflüsse wird auch bei manchen entzündl. Erkrankungen (z.B. Colitis ulcerosa) vermutet.

Darmperistaltik, wellenförmig fortschreitende, durch Kontraktion seiner Ringmuskulatur bewirkte Zusammenziehungen des Darmes, die den Darminhalt weiterschieben und durchmischen.

Darmresektion, operative Beseitigung eines erkrankten oder verletzten Darmteils; bis zu $^2/_3$ des Dick- und Dünndarms können ohne Gefährdung des Lebens entfernt werden.

Darmsaft, Absonderungsprodukt von Drüsenzellen der Darmschleimhaut, 2 bis 3 Liter täglich; enthält neben Wasser, Schleim und Mineralen Verdauungsenzyme zur Spaltung von Fetten, Proteinen und Kohlenhydraten. Von Darmsaft i.w.S. spricht man, wenn die Sekretionsprodukte der Bauchspeicheldrüse und der Leber (Galle) einbezogen werden.

Darmspiegelung, Untersuchung des Darms mit dem Endoskop (→Endoskopie), das durch den After eingeführt wird.

Darmspülung, das Einbringen einer Flüssigkeitsmenge zum Reinigen und Entleeren des Darmes (→Einlauf).

Darmstadt 2): Der von Joseph Maria Olbrich 1907/08 auf der Mathildenhöhe erbaute Hochzeitsturm ist ein Wahrzeichen der Stadt, rechts daneben die Russische Kapelle (1898/99) von Leontij Benois

Darmstadt, 1) RegBez. in Hessen, 7445 km², (1996) 3,69 Mio. Ew.; umfasst die kreisfreien Städte Darmstadt, Frankfurt am Main, Offenbach am Main, Wiesbaden und die Landkreise Bergstraße, Darmstadt-Dieburg, Groß-Gerau, Hochtaunuskreis, Main-Kinzig-Kreis, Main-Taunus-Kreis, Odenwaldkreis, Offenbach, Rheingau-Taunus-Kreis und Wetteraukreis.

2) kreisfreie Stadt, Verw.sitz des RegBez. D. und des Landkreises D.-Dieburg, Hessen, verkehrsgünstig am O-Rand des Oberrhein. Tieflandes und an der Bergstraße gelegen, 138700 Ew.; Sitz vieler Behörden: u.a. Rechnungshof für das Land Hessen, Kirchenleitung der Evang. Kirche in Hessen und Nassau. D. hat TH (1836 gegr.), Fachhochschulen, Akademie für Tonkunst, PEN-Zentrum der Bundesrep. Dtl., Dt. Akademie für Sprache und Dichtung, Rechenzentrum der Ges. für Mathematik und Datenverarbeitung, Europ. Operationszentrum für Weltraumforschung, Ges. für Schwerionenforschung, Dt. Kunststoffinst., Dt. Polen-Inst.; Hess. Staatsarchiv, Landesmuseen, Staatstheater, Ausstellungshallen; im Schloss →Kranichstein u.a. Internat. Ferienkurse für Neue Musik, Kranichsteiner Literaturtage. – Chem., pharmazeut. Ind., Maschinen- und Gerätebau, Möbel-, elektrotechn. Ind., Verlage und Druckereien.

D. erlitt im 2. Weltkrieg starke Zerstörungen; wieder aufgebaut wurden u.a. der Schlosskomplex (14.–17. Jh., im 18./19. Jh. erweitert), Stadtkirche (15.–17. Jh.), Altes Rathaus (1588–90). Vom klassizist. Ausbau der Stadt zeugen das Hoftheater (1818–20), die Ludwigskirche (1822–38) und die Ludwigssäule (1844) auf dem Luisenplatz. Die Mathildenhöhe, eine Parkanlage, wurde ab 1899 zur Künstlerkolonie ausgebaut (→Darmstädter Künstlerkolonie), die D. zu einem Zentrum des Jugendstils machte; auf der Mathildenhöhe entstanden u.a. die Russ. Kapelle (1898/99), das Ernst-Ludwig-Haus (1901; Sitz der Dt. Akademie für Sprache und Dichtung), der Hochzeitsturm mit Ausstellungshalle (1907/08). – D., seit 1330 Stadt, gehörte zur Grafschaft Katzenelnbogen, mit der es 1479 hessisch wurde. Seit 1567 Sitz der Landgrafen (seit 1806 der Großherzöge) von Hessen-D., 1918–45 Hptst. des Volksstaates Hessen.

Darmstadt-Dieburg, Landkreis im RegBez. Darmstadt, Hessen; 658 km², (1996) 279800 Ew., Kreisstadt ist Darmstadt.

Darmstädter Kreis, durch Goethes Freund J. H. Merck, aber auch durch Franz M. Leuchsenring (* 1746, † 1827) bestimmter Kreis musisch und literarisch interessierter junger Mädchen in Darmstadt (u.a. Herders Braut Karoline Flachsland, * 1750, † 1809), in dem Goethe nach 1771 häufig weilte.

Darmstädter Künstlerkolonie, 1899 von Großherzog Ernst Ludwig auf der Mathildenhöhe in Darmstadt gegr., erstrebte eine Erneuerung der Kunst in allen Zweigen im Sinne des Jugendstils (J. M. Olbrich, P. Behrens u.a.); die Idee einer Künstlerkolonie wurde 1906 aufgegeben, stattdessen wurden Lehrateliers für angewande Kunst eingerichtet.

📖 *Museum Künstlerkolonie Darmstadt, bearb. v.* R. ULMER, *Ausst.-Kat. Darmstadt 1990.*

Darmstein (Kotstein, Enterolith), aus eingedicktem Kot, Phosphaten und Schleim bestehendes, bis 2 cm großes, steinartiges Gebilde im Dickdarm; kann zum Darmverschluss führen.

Darmträgheit, → Verstopfung.

Darmtuberkulose, seltene Form der → Tuberkulose; meist Komplikation einer schweren Lungentuberkulose; kennzeichnend sind Durchfälle, Bauchschmerzen und Gewichtsverlust.

Darmverschlingung (Volvulus), Achsendrehung von Darmteilen um den Gekrösestiel, der die zu- und abführenden Blutgefäße trägt; führt zu → Darmverschluss.

Darmverschluss (Ileus), Aufhebung der Darmdurchgängigkeit durch mechan. Verschluss oder durch → Darmlähmung. Ursachen eines mechan. D. können Darmeinklemmung beim Eingeweidebruch, Darmverschlingung und Verlegung durch Geschwülste, Fremdkörper u.a. sein. Äußere Anzeichen sind starke, meist kolikartige Bauchschmerzen, Erbrechen, Stuhl- und Windverhaltung, Veränderung des Allgemeinzustandes mit Blässe, Pulsbeschleunigung, Blutdruckabfall u.a. bis hin zum Schock. Umgehendes ärztl. Eingreifen ist dringend erforderlich.

Darnley ['dɑ:nlɪ], Lord Henry Stuart, seit 1565 Earl of Ross und Duke of Albany, *Temple Newsam (bei Leeds) 7. 12. 1545, †Edinburgh 10. 2. 1567; entstammt einer Seitenlinie des schott. Königshauses, 2. Gemahl der schott. Königin Maria Stuart (seit 1565), fiel bei der Königin wegen der Ermordung ihres Sekretärs Riccio 1566 in Ungnade und wurde von ihrem Geliebten J. H. Bothwell, ihrem 3. Gemahl, ermordet. D. ist der Vater König Jakobs I. von England.

Darré, Richard Walter, Politiker (NSDAP), *Belgrano (heute zu Buenos Aires) 14. 7. 1895, †München 5. 9. 1953; Diplomlandwirt; war 1933–42 Reichsmin. für Ernährung und Landwirtschaft (Reichserbhof-Ges.), 1934–42 Reichsbauernführer. D. trug mit seinen Büchern zur »Blut und Boden«-Ideologie des → Nationalsozialismus bei. 1949 wurde D. vom Internat. Militärtribunal in Nürnberg zu sieben Jahren Gefängnis verurteilt (1945–50 in amerikan. Haft).

Darrieux [dar'jø], Danielle, frz. Filmschauspielerin, *Bordeaux 1. 5. 1917; spielte u.a. in Filmen wie »Der Reigen« (1950), »Liebenswerte Frauen« (1952) und »Rot und Schwarz« (1954).

Darß *der,* größter Teil einer heute mit dem Festland verbundenen Nehrungs-und Inselkette an der Boddenküste der Ostsee, nordöstlich von Rostock, Meckl.-Vorp.; bewaldet, an der N-Küste breiter Sandstrand (Ostseebad Prerow); durch die 10 km lange Nehrung **Fischland,** auf der ebenfalls Ostseebäder liegen (u.a. Ahrenshoop) mit dem Festland verbunden. Die Fortsetzung nach O bildet die Halbinsel **Zingst** mit dem gleichnamigem Seebad (Brücke zum Festland). Der bewaldete Zentralteil, der gesamte O-Teil von Zingst und die im Bodden vorgelagerte Insel Große Kirr (bed. Vogelschutzgebiet) sind Teil des Nationalparks Vorpommersche Boddenlandschaft.

darstellende Geometrie, Zweig der Mathematik, der sich mit der Abbildung dreidimensionaler Körper in die Zeichenebene beschäftigt und somit die geometr. Grundlagen des techn. Zeichnens und seiner Konstruktionen liefert. (→ Projektion)

darstellende Kunst, Schauspiel- und Tanzkunst sowie Pantomimik.

Dartmoor ['dɑ:tmʊə], stark abgetragenes Granitmassiv in SW-England, von einzelnen Kuppen (bis 622 m ü.M.) überragt; früher bewaldet, heute von Mooren und Bergheiden bedeckt; Nationalpark; vorgeschichtl. Funde (Steinkreise, Menhire). Das Gefängnis D. bei Princetown wurde während der Napoleon. Kriege für frz. Kriegsgefangene erbaut.

Darts [dɑ:ts, engl.] *das,* engl. Wurfpfeilspiel (Zielwerfen).

Darwin ['dɑ:wɪn], Hptst. des Northern Territory, Australien, auf einer Halbinsel an der Küste von Arnhemland, 77 900 Ew.; durch den Zyklon vom 25. 12. 1974 fast völlig zerstört, seitdem weitgehend wieder aufgebaut; wichtigster Hafen im N des Kontinents; Bergbau in der Umgebung; internat. Flughafen.

Charles Darwin

Darwin ['dɑ:wɪn], **1)** Sir (seit 1942) Charles Galton, brit. Physiker, *Cambridge 19. 12. 1887, †ebd. 31. 12. 1962, Sohn von 3); Arbeiten zur Theorie der Röntgenstreuung, Quantenmechanik und Statistik; organisierte im 2. Weltkrieg die brit. Atombombenforschung.

2) Charles Robert, brit. Naturforscher, *The Mount (bei Shrewsbury) 12. 2. 1809, †Down

House (heute zu London-Bromley) 19. 4. 1882, Vater von 3); Begründer der modernen Evolutionstheorie. D. studierte anfangs Medizin, später Theologie; wurde durch die Teilnahme an der

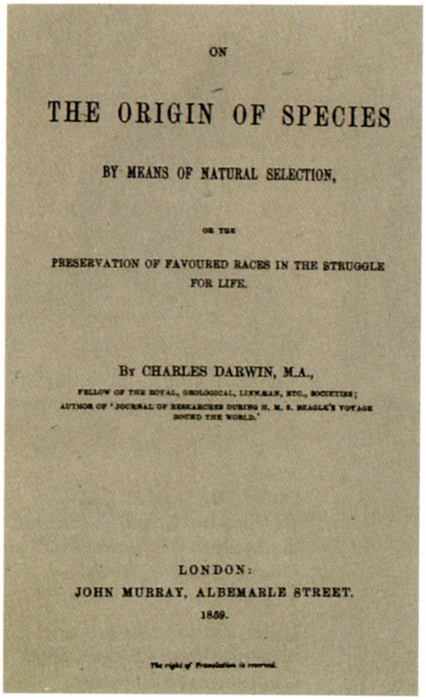
ON

THE ORIGIN OF SPECIES

BY MEANS OF NATURAL SELECTION,

OR THE

PRESERVATION OF FAVOURED RACES IN THE STRUGGLE FOR LIFE.

BY CHARLES DARWIN, M.A.,

FELLOW OF THE ROYAL, GEOLOGICAL, LINNÆAN, ETC., SOCIETIES;
AUTHOR OF 'JOURNAL OF RESEARCHES DURING H. M. S. BEAGLE'S VOYAGE ROUND THE WORLD.'

LONDON:
JOHN MURRAY, ALBEMARLE STREET.
1859.

The right of Translation is reserved.

Charles Darwin: Titelseite der ersten Ausgabe seines Hauptwerkes »On the Origin of Species by Means of Natural Selection« (1859)

Weltreise des Vermessungsschiffes »Beagle« (1831–36) zum Naturforscher. Geolog. sowie tiergeograph. Beobachtungen ließen ihn an der Richtigkeit der Lehre von der Unveränderlichkeit der Arten zweifeln. Nach seiner Rückkehr bearbeitete er zunächst in London, ab 1842 in Down House seine Reiseergebnisse und begann, systematisch umfangreiches Material über das Problem der Entstehung der Arten zusammenzutragen. Sein Hauptwerk »Die Entstehung der Arten durch natürl. Zuchtwahl« (1859) stellte einen Wendepunkt in der Geschichte der Biologie dar. D. erklärte mit der Selektionstheorie (→ Darwinismus) die zweckmäßigen Anpassungen der Lebewesen an die Umwelt.

Werke: Reise um die Welt (1846); Das Variieren der Tiere und Pflanzen im Zustande der Domestikation, 2 Bde. (1868); Die Abstammung des Menschen, 2 Bde. (1871); Über den Ausdruck der Gemütsbewegung bei Menschen und Tieren (1872).

📖 Clark, R. W.: *C. D. A. d. Engl. Neuausg. Frankfurt am Main 1990.* – Steinmüller, A. *u.* K.: *C. D. Vom Käfersammler zum Naturforscher. Berlin-Ost* ^{3}*1990.* – Mayr, E.: *... und D. hat doch recht. C. D., seine Lehre u. die moderne Evolutionstheorie. A. d. Engl. München 1994.* – Hemleben, J.: *C. D. Reinbek 53.–55. Tsd. 1996.*

3) Sir George Howard, brit. Astronom, *Down House (heute zu London-Bromley) 9. 7. 1845, †Cambridge 7. 12. 1912, Sohn von 2), Vater von 1); arbeitete über die Gezeiten und die Himmelsmechanik.

Darwingebirge ['dɑ:wɪn-], die stark vergletscherte, bis 2500 m ü. M. hohe Kordillerenkette im südl. Feuerland (Chile).

Darwinismus [nach C. R. Darwin] *der,* i. w. S.: die Abstammungslehre; i. e. S.: die von C. R. Darwin (etwa gleichzeitig mit A. R. Wallace) entwickelte Evolutionstheorie, die in der **natürl. Auslese (Selektion,** Auswahl der für die betreffenden Umweltbedingungen am besten geeigneten Lebewesen, »Kampf ums Dasein«) die Hauptursache für die stammesgeschichtl. Entwicklung sieht. Die grundlegenden Gedankengänge bilden einen zentralen Punkt der modernen biolog. Theorie der Evolution. Die Selektionstheorie verhalf dem Entwicklungsgedanken in der Biologie endgültig zum Durchbruch.

Die darwinsche Evolutionstheorie war lange Zeit sehr umstritten, da sie eine Ablehnung der bibl. Schöpfungsgeschichte sowie der Sonderstellung des Menschen im biolog. System (Tierreich, Ordnung der Primaten) beinhaltete. (→ Sozialdarwinismus)

Darwin-Ohrhöcker, vereinzelt auftretender kleiner Knorpelfortsatz am Hinterrand der menschl. Ohrmuschel, nach C. R. → Darwin stammesgeschichtlich umgeformte Spitze des Säugetierohres.

Daschbog, *slaw. Mythologie:* der Gott der Sonne; nach dem altruss. »Igorlied« Ahnherr und Schutzpatron der Russen.

Charles Darwin

Ein Forscher, eine Reise, zwei Bücher: Das waren, stark verkürzt, die Eckpfeiler für eine Lehre, welche die Geisteswelt umkrempeln sollte. Der deutsche Naturforscher Alexander von Humboldt und seine Lateinamerikareise veranlassten Charles Darwin, selber Forscher zu werden. Am 27. Dezember 1831 ging er an Bord der »Beagle«, um zu seiner Expedition aufzubrechen, die fünf Jahre dauern sollte. Am 2. Oktober 1836 kehrte er nach der Umsegelung Südamerikas und einem Aufenthalt auf den Galapagosinseln zurück.
Er hatte unterwegs nicht nur zahlreiche Beobachtungen der Tierwelt aufgezeichnet, sondern auch aufmerksam die »Grundsätze der Geologie« (1830–33) von Charles Lyell gelesen, worin die Frage nach der Entstehung neuer Arten aufgeworfen wird. Auf der Suche nach einer Antwort gab ihm ein zweites Buch wichtige Impulse. Er war nämlich auf die schon lange praktizierte künstliche Auswahl in der Tierzucht gestoßen, als die Bevölkerungslehre von Robert Malthus ihn auf den Gedanken brachte, in der freien Natur einen solchen Vorgang der natürlichen Zuchtauswahl anzunehmen. Denn auch hier sind innerhalb einer Art die Eigenschaften sehr verschieden auf die Einzeltiere verteilt; Umweltbedingungen aber können dafür sorgen, dass nur manche zur Fortpflanzung gelangen.

Dasein, 1) das tatsächl. Vorhandensein oder Bestehen von etwas, im Unterschied zu seinem Wesen; 2) in der Existenzphilosophie in erster Linie die Seinsart des Menschen, die im Unterschied zum bloß »Vorhandenen« – den Objekten und Gegenständen – und dem »Zuhandenen« – z.B. Werkzeugen – als »Da« des Seins gilt (M. Heidegger), insofern nur der Mensch zum Seinsverständnis oder zur Verwirklichung möglicher (sinnerfüllter) Existenz (K. Jaspers) befähigt ist.

daseinsanalytische Psychologie, die an die Existenzphilosophie (bes. M. Heideggers) anschließenden Richtungen der Tiefenpsychologie. Die d. P. geht von dem übergreifenden Aspekt der menschl. Gesamtexistenz aus und sucht seel. Störungen als Symptom eines gestörten »Daseinsvollzuges« zu deuten, den es im Zuge der Heilung bewusst zu machen und neu zu begründen gelte. Hauptvertreter: L. Binswanger **(Daseinsanalyse),** V. E. von Gebsattel, M. Boss, E. Fromm und E. Drewermann.

Dassault [-'so], Marcel, frz. Industrieller, *Paris 22. 1. 1892, †Neuilly-sur-Seine 18. 4. 1986; gründete 1930 die »Société des Avions Marcel D.«, aus der 1971 durch Fusion die »Avions Marcel Dassault-Bréguet Aviation« hervorging. Bau von Transport- und Kampfflugzeugen (»Mirage«).

Dassel, Stadt im Landkr. Northeim, Ndsachs., am NO-Rand des Solling, 11 800 Ew.; Metall verarbeitende, Papierind.; Fremdenverkehr.

Dassel, Kanzler Friedrichs I., →Rainald von Dassel.

Dasselfliegen (Biesfliegen, Oestridae), Familie großer behaarter Fliegen, Säugetierparasiten (→Dassellarvenbefall).

Dassellarvenbefall (Dasselplage), Infektion der Haut von Rind, Schaf, Ziege oder Wild durch Eier der Dasselfliege, aus denen sich Larven entwickeln, die die Haut durchbrechen und nach unterschiedl. Wanderungsweg im Organismus in die Haut zurückkehren und parasitäre Furunkel **(Dasselbeulen)** hervorrufen; führt zur Entwertung der Häute für die Ledergewinnung und zur Leistungsminderung der Tiere. Die Bekämpfung des D. ist in Dtl. gesetzlich geregelt, sie erfolgt durch systemat. Einsatz von Phosphorsäureesterpräparaten.

Dassin [da'sɛ̃], Jules, amerikan.-frz. Film- und Theaterregisseur, *Middletown (Conn.) 18. 12. 1911; filmte seit 1941 in Hollywood, seit 1953 in Frankreich, ⚭ mit M. Mercouri. Filme: u. a. »Rififi« (1954), »Der Mann, der sterben muß« (1956), »Sonntags ... nie!« (1959), »Topkapi« (1963), »Die Probe« (1974).

Dasypodius, Petrus, eigtl. P. Hasenfratz, schweizer. Humanist, *in oder bei Frauenfeld um 1490, †Straßburg 28. 2. 1559; verfasste ein sehr verbreitetes lat.-dt. Schulwörterbuch (1535), ein grch.-lat. Wörterbuch (1539) und eine lat. Verskomödie »Philargyrus« (1530 aufgeführt).

Datei [Kw. aus **Da**ten und Kar**tei**], engl. file, geordnete, maschinenlesbare Datenmenge, die über einen **D.-Namen** angesprochen werden kann und aus Datensätzen (→Daten) aufgebaut ist. Nach der Art der D.-Organisation unterscheidet man **sequenzielle D.** (Datensätze werden nach der Reihenfolge ihrer Eingabe gespeichert und abgerufen), **direkte D.** (Zugriff erfolgt über einen Schlüsselwert) und als Mischform aus beiden **indexsequenzielle Datei.** (→Datenbank)

Dateldienste [Datel, Abk. für engl. **da**ta **tele**communication], Sammelbegriff für die Datenübertragungsdienste über Fernmeldeleitungen (→Datenübertragung).

Daten [zu Datum], **1)** *allg.:* aus Messungen, Beobachtungen u. Ä. gewonnene Angaben, Informationen.

2) *Informatik:* zur Darstellung von Informationen (→Codierung) dienende Zeichen **(digitale D.)** oder kontinuierl. Funktionen **(analoge D.),** die auf D.-Verarbeitungsanlagen gespeichert, verarbeitet und/oder erzeugt werden können. Man unterscheidet **Binär-D., numer. D.** und **alphanumer. Daten.** Eine Zeichenfolge mit selbstständiger Bedeutung wird als **D.-Wort** bezeichnet, die Verknüpfung von D.-Wörtern, die eine logische, semant. oder systembedingte Einheit darstellen, als **Datensatz.**

3) *Wirtschaftstheorie:* gegebene Faktoren, die bei der Konstruktion von Modellen der wirtschaftl.

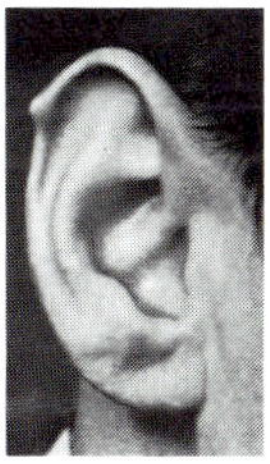

Darwin-Ohrhöcker: Menschenohr mit eingerolltem Ohrrand (Helix) und Höcker

Dasselfliege

Darwinismus

Als Charles Darwin seine Evolutionslehre entwickelte, brauchte er einen Motor zur Erklärung des Entstehens und Vergehens der Arten im Tier- und Pflanzenreich. Das jahrtausendealte Züchten von Tieren brachte ihn auf die zündende Idee: Er nahm im Analogieschluss an, in der unbeeinflussten Natur wirke ein ähnliches Prinzip der natürlichen Auslese, das dafür sorgt, dass die besonders gut an die Umwelt angepassten Individuen einer Art überleben und ihre Eigenschaften an die Nachkommenschaft weitergeben. Die schlechter angepassten Individuen können das dagegen allenfalls sehr mäßig, weil sie zuvor verenden oder gefressen werden. Man kann dieses Prinzip als eine Art Wechselspiel zwischen den verschiedenen Eigenschaften einer Art und der jeweils herrschenden Umweltbedingungen begreifen.

Als Paradebeispiel dafür gilt der Birkenspanner: Hell mit dunklen Sprenkeln war er auf Birkenstämmen gut getarnt, bis die Industrialisierung Englands mit ihrem Ruß im vorigen Jahrhundert die Stämme schwärzte. Es gab aber unter den Birkenspannern auch eine dunkle Spielart, die nun im Vorteil war, weil die Vögel sie nicht als Beute entdeckten. Schon bald waren dann in jenen Gegenden fast alle Birkenspanner schwarz gefärbt. Der Rückgang der Luftverschmutzung vor zwanzig Jahren begünstigte wieder die Ausbreitung der hellen Form.

Realität als stillschweigend oder ausdrücklich vorgegeben angenommen (und damit als nicht erklärungsbedürftig eingestuft) werden (z. B. die staatl. Ordnung, die rechtl. und soziale Organisation, Stand des techn. Wissens, Bodenfläche und -schätze). Die D. eines Modells können in einem anderen zu Variablen werden, d. h. zu erklärungsbedürftigen Größen.

Datenautobahn (engl. Information-Highway, Data-Highway), *Datenverarbeitung:* Metapher für schnelle, leistungsfähige Datenübertragungsnetze, auf denen Daten jeder Art transportiert werden können.

Datenbank (Datenbanksystem, engl. Data base system), zentral verwaltetes System zur Speicherung großer, aktueller Datenmengen eines Informationsgebietes (z. B. naturwissenschaftliche Daten, Linguistik, Handelsstatistiken), auf die nach unterschiedl. Anwendungskriterien zugegriffen werden kann. D. bestehen aus Dateien und den Anwendungsprogrammen. Mithilfe eines **Datenbank-Management-Systems** (Abk. **DBMS**) kann die Datendatei definiert und angesprochen werden.

🕮 ZEHNDER, C. A.: *Informationssysteme u. D.en. Stuttgart u. a.* ⁵*1989.* – NIEDEREICHHOLZ, J. *u.* KAUCKY, G.: *Datenbanksysteme. Konzepte u. Management. Heidelberg 1992.* – REINHART, M.: *Relationales Datenbankdesign. Von der betriebswirtschaftl. Problemstellung zur effizienten Datenarchitektur. München 1995.* – SCHREIBER, D.: *Objektorientierte Entwicklung betriebl. Informationssysteme. Heidelberg 1995.* – KEMPER, A. *u.* EICKLER, A.: *Datenbanksysteme. Eine Einführung. München u. a. 1996.*

Datenerfassung, Vorgänge vom Erkennen und Aufnehmen der Daten (z. B. opt. Abtasten eines →Strichcodes) bis zur Übertragung auf →Datenträger. Die Eingabe in den Computer erfolgt über ein D.-System von dem als Zwischenspeicher dienenden Datenträger oder auch direkt über eine Tastatur.

Datenfernverarbeitung, Betriebsweise der Datenverarbeitung, bei der das Terminal eines Benutzers über ein →Modem an ein Datennetz (z. B. Telefonnetz) angeschlossen ist. Die D. kann mittels **Datenfernübertragung** (Abk. **DFÜ**) über größere Entfernungen zw. Datenerfassungsstellen und dem Zentralcomputer oder zw. dezentral aufgestellten Rechenanlagen erfolgen.

Datenflussplan, Diagramm mit D.-Symbolen zur Darstellung des organisator. Ablaufs von Programmen für die elektron. Datenverarbeitung. Der D. dient als Grundlage zur Programmerstellung; er enthält u. a. Angaben über Arbeitsabläufe (z. B. Mischen, Sortieren, Eingeben), Art der Datenträger und der verwendeten Hilfsprogramme, Speicher und Geräte.

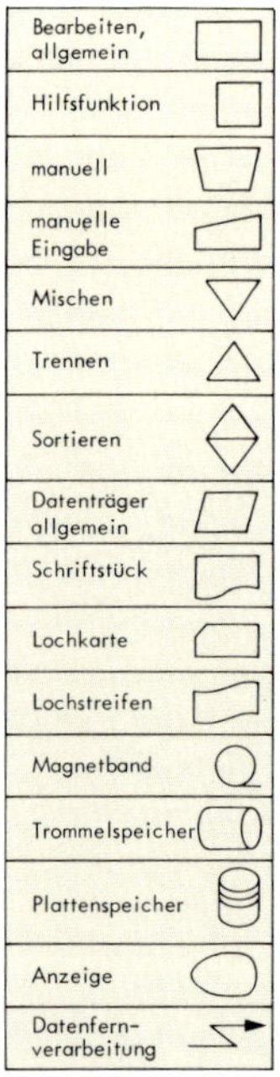

Datenflussplan: Datenflussplansymbole

Datenfunk, *Telekommunikation:* mobile Datenübertragung über Funktelefonnetze des Mobilfunks, bei dem kein Sprechfunk möglich ist. Im Halbduplexverfahren arbeitender D. bedingt, dass nur abwechselnd gesendet und empfangen werden kann. Der Datenaustausch erfolgt zw. fester Basisstation und mobilen Terminals, die stets geschlossene Gruppen bilden.

Datenkompression, *Datenverarbeitung:* Reduzierung digitaler Daten (v. a. Audio- und Videodaten), um sie schneller übertragen zu können, wobei redundante Daten zusammengefasst werden. Die Daten werden beim Empfänger wieder dekomprimiert. Je nach Anbieter variieren Kompressionsrate (CR, max. 90:1), Übertragungsqualität und Übertragungszeit (zwischen einigen Sekunden bis zu Stunden).

Datenlogger *der,* ein v. a. in der Steuerungstechnik verwendetes Datenerfassungsgerät, das an einer größeren Zahl von Messstellen anfallende digitale oder analoge Messwerte in regelmäßigen Intervallen (Bruchteile von Sekunden) abfragt und registriert oder einem Prozessrechner zuführt.

Datennetz, Kommunikationsnetz zur Übertragung von Computerinformationen zw. räumlich getrennten Datenstationen und Datenverarbeitungsanlagen. Über Knoten (Stationen) werden verschiedene Kommunikationskanäle miteinander verbunden (→Netz).

Datenschutz, der Schutz personenbezogener Daten vor Missbrauch bei ihrer Verarbeitung und Verwendung, d. h. bei ihrer Speicherung, Übermittlung, Veränderung und Löschung. Die rechtstheoret. Wurzeln des D.-Rechts wachsen aus der Schutzwürdigkeit des Rechts der Person auf Privatheit und aus dem Persönlichkeitsrecht. Der D. soll einen Ausgleich zw. dem Recht von Institutionen auf Informationen und dem mit Verfassungsrang ausgestatteten Recht des Einzelnen auf informationelle Selbstbestimmung schaffen. Er ist in Dtl. bes. im Bundes-D.-Ges. (BDSG) in der Neufassung vom 20. 12. 1990 und in den Landes-D.-Ges. kodifiziert, daneben gibt es in zahlreichen anderen Ges., z. B. im Steuer-, Melde-, Sozial- und im Wahlrecht, ergänzende Bestimmungen. Sonderbestimmungen zum D. gelten z. B. aufgrund des Einigungsvertrages für die Dateien und Unterlagen des Staatssicherheitsdienstes der DDR (Stasi-Unterlagen-Ges. vom 20. 12. 1991).

Grundregel des D. ist, dass die Verarbeitung und Nutzung personenbezogener Daten nur aufgrund einer Einwilligung des Betroffenen oder einer gesetzl. Erlaubnis oder Anordnung zulässig ist. Öffentl. Stellen dürfen personenbezogene Daten nur erheben und verarbeiten, wenn dies zur Erfüllung ihrer Aufgaben erforderlich ist. Der Betroffene ist über den Zweck, die Rechtsgrundlage und ggf.

über die Freiwilligkeit der Datenerhebung zu unterrichten. Über seine erfassten Daten hat der Betroffene ein Auskunftsrecht, auch hinsichtlich der Herkunft der Daten. Unzulässig gespeicherte oder bestrittene oder unrichtige Daten sind auf Verlangen zu löschen, ggf. ist Schadensersatz, auch Schmerzensgeld zu leisten.

Nichtöffentl. Stellen unterliegen dem BDSG nur, wenn sie Daten dateimäßig erfassen. Die Zulässigkeit der Datenverarbeitung richtet sich hier nach der Zweckbestimmung des Vertrags- oder sonstigen Rechtsverhältnisses oder ergibt sich aus einer Abwägung der beiderseitigen berechtigten Interessen und schutzwürdigen Belange.

Auf Bundes- und auf Länderebene kontrollieren unabhängige D.-Beauftragte die Einhaltung des D., bes. in den öffentl. Verwaltungen. Im nichtöffentl. Bereich sind Betriebe, die personenbezogene Daten verarbeiten, verpflichtet, betriebl. D.-Beauftragte zu ernennen.

Österreich hat am 18. 10. 1978 das D.-Ges. (DSG) erlassen, das ähnl. Grundzüge wie das dt. BDSG aufweist. Ein wesensgleiches Ges. existiert auch in der *Schweiz* (Bundes-Ges. über den D. vom 19. 6. 1992, DSG).

📖 Zeger, H. G.: *D. in Österreich. Wien 1991.* – *Datenschutzrecht, Kommentar v.* L. Bergmann *u. a., Loseblatt-Ausg. Stuttgart 1992 ff.* – *Bundesdatenschutzgesetz. Gesetz zum Schutz vor Mißbrauch personenbezogener Daten bei der Datenverarbeitung, begr. v.* H.-J. Ordemann, *erläutert v.* R. Schomerus *u.* P. Gola. *München [5]1992.* – Wohlgemuth, H. H.: *Datenschutzrecht. Neuwied u. a. [2]1993.*

Datensicherung, alle Maßnahmen und Methoden im Bereich von Hardware, Software, Datenorganisation und -übertragung zum Schutz von Daten und Programmen vor unbeabsichtigten Änderungen oder Zerstörungen durch Fehlfunktionen des Datenverarbeitungssystems oder vor unberechtigter Benutzung (→Computerviren). Zur D. gegen techn. Störungen werden die Daten durch prüfbare Codes dargestellt, bei denen Veränderungen einzelner Bits oder Bitgruppen Zeichen ergeben, die im Code nicht vorkommen und so als fehlerhaft erkannt und korrigiert werden können (Fehlererkennungscode, Fehlerkorrekturcode). Als D. gegen versehentl. Verändern gespeicherter Daten dient die Schreibsperre, z. B. beim Magnetbandspeicher oder bei geschützten Bereichen des Hauptspeichers, durch mechan., schaltungs- oder programmtechn. Sperrmaßnahmen. D. gegen unberechtigte Benutzung ermöglichen z. B. die Zuweisung eines Passworts an jeden Benutzer, das den Zugang nur zu gewissen Datenbereichen freigibt, sowie techn. Sperren (Adressen-, Schlüsselsperre) an der Benutzerstation (Terminal).

📖 *Personal-Computer u. Datenschutz. Leitfaden zur PC-Organisation, bearb. v.* S. Dworatschek, *Beiträge v.* A. Büllesbach *u. a. Köln [5]1992.* – Schaumüller-Bichl, I.: *Sicherheitsmanagement. Risikobewältigung in informationstechnolog. Systemen. Mannheim u. a. 1992.* – Adam, U.: *Einführung in die D. Probleme u. Lösungen. Würzburg 1995.* – *IT-Grundschutzhandbuch. Maßnahmenempfehlungen für den mittleren Schutzbedarf, hg. vom Bundesamt für Sicherheit in der Informationstechnik. Köln 1995.* – Stallings, W.: *Sicherheit im Datennetz. A. d. Amerikan. München u. a. 1995.*

Datenträger, zur Speicherung und Bereitstellung von Daten dienende Trägermaterialien, z. B. Magnetplatte, -band, -karte, Diskette oder CD-ROM.

Datenübertragung, Übertragung von Daten mithilfe einer D.-Einrichtung (z. B. Modem) zumeist über Leitungen (Kabel, Lichtleiter) zur Speisung Daten verarbeitender Anlagen (→Datenfernverarbeitung). Der Vielfalt benötigter Übertragungsgeschwindigkeiten (gemessen in Bits je Sekunde; bit/s) und Betriebsverfahren wird durch Ausnutzung vorhandener Fernmeldenetze und durch Aufbau neuer Datennetze (Breitbandnetze, z. B. ISDN) entsprochen. Als mögl. Fernziel gilt ein vollintegriertes digitales Breitbandnetz für alle Formen der Telekommunikation. D. kann auch über Satellit erfolgen (z. B. Fernmeldesatelliten).

📖 Kafka, G.: *Grundlagen der Datenkommunikation. Bergheim [2]1992.* – Welzel, P.: *Datenfernübertragung. Braunschweig u. a. [3]1993.* – Kauffels, F.-J.: *Einführung in die Datenkommunikation. Grundlagen – Systeme – Dienste. Bergheim [5]1996.*

Datenverarbeitung, Abk. **DV** (engl. Data-processing), i. w. S. jeder Prozess, bei dem Eingangsdaten mit oder ohne techn. Hilfsmittel durch Erfassung, Speicherung und Bearbeitung in Ausgangsdaten umgewandelt werden; i. e. S. Informationsverarbeitung mittels →Computer einschl. der in einem Computer ablaufenden Prozesse zur Verarbeitung von numer. oder alphanumer. Zeichen **(elektron. D.,** Abk. **EDV).** Eine umfassende organisator. Kombination von Hard- und Software zur D. bezeichnet man als **D.-System.** Sein techn. Hauptbestandteil ist die **D.-Anlage,** deren zentrale Baueinheit meist ein Digitalrechner (der Computer, **digitale D.**), ein Analogrechner **(analoge D.)** oder ein Hybridrechner ist. Die D. beginnt mit der →Datenerfassung. Die Daten werden dann auf einen →Datenträger übertragen, der zur Eingabe in die D.-Anlage dient. An die eigentl. Verarbeitung schließt sich die Datenausgabe an. Bei dezentraler Datenbenutzung ist eine →Datenübertragung oder →Datenfernverarbeitung notwendig.

Die Anwendungen der D. betreffen neben der kommerziellen D. (Buchhaltung, Finanzen usw.), kommunalen D. (Recht, Verwaltung) u.a. Gebieten bes. den technisch-wiss. Bereich v.a. zur modellmäßigen Erfassung und Simulation von Prozessen sowie zur Steuerung und Kontrolle von Abläufen (Prozess-D.). Durch →Datenbanken werden die Möglichkeiten der D. erweitert.

📖 STEINBUCH, P. A.: *Betriebl. D. Ludwigshafen* ^{5}*1991*. – *Lexikon der D., hg. v.* PETER MÜLLER *u. a. Neuausg. Berlin u. a.* ^{8}*1992*. – PONGRATZ, R.: *EDV-Grundlagen. Neuausg. Vaterstetten 1993.*

Herta Däubler-Gmelin

Datexnetz [Kw. aus engl. **dat**a-**ex**change, »Datenaustausch«], speziell konzipiertes Netz zur Übertragung von digitalen Daten. Es werden verschiedene Datexdienste angeboten. **Datex-L** (L für Leistungsvermittlung) verbindet direkt über Wählleitungen. Bei **Datex-P** (P für Paketvermittlung) werden die zu übermittelnden Daten zu Datenpaketen von 128 Zeichen zusammengefasst, adressiert und ihre Übertragung vom Netz gesteuert. **Datex-M** (M für Multimegabit) ist ein Hochgeschwindigkeitsservice für die Verknüpfung von lokalen Netzwerken (LAN). **Datex-J** (J für Jedermann) richtet sich v.a. an PC-Benutzer mit gelegentl. Nutzung von Dialogverbindungen und wird als Zugang zu T-Online benutzt.

Datis, pers. Feldherr unter Dareios I., führte 490 v. Chr. eine Strafexpedition gegen Athen und Eretria (wegen Teilnahme am Ion. Aufstand), die bei →Marathon scheiterte.

Dativ [lat.] *der,* Wemfall, der 3. Fall der →Deklination, bezeichnet eine Person oder Sache, auf die sich die durch das Verb ausgedrückte Handlung indirekt bezieht: *ich schulde ihr Geld.* Im dt. Satz kann der D. mehrere Funktionen bezeichnen, z. B. den Besitz: *der Ring gehört mir* **(possessiver D.)** oder den Zweck: *er lebt nur seiner Familie* **(finaler D.).**

Datong (Tatung), Stadt im N der Prov. Shanxi, China, 798 300 Ew.; Zentrum des größten chines. Steinkohlenbergbaugebietes, Zement- und chem. Ind., Schwermaschinen- und Lokomotivbau. – Westlich von D. liegen die Höhlentempel von Yungang (5. Jh.).

Datscha [russ.] *die* (Datsche), Sommerhaus auf dem Land, Wochenendhaus.

Dattel [von grch. dáktylos »Finger«] *die,* Frucht der Dattelpalme.

Datteln, Stadt im Kr. Recklinghausen, NRW, am N-Rand des Ruhrgebietes, 37 700 Ew.; Knotenpunkt der Wasserstraßen Dortmund-Ems-, Datteln-Hamm- und Wesel-Datteln-Kanal (Hafen), Maschinenbau, Zinkverarbeitung, Kunststoff- und chem. Ind.; Steinkohlenbergbau bis 1972. – Stadtrecht seit 1935.

Dattelpalme
(Stammhöhe bis zu 30 m)

Dattelpalme (Phoenix), fiederblättrige, trop. und subtrop. Palmengattung, mit 13 Arten in Afrika und Vorderindien heimisch. Die D. **Phoenix dactylifera** hat als Kulturpflanze zahlr. Sorten, bis 30 m hoch. Charakterbaum der Oasen N-Afrikas; wird heute weltweit in trockenen Gebieten angepflanzt. Der weibl. Baum trägt Büschel 4–5 cm langer, im Reifezustand dunkelhonigfarbiger, zuckerreicher Beerenfrüchte. Jahresernte pro Baum zw. 50 und 150 kg Früchte **(Datteln).**

Dattelpflaume (Diospyros), eine Gattung der Ebenholzgewächse. Die Art **Lotospflaume** (Diospyros lotus) ist ein Baum der Mittelmeerländer mit kirschgroßen, gelben bis blauschwarzen, essbaren Früchten, die **Kakipflaume** oder **Persimone** (Diospyros kaki) ein Baum Chinas, Japans und der Mittelmeerländer mit fast apfelgroßen, gelben bis orangeroten, essbaren Beerenfrüchten.

Datum [lat. »gegeben«] *das,* die Zeitangabe (Tag, Monat, Jahr) nach dem →Kalender.

Datumsgrenze

Datumsgrenze, die 1845 vereinbarte Grenzlinie auf der Erdoberfläche durch den Pazif. Ozean, die ungefähr mit dem 180. Längengrad zusammenfällt. Bei ihrem Überschreiten von W nach O gilt das gleiche Datum zwei Tage lang, während bei umgekehrter Reiserichtung ein Tag übersprungen wird.

Datura [pers.] *die* (Stechapfel), Gattung der Nachtschattengewächse mit Trichterblüten. **Datura stramonium (Stechapfel, Dornapfel)** ist ein bis meterhohes giftiges Kraut; in Mitteleuropa seltene Schuttpflanze; Anbau zur Gewinnung der Alkaloide Hyoscyamin, Atropin und Scopolamin aus den Blättern und Samen. Eine verwandte Zierpflanze ist die →Engelstrompete.

Dau (Dhau) *die,* Segelfahrzeug an der arab. und ostafrikan. Küste mit eineinhalb Masten und Lateinsegel.

Daubigny [dobi'ɲi], Charles-François, frz. Maler und Radierer, *Paris 15. 2. 1817, †ebd. 19. 2. 1878; Vertreter der Schule von →Barbizon; malte melancholisch-herbe Landschaften in dunklen, erdigen Farben.

Däubler, Theodor, Schriftsteller, *Triest 17. 8. 1876, †Sankt Blasien 13. 6. 1934. Sein großes Epos »Das Nordlicht« (1910) behandelt Weltentstehung und Menschheitswerden.

Däubler-Gmelin, Herta, Politikerin (SPD), *Preßburg 12. 8. 1943; Juristin, seit 1972 MdB, 1983–93 stellv. Vors. der SPD-Fraktion im Bundestag; seit 1988 stellv. Bundesvorsitzende der SPD, seit 1998 Bundesjustizministerin.

Daucher, 1) Adolf, Bildhauer, *Ulm um 1460/65, †Augsburg um 1524, Vater von 2); Meister am Übergang von der Spätgotik zur Renaissance; einziges belegtes Werk ist der Sippenaltar (1521/22) der Annenkirche in Annaberg (Erzgebirge); seine Mitwirkung an der Ausstattung der Fuggerkapelle von St. Anna in Augsburg ist umstritten.

2) Hans, Bildhauer, *Ulm um 1485, †Stuttgart 1538, Sohn von 1); fertigte bes. Reliefs und Medaillons, meist aus Solnhofer Schiefer; markanter Vertreter der dt. Renaissance.

Daudet [do'dɛ], Alphonse, frz. Schriftsteller, *Nîmes 13. 5. 1840, †Paris 16. 12. 1897; Lehrer, dann Journalist in Paris; schrieb Erzählungen (»Briefe aus meiner Mühle«, 1869), mehrere Romane und das Schauspiel »L'Arlésienne« (1872, Musik von G. Bizet). In den Geschichten vom Prahlhans »Tartarin de Tarascon« (1872, 1885, 1890) schildert er humoristisch das Milieu seiner provenzalischen Heimat.

Dauerauftrag, im bargeldlosen Zahlungsverkehr Anweisung an ein Kreditinstitut, regelmäßig wiederkehrende Zahlungen gleicher Beträge (z. B. Mieten,) automatisch zum festgelegten Zeitpunkt auszuführen.

Dauerausscheider (Ausscheider, Bazillenträger, Keimträger, Virusträger), *Medizin:* Person, die Krankheitserreger dauernd (über Jahre) oder zeitweilig **(temporärer D.)** ausscheidet, ohne krank oder krankheitsverdächtig zu sein; bes. bei bakteriellen Darminfektionen, bei Diphtherie und Viruserkrankungen gefährlich. Die Meldepflicht ist im Bundesseuchen-Ges. festgelegt.

Dauerbrandofen, →Heizung.

Dauerdelikt, Straftat, bei der der Täter einen andauernden rechtswidrigen Zustand schafft und willentlich aufrechterhält (Straftat ist nicht beendet), z. B. Freiheitsberaubung. Beim **Zustandsdelikt** genügt dagegen das Herbeiführen des rechtswidrigen Erfolges, z. B. Körperverletzung. Die Unterscheidung ist für die Beurteilung von Beihilfe und Verjährung bedeutsam.

Charles-François Daubigny: Herbstlandschaft (Wuppertal, Von-der-Heydt-Museum)

Dauereier, bes. hartschalige Eier vieler Würmer und Krebstiere, die u. a. Trockenheit und Kälte überstehen können.

Dauerfeldbau, Agrarwirtschaftsform mit ganzjährigem Feldbau; bes. in der trop. Tieflandzone und in Monsunländern.

Dauerfestigkeit (Dauerschwingfestigkeit), mechan. Beanspruchung (Spannung), mit der ein Werkstoff beliebig oft, ohne zu brechen, belastet werden kann. Die Spannung schwingt dabei um eine gegebene Mittelspannung und wird im →Dauerschwingversuch ermittelt. Bei der **Wech-**

Alphonse Daudet: »Die wundersamen Abenteuer des Tartarin von Tarascon«, Romanillustration von George Grosz

selfestigkeit beträgt der Mittelwert null, bei der **Schwellfestigkeit** erfolgt der Lastwechsel zw. belastungsfreiem Zustand und einer Druck- oder Zugbeanspruchung mit stets gleich bleibendem Höchstwert.

Dauerfrostboden (ewige Gefrornis, Permafrost), Boden mit ständig gefrorenem Porenwasser **(Bodeneis),** der unter den heutigen Klimabedingungen in den höheren geograph. Breiten auftritt. Die Grenze des D. folgt bei schneefreiem Boden der Jahresisotherme von –2 °C. Eine anhaltende Schneedecke lässt diesen Wert wegen der Isolationswirkung des Schnees wesentlich tiefer sinken. In Sibirien beträgt die Mächtigkeit des D. durchschnittlich 300–600 m, maximal 1500 m, in Alaska und Kanada maximal 600 m, ein Teil davon stammt noch aus dem Eiszeitalter. Die oberste Schicht kann im Sommer bis etwa 2 m Tiefe auftauen, sodass sich Tundrenvegetation oder auch Wald ansiedeln kann.

Dauergrünland, dauernd als Wiesen, Weiden oder Mähweiden genutzte Grünlandflächen.

Dauerkulturen, Kulturen von mehrjährigen Nutzpflanzen; z. B. Wein, Hopfen, Spargel, Obstanlagen.

Dauerlauf, *Leichtathletik:* das Einhalten einer gleichmäßigen (geringen) Laufgeschwindigkeit auf längeren Strecken.

Dauermodifikationen, durch Umwelteinflüsse bedingte Veränderungen (Modifikationen) an Pflanzen und Tieren, die bei den Nachkommen der nächsten Generationen noch auftreten können.

Dauernutzungsrecht, → Dauerwohnrecht.

Dauerschuldverhältnis, Schuldverhältnis, das sich nicht im einmaligen Austausch von Leistungen erschöpft, sondern die Verpflichtung zu wiederkehrenden Leistungen begründet, z. B. Miet-, Arbeitsvertrag. D. können aus wichtigem Grund gekündigt werden.

Dauerschwingversuch, Verfahren zur Ermittlung der → Dauerfestigkeit mit den zugehörigen Lastspielzahlen von Werkstoffen, insbesondere Metallen, nach dem von A. → Wöhler seit 1859 angewendeten Verfahren. Ein oder mehrere gleiche Probestäbe (oder auch Bauteile) werden in einer Dauerprüfmaschine durch elektrisch oder hydraulisch erzeugte Kräfte einer häufig wiederholten jeweils gleichen Belastung ausgesetzt, bis ein Bruch eintritt (oder nicht mehr zu erwarten ist). Die Ergebnisse werden in einem Diagramm (meist doppelt logarithmisch) dargestellt **(Wöhler-Kurve),** in dem die Spannungen über der zum Bruch führenden Lastspielzahl aufgetragen werden. Eine höhere Belastung verträgt der Werkstoff nur für eine begrenzte Zahl von Wiederholungen. Die Wöhler-Kurve geht bei einer Lastspielzahl, die für die einzelnen Werkstoffe charakteristisch ist, in die Waagerechte über (z. B. Stahl bei etwa $2 \cdot 10^2$ Lastspielen). Danach ist auch bei beliebig vielen weiteren Lastspielen kein Bruch mehr zu erwarten.

Willi Daume

Dauerspore, dickwandige Sporenform bei Bakterien, Algen und Pilzen zur Überbrückung einer längeren Ruhezeit oder ungünstiger Lebensbedingungen.

Dauerwelle, künstl. Wellung der Haare, die durch Einwirkung bestimmter Chemikalien (z. B. Thioglykolsäure) auf das über Spulen (Wickler) gewickelte Haar erreicht wird **(Kaltwelle).**

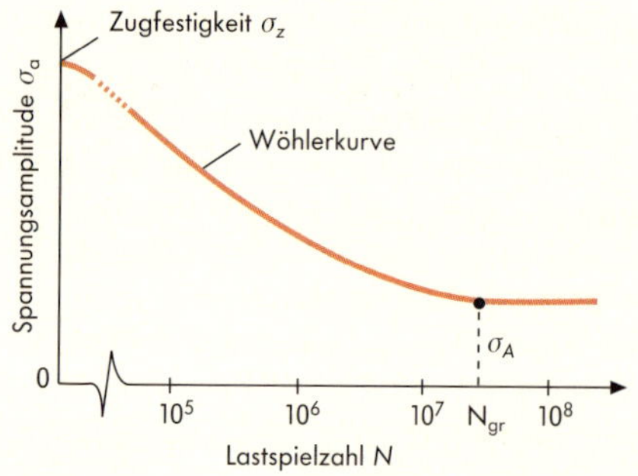

Dauerschwingversuch: Wöhler-Kurve mit Angabe der Grenzlastspielzahl N_{gr} und der Spannungsamplitude σ_A (Dauerschwingfestigkeit), bei der die Probe nicht mehr bricht, sowie der Zugfestigkeit σ_z, bei der die Probe unter Zugspannung bricht

Dauerwohnrecht, das veräußerl. und vererbl. beschränkte dingl. Recht, eine bestimmte Wohnung unter Ausschluss des Eigentümers zu bewohnen; das D. berechtigt auch zur Vermietung. Es kann auf Zeit oder unbefristet bestellt werden und wird im Grundbuch eingetragen. Für Räume, die nicht zu Wohnzwecken dienen, kann ein entsprechendes **Dauernutzungsrecht** begründet werden. Das D. wurde in der Bundesrep. Dtl. durch das Wohnungseigentums-Ges. vom 15. 3. 1951 geschaffen.

Daugava, lett. Name der → Düna.

Daugavpils (dt. Dünaburg, früher russisch Dwinsk), Stadt im SO von Lettland, an der Düna, 127300 Ew.; PH; elektrotechn., Schuh-, Leinenind., Chemiefaserwerk; Flusshafen. – D., 1278 vom Dt. Orden nach Magdeburger Stadtrecht gegr., kam 1561 zu Polen-Litauen, 1772 an Russland, 1920 an Lettland.

Daum [do:m], Glasmanufaktur, 1875 von Jean D. (* 1825, † 1885) in Nancy gegr.; Gefäße und Kleinplastiken im Jugendstil.

Daume, Willi, Sportfunktionär, * Hückeswagen 24. 5. 1913, † München 20. 5. 1996; 1950–70 Präs. des Dt. Sportbundes, 1957–91 Mitgl. des Internat. Olymp. Komitees, 1972–76 dessen Vizepräs.,

Honoré Daumier: »Gargantua«; die Karikatur (1831; Privatbesitz) zeigt den Steuergelder verschlingenden »Bürgerkönig« Louis-Philippe in Gestalt des gefräßigen Riesen aus der französischen Volkssage, der Privilegien- und Ehrenzeichenausstoß der königlichen Verdauung trifft die Diener des Staates

1961–92 Präs. des Nat. Olymp. Komitees für Dtl., 1979–88 Präs. der Dt. Olymp. Gesellschaft.

Daumen (Pollex), erster Finger der Hand, der zur Oppositionsbewegung gegenüber den anderen Fingern befähigt und daher unerlässlich für die Greifbewegung ist.

Daumer, Georg Friedrich, Schriftsteller und Religionsphilosoph, * Nürnberg 5. 3. 1800, † Würzburg 13. 12. 1875; zeitweise Erzieher Kaspar Hausers; heftiger Gegner des Christentums, zu dem er aber wieder zurückkehrte, 1858 Übertritt zum Katholizismus; schrieb Gedichte und übertrug formsicher oriental. Lyrik (»Hafis«, 2 Bde., 1846–52).

Daumier [do'mje], Honoré, frz. Maler, Karikaturist und Bildhauer, * Marseille 26. 2. 1808, † Valmondois (bei Pontoise) 11. 2. 1879; schuf Lithographien und Holzschnitte für satir. Blätter (»Caricature«, »Charivari« u. a.), in denen er, oft mit beißender Ironie, das bürgerl. Leben seiner Zeit (bes. die Justiz) schilderte. Dem malerischen Stil der Lithographien entsprechen seine Gemälde, mit Szenen aus dem Alltag (»Die Wäscherin«, 1862; Paris, Louvre), dem Vorstadttheater, der Advokaten und Unterprivilegierten. Daneben Buchillustrationen und Statuetten (»Ratapoil«, 1848; Mannheim, Kunsthalle).

📖 Wohlgemuth, A.: *H. D. Frankfurt am Main u. a. 1996.*

Däumling (Daumerling, Daumesdick, engl. Tom Thumb, frz. Petit Poucet), der daumengroße Held verschiedener Märchentypen; von bemerkenswerter Schlauheit und körperl. Gewandtheit.

Daun, **1)** Landkreis im RegBez. Trier, Rheinl.-Pf., 911 km^2, (1996) 62 700 Einwohner.

2) Kreisstadt von 1) in Rheinl.-Pf., im Zentrum der Vulkaneifel, 8 400 Ew.; heilklimatischer und Kneippkurort sowie Mineralheilbad; in der Umgebung die **Dauner Maare.** – Erhielt 1337 Stadtrecht.

Daun, Leopold Josef Graf von, österr. Feldmarschall (seit 1754), * Wien 24. 9. 1705, † ebd. 5. 2. 1766; nach 1748 Reorganisator des österr. Heeres; siegte im Siebenjährigen Krieg bei Kolin (1757), Hochkirch (1758) und Maxen (1759) und erlitt bei Torgau (1760) eine Niederlage; seit 1762 Präs. des Hofkriegsrates.

Leopold von Daun (zeitgenössischer Kupferstich)

Daunen (Dunen, Flaumfedern), Federn mit weichem Schaft und lockerer Fahne; stellen das Nestkleid der Jungvögel dar (Nestdunen), sind bes. bei Wasservögeln stark entwickelt und können (bei Laufvögeln) zeitlebens erhalten bleiben.

Dauphin [do'fɛ̃, frz.] *der* (lat. Delphinus), seit dem 12. Jh. Beiname der Grafen von Albon, dann Titel der Grafen von Vienne, deren Land (→ Dauphiné) 1349 an die frz. Krone fiel; seitdem bis 1830 Titel des frz. Thronfolgers.

Gerard David: »Hochzeit zu Kana« (um 1503; Paris, Louvre)

Dauphiné
Historisches Wappen

Jacques-Louis David
(Selbstporträt)

Sammy Davis jr.

Dauphiné [dofi'ne], histor. Landschaft in SO-Frankreich, erstreckt sich zw. Rhoneknie und italien. Grenze; umfasst die **D.-Alpen** (mit dem →Pelvoux), deren Voralpen (Vercors, Grande Chartreuse u.a.) und das von gut kultivierten Tälern durchzogene Moränen- und Schottergebiet der **Nieder-D. (Bas-D.)** südöstlich von Lyon.

Die D. entstand seit dem 11. Jh. als eigenständiges Fürstentum innerhalb des Königreichs Burgund. Ihr Name geht auf den Titel →Dauphin zurück. 1349 verkaufte der letzte Dauphin die D. an die frz. Krone. Diese bestimmte die D. zur Ausstattung (Apanage) des Thronfolgers, verlieh sie aber bald nicht mehr und vereinte sie 1560 mit der Krondomäne.

Daus [mhd. dus, zu altfrz. dous »zwei«] *das,* das Ass im dt. Kartenspiel (eigtl. die Zwei); zwei Augen im Würfelspiel.

Dausset [do'sɛ], Jean, frz. Hämatologe, *Toulouse 19. 10. 1916; erhielt 1980 mit B. Benacerraf und G. D. Snell für Arbeiten zur Transplantationsimmunologie den Nobelpreis für Physiologie oder Medizin.

Dauthendey, Max, Schriftsteller, *Würzburg 25. 7. 1867, †Malang (auf Java) 29. 8. 1918; urspr. Maler; als impressionist. Lyriker und Erzähler gestaltete er in Novellen (»Die acht Gesichter am Biwasee«, 1911) und in dem Roman »Raubmenschen« (1911) Landschaft und Menschen überseeischer Länder.

DAV, Abk. für **D**eutscher **A**lpen**v**erein, →Alpenvereine.

Davao, Stadt auf Mindanao, Philippinen, an der Bucht von D., 849 900 Ew.; Univ.; Holzwirtschaft, Handelszentrum und Hafen (Ausfuhr von Manilahanf, Kopra, Holz, Kaffee, Kakao).

Davel [da'vɛl], Jean Abraham Daniel, waadtländ. Patriot, *Morrens (VD) Okt. 1670, †(hingerichtet) Vidy (heute zu Lausanne) 24. 4. 1723; suchte 1723 erfolglos, einen Aufstand gegen die Herrschaft Berns auszulösen.

Davenport ['dævnpɔ:t], Stadt in Iowa, USA, 97 000 Ew.; ein Zentrum des Landmaschinenbaus; Verkehrsknotenpunkt am Mississippi.

David, israelit. König (etwa 1004/03 bis 965/64 v. Chr.), Sohn des Isai aus Bethlehem; als Knabe Waffenträger und Spielmann Sauls, Sieger über den Philister Goliath, nach Verfolgung durch seinen eifersüchtigen Schwiegervater Saul schließlich dessen Nachfolger; vereinigte Juda und Israel zu einem Reich, erhob Jerusalem zur Hauptstadt und zum Mittelpunkt der Gottesverehrung (Überführung der Bundeslade); Vater des →Salomo; gilt als Verfasser vieler Psalmen. – Schon seit frühchristl. Zeit wurde D. oft bildlich dargestellt, im MA. meist als Vorfahr Christi, gekrönt und mit der Harfe, in der italien. Renaissance als Jüngling und Sieger über Goliath (Donatello, Verrocchio, Michelangelo).

📖 Nitsche, S. A.: *D. Gestalt im Umbruch. Zürich 1994.*

David, 1) ['da:vit], Gerard, fläm. Maler, *Oudewater (bei Gouda) um 1460, †Brügge 13. 8. 1523; nach dem Tod von H. Memling Repräsentant der Brügger Malerschule (Altar- und Andachtsbilder).

2) [da'vid], Jacques-Louis, frz. Maler, *Paris 30. 8. 1748, †Brüssel 29. 12. 1825; bildete sich an der Antike in Rom, wo er 1784/85 das für den Klassizismus maßgebende Bild »Schwur der Horatier« (Paris, Louvre) malte. Er bekannte sich zu den Idealen der Frz. Revolution, wurde Jakobiner und malte polit. Märtyrerbilder (»Der ermordete Marat«, 1793; Brüssel, Musées Royaux des Beaux-Arts). Von Napoleon I. zum Hofmaler ernannt, verherrlichte er das Kaiserreich (»Kaiserkrönung«, 1806–07; Paris, Louvre); daneben Themen aus der Antike (»Die Sabinerinnen«, 1799; ebd.).

3) ['da:fit], Johann Nepomuk, österr. Komponist, *Eferding 30. 11. 1895, †Stuttgart 22. 12. 1977; suchte bachsche Polyphonie und zeitgenöss. Elemente zu vereinen; Orgelwerke, Sinfonien, Violinkonzerte, Kammermusik, Chöre, Oratorien (z. B. »Ezzolied«, 1957).

David d'Angers [da'vid dã'ʒe], Pierre-Jean, frz. Bildhauer, *Angers 12. 3. 1788, †Paris 5. 1. 1856; 1811–16 in Rom, beeinflusst von Canova; schuf zahlreiche Denkmalstatuen (Gutenberg, 1840; Straßburg); war auch in Dtl. tätig, wo zahlreiche Bildnismedaillons entstanden (Goethe, Schiller, Tieck, Schinkel, A. von Humboldt u. a.).

Davidsharfe (Harpa ventricosa), farbenprächtige ostind. Art der →Harfenschnecken.

Davidstern (Davidschild, hebr. Magen David), seit der Antike bekanntes Symbol in Form eines Sechssterns (Hexagramm); im Judentum erst vom MA. an unter der Bez. D. verbreitet, seit dem 18. Jh. als religiöses Symbol verwendet, seit 1897 Wahrzeichen des Zionismus. Unter dem Nationalsozialismus in Dtl. (seit 1940) und in den eroberten Gebieten Zwangsabzeichen (gelber D., **Judenstern**), das mit der Aufschrift »Jude« zu tragen war; seit 1948 ist der D. Symbol in der Staatsflagge Israels.

Davidstern

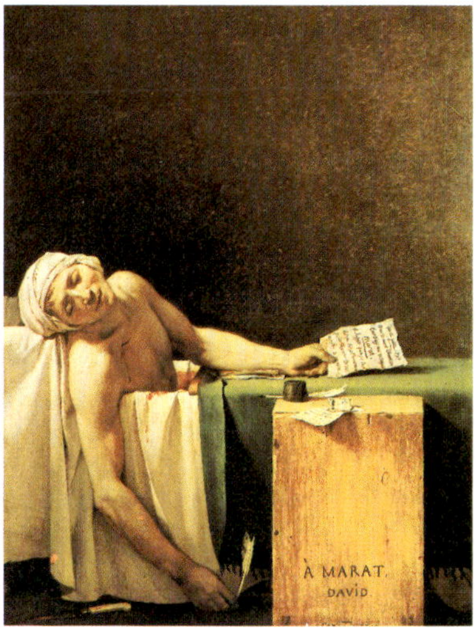

Jacques-Louis David: »Der ermordete Marat« (1793; Brüssel, Musées Toyaux des Beaux-Arts)

Davis ['deɪvɪs], **1)** Sir (seit 1980) Colin, brit. Dirigent, *Weybridge (Cty. Surrey) 25. 9. 1927; 1971–86 Leiter der Covent Garden Opera in London, Chefdirigent 1983–92 des Sinfonieorchesters des Bayer. Rundfunks, seit 1995 des London Symphony Orchestra.

2) Jefferson, amerikan. Politiker, *Fairview (Ky.) 3. 6. 1808, †New Orleans (La.) 6. 12. 1889; 1853–57 Kriegsmin.; 1861–65 Präs. der Konföderierten Staaten von Amerika (Südstaaten), die er in den →Sezessionskrieg führte; 1865–67 inhaftiert.

3) John, engl. Seefahrer, *Sandridge Park (bei Dartmouth) um 1550, †(erschlagen) zw. Bintan und Singapur 27. 12. 1605; unternahm drei Fahrten zur Suche nach der Nordwestpassage; drang dabei durch die nach ihm benannte →Davisstraße in die Baffinbai vor; entdeckte 1592 die Falklandinseln.

4) Miles, amerikan. Jazzmusiker (Trompete, Komposition), *Alton (Ill.) 25. 5. 1926, †Santa Monica (Calif.) 28. 9. 1991; Vertreter des Cooljazz und des Jazzrock.

5) Sammy jr., amerikan. Popsänger, Tänzer und Instrumentalist, *New York 8. 12. 1925, †Beverly Hills (Calif.) 16. 5. 1990; trat auch in Fernseh- und Filmrollen auf, u. a. »Porgy and Bess« (1959).

6) Stuart, amerikan. Maler, *Philadelphia (Pa.) 7. 12. 1894, †New York 24. 6. 1964; komponierte, beeinflusst von F. Léger und H. Matisse, in geometrisierenden Formen farbkräftige Bilder.

Colin Davis

Davispokal ['deɪvɪs-] (engl. Daviscup), jährlich ausgespielter Wanderpreis im Tennis für Herrenländermannschaften, 1900 von dem Amerikaner D. F. Davis (*1879, †1945) gestiftet; gespielt werden vier Einzelspiele und ein Doppel.

Davisson ['deɪvɪsn], Clinton Joseph, amerikan. Physiker, *Bloomington (Ill.) 22. 10. 1881, †Charlottesville (Va.) 1. 2. 1958; wies 1927 mit L. H. Germer anhand von Beugungsinterferenzen die Wellennatur von Elektronen nach; erhielt 1937 mit G. P. Thomson den Nobelpreis für Physik.

Davisstraße ['deɪvɪs-; nach John Davis], 350 km breite Meeresstraße zwischen Baffin Island und Grönland, verbindet die Baffinbai mit der Labradorsee.

Davit ['dævɪt, engl.] *der,* kleines schwenk- oder kippbares Hebezeug auf Schiffen zum Ein- und Aussetzen von Booten, Ankern u. a. mittels Flaschenzugs und/oder Winde.

Davos, Hochtal in Graubünden, Schweiz, vom Landwasser durchflossen; am oberen Ende liegt der **Davoser See** (0,6 km²). Das D. bildet den Kr. und die Gem. **Davos** mit den Ortsteilen Davos-Platz (1543 m ü. M.) und Davos-Dorf (1574 m ü. M.), 11 100 Ew.; schweizer. Forschungsinst. für Medizin und Hochgebirgsklima, Eidgenöss. Inst. für Schnee- und Lawinenforschung, Physikalisch-Meteorolog. Observatorium; Kirchner-Museum; Sanatorien, Kliniken und Kuranlagen; bed. Wintersportplatz mit zahlr. Seilbahnen, Sessel- und Skiliften. – In D.-Platz Kirche St. Johann Baptista (13.–16. Jh.). – Das D. wurde im 13. Jh. von Walisern besiedelt.

Davos Wappen

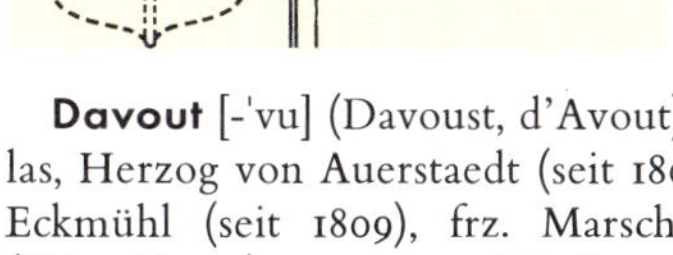

Davit: Schema der Funktionsweise eines Davitarms beim Patentdavit

Davout [-'vu] (Davoust, d'Avout), Louis Nicolas, Herzog von Auerstaedt (seit 1808), Fürst von Eckmühl (seit 1809), frz. Marschall, *Annoux (Dép. Yonne) 10. 5. 1770, †Paris 1. 6. 1823; schlug 1806 die Preußen bei Auerstedt und hatte 1809 entscheidenden Anteil an den Siegen über die Österreicher bei Eggmühl und Wagram, besetzte 1813/14 Hamburg; während der →Hundert Tage Kriegsminister Napoleons I.

Davy ['deɪvɪ], **1)** Gloria, amerikan. Sängerin (Sopran), *New York 29. 3. 1931; v.a. Opernsängerin, auch Liedinterpretin.

2) Sir (seit 1812) Humphry, brit. Chemiker und Physiker, *Penzance (Cty. Cornwall) 17. 12. 1778, †Genf 29. 5. 1829; entdeckte die Zerlegung anorgan. Stoffe durch elektr. Strom, stellte durch Schmelzflusselektrolyse erstmals Alkali- und Erdalkalimetalle dar, entwickelte die Wetterlampe.

Charles G. Dawes

D/A-Wandler, Kw. für **D**igital/**a**nalog-Wandler, der →Digital-analog-Umsetzer.

Dawes [dɔ:z], Charles Gates, amerikan. Politiker, *Marietta (Oh.) 27. 8. 1865, †Evanston (Ill.) 23. 4. 1951; Rechtsanwalt und Bankier, Mitglied der Republikan. Partei, 1923-24 Vors. der internat. Sachverständigenkommission, die den →Dawesplan entwarf. 1925–29 war er Vizepräs. der USA und 1929–32 Botschafter in London. 1925 erhielt er mit J. A. Chamberlain den Friedensnobelpreis.

Doris Day

Dawesplan ['dɔ:z-], am 16. 8. 1924 in London abgeschlossener Vertrag über die dt. Reparationen nach dem 1. Weltkrieg; Grundlage war das von einer Kommission unter C. G. Dawes ausgearbeitete Gutachten über die dt. Leistungsfähigkeit. Der D. sah Zahlungen von jährlich 2,4 Mrd. Goldmark vor. Verbunden mit der Annahme des D. war eine internat. Anleihe (800 Mio. Goldmark) zur Überbrückung und zur Stabilisierung der dt. Währung. 1929/30 wurde er durch den →Youngplan ersetzt.

Dawson ['dɔ:sn], Stadt im Yukon Territory, Kanada, an der Mündung des Klondike in den Yukon River; 1896 als Mittelpunkt der Goldgewinnung am Klondike und Bonanza Creek entstanden, hatte während des Goldrausches rd. 30000 Ew., heute nur 700 Ew.; Touristenzentrum.

Dawson Creek ['dɔ:sn 'kri:k], Stadt in British Columbia, Kanada, 11400 Ew.; das wirtsch. Zentrum des Peace-River-Gebiets, Ausgangspunkt des Alaska Highway; Erdölraffinerie; Flughafen.

Dax, Heilbad im frz. Dép. Landes, am Adour, 18600 Ew.; die schwefel- und kalkhaltigen Thermen wurden bereits in der Antike genutzt; Verarbeitung von Harz und Agrarprodukten. – Reste von Mauern und Türmen aus galloroman. Zeit, Kathedrale (17.–18. Jh., Portal 13. Jh.).

DAX®, Abk. für **Deutscher Aktienindex,** am 1. 7. 1988 eingeführter Aktienindex, der 30 (daher auch DAX 30) mit ihrem börsenzugelassenen Grundkapital gewichtete dt. Standardwerte umfasst und an der Frankfurter Wertpapierbörse während der Handelszeit jede Minute neu berechnet wird (Laufindex). Als Basis wurde der Wert am 31. 12. 1987 gleich 1000 gesetzt. Der DAX repräsentiert rd. 60% des Grundkapitals inländ. börsennotierter Aktiengesellschaften. Ergänzend werden berechnet der **Composite-DAX** (CDAX), der alle inländ., zum amtl. Handel an der Frankfurter Wertpapierbörse zugelassenen Aktien umfasst (neben einem Gesamtindex werden auch 16 Branchenindizes ausgewiesen), der **DAX 100,** in den die 100 wichtigsten, variabel gehandelten Aktienwerte (auch die des DAX 30) einbezogen werden, der **Midcap-Index** (MDAX), der die 70 hinter dem DAX 30 rangierenden Werte repräsentiert und so einen eigenständigen Index für diese Gruppe darstellt, und der **Volatilitätsindex** (VDAX), der die erwarteten Kursschwankungen zum Ausdruck bringt.

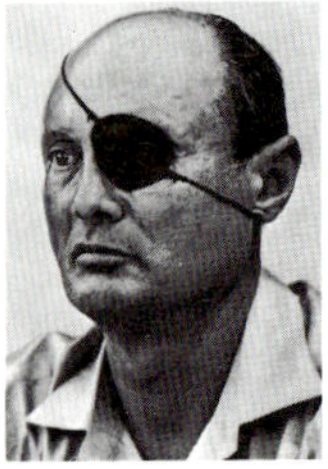

Moshe Dayan

Day [deɪ], Doris, eigtl. D. Kappelhoff, amerikan. Filmschauspielerin und Sängerin, *Cincinnati (Oh.) 3. 4. 1924; spielte in zahlr. Filmen, u. a. »Der Mann, der zuviel wußte« (1955), »Bettgeflüster« (1959), »Mitternachtsspitzen« (1960), »Ein Hauch von Nerz« (1961).

Dayak (Dajak), Sammelname für die Völker und Stämme im Innern Borneos (etwa 2 Mio. Menschen). Die D. leben in großen, auf Pfählen errichteten Langhäusern, v. a. an den Flüssen; hervorragende Holz-, Knochen- und Metallbearbeiter (kunstvoll verzierte Waffen); die Glaubensvorstellungen zeigen sich in Schöpfungsmythen, Ahnenverehrung und Totenkult. Kopfjagd spielte früher eine wichtige rituelle Rolle. Die **D.-Sprachen** gehören den indones. Sprachen an.

Dayak: Holzskulpturen, die der Ahnenverehrung dienen

Dayan, Moshe, israel. General und Politiker, *Degania (N-Palästina) 20. 5. 1915, †Tel Aviv-Jaffa 16. 10. 1981; bis 1977 Mitgl. sozialdemokrat. Parteiformationen, leitete 1948/49 die israel. Delegation bei den Waffenstillstandsverhandlungen im Palästinakrieg. Als Generalstabschef (1953–58) führte er die israel. Truppen während des Sinaifeldzugs (1956); 1959–64 war er Landwirtschafts-, 1967–74 Verteidigungs- und 1977–79 Außenmin. (Rücktritt aus Protest u. a. gegen die Siedlungspolitik der Regierung).

Day Lewis ['deɪ 'lu:ɪs], **1)** Cecil, engl. Schriftsteller, *Ballintogher (Cty. Leitrim, Irland) 27. 4. 1904, †London 22. 5. 1972, Vater von 2); schrieb z. T. politisch engagierte Lyrik und Versepen, auch Romane und Jugendbücher sowie unter dem Pseud. **Nicholas Blake** Detektivromane; übersetzte u. a. Vergils »Georgica« (1940).

2) Daniel, brit. Schauspieler, *London 20. 4. 1958, Sohn von 1); spielte u. a. in »Mein wunderbarer Waschsalon« (1985), »Zimmer mit Aussicht« (1986), »Die unerträgliche Leichtigkeit des Seins« (1987), »Mein linker Fuß« (1989), »Der letzte Mohikaner« (1992) und »Im Namen des Vaters« (1993).

Dayton ['deɪtn], Stadt im SW von Ohio, USA, am Miami River, 182 000 Ew.; zwei Univ.; Herstellung von Flugzeugen und Autoteilen, Werkzeugmaschinen, Haushaltsgeräten und Papier, Druckereien und Verlage. – Auf der Bosnien-Konferenz in D. wurden Vereinbarungen für eine Friedensregelung in →Bosnien und Herzegowina gefunden (Abkommen von D.; 21. 11. 1995).

Da Yunhe, der →Kaiserkanal, China.

Dazai [-z-], Osamu, japan. Schriftsteller, *Kanagi (Präfektur Aomori) 19. 6. 1909, † (Selbstmord) Tokio 13. 6. 1948; sein Werk bestimmen Themen eines krisenhaften Niedergangs des traditionellen Japan (u. a. »Die sinkende Sonne«, R., 1947).

Dazịt (Dacit) *der,* junges Ergussgestein mit Einsprenglingen von Plagioklas, Quarz und Biotit oder Hornblende in einer meist glasreichen, dichten Grundmasse.

dB, Kurzzeichen für →**Dezib**el.

Db, chem. Symbol für →Dubnium.

DB, Abk. für →**D**eutsche **B**ahn AG.

D. B., Abk. für **D**eutsche **B**urschenschaft, →studentische Verbindungen.

DBB, Abk. für →**D**eutscher **B**eamten**b**und.

DBD, Abk. für →**D**emokratische **B**auernpartei **D**eutschlands.

DBP, früher Abk. für →**D**eutsche **B**undes**p**ost.

DBV, Abk. für →**D**eutscher **B**auern**v**erband e. V.

DC, 1) Abk. für →**D**emocrazia **C**ristiana.

2) Abk. für engl. **d**irect **c**urrent, Bez. für Gleichstrom, auch Gleichspannung.

d. c., *Musik:* Abk. für →**d**a **c**apo.

D. C., Abk. für **D**istrict of **C**olumbia, USA.

DDP, Abk. für →**D**eutsche **D**emokratische **P**artei.

ddp ADN, aus dem Dt. Depeschen Dienst (ddp, gegr. 1971) und dem ehemaligen staatl. Allgemeinen Dt. Nachrichtendienst der DDR (ADN, gegr. 1946) hervorgegangene Nachrichtenagentur. Nach Erwerb der ADN durch die ddp 1992 von der Treuhandanstalt übernahm die ADN die geschäftl. Tätigkeit der ddp unter dem heutigen Namen; Sitz: Berlin.

DDR, Abk. für **D**eutsche **D**emokratische **R**epublik.

DDT®, Abk. für **D**ichlor**d**iphenyl**t**richloräthan, ein hochwirksames Schädlingsbekämpfungsmittel (Fraß- und Kontaktgift). DDT wird in der Natur nur langsam abgebaut, kann sich über die Nahrungskette in tier. Fettgewebe anreichern und zu Schäden führen. In Dtl. u. a. Ind.staaten ist die Verwendung deshalb verboten.

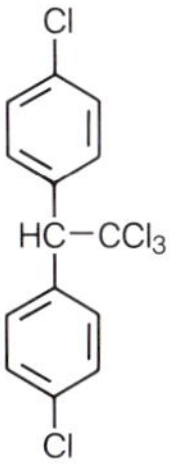

DDT

Deacon ['di:kən], Richard, brit. Plastiker, *Bangor (Verw.gebiet Gwynedd, Wales) 1949; arbeitete nach Anfängen als Performancekünstler seit Mitte der 70er-Jahre an Werkreihen, in denen er sich programmatisch mit den Möglichkeiten der heutigen Skulptur auseinander setzt.

DDT

DDT wurde schon 1874 von Othmar Zeitler synthetisiert, aber erst 1939 entdeckte Paul Müller seine insektizide Wirkung. In der Nachkriegszeit half das Gift, die Malaria fast auszurotten. Nach dem Auftreten von Resistenzen sowie Berichten, dass sich DDT im Fettgewebe von Warmblütern anreichert und dort Schädigungen hervorruft, wurde es in den Industrieländern nach und nach verboten. Nach neuestem Forschungsstand wird DDT schneller abgebaut als angenommen. Die Verdünnung von Eierschalen ist nicht auf DDT sondern auf polychlorierte Biphenyle (PCB) zurückzuführen. Zudem löst DDT beim Menschen keinen Krebs aus.

Da es zu DDT noch immer keine Alternative in der Malariabekämpfung gibt, wird es in den Entwicklungsländern weiter produziert.

1946	*2 800 000*
1961	*110*
1962	*31*
1963	*17*
1964	*150*
1965	*308*
1966	*499*
1967	*3 466*
1968/69	*2 500 000*

Zahl der Malariaerkrankungen in Ceylon. Der Einsatz von DDT wurde 1963 eingestellt, aber 1968 wieder aufgenommen.

Deadweight ['dedweɪt, engl.] *das,* Abk. **dw,** Gesamtzuladungsgewicht eines Handelsschiffes in tons (**tdw,** 1 ton = 1 016 kg); umfasst Ladung, Brennstoff, Proviant und sonstige Verbrauchsstoffe.

Deák ['dɛa:k], Franz (Ferenc) von, ungar. Politiker, *Söjtör (Bez. Zala) 17. 10. 1803, †Budapest 28. 1. 1876; Rechtsanwalt, Führer der liberalen Reformer; erreichte 1867 den Österr.-Ungar. Ausgleich.

Dealer ['di:lə, engl.] *der,* **1)** illegal arbeitender Händler, bes. von Drogen.

2) Börsenhändler, in angelsächs. Ländern Personen bzw. Unternehmen, die mit Wertpapieren handeln.

De Amicis [-a'mi:tʃis], Edmondo, italien. Schriftsteller, *Oneglia (heute zu Imperia) 21. 10. 1846, †Bordighera 11. 3. 1908; schrieb Reisebücher und Romane; besonderen Erfolg hatte sein Jugendroman »Herz« (1886).

James Dean

Dean [di:n, engl.] *der,* in der anglikan. Kirche Hauptgeistlicher einer Kathedrale oder Kollegiatkirche (Dompropst).

Dean [di:n], **1)** James, amerikan. Filmschauspieler, *Fairmont (Ind.) 8. 2. 1931, †(Autounfall) bei Salinas (Calif.) 30. 9. 1955; Nachwuchsdarsteller der amerikan. Bühne; weltberühmt durch die Filme »Jenseits von Eden« (1955), »... denn sie wissen nicht, was sie tun« (1955) und »Giganten« (1955); wurde nach seinem frühen Tod zum Jugendidol.

2) Laura, amerikan. Tänzerin und Choreographin, *New York 3. 12. 1945; gründete 1971 ein eigenes Ensemble, gilt als eine der bedeutendsten Vertreterinnen des Newdance.

Death Valley ['deθ 'vælı] (Tal des Todes), abflusslose Grabensenke im SW des →Großen Beckens, Kalifornien, USA, mit 86 m u. M. die tiefste Depression Nordamerikas; Wüstenklima (bis 57 °C, rd. 40 mm Niederschläge im Jahr). Als National Monument unter Schutz gestellt; Touristenziel.

Debora

Aus dem Deboralied:

Die Berge wankten vor dem Blick des Herrn [das ist der Sinai], vor dem Blick des Herrn, des Gottes Israels. In den Tagen Schamgars, des Sohnes des Anat, in den Tagen Jaels lagen die Wege verlassen da; wer unterwegs war, musste Umwege machen. Bewohner des offenen Landes gab es nicht mehr, es gab sie nicht mehr in Israel, bis du dich erhobst, Debora, bis du dich erhobst, Mutter in Israel.

(Richter 5,5–7)

Deauville [do'vil], frz. Seebad an der Küste der Normandie, im Dép. Calvados, an der Seinebucht, 4400 Ew.; internat. Pferderennen und Regatten, Spielkasino.

Debạtte [frz.] *die,* öffentl. Aussprache in Rede und Gegenrede, v. a. in Parlamenten, dort durch Geschäftsordnungen gezügelt.

De Beers Consolidated Mines Ltd. [də'bıəz kən'sɔlıdeıtıd 'maınz 'lımıtıd], größter Diamantenproduzent und -händler der Erde; Sitz: Kimberley (Rep. Südafrika); gegr. 1880 von Cecil Rhodes.

Debilitạ̈t [lat.] *die,* leichter Grad von angeborener oder frühkindlich erworbener Intelligenzschwäche, →Oligophrenie.

Gerard Debreu

Debitọren [lat. »Schuldner«], *Buchführung:* Forderungen gegen Kunden, die durch Verkauf von Waren und Dienstleistungen auf Kredit (Zielverkauf) entstehen. Die Verbuchung erfolgt auf besonderen **D.-Konten,** auf denen Forderungen aus Lieferungen und Leistungen ausgewiesen werden; Ggs. Kreditoren. Im *Bankwesen:* Bez. für die auf der Aktivseite der Bankbilanz an Kunden oder Kreditinstitute ausgereichten Kredite, unterteilt nach vereinbarter Laufzeit.

Dẹblin ['dɛmblin] (dt. Demblin), Stadt in der Wwschaft Lublin, Polen, 19 000 Ew.; Flugzeugreparaturwerke; Eisenbahnknotenpunkt. – Als **Iwangorod** zw. 1842–1915 die wichtigste der russ. Weichselfestungen.

Dẹbno ['dɛmbnɔ] (dt. Neudamm), Stadt in der Wwschaft Gorzów (Landsberg an der Warthe), 13 300 Ew.; Obst-, Gemüse-, Holzverarbeitung; Textil- und Metallindustrie.

De Bọno, Emilio, italien. Marschall (seit 1935), *Cassano d'Adda (bei Mailand) 19. 3. 1866, †(hingerichtet) Verona 11. 1. 1944; nahm 1922 als einer der Quadrumvirn am faschist. Marsch auf Rom teil. 1925 wurde er General-Gouv. von Libyen, 1929 Kolonialminister, 1935 Oberbefehlshaber im Krieg gegen Äthiopien. 1943 stimmte er im faschist. Großrat gegen Mussolini und wurde deshalb 1944 von einem Sondergericht zum Tod verurteilt.

Debọra [hebr. »Biene«], israelit. Prophetin und Richterin (um 1100 v. Chr.). Das ihr zugeschriebene **D.-Lied** (Buch der Richter 4), das den Sieg des israelit. Feldherrn Barak über den Kanaaniterkönig Sisera feiert, gehört zu den ältesten poet. Stücken des A. T. (12./11. Jh. v. Chr.). – Oratorium von Händel (1733).

Debray [də'brɛ], Régis, frz. Schriftsteller, *Paris 2. 9. 1940; Anhänger Che Guevaras, schrieb »Revolution in der Revolution« (1967); 1967–70 in Bolivien inhaftiert; distanzierte sich später vom Linksextremismus; 1981–85 Berater Präs. Mitterrands. – *Weiteres Werk:* Loués soient nos seigneurs. Une éducation politique (1996).

Debré [də'bre], Michel, frz. Politiker, *Paris 15. 1. 1912; war während des 2. Weltkriegs in der Widerstandsbewegung tätig, Mitglied gaullist. Parteiformationen, trat als entschlossener Kritiker der IV. Republik auf. Nach Errichtung der V. Republik (1958) war er 1958 Justizmin., 1959–62 Min.-Präs., 1966–68 Finanz- und Wirtschafts-, 1968–69 Außen- und 1969–73 Verteidigungsminister.

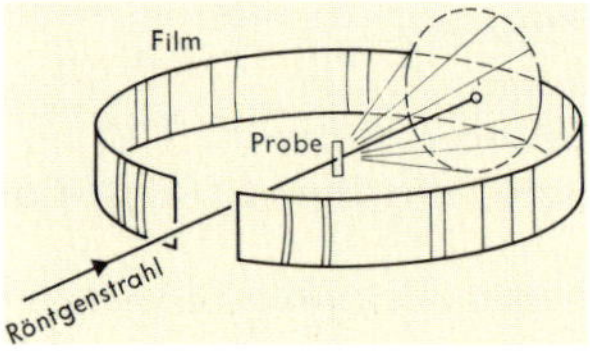

Debye-Scherrer-Verfahren

Debrecen ['dɛbrɛtsɛn] (dt. Debreczin), Stadt in Ungarn, im nördl. Großen Ungar. Tiefland, Hptst. des Bez. Hajdu-Bihar, 212 700 Ew.; drei Univ.; Waggon- und Landmaschinenbau, Penicilingewinnung, traditionelle Nahrungsmittelind., auch Tabak-, Möbel- und Textilind.; Thermalbad. – Reformierte Großkirche (1805–19). – D. gilt seit dem 16. Jh. als geistiger Mittelpunkt des ungar. Kalvinismus. 1849 war D. Sitz der ungar. Revolutionsreg. unter L. Kossuth.

Debreu [dəˈbrø:], Gerard, amerikan. Nationalökonom und Mathematiker frz. Abstammung, *Calais 4. 7. 1921; erhielt 1983 den Nobelpreis für Wirtschaftswiss. für die Einführung neuer analyt. Methoden in die volkswirtsch. Theorie und eine Neuformulierung der Theorie des allg. Gleichgewichts.

De-Broglie-Wellen [dəˈbrɔj-; nach L.-V. de Broglie], die →Materiewellen.

Debtmanagement [ˈdetmænɪdʒmənt, engl.] *das,* i. e. S. Maßnahmen der **Schuldenstrukturpolitik,** d. h. gezielte Festlegung bzw. Veränderung der Struktur öffentl. Schulden bei vorgegebener Schuldenhöhe; i. w. S. auch Schuldniveauvariationen. Das D. dient der bewegl. Anpassung von Umfang, Konditionen und Struktur der öffentl. Schulden an die Gegebenheiten der Geld- und Kapitalmärkte sowie der Abstimmung der schuldenpolit. Maßnahmen mit denen der Geldpolitik.

Debussy [dəbyˈsi], Claude, frz. Komponist, *Saint-Germain-en-Laye 22. 8. 1862, †Paris 25. 3. 1918; Meister des Impressionismus in der Musik, kam früh mit russ. und fernöstl. Musik in Berührung und entwickelte eine neuartige Tonsprache; sie verzichtet sowohl auf motivisch-themat. wie kontrapunkt. Arbeit; häufig auf Kirchentonarten, Pentatonik und Ganztonskala basierend, verwischt sie den Gegensatz von Konsonanz und Dissonanz, bevorzugt Parallelbewegung von Stimmen und Akkorden. – Oper »Pelléas et Mélisande« (1902), Orchesterwerke: »Prélude à l'après-midi d'un Faune« (1892–94), »Trois nocturnes« (1897–99), »La mer« (1903–05), »Ibéria« (1906–08), Klavierstücke, Kammermusik und Lieder.

Claude Debussy: Autograph einiger Takte aus dem letzten Satz seines 1893 komponierten Streichquartetts

Debrecen: Fassade der Anfang des 19. Jh. erbauten reformierten »Großkirche«

Claude Debussy

📖 NICHOLS, R.: *C. D. im Spiegel seiner Zeit. Portraitiert von Zeitgenossen. A. d. Engl. Zürich u. a. 1992.* – FISCHER-DIESKAU, D.: *Fern die Klage des Fauns. C. D. u. seine Welt. Stuttgart 1993.* – BARRAQUÉ, J.: *C. D. A. d. Frz. Reinbek 36.–38. Tsd. 1994.*

Debüt [deˈby] *das,* erstes öffentl. Auftreten, bes. im Theater.

Debye [dəˈbɛjə, engl. dəˈbaj], Peter Josephus Wilhelmus, niederländ. Physiker und Physikochemiker, seit 1946 amerikan. Staatsbürger, *Maastricht 24. 3. 1884, †Ithaca (N. Y.) 2. 11. 1966; formulierte u. a. 1912 eine Theorie zur Erklärung der spezif. Wärmekapazität von Festkörpern **(D.-Theorie)** und klärte die Temperaturabhängigkeit der Dielektrizitätskonstante; erhielt 1936 den Nobelpreis für Chemie.

Debye-Scherrer-Verfahren [dəˈbaj-; nach P. J. W. Debye und P. Scherrer], Untersuchung von Kristallstrukturen pulverförmiger Stoffe durch Beugung von Röntgenstrahlen. Ein scharf gebündelter monochromat. Röntgenstrahl erzeugt nach Durchgang durch den stäbchenförmig gepressten Stoff auf einem zylindrisch um die drehbare Probe angebrachten Film konzentr. Ringe (Interferenzen), deren Lage und Intensität Aufschluss über die Kristallstruktur geben **(Debye-Scherrer-Diagramm).**

Augustin Pyrame De Candolle

Decamerone [»Zehntagewerk«] *der* auch *das*, → Boccaccio.

De Candolle [dəkã'dɔl], Augustin Pyrame, schweizer. Botaniker, *Genf 4. 2. 1778, †ebd. 9. 9. 1841; stellte eine natürl. Einteilung der Pflanzen auf, das **de candollesche System.** – *Werke:* Théorie élémentaire de la botanique (1813); Prodromus systematis naturalis regni vegetabilis (7 Bde., 1824–40).

Decapoda [grch. »Zehnfüßer«], **1)** die Zehnfußkrebse (→ Krebstiere).

2) veraltete zusammenfassende Bez. für zwei Gruppen der → Kopffüßer.

Decarboxylierung [lat.-grch.], Abspaltung von Kohlendioxid aus Carbonsäuren und ihren Salzen; wichtig z.B. beim enzymat. Abbau von Aminosäuren zu biogenen Aminen.

Deccan, Landschaft in Vorderindien, → Dekhan.

Decca-Navigationsverfahren, von der Firma Decca Navigator Co. Ltd., London, entwickeltes Funkortungsverfahren im Bereich von 70 bis 130 kHz mit mittlerer Reichweite, das in der Schifffahrt angewendet wird. Als Sender dienen meist ein Leitsender und drei sternförmig in etwa 200 km Entfernung angeordnete Nebensender, die zusammen eine **Decca-Kette** bilden. Jeder dieser Sender strahlt ein anderes Vielfaches der Grundfrequenz aus, sodass nach Frequenzvervielfachung mithilfe eines Frequenzwandlers je ein Nebensender mit dem Hauptsender auf die gleiche Frequenz gebracht werden kann. Die Phasendifferenzen der so entstandenen Wellenpaare werden gemessen und angezeigt. Die Orte gleicher Phasendifferenzen für je ein Sendepaar liegen auf einer Hyperbelschar; man erhält für eine Decca-Kette also drei Hyperbelscharen, die auf Spezialkarten eingetragen sind. Der Standort kann dann als Schnittpunkt zweier oder dreier Hyperbeln ermittelt werden.

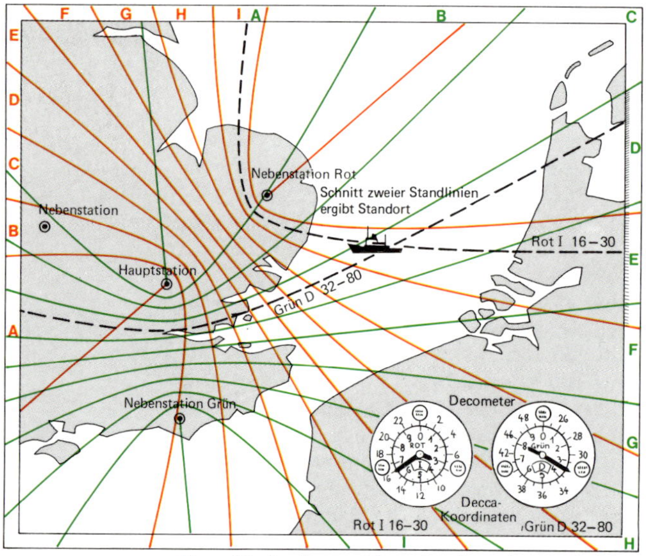

Decca-Navigationsverfahren: Standlinien der Hyperbelschar (rot und grün) der englischen Senderkette und Anzeige der Standortkoordinaten des Schiffes auf den Decometern rechts unten (die dritte Hyperbelschar erscheint hier aus Gründen der Übersichtlichkeit nicht)

Decemviri, → Dezemvirn.

Deceptioninsel [dɪ'sepʃn-], jungvulkan. Insel der brit. → Süd-Shetland-Inseln; Basis für Antarktisexpeditionen, lange Zeit auch für Robben- und Walfänger.

De Céspedes [-'tʃɛspedes], Alba, italienische Schriftstellerin, *Rom 11. 3. 1911; schrieb psycholog. Gesellschafts- und Frauenromane (»Der Ruf ans andere Ufer«, 1938; »Das verbotene Tagebuch«, 1953; »Die Bambolona«, 1967).

Dechant, → Dekan.

DECHEMA, Abk. für **De**utsche Gesellschaft für **chem**isches **A**pparatewesen und Biotechnologie e.V., gegr. 1926 (seit 1985 »und Biotechnologie«) mit der Aufgabe, den Erfahrungsaustausch zw. Chemikern und Ingenieuren, den Bau technisch-chem. Apparate (Ausstellung **ACHEMA**) und die chem. Verfahrenstechnik zu fördern; seit 1970 eigenes Forschungsinst. (Karl-Winnacker-Institut; Sitz: Frankfurt am Main).

Dechenhöhle, Tropfsteinhöhle im Stadtgebiet von Iserlohn, NRW, 1868 entdeckt, über 700 m lang.

dechiffrieren [-ʃ-, frz.], entziffern, entschlüsseln.

De Chirico [de'ki:riko], Giorgio, italien. Maler und Grafiker, *Volos (Griechenland) 10. 7. 1888, †Rom 19. 11. 1978; studierte in München; 1911–15 hielt er sich in Paris auf; seine Bildern stehen unter dem Einfluss des Surrealismus. 1917 entwickelte er mit C. Carrà in Ferrara die Theorie der → Pittura metafisica. 1925 kehrte er nach Paris zurück, wo er zu einem, aus einer dämon. Sicht der Antike gespeisten Klassizismus kam. Seit 1939 lebte er wieder in Italien. Zahlr. Fälschungen (1977 entdeckt) haben die Identifizierung seiner Bilder erschwert.

📖 *De C. – nel centenario della nascita, Ausst.-Kat. Museo Correr, Venedig. Mailand 1988.* – SCHMIED, WIELAND: *De C. u. sein Schaffen. München 1989.*

Decidua [lat. »die Hinfällige«] *die* (Siebhaut), *Medizin:* bei einer Schwangerschaft umgebildete Schleimhaut der Gebärmutter, Schicht des → Mutterkuchens.

Děčín ['djɛtʃi:n] (dt. Tetschen), Stadt im Nordböhm. Gebiet, Tschech. Rep., im Durchbruchstal der Elbe am S-Rand des Elbsandsteingebirges, 55 200 Ew.; Textil-, Metall-, keram. und chem. Ind.; Elbhafen, Eisenbahngrenzübergang zu Deutschland. – Schloss (16. Jh., später barockisiert) der

Fürsten Thun-Hohenstein. – Erhielt im 13. Jh. Stadtrechte.

Decius, röm. Plebejergeschlecht, bekannt durch drei Angehörige namens Publius D. Mus, Vater, Sohn und Enkel, die sich geopfert haben sollen, um das röm. Heer zu retten; der Erste in der Schlacht am Vesuv (340 v. Chr.), der Zweite im 3. Samnitenkrieg bei Sentinum in Apulien (295 v. Chr.), der Dritte im Krieg gegen Pyrrhos bei Ausculum (Ascoli Satriano, 279 v. Chr.).

Decius, Gaius Messius Quintus D. Traianus, röm. Kaiser (249–51), * Budalia (bei Sirmium, heute Sremska Mitrovica in der Wojwodina) um 200, † bei Abrittus (heute Rasgrad, Bulgarien) 251; ordnete 249 eine allg. Christenverfolgung an, um die Reichseinheit zu festigen; er fiel im Kampf gegen die Goten.

Deck [engl.], waagerechte Unterteilung und oberer Abschluss des Schiffskörpers. Das **Festigkeits-, Verbands-** oder **Haupt-D.** ist das oberste durchlaufende D.; es bildet mit dem Schiffsrumpf den wasserdichten Abschluss. Über dem Haupt-D. liegen die nicht über die ganze Schiffslänge reichenden **Aufbau-D.,** wie Boots-D. (Unterbringung der Rettungsboote), Brücken-D. (Navigationszentrale) oder Sonnen-D. (bei Passagierschiffen). Unter dem Haupt-D. liegen u. a. Zwischen- und Rudermaschinen-Deck.

Deckblatt, 1) *Botanik:* (Tragblatt) jedes Blatt, aus dessen Achsel ein Seitenspross entspringt.

2) *Tabakindustrie:* → Zigarre.

Decke, 1) *Buchwesen:* Teil des Bucheinbands.

2) *Geologie:* a) (vulkan. Decke) ausgedehnte Gesteinsmasse, die beim Austritt basischer Schmelzen oder durch Anhäufung von vulkan. Tuff entsteht; b) (Überschiebungsdecke) → Überschiebung. – **Deckentektonik, Deckentheorie,** Lehre vom Aufbau alpinotyper Gebirge (Alpen).

3) *Hochbau:* oberer Abschluss eines Raumes zur Aufnahme der Eigen- und Nutzlasten sowie zur horizontalen Aussteifung des Bauwerkes. Die D. besteht aus der **Roh-D.** (tragende Deckenkonstruktion), **Ober-D.** (Fußbodenbelag und Unterbau) und **Unter-D.** (Putzträger, Putz oder Holzverkleidung). Je nach Nutzung des Gebäudes und der Einordnung der D. muss die Ausbildung der **Fertig-D.** den Forderungen des bautechn. Brandschutzes und der Bauhygiene entsprechen. Bei der Holzbalken-D. bildet die Gesamtheit aller Konstruktionshölzer die Balkenlage. Zu den **Massiv-D.** gehören die Träger-D. (gewölbte Kappen oder Stahlbetonhohldielen zw. Doppel-T-Trägern), Stahlstein-, Stahlbetonrippen-, Stahlbetonplatten-, Stahlbetonplattenbalken- und Pilzdecken. Bei den **Montage-D.** unterscheidet man D., die nach der Montage der Fertigteile sofort die volle Tragfähigkeit besitzen, und solche, die erst nach Einbringen einer Zusatzbewehrung und von Ortbeton voll belastet werden können. Stahlleichtträger-D. bestehen aus leichten Stahlprofilen als Tragelementen und zwischengefügten Hohlkörpern. Die **abgehängte D.** wird unter die Roh-D. als Putz- oder Akustik-D. gehängt; der Zwischenraum kann für Installationsleitungen (Lüftungskanäle) genutzt werden.

Giorgio De Chirico: »Großes metaphysisches Interieur« (1917; Privatbesitz)

4) *Kfz-Technik:* Mantel des Luftreifens.

5) *Straßenbau:* obere Schicht (z. B. des Straßenbelags).

6) *Textiltechnik:* Gewebe zum Zu- oder Bedecken.

decken (belegen), svw. begatten bei Haustieren. Bei Pferd und Esel spricht man von **beschälen,** bei Geflügel u. a. Vögeln von **treten.**

Deckenheizung, → Flächenheizung.

Deckenmalerei, die Bemalung einer Innenraumdecke; sie ist wie die Wandmalerei eng an die Architektur und die Wölbetechnik gebunden. Die besterhaltenen Beispiele aus dem Altertum sind die D. unterird. Grabanlagen der Ägypter und der Etrusker sowie die der Katakomben. Die Kassettendecke der Griechen und Römer zeigte in ihren Feldern meist nur dekorative Motive; anders die Flachdecke mittelalterl. Kirchen mit Themen der christl. Ikonographie (Sankt Martin in Zillis, um 1150; Sankt Michael in Hildesheim, um 1200). Die für die Entwicklung der D. in gewölbten Räumen entscheidenden Ausgangspositionen waren die Mosaiken der frühchristl. und byzantin. Kirchen. Die mittelalterl. Entwicklung gipfelt in der Roma-

Gaius Messius Quintus Decius Traianus: römische Marmorbüste (Rom, Kapitolinisches Museum)

Deckenmalerei: Johann Baptist Zimmermann, Deckenfresko (1731) in der Wallfahrtskirche Steinhausen, heute Ortsteil von Bad Schussenried, Baden-Württemberg

nik; mehrere Kirchen in Frankreich und Katalonien vermitteln eine umfassende Vorstellung von den Bildprogrammen, die den ganzen Innenraum beherrschen. In der Renaissance wird die antike Kassettendecke wieder aufgegriffen und mit Tafelbildern eingelegt. Die durch Stuckrahmen eingeteilten Felder bekrönte erstmals Mantegna mit einem illusionist. Fresko (1474; Camera degli sposi, Castello di Corte, Mantua). Michelangelo schuf in der Sixtin. Kapelle im Vatikan die vollendete Lösung zw. illusionist. Einzelbild und Scheinarchitektur. Von A. Correggio (Parma, Dom), A. Pozzo, P. da Cortona und Tiepolo (Treppenhaus der Residenz in Würzburg) führt die Entwicklung zu den deutschen und österr. Barockmalern (C. D. Asam, J. B. Zimmermann, M. Günther, P. Troger, F. A. Maulbertsch). Deren **illusionist. D.** der Treppenhäuser, Empfangssäle und Bibliotheken in Schlössern und Klöstern sprengen die Ausmaße des Raumes und öffnen eine eigene Welt; bevorzugte Themen sind Apotheosen, Visionen und mytholog. Szenen. Der Klassizismus verstand die Decke wieder als Raumabschluss, so A. R. Mengs in der Villa Albani, Rom. Ein Beispiel für die selten gewordene D. im 20. Jh. sind M. Chagalls 1964 vollendete Deckenbilder im Palais Garnier (ehem. Pariser Opernhaus).

Charles De Coster

📖 LINDEMANN, B. W.: *Bilder vom Himmel. Studien zur Deckenmalerei des 17. u. 18. Jh.s. Worms 1994.*

Deckfarben, in Leim gebundene wasserlösl. Farben mit hohem Pigmentanteil, mit denen ein Verdecken des Malgrundes oder anderer Farbschichten möglich ist.

Deckflügel (Elytren), meist stark chitinhaltige Vorderflügel versch. Insekten, die als Schutz für Hinterflügel und -leib dienen.

Deckfrucht (Überfrucht), mit einer Untersaat (z. B. Klee, Winterwicken) angebaute Hauptfrucht (z. B. Getreide).

Deckgebirge, 1) *Bergbau:* das zw. der Erdoberfläche und einer Lagerstätte befindl. Gestein, beim Tagebau auch Abraum genannt.

2) *Geologie:* dem Grundgebirge diskordant auflagernde jüngere Gesteinskomplexe.

Deckglas, Glasplättchen zur Abdeckung von Präparaten beim Mikroskopieren.

Deckinfektionen, beim Decken übertragene Tierkrankheiten wie Trichomoniasis und Beschälseuche.

Deckname, fingierter Name, auch →Pseudonym.

Deckoffiziere, seit 1860 in der preuß., später in der Kaiserl. und bis 1920 in der Reichs-Marine Rangklasse zw. Unteroffizieren und Offizieren.

Deckshaus, Aufbau auf dem Hauptdeck von Schiffen, der nicht von Bord zu Bord reicht.

Decksprung, zum Heck und bes. zum Bug ansteigender gekrümmter Verlauf des Oberdecks von Schiffen, der ihre Seetüchtigkeit erhöht.

Deckung, 1) *Militärwesen:* natürl. oder künstl. Schutz gegen Sicht oder Feuerwirkung des Feindes.

2) *Sport:* a) in verschiedenen Sportspielen (Fußball u. a.) die Abwehr, Hintermannschaft, Verteidigung. b) *Eiskunstlauf:* Spurengleichheit beim Figurenlaufen in der Pflicht. c) *Boxen:* Schutz des Körpers mit den Armen und Fäusten vor den Schlägen des Gegners.

3) *Wirtschaft:* Absicherung von Verbindlichkeiten (z. B. von Krediten) durch Geld oder Vermögenswerte. In der Währungspolitik spielte die D. zur Sicherung des Banknotenumlaufs (→Notendeckung) eine Rolle.

Deckungsbeitragsrechnung, →Kostenrechnung.

deckungsgleich, *Mathematik:* →kongruent.

Deckungskauf, vom Käufer anderweitig vorgenommene Beschaffung einer Ware, die der im Verzug befindl. Verkäufer nicht geliefert hat. Der Preisunterschied geht zulasten des Verkäufers.

Deckungsrücklage (Deckungskapital, Prämienreserve), die bei Lebens-, Unfall-, Haftpflicht- und Krankenversicherungen gemäß Versicherungsaufsichts-Ges. in die Bilanz aufzunehmende Rückstellung für künftig fällig werdende Versicherungsleistungen.

Déclaration des droits de l'homme et du citoyen [deklaraˈsjɔ̃ dɛˈdrwa dəˈlɔm e dysitwaˈjɛ̃], die von der frz. Nationalversammlung am 26. 8. 1789 angenommene »Erklärung der Menschen- und Bürgerrechte«, die der Verf. von 1791 vorangestellt wurde; auf ihren Grundrechtskatalog stützen sich die modernen europ. Verfassungen.

Declaration of Independence [dekləˈreɪʃn əv ɪndɪˈpendəns], die am 4. 7. 1776 vom 2. Kontinentalkongress der brit. Kolonien in Amerika angenommene Unabhängigkeitserklärung (→Vereinigte Staaten von Amerika, Geschichte).

Declaration of Rights [dekləˈreɪʃn əv ˈraɪts; engl. »Erklärung der Rechte«], eine vom engl. Parlament am 13. 2. 1689 verkündete Entschließung über wichtige Verfassungsgrundsätze, die von Wilhelm von Oranien anerkannt und zur Grundlage der →Bill of Rights wurden.

Decoder [engl.] *der,* Einrichtung zum Entschlüsseln einer codierten Nachricht (→Codierung).

Decollage [dekɔˈlaːʒə, frz.] *die,* Bildform, die durch destruktive Veränderung (Abreißen, Zerschneiden, Übermalen, Ausbrennen) vorgefundener Materialien entsteht.

Decorated Style [ˈdekəreɪtɪd ˈstaɪl, engl.] *der,* Stilphase der engl. Gotik (um 1250–1350), →englische Kunst.

Decoration Day [dekəˈreɪʃn ˈdeɪ] *der,* Gedenktag in den USA (30. 5.), →Memorial Day.

De Coster, Charles, belg. Schriftsteller, *München 20. 8. 1827, †Ixelles 7. 5. 1879; erhebt in seinem in archaisierendem Französisch geschriebenen Hauptwerk »Tyll Ulenspiegel und Lamm Goedzak« (1868) Eulenspiegel zum Freiheitskämpfer vor dem Hintergrund der Unabhängigkeitskämpfe der Niederlande gegen Spanien. Der Roman ist sprachlich gleich kraftvoll in der Satire wie in der Schilderung des alten sinnenfreudigen Flanderns.

decrescendo [dekreʃˈʃɛndo, italien.], Abk. **decresc.,** musikal. Vortragsbezeichnung: leiser werdend; Zeichen: >. Ggs.: →crescendo.

De Crescenzo [de kreʃˈʃɛntso], Luciano, italien. Schriftsteller und Philosoph, *Neapel 20. 8. 1928; schreibt unkonventionelle philosophisch-erzähler. Werke: »Also sprach Bellavista« (1977), »Gesch. der grch. Philosophie« (2 Bde., 1983–86), »Von der Kunst, miteinander zu reden« (1985), »Meine Traviata« (1993), »Alles fließt, sagt Heraklit« (1994), »Die Kunst der Unordnung« (1996).

Decretum Gratiani [lat.] *das,* →Gratian.

DED, Abk. für →**D**eutscher **E**ntwicklungs**d**ienst.

Dedecius, Karl, Übersetzer und Schriftsteller, *Lodz 20. 5. 1921; Gründer (1979) und Leiter des Dt. Polen-Inst. in Darmstadt; übersetzt v. a. aus der poln. Literatur, Herausgeber poln. Prosa- und Lyrikanthologien; veröffentlichte u. a. »Deutsche und Polen« (1971), »Überall ist Polen« (1974), »Zur Literatur und Kultur Polens« (1981), »Vom Übersetzen« (1986). 1990 Friedenspreis des Börsenvereins des Dt. Buchhandels.

Weiteres Werk: Poetik der Polen. Frankfurter Vorlesungen (1992). Hg.: Wörterbuch des Friedens. Ein Brevier (1993).

Karl Dedecius

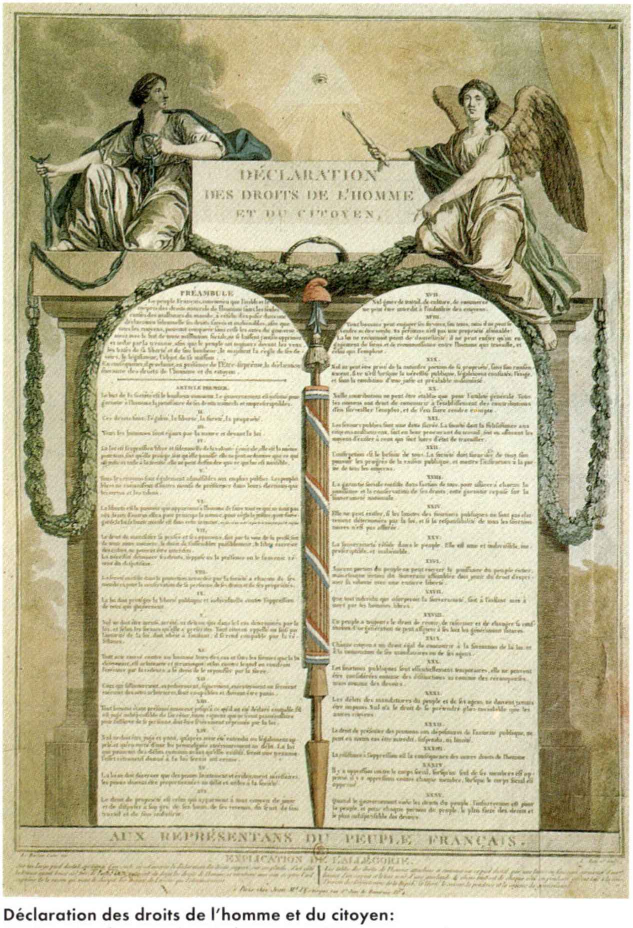

Déclaration des droits de l'homme et du citoyen: Die der ersten französischen Verfassung von 1791 vorangestellte »Erklärung der Menschen- und Bürgerrechte« in der Fassung einer den Mitgliedern der Nationalversammlung gewidmeten Radierung (heute Bibliothèque Nationale, Paris)

Dedekind, 1) Friedrich, Dichter, *Neustadt am Rübenberge um 1525, †Lüneburg 21. 2. 1598; schrieb Dramen und das in lat. Distichen geschriebene satir. Jugendwerk »Grobianus« (1549, dt. 1551), das den derben Heiligen (»Sankt Grobian«) seiner Zeit als Spiegelbild hinstellt.

Richard Dedekind

Die Natur der irrationalen Zahlen (z. B. $\sqrt{2}$) war den Mathematikern lange Zeit nicht klar. Die antiken Griechen bestritten ihre Existenz; erst ab der Renaissance wurden sie unbefangen verwendet. Noch zur Mitte des 19. Jahrhunderts gab es keine überzeugende Erklärung, was sie denn eigentlich seien. Stattdessen gab es Zahlenmystik wie der Leopold Kronecker zugeschriebene Ausspruch: »Die ganzen Zahlen hat der liebe Gott gemacht, der Rest ist Menschenwerk.« Erst Dedekind gab 1872 mit seinem dedekindschen Schnitt eine axiomatische Begründung für die irrationalen Zahlen. Er setzt ihre Existenz voraus, ohne sich um ihr Wesen zu kümmern. Sein genialer Ansatz (der uns heute trivial vorkommen mag): Er betrachtet die Menge R der irrationalen Zahlen mit zwei nichtleeren Teilmengen A und B, deren Vereinigung R ergibt. Für alle Zahlen $a \in A$ und $b \in B$ soll gelten: $a < b$. Für die sog. Trennungszahl t des Schnittes $(A|B)$ gilt $a \leq t \leq b$ für alle $a \in A$ und $b \in B$. Und nun postulierte Dedekind: »Jeder Schnitt besitzt genau eine Trennungszahl.« und räumte damit alle philosophischen Bedenken aus.

2) Richard, Mathematiker, *Braunschweig 6. 10. 1831, †ebd. 12. 2. 1916; lieferte wichtige Beiträge zur Gruppentheorie und Mengenlehre; entwickelte eine Theorie der irrationalen Zahlen, förderte entscheidend die Entwicklung der modernen Algebra.

Richard Dedekind

Dedikation [lat.] *die,* Widmung, Schenkung. **Dedikationsexemplar,** Buch mit Widmung des Autors.

Deduktion [lat. »Herabführung«] *die,* die Ableitung von Aussagen mithilfe logischer Schlussregeln aus anderen, allgemeineren Aussagen; Ggs.: →Induktion.

Deesis [grch. »Bitte«] *die,* Darstellung des thronenden Christus zw. Maria und Johannes dem Täufer, die zu seinen Seiten fürbittend stehen; in der abendländ. Kunst seit dem 10./11. Jahrhundert.

DEFA, Abk. für **De**utsche **F**ilm **A**G, 1946 in der SBZ als dt.-sowjet. AG gegründete Filmgesellschaft in Potsdam-Babelsberg (→Ufa), in der DDR 1952–90 VEB; umfasste u. a. Spielfilm-, Dokumentarfilm- und Trickfilmstudios, Synchronisation, Zentralschule für Lichtspielwesen und Zentralschule für Filmtechnik. Im Juli 1990 wurden die Filmbetriebe in sechs DEFA GmbHs umgewandelt. Die Privatisierung und der Verkauf der DEFA durch die Treuhandanstalt erfolgte im April/Mai 1992: Die DEFA Synchron GmbH, Berlin-Johannisthal, und das DEFA Studio für Dokumentarfilme GmbH, Berlin, wurden an die Taurus Verwaltungsges. mbH für Beteiligungen & Co. KG (Kirch-Gruppe) verkauft, die DEFA-Studios und das Filmgelände in Potsdam-Babelsberg an die frz. Compagnie Générale des Eaux (CGE)-Gruppe, die einen Kooperationsvertrag mit der Ufa Film- und Fernseh-GmbH (Bertelsmann AG) geschlossen hat. Der Filmstock soll in eine öffentlich-rechtl. Stiftung eingebracht werden; für beide Standorte ist der Ausbau als Dienstleistungszentrum für Film und Fernsehen bzw. als europ. Medienzentrum vorgesehen.

Babelsberg. Das Filmstudio, hg. v. W. JACOBSEN. *Berlin* [3]*1994.*

de facto [lat.], tatsächlich bestehend; den Tatsachen nach, gleichgültig, ob diese rechtlich (de jure) begründet sind.

Defäkation [zu lat. faeces »Kot«] *die,* die →Stuhlentleerung.

Defant, Albert, österr. Ozeanograph, Meteorologe und Geophysiker, *Trient 12. 7. 1884, †Innsbruck 24. 12. 1974; verfasste grundlegende Arbeiten zur Physik der Atmosphäre und zur Ozeanographie; 1925/26 Teilnehmer der →Meteor-Expedition, deren Ergebnisse er herausgab. – »Dynam. Ozeanographie« (1929), »Physikal. Dynamik der Atmosphäre«, (1958, mit F. Defant).

Defätismus [von frz. défaite »Niederlage«] (Defaitismus) *der,* im 1. Weltkrieg geprägtes Schlagwort für Zweifel am militär. Sieg.

Defekt [lat.] *der,* **1)** *allg.:* Fehler, Mangel, Schaden.

2) *Physik:* (Gitterdefekt) Fehlordnung in einem →Kristall.

Defektelektron (Loch), ein →Quasiteilchen in einem Halbleiter. Wird in einem halbleitenden Kristall ein Elektron thermisch oder optisch angeregt (Übergang ins Leitungsband) oder von einem Fremdatom (Störstelle) eingefangen, so entsteht an der urspr. Stelle im Valenzband ein Loch (unbesetzter Zustand), das D., das sich unter dem Einfluss elektr. und magnet. Felder wie eine positive Ladung verhält **(Defekt[elektronen]leitung, Löcherleitung, p-Leitung).** (→Energiebändermodell)

Defensive [lat.] *die,* Verteidigung, Abwehr.

Defensor Fidei [lat. »Verteidiger des Glaubens«], seit 1521 Ehrentitel der engl. Könige, →Fidei Defensor.

Defereggental, Seitental des Iseltales in Osttirol, Österreich, 40 km lang, mit Fremdenverkehrsorten, u. a. Sankt Jakob in Defereggen (1386 m ü. M., 1000 Ew.); über den Staller Sattel (2052 m ü. M.) Verbindung ins Antholzer Tal, Südtirol. Die das D. umgebende Alpengruppe, zw. Virgen- und Drautal, ist das **Defereggengebirge,** im Keeseck 3173 m ü. M.

Defibrator [lat.] *der,* Maschine, die durch thermomechan. Zerfaserung von Holz oder Holzabfällen das Ausgangsmaterial für die Herstellung von Holzfaserplatten u. a. liefert.

Defibrillation [lat.] *die,* Beseitigung des lebensbedrohenden Herzkammerflimmerns durch Stromstöße, die durch einen **Defibrillator** erzeugt und mit zwei Elektroden auf den Körper übertragen werden.

deficiendo [defiˈtʃɛndo, italien.], musikal. Vortragsbezeichnung: an Tonstärke und Tempo nachlassend, abnehmend.

Deficit-Spending [ˈdefɪsɪt ˈspendɪŋ, engl.] *das,* die → Defizitfinanzierung.

Defilee [frz.] *das,* parademäßiger Vorbeimarsch.

De Filippo, Eduardo, italien. Dramatiker, Schauspieler und Regisseur, *Neapel 24. 5. 1900, †Rom 29. 10. 1984; schrieb Dramen (»Millionärin Neapel«, 1946) und Komödien im neapolitan. Dialekt, teilweise mit gesellschaftskrit. Akzenten.

definieren [lat. »abgrenzen«], begrifflich bestimmen, festlegen.

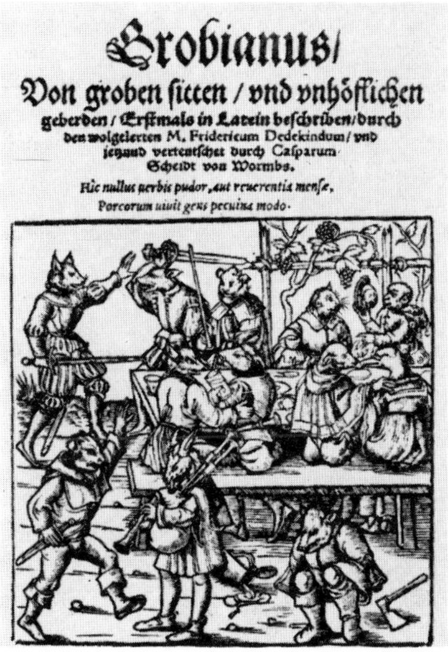

Friedrich Dedekind: Titelblatt der 1551 erschienenen Erstausgabe des »Grobianus« in deutscher Übersetzung

Definition [lat.] *die, Philosophie:* die Bestimmung eines Begriffs durch Angabe seiner wesentl. Merkmale. Die **Real-D.** (Wesens-D.) richtet sich auf die Wesensbestimmung eines Gegenstandes; zu ihrer Aufstellung werden der Gattungsbegriff (Genus proximus) und der artbildende Unterschied (Differentia specifica) angegeben (Aristoteles). Die **Nominal-D.** umgrenzt die Bedeutung eines Wortes. I. Kant unterschied **analyt. D.** (Bestimmung eines Begriffs durch ein Erläuterungsurteil, das aussagt, was an Sinn im Begriff liegt) und **synthet. D.** (Bestimmung eines Begriffs durch Eigenschaften, die nicht in ihm selbst liegen). Weiterhin ist u. a. die **operationale D.** gebräuchlich, wobei der Begriff durch Angabe der Operationen definiert wird, die seinen Gegenstand messen oder herstellen (z. B. »Intelligenz ist, was ein Intelligenztest misst«).

Definitionsbereich, *Mathematik:* → Abbildung.

Defizit [lat. »es fehlt«] *das,* Fehlbetrag, Minderbetrag; in der Finanzwirtschaft der durch Einnahmen nicht gedeckte Teil der Ausgaben.

Defizitfinanzierung (Deficit-Spending), die Steuerung der Konjunktur mithilfe der öffentl. Finanzen (→ Fiskalpolitik). Nach dem Konzept der D. sind in Rezessionsphasen zur Schaffung zusätzl. Nachfrage Mehrausgaben zu tätigen und/oder die Steuern zu senken. Das dadurch entstehende Haushaltsdefizit ist zu finanzieren durch Auflösen von (in früheren Boomphasen gebildeten) Überschüssen bei der Notenbank (Konjunkturausgleichsrücklage) oder durch Aufnahme von Krediten bei der Notenbank oder am Kapitalmarkt beim privaten Sektor.

Deflagration [lat.] *die,* Zersetzungsreaktion eines Explosivstoffes, die im Unterschied zur → Detonation unterhalb der Schallgeschwindigkeit abläuft.

Deflation [lat. »Abschwellung«] *die,* **1)** *Geographie:* (Windabtragung) die ausblasende und abhebende Tätigkeit des Windes, bes. in vegetationslosen Trockengebieten. Sand und Staub werden an anderen Stellen als Dünen oder Löss abgelagert.

2) *Wirtschaft:* ein über längere Zeit anhaltendes Absinken des allgemeinen Güterpreisniveaus (Ggs.: Inflation), eine Kaufkraftsteigerung des Geldes. Ursache ist ein Überhang des gesamtwirtschaftl. Güterangebots über der gesamtwirtschaftl. kaufkräftigen Güternachfrage (**deflator. Lücke,** Nachfragelücke), wenn das Wachstum der Geldmenge längere Zeit geringer ist als das Wachstum des realen Sozialproduktes. Die D. kann durch eine anhaltend restriktive Geldpolitik, kontraktive Finanzpolitik (z. B. Steuererhöhungen, Ausgabenkürzungen), außenwirtsch. Hemmnisse oder strukturelle Faktoren verursacht sein.

📖 STELTER, D.: *Deflationäre Depression. Konsequenzen für das Management. Wiesbaden 1991.*

Deflationierung, *Statistik:* Umrechnung von nominalen Größen in reale Größen, indem etwa ein mit jeweiligen Preisen bewertetes Gütervolumen durch den Preisindex (bezogen auf ein Basisjahr) dividiert und mit 100 multipliziert wird. Durch die D. kann in der Zeitreihenanalyse die Entwicklung wirtschaftl. Größen in Preisen eines Basisjahres, also unter Ausschaltung von Preisänderungen, dargestellt werden.

Daniel Defoe

Lee De Forest

Alcide De Gasperi

Deflektor [lat.] *der,* drehbarer Aufsatz auf Lüftungsschächten und Schornsteinen zur Zugerhöhung.

Defloration [lat.] *die* (Entjungferung), Einreißen des Jungfernhäutchens (Hymen) beim ersten Geschlechtsverkehr. **Deflorationsanspruch,** → Verlöbnis.

Defoe [de'fo:, engl. dɪ'fəʊ], Daniel, eigtl. D. (De) Foe, engl. Schriftsteller, *London 1660 (?), †ebd. 26. 4. 1731; zunächst Kaufmann, trat für polit. und religiöse Freiheit ein. Sein im Alter von fast 60 Jahren geschriebener erster Roman → Robinson Crusoe (3 Tle., 1719–20) machte ihn berühmt; es folgten Abenteuerromane wie »Kapitän Singleton« (1720), »Moll Flanders« (1722) mit moralisch-pädagog. Zielsetzung; ferner schrieb D. wirtschaftspolit. und sozialkrit. Abhandlungen, eine Reisebeschreibung von Großbritannien und den Bericht »Die Pest zu London« (1722).

📖 BACKSCHEIDER, P. R.: *D. D., his life. Baltimore, Md., 1989.*

Defoliantien [lat.], die → Entlaubungsmittel.

De Forest [də'fɔrest], Lee, amerikan. Funkingenieur, Pionier des Rundfunks und der drahtlosen Telegrafie, *Council Bluffs (Ia.) 26. 8. 1873, †Los Angeles 30. 6. 1961; erfand 1906 die Triode und entwickelte 1915 das Rückkopplungsprinzip.

Deformation [lat.] *die,* **1)** *allg.:* Formveränderung, Abweichen von der normalen Gestalt, Missbildung.

2) *Technik:* Form- oder Volumenänderung eines Körpers durch Krafteinwirkung. **Elast. D.** gehen nach Beendigung der Kraftwirkung zurück, **plast. D.** sind bleibende Verformungen.

Deformierung, 1) *Medizin:* durch innere (z. B. Krankheit) oder äußere Einflüsse (z. B. Unfall) bedingte Formveränderung am Körper.

Edgar Degas: »Tänzerin«, Bronze (um 1883; Köln, Wallraf-Richartz-Museum)

2) *Völkerkunde:* (Körperverstümmelung) die Veränderung der natürl. Form von Körperteilen aus magischen oder religiösen Gründen durch künstl. Einwirkungen, z. B. Durchbohren von Ohrläppchen oder Lippen zur Aufnahme von Schmuckstücken, Beschneidung, Einschnüren von Hals oder Füßen, Tatauierung der Haut.

Defraudation [lat.] *die,* veraltet für Betrug, Unterschlagung, Hinterziehung (Zölle, Steuern).

Defregger, Franz von (seit 1883), österr. Maler, *Ederhof (zu Iselsberg-Stronach, Bez. Lienz) 30. 4. 1835, †München 2. 1. 1921; schuf idealisierte Historienbilder vom Tiroler Freiheitskampf, in den 1870er-Jahren Landschaften und Porträts.

Edgar Degas: »Sich kämmende Frau« (um 1895; Paris, Musée d'Orsay)

Degas [də'ga], Edgar, frz. Maler, *Paris 19. 7. 1834, †ebd. 27. 9. 1917; stellte mit den Impressionisten aus, von denen er sich jedoch durch die zeichner. Klarheit unterscheidet, mit der er auch flüchtige Bewegungen festhielt. Seine Bilder stellen v. a. Tänzerinnen, weibl. Akte bei der Toilette, Rennplätze und Interieurs dar, oft mit scheinbar willkürl., die Wirkung steigernden Überschneidungen. Er war ein hervorragender Zeichner bes. von Pastellen und modellierte in seinen letzten Lebensjahren – fast erblindet – Statuetten, meist in Wachs.

📖 *D. Die Porträts, hg. v.* F. BAUMANN *u. a. Ausst.-Kat. Kunsthalle Zürich u. a. Zürich 1994.*

De Gasperi, Alcide, italien. Politiker, *Pieve Tesino (bei Borgo Valsugana) 3. 4. 1881, †Sella (zu Borgo Valsugana, Prov. Trient) 19. 8. 1954; trat 1919 dem neu gegründeten »Partito Popolare Italiano« bei und wurde 1924 dessen Gen.-Sekr. Er entwickelte sich zu einem entschiedenen Gegner des Faschismus. Nach seiner Inhaftierung (1928/29) fand De G. im Vatikan Asyl. Im 2. Weltkrieg in der

Widerstandsbewegung tätig, betrieb er maßgeblich die Gründung der »Democrazia Cristiana«. 1945–53 war er MinPräs. sowie 1944–46 und 1951–53 Außenminister. Mit dem österr. Außenmin. K. Gruber schloss er 1946 das Abkommen über die Autonomie →Südtirols. Er förderte die Integration Europas (Aachener Karlspreis 1952) und den Eintritt Italiens in die NATO.

de Gaulle [dəˈgo:l], Charles, →Gaulle, Charles de.

Degen [von frz. dague »großer Dolch«], **1)** blanke Waffe mit langer schmaler, ein- oder zweischneidiger Klinge, Stich- oder Hiebwaffe. Der D. war Rangwaffe für Offiziere und Kavaliere. Als Offizierseitenwaffe wurde er 1880–1919 im Dt. Reich bei den meisten Truppenteilen geführt.

2) beim sportl. Fechten Stoßwaffe, dreikantig, 1,10 m lang, bis 770 g schwer, mit einer 90 cm langen Klinge und dem Gefäß mit Glocke.

Degeneration [lat.] *die* (Entartung), *Biologie:* die Abweichung von der Norm im Sinne einer Verschlechterung in der Leistungsfähigkeit und im Erscheinungsbild bei Individuen, Organen, Zellverbänden oder Zellen. Die D. kann auf einer Änderung der Erbanlagen aufgrund von Mutationen, Inzuchtschäden, Domestikation oder Abbauerscheinungen (durch natürl. Verschleiß, Nichtgebrauch bestimmter Organe, Altern, Krankheiten) beruhen. (→Dekadenz)

Degenhardt, Franz Josef, Schriftsteller und Liedermacher, *Schwelm 3. 12. 1931; Rechtsanwalt; schreibt zeitkrit. Lieder, u. a. »Spiel nicht mit den Schmuddelkindern« (1967), »Kommt an den Tisch unter Pflaumenbäumen« (1979); verfasste auch Romane (»Zündschnüre«, 1973; »Die Abholzung«, 1985; »August Heinrich Hoffmann, genannt von Fallersleben«, 1991).

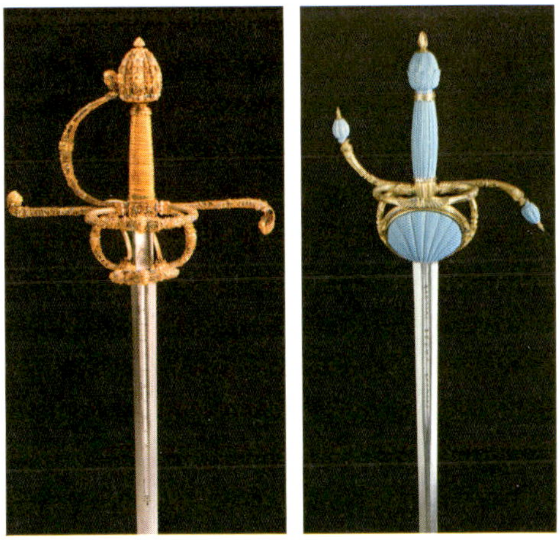

Degen 1): Links Golddegen Maximilians II. (um 1550); rechts Prunkdegen mit imitiertem Steinschnitt aus dem 17. Jh. (beide Wien, Kunsthistorisches Museum)

Deggendorf, 1) Landkreis im RegBez. Niederbayern, 861 km², (1990) 112 500 Einwohner.

2) Krst. von 1), Große Kreisstadt, an der Donau, am Fuß des Vorderen Bayer. Waldes, 31 100 Ew.; Textil- und Bekleidungsind., Leichtmetall-, Schiffbau, Eisen-, Gummi- und Kunststoffverarbeitung; Freihafen. – Die Altstadt zeigt eine planvolle mittelalterliche Straßenmarktanlage; Wallfahrtskirche zum Hl. Grab (1360 geweiht, mit späteren Veränderungen). – D. erhielt 1316 Stadtrecht.

degorgieren [-gɔrˈʒi:-, frz.], bei der Schaumweinbereitung die Hefe, die sich im Flaschenhals (der Kopf stehenden Flasche) gesammelt hat, entfernen.

Degradation [lat.] *die* (Bodendegradierung), teilweise oder völlige Veränderung typ. Merkmale eines Bodens, u. a. verursacht durch Klimaänderungen, menschl. Eingriffe.

Degradierung, Dienstgradherabsetzung um einen oder mehrere Dienstgrade bei Soldaten, Disziplinarmaßnahme nach § 57 Wehrdisziplinarordnung.

Degrelle [dəˈgrɛl], Léon, belgischer Politiker, *Bouillon 15. 6. 1906, †Málaga 31. 3. 1994; Journalist, gründete 1930 die rechtsradikale →Rexbewegung und im 2. Weltkrieg die »Wallon. Legion«, die 1942–45 auf dt. Seite gegen die UdSSR kämpfte. D. wurde in Belgien 1945 in Abwesenheit zum Tod verurteilt, lebte in Spanien.

Degression [lat.] *die,* Herabsetzung, Abnahme.

De Groot [-ˈxro:t], Huigh, niederländ. Rechtsgelehrter und Staatsmann, →Grotius, Hugo.

Degu [indian.] *der,* Nagetier, →Trugratten.

Degussa AG, Unternehmen der chem. Ind. und einer der weltgrößten Edelmetallhändler und -verarbeiter, Sitz: Frankfurt am Main; gegr. 1873 als **De**utsche **G**old- **u**nd **S**ilber-**S**cheideanstalt. Beteiligungen: Asta Medica, Degussa Bank, Cerdec AG Keram. Farben.

Degustation [lat.] *die,* Kostprobe, bes. Prüfung von Wein mithilfe der Sinnesorgane.

de gustibus non est disputandum, lat. Sprichwort: »Über den Geschmack lässt sich nicht streiten.«

Dehaene [dəˈha:nə], Jean-Luc, belg. Politiker, *Montpellier (Frankreich) 7. 8. 1940; Jurist, Mitgl. der Christl. Volkspartei (CVP), 1981–88 Min. für Soziale Angelegenheiten und Verfassungsreform, 1988–92 stellv. MinPräs., wurde 1992 Ministerpräsident. Er setzte 1992/93 die Vollendung der Staatsreform durch. Seine Bewerbung um das Amt des Präs. der Europ. Kommission scheiterte 1994 am Veto Großbritanniens.

Dehio, Georg, Kunsthistoriker, *Reval (heute Tallinn) 22. 11. 1850, †Tübingen 19. 3. 1932; veröffentlichte mit G. von Bezold das grundlegende Werk »Die kirchl. Baukunst des Abendlandes«

Franz Josef Degenhardt

Jean-Luc Dehaene

Georg Dehio

(7 Bde., 1884 bis 1901), Herausgeber des »Hb. der dt. Kunstdenkmäler« (seit 1905; seit 1935 von E. Gall weitergeführt).

Werk: Gesch. der dt. Kunst (3 Bde., 1919–26; mit Bd. 4 als Doppelbd. über das 19. Jh. fortgesetzt. G. Pauli 1934).

Thomas Dehler

Dehiwala-Mount Lavinia [-maʊnt lə'vɪnjə], Doppelstadt in Sri Lanka, südlich von Colombo, 196 000 Ew.; der Villen- und Badeort aus brit. Kolonialzeit wurde zum Touristenzentrum ausgebaut; zoolog. Garten.

Dehler, Thomas, Politiker (F. D. P.), *Lichtenfels 14. 12. 1897, †Streitberg (heute zu Wiesenthal, Landkr. Forchheim) 21. 7. 1967; Rechtsanwalt, in der Zeit der Weimarer Republik Mitgl. der DDP und des Reichsbanners Schwarz-Rot-Gold. Als Gegner des Nationalsozialismus wurde er im 2. Weltkrieg zeitweise in ein Zwangsarbeitslager verschleppt. 1948–49 war er Mitgl. des Parlamentar. Rates, 1949–53 Bundesjustizmin., 1953–56 F.D.P.-Fraktionsvors. im Bundestag, 1954–57 F.D.P.-Bundesvors. und 1960–67 Vizepräs. des Bundestages.

Hans-Georg Dehmelt

Dehmel, Richard, Schriftsteller, *Wendisch-Hermsdorf (heute Żaganiec, bei Żagań) 18. 11. 1863, †Blankenese (heute zu Hamburg) 8. 2. 1920; Pathetiker eines sozial betonten Naturalismus. D. begann mit sozialer Lyrik; zentrales Thema seines Werkes ist jedoch die Macht des Eros (»Erlösungen«, Ged., 1891; »Weib und Welt«, Ged., 1896; »Zwei Menschen«, Roman in Romanzen, 1903; »Schöne wilde Welt«, 1913, Ged.); verfasste zus. mit seiner Frau Paula (*1862, †1918) Kinderbücher.

Dehmelt, Hans-Georg, amerikan. Physiker dt. Herkunft, *Görlitz 9. 9. 1922; entwickelte sog. Fallen zur Speicherung von Ionen und der Präzisionsmessung ihres magnet. Moments. 1989 erhielt er dafür den Nobelpreis für Physik (mit W. Paul und N. F. Ramsey).

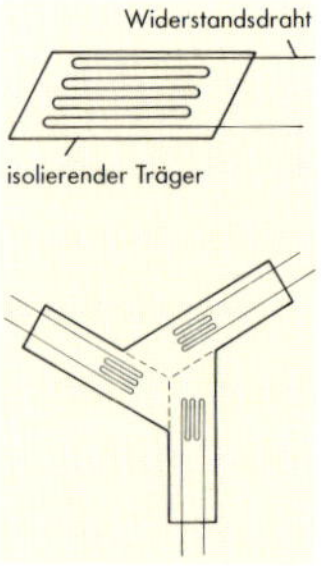

Dehnungsmesser (von oben): Anordnung des Widerstandsdrahts in einem einachsigen Dehnungsmessstreifen; Deltarosette mit drei um 120° versetzten Dehnungsmessstreifen

Dehnung, 1) *Physik:* auf die Anfangslänge bezogene Längenänderung **(Längs-D.)** eines Körpers bei Beanspruchung durch Zug- oder auch Druckkräfte. Zugspannungen erzeugen eine positive D. (Längenzunahme), Druckspannungen eine negative D. (Stauchung). Bei geringer Belastung tritt **elast. D.** auf: Der Körper nimmt nach Entlastung wieder die Anfangslänge ein. Nach Überschreiten der elast. Dehnfähigkeit, der **Elastizitätsgrenze,** bleibt der Körper dauernd deformiert **(plast. D.).** Mit der D. ist stets eine Querschnittsänderung (positive oder negative Querkontraktion) verbunden.

2) *Sprachwissenschaft:* Längung eines Phonems.

Dehnungsfuge, eine Trennfuge bei Bauwerken, die zur Aufnahme von Ausdehnungsänderungen und Spannungen bei Temperaturschwankungen dient.

Richard Dehmel: Porträt, Radierung des Zeitgenossen Karl Bauer (Marbach am Neckar, Schiller-Nationalmuseum)

Dehnungsmesser (Dilatometer), Geräte zur Messung der relativen Verlängerung oder Verkürzung von Bauteilen und Werkstoffen, die diese unter dem Einfluss einer Last erfahren; z. B. Messuhr oder Tensometer. **Setz-D.** sind mechan. D. für größere Messlängen, z. B. an Bauwerken; für kleinere Dehnungen dient der **Dehnungsmessstreifen** (Abk. **DMS**), dessen Messwerte von einem Empfangsgerät angezeigt werden. Der Dehnungsmessstreifen besteht aus einem oder mehreren (z. B. drei um 120° versetzten), zw. isolierenden Folien ausgespannten Widerstandsdrähten. Er wird auf die Messstelle geklebt und folgt der Dehnung des Prüflings. Die der Dehnung verhältnisgleiche Widerstandsänderung wird elektrisch mit Messbrücke und Messinstrument oder einem Elektronenstrahloszilloskop gemessen. Bei den sehr viel empfindlicheren Halbleiter-D. ist das Messelement ein lang gestreckter →Halbleiter (meist Silicium).

Dehousse [də'us], Fernand, belg. Völkerrechtler und Politiker, *Lüttich 3. 7. 1906, †ebd. 11. 8. 1976; Sozialist, gehörte nach 1945 u. a. der Untersuchungskommission für Kriegsverbrechen an. Er beteiligte sich maßgeblich an der Gründung des Europarats und war 1956–59 Vors. seiner Beratenden Versammlung. 1955/56 leitete er die Kommission zur Überwachung der Volksabstimmung im Saargebiet. 1971/72 war er in Belgien Min. für Sprachgemeinschaften (wallon. Teil).

Dehra Dun ['deərə -], Stadt im Bundesstaat Uttar Pradesh, Indien, in den Vorbergen des Himalaja, 294 000 Ew.; Militärakademie, forstwirtsch. Forschungsinst., ind. Landesvermessungsamt.

Dehydration *die, Biologie:* Entquellung des Protoplasmas der Zelle durch Wasserabgabe. Die D. führt zur Gefrierpunktserniedrigung und damit zur Kälteresistenz.

Dehydratisierung, Eliminierungsreaktion, bei der Wasser aus einer Verbindung durch Erhitzen oder unter der katalyt. Wirkung von Enzymen abgespalten wird.

Dehydrierung [grch.], Eliminierungsreaktion, bei der Wasserstoff aus organ. Verbindungen abgespalten wird; erfolgt meist katalytisch in der Gasphase bei 500 °C; spielt auch im Zellstoffwechsel eine wichtige Rolle.

Dehydrogenasen, Proteine, die als Enzyme der biolog. Oxidation im Stoffwechsel die Dehydrierung oder Übertragung von Wasserstoff katalysieren.

Dei *der,* von etwa 1600–1830 Titel des von den Janitscharen gewählten und (bis 1711) vom türk. Sultan abhängigen Herrschers in Algerien.

Deianira [lat.] (grch. Deianeira), *grch. Mythos:* Gemahlin des Herakles, der unter Qualen stirbt, nachdem D. ihm, in der Absicht, an ihm aus Eifersucht einen vermeintl. Liebeszauber zu vollziehen, ein mit dem Blut des von Herakles getöteten Kentauren Nessos bestrichenes Hemd gereicht hatte.

Deich, Erddamm längs eines Flusses **(Fluss-D.)** oder einer Meeresküste **(See-D.)** zum Schutz von tief liegenden Landflächen und Ortschaften vor Hochwässern und Sturmfluten, an der Küste auch zur Landgewinnung. Für den D.-Bau eignen sich v. a. sandige Lehme und stark lehmige Sande. Außerdem werden aus dem Staudammbau bekannte gegliederte Bauweisen angewendet, bestehend aus durchlässigen Stützkörpern, die gegen Durchsickerung entweder mit einer Lehmkern- oder einer wasserseitigen Oberflächendichtung, z. B. aus Ton, Asphaltbeton oder Kunststofffolien, geschützt werden. Bermen (schwach geneigte Randstreifen) am Fuß des D. verstärken diesen und dienen bei lang andauerndem Hochwasser als Sicherung gegen Durchsickern.

Deichrecht, die Gesamtheit der Vorschriften, z. B. niedersächs. Deich-Ges. i. d. F. v. 16. 7. 1974, die sich mit den Rechtsverhältnissen der Deiche befassen. Zum D. gehört bes. die Regelung der **Deichlast,** d. h. der Verpflichtung zur Herstellung und Unterhaltung von Deichen, die Regelung des Eigentums an den Deichen. Die Eigentümer der Deichgrundstücke sind zu Deichverbänden in Form von Körperschaften des öffentl. Rechts zusammengeschlossen. Sie sind deichpflichtig, d. h., ihnen obliegt die Durchführung der zur Funktionsfähigkeit der Deiche erforderlichen Maßnahmen. Die polizeil. Befugnisse zum Schutz der Deiche und sonstigen Anlagen üben die Aufsichtsbehörden der Deichverbände aus **(Deichpolizei).** Bei Gefährdung eines Deiches durch Hochwasser muss die Bev. Hilfe leisten.

Deidesheim: Die Freitreppe des im 16. Jh. erbauten Rathauses stammt aus dem Jahre 1724

Deichsel, an der drehbaren Vorderachse befestigte Holz- oder Stahlstange als Teil eines antriebslosen Wagens. Sie dient zum Verbinden mit dem Zugmittel.

Deidesheim, Stadt im Landkr. Bad Dürkheim, Rheinl.-Pf., an der Haardt, 3 600 Ew.; Luftkurort; Museen für Film- und Fototechnik und für Weinkultur; Zentrum des Weinbaus an der Mittelhaardt. Herstellung kandierter Früchte. – Spätgot. Pfarrkirche, Rathaus (16. Jh.) mit Freitreppe (1724). – D. erhielt 1395 Stadtrecht.

deiktisch [auch de'ik-; grch. »hinweisend«], *Sprachwissenschaft:* Eigenschaft bestimmter sprachl. Einheiten, auf Personen, Sachen, Zeit oder Raum hinzuweisen (im Allg. Pronomen oder Adverbialausdrücke: *dieser, jener; einst, jetzt*).

Deilmann, Harald, Architekt, * Gladbeck 30. 8. 1920; entwirft stark gegliederte Bauten und Baukomplexe, die funktional konzipiert und in Beziehung zur Umgebung gesetzt sind (u. a. Landesversicherungsanstalt in Düsseldorf, 1973–77; Spiel-

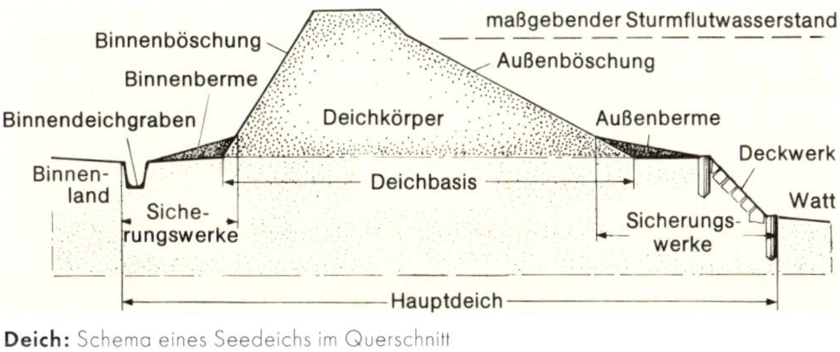

Deich: Schema eines Seedeichs im Querschnitt

Harald Deilmann: Spielbank Hohensyburg in Dortmund (1985)

bank Hohensyburg, 1985; Nationaltheater in Tokio, mit TAK Architects, Fertigstellung 1997).

Deimos [grch.], **1)** *Astronomie:* ein Mond des Planeten Mars.

2) *grch. Mythos:* die Personifikation des Schreckens; Begleiter des Kriegsgottes Ares.

Johann Deisenhofer

Deisenhofer, Johann, Biophysiker, *Zusamaltheim (Kr. Dillingen a.d. Donau) 30. 9. 1943; wurde 1988 Prof. am Howard Hughes Medical Institute der University of Texas in Dallas. 1988 erhielt er für die Bestimmung der dreidimensionalen Struktur des photosynthet. Reaktionszentrums eines Bakteriums den Nobelpreis für Chemie (mit R. Huber und H. Michel).

Deismus [zu lat. deus »Gott«] *der,* eine Anschauung der Aufklärung im 17. und 18. Jh., insbes. in England, dass Gott nach der Schöpfung keinen Einfluss mehr auf die Welt, die ohne ihn wie eine Maschine allein weiterlaufe, nehme und zu ihr auch nicht in Offenbarungen spreche. Damit steht der D. im Gegensatz zum Theismus. Kennzeichnend für den D. ist die Vorstellung einer natürl. Religion, d.h., er ging davon aus, dass allein aus der Natur und der im Menschen von Natur aus angelegten Moral Gott erkannt werden könne, unabhängig von Kirchen und organisierten Religionsgemeinschaften. – Als Erster nannte sich C. Blount (*1659, †1693) »Deist«, J. Toland schrieb das grundlegende Werk »Christentum ohne Geheimnis« (1696). Voltaire brachte den D. nach Frankreich, Diderot schrieb die Religionsartikel der »Encyclopédie« im Geist des Deismus. In Dtl. wirkte er auf die Bibelkritik (H. S. Reimarus, G. E. Lessing, J. S. Semler). Kant verfasste ein Werk über die »Religion innerhalb der Grenzen der bloßen Vernunft« (1793).

Deister *der,* Höhenzug des Weserberglands, Ndsachs., südwestlich von Hannover, erreicht 405 m beim Anna-Turm auf dem Bröhn.

Dej [deʒ], Stadt im Bezirk Cluj, NW-Rumänien, am Szamos, 41 300 Ew.; Salzförderung, Baustoff-, Lebensmittelind.; Verkehrsknotenpunkt. In der Nähe der Bade- und Luftkurort Ocna Dejului.

Déjà-vu-Erlebnis [deʒaˈvy-; frz. »schon gesehen«], *Psychologie:* Erinnerungstäuschung, bei der soeben Erlebtes schon früher einmal erlebt erscheint; bei Gesunden bes. durch Erschöpfungszustände bedingt, auch Symptom bei Neurosen, Psychosen, organ. Hirnleiden.

Dejbjerg [ˈdaibjɛr], Gemeinde bei Ringkøbing (Jütland, Dänemark), Fundort der Reste zweier aus Eschen- und Buchenholz gebauter, mit reich verzierten Bronze- und Eisenbeschlägen ausgestatteten Prunkwagen der jüngeren La-Tène-Zeit.

Déjeuner [deʒøˈne, frz.] *das,* kleines Mittagessen.

de jure [lat.], von Rechts wegen, nach der Rechtslage; Ggs.: de facto.

Deka... [grch.], Vorsatzzeichen **da,** Vorsatz vor Einheiten für den Faktor 10, z.B. 1 Dekameter = 1 dam = 10 m.

Dekabristen [von russ. dekabr »Dezember«], die Teilnehmer eines am 26. 12. 1825 (kurz nach dem Tod Alexanders I.) in Sankt Petersburg ausgebrochenen Aufstandes zum Sturz der Autokratie, dem im Jan. 1826 in S-Russland eine weitere Erhebung folgte. Die D. waren liberal gesinnte junge Adlige und Gardeoffiziere, die sich seit 1822 in Geheimbünden organisiert hatten. Der schlecht vorbereitete Aufstand wurde von Nikolaus I. niedergeschlagen.

Dekade [zu grch. déka »zehn«] *die,* eine Gesamtheit von zehn Einheiten, Anzahl von zehn Stück; Zeitraum von zehn Jahren, Monaten, Wochen, Tagen.

Dejbjerg: Rekonstruktion eines vierrädrigen Prunkwagens der jüngeren La-Tène-Zeit (Kopenhagen, Nationalmuseet)

Dekadenz [lat.] *die* (frz. Décadence), Niedergang, Verfall, bes. bei Kulturen. Der Begriff wird insbes. als ästhet. Kategorie verwendet, v.a. zur Kennzeichnung einer Entwicklungsrichtung innerhalb der europ. Literatur (bes. in Frankreich) gegen Ende des 19. Jh. (Fin de Siècle), der **Dekadenzdichtung.** Sie entstand aus dem Bewusstsein überfeinerter Kultur als Zeichen einer späteren Stufe des kulturellen Verfalls und vertritt die Welt einer freien, autonomen Ästhetik gegenüber einer

Welt von festgefügten Moral- und Wertvorstellungen. Vorbereitet wurde die Dekadenzdichtung u.a. durch Lord Byron, N. Lenau, A. de Musset, G. Leopardi, E. A. Poe und T. De Quincey; das D.-Gefühl gipfelt in der Dichtung C. Baudelaires. Weitere Vertreter waren u.a. in Frankreich J.-K. Huysmans, die frz. Symbolisten, in Österreich P. Altenberg, der frühe H. von Hofmannsthal, der junge R. M. Rilke, in Italien G. D'Annunzio, in England O. Wilde, in Deutschland S. George.

📖 HINTERHÄUSER, H.: *Fin de siècle 1977.* – HORSTMANN, U.: *Ästhetizismus u. D. München 1983.* – RASCH, W.: *Die literar. Décadence um 1900. München 1986.* – *D. in Deutschland. Beiträge zur Erforschung der Romanliteratur um die Jahrhundertwende, hg. v.* D. KAFITZ. *Frankfurt am Main u.a. 1987.*

dekadisch, auf die Zahl 10 bezogen.

dekadisches System, das →Dezimalsystem.

Dekaeder [grch.] *das,* ein von zehn regelmäßigen Vielecken begrenzter Körper.

Dekalog [grch. »Zehnwort«] *der,* die →Zehn Gebote.

Dekan [lat.] *der,* **1)** *evang. Kirche:* in einigen evang. Landeskirchen Titel des →Superintendenten.

2) *kath. Kirche:* (Dechant, Erzpriester) ein kath. Priester, der eine Gruppe von Pfarreien eines Bistums (Dekanat) beaufsichtigt; **Kardinal-D.,** Vorsteher des Kardinalskollegiums.

3) *Universitätswesen:* der auf ein oder zwei Jahre gewählte Leiter eines Fachbereichs bzw. einer Fakultät.

Dekanat *das,* Dienststelle, Amtszeit und Amtsbezirk eines Dekans.

Dekanter [frz.] *der,* Zentrifuge für die Trennung von Feststoff-Flüssigkeits-Gemischen im kontinuierl. Betrieb.

dekantieren [frz.], Flüssigkeit von einem Bodensatz abgießen.

Dekapolis [grch. »Zehnstädte(bund)«] *die,* **1)** Bund von zehn hellenist. Städten in Kleinasien (Damaskus u.a.); gegr. 62 v.Chr. von Pompeius, bestand bis um 200 n.Chr.

2) im 16./17. Jh. der seit 1354 bestehende elsäss. Zehnstädtebund der Reichsstädte Colmar, Hagenau, Kaysersberg, Landau (seit 1512), Mülhausen (bis 1515), Münster, Oberehnheim, Rosheim, Schlettstadt, Türkheim, Weißenburg, zeitweise auch Selz, zum Schutz ihrer Reichsunmittelbarkeit. Die Städte wurden 1672 von Frankreich annektiert.

Dekartellierung, Auflösung von wirtsch. Unternehmenszusammenschlüssen (→Kartell), die auf Wettbewerbsbeschränkung ausgerichtet sind.

Dekatieren [frz.], das Behandeln von Textilien mit Wasserdampf, um sie flächenbeständig zu machen und den Glanz zu erhalten.

Dekhan (Deccan, Dekkan) *der,* die eigentliche Halbinsel von Vorderindien, südlich einer Linie vom Golf von Khambhat zum Ganges-Brahmaputra-Delta, ein nach S ansteigendes Hochland, das, im W durch die Steilstufe der Westghats von der Küstenebene getrennt, im O durch die Ostghats treppenartig zum Golf von Bengalen abfällt. Der W und NW ist auf einer Fläche von 500 000 km² von vulkan. Deckenergüssen (Trapp) überzogen. Anbau von Baumwolle, Reis, Mais, Hirse, Gewürzen, Kaffee und Tabak.

Dekabristen: »Die Verschwörer gegen Nikolaus I. versammeln sich am Denkmal Peters des Großen in Sankt Petersburg«, Aquarell von Karl Iwanowitsch Kolman (um 1830; St. Petersburg, Staatliches Russisches Museum)

Dekker ['dekə], Thomas, engl. Dramatiker, *London um 1572, †ebd. 25. 8. 1632 (?); verfasste Prosaschriften, die humorvoll ein anschaul. Bild des shakespeareschen London vermitteln, und volkstüml. Dramen.

Deklamation [lat.] *die,* **1)** *allg.:* kunstgerechter Vortrag.

2) *Musik:* in einem Gesangstück das Verhältnis von Wort und Ton in Betonung, Rhythmus und Melodik.

Deklaration [lat.] *die,* **1)** *Post-, Steuer-* und *Zollwesen:* Inhalts-, Wertangabe, Steuer-, Zollerklärung.

2) *Völkerrecht:* eine Form, in völkerrechtlich zulässiger Weise etwas kundzutun, einen Willen zu erklären.

deklaratorische Wirkung, die bloße Feststellung des Bestehens eines Rechtes oder Rechtsverhältnisses, z.B. durch Feststellungsurteil, Bescheinigung, im Ggs. zur →konstitutiven Wirkung.

De Klerk, Frederik Willem, südafrikan. Politiker, *Johannesburg 18. 3. 1936; Jurist, Mitgl. der National Party (NP), seit 1978 mehrmals Minister,

Frederik De Klerk

zuletzt 1984–89 Erziehungsmin., setzte als Vors. der NP (seit 1989) und als Staatspräs. (1989–94) gegen heftige Opposition radikaler weißer Verfechter der Apartheidpolitik, seit 1990 in enger Zusammenarbeit mit N. Mandela, den Abbau der Rassengesetzgebung und den Übergang zu einer pluralist., auf Gleichberechtigung aller Bürger beruhenden demokrat. Gesellschaft durch. 1993 erhielten beide den Friedensnobelpreis. 1994 wurde De Klerk Vizepräs. der Rep. Südafrika.

Dekolleté

Abgesehen von einigen kretischen und mykenischen Beispielen (3.–2. Jahrtausend v. Chr.) zeigten die im Allgemeinen drapierten Gewänder bis ins Mittelalter kein Dekolleté. Ende des 14. Jahrhunderts kam am französischen Hof ein großes Dekolleté auf, das über die maßgebende burgundische Mode weit verbreitet wurde, allerdings nur in höfischer Tracht.
Gleichzeitig mit dem Aufkommen des Dekolletés regte sich die mittelalterliche Modekritik gegen zu große Ausschnitte; Kleiderordnungen suchten das zulässige Maß festzulegen. Trotzdem war das Dekolleté immer wieder modern, so in der Renaissance, im Barock und im Rokoko. Verpönt war es in der spanischen Mode. Vom Biedermeier bis weit ins 20. Jahrhundert hinein blieb das Dekolleté dem festlichen Kleid vorbehalten, das erstmals 1947/48 (durch ein eingearbeitetes festes Mieder gehalten) ganz schulterfrei getragen wurde.

Deklination [lat.] *die,* **1)** *Astronomie:* Abweichung, der Winkelabstand eines Gestirns vom Himmelsäquator (→astronomische Koordinaten).

2) *Geophysik:* (Missweisung) der Winkel zw. geograph. und magnet. Nordpol.

3) *Grammatik:* Formabwandlung (Beugung, Flexion) von Substantiv, Adjektiv, Artikel, Pronomen und Numerale, im Deutschen in den vier Fällen (Kasus) Nominativ, Genitiv, Dativ und Akkusativ möglich; sie ist abhängig von Genus und Numerus. Durch die D. werden die grammat. Beziehungen der Satzglieder untereinander bestimmt.

Dekonstruktivismus 2): Daniel Libeskind, Modell des Erweiterungsbaus des Jüdischen Museums in Berlin (Eröffnung 1997)

Dekokt [lat.] *das,* die →Abkochung.

Dekolleté [-kɔlˈte, frz.] (Dekolletee) *das,* tiefer Halsausschnitt bei Damenbekleidung.

Dekompensation [lat.] *die, Medizin:* das Versagen der Ausgleichsleistungen (Kompensation) zur Aufrechterhaltung der Funktionstüchtigkeit eines geschädigten oder geschwächten Organs, z. B. des Herzens.

Dekomposition, *Sprachwissenschaft:* Zerlegung sprachlicher Einheiten in ihre Bestandteile.

Dekompression [lat.] *die,* **1)** *Medizin:* →Druckluftkrankheit.

2) *Technik:* Druckabfall in (Überdruck-)Systemen.

Dekonstruktivismus, 1) *allg.* und *Wissenschaftstheorie:* eine im Anschluss an die um wissenschaftl. Objektivität bemühten Theorien des →Strukturalismus und in Auseinandersetzung mit ihnen entstandene überdisziplinäre Wissenschaftsströmung. Der D. beruht auf dem Verfahren der Dekonstruktion, das darin besteht, ein zu kritisierendes Denksystem zunächst probeweise zu übernehmen, um dann in dessen Nachvollzug seine eigenen inneren Unstimmigkeiten und Brüche aufzuzeigen.

2) *Architektur:* seit Mitte der 1980er-Jahre Bez. für eine Richtung, in deren Entwürfen das Verhältnis von Tragen und Lasten sowie traditionelle stat. Verhältnisse aufgelöst werden. Der unvermittelte Zusammenstoß unterschiedl. Materialien, Räume und Richtungen wirkt im Sinne konventioneller Sehgewohnheiten unharmonisch. Die dekonstruktivist. Architektur greift formal auf den russ. Suprematismus (K. Malewitsch) und die Ideen des Konstruktivismus (Zaha Hadid, *1950; Peter Eisenman) zurück und bezieht sich in ihrem theoret. Ansatz (Bernard Tschumi, *1944) auf J. Derrida (Beispiele: Vitra Design Museum, Weil a. Rhein, 1988–89, von Frank O. Gehry; Jüd. Museum, Berlin, Grundsteinlegung 1992, Eröffnung 1997, von Daniel Libeskind, *1946).

📖 *Dekonstruktivistische Architektur, hg. v.* P. Johnson *u.* M. Wigley. *A. d. Engl. Stuttgart 1988. – D. Eine Anthologie, hg. v.* A. Papadakis. *A. d. Engl. Stuttgart 1989.* – Wigley, M.: *Architektur u. Dekonstruktion. Derridas Phantom. A. d. Amerikan. Basel u. a. 1994.*

Dekontamination, Bez. für alle Maßnahmen, durch die ein radioaktiv, biologisch oder chemisch verseuchtes Gebiet oder Objekt entgiftet wird.

Dekonzentration, →Entflechtung.

de Kooning, Willem, amerikan. Maler niederländ. Herkunft, →Kooning, Willem de.

Dekor [frz.] *der* oder *das,* Verzierung, Muster.

Dekorateur [-'tør, frz.] *der,* →Raumausstatter, →Schaufensterdekorateur.

Dekoration [lat.] *die,* die künstler. Ausschmückung und Verzierung von Gegenständen, Bauwerken; Bühnenbild, Ausstattung.

Dekort [italien., frz.] *der,* Abzug vom Rechnungsbetrag für mangelhafte Ware.

DEKRA [Kw., urspr. Abk. für **De**utscher **Kra**ftfahrzeug-Überwachungsverein], Unternehmen, das techn. Dienstleistungen (u. a. Kfz-Prüfung und -bewertung, Überwachung sicherheitstechn. Einrichtungen, Schaden-, techn. und unfallanalyt. Gutachten) im In- und Ausland anbietet; Sitz: Stuttgart.

Dekrement [lat.] *das, Physik:* 1) geringe Abnahme einer veränderl. Größe, Ggs.: Inkrement; 2) logarithm. D., →Dämpfung.

Dekret [lat.] *das,* Erlass, Beschluss, behördl. Verordnung.

Dekretalen (lat. Decretales epistolae oder litterae), altkirchl. und mittelalterl. Papstbriefe, die selbstständig neben den Konzilsbeschlüssen gemeinkirchl. Recht setzen; heute bes. feierl. Erlasse des Papstes, z. B. Heiligsprechungen.

Dekubitus [lat.] *der* (Druckgeschwür), das →Aufliegen.

Dekumatland (lat. Agri decumates), bei Tacitus Bez. für das Vorfeld des Röm. Reichs im Winkel zw. Rhein und Donau, das Neckarland und seine Randberge einschließend.

dekussiert [lat.], *Botanik:* kreuzgegenständig; die Blätter sind über Kreuz gestellt (z. B. Taubnessel).

del., Abk. für **1)** →**del**eatur.

2) →**del**ineavit.

Delacroix [dəla'krwa], Eugène, frz. Maler und Grafiker, *Saint-Maurice (Dép. Val-de-Marne) 26. 4. 1798, †Paris 13. 8. 1863; beeinflusst bes. von den Werken P. P. Rubens', P. Veroneses, T. Géricaults und J. Constables, wurde er der bedeutendste Vertreter der romant. Malerei in Frankreich. Seine leidenschaftlich bewegten, in leuchtkräftigen Farben gemalten Bilder stellen Szenen aus Dichtungen, aus der Geschichte, aus seiner Zeit (»Massaker von Chios«, 1824; »Die Freiheit führt das Volk an«, 1830) und dem Orient dar, den er auf einer Reise nach Nordafrika (1832) kennen gelernt hatte (»Die Frauen von Algier in ihrem Gemach«, 1834; alle Paris, Louvre). Ab 1834 schuf er in Paris monumentale Wand- und Deckengemälde sowie zahlr. Porträts und Selbstporträts. Als Grafiker bevorzugte er die Lithographie (zu Goethes »Faust«, Shakespeares »Hamlet« u. a.). Sein Tagebuch (3 Bde., 1893–95) gehört zu den wichtigsten künstler. Selbstzeugnissen.

📖 Daguerre de Hureaux, A.: *D. Das Gesamtwerk. A. d. Frz. Stuttgart u. a. 1994.*

Delagoa-Bai, tiefe, weit landeinwärts greifende Meeresbucht in S-Moçambique mit der Hptst. Maputo (bed. Hafen); die von hier ausgehende **Delagoabahn** ist eine der wichtigsten Verbindungen des Bergbau- und Ind.gebiets Witwatersrand (Rep. Südafrika) mit Übersee.

De la Mare [delə'meə], Walter John, engl. Dichter, *Charlton (Cty. Kent) 25. 4. 1873, †Twickenham (heute zu London) 22. 6. 1956; schrieb Kinder- und Nonsenseverse sowie visionäre Gedichte, Erzählungen und Romane aus Bereichen jenseits der sinnl. Erfahrung,

Delamuraz [dəlamy'ra], Jean-Pascal, schweizer. Politiker, *Vevey 1. 4. 1936; Jurist und Politikwissenschaftler, Mitgl. der Freisinnig-Demokrat. Partei, leitete als Bundesrat 1984–86 das Militärdepartement. Seit 1986 als Bundesrat mit der Führung des Volkswirtschaftl. Departements betraut, sieht er sich zunehmend mit der Frage einer Neuorientierung der Beziehungen seines Landes zur EG (EU) konfrontiert. 1989 und 1996 war D. Bundespräsident.

Delaney [də'leɪnɪ], Shelagh, engl. Dramatikerin, *Salford 25. 11. 1939; schildert in lebendigen Dialogszenen das Leben in nordengl. Slums (u. a. »Bitterer Honig«, 1959).

Delannoy [dəla'nwa], Jean, frz. Filmregisseur, *Noisy-le-Sec (Dép. Seine-Saint-Denis) 12. 1. 1908; Filme: »Symphonie pastorale« (1946); »Das Spiel ist aus« (1947); Kriminalfilme um Kommissar Maigret nach G. Simenon.

Eugène Delacroix: Ausschnitt aus einem Selbstporträt (um 1837; Paris, Louvre)

Eugène Delacroix: »Die Frauen von Algier in ihrem Gemach« (1834; Paris, Louvre)

De la Roche [delə'rɔːʃ], Mazo, kanad. Schriftstellerin, *Toronto 15. 1. 1879, †ebd. 12. 7. 1961; zeichnete in der Familienchronik der Whiteoaks (1927–60; »Die Familie auf Jalna«, 16 Bde.) ein verklärtes Bild des Landlebens in Ontario.

Delaunay [dəlo'nɛ:], Robert, frz. Maler, *Paris 12. 4. 1885, †Montpellier 25. 10. 1941; entwickelte, ausgehend vom Kubismus, eine sich dem Ungegenständlichen nähernde Malerei geometrisch begrenzter und sich gegenseitig durchdringender Spektralfarbenflächen. Er stand den Malern des →Blauen Reiters nahe und war von Einfluss bes. auf F. Marc, A. Macke, L. Feininger und P. Klee. Seine Frau Sonia, geb. Terk (*1885, †1979) entwarf u.a. Theaterdekorationen, Tapisserien und Stoffmuster.

Delaware 2)
Flagge

Delaware ['deləweə], **1)** *der,* Fluss im O der USA, 451 km, entspringt in den Catskill Mountains und mündet in die 90 km lange und bis 50 km breite, für Seeschiffe vertiefte Delaware Bay.

2) Abk. **Del.,** Bundesstaat der USA, am Atlantik, im Ostteil der Halbinsel Delmarva zw. Chesapeake Bay und Delaware Bay, 5295 km², (1994) 709300 Ew.; Hptst. ist Dover. In der Landwirtschaft dominieren Geflügelzucht sowie Anbau von Sojabohnen, Mais, Gemüse und Obst; petrochem., Stahlind., Kraftfahrzeugmontage, Textil-, Konservenfabriken. Größte Stadt ist Wilmington; Staatsuniv. in Newark (gegr. 1833).

Geschichte: Die erste Kolonie im D.-Gebiet wurde 1638 unter schwed. Hoheit gegründet. Seit 1655 in niederländ. und seit 1664 in engl. Besitz, gehörte D. 1682–1776 zu Pennsylvania; ratifizierte 1787 als erster Staat die Verf. der USA. Im Sezessionskrieg stand es zur Union.

Sven Delblanc

Delawaren, Algonkin sprechender nordamerikan. Indianerstamm, einst in Pennsylvania an der atlant. Küste sesshaft; leben heute in Oklahoma, Wisconsin und Ontario; etwa 8000 Menschen.

Hans Delbrück

Dẹlblanc, Sven, schwed. Schriftsteller und Literaturhistoriker, *Swan River (Prov. Manitoba, Kanada) 26. 5. 1931, †Stockholm 16. 12. 1992; gilt als klass. Erzähler der schwed. Gegenwartsliteratur (Romanzyklus »Hedebyborna«, 4 Bde., 1970–76).

Dẹlbrück, Stadt im Kr. Paderborn, NRW, im SO der Westfäl. Bucht, 27800 Ew.; Möbel-, Textil-, Blechwarenindustrie.

Max Delbrück

Dẹlbrück, 1) Hans, Historiker, *Bergen auf Rügen 11. 11. 1848, †Berlin 14. 7. 1929; 1896–1921 als Nachfolger H. von Treitschkes Prof. in Berlin, 1883–1919 Herausgeber der »Preuß. Jahrbücher«.

Werke: Gesch. der Kriegskunst im Rahmen der politischen Gesch., 4 Bde. (1900–20; fortgesetzt von E. Daniels und O. Haintz, Bde. 5–7, 1926–36); Weltgesch., 5 Bde. (1923–28).

Grazia Deledda

2) Max, amerikan. Biophysiker und Biologe dt. Herkunft, *Berlin 4. 9. 1906, †Pasadena (Calif.) 9. 3. 1981; ab 1947 Prof. in Pasadena. Durch den Nachweis, dass die bakterielle Phagenresistenz auf Mutationen beruht, legte D. mit S. Luria den Grundstein für die Bakteriengenetik; 1946 entdeckte D. (mit W. T. Bailey jr.) die genet. Rekombination bei Bakteriophagen; er erhielt 1969 (mit Luria und A. D. Hershey) den Nobelpreis für Physiologie oder Medizin.

3) Rudolf von (seit 1896), Politiker, *Berlin 16. 4. 1817, †ebd. 1. 2. 1903; seit 1849 im preuß. Handelsministerium maßgebend an der Wirtschaftspolitik beteiligt; seit 1867 Präs. des Bundeskanzleramts des Norddt. Bundes, seit 1871 Präs. des Reichskanzleramts. Die seit 1867 liberale preuß. Wirtschaftsgesetzgebung ging im Wesentlichen auf ihn zurück. 1876 trat er zurück, nachdem Preußen zunehmend von der Politik des Freihandels abrückte. Als Mitgl. des Reichstages (1878–81 war D. ein entschiedener Gegner der Bismarckschen Schutzzollpolitik.

Delcassé [dɛlka'se], Théophile, frz. Politiker, *Pamiers (Dép. Ariège) 1. 3. 1852, †Nizza 22. 2. 1923; wurde 1898 Außenminister. Mit Großbritannien, dem er 1898 in der →Faschodakrise nachgab, schloss er das Kolonialabkommen vom 8. 4. 1904, die Grundlage der britisch-frz. Entente. Seine Annäherung an Italien lockerte den Dreibund. Anlässlich der dt.-frz. Marokkokrise von 1905 wurde er gestürzt; 1914/15 wieder Außenminister.

deleatur [lat.], Abk. **del.,** Zeich ₰, auf Korrekturbögen oder -fahnen: »es werde gestrichen«. **Deleatur,** das Tilgungszeichen.

Delẹdda, Grazia, italienische Schriftstellerin, *Nuoro 27. 9. 1871, †Rom 15. 8. 1936; schildert in ihren Romanen und Novellen Land und Leute ihrer Heimat Sardinien: »Schilfrohr im Wind« (1913), »Marianna Sirca« (1915), »Die Mutter« (1920); erhielt 1926 den Nobelpreis für Literatur.

Delft: Delfter Fayencen auf einem Teller des 18. Jahrhunderts

Delegation [lat.] *die,* **1)** *allg.:* Abordnung, Ausschuss von Bevollmächtigten.

2) *Recht:* die Übertragung der Zuständigkeiten eines Staatsorgans auf ein anderes, bes. der Kompetenz zum Erlass von Verordnungen von gesetzgebenden Körperschaften auf Verwaltungsorgane (erfolgt durch Gesetz).

de lege ferenda [lat. »nach zu erlassendem Gesetz«], vom rechtspolit. Standpunkt aus, im Unterschied zum geltenden Recht, **de lege lata** [lat. »nach erlassenem Gesetz«]. Mit der Formel d.l.f. wird zum Ausdruck gebracht, dass sich bei Anwendung des geltenden Rechts Mängel gezeigt haben, die bei einer Änderung beseitigt werden sollten.

Delft: Das am Marktplatz gelegene Rathaus wurde 1618–20 unter Einbeziehung des gotischen Belfrieds nach Plänen von Hendrick de Keyser erbaut

Delémont [dəle'mɔ̃] (dt. Delsberg), Hptst. des Kt. Jura und dessen Bez. D., Schweiz, an der Sorne, 11300 Ew.; Biolog. Kontrollinst.; Museum; Bahnknotenpunkt; Gießerei, Uhren-, Zement-, Eisen-, Messer- und Konfektionsind.; Viehmärkte. – Kirche Saint-Marcel, ehem. bischöfl. Schloss, Rathaus, Präfektur (alle 18. Jh.). – D. erhielt 1289 Stadtrecht.

Deleuze [də.løz], Gilles, frz. Philosoph, *Paris 18. 1. 1925, †(Selbstmord) ebd. 4. 11. 1995; beeinflusst von F. Nietzsche (»Nietzsche und die Philosophie«, 1962), H. Bergson und B. Spinoza, entwirft D., die polit. Ereignisse vom Mai 1968 aufnehmend, eine Philosophie des Begehrens und produktiven Wünschens (so u.a. in »Anti-Ödipus«, 1972; zus. mit F. Guattari); er propagiert ein »nomad. Denken der Zerstreuung« und betont statt allgemeiner Kategorien, universeller Regeln und ihrer zeitlosen Geltung das Lokale und singulär. Ereignishafte (»Differenz und Wiederholung«, 1968; »Die Logik des Sinns«, 1969).

Delft, Stadt in der niederländ. Prov. Südholland, am kanalisierten Schie, 91000 Ew.; TU, Forschungsinstitute; Kabelfabrik, Kupferwalzwerk, Maschinenbau, elektrotechn., chemische, optische und Druckind., Fayencemanufaktur **(Delfter Fayencen).** – D. hat ein gut erhaltenes histor. Stadtbild mit schmalen Grachten; zahlr. spätgot. und Renaissancebauten, u.a. das Rathaus (1618) mit got. Belfried, Prinsenhof, die Residenz Wilhelms von Oranien (heute Museen); Oude Kerk (14. Jh.), Nieuwe Kerk (14./15. Jh.) mit den Gräbern des Hauses Nassau-Oranien. – D. erhielt 1246 Stadtrecht und war bis ins 17. Jh. eine bed. Handelsstadt.

Delfzijl [-'sɛjl], Hafenstadt in der Prov. Groningen, Niederlande, an der Mündung der Ems, 32000 Ew.; Aluminiumhütte, chem., Kunststoffind., Kabelfabriken; Vorhafen von Groningen; Passagierverkehr zur Insel Borkum. – D., ursprüngl. als Schleuse gegr., wurde während des niederländ. Freiheitskampfes schwer befestigt.

Delhi
Stadtwappen

Delhi ['de:li], Stadt in N-Indien mit 7,21 Mio. Ew., deren südl. Stadtteil **Neu-Delhi (New Delhi)** die Hauptstadt Indiens ist. Im 1483 km² großen Unionsterritorium D. leben insges. 9,42 Mio. Ew.; D. liegt am W-Rand des Doab, des flachen Zwischenstromlandes zw. Ganges und Yamuna. D. ist ein bed. Kulturzentrum mit Forschungsinstituten, 4 Univ., techn. u.a. Hochschulen und nach Bombay und Kalkutta drittgrößtes Ind.zentrum Indiens: Textil-, Gummiwerke, chem., Schwerind., Fahrzeugbau, Metallverarbeitung, Konsumgüterindustrie. – In der Altstadt die Jama-Masjid-Moschee (1644–58), eine der größten Moscheen der Erde, die »Rote Burg« mit prächtigen Marmorbauten, Palästen und Moscheen sowie Hunderte von Bauten (Paläste, Moscheen, Grabmäler), die v.a. die Entwicklung der islam. Kunst in Indien widerspiegeln. – Seit dem Ende des 12. Jh. übten sieben Städte im Bereich von D. (heute Ruinen mit bed. Bauresten) Hauptstadtfunktionen aus: Lalkot (11.–13. Jh.), Siri (14. Jh.), Jahanpanah (14. Jh.) Tughluqabad (14. Jh.), Firosabad (14. Jh.), Purana Qila (16. Jh.), Shahjahanabad (seit 1648). Von 1911 bis 1947 war D. Sitz des brit. Vizekönigs; seit 1947 ist es Hpst. des unabhängigen Indien.

Léo Delibes

Delibes, 1) [də'li:b], Léo, frz. Komponist, *Saint-Germain-du-Val (heute zu La Flèche, Dép. Sarthe) 21. 2. 1836, †Paris 16. 1. 1891; schrieb Bal-

Delhi: Das in rotem Sandstein erbaute Grabmal des Humayun (1556–65)

Niccolo Dell'Abate: »Bildnis eines Mannes mit Papagei« (nach 1552; Wien, Kunsthistorisches Museum)

lette (z.B. »Coppélia«, 1870) und komische Opern (»Der König hat's gesagt«, 1873; »Lakmé«, 1883).

2) [de'liβes] Miguel, span. Schriftsteller, *Valladolid 17. 10. 1920; schreibt gesellschaftskrit. Romane (»Und zur Erinnerung Sommersprossen«, 1950; »Fünf Stunden mit Mario«, 1966; »Die heiligen Narren«, 1981; »Das Holz, aus dem die Helden sind«, 1987). – *Weitere Werke:* Frau in Rot auf grauem Grund (1991); Tagebuch eines alten Känguruhs (1995).

Lisa Della Casa

Delikt [lat.] *das,* im Strafrecht jede strafbare, rechtswidrige und schuldhafte Handlung; im Zivilrecht eine →unerlaubte Handlung, die zum Schadensersatz verpflichtet (»delikt. Haftung«).

Deliktsfähigkeit, die Fähigkeit, strafrechtlich für Delikte, zivilrechtlich für unerlaubte Handlungen voll verantwortlich zu sein. Sie beginnt im Zivilrecht mit dem vollendeten 18. Lebensjahr. Deliktsunfähig sind Personen unter sieben Jahren oder Personen, die schuldlos nicht nach freier Willensbetätigung handeln können. Zw. dem 7. und 18. Lebensjahr und für Taubstumme besteht D. nur dann, wenn die erforderliche Einsicht für die Verantwortlichkeit des Handelns vorhanden ist (§§ 827, 828 BGB). Scheidet hiernach eine Haftung aus, kann sich aber aus Billigkeitsgründen eine Ersatzpflicht ergeben (§ 829 BGB). Vergleichbares Recht gilt in *Österreich* und in der *Schweiz.* Strafrechtl. D. setzt mit Vollendung des 14. Lebensjahres ein (Jugendlicher). Bis zur Vollendung des 18. Lebensjahres kommt das Jugendstrafrecht, danach das allg. Strafrecht zur Anwendung. Täter zw. dem 18. und 21. Lebensjahr werden als »Heranwachsende« unter bestimmten Voraussetzungen Jugendlichen gleichgesetzt und nach Jugendstrafrecht verurteilt (§ 105 JGG). Während im *österr.* Recht Ähnliches gilt, beginnt in der *Schweiz* die strafrechtl. D. mit dem 15. Lebensjahr.

Delila [hebr. »die Zarte«] (Dalila), im A.T. Geliebte des Simson, die ihn verriet (Ri. 16,4 ff.).

delineavit [lat.], Abk. **del., delin.,** v.a. auf Kupferstichen: »hat (es) gezeichnet«.

Delinquent [lat.] *der,* Straftäter, Übeltäter.

Delirium [lat.] (Delir) *das,* rückbildungsfähige, akute, hochgradige Bewusstseinstrübung mit Sinnestäuschungen, bes. opt. Halluzinationen, und mit örtl. und zeitl. Desorientiertheit; tritt z.B. bei vielen Gehirnkrankheiten, hohem Fieber oder akuter Vergiftung auf. – **D. tremens (Alkoholdelir, Säuferwahn)** tritt bei chron. Alkoholmissbrauch auf mit Symptomen wie Händezittern (Tremor), Bewegungsstörungen, opt. Halluzinationen, epilept. Anfällen und oft lebensbedrohl. Kreislaufversagen. D. tremens folgt häufig auch plötzl. Drogenentzug.

delisches Problem, das Problem der Würfelverdoppelung. Nach einem Orakelspruch sollte die Pest auf Delos dann zu Ende gehen, wenn der würfelförmige Altar des Apoll dem Volumen nach verdoppelt werde. Das geometr. Problem sollte aber nur mit Zirkel und Lineal gelöst werden. – Das d. P. gehört mit der →Quadratur des Kreises zu den berühmten, mit Zirkel und Lineal unlösbaren Problemen der Antike. Die Unlösbarkeit konnte mithilfe der Theorie von E. Galois nachgewiesen werden.

Delitzsch, 1) Landkreis im RegBez. Leipzig, Sachsen, (1996) 779 km² und 97 100 Einwohner.

2) Krst. von 1) in Sachsen, an der Lober, 25 800 Ew.; Zucker-, Süßwarenfabrik, Edelstahlziehwerk; Zentrum des Braunkohlenbergbaus nördlich von Leipzig. – Stadtkirche (15. Jh.), Schloss (16. Jh.), Teile der mittelalterl. Stadtbefestigung. – 1145 erstmals gen.; um 1200 Stadtrecht.

Delitzsch, 1) Franz, evang. Theologe, *Leipzig 23. 2. 1813, †ebd. 4. 3. 1890, Vater von 2); Prof. in Leipzig, Rostock, Erlangen, gründete 1866 das Institutum Judaicum Delitzschianum in Leipzig (jetzt in Münster). Als Vertreter der heilsgeschichtlich orientierten Theologie lehnte er die historisch-krit. Forschung weitgehend ab.

2) Friedrich, Assyriologe, *Erlangen 3. 9. 1850, †Langenschwalbach (heute Bad Schwalbach) 19. 12. 1922, Sohn von 1); Prof. in Leipzig, Breslau und Berlin; erforschte die Sprachen des Alten Orients. Seine Vorträge zum Thema »Babel und Bibel« führten zu lebhaften Auseinandersetzungen.

Delius ['di:ljəs], Frederick, brit. Komponist, *Bradford (Cty. West Yorkshire) 29. 1. 1862, †Grez-sur-Loing (bei Fontainebleau) 10. 6. 1934; lebte ab 1888 in Frankreich; komponierte Opern (»Romeo und Julia auf dem Dorfe«, 1807), Orchesterwerke sowie Kammermusik.

Delivery-Order [dɪ'lɪvərɪ 'ɔ:də, engl.] *die,* Abk. **d/o,** Anweisung des Wareneigentümers an den Lagerhalter, an die in der d/o bezeichnete Person oder Firma eine Ware auszuhändigen.

Delkredere [italien.] *das,* **1)** *Handelsrecht:* Gewährleistung für die Erfüllung einer Forderung durch einen Dritten; übernimmt bes. der Kommissionär gegenüber dem Kommittenten und der Handelsvertreter gegenüber dem Unternehmer, wofür er i. d. R. eine **D.-Provision** bezieht.

2) *Rechnungswesen:* Wertberichtigung für uneinbringl. und zweifelhafte Forderungen in der Bilanz (§ 253 HGB).

Dell'Abate, Nic(c)olò, italien. Maler, *Modena 1509, †Fontainebleau 1571; Meister des oberitalien. Manierismus.

Della Casa, Lisa, schweizer. Sängerin (Sopran), *Burgdorf (Kt. Bern) 2. 2. 1919; sang seit 1947 an der Wiener Staatsoper, 1953–68 an der New Yorker Metropolitan Opera. Trat v. a. mit Mozart- und Strauss-Partien hervor.

Delos

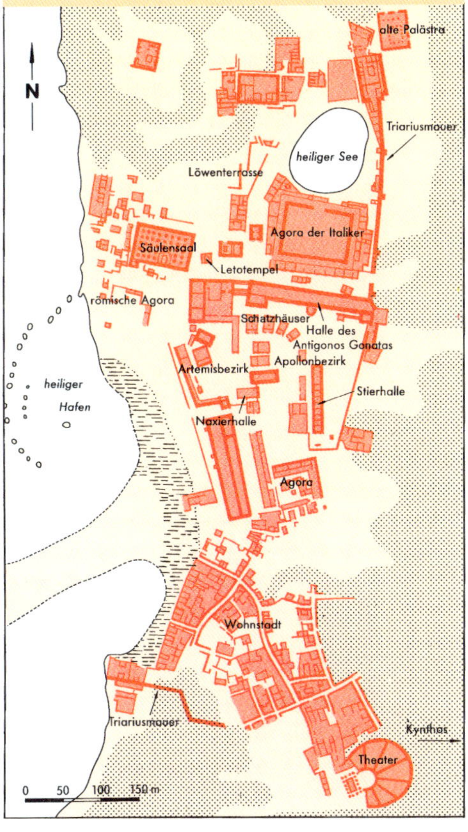

della Robbia, italien. Bildhauerfamilie, →Robbia.

Delle, flache, längl. Einsenkung der Erdoberfläche mit muldenförmigem Querschnitt, ohne fließendes Gewässer, bes. auf Hochflächen oder im Quellbereich von Tälern.

Dellinger-Effekt (Mögel-Dellinger-Effekt), Beeinflussung der →Ionosphäre.

Delmenhorst, kreisfreie Stadt im RegBez. Weser-Ems, Ndsachs., an der Delme, 78 100 Ew.; Textil-, Bekleidungs-, Möbel-, Nahrungsmittel-, chem., Kunststoff verarbeitende Ind., Maschinenbau. – Stadtrecht seit 1371.

Mario Del Monaco

Del Monaco, Mario, italien. Sänger (Tenor), *Florenz 27. 5. 1915, †Venedig 16. 10. 1982; v. a. Interpret dramatischer italien. Opernpartien.

Alain Delon

Delon [də'lɔ̃], Alain, frz. Schauspieler, *Sceaux (Dép. Hauts-de-Seine) 8. 11. 1935; spielte u. a. in »Rocco und seine Brüder« (1960), »Liebe 62« (1961), »Der Leopard« (1962), »Der eiskalte Engel« (1967), »Nouvelle Vague« (1989), »Der Anwalt« (1993).

De Long, George Washington, amerikan. Polarforscher, *New York 22. 8. 1844, †im Lenadelta Herbst 1881; entdeckte als Leiter der Jeanette-Expedition (Beginn 1879) die nach ihm benannten **De-Long-Inseln** (→Neusibirische Inseln); ging im Lenadelta mit einem Teil seiner Mannschaft zugrunde.

Jacques Delors

Delors [də'lɔ:r], Jacques Lucien, frz. Politiker, *Paris 20. 7. 1925; seit 1974 Mitgl. des »Parti Socialiste« (PS), war 1981–84 Wirtschafts- und Finanzmin., 1985–95 Präs. der EG-Kommission. 1992 erhielt er den Internat. Karlspreis der Stadt Aachen.

Delos (ngrch. Dilos), kahle Insel der Kykladen, Griechenland, zw. Mykonos im NO und Rinia (in der Antike Rheneia) im W, 3,4 km^2, aus Gneis und Granit aufgebaut; bed. Fremdenverkehr. Die schon im 3. Jt. v. Chr. besiedelte Insel war seit dem 8./7. Jh. v. Chr. Mittelpunkt des Apollonkultes **(Delischer Apoll);** Orakelstätte in früharchaischer Zeit; im 5. Jh. v. Chr. Sitz des Att. Seebundes; in hellenist. Zeit wichtiger Handelsplatz und größter Sklavenmarkt des Altertums. – Frz. Ausgrabungen seit 1873 legten reiche Zeugnisse der vorchristl. Kultstätte frei, u. a. drei Apollontempel, Schatzhäuser, Prozessionsstraße mit Löwenskulpturen vom Letotempel, gut erhaltene hellenist. Häuser mit Mosaiken. BILD S. 172

Alfred Delp

Delp, Alfred, kath. Theologe, *Mannheim 15. 9. 1907, †(hingerichtet) Berlin 2. 2. 1945; seit 1926 Jesuit; arbeitete seit 1942 im Kreisauer Kreis (→Widerstandsbewegung) mit am Entwurf einer christl.

Delos: Prozessionsstraße mit den Löwenskulpturen vom Letotempel (7. Jh. v. Chr.)

Sozialordnung. – *Werke:* Trag. Existenz (1935); Der Mensch und die Geschichte (1943).

📖 BLEISTEIN, R.: *A. D. Geschichte eines Zeugen. Frankfurt am Main 1989.* – POPE, M.: *A. D. S. J. im Kreisauer Kreis. Mainz 1994.*

Delphi (grch. Delphoi), Fremdenverkehrszentrum in der Landschaft Phokis, Mittelgriechenland, am Berg Parnass, an der Stelle der gleichnamigen antiken Stadt; 2400 Ew.; archäolog. Museum. – D. war schon in myken. Zeit Kultstätte. Seit dem 9./8. Jh. v. Chr. ist das Apollonheiligtum mit dem berühmten Orakel (Orakelpriesterin Pythia) nachzuweisen, dessen Sprüche meist vor polit. Entscheidungen eingeholt wurden. Seit 582 v. Chr. wurden hier die Pythischen Spiele abgehalten; 279 v. Chr. plünderten die Kelten D.; im 1. Jh. v. Chr. setzte ein allmähl. Verfall ein. Durch frz. Ausgrabungen seit 1832 wurden bed. Reste des Apollonheiligtums freigelegt (Schatzhäuser der Sikyoner und der Athener; Skulpturen des Schatzhauses der Siphnier, archaischer Tempel); außerhalb lagen das röm. Stadion, das Brunnenhaus der Kastalia und das Heiligtum der Athena (mit der teilweise wieder aufgerichteten Tholos). Einzelwerke bes. der Plastik bis in röm. Zeit sind im Museum ausgestellt. Die Stätte wurde von der UNESCO zum Weltkulturerbe erklärt.

📖 MAASS, M.: *Das antike D. Orakel, Schätze u. Monumente. Darmstadt 1993.*

Delphi

Die Bedeutung des Orakels von Delphi erstreckt sich über das gesamte Gebiet der Kultur und manifestiert sich nicht zuletzt in einer moralischen Tradition, deren bekannteste Maximen »Nichts im Übermaß« und »Erkenne dich selbst« sind. Eine größere Zahl von Vorschriften war auf einer der Säulen im Vorraum des Apollontempels festgehalten: Die Aufforderungen der ersten Kolumne lauten:

Hilf den Freunden!
Beherrsche den Zorn!
Hüte dich vor ungerechten Taten!
Bezeuge, was göttlichem Recht entspricht!
Beherrsche die Lust!
Stelle das unberechenbare Geschick in Rechnung!
Schätze Voraussicht hoch ein!
Leiste keinen Eid!
Liebe die Freundschaft!
Halt fest an der Bildung!
Jage gutem Ruf nach!
Preise die Tugend!
Tue, was gerecht ist!
Erwidere einen Gunsterweis!
Sei Freunden wohlgesinnt!
Wehre Widersacher ab!
Achte Verwandte!
Halte dich von Unmoralischem fern!

Delphin [grch.] (Delphinus), kleines Sternbild des nördl. Himmels.

Delphinarium *das,* klimatisiertes Salzwasserbecken zur Haltung, Beobachtung oder Dressur von Delphinen.

Delphine [grch.] (Delphinidae), artenreichste Familie vorwiegend Fische fressender Zahnwale von 1 bis 9 m Länge mit waagerechter Schwanzflosse und kegelförmigen Zähnen. D. besitzen ein gut entwickeltes Gehirn (differenzierte Laute zur gegenseitigen Verständigung) und sind in Gefangenschaft sehr gelehrig. Der **Gewöhnliche D.** (Delphinus delphis), bis 2,5 m lang, mit schnabelförmig verlängerter Schnauze, lebt in warmen und gemäßigten Meeren, der **Große Tümmler** (Tursiops truncatus) bevorzugt warme Meere. Der **Schwertwal** (**Butskopf,** Orcinus orca), bis 9 m lang, mit hoher spitzer Rückenflosse, greift auch die größten Meerestiere an. Der **Grind-** oder **Pilotwal** (Globicephala melaena) ist weltweit verbreitet. – Zahlr. Sagen schildern, wie D. Menschen aus Seenot retteten; nachweislich bewahrten D. Menschen vor dem Ertrinken.

📖 NORRIS, K. S.: *Die Zeit der D. Leben u. Überleben einer bedrohten Art. A. d. Amerikan. München 1994.* – CARWARDINE, M.: *D. Biologie, Verbreitung, Beobachtung in freier Wildbahn. A. d. Engl. Augsburg 1996.*

Delphinin *das,* blauer Blütenfarbstoff des Rittersporns (Delphinium) aus der Gruppe der Anthocyane; ein Lebensmittelfarbstoff.

Delphinschwimmen, *Sport:* → Schmetterlingsschwimmen.

Delsberg, Stadt im Kt. Jura, Schweiz, → Delémont.

Delta [grch.] *das,* **1)** Zeichen **Δ, δ,** der 4. Buchstabe des grch. Alphabets.

2) *Geographie:* der Form des grch. Buchstabens Δ entstammende Bez. für eine Flussmündung, die sich unter beständiger Ablagerung der vom Fluss mitgeführten Sinkstoffe in das Mündungsbecken vorschiebt, wobei sie durch vielfältige Verzweigung des Flusslaufs fächerförmige Gestalt erhält. Zw. den Flussarmen liegen dann Altwässer und Sümpfe. Gewaltige D. haben u. a. Nil, Po, Mississippi und Hwangho aufgeschüttet.

Delta Air Lines Inc. ['deltə 'eəlaınz-], nordamerikan. Luftverkehrsgesellschaft, gegr. 1924 (vgl. ÜBERSICHT Luftverkehrsgesellschaften).

Dẹlta Amacụro, Territorium von → Venezuela.

Dẹlta-Cephe|i-Sterne, → Cepheiden.

Dẹltafliegen, das → Drachenfliegen.

Dẹltaflügel, Flugzeugtragflügel, die in Draufsicht die Form eines Dreiecks (Deltas) aufweisen; bietet geringen Widerstand im Überschallbereich und Stabilitätsvorteile. Der Doppel-D. hat gebrochene, der got. D. geschwungene Flügelvorderkanten.

Dẹltafunktional *das* (Deltafunktion, diracsche Deltafunktion), eine → Distribution zur Behandlung besonderer physikal. Probleme, z.B. für sehr kurzzeitige Vorgänge. Das D. $\delta(x-a)$ ist so definiert, dass es für alle Argumente x den Wert 0 annimmt außer für $x=a$, wo das D. derart unendlich wird, dass sein Integral den Wert 1 hat.

Dẹltamuskel, *Medizin:* das Schultergelenk kappenförmig umgebender, zw. Schultergürtel und Oberarmbein liegender Muskel. Aufgaben: z.B. Heben des Arms (Abduktion), Drehen des Arms im Schultergelenk nach innen und außen.

Dẹltaoperator, → Laplace-Gleichung.

Dẹltawerke, 1950–86 geschaffene Anlage zum Schutz vor Meereseinbrüchen im SW der Niederlande, im Delta von Rhein, Maas und Schelde. Die Maßnahmen reichen von vollständiger Abriegelung der Wasserarme bis zum Bau eines bewegl. Sturmflutwehres mit 62 Fluttoren in der Oosterschelde. BILD S. 174

De Lubac [-ly'bak], Henri, Kardinal (seit 1983), *Cambrai 20. 2. 1896, †Paris 4. 9. 1991; seit 1929 Prof. für Apologetik in Lyon, von bed. Einfluss auf die Reformbewegung des 2. Vatikan. Konzils. Sein theolog. Anliegen war die Überwindung des Dualismus zw. Mensch bzw. Natur und Gott.

Delvaux [dɛl'vo], Paul, belg. Maler, *Antheit (bei Huy, Prov. Lüttich) 23. 9. 1897, †Veurne (Prov.

Paul Delvaux: »Die Treppe« (1946; Gent, Museum voor Schone Kunsten)

Delphi: Apollontempel (369–323 v. Chr.)

Westflandern) 20. 7. 1994; stand anfänglich dem Expressionismus nahe, wandte sich um 1934 dem Surrealismus zu; isolierte Figuren (meist Akte) in kulissenhafter Architektur.

Del Vecchio [- 'vɛkkio], Giorgio, italien. Rechtsphilosoph, *Bologna 26. 8. 1878, †Genua 28. 11. 1970; Prof. in Ferrara, Sassari, Messina, Bologna und Rom; entwickelte in Auseinandersetzung mit dem Rechtspositivismus eine idealist. Rechtsphilosophie, die Rechtsbegriff und Rechtsidee unterscheidet. Schrieb u.a. »Die Grundprinzipien des Rechts« (1923), »Die Gerechtigkeit« (1923).

Demagoge [grch. »Volksführer«] *der,* im Griechenland der Antike einflussreicher Redner in Volksversammlungen; heute Volksverführer, Aufwiegler; Politiker, der sich der → Demagogie bedient.

Demagogenverfolgung, die Maßnahmen der Gliedstaaten des Dt. Bundes gegen die nationalen und liberalen Strömungen aufgrund der → Karlsbader Beschlüsse von 1819. Sie wurden nach der Julirevolution von 1830 verschärft und in Preußen bes. streng gehandhabt. Von diesen Verfolgungen wurden namentlich die Burschenschafter betroffen (u.a. Fritz Reuter). Als Folge der D. wurde der liberalen Opposition im Dt. Bund die legale Basis entzogen.

Demagogie *die,* Aufwiegelung und Verführung einer Volksmasse zur Durchsetzung polit. Ziele durch Appelle an Emotionen und Vorurteile, durch Lügen, unbewiesene Behauptungen und abschätzige Kritik polit. Gegner.

Demarche [de'marʃ(ə); frz. »Schritt«] *die,* förml. Erklärungshandlung im diplomat. Verkehr, die ein bestimmtes Verhalten des Staates, an den die D. gerichtet ist, veranlassen will.

Demarkation [frz., zu ahd. marka »Grenze«] *die* (Delimitation), Festlegung der Grenzen zw. Staaten nach Gebietsveränderungen oder Konflikten durch Vereinbarung. **D.-Linie,** vorläufige Ab-

Delta Air Lines Inc.

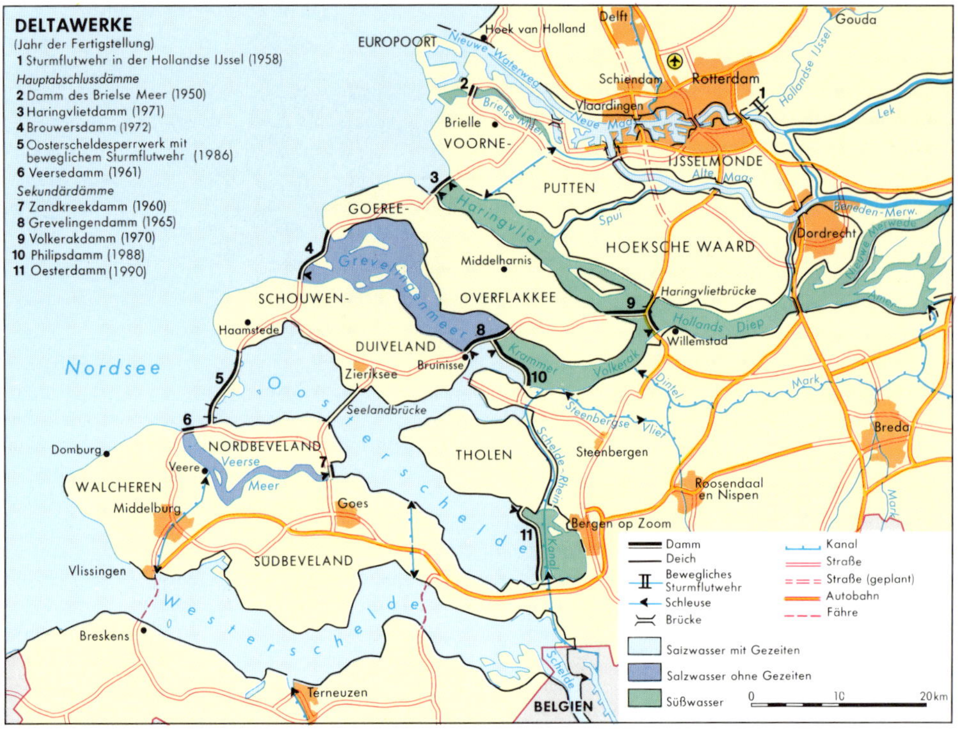

grenzung von Hoheitsgebieten, die im völkerrechtl. Sinne keine Staatsgrenze bildet.

Demawẹnd *der,* der höchste Berg Vorderasiens, im Elbursgebirge, Iran, 5671 m ü. M.; am Fuß des vergletscherten Vulkankegels entspringen warme Schwefelquellen.

Dẹmblin, dt. Name der poln. Stadt →Dęblin.

Demẹnti, [frz.] *das,* offizielle Richtigstellung, Widerruf.

Demẹnz *die* (lat. Dementia), erworbene, meist irreversible Minderung geistiger Fähigkeiten (Intelligenz, Gedächtnis, Auffassungsgabe) durch Hirnschädigungen, im Unterschied zum angeborenen Intelligenzmangel (→Oligophrenie). Ursachen u. a.: Gefäßveränderungen (arteriosklerot. D.), chron. Vergiftungen, z. B. nach ständigem Alkoholmissbrauch (Alkohol-D.), Infektionen. Tritt die D. in höherem Alter auf, so wird sie als **senile D.** (früher: Altersblödsinn) bezeichnet. – **Dementia praecox** ist eine veraltete Bez. für →Schizophrenie.

Demẹter, *grch. Mythos:* Göttin des Erdsegens und der Fruchtbarkeit, Schwester des Zeus, Mutter der Persephone, die von Hades in die Unterwelt entführt wurde. Ihr zu Ehren wurden die Eleusinischen Mysterien (→Eleusis) und die Thesmophorien (ein Fruchtbarkeitsfest) gefeiert.

Demẹtrios, makedon. und syr. Könige, bes. **D. I. Poliorkẹtes** [grch. »Städtebelagerer«], *um 336, †Apameia am Orontes um 283 v. Chr.; zus. mit seinem Vater Antigonos I. Monophthalmos Herrscher (seit 306 König) über dessen kleinasiat. Diadochenreich. 294 wurde er König der Makedonen (von Pyrrhos 287 vertrieben). In Kleinasien musste er sich 285 seinem Schwiegersohn Seleukos I. ergeben, in dessen Haft er starb.

Demẹtrios von Phạleron, athen. Gelehrter und Staatsmann, *um 360 v. Chr., †in Ägypten um 280; verfasste philosoph., histor. und polit. Schriften. 307 v. Chr. aus Athen vertrieben. Er regte am Hofe Ptolemaios' I. die Gründung der Alexandrin. Bibliothek an.

Demẹtrius, russ. Großfürsten und Herrscher, →Dmitri.

De Mille [dəˈmil], Cecil B. (Blount), amerikan. Filmproduzent und -regisseur, *Ashfield (Mass.) 12. 8. 1881, †Los Angeles 21. 1. 1959; schuf monumentale Ausstattungsfilme zu bibl. und antiken Themen, u. a. »Die zehn Gebote« (1923, 1956).

Demineralisatiọn [lat.] *die, Medizin:* Verarmung des Körpers an wichtigen Mineralstoffen im Alter oder bei Krankheit, z. B. bei Kalkverlust der Knochen (Osteoporose).

Demirẹl, Süleyman, türk. Politiker, *İslâmköy (Prov. Isparta) 6. 10. 1924; Ingenieur, 1964–80/81 Vors. der Gerechtigkeitspartei, 1965–71, 1975–77 (mit Unterbrechungen) und 1979–80 MinPräs.; nach dem Militärputsch von 1980 wurde ihm und anderen (z.B.: B. Ecevit, N. Erbakan) jede polit. Betätigung untersagt. 1987 politisch rehabilitiert, gründete D. die Partei des Rechten Weges und übernahm nach deren Wahlsieg 1991 das Amt des MinPräs.; nach dem Tode des Staatspräs. T. Özal wählte ihn das Parlament 1993 zu dessen Nachfolger.

demi-sec [-ˈsɛk, frz.], halbtrocken, Geschmacksklassifizierung für Schaumweine mit 33–50 g/l Restzuckergehalt.

Demission [frz.] *die,* Niederlegung (eines Amtes), Rücktritt (einer Regierung oder eines Ministers).

Demiurg [grch. »Handwerker«] *der,* bei Platon der Weltbaumeister (Dialog »Timaios«), der die chaot. Materie nach ewigen Ideen zum geordneten, beseelten und vernunftbegabten Kosmos formt; bei Plotin der dem Einen entspringende Geist (Nus), der die Vielfalt der Welt aus sich entlässt.

Demke, Christoph, evang. Theologe, *Berlin 3.5.1935; seit 1983 Landesbischof der evang. Kirche der Kirchenprovinz Sachsen.

Demeter: Marmorstatue aus dem Heiligtum von Demeter und Kore in Knidos, Höhe 1,53 m (340/330 v. Chr.; London, Britisches Museum)

Demmin, 1) Landkreis in Meckl.-Vorp., mit (1996) 1921 km² und 98900 Einwohnern.

2) (amtl. Hansestadt D.) Kreisstadt von 1) in Meckl.-Vorp., an der Peene, 14500 Ew.; Zucker-, Möbelfabrik, Brauerei. – Teile der alten Stadtmauer mit fünf Tortürmen sind erhalten; gotische Backsteinkirche. – D., 1070 als Burg der Liutizen erwähnt, erhielt 1236 lüb. Stadtrecht; war Mitgl. der Hanse. 1648 kam D. an Schweden, 1720 an Preußen.

Demobilmachung (Demobilisierung), die Zurückführung der Streitkräfte, der Wirtschaft und der Verwaltung eines Landes aus dem Kriegs- in den Friedenszustand.

Demetrios I. Poliorketes: Bildnis mit Stierhorn und Binde auf einer zeitgenössischen Drachme

Democrazia Cristiana, Abk. **DC,** italien. Partei, gegr. 1942 im Widerstand gegen den Faschismus, bekannte sich zu einem christlich-demokrat. Staatsaufbau und orientierte sich gesellschaftspolitisch an der kath. Soziallehre. Die Rivalität innerparteil. Gruppierungen (»Correnti«), die auch organisatorisch relativ selbstständig waren, erschwerte oft eine einheitl. Willensbildung der Partei. Ab 1945 entwickelte sich die Partei zur stärksten Gruppe innerhalb des italien. Parteienfeldes. Sie stellte meist den MinPräs. (u.a.: A. de Gasperi, A. Segni, A. Fanfani, A. Moro, G. Andreotti) und oft den Staatspräsidenten (A. Segni, G. Leone, F. Cossiga). Nach dem Verlust der 1948 gewonnenen absoluten Mehrheit schloss die DC ab 1953 unterschiedl. Koalitionen: Bis 1960 überwogen nach »rechts«, seitdem nach »links« geöffnete Regierungsbündnisse. Unter der Leitidee eines »histor. Kompromisses« kam es in den 70er-Jahren zeitweilig zu einer parlamentar. Zusammenarbeit mit den Kommunisten.

Unter dem Vorwurf parteipolit. Verflechtungen und persönl. Verstrickungen von DC-Politikern (z.B.: G. Andreotti) mit der organisierten Kriminalität verlor die DC zu Beginn der 90er-Jahre stark an polit. Glaubwürdigkeit in der Bev. und löste sich im Jan. 1994 auf. Aus ihr gingen im selben Monat der Partito Popolare Italiano (PPI), das Centro Democratico Cristiano (CDC) und die Cristiani Democratici Uniti (CDU) hervor.

Demodex [grch.], Gattung der →Haarbalgmilbe.

Demodulation [lat.] *die, Nachrichtentechnik:* Rückgewinnung der niederfrequenten Schwingungen, die einer hochfrequenten Trägerschwingung durch →Modulation aufgeprägt wurden.

Demographie [grch.] *die,* →Bevölkerungswissenschaft.

demographischer Übergang, eine bevölkerungswissenschaftl. Theorie über die Entwicklung der Geburten- und Sterbeziffern während der Übergangsphase von der Agrar- zur Industriegesellschaft. In traditionellen Gesellschaften ist so-

Süleyman Demirel

wohl die Geburten- als auch die Sterbeziffer hoch, sodass die Wachstumsrate der Bev. sehr gering ist. Durch medizin. Fortschritt sinkt zunächst die Sterblichkeitsrate, mit zunehmender allgemeiner Bildung und einsetzender Industrialisierung auch die Geburtenziffer. Wenn sich Geburten- und Sterbeziffern auf niedrigem Niveau stabilisieren, stellt sich Nullwachstum der Bev. ein. Familienplanungsprogramme und Wirtschaftshilfe sollen den d.Ü. in Entwicklungsländern beschleunigen.

📖 Birg, H. *u.* Koch, H.: *Der Bevölkerungsrückgang in der Bundesrep. Deutschland. Frankfurt am Main u. a. 1987.*

Demokratie
ist im Grunde die Anerkennung, dass wir, sozial genommen, alle füreinander verantwortlich sind.
Heinrich Mann

Demokratie, das bedeutet Herrschaft der Politik; Politik, das bedeutet ein Minimum von Sachlichkeit.
Thomas Mann

Demokratie [grch. »Herrschaft des Volkes«] *die,* Volksherrschaft, eine Form des polit. Lebens, die von der Gleichheit und Freiheit aller Bürger ausgeht und die Willensbildung der Gemeinschaft oder des Staates vom Willen des gesamten Volkes ableitet (A. Lincoln: »Regierung des Volkes durch das Volk für das Volk«); der Begriff D. wird von sehr unterschiedlichen polit. Richtungen in Anspruch genommen. Das Volk als eigentl. Träger der Staatsgewalt (Volkssouveränität) ist berufen, seinen Willen in Mehrheitsentscheidungen kundzutun, entweder unmittelbar (**unmittelbare** oder **direkte D.,** z.B. auf der Landsgemeinde in einigen schweizer. Kantonen) oder durch die Wahl von Abgeordneten zur Volksvertretung **(mittelbare** oder **repräsentative D.);** die Letztere ist heute die gebräuchlichste Art. Die Volksvertretung beschließt die Gesetze und ist in den meisten Staaten bes. W- und N-Europas an der Bildung der Regierung beteiligt; die Regierung bedarf des Vertrauens der Volksvertretung und wird durch diese kontrolliert **(parlamentar. D.).** Oft ist auch der unmittelbare →Volksentscheid (Plebiszit) vorgesehen. In einigen Staaten wählt das Volk den Reg.chef **(Präsidial-D.),** in der Schweiz als Kollegium (zum Schutz vor Missbrauch der Einzelgewalt).

Grundbestandteile einer demokrat. Verf. sind allgemeine, freie, geheime und in bestimmten Mindestabständen stattfindende Wahlen, die Verteilung der drei Hauptaufgaben staatlicher Machtausübung (Gesetzgebung, Regierung, Rechtsprechung) auf voneinander unabhängige Organe (→Gewaltenteilung) und die Garantie der →Grundrechte. Die Staatshandlungen müssen mit der Mehrheit des Volkswillens (Mehrheitsprinzip) sowie mit der Verf. und den Gesetzen (Rechtsstaat) übereinstimmen. Voraussetzung einer D. ist, dass die Minderheit als Opposition ungehindert zu Wort kommt, dass ein Reg.wechsel mit friedl. Mitteln gesichert ist (letztlich durch Neuwahlen), dass die Minderheit durch Gesetze (Erschwerung der Verf.änderung) und durch demokrat. Spielregeln geschützt ist (keine unfaire Änderung der Wahlgesetze vor Neuwahlen) und dass die Organe der öffentl. Meinung vom Staat unabhängig sind.

Die Erscheinungsformen der D. sind vielgestaltig: Eine D. ist nicht notwendig eine Republik, so können parlamentar. Monarchien praktisch D. sein (z.B. Großbritannien, die Beneluxstaaten und die nordeurop. Staaten). Andererseits verstanden sich Diktaturen – v.a. im 20. Jh. – als D. und bedienten sich bestimmter demokrat. Elemente. Die in der Sowjetunion und den ehemals kommunistisch regierten Ländern O-Europas praktizierten Formen des →Rätesystems und der →Volksdemokratie scheiterten endgültig an der Schwelle der 90er-Jahre.

Die Idee der **Basis-D.** zielt auf eine Überwindung der Trennung von Gesellschaft und Staat, Alltagsfragen und Politik durch herrschaftsfreie Kommunikation der Gesamtheit der Bürgerschaft (→Demokratisierung).

Geschichte: Demokrat. Verfassungen gab es in altgrch. Stadtstaaten (Athen, 508 v.Chr.). Die D. galt jedoch bis über das MA. hinaus als nachteilige, weil instabile Staatsform neben der Herrschaft eines Einzelnen (Monarchie) und der Herrschaft Weniger (Oligarchie). Im 13. Jh. entstand eine bäuerl. D. in den schweizer. Urkantonen. Frühchristl. Gedankengut (Überzeugung von der Gotteskindschaft aller Menschen) wurde im 16. Jh. durch den linken Flügel des Kalvinismus wirksam (Genf); in der engl. Revolution des 17. Jh. wurde diese religiöse D. auf das polit. Leben bes. in den Gemeinden übertragen (→Independenten). Mit den Pilgervätern kamen diese Gedanken nach Amerika, wo sie am umfassendsten und dauerhaftesten in der Unabhängigkeitserklärung der USA (1776) und in der »Erklärung der Menschen- und Bürgerrechte« verwirklicht wurden. In Europa bereiteten Gleichheitsvorstellungen die D. vor: der Pietismus (Vorrang der Erwählung vor der Herkunft), der Absolutismus (Gleichheit der Pflichten), die Aufklärungsphilosophie (Gleichheit der Rechte). Zu diesen Einflüssen trat in Frankreich im Zeitalter der Aufklärung (Montesquieu, Rousseau) der Glaube an die menschl. Vernunft, der seinen polit. Niederschlag in der Frz. Revolution fand. Die »Ideen von 1789« breiteten sich mit der Forderung der Menschenrechte und der Humanität rasch über Mittel- und N-Europa aus und führten zur Ausbildung konstitutioneller Monarchien mit demokrat. Verfassungen. Seitdem bildete sich das demokrat. Ideengut in Auseinandersetzung mit sozialist. Theorien, ihren polit. Umsetzungen und im Gefolge des Strebens breiter Volksmassen nach sozialem Aufstieg und polit. Mitverantwortung ständig fort; gleichzeitig fiel die polit. Willensbildung den →Parteien zu, die mehr und mehr Eigengewicht erhielten. In der Gegenwart findet sich ein Zug zur »Expertokratie« und zur »Technokratie«; für den einzelnen Bürger wie für die öffentl. Meinung wird es immer schwerer, fundierte Kritik zu üben und damit der Kontrollfunktion gerecht zu werden. Daher wenden sich die neuen sozialen Bewegungen basisdemokrat. Ideen zu.

Die Arbeit an einer gegenwartsgemäßen, lebensfähigen und gegen Diktatur gefestigten D. ist einem ständigen innergesellschaftl. Meinungsbildungsprozess unterworfen.

📖 FRAENKEL, E.: *Deutschland u. die westl. D. Neuausg. Frankfurt am Main ²1991.* – SARTORI, G.: *Demokratietheorie. A. d. Engl. Darmstadt 1992.* – SCHMIDT, MANFRED G.: *Demokratietheorien. Opladen 1995.*

Demokratie Jetzt, Abk. **DJ,** am 12. 9. 1989 gegründete, aus kirchl. Kreisen hervorgegangene Bürgerbewegung in der DDR; maßgeblich beteiligt am demokrat. Umbruch im Herbst 1989, schloss sich am 7. 2. 1990 mit anderen Bürgerbewegungen zum →Bündnis 90 zusammen.

Demokratische Allianz (eigtl. Demokratisch-Republikanische Allianz, frz. Alliance Républicaine Démocratique), frz. bürgerlich-liberale Partei, gegr. 1901, repräsentierte unter wechselnden Namen in der Dritten Republik einen gemäßigten Republikanismus.

Demokratische Bauernpartei Deutschlands, Abk. **DBD,** Partei in der DDR, gegr. 1948 unter maßgebl. Mitwirkung früherer KPD-Funktionäre, um die Landbev. an die Politik der SED heranzuführen. 1990 schloss sie sich der CDU (Ost) an und vereinigte sich mit dieser am 1./2. 10. 1990 mit der bundesdt. CDU.

Demokratische Partei (engl. Democratic Party), polit. Partei in den USA; geht zurück auf die Antifederalists, die als Gegner der Verf. von 1787 die Kompetenzen der Eigenstaaten stärken wollten, und die (Demokrat.) Republikaner unter T. Jefferson; bildete sich unter Führung von A. Jackson; spaltete sich im Vorfeld des →Sezessionskrieges in einen nord- und einen südstaatl. Flügel und verlor damit ihre bis dahin dominierende polit. Rolle an die 1854 gegr. Republikan. Partei. Die D. P. stellte die Präs. S. G. Cleveland (1885–89 und 1893–97), T. W. Wilson (1915–21), F. D. Roosevelt (1933–45), H. S. Truman (1945–53), J. F. Kennedy (1961–63), L. B. Johnson (1963–69), J. E. Carter (1977–81), B. Clinton (ab 1993). Ihre seit 1933 fast ununterbrochene Mehrheit im Kongress ging bei den Wahlen von 1994 in beiden Häusern verloren. Trotz ihrer stärkeren sozialpolit. Ausrichtung weist die D. P. nur geringe ideolog. Unterschiede zur Republikan. Partei auf.

Demokratische Partei Saar, Abk. **DPS,** nach 1945 im Saargebiet gegr. Partei (1951–55 verboten), wandte sich gegen die Loslösung des Saarlandes vom dt. Staatsgebiet; seit 1957 Landesverband der F. D. P.

Demokratischer Aufbruch, im Dez. 1989 gegründete polit. Partei in der DDR, hervorgegangen aus einer im Juli 1989 begründeten kirchl. Initiative. Der D. A. war eine der Bürgerbewegungen des Herbstes 1989. Er bildete bei den Volkskammerwahlen vom 18. 3. 1990 mit CDU und DSU die »Allianz für Dtl.«, schloss sich im Aug. 1990 der CDU (Ost) an und vereinigte sich mit dieser am 1./2. 10. 1990 mit der bundesdt. CDU.

Demokratischer Frauenbund Deutschlands, Abk. **DFD,** 1947 gegründete Frauenorganisation in der DDR, bis 1989 von der SED gelenkt; seit 1989/90 unabhängig; Rechtsnachfolger ist der **Demokrat. Frauenbund e. V.** (dfb).

demokratischer Sozialismus, Richtung innerhalb des Sozialismus, betont unter Abkehr von marxist. Grundvorstellungen (u. a. Klassenkampf, proletar. Revolution, Diktatur des Proletariats) den demokrat. Weg zum Sozialismus und dessen freiheitl. Ausgestaltung. Kommunismus und Totalitarismus werden zugunsten der parlamentar. Demokratie abgelehnt.

demokratischer Zentralismus, das verbindl. Organisations- und Leitungsprinzip der kommunist. Parteien, nach dem Gewinn der Macht in einem Land auch des Staatsapparates und der gesellschaftl. Organisationen. Der d. Z. fordert: 1. Alle leitenden Organe sollen jeweils von unten nach oben gewählt werden; 2. alle Mitglieder haben strengste Parteidisziplin zu wahren; die Minderheit muss sich der Mehrheit bedingungslos unterwerfen; 3. die Beschlüsse höherer Organe sind für die niederen absolut bindend.

Demokratisierung, polit. Schlagwort für die Forderung, auch im nichtstaatl. Bereich (z. B. in Wirtschaft, Schule, Universität) eine demokrat. Willensbildung und Beschlussfassung herbeizuführen, also die im jeweiligen Bereich Tätigen am Entscheidungsprozess teilnehmen zu lassen.

Demokrit (grch. Demokritos), grch. Philosoph, *Abdera um 460 v. Chr., †zw. 380 und 370 v. Chr.; der erste Systembildner der Philosophie und der umfassendste Forscher der Antike vor Aristoteles; Hauptvertreter der →Atomistik. Er versuchte, mit deren Hilfe Bewegung, Werden und Vergehen in der Wirklichkeit zu erklären und gab damit eine konsequent mechanistisch-materialist. Weltdeutung, die über P. Gassendi und G. Galilei nachhaltig auf die Entwicklung der modernen Naturwissenschaft einwirkte. – Auf seine Lehre, dass die durch maßvolle und gleichmütige Haltung zu erlangende Glückseligkeit das höchste Gut sei, geht der →Eudämonismus zurück.

Demokrit (Stich nach einer Zeichnung von Peter Paul Rubens)

Demonetisierung [zu lat. moneta »Münze«], Zurückdrängung des Goldes als wichtigstes Zah-

Eva Demski

lungs- und Reservemedium im internat. Währungssystem (seit 1974), u.a. durch Schaffung anderer Reservemedien (z.B. Sonderziehungsrechte), Aufhebung der Goldkonvertibilität des US-Dollars, Abschaffung des offiziellen Goldpreises und Beseitigung der Funktion des Goldes als gemeinsame Bezugsgröße für die Wechselkurse.

Demonstration [lat.] *die,* **1)** *allg.:* Beweisführung, Darlegung.

2) *Politik:* öffentliche Kundgebung von gesellschaftl. Forderungen sowie innen- und außenpolit. Anschauungen, in totalitären und autoritären Staaten ausschließlich in systemkonformer Aussage und Organisation, in Demokratien häufig zugleich veranstaltet als Protest gegen Maßnahmen der Regierung, ihrer nachgeordneten Verwaltungsbehörden oder gegen Ziele und Handlungen polit. Gegner.

Neben öffentl. Umzügen oder Versammlungen unter freiem Himmel entwickelten sich weitere Demonstrationstechniken: z.B. das →Go-in oder →Sit-in, die Bildung von Menschenketten oder Blockaden. Das Recht zu friedl. D. ist in freiheitlich-demokrat. Staaten durch die Grundrechte der →Meinungsfreiheit und der →Versammlungsfreiheit gesichert und zugleich begrenzt (in Dtl. durch Art. 5 und 8 GG). Führt eine D. zu Störungen der öffentl. Sicherheit und Ordnung, so ist ein Einschreiten der Polizei zulässig; artet eine D. in Gewalttätigkeiten gegen Personen oder Sachen aus, so machen die Demonstranten sich strafbar (→Landfriedensbruch). D. unter freiem Himmel müssen spätestens 48 Stunden vor ihrer Bekanntgabe bei der Ordnungsbehörde angemeldet werden; sie können unter bestimmten Voraussetzungen verboten werden (Versammlungs-Ges. i.d.F. v. 15. 11. 1978).

Demonstrativpronomen, *Grammatik:* hinweisendes →Pronomen.

Demontage [-ˈtaːʒə, frz.] *die,* erzwungener Abbau von Industrieanlagen, bes. in einem besiegten Land.

Die D. dt. Industrieanlagen, auf den Konferenzen der Anti-Hitler-Koalition von Jalta (Febr. 1945) und Potsdam (Juli–Aug. 1945) als Form der Dtl. auferlegten →Reparationen beschlossen, wurde nach einem von den Alliierten aufgestellten Ind.plan (März 1946) vorgenommen. Dieser sah die D. von 1800 Betrieben vor. Die D. betraf bes. die Eisen- und Stahlindustrie, die chem. Industrie, den Maschinen- und Fahrzeugbau, Schiffswerften sowie Zulieferwerke der Grundstoffindustrie. Widerstände in Dtl. und Kritik der D.-Politik in den USA führten zu mehrfacher Revision der D.-Pläne der Westmächte (zuletzt im Petersberger Abkommen, 22. 11. 1949). Ende 1950 wurde die D. in der Bundesrep. Dtl. eingestellt. – In der sowjet. Besatzungszone (SBZ) wurde die D. teilweise wesentlich über die im Ind.plan festgelegten Kapazitätsgrenzen ausgedehnt. Die D. erfolgte in mehreren Wellen bis 1948, vereinzelt auch noch später; daneben wurden Reparationen aus der laufenden Produktion entnommen. Der Gesamtwert der demontierten Anlagen wird für W-Dtl. auf bis zu 5,4 Mrd. DM geschätzt, für O-Dtl. auf bis zu 5 Mrd. DM.

Demutsgebärde eines Hundes

de mortuis nil nisi bene [lat.], von den Toten (rede) nur gut.

Demos [grch. »Gemeinde«, »Volk«] *der,* im alten Griechenland urspr. die zusammen siedelnde Sippe, später sowohl die gesamte Staatsbürgerschaft und deren Versammlung als auch nur das niedere Volk, im Besonderen die städt. Menge (→Demokratie). Im Anschluss an die alte Bedeutung hießen vielerorts auch ländl. Gemeinwesen Demos.

Demoskopie [grch.] *die,* →Meinungsforschung.

Demosthenes, grch. Redner und Staatsmann, *Paiania (Attika) 384 v.Chr., †auf Kalaureia (heute Poros) 322 v.Chr.; versuchte vergeblich, die polit. Freiheit der Griechen gegen die makedon. Großmacht zu verteidigen (philippische, →Philippika, und olynthische Reden). 324 wurde er wegen angebl. Bestechung durch Harpalos verurteilt und floh nach Troizen (Argolis). Nach dem Tod Alexanders d. Gr. (323) ehrenvoll zurückgerufen, musste er vor Antipater abermals fliehen und beging Selbstmord. Von den 60 unter seinem Namen erhaltenen Reden sind mehrere unecht.

demotische Schrift, →ägyptische Schrift.

Dempf, Alois, kath. Philosoph, *Altomünster (Kr. Dachau) 2. 1. 1891, †Eggstätt (Kr. Rosenheim) 15. 11. 1982; veröffentlichte Untersuchungen zur patrist. und mittelalterl. Philosophie, systemat. Arbeiten zur Geschichts- und Kulturphilosophie, Anthropologie und Wissenschaftslehre vom thomist. Standpunkt (Neuscholastik) aus.

Demski, Eva, geb. Küfner, Schriftstellerin, * Regensburg 12. 5. 1944; bis 1977 Journalistin, verarbeitet in ihren Romanen die Geschichte der Bundesrep. Dtl. (»Goldkind«, 1979; »Scheintod«, 1984; »Afra«, 1992).

Demulgatoren [lat.], oberflächenaktive Stoffe wie Salze von Fett- oder Sulfonsäuren, die die Entmischung einer Emulsion bewirken.

Demus, Jörg, österr. Pianist, * Sankt Pölten 2. 12. 1928; verfügt über ein breites Repertoire, wobei seine Vorliebe Werken der Romantik gilt; auch Liedbegleiter.

Demut, die Eigenschaft, um anderer Menschen willen oder angesichts göttl. Macht sich selbst zurückzustellen. In der grch. Antike im Gegensatz zur Hybris gesehen. Im A. T. als Ausdruck grundsätzl. Abhängigkeit des Menschen von Gott gefordert. Im N. T. und im Christentum orientiert sich die D. als christl. Grundhaltung (Tugend) an der Selbsterniedrigung Jesu: In der D. akzeptiert der Mensch seine eigenen Grenzen und stellt sich unter das Gebot der Gottes- und Nächstenliebe.

Demutsgebärde (Demutsstellung), Körperhaltung eines Tieres, wenn es sich (z. B. im Rivalenkampf) geschlagen gibt. D. verhindern ernsthafte Schädigung oder Tötung, sind angeboren, zeigen Haltungen, die den Körperumfang kleiner erscheinen lassen oder bieten verwundbare Körperstellen ungeschützt dar.

Denali, bei den Indianern Name des Mount →McKinley in Alaska (USA), im **D. National Park** (bis 2. 12. 1980 Mount McKinley National Park; 19 020 km², u. a. mit Bären, Karibus, Bergschafen; eingerichtet 1917).

Denar [lat. »Zehner«] *der,* **1)** altröm. Silbermünze, urspr. = 10 As.

2) karoling. Silbermünze = 1/12 Solidus (Schilling) = 1/240 Pfund Silber, eine Einteilung, die im brit. Münzwesen bis 1971 erhalten blieb.

Denaturalisation [lat.] *die,* Entlassung aus der Staatsangehörigkeit.

denaturieren [lat.], Alkohol, Kochsalz u. a. für Genusszwecke unbrauchbar machen.

Dendera

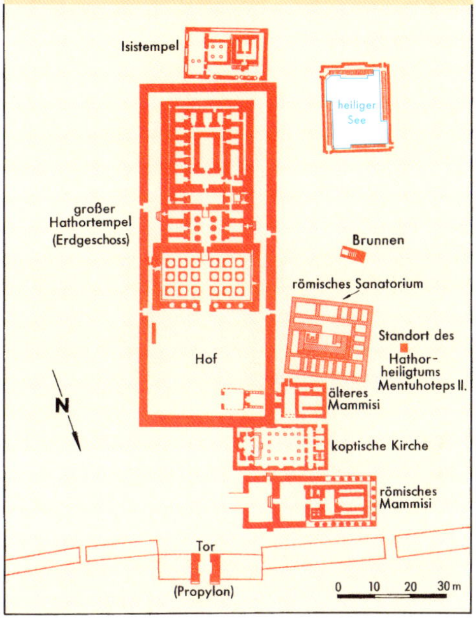

Dendera: Lageplan der ägyptischen Ruinenstätte

Denbighshire [ˌdenbɪʃɪə], neues Verw.gebiet in NO-Wales, Großbritannien, umfasst den zentralen Teil der bisherigen Cty. Clwyd, Verw.sitz ist Ruthin.

Dendera, Dorf und Ruinenstätte in Oberägypten, am linken Ufer des Nils, bei Kena; in der Nähe der Haupttempel der Göttin Hathor, einer der besterhaltenen Tempel Ägyptens (1. Jh. v. Chr.).

Dendrit [von grch. déndron »Baum«] *der,* **1)** *Anatomie:* fein verästelter Fortsatz einer Nervenzelle (→Nerven).

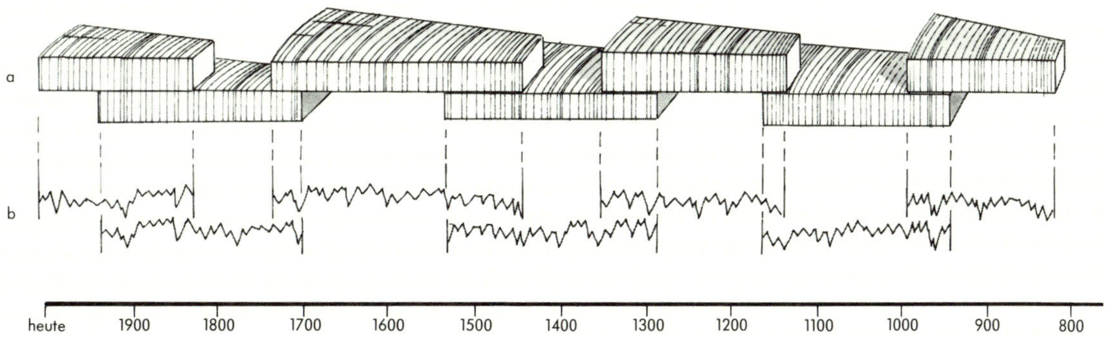

Dendrochronologie: Überbrückungsverfahren zur Erstellung einer Jahresringchronologie: a Holzproben alter Gegenstände mit einer ausreichenden Anzahl von Jahresringen ergeben ein für sie charakteristisches Kurvenbild; b Kurvenlinien, deren Anfang und Ende mit denen anderer Hölzer übereinstimmen, ergeben aneinander gefügt einen Kalender

Den Haag: Der Friedenspalast (Vredespaleis), Sitz des Internationalen Gerichtshofs, wurde 1907–13 im historisierenden Stil erbaut

2) *Mineralogie:* verästelte, moos-, strauch- oder baumförmige Kristallbildungen, auch als Einschluss (z.B. **Moosachat**) oder auf Mineral- und Gesteinsfugen; v.a. von Eisen- und Manganoxiden oder -hydroxiden, aber auch Blei gebildet.

Den Haag Stadtwappen

Dendrochronologie (Baumringchronologie), ein Verfahren zur Datierung vorgeschichtl. Kulturschichten aus den Jahresringen der darin gefundenen Hölzer. BILD S. 179

Dendrologie [grch.] *die* (Gehölzkunde), Lehre von den Bäumen und Sträuchern.

Dene, Kirsten, Schauspielerin, *Hamburg 16. 3. 1943; Zusammenarbeit mit C. Peymann in Stuttgart (1972–79), Bochum (ab 1979) und am Wiener Burgtheater (seit 1986).

Deneb [arab.] *der,* Stern 1. Größe (α Cyg) im Sternbild Schwan.

Deneuve [dəˈnœv], Cathérine, eigtl. C. Dorléac, frz. Filmschauspielerin, *Paris 22. 10. 1943; wandlungsfähige Darstellerin, u.a. in den Filmen »Belle de jour – Schöne des Tages« (1966), »Die schönen Wilden« (1975), »Ein Hauch von Zärtlichkeit« (1976), »Die letzte Metro« (1980), »Indochine« (1992), »Meine liebste Jahreszeit« (1994).

Cathérine Deneuve

dengeln, Sensen oder Sicheln durch Dünnschlagen der Schneide schärfen.

Denghoog [»Thinghügel«] *der,* jungsteinzeitl. Megalithgrab bei Wenningstedt auf Sylt.

Denguefieber [ˈdɛŋge-, span.] (Dandyfieber, Siebentagefieber), durch Stechmücken der Gattung Aedes übertragene Infektionskrankheit der Tropen und Subtropen. Erreger ist das Denguevirus; Kennzeichen sind, nach einer Inkubationszeit von 5–8 Tagen, v.a. Fieber, Gelenk- und Muskelschmerzen sowie Hautausschlag.

Deng Xiaoping [-çiao] (Teng Hsiao-p'ing), chines. Politiker, *Guang'an (Prov. Sichuan) 22. 8. 1904, †Peking 19. 2. 1997; nahm 1934/35 am →Langen Marsch teil. 1952 wurde er stellv. MinPräs., 1954 Gen.-Sekr. des ZK der KPCh, 1955 Mitgl. des Politbüros und 1956 seines ständigen Ausschusses. Während der Kulturrevolution wurde er 1967 politisch ausgeschaltet, 1973 jedoch rehabilitiert. Er wurde wieder Mitgl. des ZK und stellv. MinPräs.; 1974 kehrte er in das Politbüro, 1975 in den ständigen Ausschuss des Politbüros zurück. Im selben Jahr wurde D. stellv. Vors. des ZK der KPCh und Generalstabschef. Als »Anhänger eines kapitalist. Weges« wurde D. 1976 wieder aller Ämter enthoben. Nach seiner erneuten Rehabilitierung (1977) und Wiedereinsetzung in seine Ämter stieg D. zum führenden Politiker der VR China auf. Er reformierte die Wirtschaft und betrieb eine Politik der »Öffnung« gegenüber dem Westen, unterband jedoch eine polit. Liberalisierung. 1980 trat er von seinen Staatsämtern zurück, 1987 von seinen Parteifunktionen. Als Vors. (1981–89) der Zentralen Militärkommission des ZK der KPCh und Vors. (1983–90) der staatl. Zentralen Militärkommission (Oberbefehlshaber) war er mitverantwortlich für den blutigen Militäreinsatz gegen die Demokratiebewegung im Juni 1989. Auch nach Aufgabe aller offiziellen Ämter blieb er politisch einflussreich.

Den Haag [niederländ. dɛnˈha:x] (amtl. niederländ. 's-Gravenhage), Residenzstadt sowie Reg.- und Parlamentssitz der Niederlande, Hptst. der Prov. Südholland, liegt zw. den Mündungen des Alten Rheins und der Nieuwe Maas, reicht mit seinem Stadtteil Scheveningen (Seebad und Fischereihafen) bis an die Nordsee, 444700 Ew.; D. H. ist Sitz des höchsten niederländ. Gerichts, des Internat. Gerichtshofs, des Ständigen Schiedsgerichtshofs und der Völkerrechtsakademie; Hochschule für Sozialstudien, Königl. Konservatorium für Musik und Tanz; Gemäldegalerien (bes. Mauritshuis, 1633–44), Königl. Akademie der Bildenden Künste, Königl. Bibliothek, Museen, Theater, Reichsarchiv; internat. Kunsthandel; Miniaturstadt Madurodam; Maschinen- und Fahrradbau, Metall-, Möbel-, elektrotechn., Kunststoff-, pharmazeut., Nahrungsmittel-, graf. u.a. Industrie; Verkehrsknotenpunkt; D. H. ist auch Kongressstadt. – Zentrum der Stadt ist das mittelalterl. Grafenschloss (der Binnenhof) mit Sitzungssaal der Generalstaaten; spätgot. Groote Kerk (14./15. Jh.), zahlr. Bauten aus dem 17. und 18. Jh., königliche Paläste. – D. H. ist 1250 um den Binnenhof, das Schloss der Grafen von Holland, entstanden; wurde im 16. Jh. Sitz der niederländ. Generalstaaten und erhielt erst 1811 Stadtrecht.

Maurice Denis: »Die Musen« (1893; Paris, Musée d'Orsay)

Den Helder, Hafenstadt in den Niederlanden, an der Nordspitze der Prov. Nordholland, gegenüber der Insel Texel, 61 100 Ew.; Flottenstützpunkt der niederländ. Marine und der NATO; Marineoffiziers-, Seefahrtschule, Marinemuseum; Fischereihafen, Werften.

Denier [dəˈnje, frz.] *das,* Einheitenzeichen **den,** nichtgesetzl. Einheit der längenbezogenen Masse (Fadenstärke) bei textilen Fäden: 1 den = 1/9 g/km = 1/9 tex.

Denikin, Anton Iwanowitsch, russ. General, *bei Warschau 16. 12. 1872, †Ann Arbor (Mich.) 8. 8. 1947; war 1917 Oberbefehlshaber der russ. Westfront; kämpfte 1918–20 als Führer einer Freiwilligenarmee in S-Russland gegen die Bolschewiki und wurde im Okt. 1919 von der Roten Armee besiegt. 1920 ging er ins Exil (zuletzt in die USA).

De Niro [dəˈnaɪərəʊ], Robert, amerikan. Filmschauspieler und -produzent, *New York 17. 8. 1943; der internat. Durchbruch gelang ihm mit Filmen von F. F. Coppola und M. Scorsese; Filme u. a.: »Der Pate II« (1974), »Taxi Driver«, »Der letzte Tycoon«, »1900« (alle 1976), »Wie ein wilder Stier« (1980), »Mission« (1986), »Good Fellas« (1990), »Zeit des Erwachens« (1990), »Kap der Angst« (1992).

Denis [dəˈni], Maurice, frz. Maler, *Granville (Dép. Manche) 25. 11. 1870, †Saint-Germain-en-Laye 13. 11. 1943; Mitbegründer und maßgeblicher Theoretiker der →Nabis; malte Figurenkompositionen in heller Farbskala, darunter Wand- und Deckenbilder, Bildteppiche und Glasfenster; bed. Buchillustrationen (Lithographien und Holzschnitte) im Stil der Art nouveau.

Denissow, Edisson Wassiljewitsch, russ. Komponist, *Tomsk 6. 4. 1929, †Paris 24. 11. 1996; schrieb unter Verwendung von Zwölftontechnik und Aleatorik Orchesterwerke (Sinfonie Nr. 2, 1996), Opern (u. a. »Der Schaum der Tage«, 1986), Konzerte, Kammermusik und Vokalwerke.

Denitrifikation [nlat.] *die* (Denitrifizierung), unter Luftmangel im Boden stattfindende bakterielle Umsetzung von Nitraten (→Düngemittel) zu gasförmigem Stickstoff und Distickstoffmonoxid. Durch D. wird Stickstoff der Pflanzenernährung entzogen.

Denizli [dɛˈnizli], Provinz-Hptst. in SW-Anatolien, Türkei, 203 100 Ew.; Handelszentrum; geotherm. Kraftwerk. Nördl. von D. liegen die Ruinen von Laodikeia und die Kalksinterterrassen von Pamukkale (→Hierapolis).

Denken, Prozess, bei dem Wahrnehmungen, Erinnerungen und Vorstellungen so miteinander in Beziehung gebracht werden, dass u. a. Gegenstände (und Wirklichkeit überhaupt) erfasst und erkannt, verstanden, eingeordnet und beurteilt sowie Probleme gelöst werden können. Es gibt zahlr. Wesensbestimmungen des D., denen versch. philosoph. und weltanschaul. Positionen zugrunde liegen, und ebenso eine Reihe von Gliederungen (z. B. in vorsprachl., bildhaft-anschaul., abstraktes D.). In der Psychologie wird der Akt oder Vollzug des D. beschrieben: seine Bedingungen (Anschauungs- und Sprachgebundenheit, Bezogenheit auf Sinnzusammenhänge u. a.), seine Arten (gefühlsmäßiges, intuitives, schlussfolgerndes, zergliederndes D. u. a.) und seine persönlichkeitsbildende

Deng Xiaoping

Robert De Niro

Denken

Denken ist keine Anwendung von Logik, sondern das Lösen von Problemstellungen aus denksituativen Bedingungen. Beispielsweise stellten die amerikanischen Psychologen Amos Tversky und Daniel Kahnemann in einem Versuch den Teilnehmern zwei Fragen: »Stellen sie sich vor, sie hätten im Vorverkauf eine Theaterkarte für 50 DM erstanden. Im Theater merken sie dann, dass sie die Karte verloren haben. Würden sie eine neue kaufen?« und anschließend »Stellen sie sich vor, sie hätten noch keine Eintrittskarte, aber sie haben die 50 DM, die sie für den Kauf eingesteckt haben, verloren. Würden sie nun an der Kasse ein Billett kaufen?« In beiden Situationen hat der Betreffende 50 DM verloren. Logisch ist die Situation identisch. Aber die Ergebnisse widersprechen dem. Die meisten Versuchspersonen hätten nach dem Verlust des Geldscheins durchaus noch eine Karte gekauft, nach dem Verlust der Karte jedoch nicht. Die logische Identität der 50 DM in beiden Fällen wird psychologisch völlig verschieden bewertet. Wer eine Eintrittskarte verloren hat, summiert die zweiten 50 DM zum ursprünglichen Kaufpreis und hat nun 100 DM Verlust. Im Falle des Geldverlustes, so fanden Tversky und Kahnemann heraus, vergleichen sie die 50 DM mit ihrem sonstigen Geldbesitz und rechnen die 50 DM herab.

Funktion. Als Erkenntnisfunktion und unter dem Gesichtspunkt seiner Geltung oder Objektivität ist das D. Gegenstand der Philosophie. Die allgemeinsten Arten, Gegenständliches zu erfassen, beschreibt die Kategorienlehre, die allgemeinsten Formen der gedankl. Verknüpfung von Bedeutungseinheiten, Begriff, Urteil und Schluss werden in der formalen Logik untersucht. Die eigentüml. Form des im D. angestrebten Wissens ist die Wahrheit, die vollständigste Realisierung des D. die Wissenschaft (→Methode).

📖 HEIDEGGER, M.: *Was heißt denken? Neuausg. Stuttgart 1992, Nachdr. 1994.* – BOCHEŃSKI, J. M.: *Die zeitgenössischen Denkmethoden. Tübingen u. a.* [10]*1993.* – GEIST, W.: *Denkwesen Mensch. Aus der Evolution zur Provolution, hg. v.* U. HARMS. *Stuttgart 1994.* – ZIEGLER, A.: *Die Entwicklung schlußfolgernden D.s. Frankfurt am Main 1994.*

Denkmal, **1)** *allg.:* jeder kunst-, kultur- oder allgemeingeschichtlich bedeutsame Gegenstand, der von einer früheren Zeit Zeugnis ablegt, auch als Natur- und Bodendenkmal.

2) *Kunst:* (Monument) ein zur Erinnerung an bestimmte Personen oder Ereignisse errichtetes Werk der Bau- oder Bildhauerkunst. Sondergruppen bilden das Grabmal und jene D., die vorrangig Hoheits- und Rechtszeichen sind oder chronolog. Zwecken dienten.

Denkmalpflege, die kulturell begründete und im **Denkmalschutz** auch gesetzlich geregelte Erhaltung historisch, städtebaulich, künstlerisch oder technisch bedeutsamer Bauwerke unter Berücksichtigung lebensnaher Nutzung und Bezogenheit zum Orts- und Landschaftsbild sowie die →Restaurierung und Aufbewahrung von Kunstwerken (Bildhauerei, Malerei, Kunstgewerbe). Die D. ist in den meisten Ländern eine staatl. Aufgabe, in Dtl. ist sie auf Länderebene organisiert; internat. Organisation ICOMOS, gegr. 1965, Sitz: Paris. Im Rahmen internat. Abkommen wird der Denkmalschutz durch die Haager Konvention vom 14. 5. 1954 (bei bewaffneten Konflikten), das Europ. Kulturabkommen vom 19. 12. 1954, das Europ. Übereinkommen zum Schutz archäolog. Kulturguts vom 6. 5. 1969 und das UNESCO-Übereinkommen zum Schutz des Kultur- und Naturerbes der Welt (→Weltkulturerbe) vom 23. 11. 1972 berücksichtigt.

📖 KIESOW, G.: *Einführung in die D. Darmstadt* [3]*1995.*

Denkmünze, Münze, die nach dem gesetzl. Münzfuß zur Erinnerung an ein bestimmtes Ereignis geprägt wird.

Denkpsychologie, Teilbereich der Psychologie, der sich mit den Bedingungen, Formen und Abläufen des Denkens und seinem Verhältnis zur

Denkmal 2): Links Dürermonument von Christian Daniel Rauch und Jakob Daniel Burgschmiet, Bronze (1837–40; Nürnberg, Albrecht-Dürer-Platz); rechts »Die zerstörte Stadt«, Mahnmal für Rotterdam von Ossip Zadkine, Bronze auf Granitsockel (1953; Rotterdam, Leuveshuis)

Denkmalpflege (von links): Die Westfassade des Doms in Limburg a. d. Lahn vor und nach der 1969 begonnenen Wiederherstellung des ursprünglichen Anstrichs

Sprache befasst; wird in neuerer Zeit zunehmend durch die Kognitionspsychologie abgelöst; i.e.S. Bez. für die 1900 von O. Külpe begründete Würzburger Schule, die das Denken nicht nur als richtungslos assoziativen, sondern auch als gerichteten Prozess versteht.

Denktasch, Rauf, türkisch-zypriot. Politiker, *Ktima (bei Paphos) 27. 1. 1924; seit 1973 Vizepräs. der Rep. Zypern, wurde 1976 Präs. des türkisch-zypriot. Teilstaates im N der Insel (Nordzypern). 1985, 1990 und 1995 wurde D. in diesem Amt bestätigt.

Rauf Denktasch

Denner, Balthasar, Maler, *Hamburg 15. 11. 1685, †Rostock 14. 4. 1749; v.a. an nordeurop. Höfen wegen seiner von der niederländ. Malerei beeinflussten naturalist. Porträts geschätzt. BILD S. 184

Denomination [lat.] *die, Aktienrecht:* Form der Kapitalherabsetzung bei einer AG durch Minderung der Aktiennennbeträge.

Denominativ [lat.] *das* (Denominativum), von einem Nomen abgeleitetes Wort, z.B. »fischen« von »Fisch«.

Denpasar, Hptst. von Bali, Indonesien, 261 300 Ew.; Univ.; Fremdenverkehrszentrum; internat. Flughafen.

Densitometer [zu lat. densus »dicht«] *das,* Gerät zum Bestimmen der optischen (Farb-)dichte oder Schwärzung fotograf. Schichten.

Dent [dã; frz. »Zahn«] *die,* in den französischsprachigen Alpen Name scharfkantiger, zahnförmiger Berggipfel, z.B. in den Walliser Alpen die **Dents du Midi** (3257 m ü.M.) und die **Dents Blanches** (4357 m ü.M.).

dental [lat.], die Zähne betreffend.

Dental *der,* Zahnlaut (→Laut).

Dentalfluorose *die,* →Fluorvergiftung.

Dentalturbine, →Bohren.

Dentin [lat.] *das,* Zahnbein, Bestandteil der →Zähne.

Dentist [lat.] *der,* früher Berufsbez. für einen Zahnheilkundigen, der nicht als Zahnarzt approbiert war.

Dentition [lat.] *die,* das Zahnen, der Zahndurchbruch (→Zähne).

D'Entrecasteauxinseln [dãtrəkas'to-, frz.], zu Papua-Neuguinea gehörende Inselgruppe vulkan. Ursprungs, vor der SO-Spitze von Neuguinea, bis 1700 m ü.M.; rd. 3110 km²; etwa 35 000 meist melanes. Ew.; Kokosplantagen. – 1793 entdeckt.

Denudation [lat. »Entblößung«] *die, Geomorphologie:* im Ggs. zur Erosion mit ihrer Tiefenwirkung die flächenhafte →Abtragung der Erdoberfläche durch Abspülung (Regen) und Massenbewegung (Solifluktion, Bergsturz u.a.).

Denunziation [lat.] *die,* die (aus unehrenhaften Beweggründen erfolgende) Anzeige, durch die jemand einer strafbaren Handlung beschuldigt wird. Die wissentlich oder leichtfertig unrichtige D. ist strafbar (§§ 164, 241a StGB, →Verdächtigung).

Denver ['denvə], Hptst. von Colorado, USA, am O-Abfall der Rocky Mountains, 1609 m ü.M., 493 600 Ew., die Metrop. Area D. hat 1,62 Mio. Ew.; kath. Erzbischofssitz; zwei Univ., Museen, Zentrum für darstellende Kunst; bed. Ind., darunter Herstellung von Bohrgeräten, elektron. Ind.; Handels-, Finanz-, Verwaltungs-, kulturelles und Touristenzentrum (auch Wintersport); Verkehrs-

Gérard Depardieu

knotenpunkt, internat. Flughafen. – Klassizist. und Bauten aus der Zeit der Jahrhundertwende sowie bed. moderne Hochhausbauten prägen das Stadtbild. – 1859 als Goldsucherlager entstanden, bis 1993 bed. Bergbau, erst auf Gold, dann Silber.

Deodorants [engl., zu lat. de... »weg« und odor »Geruch«] (Desodorantien), Mittel zur Überdeckung unangenehmer Gerüche, i.e.S. Kosmetika gegen Körpergeruch, bevorzugt als Sprays, Stifte oder in Form von »Deoseifen« angewendet. Unangenehm riechende Stoffe wie niedere Fettsäuren, Aldehyde u.a. werden an Puderstoffen (Talkum, Kieselgel u.a.) durch Adsorption oder mit »Geruchslöschern« (z.B. Zinksalz oder Ricinolsäure) durch Bildung von Einschlussverbindungen gebunden. Da Körpergeruch v.a. durch bakterielle Zersetzung von Schweißinhaltsstoffen, Hauttalg und Hautzellresten entsteht, enthalten D. häufig bakterienhemmende Wirkstoffe (Bakteriostatika).

Depardieu [dəpar'djø], Gérard, frz. Schauspieler, *Châteauroux 27. 12. 1948; vielseitiges schauspieler. Können, u.a. in »Danton« (1982), »Die Wiederkehr des Martin Guerre« (1982), »Camille Claudel« (1989), »Cyrano de Bergerac« (1990), »Germinal «(1993).

Departamento [span.] *das,* Abk. **Dep.,** Verwaltungseinheit in mehreren lateinamerikan. Staaten.

Departement [frz.] *das,* Abk. **Dep.,** *Schweiz:* Sachgebietsabteilung in der staatl. Verwaltung; in der Bundesverwaltung entspricht das D. einem Ministerium.

Balthasar Denner: Knabenbildnis (1741; Hamburg, Kunsthalle)

Département [departə'mã, frz.] *das,* Abk. **Dép.,** *Frankreich:* Verwaltungsbezirk unter einem Commissaire de la République (bis 1982 Préfet, »Präfekt«) mit einem gewählten Generalrat.

Department [dɪ'pɑ:tmənt, engl.] *das, USA:* die Ministerien des Bundes.

Dépendance [depã'dã:s, frz.] *die,* Niederlassung, Zweigstelle, Nebengebäude (eines Hotels).

Dependencia-Theori|en [depen'densja-], durch die Entwicklung in Lateinamerika beeinflusste Theorien der Unterentwicklung, die die außenwirtsch. Beziehungen der Industrieländer zu den Entwicklungsländern als ein System einseitiger Abhängigkeit deuten. Sie sehen die Ursachen dieser Entwicklung in der kolonialen Epoche, in der die industrialisierten Kolonialmächte ihre Kolonien und deren Produkte, bes. deren Rohstoffe, zur Unterstützung ihrer eigenen Produktionsstruktur nutzten. Der Erlös aus dem Rohstoffexport kommt gemäß diesen Theorien nicht der Diversifizierung der heim. Wirtschaft zugute, sondern fließt als Gewinn ins Ausland ab oder wird zum Import von Konsumgütern genutzt. Dieses Exportmodell führe darüber hinaus zur Desintegration der Gesellschaft und verschärfe die sozialen Probleme (z.B. Landflucht, Armut).

Die Anschauungen über die notwendigen Maßnahmen zur Änderung dieser Situation reichen von der Aufforderung zur Revolution über die teilweise Abkoppelung von der Weltwirtschaft (zum Aufbau eines Binnenmarktes) bis zur Forderung nach einer neuen Weltwirtschaftsordnung.

Dependenz [lat.] *die,* Abhängigkeit.

Dependenzgrammatik (Abhängigkeitsgrammatik), von L. Tesnière entwickeltes syntakt. Modell, das im Verb den strukturellen Mittelpunkt des Satzes sieht und daher alle Satzglieder in Abhängigkeiten von dessen Valenzen (→Valenz) darstellt.

Depersonalisation [lat.] *die* (Entpersönlichung), psych. Zustand, in dem die eigene Person, der Körper oder einzelne Körperteile als nicht zum Ich gehörig erlebt werden.

Depesche [frz., zu dépêcher »beschleunigen«] *die,* ältere Bez. für eine durch Kuriere beförderte Eilbotschaft zw. dem Außenministerium und den diplomat. Vertretern.

DePfa-Bank (**De**utsche **Pfa**ndbrief- und Hypotheken**bank** AG), Wiesbaden, gegr. 1922 als Preuß. Landespfandbriefanstalt, seit 1951 als **Deutsche Pfandbriefanstalt** Körperschaft des öffentlichen Rechts zur Finanzierung des Wohnungs- und Städtebaus, gewerbl. Bauten u.a. Anlässlich der Privatisierung wurde die Bank am 31. 12. 1991 in eine AG mit jetzigem Namen umgewandelt; Tätigkeitsschwerpunkt: Staats- und Immobilienfinanzierung, Emissionsgeschäft.

Depilation [lat.] *die,* die →Enthaarung.

Deplacement [deplasˈmã frz.] *das,* die →Wasserverdrängung (eines Schiffes).

Depolarisation [lat.] *die,* **1)** *Optik:* teilweise oder vollständige Aufhebung der →Polarisation elektromagnet. Wellen.

2) *physikal. Chemie:* Einschränkung der elektrochem. Polarisation in galvan. Elementen durch polarisationshemmende Substanzen.

Depolymerisation [lat.-grch.] *die,* Abbaureaktion von Makromolekülen, bei der ein Monomer nach dem anderen vom Kettenende her abgespalten wird.

Deponens [lat.] *das, lat. Grammatik:* Verb in Passivform mit aktiver Bedeutung, z. B. hortor »ich ermahne«, morior »ich sterbe«.

Deponie [lat.] *die,* Kurzbez. für →Mülldeponie.

Deport [frz.] *der, Wirtschaft:* 1) im Devisenhandel Kursabschlag des Terminkurses gegenüber dem Kassakurs einer Währung; Ggs. Report (→Swapgeschäft); 2) im Wertpapierhandel Vergütung bei der Verlängerung eines Termingeschäfts für das Leihen der Stücke.

Deportation [lat.] *die,* Zwangsverschickung von einzelnen Personen oder Gruppen aufgrund staatl. Anordnung (Maßnahme der Strafjustiz, der polit. Unterdrückung und der Verfolgung von Minderheiten). Das Völkerrecht verbietet die D. über die Staatsgrenzen hinaus.

Depositen [lat. depositum »das Hinterlegte«], *Bankwesen:* →Einlagen.

Depot [deˈpo, frz.] *das,* **1)** *allg.:* Aufbewahrungsort für bewegl. Sachen; Lager.

2) *Bankwesen:* bei einem Kreditinst. zur Verwahrung und Verwaltung hinterlegte Wertgegenstände oder Wertpapiere. Im **D.-Geschäft** werden **geschlossene D.** (die Bank sorgt nur für sichere Aufbewahrung) und **offene D.** (die Verwahrung und Verwaltung durch die Bank unterliegen dem Gesetz über die Verwahrung und Anschaffung von Wertpapieren vom 4. 2. 1937, D.-Gesetz) unterschieden. Grundformen sind Sonderverwahrung (Streifband-D.), bei der die hinterlegten Stücke getrennt von den Beständen anderer Hinterleger aufbewahrt werden, und Sammelverwahrung (Sammel-D.), bei der die Einleger Miteigentum nach Bruchteilen am Sammelbestand haben. Die Banken erheben für das D.-Geschäft i. d. R. **D.-Gebühren.**

3) *Weinherstellung:* bittere, feste Ablagerungen v. a. aus alten Rotweinen (daher Abfüllung auf Karaffen).

Depotfunde [deˈpo-] (Hortfunde), Sammelfunde vorgeschichtlicher Gegenstände, u. a. aus Stein oder Metall (z. B. Gefäße, Werkzeuge, Waffen, Schmuck), die im Erdboden, in Mooren oder Quellen verborgen wurden; sie sind in erster Linie kultisch-religiös bestimmt.

Denver: Stadtansicht, links das Colorado State Capitol mit seiner vergoldeten Kuppel (1887–95)

Depotstimmrecht [deˈpo-], die Ausübung des Stimmrechts auf der Hauptversammlung einer AG durch ein Kreditinstitut (daher auch »Bankenstimmrecht«) für die in seinem Depot befindl. Aktien. Die Bank darf das D. nur als Bevollmächtigte des Aktionärs (daher auch »Vollmachtstimmrecht«), nicht in eigenem Namen ausüben. Kritiker befürchten, dass mithilfe des D. der Einfluss von Banken auf AG verstärkt wird (z. B. Erhöhung der Einflussmöglichkeiten als Hausbank und Kreditgeber ohne direkte Kapitalbeteiligung) und Interessenkonflikte zw. Bank, AG und Aktionären zugunsten der Banken gelöst werden.

Depotunterschlagung [deˈpo-], als Sonderfall der Unterschlagung die rechtswidrige Verfügung des kaufmänn. Verwahrers über hinterlegte Wertpapiere, strafbar nach § 34 Depotgesetz.

Depp, Johnny, amerikan. Filmschauspieler und Rockmusiker, *Owensboro (Ky.) 9. 6. 1963; zunächst Gitarrist; seine internat. Filmkarriere als vielfältiger Darsteller von Außenseitern begann mit dem Film »Edward mit den Scherenhänden« (1990). – *Weitere Filme:* Platoon (1986), Arizona Dream (1992), Gilbert Grape (1993), Ed Wood (1994), Don Juan de Marco (1995), Dead Man (1995).

Johnny Depp

Depravation [lat.] *die,* Verschlechterung eines Krankheitszustandes; Persönlichkeitsverfall, v. a. als Suchtfolge.

Depression [lat.] *die,* **1)** *Astronomie:* negative →Höhe eines unter dem Horizont befindl. Sterns.

2) *Geographie:* abflusslose Landsenke in Trockengebieten, die unter dem Niveau des Meeresspiegels liegt (z. B. Totes Meer, 392 m u. M.).

3) *Medizin* und *Psychologie:* niedergedrückte, traurige Stimmung mit Gehemmtheit im Denken und Handeln; dieser Zustand kann Tage bis viele Wochen anhalten. Die mögl. Ursachen sind vielfältig. D. sind gekennzeichnet durch **psych.** (traurige Verstimmung, Interesselosigkeit, innere Unruhe, Überempfindlichkeit, Konzentrationsstörungen), **somat.** (Schlaf- und Appetitstörungen, Gewichtsverlust, Magen-Darm-Störungen, Kopf-, Herzschmerzen, Kreislaufstörungen) und **psychosoziale Symptome** (Rückgang zwischenmenschl. Kontakte, Isolationsneigung und Leistungsabfall). Die **reaktive D.** tritt nach schweren psych. oder körperl. Störungen auf. Die **endogene D.** kommt oft phasenhaft und unabhängig von äußeren Einflüssen vor. – Die *Behandlung* besteht v.a. in Psycho- und Soziotherapie, teilweise werden Psychopharmaka, v.a. Antidepressiva, gegeben.

4) *Meteorologie:* ein →Tiefdruckgebiet.

5) *Physik:* →Kapillarität.

6) *Wirtschaft:* Abschwungphase (Tiefstand) im Konjunkturablauf (→Konjunktur).

Deprivation [lat.] *die,* Entbehrung, Mangel, Entzug, z.B. an liebevoller Zuwendung.

Depside [grch.], esterartige Kondensationsprodukte von aromat. Hydroxycarbonsäuren; in der Natur als Flechten- und Gerbstoffbestandteile, z.B. in Kaffee, Bohnenkraut.

Deputat [lat.] *das,* **1)** *allg.:* zukommender Anteil, gewohntes Maß.

2) *Wirtschaft:* Naturalleistungen, auch Einkünfte, die aus Lebensmitteln, Holz, Kohle u.a. bestehen (z.B. D.-Kohle der Bergarbeiter).

Derby
Stadtwappen

Deputation [lat.] *die,* Abordnung von Mitgl. einer Versammlung oder Vereinigung zur Erledigung einzelner Angelegenheiten in deren Auftrag.

De Quincey [dəˈkwɪnsɪ], Thomas, engl. Schriftsteller, *Manchester 15. 8. 1785, †Edinburgh 8. 12. 1859; bed. Essayist der engl. Romantik. Die »Bekenntnisse eines engl. Opiumessers« (1822) gehören zu den ersten exakten Darstellungen von Rausch- und Traumerlebnissen.

Thomas De Quincey: Gemälde seines schottischen Zeitgenossen John Watson Gordon, Ausschnitt (London, National Portrait Gallery)

DER, Abk. für →**De**utsches **R**eisebüro GmbH.

Derain [dəˈrɛ̃], André, frz. Maler, *Chatou (Dép. Yvelines) 10. 6. 1880, †bei Garches (Dép. Haut-de-Seine) 8. 9. 1954; Mitbegründer der →Fauves, gelangte unter dem Einfluss von Cézanne und des Kubismus zu einer geometrisierenden Verfestigung der Formen; neben Landschaften, Stillleben und Figurenbildern auch Skulpturen, Buchillustrationen, Theaterdekorationen und Kostümentwürfe.

André Derain: »Collioure« (1904/05; Essen, Museum Folkwang)

Derbent, Stadt in der Rep. Dagestan, Russ. Föderation, am W-Ufer des Kasp. Meeres, 85000 Ew.; Landwirtschaftstechnikum; Theater; Weinbau, Weinkellereien, Fischverarbeitung, Teppichweberei. – D. entwickelte sich um eine im 5. Jh. n. Chr. von den Sassaniden erbaute Festung; bis zur Eroberung durch die Mongolen im 13. Jh. bed. Handelsstadt; fiel 1813 an Russland.

Derbolav [-laf], Josef, österr. Philosoph und Erziehungswissenschaftler, *Wien 24. 3. 1912, †Bonn 14. 7. 1987; seit 1955 Prof. in Bonn, vertrat eine von der Antike und vom dt. Idealismus herkommende Erziehungstheorie, schrieb u.a. »Pädagogik und Politik« (1975), »Grundriß europ. Ethik« (1983).

Derby [ˈdɛrbi, engl. ˈdɑːbɪ] *das,* Pferderennen für dreijährige Vollblüter, seit 1780 jährlich bei Epsom veranstaltet; seit 1836 führen auch andere Länder unter der Bez. D. Rennen für Dreijährige durch. Der Begriff wurde auch für andere Wettkämpfe im Pferdesport übernommen.

Derby [ˈdɑːbɪ], Stadt in der Cty. Derbyshire, Mittelengland, am Derwent, 216000 Ew.; Porzellanmanufaktur, Maschinenbau, Flugzeugmotorenbau (Rolls-Royce), Textil- und Bekleidungsindustrie. – Wurde 1204 Stadt.

Derby [ˈdɑːbɪ], engl. Grafenwürde; seit 1485 im Besitz der Familie Stanley. Die D. wurden als Rennstallbesitzer Begründer des D.-Rennens.

Derbyshire [ˈdɑːbɪʃɪə], Cty. in Mittelengland, 2631 km², (1993) 950900 Ew.; Verw.sitz ist Matlock.

Deregulierung [lat.], wirtschaftspolit. Programm, v.a. im Rahmen angebotsorientierter Wirtschaftspolitik, mit dem Ziel, den staatl. Einfluss auf die Wirtschaft zu verringern, Entscheidungsspielräume für Unternehmen zu schaffen (v.a. für Investitionen), um insgesamt das wirtsch. Wachstum zu begünstigen und die Schattenwirtschaft einzudämmen. Der Staat soll sich durch die Zurücknahme von gesetzl. Reglementierungen auf die Schaffung von Rahmenbedingungen für die marktwirtsch. Selbststeuerung beschränken. Zur D. zählen u.a. Maßnahmen der (Re-)Privatisierung, die Abschaffung wettbewerbl. Ausnahmebereiche sowie der Abbau »bürokrat. Hemmnisse«, z.B. im Bau-, Sozial-, Arbeits- und Umweltrecht (→Bürokratie).

Dereliktion [lat.] *die,* Besitzaufgabe in der Absicht, auf das Eigentum zu verzichten (→herrenlose Sache).

Derfflinger, Georg Reichsfreiherr von (seit 1674), brandenburg. Generalfeldmarschall (seit 1670), *Neuhofen an der Krems (Österreich) 20.3. 1606, †Gusow (Landkr. Märkisch Oderland) 14.2. 1695; stand 1632–48 in schwed., seit 1654 in brandenburg. Diensten; reorganisierte die Armee des Großen Kurfürsten und errang mit ihr große militär. Erfolge (Fehrbellin, 1675; Tilsit, 1679).

Derivat [lat., zu derivare »ableiten«] *das, Chemie:* Verbindung, die sich von einer anderen ableitet und aus ihr herstellen lässt. Zw. D. besteht eine enge chem. Verwandtschaft.

Derivate (Derivative, derivative Finanzinstrumente, Finanzderivate), zusammenfassender Begriff für Swaps, Optionen, Futures und andere neue Finanzinstrumente, die seit den 1980er-Jahren an den Finanzmärkten eine stark wachsende Bedeutung erlangt haben. Gemeinsam ist ihnen, dass sie von den traditionellen Finanzbeziehungen wie Krediten, Aktien, Anleihen oder von abstrakten Formen wie Aktienindizes abgeleitet sind und der Steuerung von Preisänderungsrisiken (v.a. Zins- und Währungsrisiken) dienen. D. sind nicht Bestandteil des Geldflusses zw. Kapitalgeber und Kapitalnehmer, sondern auf diese traditionellen Instrumente ausgerichtete neue Vertragsbeziehungen. Im Wesentlichen handelt es sich um Verträge über den zukünftigen Kauf oder Verkauf traditioneller Finanzinstrumente zu bereits am Tag des Vertragsschlusses vereinbartem Preis (Terminkontrakt) oder um Verträge über Rechte zu künftigem Kauf oder Verkauf (Optionen). Die vornehmlich an Terminbörsen (z.B. Dt. Terminbörse) gehandelten D. können jedoch auch zu hochspekulativen Zwecken eingesetzt werden und sind deshalb in Verbindung mit spektakulären Fehlentwicklungen in Verruf geraten.

Derivation *die* (Ableitung), *Sprachwissenschaft:* die Rückführung eines Wortes auf die Grundform, z.B. »Bücherei« auf »Buch«.

derivativer Erwerb, →Rechtserwerb.

Derketo (Atargatis), syr. Fruchtbarkeits- und Muttergottheit, die bes. in Hierapolis verehrt und in orgiast. Kulten gefeiert wurde.

Derkovits [-vitʃ], Gyula, ungar. Maler, *Szombathely 13.4. 1894, †Budapest 18.6. 1934; Autodidakt; entwickelte eine lyrisch-expressive Malerei mit sozialer Thematik.

Derma [grch.] *das,* die →Haut. **dermal,** die Haut betreffend.

Dermatitis [grch.] *die,* durch Infektionen, äußere Reize (z.B. Sonnenbrand) oder Allergie verursachte Hautentzündung mit Rötung, Schwellung bis Blasenbildung.

Dermatologie [grch.] *die,* Lehre von den Hautkrankheiten unter Einbeziehung der Lehre von den Geschlechtskrankheiten (Venerologie) und der männl. Zeugungsfähigkeit (Andrologie).

Dermatomykosen [grch.], die →Hautpilzkrankheiten.

Dermatoplastik [grch.], der plast. Ersatz von Hautdefekten durch Hautüberpflanzung (Hauttransplantation).

Dermatosen [grch.], die →Hautkrankheiten.

Dermographismus [grch.] *der* (Hautschrift), Erscheinen roter oder weißer, länger bestehender Streifen auf der Haut nach Bestreichen mit einem harten Gegenstand; Anzeichen einer gestörten Gefäßreaktion.

Dermoplastik [grch.], Verfahren zur naturgetreuen Nachbildung von Tieren unter Benutzung eines Modells, das mit der gegerbten Tierhaut überzogen wird.

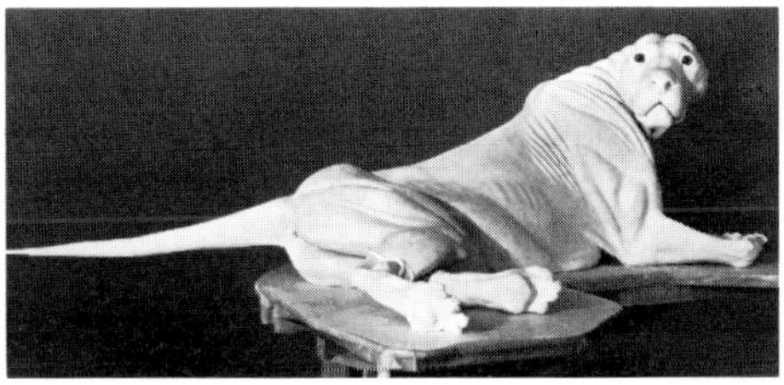

Dermoplastik (von oben): Plastik einer Löwin ohne und mit Fellüberzug

Dernier Cri [dɛrnje'kri; frz. »letzter Schrei«] *der,* Neuheit; neueste Mode.

Derogation [lat.] *die,* die Ersetzung eines Rechtssatzes durch ein späteres Gesetz, ohne ihn

Georg Reichsfreiherr von Derfflinger (Kupferstich; 1690)

vollständig zu beseitigen. Bei Konflikten gilt der Grundsatz: Der spätere Rechtssatz geht dem früheren vor (lat.: lex posterior derogat legi priori).

Derrida, Jacques, frz. Sprach- und Kulturphilosoph, *El-Biar (bei Algier) 15. 7. 1930; Vertreter des Strukturalismus. In seinen Essays pflegt er ein interpretatives Verfahren, das Offenheit und Uneindeutigkeit philosoph. Texte im Sinne der Vernunftkritik betont.

Werke: Die Schrift und die Differenz (1967); Die Wahrheit in der Malerei (1978); Die Postkarte von Sokrates bis an Freud und jenseits, 2 Tle. (1980); Gesetzeskraft (1991).

🕮 THIEL, D.: *Über die Genese philosoph. Texte. Studien zu J. D. Freiburg im Breisgau 1990. – Ethik der Gabe. Denken nach J. D., hg. v.* M. WETZEL *u.* J.-M. RABATÉ. *Berlin 1993.*

Tibor Déry

Derris, Gattung der Schmetterlingsblütler SO-Asiens; in Malaysia, Indonesien und Afrika zur Insektizidgewinnung (Rotenon) auch kultiviert.

Derry ['deri] (1613–1984 amtlich Londonderry), **1)** Distrikt in Nordirland, 387 km², (1991) 94 900 Einwohner.

2) Hptst. von 1), am Mündungstrichter des Foyle, 72 300 Ew.; nach Belfast zweitwichtigster Hafenplatz Nordirlands, kath. und anglikan. Bischofssitz; Univ.; Herstellung von Hemden, Chemiefasern, Reifen, Möbeln und Nahrungsmitteln.

Derwisch

Einige Derwischorden fühlen sich an die Kultvorschriften und das Alkoholverbot des islamischen Rechts nicht gebunden. Sie haben eigene Trachten und unterscheiden sich u. a. durch die Art ihrer geistlichen Übungen, die litaneiartige Gebete mit spezifischen Körperhaltungen und Bewegungen umfassen, außerdem ein gelegentliches Sichzurückziehen in die Einsamkeit mit Fasten und wenig Schlaf, Musikhören und ekstatischen Tänzen (etwa dem bekannten Wirbeltanz der Mewlewije).

Die zum Teil seit dem 12. Jahrhundert bestehenden Orden sammelten über den Mitgliederkreis hinaus zahlreiche Sympathisanten um sich, denen sie religiöse Unterweisung und oft auch Seelsorge boten. Damit und durch die Förderung von Heiligenkulten prägten sie nachhaltig die islamische Volksfrömmigkeit. Häufig waren sie karitativ tätig. Ihr sozialer und politischer Einfluss war (und ist zum Teil noch) beträchtlich.

Dertinger, Georg, Politiker (DNVP, CDU), *Berlin 25. 12. 1902, †Leipzig 21. 8. 1968; bis 1933 Mitgl. der DNVP, 1945 Mitgründer der CDU in der SBZ. Als Außenmin. der DDR (1949–53) unterzeichnete er den Görlitzer Vertrag (1950, Anerkennung der Oder-Neisse-Linie). 1953 wurde er als Spion verhaftet, 1954 verurteilt (15 Jahre Haft), 1964 begnadigt.

Derwall, Josef (Jupp), Fußballtrainer, *Würselen 10. 3. 1927; 1978–84 Bundestrainer des Dt. Fußball-Bundes.

Derwisch: Tanzende Derwische auf dem Nemrut Dagi in Anatolien, Türkei

Derwisch [von pers. darwiš »Bettler«] *der* (arab. Fakir), islamischer Bettelmönch, Angehöriger eines Derwischorden (seit dem 12. Jh.). Die D. suchen durch geistige Versenkung, asketische u. a. Übungen die mystische Vereinigung mit Gott. Eine bedeutende Rolle spielen auch die gemeinsamen, in den einzelnen Orten unterschiedl. Riten, die oft mit Musik und Tanz (tanzende Derwische) verbunden sind. Die D. sind heute wegen ihres Widerstands gegen politisch-soziale Reformen fast in allen arabischen Ländern und in der Türkei verboten.

🕮 FREMBGEN, J. W.: *D.e. Gelebter Sufismus. Wandernde Mystiker u. Asketen im islam. Orient. Köln 1993.*

Déry ['de:ri], Tibor, ungar. Schriftsteller, *Budapest 18. 10. 1894, †ebd. 18. 8. 1977; schrieb nach naturalist. Anfängen aktivist.-surrealist. Prosa und Gedichte, später von marxist. Ideen bestimmte, klassenkämpfer. Prosa (»Der unvollendete Satz«, Roman, 1947). Nach dem Volksaufstand 1956 war er drei Jahre inhaftiert und streifte sein politisch-ideolog. Engagement ab. – *Weitere Werke:* »Die Antwort« (1950–52, Roman), die utop. Romane »Herr G. A. in X« (1964) und »Ambrosius« (1966), Erinnerungen »Kein Urteil« (1969).

Derycke ['de:rejkə], Erik, belg. Politiker, *Waregem (Prov. Westflandern) 28. 10. 1949; Jurist, Mitgl. der Socialistische Partij; 1981 stellv. Vors. des Prov.rats von Westflandern, seit 1984 Mitgl. des Abgeordnetenhauses; auf europ. Ebene Mitgl. der Beratenden Versammlung des Europarats und der Versammlung der WEU; seit März 1995 Außen-Min. in der Reg. Dehaene.

des, *Musik:* das um einen chromat. Halbton erniedrigte d (d mit ♭).

des., Abk. für →**des**ignatus.

Desai, Morarji Ranchhodji, ind. Politiker, *Bhadeli (Gujarat) 29. 2. 1896, †Bombay 10. 4. 1995; schloss sich 1930 dem Ind. Nationalkongress an, war 1958–63 und 1967–69 Finanzmin.; geriet seit 1969 in scharfen Ggs. zu MinPräs. Indira Gandhi; 1975–77 inhaftiert; 1977 Mitbegründer der Janata-Partei, 1977–79 Ministerpräsident.

Morarji Ranchhodji Desai

Des|aminierung, Abspaltung der Aminogruppe ($-NH_2$) aus chem. Verbindungen als Ammoniak.

De Sanctis, Francesco, italien. Literarhistoriker und Politiker, *Morra Irpina (heute Morra De Sanctis, bei Avellino) 28. 3. 1817, †Neapel 29. 12. 1883; ab 1871 Prof. in Neapel; begründete die moderne Literaturkritik in Italien, schrieb u. a.: »Geschichte der italien. Literatur« (2 Bde., 1870/71).

desarguesscher Satz [dɛ'zarg-; nach dem frz. Mathematiker G. Desargues, *1591, †1662], Fundamentalsatz der projektiven Geometrie: Schneiden sich die Verbindungsgeraden von entsprechenden Ecken zweier Dreiecke in einem Punkt *P,* dann liegen die drei Schnittpunkte der entsprechenden Dreiecksseiten oder deren Verlängerungen auf einer Geraden *g.*

Descartes [de'kart], René, latinisiert Renatus Cartesius, frz. Philosoph, Mathematiker und Physiker, *La Haye (heute Descartes, Dép. Indre-et-Loire) 31. 3. 1596, †Stockholm 11. 2. 1650; wurde in der Jesuitenschule La Flèche erzogen, war seit 1618 in Kriegsdiensten, reiste dann durch Europa und lebte seit 1629 meist in den Niederlanden, seit 1649 in Stockholm. Aufgrund des Gesamtaufbaus eines Systems und seiner Naturauffassung gilt D. als erster systemat. Denker der Neuzeit. Als einzige Gewissheit gilt ihm die durch method. Zweifel gewonnene Einsicht des »cogito ergo sum« (»ich denke, also bin ich«), d. h. die Selbstgewissheit und Selbstständigkeit im Denken. Hierauf aufbauend sucht D. mithilfe zweier Gottesbeweise seine Überzeugungen über die Realität der Welt wieder zu gewinnen und ein System zu entwickeln. Die Annahme »angeborener Ideen«, d. h. einer erfahrungsfreien Anschauungsquelle, führt zum Begriff angeborener (ewiger) Wahrheiten, die schließlich einer apriorisch orientierten Erklärung auch erfahrungsbestimmter Vorgänge dienen sollen. Die Unterscheidung zweier Substanzen: »Res extensa« (Ausdehnung, Körper, Außenwelt) und »Res cogitans« (Geist, Innenwelt), der sog. metaphys. Dualismus Descartes', wird im neuzeitl. Denken zur Grundlage der (idealist.) Unterscheidung von Subjekt und Objekt. In der Physik formulierte D. einen der ersten Erhaltungssätze der Physik (Impulssatz) überhaupt. In der Optik ist D. u. a. Mitentdecker des Brechungsgesetzes. Von großer Wirkung sind seine Leistungen in der Mathematik, bes. seine Grundlegung der analytischen Geometrie. D. sah als Erster die Leistungsfähigkeit einer für die moderne Mathematik charakterist. Gleichstellung algebraischer und geometrischer Methoden und Schlussweisen. Er erfasste die nichttranszendenten Kurven durch Gleichungen und trug Bedeutendes zur Theorie der Gleichungen bei (u. a. Fundamentalsatz der Algebra). D. war überzeugt, dass alle Naturerscheinungen rational erfassbar und erklärbar sind, und hat seine mechanist. Denkweise auch auf Biologie, Medizin und Psychologie (Lehre von Affekten) angewendet. – Sein Einfluss reicht über J. Locke, G. W. Leibniz, B. de Spinoza und I. Kant bis in die Gegenwart.

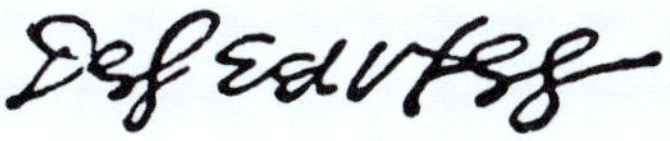

Werke: Meditationen über die Erste Philosophie (1631); Abhandlungen über die Methode des richtigen Vernunftgebrauchs und der wissenschaftl. Forschung (1637); Die Prinzipien der Philosophie (1644); Die Leidenschaften der Seele (1649); Über den Menschen (gedruckt 1662); Regeln zur Leitung des Geistes (hg. 1701; enstanden um 1628).

📖 *D., hg. v.* TH. KEUTNER. *Frankfurt am Main 1993.* – HOLZ, H. H.: *D. Frankfurt am Main 1994.* – RÖD, W.: *D. Die Genese des Cartesianischen Rationalismus. München* [3]*1995.*

Deschamps [de'ʃã], Eustache, frz. Dichter, *Vertus (bei Épernay) um 1346, †vor 1407; verfasste Balladen, Liebeslieder, den 12 000 Verse umfassenden frauenfeindl. »Miroir de mariage«, for-

René Descartes: Gemälde von Franz Hals (1655; Paris, Louvre)

Verbreitung der Wüsten und der durch Desertifikation gefährdeten Gebiete auf den Kontinenten

	Südamerika		Nord- und Mittelamerika		Afrika		Asien		Australien		Europa	
	km^2	%	km^2	%	km^2	%	km^2	%	km^2	%	km^2	%
sehr stark gefährdet	414195	2,3	163191	0,7	1725165	5,7	790312	1,8	307732	4,0	48957	0,5
stark gefährdet	1261235	7,1	1312524	5,4	4910503	16,2	7253464	16,5	1722056	22,4	–	–
mäßig gefährdet	1602383	9,0	2854293	11,8	3740966	12,3	5607563	12,8	3712213	48,3	189612	1,8
Wüste	200492	1,1	32638	0,1	6177956	20,4	1580624	3,6	–*)	–*)	–	–

*) Die wüstenhaften Gebiete in Australien (vgl. Karte) entsprechen nicht der UNO-Definition von Wüste.

mulierte die älteste frz. Poetik (»Art de dictier«, 1392, hg. 1891).

Deschnjow, Kap [nach dem russ. Kosaken und Seefahrer S. I. Deschnjow, *um 1605, †1673], seit 1898 Name für die NO-Spitze Asiens, auf der Tschuktschenhalbinsel, 66° 05' n. Br., 169° 40' w. L.

Descloizit [dekloa'zit; nach dem frz. Mineralogen A. Des Cloizeaux, *1817, †1897] *der,* braunrotes bis fast schwarzes rhombisches Mineral, $Pb(Zn,Cu)[OH|VO_4]$; v. a. in Namibia und Sambia abgebautes Vanadiumerz.

Desdemona [nach der Heldin in Shakespeares »Othello«], ein Mond des Planeten Uranus.

Desensibilisatoren [lat.], Farbstoffe, die die Empfindlichkeit belichteter fotograf. Schichten herabsetzen; sie ermöglichen die Entwicklung bei relativ hellem Licht.

Desiderio da Settignano: Porträtbüste der Marietta Strozzi (um 1460–64; Berlin, Skulpturensammlung)

Desensibilisierung [lat.] *die* (Hyposensibilisierung), Schwächung oder Aufhebung der allg. Reaktionsbereitschaft durch stufenweise gesteigerte Zufuhr des die Allergie verursachenden Allergens (Reizstoff); angewendet z.B. bei Heuschnupfen.

Deserteur [dezɛr'tøːr, frz.] *der,* Fahnenflüchtiger (→Fahnenflucht).

Desertifikation [lat.] *die,* das Vordringen von Wüsten oder wüstenähnl. Verhältnissen in ariden oder semiariden Räumen. Die D. bedroht nicht nur die randtrop. Dornstrauch- und Trockensavannen des →Sahel südlich der Sahara, sondern auch die Steppen und Wüstensteppen nördlich der Sahara sowie die entsprechenden Gebiete in anderen Teilen der Erde. Die D. beruht auf einem komplexen Zusammenwirken verschiedener natürl. und anthropogener Faktoren. Dazu gehört die zu starke Nutzung der Wüstenrandgebiete, die i. A. empfindl. Ökosysteme darstellen, durch den Menschen. Meist handelt es sich um ackerbaul. Erschließung von Gebieten, die eigentlich nur eine nomad. Weidewirtschaft zulassen; z. T. auch um Überweidung v. a. durch Ziegen und Rinder. Da vielfach in den entsprechenden Gebieten Holz der wichtigste und oft einzige Energieträger ist, sind die Gehölze in weitem Umkreis um die Siedlungen meist abgeschlagen, was wiederum Auswirkungen auf den Grundwasserhaushalt hat, da durch den Ausfall der Osmose der Grundwasserspiegel sinkt. Aber auch Maßnahmen der Entwicklungshilfe, z. B. das Bohren von Tiefbrunnen, können die D. verstärken; durch das dann reichlich vorhandene Wasser werden die Herden vergrößert und immer mehr Menschen siedeln sich an, was das empfindl. ökologische Gleichgewicht nachhaltig stört.

D.-Erscheinungen sind auch aus der Geschichte bekannt. Heute stellt die D. für viele Entwicklungsländer nicht nur ein Problem für die Nahrungsmittelversorgung, sondern auch für die polit. Stabilität dar. Möglicherweise wird auch der weltweit zu beobachtende Vorgang zu großräumigen Veränderungen in der atmosphär. Zirkulation bzw. des globalen Klimas führen, wenn entsprechende Gegenmaßnahmen des Menschen erfolglos blieben.

📖 MENSCHING, H. G.: *D. Ein weltweites Problem der ökolog. Verwüstung in den Trockengebieten der Erde. Darmstadt 1990.*

De Sica, Vittorio, italien. Filmregisseur und -schauspieler, *Sora (Prov. Frosinone) 7. 7. 1902, †Paris 13. 11. 1974; Regisseur neorealist. Filme, u. a.

Desertifikation

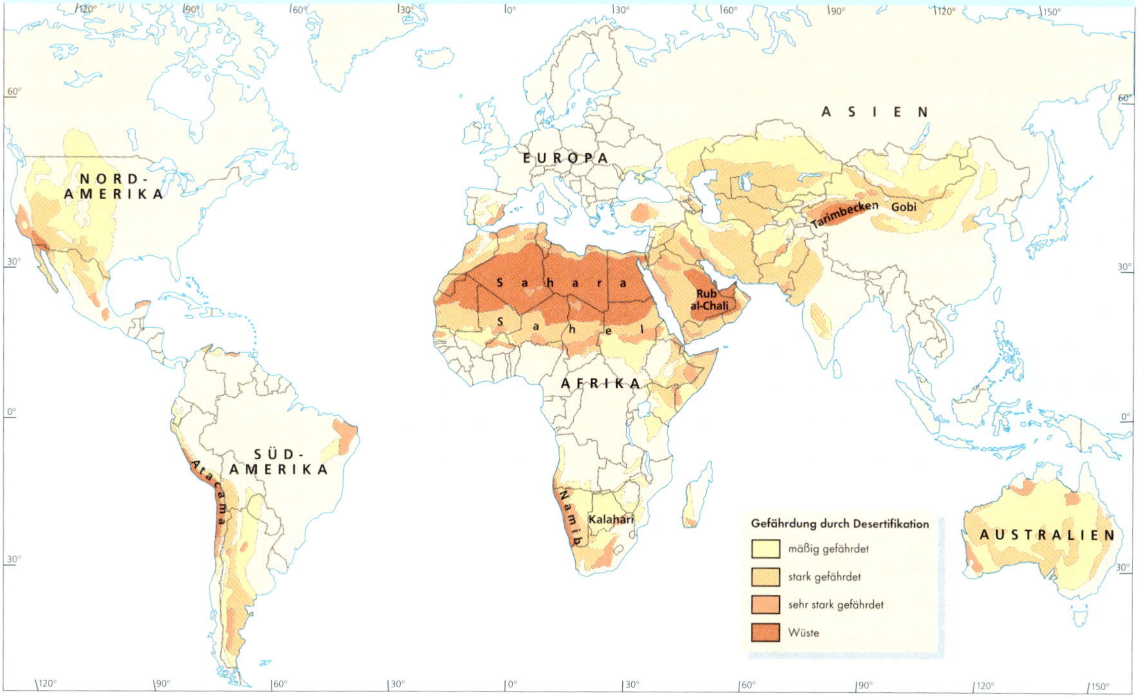

»Fahrraddiebe« (1948), »Das Wunder von Mailand« (1950), »Das Dach« (1955), »Die Eingeschlossenen von Altona« (1962, nach Sartre), »Der Garten der Finzi Contini« (1971).

Desiderat (Desideratum) [lat.] *das,* vermisstes und zur Anschaffung in Bibliotheken vorgeschlagenes Buch.

Desiderio da Settignano [-ˈɲa:no], italien. Bildhauer, *Settignano (heute zu Florenz) um 1430, †Florenz 16. 1. 1464; schuf in vollendeter Marmortechnik Madonnenreliefs, Mädchenbüsten und das Grabmal des Carlo Marsuppini (Florenz, Santa Croce).

Desiderius, letzter König der Langobarden (757–774), †wohl Corbie (bei Amiens) 774; verfeindete sich mit dem Papst und mit Karl d. Gr., als dieser seine Tochter Desiderata verstieß. D. unterlag Karl bei Pavia 774, sein Reich kam unter fränk. Herrschaft.

Design [dɪˈzaɪn, engl.] *das,* formgerechte und funktionale Gestaltung, v. a. von Gebrauchsgegenständen und Industrieprodukten. (→Grafikdesign, →Industriedesign).

📖 Selle, G.: *Gesch. des D. in Deutschland. Studienausg. Frankfurt am Main u. a. 1997.*

Designation [lat.] *die,* vorläufige Ernennung einer Person für ein Amt. Wichtig ist bes. das in manchen Wahlmonarchien (z. B. im Hl. Röm. Reich [Dt. Nation]) bestehende Recht des Königs, seinen Nachfolger zu designieren. Über die D. eines Papstnachfolgers →Papst.

designatus [lat.], Abk. **des.,** designiert; im Voraus für ein Amt, eine Würde ernannt.

Designer [dɪˈzaɪnə, engl.] *der,* Formgestalter, bes. Schöpfer von Ind.- und Gebrauchsformen, z. B. Industrie-, Kommunikations- oder Modedesigner.

Designerdrogen [dɪˈzaɪnə-, engl.], synthetische Rauschgifte, chemisch Abkömmlinge bekannter Suchtstoffe, v. a. Amphetamine, mit gleichen (z. T. stärkeren) Sucht erzeugenden Eigenschaften, oft von unberechenbarer, häufig schon in geringster Menge tödl. Wirkung; in der »Technoszene« ist z. B. **Ecstasy** verbreitet.

Desinfektion (Entseuchung), das Unschädlichmachen von Krankheitserregern (Bakterien, Viren, Pilze, Protozoen). Bei der D. werden diese so geschädigt, dass sie keine Infektion mehr hervorrufen können. Werden alle Mikroorganismen einschl. ihrer Dauerformen (Sporen) beseitigt, spricht man von →Sterilisation. – Physikal. Methoden der D. sind Filtration, Bestrahlung (UV-Strahlung, Röntgen- u. a. ionisierende Strahlung), Ultraschall höherer Intensität, trockene und feuchte Hitze (siedendes Wasser, strömender Dampf). – **Chem. Grobdesinfektionsmittel,** z. B. Formaldehyd, dienen v. a. zur D. von Flächen, Räumen, Wäsche u. a.; **Feindesinfektionsmittel,** z. B. Al-

Vittorio de Sica

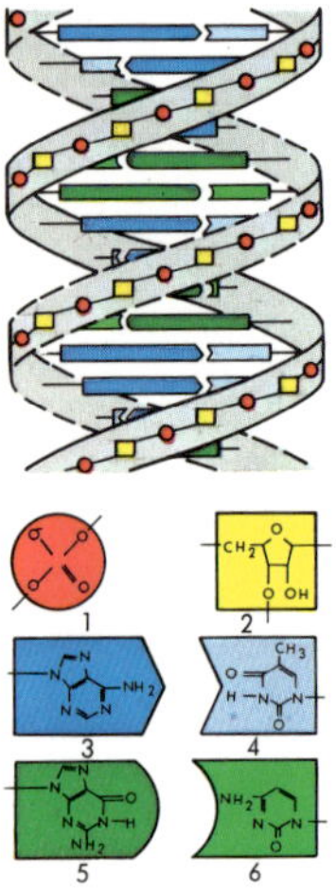

Desoxyribonucleinsäure: Oben Doppelhelix; unten Bausteine der DNS: 1 Phosphorsäurerest, 2 Desoxyriboserest, 3 Adeninrest, 4 Thyminrest, 5 Guaninrest, 6 Cytosinrest

kohole, werden in Form von Lösungen, Salben und Seifen zur Haut-D. u.a. angewendet. Mit Aryl- und Alkylgruppen sowie mit Chlor substituierte Phenole sind Hauptbestandteile vieler Grob- und Feindesinfektionsmittel. Sie werden meist zus. mit Emulgatoren (z.B. Seifen) verwendet, die das Abschwemmen der Keime begünstigen. Quartäre Ammoniumverbindungen (»Quats«) haben als kation. Tenside gleichzeitig reinigende Wirkung. Sie werden u.a. zur Hand- und Instrumenten-D. verwendet. Zur Wasserbehandlung dienen v.a. Chlor und Ozon. Eine in manchen Fällen nur unvollständig mögl. D. stellt v.a. Krankenhäuser vor Probleme (→Hospitalismus). – Die D. bei meldepflichtigen Infektionskrankheiten ist im Bundes-Seuchen-Ges. festgelegt und Inhalt internat. Vereinbarungen; bei →Tierseuchen im Viehseuchengesetz.

📖 SCHMIDT, JOACHIM *u.a.: Sterilisation, D., Konservierung u. Entwesung in der medizin. u. pharmazeut. Praxis. Leipzig* [2]*1990.* – WALLHÄUSSER, K.: *Praxis der Sterilisation, D. – Konservierung. Stuttgart u.a.* [5]*1995.*

Desintegration, Auflösung, das Auseinanderfallen eines Ganzen in Teile; als Vorgang in der Psychiatrie, Psychopathologie und in den Sozialwiss. untersucht.

Desinvestition, Verringerung der Produktionsausrüstung und/oder Lagerhaltung in einer Volkswirtschaft oder in einem Betrieb durch Unterlassung von Ersatzinvestitionen.

Désirée [dezi're], Eugénie Bernardine, als Königin von Schweden **Desideria,** *Marseille 8. 11. 1777, †Stockholm 17. 12. 1860; Tochter des Seidenhändlers F. Clary; zunächst mit Napoleon Bonaparte verlobt; heiratete 1798 den frz. Marschall J.-B. Bernadotte, der 1818 als Karl XIV. Johann schwed. König wurde.

Dessau 2): Schloss Mosigkau (1754–56)

Deskription [lat.] *die,* Beschreibung.

Deskriptivismus *der,* eine von L. Bloomfield begründete linguist. Forschungsrichtung, die das Sprachsystem durch exakte formale Beschreibung und Analyse der im fortlaufenden Text in verschiedener Folge wiederkehrenden Einheiten (qualitative Beschreibung) und die Häufigkeit ihres Auftretens statistisch (quantitative Beschreibung) erfasst.

Desktop-Publishing ['desktɔppʌblɪʃɪŋ; engl. »Publizieren vom Schreibtisch«] *das,* Abk. **DTP,** Form des Publizierens auf elektron. Grundlage, bei der alle Vorgänge von der Text- und Grafikeingabe bis zur Satzherstellung auf einem Computer in Verbindung mit einem Drucker abgewickelt werden können.

Deslandres [de'lɑ̃:dr], Henry, frz. Astrophysiker, *Paris 24. 7. 1853, †ebd. 15. 1. 1948; bed. Arbeiten über die Struktur der Bandenspektren und zur Physik der Sonne, bes. ihrer Spektralanalyse; erfand dafür (unabhängig von G. E. Hale) den Spektroheliographen.

Desmane [schwed.] (Bisamrüssler, Bisamspitzmäuse, Desmaninae), Unterfamilie der Maulwürfe mit zwei Arten; Wassertiere mit Schwimmhäuten und Moschusdrüse, so der etwa 20 cm lange **Russische D.** (Desmana moschata) an Wolga, Don und Ural (→Silberbisam) und der etwas kleinere **Pyrenäen-D.** (Galemys pyrenaicus). Beide Arten sind bedroht, der Russische D. geschützt.

Desmidiaceae, artenreiche Familie der →Jochalgen.

Desmin [von grch. desmḗ »Bündel«] *der,* $Ca[Al_2Si_7O_{18}] \cdot 7H_2O$, ein meist weißes monoklines Mineral aus der Gruppe der →Zeolithe; bildet bündel- oder garbenförmige Aggregate.

Des Moines [dɪ'mɔɪn], **1)** Hptst. von Iowa, USA, am D. M. River, 194000 Ew.; Univ.; Herstellung von Autoreifen und Landmaschinen, Mühlen-, Fleischind., Verlage; eines der größten Versicherungszentren der USA. – 1843 als Fort gegründet.

2) *der* (D. M. River), rechter Nebenfluss des Mississippi, 845 km, durchfließt die Prärietafel von Iowa und mündet bei Keokuk.

Desmond ['desmənd, engl.], Paul, amerikan. Jazzmusiker (Altsaxophon), *San Francisco 25. 11. 1924, †Los Angeles 30. 5. 1977; Vertreter des Cooljazz.

Desmoulins [demu'lɛ̃], Camille, frz. Revolutionär, *Guise (bei Saint-Quentin) 2. 3. 1760, †Paris 5. 4. 1794; einer der Initiatoren des Sturms auf die Bastille (14. 7. 1789); veröffentlichte zahlreiche Pamphlete; seit Sommer 1791 enger Mitarbeiter G.J. Dantons, mit diesem hingerichtet.

Desna *die,* linker und längster Nebenfluss des Dnjepr, Russland und Ukraine, 1130 km, entspringt in den Smolensk-Moskauer Höhen und mündet oberhalb von Kiew.

Desnos, Robert, frz. Schriftsteller, *Paris 4. 7. 1900, †KZ Theresienstadt 8. 6. 1945; Vertreter des Surrealismus (»Trauer um Trauer«, Ged., 1924; »Die Abenteuer des Freibeuters Sanglot«, Ged., 1927); schloss sich der Résistance an, wurde verhaftet und deportiert.

Desodoranti|en, die →Deodorants.

Desorientierung, die Unfähigkeit, sich in Bezug auf Zeit, Raum und die eigene Person zurechtzufinden; Begleitsymptom von Bewusstseinsstörungen sowie schwerer Beeinträchtigung der Intelligenz und Merkfähigkeit.

Desorption [lat.] *die,* Umkehrung der →Adsorption oder der →Absorption.

Desoxidation, Entfernung von Sauerstoff aus chem. Verbindungen oder Metallschmelzen durch reduzierend wirkende D.-Mittel.

Desoxy..., *Chemie:* Präfix vor der Bez. einer organ. Verbindung, das die Entfernung von Sauerstoff aus einer Stammverbindung anzeigt.

11-Des|oxycorticosteron [grch.], Cortexon, Hormon der Nebennierenrinde (→Nebennierenrindenhormone), dem Aldosteron ähnlich.

Desoxyribonucleinsäure, Abk. **DNS,** engl. Abk. **DNA** (von **d**esoxyribo**n**ucleic **a**cid), polymere Verbindung, die aus Desoxyribonucleotiden aufgebaut ist. Die Nucleotide bestehen jeweils aus einer organ. Base (Adenin, Thymin, Guanin oder Cytosin), einem Zuckermolekül (Desoxyribose) und einem Phosphorsäurerest. Ein DNS-Molekül besteht i. d. R. aus zwei Polynucleotidsträngen, die schraubig umeinander gewunden und durch Wasserstoffbrücken zw. den Basen miteinander verbunden sind. Die genet. Information ist in der DNS als Sequenz der vier versch. Basen verschlüsselt. (→DNS-Replikation, →Nucleinsäuren)

Desperado [span. »Verzweifelter«] *der,* zu extremen Handlungen entschlossener polit. Abenteurer; auch gesetzloser Außenseiter der Gesellschaft.

Despiau [dɛs'pjo], Charles, frz. Bildhauer, *Mont-de-Marsan 24. 11. 1874, †Paris 28. 10. 1946; arbeitete 1907–14 mit A. Rodin zusammen, schuf von klass. Ruhe erfüllte Bildnisse und Akte.

Despotie [grch.] *die,* willkürl., auf Gewalt gegründete Herrschaft einer oder mehrerer Personen.

Desprez [de'pre], →Josquin Desprez.

Desquamation [lat.] *die,* die →Abschuppung.

Dessau, 1) RegBez. in Sa.-Anh., (1996) 4256 km² mit 573100 Ew.; umfasst die Landkreise Anhalt-Zerbst, Bernburg, Bitterfeld, Köthen und Wittenberg sowie die kreisfreie Stadt Dessau.

2) kreisfreie Stadt in Sa.-Anh., am linken Ufer der Mulde oberhalb ihrer Mündung in die Elbe, 90900 Ew.; FH für Architektur und Design, Staatl. Galerie; Landestheater; naturkundl. und vorgeschichtl. Museum; Maschinen- und Waggonbau, elektrotechn., Möbelind., Großbetrieb der Gärungschemie, Magnetbandfabrik, Brauerei; Bahnknotenpunkt, Elbhafen. D. ist Verw.sitz des UNESCO-Biosphärenreservats Mittlere Elbe (17500 ha). – Der Stadtkern wurde im 2. Weltkrieg stark zerstört, Wiederaufbau der Georgenkirche (1712–17) und Johanniskirche (1688–93), Schloss Georgium (1780, von F. W. von Erdmannsdorff, 1893 erweitert), Schloss Mosigkau (1754–56; wohl nach Plänen von G. W. von Knobelsdorff), Schloss Luisium (1774–78 von Erdmannsdorff). – 1213 erstmals als Marktflecken gen., wurde D. 1298 Stadt, nach der anhalt. Teilung von 1603 Hptst. und Residenz von Anhalt-D., 1863 Hptst. des vereinigten Anhalt. 1925 siedelte sich in D. das →Bauhaus an (bis 1932); die UNESCO nahm 1996 die Bauhausstätten in die Liste des Weltkulturerbes auf.

Paul Dessau

Dessau, Paul, Komponist und Dirigent, *Hamburg 19. 12. 1894, †Berlin (Ost) 28. 6. 1979; seit 1925 Opernkapellmeister in Berlin; emigrierte 1933, seit 1948 wieder in Berlin; seit 1954 ⚭ mit R. Berghaus. Sein u. a. auf Zwölftontechnik und akzentuierter Rhythmik basierender Stil ist wirkungsvoll durchsetzt mit Elementen der Popularmusik; schrieb Opern: »Die Verurteilung des Lukullus« (1951), »Puntila« (1966, beide nach B. Brecht), »Lanzelot« (1969), »Einstein« (1974), »Leonce und Lena« (1979, nach G. Büchner); Schauspiel-, Film-, Orchester- und Kammermusik, Kantaten, Chöre, Lieder.

📖 *P. D. 1894–1979. Dokumente zu Leben u. Werk, hg. v. der Stiftung Archiv der Akademie der Künste, Berlin, zsgest. u. kommentiert v.* D. Reinhold. *Berlin 1995.*

Friedrich Dessauer

Dessauer, Friedrich, Ingenieur, Biophysiker und Philosoph, *Aschaffenburg 19. 7. 1881, †Frankfurt am Main 16. 2. 1963; war maßgeblich an der Entwicklung der Röntgenologie, so der Kinematographie mit Röntgenstrahlen, und der Erforschung ihrer quantenbiolog. Grundlagen (→Treffertheorie) beteiligt; trat auch mit naturphilosophisch-theolog. Schriften hervor.

Dessauer, der Alte, →Leopold.

Dessert [dɛ'sɛːr, frz.] *das,* Nachspeise (aus Süßspeisen), aber auch Obst oder Käse.

Dessertwein [dɛ'sɛːr-], umgangssprachl. Bez. für den in den EG amtlich →Likörwein genannten gespriteten Wein.

Dessin [dɛ'sɛ̃, frz.] *das,* Plan, Entwurf; Musterzeichnung.

Dessoir [dɛ'swaːr], Max, Philosoph und Psychologe, *Berlin 8. 2. 1867, †Königstein im Taunus 19. 7. 1947; bemühte sich um eine Systematik der

Max Dessoir

Kunstwiss., insbesondere eine systemat. Ästhetik, und arbeitete über den Okkultismus (führte den Begriff »Parapsychologie« ein).

Werke: Gesch. der neueren dt. Psychologie, 2 Bde. (1894–1902); Ästhetik und allg. Kunstwiss. (1906); Vom Jenseits der Seele (1918); Das Ich, der Traum, der Tod (1947).

Dessous [dɛ'su:s, frz. »darunter«], (elegante) Damenunterwäsche.

Destillation [lat.] *die,* wichtigstes Verfahren zur Trennung von Flüssigkeitsgemischen. Die D. ist möglich, wenn die Siedepunkte der zu trennenden Flüssigkeiten verschieden sind, wenn sich keine azeotropen Gemische bilden und wenn sich die Stoffe bei der erforderl. Temperatur nicht zersetzen. Andernfalls wird mit einem Hilfsstoff gearbeitet (Azeotrop-D., Extraktiv-D.).

Mit der **einfachen D. (Gleichstrom-D.,** nur einmaliges Verdampfen und Kondensieren des Dampfes) lässt sich das Gemisch nur teilweise trennen. Die einfache **Labor-D.** verläuft meist diskontinuierlich. Dazu bringt man das Gemisch in einem Destillierkolben (Siedekolben) zum Sieden, kondensiert den Gemischdampf im →Kühler (z.B. Liebigkühler) und fängt ihn als Kondensat **(Destillat)** auf; hierin ist das leichter Siedende, im D.-Rückstand das schwerer Siedende angereichert. Im techn. Maßstab passiert der Gemischdampf zunächst einen speziellen Kühler, in dem sich vermehrt das schwerer Siedende sammelt (Rücklauf). Der Gemischdampf wird anschließend vollständig kondensiert und als Destillat in den Vorlagen aufgefangen. Bei der **Gegenstrom-D. (Rektifikation)** wird der Gemischdampf in einer →Kolonne mit dem herabfließendem Rücklauf in Kontakt gebracht. Auf den einzelnen Böden der Kolonne findet dabei ein intensiver Stoff- und Wärmeaustausch statt. So kann man reine Komponenten isolieren. – Im großtechn. Maßstab wird die D. meist kontinuierlich durchgeführt, d.h., das zu trennende Flüssigkeitsgemisch strömt stetig der Anlage zu. Dadurch ändert sich während des Betriebs die Zusammensetzung von Destillat und Rückstand nicht. – Bei Substanzen, die aus vielen Komponenten (z.B. Erdöl) bestehen, deren Siedepunkte dicht beieinander liegen, begnügt man sich mit der Auftrennung in Fraktionen mit bestimmtem Siedebereich und spricht von **fraktionierender D.** Bei der **Erdöl-D.** werden auch flüssige Seitenströme aus der Kolonne abgezogen. Um bei thermisch empfindl. Flüssigkeitsgemischen eine Zersetzung der Stoffe zu vermeiden, kann man durch Vakuum **(Vakuum-D.)** oder Zusatz von Trägerdampf **(Trägerdampf-D.)** den Siedepunkt der Komponenten erniedrigen. – Bei der **trockenen D.** (z.B. von Holz oder Kohle) handelt es sich um eine →Pyrolyse und nicht um eine Destillation.

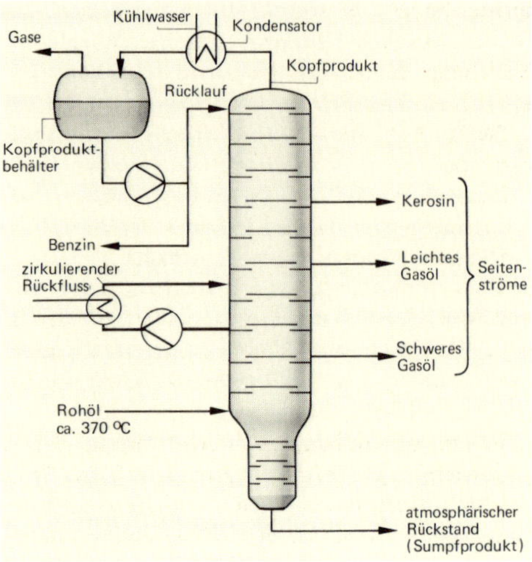

Destillation: Schematische Darstellung der Erdöldestillation

Destillierofen, Industrieofen zur Gewinnung von Metallen (z.B. Zink) aus ihren Oxiden durch Reduktion und Abdestillation.

Destouches [de'tuʃ], Philippe, eigtl. P. Néricault, frz. Dramatiker, *Tours 9. 4. 1680, †Schloss Fortoiseau bei Villiers-en-Bière (bei Melun) 4. 7. 1754; einer der Begründer des »ernsten Lustspiels« (»comédie morale«).

Destruenten [lat.], →Reduzenten.

Destruktion [lat.] *die,* Zerstörung, Zersetzung.

Destur [arab. »Verfassung«] *die,* tunes. Nationalbewegung, die seit 1920 als Partei Gleichberechtigung für Tunesier und Franzosen forderte. Nach Gründung (1934) der **Neo-D.** durch radikalere Mitgl. unter H. Bourguiba Auflösung der D. 1957. Die Neo-D. wurde 1956 die staatstragende Partei Tunesiens, 1964 als »Parti Socialiste Destourien« neu organisiert, 1988 durch den Rassemblement Constitutionnel Démocratique (RCD) abgelöst.

Destutt de Tracy [dɛs'tyt də tra'si], Antoine Louis Claude Graf, frz. Politiker und philosoph. Schriftsteller, *Paris 20. 7. 1754, †ebd. 9. 3. 1836;

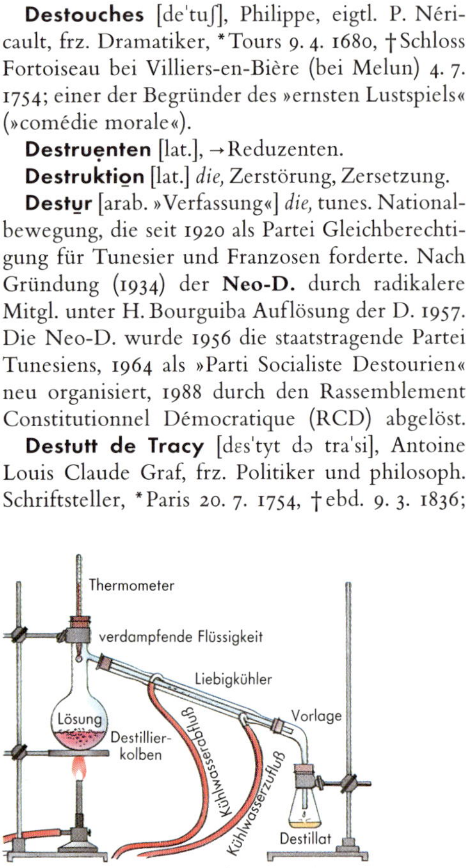

Destillation: Aufbau einer einfachen Destillationsapparatur

suchte durch seine sensualist. Lehre von der Vorstellungstätigkeit (»Ideologie«) prakt. Regeln für Erziehung, Recht und Staat zu begründen; kam 1789 als Adelsvertreter in die Generalstände.

DESY, Abk. für →**D**eutsches **E**lektronen-**Sy**nchrotron.

Deszendent *der,* **1)** Abkömmling, Nachkomme. **2)** absteigendes Tierkreiszeichen im Horoskop. **3)** Untergangspunkt eines Gestirns; Ggs. Aszendent.

Deszendenz [zu lat. descendere »herabsteigen«] *die,* **1)** *Astronomie:* Untergang eines Gestirns. **2)** *Genealogie:* die Verwandtschaft in absteigender Linie: Kinder, Enkel, Urenkel.

Deszendenzlehre, die →Abstammungslehre.

détaché [deta'ʃe; frz. »getrennt«], beim Spiel von Streichinstrumenten eine Strichart, bei der die einzelnen Töne durch eine Zäsur beim Bogenwechsel voneinander abgesetzt werden.

Detacheur [-'ʃøːr] *der,* Müllereimaschine zum Feinzerkleinern von groben Mehlkörnern zu Grießen.

Detachieren [-ʃ-], Nachbehandlung bei der chem. Reinigung zur Fleckentfernung.

Detail [de'taj, frz.] *das,* Einzelheit.

Detektiv [engl. aus lat.] *der,* in Großbritannien und den USA Kriminalbeamter; in Dtl. eine Person, die in privatem Auftrag Ermittlungen anstellt **(Privat-D.).**

Detektivgeschichte, Form der →Kriminalgeschichte.

Detektor [lat.] *der,* Nachweisgerät, insbesondere zum Nachweis und zur Messung elektromagnet. oder korpuskularer Strahlung **(Strahlungs-D.)** sowie atomarer Teilchen **(Teilchen-D.).**

Détente [de'tãt, frz.] *die,* →Entspannung.

Detergentilen [lat.], →Tenside.

Determinante *die,* algebraischer Ausdruck zur Auflösung linearer Gleichungssysteme, deren Koeffizienten a_{ik} zur Bestimmung der D. (Schreibweise $\det(a_{ik})$ oder $|a_{ik}|$) in einer quadrat. →Matrix $A = (a_{ik})$ zusammengefasst und nach kombinator. Regeln addiert werden. Für eine **zweireihige D.** gilt:

$$\det(a_{ik}) = \begin{vmatrix} a_{11} & a_{12} \\ a_{21} & a_{22} \end{vmatrix} = a_{11}a_{22} - a_{12}a_{21}$$

Determination [zu lat. determinare »abgrenzen«] *die,* zwangsläufige Bestimmtheit durch vorgegebene Bedingungen (Determinanten). Bestimmung der systemat. Zugehörigkeit (Art, Gattung, Familie u. Ä.) von Tieren und Pflanzen (→Systematik); in der Entwicklungsphysiologie das Festgelegtsein bestimmter Teile der Eizelle oder des Keimlings auf eine endgültige Differenzierungsrichtung.

Determinismus *der, Philosophie:* die Lehre von der eindeutigen Bestimmtheit allen Geschehens durch Ursachen, aller späteren Ereignisse durch frühere, im Ggs. zum →Indeterminismus. In der *Physik* stammt der Standpunkt des D. aus der mit der klass. Mechanik verbundenen Naturphilosophie und wird im Zusammenhang mit der Interpretation der modernen Quantenphysik von Physikern wie N. Bohr, W. Heisenberg und C. F. von Weizsäcker infrage gestellt. Determinist. Modelle in der Anthropologie, Ethik, Staats- und Geschichtsphilosophie schließen die →Willensfreiheit aus.

Detmold 2): Das Residenzschloss wurde zum großen Teil im Stil der Weserrenaissance (16. Jh.) erbaut, der integrierte, ursprünglich rein romanische Turm zeugt von einer mittelalterlichen Wasserburg als Vorläuferbau

📖 Koch, G.: *Kausalität, D. u. Zufall in der wiss. Naturbeschreibung. Berlin 1994.* – Honderich, T.: *Wie frei sind wir? Das D.-Problem. A. d. Engl. Stuttgart 1995.*

Detmold, 1) RegBez. in NRW, 6518 km², (1996) 2,02 Mio. Ew.; umfasst die kreisfreie Stadt Bielefeld und die Kreise Gütersloh, Herford, Höxter, Lippe, Minden-Lübbecke, Paderborn.

2) Stadt in NRW, Verw.sitz des RegBez. D. und des Kr. Lippe, am NO-Rand des Teutoburger Waldes, 73300 Ew.; Fachhochschule Lippe für Architektur und Bauwesen, Hochschule für Musik, Landestheater, -bibliothek, Landes- und Altertumsmuseum, Freilichtmuseum, Bundesforschungsanstalt für Getreideverarbeitung; Sitz mehrerer wiss. Gesellschaften; Möbel-, Leder-, Elektro-, Getränkeind., Maschinenbau; Fremdenverkehr. Südlich von D. die Grotenburg mit Hermannsdenkmal und die →Externsteine. – Fürstl. Residenzschloss (16. Jh.) im Stil der Weserrenaissance, das Neue Palais mit dem Lustgarten stammt aus dem 18. Jh., spätgot. Marktkirche. – D. ist 783 als **Theotmalli** genannt (Sieg Karls d. Gr. über die Sachsen). Die Edelherren (seit 1528 Grafen, seit 1789 Fürsten) zur Lippe erhoben D. um die Mitte des 13. Jh. zur Stadt und 1470 zu ihrer Residenz; die Burg wurde

Detmold 2)
Stadtwappen

1528–36 zur stärksten lipp. Landesfestung ausgebaut; 1918–45 Hptst. des Freistaats Lippe.

Detonation [lat.] *die,* unter rascher Volumenausdehnung ablaufende chem. Reaktion von explosiven Gasgemischen oder Explosivstoffen oder nukleare Reaktion von Kernspaltstoffen; bei dieser bes. schnellen Explosion werden Geschwindigkeiten bis 10 000 m/s und Drücke bis 300 000 bar in der Stoßwelle erreicht.

Detonationswert, Maß für die Sprengwirkung eines nuklearen Sprengkörpers im Vergleich zu Trinitrotoluol (TNT), angegeben in Kilo- oder Megatonnen (kt, Mt).

detonieren, von der richtigen Tonhöhe abweichen; unrein singen, bes. in A-cappella-Chören den Ton herunterziehen oder hinauftreiben.

Detritus [lat.] *der,* frei im Wasser schwebender, allmählich absinkender, unbelebter Stoff aus abgestorbenen, sich zersetzenden Tier- und Pflanzenresten.

Detroit [dɪˈtrɔɪt], Stadt in Michigan, USA, am Detroit River (Binnenschifffahrtsstraße im Bereich der Großen Seen), 992 000 Ew. (1970: 1,5 Mio.), als Agglomeration: 4,67 Mio. Ew. (davon 44% Schwarze); Sitz eines kath. Erzbischofs; zwei Univ., viele, durch Stiftungen der Ind. geförderte kulturelle Einrichtungen: Sinfonieorchester, zoolog. Garten, Museen; Forschungseinrichtungen; ehemals weltgrößtes Zentrum der Auto- (Ford, General Motors, Chrysler) und Autozubehörindustrie; auch chem. und pharmazeut. Ind., Maschinen- und Gerätebau. Durch den Sankt-Lorenz-Seeweg erhielt der Hafen Hochseeanschluss. – Zahlr. Hochhausbauten, u. a. »Renaissance Center« (1977) am Detroit River. – D., 1701 als frz. Fort gegr., wurde 1760 von den Briten erobert und kam 1796 an die USA; 1837–47 Hptst. von Michigan.

Detroit: Das Renaissance Center, 1977 nach einem Entwurf von John C. Portman jr. erbaut

Detskoje Selo, 1917–37 Name der russ. Stadt →Puschkin.

Dettelbach: Portalbau der Wallfahrtskirche Maria auf dem Sand (1610–13)

Dettelbach, Stadt im Landkreis Kitzingen, Bayern, am Main, 6 700 Ew.; Weinbau, Weinhandel. – Gut erhaltene Stadtbefestigung, Brückenrathaus (um 1512); vor der Stadt Wallfahrtskirche Maria auf dem Sand (1610–13). – Seit 1484 Stadt.

Detumeszenz [lat.] *die, Medizin:* das Abschwellen, z. B. einer Geschwulst.

detur [lat.], Abk. **d,** auf ärztl. Rezepten: man gebe!

Deukalion, *grch. Mythos:* Stammvater der Hellenen (durch seinen Sohn Hellen), entrinnt mit seiner Gemahlin Pyrrha in einem hölzernen Kasten einer riesigen Flut, durch die Zeus die Menschen vernichten wollte.

Deus absconditus [lat. »der verborgene Gott«], in der mittelalterl. Theologie und bei Luther Bez. für den transzendenten Gott, dessen Vorhaben unerforschlich sind und der mit menschl. Begriffen nicht zu erfassen ist.

Deus ex Machina [-x-; »Gott aus der Maschine«] *der,* im antiken Schauspiel der durch eine Maschine herabgelassene Gott, der die dramat. Verwicklungen löste; heute *übertragen:* unverhoffter Helfer.

Deuteranomalie [grch.] *die* (Grünschwäche), eine Form der →Farbenfehlsichtigkeit.

Deuteranopie [grch.] *die* (Grünblindheit), eine Form der →Farbenfehlsichtigkeit.

Deuterium [grch.] *das* (schwerer Wasserstoff), **D** oder **^{2}H,** 1931 von H. C. Urey und Mitarbeitern entdecktes natürl. Isotop des Wasserstoffs der Massenzahl 2. Sein Kern **(Deuteron)** besteht aus einem Proton und einem Neutron. D. ist in natürl.

Wasserstoffverbindungen zu 0,015 Mol-% enthalten; auch im Weltraum nachgewiesen. Bei der Elektrolyse von normalem Wasser reichert sich **schweres Wasser,** D_2O, im Rückstand an, aus dem es aufgrund der unterschiedl. physikal. Eigenschaften (Siedepunkt D_2O: 101,43 °C; H_2O: 100,0 °C) in reiner Form gewonnen werden kann. Gasförmiges D. lässt sich aus D_2O durch Zersetzung mit Metallen gewinnen. Chemisch ist D_2O weniger reaktionsfähig als »leichtes« Wasser. Auf höhere Organismen wirkt es giftig, niedere können in D_2O-haltiger Umgebung leben. – D. wird analytisch mit dem Massenspektrometer oder durch Messung der Wärmeleitfähigkeit bestimmt, in seinen Verbindungen auch infrarotspektroskopisch oder durch Messung der Dichte- und Brechungsunterschiede. – D. hat Bedeutung als Leitisotop in markierten Verbindungen **(deuterierte Verbindungen),** als Füllgas für UV-Quellen in der Spektroskopie **(D.-Lampen)** und als Ausgangsprodukt für die thermonukleare →Kernfusion.

deut(ero)... [grch.], nächst..., zweit...

Deuterojesaja, *A. T.:* israelit. Prophet →Jesaja.

deuterokanonische Bücher, *kath. Theologie:* in den Kanon aufgenommene apokryphe Schriften des A. T. (→Apokryphen).

Deuteron *das,* **d,** Atomkern des →Deuteriums. **Anti-D.** bestehen aus einem Antiproton und einem Antineutron.

Deuteronomium [grch. »zweites Gesetz«] *das,* das fünfte Buch Mose.

Deuterostomiler, *Zoologie:* →Protostomier.

deutliche Sehweite, der kürzeste Abstand, auf den das Auge ohne merkl. Anstrengung akkommodieren (→Akkommodation) kann; beträgt 25 cm beim normalen Auge.

deutsch. Der Name und Begriff d. geht als einzige Nationalitätsbezeichnung in Europa nicht auf einen älteren Landes- oder Stammesnamen zurück, sondern entwickelte sich auf dem Wege: deutsche Sprache – Deutsche – Deutschland.

Das Adjektiv d. lässt sich auf das german. Substantiv »thiot« (»Volk«) zurückführen. Die Gesch. des Wortes wurde durch die kulturellen und polit. Verhältnisse im Fränk. Reich mitbestimmt. Das altfränk. »theudisk« (»dem eigenen Stamm zugehörig«) kam im 7. Jh. im Fränk. Reich auf; Ggs. war »walhisk« (»welsch«, »romanisch«). Unter Karl d. Gr. wurde die (786 erstmals belegte) mlat. Form »theodiscus« gebildet und auf die Sprache bezogen: »Theodisca lingua« war die fränk. Volkssprache im Unterschied zum Latein, seit Anfang des 9. Jh. auch zur »rustica lingua romana«, dem Altfranzösischen. Das mlat. »theodiscus« wurde von der im ostfränk. Raum entstandenen ahd. Form »diutisc« (sie entsprach dem westfränk. »theudisk«) verdrängt und zur Sammelbez. der Stammessprachen im Ostfränk. Reich, aus dem Dtl. hervorging, und somit zum direkten Vorläufer der heutigen Form »deutsch«. Im Annolied (um 1080) wurde die Bez. erstmals auf die Sprachträger (→Deutsche) übertragen. (→deutsche Sprache)

Ernst Deutsch

Deutsch, 1) Ernst, Schauspieler, *Prag 16. 9. 1890, †Berlin (West) 22. 3. 1969; kam über Wien, Prag, Dresden nach Berlin, wo er bei Max Reinhardt klass. und moderne Rollen spielte; war auch im Film tätig (»Der Golem«, 1920, u. a.); 1933 Emigration in die USA; 1947 Rückkehr nach Wien (Burgschauspieler).

2) Helene, amerikan. Psychoanalytikerin poln. Herkunft, *Przemyśl (Galizien) 9. 10. 1884, †Cambridge (Mass.) 29. 3. 1982; grundlegende Arbeiten auf dem Gebiet der weibl. Sexualität (»Die Psychologie der Frau«, 1944–53); in Wien vorübergehend Assistentin bei S. Freund (⚭ mit dessen Arzt, Felix Deutsch); 1934 Emigration in die USA, dort u. a. Prof. für Psychiatrie an der Boston University.

3) Julius, österr. Politiker, *Lackenbach (Burgenland) 2. 2. 1884, †Wien 17. 1. 1968; Gewerkschaftsführer, Sozialdemokrat, 1919-20 Staatssekretär für das Heerwesen, gründete 1923 den Republikan. Schutzbund und führte 1934 den sozialdemokrat. Februaraufstand; 1940–46 im Exil.

4) Karl Wolfgang, Politologe, *Prag 21. 7. 1912, †Cambridge (Mass.) 1. 11. 1992; war 1958–67 Prof. an der Yale University, seit 1967 an der Harvard University; versuchte mithilfe von Modell- und Spieltheorien zu einem kybernetischen Ansatz der Erklärung politischer Phänomene zu kommen.

5) Niklaus Manuel, schweizer. Maler und Dichter, →Manuel, Niklaus.

6) Otto Erich, österr. Musikhistoriker, *Wien 5. 9. 1883, †ebd. 23. 11. 1967; lebte 1939–52 als Emigrant in England; schrieb grundlegende quellenkundl. Werke über W. A. Mozart und bes. F. Schubert.

Deutsch-Altenburg, Bad, →Bad Deutsch-Altenburg.

Deutschbalten (Baltendeutsche), im 19. Jh. entstandene Bez. für die dt. Bewohner der Ostseeprovinzen des Russ. Reiches. Sie bildeten seit der Herrschaft des Dt. Ordens (13. Jh.) eine schmale Oberschicht unter einer ständ. Verfassung. Bis 1918 gehörte der balt. Großgrundbesitz zu einem großen Teil den D., wurde aber durch die Agrarreformen in den unabhängig gewordenen Staaten Estland (1919) und Lettland (1920) enteignet. Die Umsiedlung von D. in das Gebiet des Dt. Reiches aufgrund der Umsiedlungsverträge vom Okt. 1939 bedeutete praktisch das Ende der deutschbalt. Volksgruppe. Für die in Lettland und Estland verbliebenen D., die nach 1940 durch sowjet. Behörden enteignet wurden, sind 1991/92 Entschädigungsregelungen festgelegt worden.

Deutsch-Brod, Stadt in der Tschech. Rep., → Havlíčkův Brod.

Deutsch-Dänische Kriege (1848–50 und 1864), → Schleswig-Holstein, Geschichte.

Deutsche, Angehörige des dt. Volkes. Im Sinne des Grundgesetzes ist Deutscher, »wer die dt. Staatsangehörigkeit besitzt oder als Flüchtling oder Vertriebener dt. Volkszugehörigkeit oder als dessen Ehegatte oder Abkömmling in dem Gebiete des Dt. Reiches nach dem Stande vom 31. 12. 1937 Aufnahme gefunden hat« (Art. 116 Abs. 1 GG). Als D. gelten demnach außer den Bürgern der Bundesrep. Dtl. auch viele → Aussiedler, die, sofern sie nicht schon aufgrund des Art. 116 GG die dt. Staatsangehörigkeit besitzen, nach den Staatsangehörigkeitsgesetzen Anspruch auf Verleihung der dt. Staatsbürgerschaft haben.

Deutsche

Das Volk der Dichter und Denker

Urheber dieser oft zitierten Bezeichnung für die Deutschen ist wohl der Schriftsteller Johann Karl August Musäus, der in Weimar als Pagenhofmeister und Gymnasiallehrer tätig war. In dem seine »Volksmärchen der Deutschen« (5 Bände, 1782–86) einleitenden »Vorbericht an Herrn David Runkel, Denker und Küster ...« heißt es »Was wäre das enthusiastische Volk unserer Denker, Dichter, Schweber, Seher ohne die glücklichen Einflüsse der Phantasie?« Ohne nationalen Bezug verwendete Musäus die Zwillingsformel »Denker und Dichter« bereits in seinen »Physiognomischen Reisen« (1779). Jean Paul hat dann die heute geläufige Umstellung Dichter und Denker geprägt, allerdings ebenfalls ohne Bezug auf Deutschland. – Gelegentlich ist mit dieser Bezeichnung auch gemeint worden, dass die Einheit, der Zusammenhalt der Deutschen in einem politisch zersplitterten Deutschland nur in der Dichtung, in der Kultur besteht. – Der österreichische Schriftsteller Karl Kraus (1874–1936) bildete 1908 die Formel in seiner Zeitschrift »Die Fackel« um zum »Volk der Richter und Henker«.

Geschichte: Von D., nach Herkunft und Sprache ein Teil der → Germanen, die sich seit etwa der Eisenzeit (1. Jt. v. Chr.) nach Mitteleuropa ausbreiteten, kann man erst sprechen, nachdem bei und nach der Teilung des Fränk. Reichs in den german. Stämmen der östl. Reichshälfte das Bewusstsein einer polit. Zusammengehörigkeit entstanden war (→ deutsch). Die D. schieden sich nach Sprache (→ deutsche Sprache) und Recht, später auch nach ihrer Geschichte von den »Welschen« der roman. Welt; dieser Vorgang begann Mitte des 9. Jh. und war im Wesentlichen nach einem Jh. abgeschlossen. Die Vorstellung einer gemeinsamen Abstammung der D. entstand erst im 11. Jh. Selbst das Heilige Röm. Reich (dt. Nation) bedeutete nur eine zeitlich, ständisch und räumlich bedingte einigende Idee.

Die D. gliederten sich seit jeher in Stämme, von denen einige bis in die german. Zeit zurückzuverfolgen sind. Nach der Völkerwanderung siedelten in dem heute von Deutsch Sprechenden bewohnten Gebiet folgende Großstämme: die Alemannen beiderseits des Oberrheins, die Baiern zw. dem Böhmerwald, den Alpen bis zur Enns und zum Lech, die Franken beiderseits des Mittel- und Niederrheins, die Thüringer zw. dem Main und dem Harz, die Sachsen zw. der Elbe und dem Niederrhein, die Friesen auf den Nordseeinseln und an der Küste.

In der Karolingerzeit (7./8.–10. Jh.) begann, um die wachsende Bev. aufzunehmen, die Neusiedlung in Gestalt der → Rodung. Diese »innere Kolonisation« ist dann jahrhundertelang in die Wälder und Berge vorgetrieben worden. Hierzu trat etwa gleichzeitig die »äußere Kolonisation«, der teils friedl., teils krieger. Erwerb von Gebieten außerhalb der Grenzen des Reiches (»Marken«), bes. in den während der Völkerwanderung den Slawen überlassenen Gebieten (→ deutsche Ostsiedlung). Die Neusiedlung jenseits der alten Ostgrenze zw. dem 10. und 14. Jh. zog große Bev.teile aus den alten Stammesgebieten (Altsiedelgebiet) ab, die in den neuen Siedlungsräumen mit der einheim. Bev. (v. a. Slawen) verschmolzen.

Mit der dt. Ostsiedlung erfolgte die Eindeutschung der Länder Österreich, Kärnten, Steiermark, Obersachsen, Schlesien, Brandenburg, Mecklenburg, Pommern, Preußen und der Randgebiete Böhmens und Mährens. Über diesen geschlossenen Bereich hinaus entstanden größere und kleinere Siedlungskerne weit nach Osteuropa hinein vom Baltikum bis zum Schwarzen Meer.

Die (im Verhältnis zur damaligen Bev.zahl) größten Bev.verluste erlitten die D. im Dreißigjährigen Krieg. 1618 betrug die Bev. etwa 20 Mio. (diese Zahl wurde erst gegen 1800 wieder erreicht). Vom Ende des 17. Jh. bis zum Beginn des 19. Jh. kamen hierzu Neusiedlungen im O, in Ungarn (Siebenbürger Sachsen, Sathmarer und Banater Schwaben, Karpaten-D., Donauschwaben), Brandenburg-Preußen und Russland (Wolga- bzw. → Russlanddeutsche).

Die nach absoluten Zahlen größten Bev.verluste erlitten die D. mit dem Ende des 2. Weltkrieges seit 1944. Aus dem Gebiet des Dt. Reiches östlich von Oder und Neiße, aus Böhmen und Mähren, aber auch aus den anderen dt. Siedlungsgebieten in Osteuropa wurden rd. 13 Mio. D. vertrieben, mehr als zwei Mio. fanden den Tod (→ Umsiedlung, → Vertriebene). Der Krieg selbst hatte über 5 Mio. Tote gefordert.

Wandlungen des Begriffs Deutsche: Durch die historisch-politische Entwicklung (Ausscheiden der Schweizer seit dem 15., der Niederländer seit dem 16. Jh., der Österreicher seit 1866, Gründung des Dt. Reichs von 1871, Zerfall der Donaumonarchie 1918, Gebietsverluste des Dt. Reichs 1919) haben sich Einengungen des Begriffs »Deutsche« und neue Sonderbegriffe ergeben. So hat man »deutsch« bevorzugt auf die Staatsbürger des Dt. Reichs **(Reichs-D.)** angewendet, neben denen die Österreicher standen; in der Schweiz wurde der Begriff »deutschsprachig« üblich; innerhalb der österr.-ungar. Monarchie (1867–1918) war »deutsch« mit »deutschsprachig« identisch.

Unter **Binnen-D. (Inlands-D.)** verstand man i. d. R. die dt. Staatsangehörigen. Die außerhalb der dt. Reichsgrenzen lebenden D. wurden **Auslands-D.** genannt; dazu gehörten die im Ausland wohnenden dt. Staatsangehörigen **(Auslandsreichs-D.)** sowie die im Ausland lebenden D. fremder Staatsangehörigkeit, die Deutsch sprachen und ihre dt. Abstammung betonten. 1933–45 wurde bes. für die D., die jenseits der östl. Reichsgrenze wohnten und nicht die dt. Staatsangehörigkeit besaßen, die Bez. »Volks-D.« verwendet.

Geschichte der deutschen Volksgruppen: Jenseits der Grenzen des Dt. Reichs von 1937 lebten zahlr. dt. Volksgruppen, zum größten Teil direkt an der Grenze und damit in Verbindung zur dt. Kultur, zum kleineren Teil räumlich von ihr getrennt in Osteuropa oder Übersee. Jenseits der Ostgrenze werden räumlich und geschichtlich drei Gruppen unterschieden: 1) die seit dem MA. vom Baltikum bis nach Siebenbürgen, im Übrigen meist an der Reichsgrenze siedelnden D.; 2) die im 17. bis 19. Jh. in Streusiedlungen nach Südosteuropa vorgedrungenen D.; 3) die im 18. und 19. Jh. ebenfalls in einzelnen Gruppen in Nordosteuropa angesiedelten Deutschen. Dazu kam der dt. Auswandererstrom nach Übersee im 19. und 20. Jahrhundert.

Deutsche in Ost- und Südosteuropa: Aus der Zeit der großen Ostsiedlung (etwa 1100 bis etwa 1350) stammten die D. im Memelland und in Danzig, in Oberschlesien, um Bielitz und Teschen, in Böhmen (mit Prag), Mähren, Schlesien und der Slowakei, in Österreich (schon seit dem 8. Jh.), im angrenzenden Westungarn, in Südkärnten, in der Untersteiermark und in Krain. Westpreußen und Posen wurden damals nur teilweise mit D. besiedelt. Starke Gruppen kamen ins Baltikum (Estland und Lettland, →Deutschbalten) und nach Siebenbürgen.

Die D. im Memelgebiet, in Danzig, Westpreußen (Pommerellen), Posen und Ostoberschlesien lebten bis 1918 im Königreich Preußen. Die meisten D. des Memelgebiets flohen Ende Juli 1944. In den preuß. Provinzen Westpreußen und Posen lebten ebenfalls seit dem 13. und 14. Jh. D., vom Dt. Orden bzw. von den poln. Fürsten ins Land gerufen. Schon 1919 sank ihre Zahl durch Wegzug und durch Ausweisung. Viele der östlich von Oder und Neiße lebenden D. flüchteten 1944/45 in das westl. und mittlere Dtl. (zur heutigen Lage →Polendeutsche).

Die →Sudetendeutschen aus den habsburg. Kronländern Böhmen, Mähren und Österreichisch-Schlesien bildeten nach den Österreichern, die heute eine eigenständige nationale Identität besitzen, die zweitgrößte dt. Volksgruppe unmittelbar jenseits der Grenzen des Dt. Reiches. Nach ihrer Vertreibung auf der Basis der Beneš-Dekrete und des Potsdamer Abkommens vom 2. 8. 1945 kamen sie v. a. in die amerikanisch und die sowjetisch besetzte Zone Dtl.s sowie nach Österreich. Etwa 250 000 D. blieben im Land. Ein ähnl. Schicksal erlitten die D. in der Slowakei (Zips), die seit dem 13. und 14. Jh. als Bergleute nach Oberungarn gekommen waren. In der 1919 an (das spätere) Jugoslawien gefallenen Untersteiermark (Marburg an der Drau) und in dem 1919 an Italien gekommenen Kanaltal (Südkärnten) leben nur noch geringe Reste von Deutschen. Aus dem MA. stammten auch die dt. Sprachinseln in Krain, die ebenfalls 1919 an Jugoslawien kamen; während des 2. Weltkriegs wurden 15 000 D. aus den Gebieten von Gottschee und Laibach ins Dt. Reich umgesiedelt.

Die größte der vom geschlossenen dt. Sprachgebiet getrennten Gruppen war seit der Mitte des 12. Jh. die der →Siebenbürger Sachsen. Ab 1944 flüchtete ein Teil von ihnen nach Dtl. und Österreich; ihre Zahl ist, bes. seit 1989, in Rumänien durch Auswanderung nach Dtl. stark zurückgegangen.

Nach den Türkenkriegen entstanden im habsburg. Ungarn mehrere Siedlungsgebiete der Ungarn-D., dann der Banater Schwaben, der D. in der Batschka, der Schwäb. Türkei, in Slawonien (»Donauschwaben«), im Gebiet von Sathmar und im späteren Karpatorussland (Karpaten-D.). Nach der ersten Teilung Polens (1772) traten hierzu dt. Streusiedlungen in Galizien und der Bukowina, dazu die im 19. Jh. entstandenen dt. Siedlungen in Altrumänien, der Dobrudscha und an der ehem. Militärgrenze in Bosnien. Während die D. im Kerngebiet Ungarns nach 1918 dort verblieben, wurde das Banat auf Ungarn, Rumänien und Jugoslawien verteilt, die Batschka auf die beiden Letzteren, Sathmar und die Bukowina fielen an Rumänien, Slawonien und Bosnien an Jugoslawien, Karpatorussland an die Tschechoslowakei, Galizien an Polen. Nach dem Potsdamer Abkommen vom 2. 8. 1945 wurden die Ungarn-D. ausgesiedelt bzw. vertrieben; von 633 000 blieben nur etwa 270 000 im Land. Die Rumänien-D. (v. a. Siebenbürger Sachsen) kamen während des 2. Weltkriegs durch Umsiedlungsverträge nach Dtl. und Österreich oder wurden ab Dez. 1944 in die Sowjetunion verschleppt. Aus Jugoslawien wurden während des 2. Weltkriegs die D. in Bosnien und »Restserbien« ebenfalls ins Dt. Reich umgesiedelt. Aus dem Banat und der Batschka kamen nach 1945 zahlr. Flüchtlinge und Vertriebene hinzu, die bes. im westl. Teil Dtl.s und in Österreich aufgenommen wurden. Die D. in Galizien wurden 1940 zumeist in das Dt. Reich umgesiedelt.

Vom Ende des 18. Jh. bis zur Mitte des 19. Jh. entstanden neue Siedlungen von D. in Russland. So kamen 1763–67 unter Katharina II. zu günstigen Bedingungen D. in die Kirgisensteppe an der Wolga, seit 1787 in die Ukraine. Der dortige Zuzug wurde erneut durch Zar Alexander I. gefördert (1804–09), desgleichen seit 1814 der in das den Türken abgenommene Bessarabien (Bessarabien-D.); auf die Krim und in das Land nördlich und südlich des Kaukasus kamen ebenfalls Deutsche. Auch in Polen setzte im 18. Jh. eine neue dt. Siedlungsbewegung ein; sie ging nach den Teilungen Polens im russ. Herrschaftsgebiet weiter und endete in Kongresspolen erst mit der Bauernbefreiung 1861. Von Kongresspolen aus wurden in der zweiten Hälfte des 19. Jh. die Siedlungen im Cholmer und Lubliner Land, v. a. aber in Wolhynien (Wolhynien-D.) gegründet. Schließlich kam es noch zu einer privaten bäuerl. Siedlung von D. in Litauen, meist von Ostpreußen aus.

Die 1944 nach Dtl. geflüchteten 220 000 Russlanddeutschen wurden nach 1945 z. T. (aus der sowjet. Besatzungszone) in das Innere der Sowjetunion verschleppt. Das gleiche Schicksal erlitten die seit 1920 im rumän. Staatsverband lebenden Bessarabiendeutschen. Von den D. in den 1920/21 an Polen gefallenen ehem. dt. Gebieten wurden nach dem Polenfeldzug 1939 170 000 aus Wolhynien und Ostpolen umgesiedelt, meist in die damaligen Reichsgaue Wartheland und Danzig-Westpreußen.

Deutsche Bahn AG. Bestände und Leistungen

	1980	1996
Schienennetz (Betriebslänge in 1 000 km)	28,5	39,4
Verkehrsaufkommen (Mio. Personen bzw. Mio. t):		
beförderte Personen	1 673	1 393
beförderte Tonnen	347,9	289,3
Verkehrsleistung (in Mio. Personen-km bzw. Mio. Tonnen-km):		
Personenkilometer	47 690	62 145
Tonnenkilometer	70 068	67 880
Fahrzeugbestand:		
Elektr. Lokomotiven	2 705	3 535
Diesellokomotiven	3 088	2 864
Elektr. Triebwagen	-	1 961
Güterwaggons (in 1 000)	282,1	163,8
Beschäftigte (in 1 000)	343	289

Deutsche Arbeitsfront: Werbeplakat der nationalsozialistischen Organisation »Kraft durch Freude«

Deutsche in Übersee: In Kanada begann um 1750 eine anfangs geringe Siedlung durch D., die im 19. Jh., dann nochmals zu Beginn des 20. Jh. und nach 1945 wesentlich an Umfang zunahm. 1608 beginnend, v. a. aber im 19. Jh., bes. stark seit 1848, wanderten viele D. in die USA aus und wurden im amerikan. »Schmelztiegel« assimiliert; anders dagegen in Mittel- und v. a. Südamerika, wo sich dt. Sprache und Kultur in geschlossenen und Streusiedlungen erhalten haben, v. a. in Brasilien, wo seit 1824 (São Leopoldo), verstärkt nach 1850 (Blumenau), viele D. (zumeist ehem. Russland-D.) einwanderten. Heute leben sie meist in den Staaten Rio Grande do Sul, Santa Catarina, São Paulo und Paraná. In Argentinien wurde 1836 die erste dt. Ansiedlung gegründet; ein neuer Zuzug kam nach dem 2. Weltkrieg ins Land. In Chile siedelten sich die ersten D. 1850 bei Valdivia und in der Prov. Chiloé an, später dann auch in Santiago, Valparaíso und Concepción.

In die anderen Erdteile sind nur wenige D. ausgewandert. In Australien begann eine größere dt. Einwanderung 1838, die stetig angedauert hat. In Afrika siedelten D. schon mit den Buren. Von den seit 1884 erworbenen Schutzgebieten des Dt. Reiches war klimatisch nur Südwestafrika für eine bodenständige Besiedlung geeignet, die sich dort auch erhalten hat.

📖 DRALLE, L.: *Die D.n in Ostmittel- u. Osteuropa. Ein Jahrtausend europ. Geschichte. Darmstadt*

1991. – D. im Ausland – Fremde in Deutschland. Migration in Geschichte u. Gegenwart, hg. v. K. J. BADE. *München ³1993. – Die D.n in Ostmittel- u. Südosteuropa. Geschichte, Wirtschaft, Recht, Sprache, hg. v.* G. GRIMM *u. a., 2 Bde. München 1995–96.*

Deutsche Akademie, 1925–45 Einrichtung zur wiss. Erforschung und Pflege des Deutschtums und der Kulturbeziehungen zum Ausland; Sitz: München. Die Aufgaben übernahm nach dem 2. Weltkrieg z. T. das →Goethe-Institut.

Deutsche Akademie für Sprache und Dichtung, Vereinigung dt. Schriftsteller sowie Sprach- u. a. Geisteswissenschaftler zur Förderung und Pflege, zur Repräsentation und Vermittlung der dt. Sprache und Dichtkunst, gegr. 1949; Sitz: Darmstadt. Kommissionen widmen sich der Vergabe von Preisen sowie den Publikationen der Akademie. Die Akademie verleiht mehrere Preise (u. a. den Georg-Büchner-Preis).

Deutsche Angestellten-Gewerkschaft, Abk. **DAG,** →Angestelltengewerkschaften.

Deutsche Arbeitsfront, Abk. **DAF,** nat.-soz. Einheitsverband der Arbeitgeber und Arbeitnehmer, nach der Zwangsauflösung der Gewerkschaften im Mai 1933 im Rahmen der nat.-soz. Gleichschaltungspolitik gegr. (Leiter: R. Ley), als »angeschlossener Verband« der NSDAP ein polit. und wirtsch. Machtinstrument der Partei. Die Mitglieder der versch. Wirtschaftszweige waren in 18 »Reichsbetriebsgemeinschaften« zusammengefasst. Die Arbeitnehmer konnten damit ihre Interessen nicht mehr unabhängig vom Staat vertreten. Durch Kontrollrats-Ges. vom 10. 10. 1945 wurde die DAF aufgelöst. Eine Sonderorganisation war die Gemeinschaft »Kraft durch Freude« für Urlaubs- und Freizeitgestaltung.

Deutsche Atomkommission, 1955–71 bestehendes Gremium zur Beratung des für Fragen der Atomenergie zuständigen Bundesmin., bestehend aus Sachverständigen aus Wiss., Technik, Wirtschaft und Verwaltung. An ihre Stelle traten als beratende Fachausschüsse: der Fachausschuss Kernforschung und Kerntechnik beim Bundesmin. für Forschung und Technologie, der Fachausschuss Strahlenschutz und Sicherheit (seit 1974 Strahlenschutzkommission) und die bereits seit 1958 bestehende, 1971 neu konstituierte Reaktor-Sicherheitskommission, beide (seit 1986) beim Bundesmin. für Umwelt, Naturschutz und Reaktorsicherheit.

Deutsche Ausgleichsbank, Kreditinstitut mit Sonderaufgaben, gegr. 1950 als **Vertriebenenbank AG,** 1954 Überführung in eine bundesunmittelbare Anstalt des öffentl. Rechts unter der Bez. **Lastenausgleichsbank,** seit 1986 jetziger Name; Sitz: Bonn. Die ursprüngl. Hauptaufgabe (bankmäßige Durchführung des Lastenausgleichs) wurde seit 1990 erweitert um die Förderung von Existenzgründungen in Ostdtl., Osteuropa und in Entwicklungsländern, wofür sie ERP-Mittel verwendet.

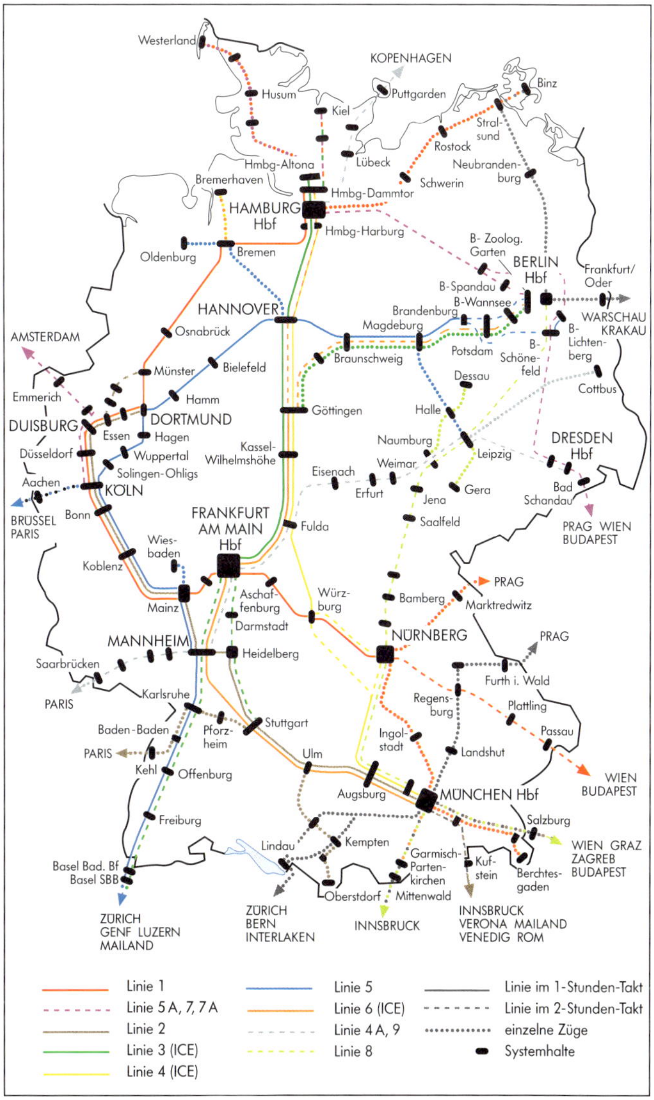

Deutsche Bahn AG: EC-/ICE-/IC-Netz 1996

Deutsche Bahn AG, Abk. **DB AG,** aus der ehemaligen Anstalt des öffentl. Rechts Deutsche Bundesbahn (gegr. 1949) durch die →Bahnreform zum 1. 1. 1994 hervorgegangenes Verkehrsunternehmen in Staatseigentum mit privater Rechtsform; Sitz: Berlin, Zentrale: Frankfurt am Main. Dem Bund obliegen die Gesetzgebung und die Eisenbahnverkehrsverwaltung. Die unternehmer. Verantwortung der DB umfasst sämtl. Aktivitäten zur Beförderung von Personen und Gütern und das Betreiben der Eisenbahninfrastruktur. Der Bund hat die DB von Schulden und Altlasten be-

Deutsche Bahn AG

freit und sie weitgehend vom Abschreibungsaufwand entlastet. An die Stelle des alten dreistufigen Behördenaufbaus ist eine Organisationsstruktur mit neun Geschäftsbereichen getreten. Die DB hat zahlreiche Beteiligungsgesellschaften, u. a. BBHG Bahnbus-Holding GmbH, Bahn Trans GmbH (50 %), Dt. Reisebüro GmbH (DER, 66,8 %), Ges. für Telekommunikation mbH & CoKG (DBKom), dvm Dt. Verkehrsdienstleistungs- und Management GmbH, Mitropa Mitteleurop. Schlafwagen- und Speisewagen AG, S-Bahn Berlin GmbH. 1995 erzielte die DB mit ihren rd. 313 000 Beschäftigten einen Umsatz von 29,8 Mrd. DM.

Deutsche Bank AG, Frankfurt am Main, größte dt. Bank (Universalbank); gegr. 1870, 1929 Fusion mit der Disconto-Ges., Berlin, zur »Dt. Bank und Disconto-Ges.« (seit 1937 wieder D. B. AG). 1948 wurde die D. B. AG wegen ihrer Rolle im Nationalsozialismus durch die Besatzungsmächte dezentralisiert; die Nachfolgeinstitute verschmolzen 1957 wieder. Die D. B. AG hält zahlreiche direkte und indirekte Beteiligungen, die in der letzten Zeit v. a. im Ausland ausgebaut wurden: Alma Beteiligungsges. mbH, Banco de Madrid, Bank 24, Roland Berger & Partner Holding GmbH, Daimler-Benz AG (24,4 %), Dt. Centralbodenkredit-AG, Dt. Immobilien Anlageges. mbH, Dt. Herold, DWS Dt. Ges. für Wertpapiersparen mbH, Europ. Hypothekenbank S. A., Frankfurter Hypothekenbank AG, Gerling-Konzern, Morgan Grenfell Group plc, Philipp Holzmann AG (25,8 %). 1998 beschäftigte die D. B. AG in ihren rd. 2 500 Niederlassungen 75 900 Personen; die Bilanzsumme betrug 1156 Mrd. DM. Ende Nov. 1998 wurde die geplante Fusion mit dem US-Investmenthaus »Bankers Trust« zum weltweit größten Finanzdienstleister mit einer Bilanzsumme von rd. 1418 Mrd. DM und etwa 96 000 Beschäftigten bekannt gegeben. → Banken, ÜBERSICHT

Deutsche Bergwacht, → Bergwacht.

Deutsche Bewegung, von W. Dilthey geprägter, durch H. Nohl eingeführter Ausdruck für die Blütezeit der dt. Geistesgeschichte etwa zw. 1770 und 1830. Sie beeinflusste, v. a. durch Herder, Winckelmann, Goethe, Schiller, Kant, W. von Humboldt, Fichte, Hegel, Schelling und die Romantik, nachhaltig die europ. Geistesentwicklung.

Deutsche Bibliothek, Die, seit 11. 12. 1990 gemeinsamer Name der Deutschen Bibliothek, Frankfurt am Main (Sitz der neuen Generaldirektion), der Deutschen Bücherei, Leipzig, sowie des Deutschen Musikarchivs, Berlin.

Geschichte: Die **Dt. Bücherei** wurde 1912 als Einrichtung des Börsenvereins der Dt. Buchhändler zu Leipzig als Gesamtarchiv des deutschsprachigen Schrifttums eröffnet. Seitdem sammelte und verzeichnete sie das gesamte seit 1913 in Dtl. innerhalb und außerhalb des Buchhandels erscheinende Schrifttum und die Musikalien mit dt. Titeln und Texten (seit 1943), die Übersetzungen deutschsprachiger Werke (seit 1941) sowie fremdsprachige Werke über Dtl., die internat. Literatur auf dem Gebiet des Buch- und Bibliothekswesens, die Druckerzeugnisse der Kartographie, ferner die dt. Patentschriften (seit 1945) und dt. literar. Schallplatten (seit 1959). Hg. u. a. des »Dt. Bücherverzeichnisses« (1911–90) und der »Dt. Nationalbibliographie« (1931–90). In die Dt. Bücherei war seit 1950 das Dt. Buch- und Schriftmuseum eingegliedert. – Die **Dt. Bibliothek** war die 1947 gegr. zentrale Archivbibliothek in Frankfurt am Main (seit 1969 Anstalt des öffentl. Rechts). Sie sammelte und verzeichnete die nach dem 8. 5. 1945 in Dtl. verlegten und die im Ausland erschienenen deutschsprachigen Veröffentlichungen, die Übersetzungen dt. Werke in andere Sprachen und fremdsprachige Werke über Dtl. sowie die dt. Emigrantenliteratur 1933–45. Musiknoten und -tonträger werden seit Gründung (1970) der Außenstelle **Dt. Musikarchiv** (Berlin) verzeichnet. Die D. B. ist eine Präsenzbibliothek; Ablieferungspflicht der Verleger der Bundesrep. Dtl. (vor 1969 freiwillig); Hg. der »Dt. Nationalbibliographie, Bücher und Karten« (seit 1951), »Dt. Bibliographie, Zeitschriftenverzeichnis« (seit 1945). – 1994 nahm am Standort Leipzig eine großtechn. Anlage zur Papierentsäuerung im Zentrum für Bucherhaltung an der Dt. Bücherei die Arbeit auf. – 1997 Bezug des Neubaus für den Standort Frankfurt am Main. (ÜBERSICHT Bibliothek)

Deutsche Börse AG, mit der Neustrukturierung des dt. Börsenwesens zum 1. 1. 1993 durch Umfirmierung der Frankfurter Wertpapierbörse AG (Abk. FWB; gegr.: 1990) gegründete Gesellschaft; Sitz: Frankfurt am Main. Durch die Weiterentwicklung elektron. Handelssysteme und die Integration einzelner Börsendienstleistungen (z. B. Kassa- und Terminhandel) soll sie die Wettbewerbsfähigkeit des Finanzplatzes Frankfurt am Main stärken. Die D. B. ist Eigentümerin der Dt. Wertpapierdaten-Zentrale GmbH und der Dt. Kassenverein AG sowie Trägerin der Frankfurter Wertpapierbörse und der **Dt. Terminbörse,** DTB. Die am 26. 1. 1990 eröffnete DTB ist die erste vollcomputerisierte dt. Börse (Computerbörse) und erste dt. Börse für Finanztermingeschäfte, an der Optionen und Financial Futures (→ Futures) gehandelt werden.

Deutsche Bucht, die südöstliche Bucht der → Nordsee, deren innerer Teil Helgoländer Bucht genannt wird.

Deutsche Bundesbahn, Abk. **DB,** das Nachfolgeunternehmen der → Deutschen Reichsbahn; 1994 in die → Deutsche Bahn AG umgewandelt.

Deutsche Bundesbank, zentrale Notenbank (Zentralbank) Dtl.s, jurist. Person des öffentl. Rechts mit Sitz in Frankfurt am Main.

Aufgaben: Die D. B. regelt den Geldumlauf und die Kreditversorgung der Wirtschaft mit dem Ziel, die Währung zu sichern. Sie hat das alleinige Recht, Banknoten auszugeben. Als Bank der Banken ist die D. B. die letzte Refinanzierungsquelle der Kreditinstitute. Daneben bietet sie den Banken Dienstleistungen für die Abwicklung des bargeldlosen Zahlungsverkehrs (v. a. Giroverkehr und Clearing zw. Bankengruppen) an. Die D. B. wickelt auch den gesamten Giroverkehr v. a. für den Bund ab und gewährt der öffentl. Hand kurzfristige gesetzlich begrenzte (sog. Kreditplafonds) Kassenkredite. Sie hält die Gold- und Devisenbestände der dt. Volkswirtschaft und erfüllt währungspolit. Aufgaben im Zusammenhang mit internat. Abkommen, z. B. Interventionen am Devisenmarkt zur Stabilisierung des Wechselkurses durch An- und Verkäufe ausländ. Währungen im Europ. Währungssystem. Zur Inflationsvermeidung beeinflusst sie die Geldschöpfung des Bankensystems und steuert das Wachstum der Geldmenge. Von Weisungen der Bundesreg. ist sie unabhängig, jedoch verpflichtet, deren Wirtschaftspolitik zu unterstützen. Die D. B. entstand am 1. 8. 1957 durch Verschmelzung der Landeszentralbanken mit der Bank dt. Länder (Ges. vom 26. 7. 1957); sie unterhielt bisher in jedem Bundesland eine Hauptverwaltung (Landeszentralbank, LZB). Durch das Änderungs-Ges. v. 15. 7. 1992 wurde die Zahl der LZB von elf auf neun reduziert. Das Grundkapital ist in der Hand des Bundes.

Organe: Oberstes Organ ist der **Zentralbankrat;** er besteht aus bis zu acht Mitgl. des Direktoriums der D. B. und den vom Bundes-Präs. auf Vorschlag des Bundesrats bestellten neun Präs. der Landeszentralbanken. Das **Direktorium,** bestehend aus dem Präs., dem Vize-Präs. der D. B. sowie bis zu sechs weiteren Mitgl., wird vom Bundes-Präs. auf Vorschlag der Bundes-Reg. bestellt.

Deutsche Bundespost, Abk. **DBP,** bis zur →Postreform die in unmittelbarer Bundesverwaltung geführte (nach Art. 87 GG) und vom Bundesmin. für Post und Telekommunikation unter Mitwirkung eines Verw.rates geleitete Trägerin des Nachrichtenverkehrs und Vorgängerin der →Deutschen Post AG, →Deutschen Postbank AG und →Deutschen Telekom AG. Sie wurde als Nachfolgerin der Deutsche Reichspost (DRP) am 1. 4. 1950 gegründet, nachdem 1947 im Vereinigten Wirtschaftsgebiet eine Hauptverwaltung für das Post- und Fernmeldewesen gebildet worden war. Sie war Sondervermögen des Bundes mit Abgabepflicht und eigener Haushalts- und Rechnungsführung.

Deutsche Christen, Abk. **DC,** Bewegung, die die »Gleichschaltung« der evang. Kirche mit dem Dritten Reich zum Ziel hatte. Als organisierte Bewegung (**Kirchenbewegung DC,** von S. Leffler, *1900, †1983, und J. Leutheuser, *1900, †1942, gegründet) trat sie bereits 1927 in Thüringen in Erscheinung. 1932 bildete sich in Preußen unter der Führung des Berliner Pfarrers J. Hossenfelder (*1899, †1976) mit Unterstützung der preuß. NSDAP unter Berufung auf den »Geist der Frontsoldaten« die **Glaubensbewegung DC.** Sie fand v. a. deshalb starke Verbreitung, weil sie den volksmissionar. Aspekt stark betonte und die Forderung des »positiven Christentums« im Parteiprogramm für sich in Anspruch nehmen konnte. Die massive Unterstützung der NSDAP brachte den DC bei den Kirchenwahlen am 23. 7. 1933 in fast allen kirchl. Gremien die Mehrheit, die sie v. a. zur Besetzung der Ämter in den kirchl. Dienststellen nutzten. Die Aufnahme von sog. Nichtariern in die Gemeinde wurde ausgeschlossen. Nach 1933 formierte sich, zumal sich die NSDAP zunehmend von den DC löste, in den intakten Kirchen und Gemeinden (→Bekennende Kirche) immer mehr der Widerstand, bis schließlich die DC in den Hintergrund traten und die offizielle Kirche faktisch vom Staat dirigiert wurde (Finanzausschüsse). Mit dem Untergang des Dritten Reiches fanden auch die DC ihr Ende.

📖 SONNE, H.-J.: *Die polit. Theologie der D. C. Göttingen 1982. – Christl. Antijudaismus u. Antisemitismus. Theolog. u. kirchl. Programme dt. Christen, hg. v.* L. SIEGELE-WENSCHKEWITZ. *Frankfurt am Main 1994.*

Deutsche Demokratische Partei, Abk. **DDP,** gebildet im November 1918 aus der bisherigen Fortschrittlichen Volkspartei und einem Teil der Nationalliberalen. Führende Persönlichkeit bei der Parteibildung und der Formulierung des Parteiprogramms war F. Naumann. Die DDP trat u. a. entschieden für Parlamentarismus, Privatwirtschaft mit sozialpolitischen Verbindlichkeiten und Einheitsschule ein. In der Nationalversammlung gewann die DDP 75 Sitze (18,5 %); sie bildete mit der SPD und dem Zentrum die Weimarer Koalition. 1920–32 war sie an allen Regierungen beteiligt (1930 noch 20 Abgeordnete). 1930 bildete sie mit dem Jungdeutschen Orden die **Deutsche Staatspartei,** die 1933 nur noch fünf Sitze erhielt.

Deutsche Demokratische Republik, Abk. **DDR,** Staat in Mitteleuropa, bestand 1949–90 aus den heutigen Ländern Brandenburg, Mecklenburg-Vorpommern, Sachsen, Sachsen-Anhalt und Thüringen, die am 3. 10. 1990 nach Art. 23 GG der Bundesrep. Dtl. beigetreten sind. (→Deutschland, →deutsche Geschichte).

Deutsche Demokratische Republik

Staatswappen

Staatsflagge

Staat und Recht: Die Gründungsverf. der DDR von 1949 war noch gesamtdeutsch konzipiert und wies parlamentarisch-demokrat. Züge auf. Ungeachtet dieser verfassungstheoret. Grundlage war die DDR von Anbeginn an ein Staat, der sich als Diktatur des Proletariats verstand und nach sowjet. Modell eine sozialist. Gesellschaft unter Führung der Staatspartei SED zu verwirklichen suchte. Diese Politik führte zum Ausbau eines bürokratisch-administrativen Systems, das alle gesellschaftlichen Bereiche (Politik, Wirtschaft, Kultur, Sport) durchdrang. In der Verf. vom 6. 4. 1968 (1974 unter Aufgabe jedweder Bezüge zur dt. Nation und unter dem Postulat einer eigenen Nationalstaatlichkeit der DDR revidiert) verankerte die SED auch verfassungsrechtlich ihre führende Rolle in Staat und Gesellschaft, die mit einer engen Verquickung von Staat und Partei verbunden war und sich gegen das Aufkeimen freiheitlich-demokrat. Kräfte richtete. Grundrechte standen unter dem

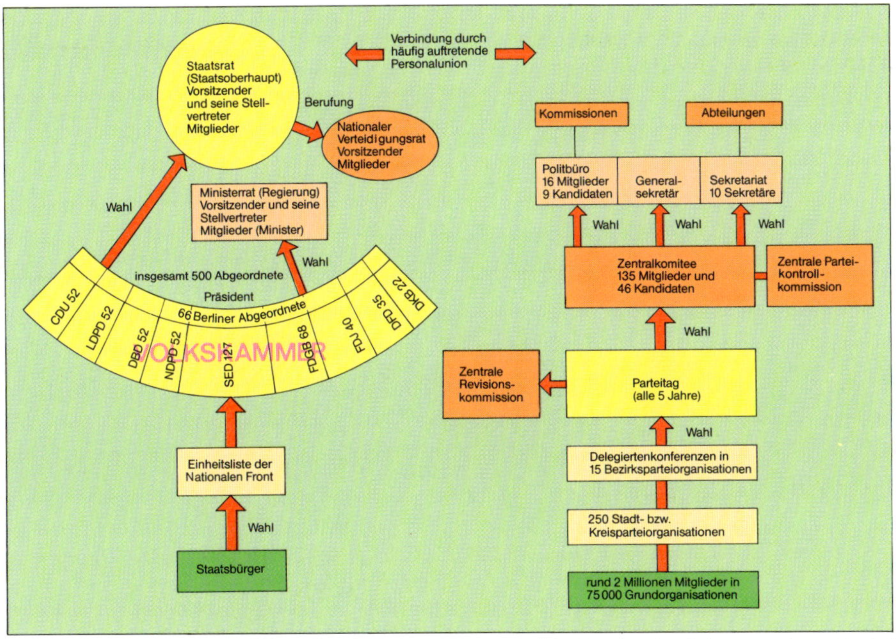

Deutsche Demokratische Republik: Aufbau des Regierungssystems und der Sozialistischen Einheitspartei Deutschlands (SED)

Vorbehalt der polit. Zweckmäßigkeit und sollten vorwiegend der Integration des Einzelnen in das polit. System dienen. Ökonom. Basis war die weitgehend verstaatlichte Wirtschaft mit einem zentralistisch gelenkten Mechanismus der Planung und Leitung, die oft ohne Rücksicht auf wirtsch. Erfordernisse staatspolit. Machtinteressen diente. Auf dem Gebiet von Kultur und Wiss. wurde der Marxismus-Leninismus herrschende Ideologie, verbunden mit Diskriminierung und Verfolgung Andersdenkender. Außenpolitisch war die DDR eng mit der Sowjetunion verbunden und durch Mitgliedschaft im RGW (seit 1959) und im Warschauer Pakt (seit 1955) in die »sozialist. Staatengemeinschaft« integriert.

Regierungssystem: Kollektives Staatsoberhaupt war der von der Volkskammer gewählte und ihr verantwortliche Staatsrat. De facto galt jedoch der Gen.-Sekr. der SED als oberster Repräsentant des Staates und das Politbüro als entscheidende polit. Instanz. Der Min.rat, die Reg. der DDR, war oberstes Organ der Exekutive. Ihm oblag die einheitl. Durchführung der Staatspolitik im Auftrag der Volkskammer. Der Vors. des Min.rats wurde von der stärksten Fraktion der Volkskammer (SED-Fraktion) vorgeschlagen und erhielt von ihr den Auftrag zur Bildung des Min.rats, der daraufhin in seiner Gesamtheit für fünf Jahre von der Volkskammer gewählt wurde. Nach der Verf. war die Volkskammer das oberste staatl. Machtorgan der DDR; bei ihr lag die Legislative. Die Volkskammer wählte den Vors. und die Mitgl. des Staatsrats und des Min.rats, den Vors. des Nat. Verteidigungsrats, den Präs. und die Richter des Obersten Gerichts sowie den Generalstaatsanwalt.

Bis zum Beitritt der DDR zur Bundesrep. Dtl. am 3. 10. 1990 erlebte die Verf. der DDR ab Nov. 1989 eine Übergangsphase, unterteilt in die Elemente: vordemokrat. Übergangsphase (bis zur Volkskammerwahl am 18. 3. 1990), demokrat. Übergangsphase und dt. Vereinigung. Am 1. 12. 1989 wurde das Führungsmonopol der SED aus der Verf. gestrichen. Der Nat. Verteidigungsrat verschwand. In das Zentrum der staatl. Willensbildung war seit dem 7. 12. 1989 das auf Initiative der evang. Kirchen entstandene Gremium des »Runden Tisches« gerückt, dem je zur Hälfte Vertreter der etablierten Parteien und Massenorganisationen und der oppositionellen Bürgerbewegungen angehörten. Legislativorgan blieb jedoch die Volkskammer, die eine Gesetzgebung zur Schaffung einer rechtsstaatlich-demokrat. Übergangsstruktur entfaltete. In der am 18. 3. 1990 neu gewählten Volkskammer, deren 400 Abg. im reinen Verhältniswahlsystem nach Hare-Niemeyer gewählt worden waren, besaßen die für die Wiedervereinigung eintretenden Parteien eine deutliche ¾-Mehrheit. Eine Verf.änderung beseitigte den Staatsrat als Staatsoberhaupt, dessen Funktionen auf das Präsidium der Volkskammer übertragen wurden. Zum Reg.chef wählte die Volkskammer L. de Maizière, dessen Kabinett am 12. 4. bestätigt wurde. Durch die am 17. 6. verabschiedeten »Verfassungsgrundsätze« wurden die Grundprinzipien eines »freiheitl., demokrat., föderativen, sozialen und ökologisch orientierten Rechtsstaates« verkündet und alle Rechtsvorschriften, die auf ideolog. Blankettbegriffe des sozialist. Regimes Bezug nahmen (»sozialist. Staats- und Rechtsordnung«, »sozialist. Gesetzlichkeit« u. Ä.) außer Kraft gesetzt. Am 1. 7. wurde der »Staatsvertrag« zw. den beiden dt. Staaten vom 18. 5. in Kraft gesetzt, der zw. ihnen eine Währungs-, Wirtschafts- und Sozialunion errichtete, also die Übernahme des westdt. Wirtschaftsrechts in der DDR zur Folge hatte und die Deutsche Mark als gesetzl. Zahlungsmittel nach für die Bev. der DDR sehr vorteilhaftem Umtauschkurs einführte.

Der zum Erlöschen der DDR führende →Einigungsvertrag wurde am 31. 8. 1990 abgeschlossen.

Parteien und Massenorganisationen: Bis 1989 gab es fünf Parteien: die Sozialist. Einheitspartei Dtl.s (SED), die Christl.-Demokratische Union Dtl.s (CDU), die Liberal-Demokratische Partei Dtl.s (LDPD), die Demokrat. Bauernpartei Dtl.s (DBD) und die National-Demokrat. Partei Dtl.s (NDPD). Alle Parteien bekannten sich in ihrem Programm zur sozialistischen Gesellschaftsordnung. Die Aufgabe der unter der Führung der SED wirkenden (Block-)Parteien bestand darin, die durch sie repräsentierten Bev.schichten in die politische Entwicklung der Ges. einzubeziehen. Der Zusammenschluss der Parteien und Massenorganisationen (u. a. Freier Deutscher Gewerkschaftsbund [FDGB], Freie Deutsche Jugend [FDJ]) in der Nat. Front der DDR war eine Konsequenz des Führungsanspruchs der SED. In der Zeit der polit. Umwälzungen im Herbst 1989 bildete sich eine Vielzahl neuer polit. Parteien und Bürgerbewegungen, u. a. Demokrat. Aufbruch, Sozialdemokrat. Partei Dtl.s, Deutsche Soziale Union, Neues Forum, die für die Volkskammerwahlen im März 1990 z. T. Wahlbündnisse schlossen.

Verwaltung: In den Bezirken, Kreisen, Städten, Stadtbezirken, Gemeinden und Gemeindeverbänden wurden Volksvertretungen gewählt; die als Exekutive gebildeten Räte waren ihrer Volksvertretung und dem nächsthöheren Rat verantwortlich (doppelte Unterstellung). Durch Ländereinführungsges. vom 22. 7. 1990 wurden die 14 Bezirke der DDR aufgelöst und eine Neugliederung in Länder angeordnet.

Rechtswesen: Das Recht und seine Institutionen, insbesondere das Strafrecht, wurden in den Dienst der Machterhaltung des Regimes und der Durchsetzung staatlich gewünschter Verhaltensweisen der Bürger gestellt. Verfassungs- und Verwaltungsgerichtsbarkeit existierten nicht. Die Rechtsprechung erfolgte durch das Oberste Gericht, die Bezirks- und Kreisgerichte sowie die gesellschaftl. Gerichte. Der Wählbarkeit aller Richter, Schöffen und Mitgl. gesellschaftl. Ger. durch die Volksvertretung oder unmittelbar durch die Bürger entsprach ihre Abberufbarkeit durch die Wähler bei Verstößen gegen die Verf. oder die Gesetze sowie bei gröbl. Pflichtverletzung.

📖 LEHMANN, H. G.: *Chronik der DDR 1945/49 bis heute. München ²1988.* – FRICKE, K. W.: *Politik u. Justiz in der DDR. Zur Geschichte der polit. Verfolgung 1945–1968. Köln ²1990.* – FRICKE, K. W.: *MfS intern. Köln 1991.* – KLESSMANN, C.: *Die doppelte Staatsgründung. Deutsche Geschichte 1945–1955. Bonn ⁵1991.* – WEBER, H.: *Die DDR 1945–1990. München ²1993. – Sozialgeschichte der DDR, hg. v.* H. KAELBLE *u. a. Stuttgart 1994.* – BAHRMANN, H. *u.* LINKS, C.: *Chronik der Wende, 2 Tle. Berlin 1994–95. – Die DDR als Geschichte, hg. v.* J. KOCKA *u.* M. SABROW. *Berlin 1994.* – JÄGER, M.: *Kultur u. Politik in der DDR. Köln 1994.* – BESIER, G.: *Der SED-Staat u. die Kirche 1983–1991. Höhenflug u. Absturz. Berlin u. a. 1995. – Materialien der Enquete-Kommission »Aufarbeitung von Geschichte u. Folgen der SED-Diktatur in Deutschland«, hg. vom Deutschen Bundestag, 9 Bde. in 18 Tl.-Bden. Baden-Baden 1995.* – MÜHLEN, P. VON ZUR: *Der »Eisenberger Kreis«. Jugendwiderstand u. Verfolgung in der DDR 1953–1958. Bonn 1995.* – STARITZ, D.: *Die Gründung der DDR. München ³1995. – Die Kirchenpolitik von SED u. Staatssicherheit. Eine Zwischenbilanz, hg. v.* C. VOLLNHALS. *Berlin 1996.*

deutsche Einheit, das Zentralproblem der →deutschen Frage nach 1945, umfasst in sich wandelnder Perspektive – entsprechend der histor. Entwicklung – 1) die Frage der Wiedergewinnung der nationalen Einheit eines souveränen Dtl.s während der Zeit seiner Besetzung (1945–55) und Teilung (1949–90), einschließlich der innerdt. Beziehungen zw. den 1949 entstandenen beiden dt. Staaten und des im Wesentlichen fortdauernden Zusammengehörigkeitsgefühls ihrer Bevölkerung, 2) den Prozess der staatl. Vereinigung der →Deutschen Demokratischen Republik und der Bundesrepublik Deutschland (1989/90), 3) die Integrationsprozesse zur Überwindung der inneren, psychosozialen Spaltung der Deutschen und die Bestrebungen zur Herstellung einheitl. ökonomischer und sozialer Lebensverhältnisse im vereinigten souveränen Dtl. (seit 1990). Mit dem Problem eng verbunden blieb die Frage nach der Identität der Deutschen.

Während die Regierungen der Bundesrepublik Deutschland am Wiedervereinigungsgebot des →Grundgesetzes festhielten, ging die Deutsche Demokratische Republik (DDR), unterstützt von der UdSSR, seit Mitte der 1950er-Jahre von der Existenz zweier souveräner Staaten aus (»Zweistaatentheorie«). Der in der dt. Bevölkerung bis

1989/90 prinzipiell fortdauernde, aber in unterschiedl. Ausprägung sich verdeutlichende Wille zur Überwindung der Spaltung sicherte auch das Festhalten der Deutschen – trotz der trennenden innerdt. Grenze – am Fortbestehen der einheitl. deutschen Nation. Die mannigfach über alle Trennung hinweg aufrechterhaltene deutsch-dt. Verbundenheit bildete die Basis für den nach Krise und Kollaps der DDR sowie dem unblutigen Verlauf der »nationaldemokrat. Revolution« (ab Sept./Okt. 1989) unerwartet in Gang gesetzten deutsch-dt. Einigungsprozess, wie er mit überraschender Dynamik zw. dem Fall der →Berliner Mauer als dem Symbol der Teilung (9. 11. 1989) und dem vertragl. Vollzug der d. E. (3. 10. 1990; →deutsche Geschichte) verlief.

Die d. E. wie ihre künftige Vollendung mit der Schaffung der »inneren Einheit« der Deutschen ist ein Geschehen von europ. Rang mit Ausstrahlungswirkung darüber hinaus. Es hängt von dem gemeinsamen Willen der dt. Nation ab, Trennendes zu überwinden und eine neuartige dt. »Identität mit Legitimität stiftender Kraft« im Innern wie nach außen in einem geeinten Europa zu schaffen.

📖 *Die Politik zur d. E. Probleme – Strategien – Kontroversen, hg. v.* U. LIEBERT. *Opladen 1991.* – WEIDENFELD, W.: *Der deutsche Weg. Berlin* ^{2}*1991.* – *Die Gestaltung der d. E. Geschichte, Politik, Gesellschaft, hg. v.* E. JESSE *u.* A. MITTER. *Bonn u. a. 1992.* – *Deutschland, eine Nation – doppelte Geschichte. Materialien zum dt. Selbstverständnis, hg. v.* W. WEIDENFELD. *Köln 1993.* – *Hb. zur d. E., hg. v.* W. WEIDENFELD *u.* K.-R. KORTE. *Frankfurt am Main u. a. 1993.* – POND, E.: *Beyond the wall. Germany's road to unification. Washington, D. C., 1993.* – GROS, J.: *Entscheidung ohne Alternative? Die Wirtschafts-, Finanz- u. Sozialpolitik im dt. Vereinigungsprozeß 1989/90. Mainz 1994.* – KORTE, K.-R.: *Die Chance genutzt? Die Politik zur Einheit Deutschlands. Frankfurt am Main u. a. 1994.* – ASH, T. G.: *Im Namen Europas. Deutschland u. der geteilte Kontinent. A. d. Engl. Neuausg. Frankfurt am Main 1995.* – BENDER, P.: *Die »Neue Ostpolitik« u. ihre Folgen. Vom Mauerbau zur Vereinigung. Neuausg. München 15.–17. Tsd. 1995.* – *Fünf Jahre d. E. Auswahlbibliographie 1990–1995, hg. v. den Wissenschaftlichen Diensten des Deutschen Bundestages. Bonn 1995.* – *Wende-Literatur. Bibliographie u. Materialien zur Literatur der d. E., hg. v.* J. FRÖHLING *u. a. Frankfurt am Main u. a. 1996.*

Deutsche Evangelische Kirche, →Evangelische Kirche in Deutschland (Geschichte).

deutsche Farben, die im Zusammenhang mit der dt. Einheitsbewegung im 19. Jh. entstandenen Farben der dt. Fahne. Den Anstoß gaben die Uniformen des Lützowschen Freikorps 1813: schwarz gefärbte Zivilröcke mit roten Samtaufschlägen und goldenen Knöpfen. Die Jenaer Burschenschaft setzte auf dem Wartburgfest 1817 ihre Tracht, Schwarz und Rot mit Gold durchwirkt, und ihre gleichfarbige Fahne für die dt. Burschenschaft durch. Durch das »Farbenlied« während der sog. Demagogenverfolgung entstand die Reihenfolge schwarzrotgold, die zum Sinnbild der nationalstaatl. Bewegung, dann auch der republikanischen Zielvorstellungen wurde. 1848/49 wurden die schwarzrotgoldenen Farben zu den Bundesfarben erklärt. Der Norddt. Bund wählte Schwarzweißrot, gebildet aus den Farben Preußens (Schwarzweiß) und der Hansestädte (Weißrot); diese Trikolore wurde im Deutsch-Frz. Krieg (1870–71) auf das Dt. Reich übertragen. Im Nov. 1918 wurde Schwarzrotgold zum Symbol der Republik; die Handelsflagge war ab 1919 Schwarzweißrot (Reichsfarben im inneren oberen Geviert). Die Nationalsozialisten führten 1933 die schwarzweißrote Fahne wieder ein, neben der Hakenkreuzfahne (Parteifahne), die 1935 alleinige Nationalflagge wurde. Die Staatsfarben der Bundesrep. Dtl. sind wieder schwarzrotgold.

Deutsche Forschungsgemeinschaft e. V., Abk. **DFG,** zentrale Selbstverwaltungsorganisation der deutschen Wissenschaft, die ihr durch Förderung des Nachwuchses und der nat. sowie internat. Zusammenarbeit unter den Forschern und finanzielle Unterstützung von Forschungsvorhaben dient. Mitglieder der DFG sind u. a. wiss. Hochschulen, die Max-Planck-Gesellschaft zur Förderung der Wissenschaften e. V., die Fraunhofer-Gesellschaft zur Förderung der angewandten Forschung e. V.

Deutsche Fortschrittspartei, Abk. **DFP** (Fortschrittspartei), in Preußen durch verschiedene linksliberale und demokrat. Gruppen 1861 gegr. liberale Partei, in deren Führung Rittergutsbesitzer und Bildungsbürgertum dominierten; 1866 spaltete sich der rechte Flügel ab und wurde Kern der Nationalliberalen Partei; fusionierte 1884 mit der Liberalen Vereinigung in der Dt. Freisinnigen Partei, die als einzige bürgerl. Partei in Opposition zu Bismarck blieb.

deutsche Frage, polit. Schlagwort, 1813/14 aufgekommen, umschreibt die Forderung nach einer nat. Gesamtordnung der bis 1806 im Hl. Röm. Reich verbundenen Territorien. Die Gründung

1

2

3

4

5

6

7

8

9

deutsche Farben: 1 Fahne der Deutschen Burschenschaft (1816); 2 Kriegsflagge des Deutschen Bunds, ohne Abzeichen Bundes- und Handelsflagge (1848–66); 3 Handelsflagge des Norddeutschen Bunds und des Deutschen Reichs, 1892–1919 Nationalflagge, 1933–35 National- und Handelsflagge (zusammen mit der Hakenkreuzflagge); 4 Kriegsflagge des Norddeutschen Bunds und des Deutschen Reichs; 5 Nationalflagge des Deutschen Reichs 1919–1933; 6 National- und Handelsflagge des Deutschen Reichs 1935–45 (1933–35 zusätzlich neben der schwarzweiß-roten Flagge); 7 Kriegsflagge des Deutschen Reichs 1935–45); 8 Staats- und Handelsflagge der Deutschen Demokratischen Republik 1949–90; 9 National- und Handelsflagge der Bundesrepublik Deutschland des Dt. Bundes 1815 befriedigte die in den Befreiungskriegen erwachsenen Hoffnungen der Bürger nicht. 1848 setzte das offene Ringen zw. Kleindeutschen und Großdeutschen ein (→ Frankfurter Nationalversammlung). Der preußisch-österr. Dualismus spitzte sich zu. Preußen gelang es, nach drei Kriegen 1864–71 die d. F. kleindeutsch zu lösen (→ Deutscher Krieg 1866). Nach 1918 stellte sich die d. F. wieder im Hinblick auf einen Anschluss Österreichs an das Dt. Reich, der vom nat.-soz. Dtl. 1938 schließlich gewaltsam durchgeführt wurde. 1945–90 wurde die d. F. als Problem der Teilung Dtl. wieder primär zur internat. Frage, vertieft durch die W- bzw. O-Integration der beiden dt. Staaten. Die d. F. ist seit der Wiedervereinigung Dtl.s (3. 10. 1990) als gelöst zu betrachten. Nunmehr spitzt sich die Frage nach dem Selbstverständnis der → deutschen Nation auf das Problem der inneren Gestaltung der deutschen Einheit zu.

📖 Geiss, I.: *Die d. F. 1806–1990. Mannheim u. a. 1992.* – Gruner, W. D.: *Die d. F. in Europa 1800–1990. München u. a. 1993.*

Deutsche Freischar, Abk. **DF,** seit 1927 Name eines 1926/27 aus Wandervogel- und Pfadfindergruppen zusammengeschlossenen mitgliedsstarken, christlich und kulturell orientierten Bundes der bünd. Jugend.

Deutsche Friedensgesellschaft – Vereinigte Kriegsdienstgegner e. V., Abk. **DFG-VK,** pazifist. Gesellschaft, 1892 auf Anregung von Bertha von Suttner gegr. (Dt. Friedensgesellschaft), 1933 aufgelöst, 1946 in den Westzonen und den Westsektoren Berlins neu gebildet; vereinigte sich 1968 mit der »Internationale der Kriegsdienstgegner« (IDK), 1974 mit dem »Verband der Kriegsdienstverweigerer« (VK); Sitz: Velbert.

Deutsche Front, Arbeitsgemeinschaft saarländ. Parteien vom Zentrum bis zur NSDAP, gegr. 1933, organisierte sich 1934 nach Auflösung der beteiligten Parteien als Einheitspartei, ging 1935 in der im Saarland wieder gegründeten NSDAP auf.

> *Die* **deutsche Geschichte** *hat noch nie den Deutschen allein gehört. Mehr als andere haben wir erfahren, dass Geschichte Wandel ist.*
>
> *Richard von Weizsäcker*

deutsche Geschichte. Zur Vorgeschichte → Mitteleuropa (Vorgeschichte).

Entstehung des »Reichs der Deutschen«

Aus den zahlreichen germanischen Kleinstämmen der Zeit um Christi Geburt bildeten sich größere Stammesverbände neu (z. B. Franken, Sachsen, Alemannen, Bayern). Sie besetzten auch die Gebiete innerhalb der röm. Reichsgrenzen und übernahmen Grundelemente der röm. Kultur sowie Reste der spätantiken Verwaltungs- und Wirtschaftsstrukturen. Die dt. Stämme, mit anderen Volksgruppen im Reichsverband Karls d. Gr. vereinigt, lösten sich aus diesem Verband in den Verträgen der Reichsteilungen (→ Fränkisches Reich) von Verdun (843), Meerssen (870) und Ribemont (880). Ludwig der Deutsche erhielt 843 das Ostfränkische Reich, 880 war mit dem Erwerb auch der W-Hälfte Lothringens im Wesentlichen die (bis 1648 gültige) Grenze zw. Frankreich und Dtl. festgelegt. Während des späten 9. und frühen 10. Jh. erstarkten im Abwehrkampf gegen Ungarn und Slawen die dt. Stammesherzogtümer: Franken, Schwaben, Bayern und Sachsen. Mit der Wahl eines gemeinsamen Königs der ostfränk. (dt.) Stämme, Konrad I. (911–918), zum König des Ostfränk. Reiches wurde der Zusammenhang mit dem Gesamtreich der Karolinger aufgegeben und die Unteilbarkeit des Ostfränkischen Reichs dokumentiert; 920 tauchte der Begriff Regnum teutonicum auf. Der Prozess der Herausbildung eines neuen Reiches mit eigener Staatlichkeit hatte einen gewissen Abschluss gefunden. Dennoch verweist die neuere Forschung darauf, dass erst seit dem 11. Jh. neben die fränk. Tradition zunehmend ein »dt. Bewusstsein« trat und es erst seitdem üblich wurde, die Bevölkerung als → Deutsche und das Reich als »Reich der Deutschen« zu bezeichnen. Seit dem 11. Jh. wurde der noch nicht zum Röm. Kaiser gekrönte Herrscher Rex Romanorum (Röm. König) genannt. Staatsrechtlich war durch die Nachfolge der im dt. Regnum (Reich) gewählten Könige im röm. Kaisertum das (Sacrum) Romanum Imperium (Hl. Röm. Reich) entstanden und innerhalb dessen das Regnum, für das sich ohne verfassungsrechtl. Fixierung in mittelhochdt. Zeit der Name »das dt. Land« (endgültig seit dem 16. Jh. »Deutschland«) einbürgerte.

Zeit der Ottonen und Salier (919–1137)

Heinrich I. (919–936), nur von Sachsen und Franken zum König erhoben, erlangte allmählich dank seiner Erfolge nach außen (Sieg über die Ungarn bei Riade 933) die Anerkennung auch in Schwaben und Bayern. Otto I., d. Gr. (936–973), führte das Werk seines Vaters in der Sicherung des Reiches nach außen und innen fort: An der O-Grenze wurden 936/937 Marken gegen die Slawen (unter Hermann Billung und Gero) sowie 968 Bistümer zur Slawenmission (Merseburg, Zeitz, Meißen, Brandenburg, Havelberg) errichtet. Gegen die Ungarn gelang 955 auf dem → Lechfeld bei Augsburg ein entscheidender Sieg, im selben Jahr auch gegen die Slawen, die bayer. Ostmark (Österreich) wurde wiederhergestellt. 950 wurde Böhmen unterworfen. 963 musste Polen die Oberhoheit des Reiches anerkennen. Stütze des Königs im Innern war der Episkopat (→ Reichskirchensystem). 951/952 zog Otto erstmals nach Italien und nannte sich ohne Krönung Rex Francorum et Langobardorum; auf einem 2. Italienzug 961–965 wurde er 962 in Rom zum Röm. Kaiser (Imperator Romanorum) gekrönt. Das Regnum Italiae um-

Könige und Kaiser

Karolinger	* Ludwig II., der Deutsche	843-876
	* Karlmann (von Bayern)	876-880
	* Ludwig III., der Jüngere	876-882
	Karl III., der Dicke	876/881-887
	Arnulf von Kärnten	887/896-899
	* Ludwig IV., das Kind	900-911
Konradiner	* Konrad I.	911-918
Ludolfinger	* Heinrich I.	919-936
	Otto I., der Große	936/962-973
	Otto II., der Rote	(961) 973/967-983
	Otto III.	983/996-1002
	Heinrich II., der Heilige	1002/1014-1024
Salier	Konrad II.	1024/1027-1039
	Heinrich III.	1039/1046-1056
	Heinrich IV.	1056/1084-1106
Rheinfeldener	(Rudolf von Rheinfelden, Gegenkönig	1077-1080)
Lützelburger	(Hermann von Salm, Gegenkönig	1081-1088)
Salier	(Konrad, Sohn Heinrichs IV., Gegenkönig ab 1093	1087-1098)
	Heinrich V.	1106/1111-1125
Supplinburger	Lothar III. (von Supplinburg)	1125/1133-1137
Staufer	* Konrad III.	1138-1152
	Friedrich I. Barbarossa	1152/1155-1190
	Heinrich VI.	1190/1191-1197
	* Philipp von Schwaben	{ 1198-1208
Welfen	* Otto IV., von Braunschweig	{ 1198/1209-1218
Staufer	Friedrich II.	1212/1220-1250
	(Heinrich [VII.]	1220-1235)
Ludowinger	(Heinrich Raspe von Thüringen, Gegenkönig	1246-1247)
Staufer	* Konrad IV.	1250-1254
Holland	* Wilhelm	1247-1256
Plantagenets	* Richard von Cornwall	{ 1257-1272
Burgunder	* Alfons X. von Kastilien und León	{ 1257-1273

Habsburger	Rudolf I.	1273-1291
Nassauer	* Adolf	1292-1298
Habsburger	* Albrecht I.	1298-1308
Luxemburger	* Heinrich VII.	1308/1312-1313
Habsburger	* Friedrich der Schöne	{ 1314-1330
Wittelsbacher	Ludwig IV., der Bayer	{ 1314/1328-1347
Luxemburger	* Karl IV.	1346/1355-1378
Schwarzburger	(Günther, Gegenkönig	1349)
Luxemburger	* Wenzel	1378-1400
Wittelsbacher	* Ruprecht von der Pfalz	1400-1410
Luxemburger	* Jobst von Mähren	{ 1410-1411
	Sigismund	{ 1410/1433-1437
Habsburger	* Albrecht II.	1438-1439
	Friedrich III.	1440/1452-1493
	Maximilian I.	1493/1508-1519
	Karl V.	1519/1530-1556
	Ferdinand I.	1531/1556-1564
	Maximilian II.	1564-1576
	Rudolf II.	1576-1612
	Matthias	1612-1619
	Ferdinand II.	1619-1637
	Ferdinand III.	1637-1657
	Leopold I.	1658-1705
	Joseph I.	1705-1711
	Karl VI.	1711-1740
Wittelsbacher	Karl VII. Albrecht	1742-1745
Habsburg-Lothringer	Franz I. Stephan	1745-1765
	Joseph II.	1765-1790
	Leopold II.	1790-1792
	Franz II.	1792-1806
Hohenzollern	Wilhelm I.	1871-1888
	Friedrich (III.)	1888
	Wilhelm II.	1888-1918

Zeichenerklärung: { = Doppelwahl, * = nur König, ( ) = Gegenkönig/König nur zu Lebzeiten des Vaters. Bei Doppelzahlen (z. B. 876/881) bezeichnet die erstgenannte das Jahr der Königswahl bzw. des Regierungsantritts, die zweite das der Kaiserkrönung.

Die Herrschertitel lauteten:
im Ostfränk. Reich (843-919): König der Franken (Rex Francorum), im »Reich der Deutschen« (Regnum Teutonic[or]um), später Hl. Röm. Reich gen. (919-1806): a) König der Römer (Rex Romanorum), seit dem 11. Jh. zunehmend gebräuchlich für den noch nicht zum Kaiser gekrönten Herrscher; auch Röm. König, niemals »Dt.« König; b) Röm. Kaiser (Imperator Romanorum) für das Deutschland, Italien und ab 1033 Burgund (von letzterem später nur noch Teile) umfassende Reich; c) Erwählter Röm. Kaiser (Imperator Romanorum electus), seit 1508 für den regierenden Kaiser (nur in Verbindung mit diesem Herrschertitel seit 1508 auch Rex Germaniae); im Dt. Reich (1871-1918): Dt. Kaiser.

fasste Ober- und Mittelitalien mit Ausnahme des päpstl. Herrschaftsgebiets. Otto II. (973–983) war um die Sicherung des vom Vater Erreichten bemüht, doch beim großen Slawenaufstand 983 gingen alle ostelbischen Gebiete verloren. Otto III. (983–1002) vermochte sein Ziel einer Erneuerung (Renovatio) des Röm. Reiches (Dtl. und Italien sollten von Rom aus regiert werden) nicht zu verwirklichen. Heinrich II. (1002–24) wandte sich von den universalist. Plänen Ottos II. ab, konnte die kaiserl. Oberhoheit aber weder gegen Polen noch gegen Ungarn behaupten. Innenpolitisch stützte er sich verstärkt auf die Reichskirche.

Konrad II. (1024–39), erster Angehöriger des sal. Herrscherhauses, erwarb durch Erbvertrag 1032 das Königreich Burgund (Arelat). Unter den ersten Saliern erreichte das Reich die höchste Stufe seiner Macht. Konrads Sohn, Heinrich III., der schon 1026 gewählt, 1028 gekrönt worden war und 1039–56 regierte, war von der kluniazens. Erneuerungsbewegung stark geprägt und nahm Einfluss auf die Reform von Kirche und Papsttum, das er aus der Abhängigkeit röm. Adelsfamilien befreite. Böhmen und Ungarn wurden unterworfen und zu Reichslehen erklärt. In der Zeit Heinrichs IV. (1056–1106) verstärkte sich die Gegnerschaft des Papsttums gegen jede Art des Einflusses von Laien auf kirchl. Angelegenheiten, schließlich auch gegen die königl. Kirchenherrschaft. Im Innern, wo er sich auf Ministerialen und das Bürgertum der aufstrebenden Städte stützte, geriet Heinrich in Gegensatz zu den Fürsten. Diese Entwicklung führte zum →Investiturstreit (1075 Verbot der Laieninvestitur, 1076 Kirchenbann über Heinrich, 1077 sein Gang nach →Canossa). Erst Heinrich V. (1106–25) erreichte im Wormser Konkordat 1122 die Beendigung des Investiturstreits mit unterschiedl. Regelung in Dtl. und Italien, wo der König praktisch jeden Einfluss auf die Besetzung kirchl. Ämter verlor. Der sich im 12. Jh. vollziehende Übergang von

Heinrich IV. (Ausschnitt aus einer Miniatur)

deutsche Geschichte: Krönungsinsignien der deutschen Könige: Reichskrone, Reichsschwert, Reichskreuz und Reichsapfel (Wien, Kunsthistorisches Museum)

der Grundherrschaft mit der ihr eigentüml. Naturalwirtschaft zu einem System der Zinsgutbewirtschaftung mit der Möglichkeit, die Frondienste abzulösen, Rechtsstellung der Bauern: An die Stelle einer weitgehenden Bindung an die Scholle trat relative Freizügigkeit. Neben die altadlige Reichsaristokratie traten seit dem 11. Jh. zunehmend Ministerialen; die Reichsministerialen wurden zur Hauptstütze des sal. und stauf. Königtums bei der Verwaltung des Reichsgutes. Das seit dem 10./11. Jh. aufkommende Städtewesen ließ seit dem 12. Jh. die Städte zu einer wichtigen Stütze des Königtums und einem Instrument der Territorialherren beim Aufbau der Landesherrschaft werden; das Bürgertum wurde Träger der weiteren wirtsch. Entwicklung. – Erstmals in freier Wahl, in Abkehr von Geblütsrecht und Designation, wurde Lothar III. von Supplinburg (1125–37) nach dem Aussterben der Salier zum König erhoben.

Friedrich II. (Ausschnitt aus einer Miniatur in seiner Schrift über die Falkenjagd; Rom, Vatikanische Sammlungen)

Zeit der Staufer (1138–1254)

Mit der Königswahl des Staufers Konrad III. (1138–52) gegen den von Lothar designierten Welfen Heinrich den Stolzen wurde der staufisch-welf. Gegensatz begründet. Friedrich I. Barbarossa (1152–90) hatte die alte Größe des röm. Kaisertums (1155 Kaiserkrönung in Rom) zum Ziel, einschließlich der Beherrschung Italiens. In Dtl. wurde der mächtige Heinrich der Löwe von Friedrich 1178–81 seiner Lehen (die Herzogtümer Sachsen und Bayern) enthoben und unterworfen. Seine größte territoriale Ausdehnung fand das Reich unter Heinrich VI. (1190–97), als diesem 1194 das unteritalien. Königreich Sizilien als Erbe seiner normann. Gattin Konstanze zufiel. Doch stürzten das Misslingen seines Erbreichsplans und sein früher Tod 1197 das Reich in die Doppelwahl 1198 zw. dem jüngsten Sohn Friedrich Barbarossas, Philipp von Schwaben, und Otto IV. von Braunschweig, dem Sohn Heinrichs des Löwen. Als Philipp, mit Frankreich verbündet, sich gegen den von England gestützten Otto durchzusetzen begann, wurde er 1208 ermordet. Als Otto IV., 1209 zum Kaiser gekrönt, die stauf. Politik, v.a. in Italien, wieder aufzunehmen suchte, erhob Papst Innozenz III. 1212 Friedrich II., den Sohn Heinrichs VI., zum Gegenkönig. Der englisch-frz. Gegensatz v.a. war ausschlaggebend für die Entscheidung des dt. Thronstreits zugunsten Friedrichs II. (1212–50). Obwohl Friedrich nur 1212–20, 1235/36 und 1237 in Dtl. war, nahm er starken Einfluss auf die dt. Politik. Seine Bemühungen um Wiederherstellung und Ausbau des Reichsgutes wurden durch die Fürstenprivilegien (1220, 1231/32; →Reichsgrundgesetze) zwar eingeschränkt, aber auch der Territorialpolitik der Reichsfürsten wurden damit Grenzen gesetzt. Die Wiederaufnahme der stauf. Politik in Oberitalien führte zur Entstehung der Parteien von Guelfen und Ghibellinen, die erneute Auseinandersetzung mit dem Papsttum zur Wahl der Gegenkönige Heinrich Raspe (1246) und Wilhelm von Holland (1247). Der Sohn Friedrichs, Konrad IV. (1250–54), starb im Kampf um das unteritalien. Erbe; der letzte Staufer, Konradin, wurde 1268 in Neapel hingerichtet.

Inzwischen hatte sich die dt. Herrschaft und Kultur durch die →deutsche Ostsiedlung gewaltig ausgedehnt. Um die Mitte des 12. Jh. begann die endgültige Unterwerfung der Slawen an Havel, Elbe und Oder, v.a. durch Albrecht den Bären und Heinrich den Löwen. Nach dessen Sturz wurden die slaw. Fürsten in Mecklenburg und Pommern selbst reichsunmittelbare Herzöge. Der Dt. Orden setzte sich 1226 in Preußen fest und gründete hier einen eigenen Staat, dem noch Kurland, Livland und Estland angegliedert wurden. Auch im geistigen Leben war das Zeitalter der Staufer eine Blütezeit: Die ritterl. Kultur mit Minnesang und höfischer Epik (Walther von der Vogelweide, Wolfram von Eschenbach), die bildende Kunst mit Spätromanik (»stauf. Kunst«) und den Anfängen der Gotik; die Berührungen mit Byzanz und dem Orient

Mitteleuropa
919-1125
0 50 100 150 200km
Reichsgrenze
Reichsgrenze unter Otto d. Gr.
Reichsflandern
Mark Schleswig
M.P. Mark Pitten (bis 1042 ung.)
M.M. Mark Merseburg
Kloster
RUSSICHES REICH
Jatwingen
Prussen
Masowien
Kujawien
POLEN
Chorwaten
Pomoranen
Ende 10. Jh. poln.
Schlesien
Mitte 10. Jh. böhm. 999 poln.
BÖHMEN
Mähren
1003-1029 zu Polen
1003-1004 zu Polen
UNGARN
Kgr. seit 1001
KGR. KROATIEN
Ostmark
907-955 ungar.
HZM. BAYERN
976 v. Bayern getr.
Karantaner Mark
(Steiermark)
Mgft. Verona
952 an Bayern, 976 zu Kärnten
OSTMARK
M. Lausitz
MARK M. Meißen
THÜRINGEN
Nordmark
BILLUNGER MARK
Obodriten
Lutizen
KGR. DÄNEMARK
1025/35 deutsch
HZM. SACHSEN
OSTFALEN
ENGERN
WESTFALEN
Billunger Lande
ÖSTLICH.-
HZM. FRANKEN
WESTL.-
HESSEN
Nordgau
HZM. SCHWABEN
Rätien
Lombardei
KGR. BURGUND
Hochburgund
HZM. OBER-LOTHRINGEN
HZM. NIEDER-LOTHRINGEN
FRIESLAND
Nordsee
Ostsee
KGR. FRANKREICH
Gft. Champagne
Hzm. Burgund
Gft. Bourbon
Gft. Flandern
Normandie
Reich der Angelsachsen
1014-42 dän.

in den → Kreuzzügen brachten mannigfache kulturelle Anregungen.

Spätmittelalter (1254–1517)

Nach einer Doppelwahl (1257 Richard von Cornwall und Alfons X. von Kastilien und León) vermochte erst Rudolf I. von Habsburg (1273–91), der gegen Ottokar II. von Böhmen gewählt wurde und diesen 1278 besiegen konnte, die Königsmacht nach dem »Interregnum« (1254–73) wiederherzustellen. Er legte mit dem Erwerb der Herzogtümer Österreich, Steiermark und Krain im O den Grund für die habsburg. Hausmacht. Heinrich VII. von Luxemburg (1308–13) konnte 1311 Böhmen für seinen Sohn Johann erwerben; der Versuch, 1310–13 die Reichsmacht in Italien wiederherzustellen, brachte ihm die Kaiserkrone (1312), scheiterte jedoch durch seinen frühen Tod. In einer Doppelwahl 1314 wurden der Wittelsbacher Ludwig IV., der Bayer, (1314–47) und der Sohn Albrechts I., Friedrich III., der Schöne, von Österreich (1314–30) gewählt, den Ludwig 1322 bei Mühldorf am Inn bezwingen konnte. Ludwigs Ausgreifen nach Italien (1323) führte zur letzten großen Auseinandersetzung zwischen Kaisertum und Papsttum (Johannes XXII.). Die Ansprüche auf päpstl. Bestätigung ihrer Königswahl wiesen die Kurfürsten im Kurverein von Rhense 1338 zurück. Der Luxemburger Karl IV. (1346–1378), gegen die rigorose Hausmachtpolitik Ludwigs gewählt, machte Böhmen zum Kernland des Reiches. Durch Gewinnung Schlesiens (1348) und Brandenburgs (1373) u.a. Gebiete stärkte er seine Hausmacht. Obwohl er sich 1356 in Arles zum König von Burgund hatte wählen lassen, überließ er dieses bald dem frz. Einfluss. 1355 wurde er zum Kaiser gekrönt. Die Goldene Bulle (1356), das wichtigste Reichsgesetz des MA., gewährleistete unzweifelhafte Königswahlen und schuf mit der Sicherung der Vorzugsstellung der Kurfürsten eine starke Klammer des Reichsverbandes. Der Ritterstand verlor mit dem Ende der Kreuzzüge, der Festigung der Landesherrschaft und dem Aufblühen der Städte (13./14. Jh.) seine ständ. und kulturelle Bedeutung. Doch waren ritterl. Ideale, Literatur und Lebensstil Leitbilder auch für das aufstiegsbeflissene Bürgertum. Spätmittelalterl. Religiosität und religiöse Literatur erlangten ihren Höhepunkt in der dt. Mystik. Die Wissenschaften fanden in den unter landesherrl. Patronage errichteten Universitäten (Prag 1348, Wien 1365, Heidelberg 1386, Köln 1388, Erfurt 1392) Eingang.

Rudolf I. von Habsburg (Grabplatte im Speyerer Dom; um 1290)

Karl IV. (Büste von Peter Parler im Triforium des Sankt-Veits-Doms, Prag)

Unter König Wenzel (1378–1400), ältester Sohn Karls IV., verlagerte sich der Schwerpunkt der Reichspolitik vom königl. Hof auf die Reichstage; unter seinem Nachfolger Ruprecht von der Pfalz (1400–10) erfolgte eine weitere Schwächung der Königsmacht. Nach der Doppelwahl der beiden Luxemburger Jobst von Mähren und Brandenburg und Sigismund von Ungarn verhalf nur Jobsts jäher Tod Siegmund (1410–37) zur allg. Anerkennung als Röm. König. Die auch durch persönl. Einsatz Siegmunds erreichte Überwindung des Abendländ. Schismas, die Berufung des Konstanzer und des Basler Konzils, schließlich die Kaiserkrönung 1433 führten jedoch nicht zur Stärkung der Königsgewalt. Die in Konstanz erfolgte Verurteilung des Prager Magisters J. Hus als Ketzer und seine Verbrennung lösten den bewaffneten Aufstand der Hussiten gegen Sigismund aus (Hussitenkriege 1419–36). Wegen der benötigten Hilfe des Reiches, insbesondere der Kurfürsten, für seine Politik musste er Reichsbefugnisse preisgeben. Aufgrund der Bestrebungen der Kurfürsten, ihren Machtanstieg im Reich zu behaupten, wurde das Königtum auf den Reichstagen 1434, 1435 und 1437 erstmals mit Vorstellungen einer Reichsreform (→ Reformatio Sigismundi) konfrontiert. Kaiser Friedrich III. (1440–93) war untätig im Reich, sperrte sich aber gegen jede Minderung der kaiserl. Gewalt und damit gegen eine Reichsreform.

Der Schwerpunkt der Macht im Reich hatte sich, beginnend mit dem »Interregnum«, dem Übergang zur freien Königswahl und dem Erstarken der Landesfürsten seit 1254, zunehmend vom Reich in die landesherrl. Territorien verlagert; im Unterschied zum Ausbau frühmoderner Flächenherrschaftsstaaten in den Nachbarmonarchien W-Europas blieb das Reich bis zu seinem Ende 1806 den Formen des mittelalterl. »Personenverbandsstaates« verhaftet. Die führenden Geschlechter unter den Landesfürsten waren neben den Habsburgern die Wittelsbacher, seit 1180 Herzöge von Bayern (Altbayern), seit 1214 auch im Besitz der Rheinpfalz (Kurpfalz); die Askanier, 1134–1319 Markgrafen von Brandenburg und 1180–1422 Herzöge von Sachsen-Wittenberg; die Wettiner, Markgrafen von Meißen, seit 1247/64 auch Landgrafen von Thüringen und seit 1423 Herzöge (Kurfürsten) von Sachsen; die Welfen, seit 1235 Herzöge von Braunschweig-Lüneburg; die Hohenzollern, seit 1191 Burggrafen von Nürnberg, seit 1415 Markgrafen (Kurfürsten) von Brandenburg. Ein inneres Gegengewicht zur fürstl. Macht entwickelte sich allerdings in den Landständen. Neben dem Kaiser kam auch der Reichstag zu wachsender Bedeutung, in dem neben den Kurfürsten, Fürsten und Reichsgrafen allmählich auch die Reichsstädte eine Vertretung erlangten. Die Reichsreformbewegung, geführt vom Kurfürsten und Erzbischof von Mainz, Berthold von Henneberg, erreichte während der Regierung Maximilians I. (1493 bis 1519), der wegen der erforderl. Hilfen gegen die Türken (Türkensteuer) und Ungarn sowie seiner sofort einsetzenden Italienpolitik zu direkten Verhandlungen mit den Reichsständen gezwungen war, ein allg. Fehdeverbot (Ewiger Landfriede 1495), die Einteilung des Reichs in zehn Reichskreise und die Einsetzung eines Reichskammergerichts. Maximilian nahm als Erster ohne päpstl. Krönung den Kaisertitel an. Die folgenden Herrscher, nur noch Karl V. ausgenommen, nannten sich gleich nach der Wahl »Erwählter Röm. Kaiser«, während die Thronerben seitdem den Titel eines »Röm. Königs« führten.

Trotz der Schwäche der Reichsgewalt breitete sich die dt. Siedlung auch nach dem Untergang der Staufer zunächst noch weiter nach NO aus. Die Hanse als Zusammenschluss der norddt. Städte erlangte die Vormachtstellung in Nordeuropa. Erst im 15. Jh. erlag der Dt. Orden dem polnisch-litauischen Reich. Das 16. Jh. brachte den Niedergang der Hanse. Im W hatte sich ein neues burgund. Reich gebildet, das unter der Herrschaft einer Nebenlinie des frz. Königshauses seit 1390 auf die dt. Niederlande (Brabant, Hennegau, Holland, Luxemburg) übergriff und sie dem Dt. Reich entfremdete. Erst die Ehe (1477) Maximilians mit der Tochter Karls des Kühnen, Maria von Burgund brachte die Habsburger wieder in den Besitz Burgunds (1482). Im O sicherte Maximilian durch Eheverbindungen seiner Enkel den Anspruch auf den künftigen Erwerb Böhmens und Ungarns für sein Haus (1526 durch Ferdinand I. realisiert). Die Ehe seines Sohnes Philipps des Schönen mit Johanna der Wahnsinnigen begründete die Vereinigung der Reiche Aragonien, Kastilien und Neapel-Sizilien mit den habsburg. und burgund. Ländern in der Hand seines ältesten Enkels Karl (1516). Im SW trennte sich die schweizer. Eidgenossenschaft, die im Kampf gegen die habsburg. Herrschaft entstanden war, vom Reich; sie versagte seit 1495 den Reichsgesetzen die Anerkennung. Der Verfall des Reichs beeinträchtigte weder die wirtsch. noch die kulturelle Entwicklung. Die Städte, die bis zum Ende der Stauferzeit häufig in meist heftigen Kämpfen ihre Freiheit gegen den Stadtherrn errungen hatten (→freie Städte), versuchten im Spät-MA., sich in Städtebünden (z. B. Rhein. Städtebund von 1254 und 1381) zusammenzuschließen; sie blühten teils als Reichsstädte, teils unterlagen sie dem Landesfürstentum, errangen jedoch wirtsch. die Führung. Wie Lübeck und Köln unter den Hansestädten, so traten Augsburg (Fugger), Ulm, Straßburg und Nürnberg unter den süddt. Städten hervor. Als herausragender Vertreter des dt. Frühkapitalismus gewann dessen berühmtester Vertreter, J. Fugger, der Reiche, als Finanzier der Habsburger auch polit. Einfluss. Zugleich kündigte sich immer stärker die soziale Unruhe der Bauernschaft an, die seit der Bundschuhbewegung in den 1490er-Jahren eine ernst zu nehmende soziale Kraft darstellte. In den Bergbau- und Hüttenzentren wuchs ein nicht bodenständiges, von Löhnen abhängiges (Vor-)Proletariat heran, das ein neues Element sozialer Unruhe war und im Bauernkrieg 1524/25 eine beträchtl. Rolle spielte. – Der Einfluss der italien. Renaissance und des Humanismus bewirkte in Dtl. eine Blüte von Kunst und Wissenschaft und eine Ausbreitung des röm. Rechts, was nicht zuletzt auch durch das sich entwickelnde Universitätswesen gefördert wurde.

Reformation und Gegenreformation, das konfessionelle Zeitalter (1517–1648)

Den Ausgangspunkt der Reformation bildeten M. Luthers 95 Thesen von 1517, zu deren rascher Verbreitung v. a. die Luther anfangs fast durchgängig zustimmenden Humanisten beitrugen; die durch Luthers Auftreten gegen die reformbedürftige Kirche bewirkte Auflösung der mittelalterl. europäischen Weltordnung als einer einzigen Christenheit gab der Reformation eine weit reichende Wirkung. Indirekt setzte Luthers Landesherr, Kurfürst Friedrich der Weise von Sachsen, durch, dass Luther vor dem Reichstag in Worms 1521 begründen konnte, weshalb er den Widerruf

deutsche Geschichte: Kaiser Maximilian II. mit drei geistlichen Kurfürsten links und vier weltlichen Kurfürsten rechts, Holzschnitt (16. Jh.)

deutsche Geschichte: Gerard Terborch, »Der Friedensschluss von Münster« (1648; London, National Gallery)

Karl V.
(Ausschnitt aus einem Gemälde von Tizian; 1548)

Martin Luther
(Ausschnitt eines Holzschnitts von Lucas Cranach d. Ä.; um 1545)

seiner Lehren verweigerte; er wurde im Wormser Edikt als Ketzer in die Reichsacht erklärt, von seinem Landesherrn aber auf der Wartburg in Sicherheit gebracht. Kaiser Karl V. (1519–56) wurde durch seine vier Kriege gegen Franz I. von Frankreich (1521–26, 1527–29, 1534–36 und 1542–44) und die Abwehr der Türken gehindert, der Reformation machtvoll entgegenzutreten. Aus dem Bauernkrieg 1524/25 gingen die Landesfürsten gestärkt hervor. Zur Durchführung des Wormser Edikts schlossen sich die kath. Stände im Bündnis von Regensburg (1524) und dem von Dessau (1525), die evang. gegen diese im Gotha-Torgauer Bündnis (1526) zusammen. Gegen den Beschluss der Durchführung des Wormser Edikts auf dem Reichstag zu Speyer 1529 unterzeichneten die evang. Reichsstände unter Führung Philipps I. von Hessen eine Protestation (nach der die Evangelischen seither Protestanten genannt wurden). Neben der Lehre Luthers breitete sich v.a. im oberdt. Raum das Gedankengut Zwinglis aus. Nach der Rückkehr des 1530 in Bologna vom Papst zum Kaiser gekrönten Karl V. nach Dtl. wurde 1530 der Reichstag in Augsburg abgehalten (→Augsburgische Konfession), dessen Ausgang den letzten Ausschlag zum Abschluss des Schmalkald. Bundes (1531) der prot. Stände gab. Die sich verfestigenden luth. Landeskirchen grenzten sich scharf gegen radikale Strömungen, seit 1527 bes. gegen das Täufertum ab. Karl V. entschloss sich 1546 zum militär. Vorgehen gegen die im Schmalkald. Bund geeinten luth. Reichsstände. Obwohl der Schmalkald. Krieg für ihn in der Schlacht bei Mühlberg (24. 4. 1547) siegreich endete, vermochte er diesen Erfolg politisch nicht zu nutzen. Einer monarch. Reichsreform widersetzten sich auch die kath. Reichsstände. Der →Augsburger Religionsfriede von 1555 brachte die endgültige konfessionelle Spaltung in Dtl., Karl V. zog sich 1556 resignierend zurück; die Kaiserwürde ging an seinen Bruder Ferdinand I. (1556–64) über.

Gegen den in Lutheraner und Kalvinisten geteilten Protestantismus erfolgte die Ausbildung der Gegenreformation, als deren polit. Zentrum Österreich und Bayern einen geschlossenen Block im S des Reiches bildeten. Unter führender Beteiligung der Jesuiten (u.a. seit 1555/56 an der Univ. Ingolstadt) wurde sie politisch nur allmählich wirksam, da Ferdinand I. durch die Abwehr der Türken außenpolitisch zum Taktieren gezwungen war und Maximilian II. (1564–76) dem Protestantismus zuneigte. Erst in der Regierungszeit Rudolfs II. (1576–1612) verschärfte der Katholizismus seine Maßnahmen. Im Anschluss an den Reichstag von 1608 bildete sich unter kurpfälz. Leitung die prot. Union, der 1609 – unter bayr. Führung – die kath. Liga gegenübertrat. Auch Kaiser Matthias (1612–19) konnte die konfessionellen Gegensätze nicht abbauen, und die entschieden kath. Haltung Ferdinands II. (1619–37), seit 1617 König von Böhmen, führte mittelbar zum Ausbruch des →Dreißigjährigen Krieges, der sich vom Glaubenskrieg zum europ. Machtkampf auf dt. Boden wandelte. Beendet wurde er durch den 1648 unter Garantie Frankreichs und Schwedens geschlossenen Westfäl. Frieden, dessen Bedeutung v.a. darin bestand,

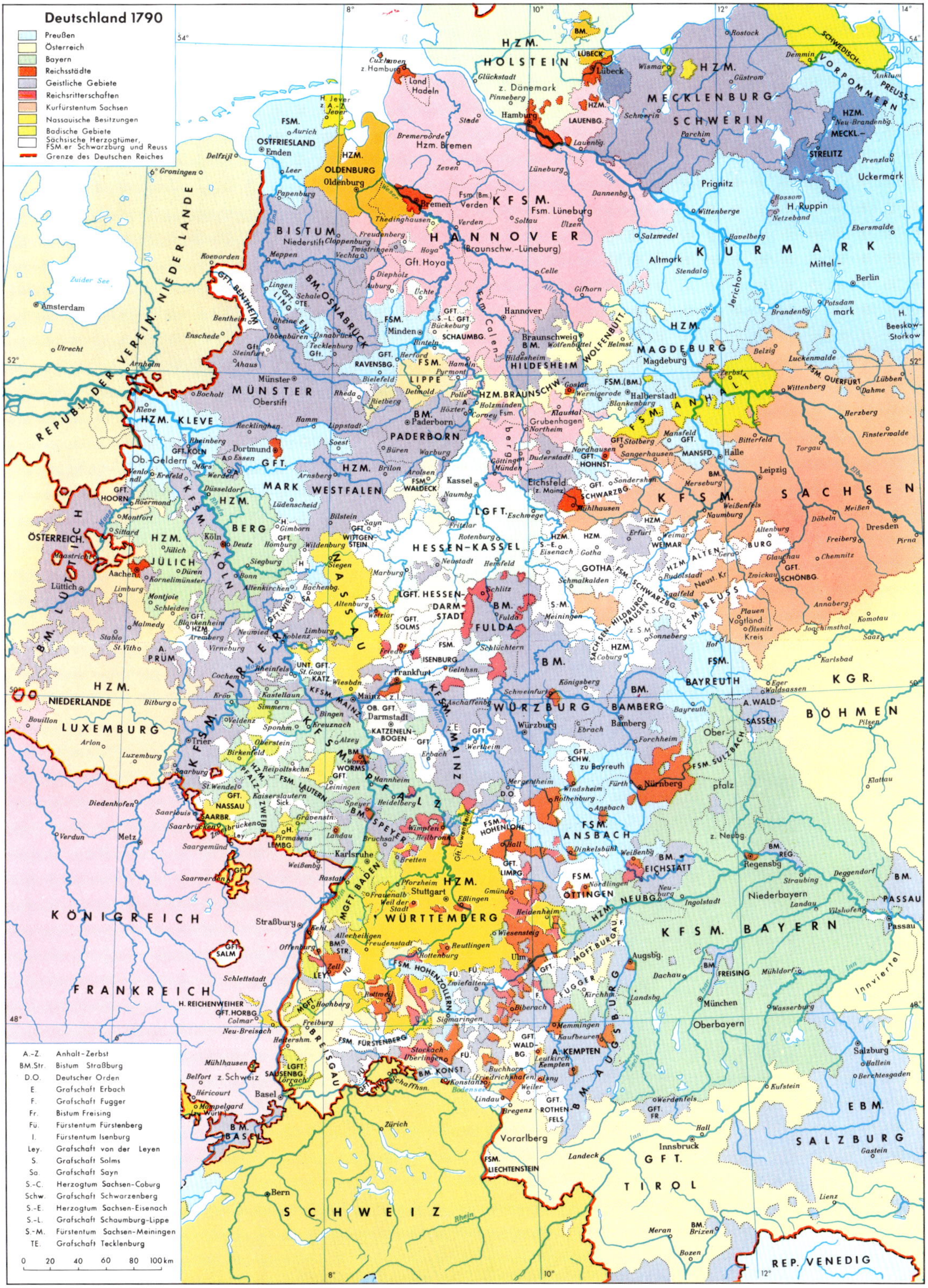
Deutschland 1790
Preußen
Österreich
Bayern
Reichsstädte
Geistliche Gebiete
Reichsritterschaften
Kurfürstentum Sachsen
Nassauische Besitzungen
Badische Gebiete
Sächsische Herzogtümer, FSM.er Schwarzburg und Reuss
Grenze des Deutschen Reiches
A.-Z. Anhalt-Zerbst
BM.Str. Bistum Straßburg
D.O. Deutscher Orden
E. Grafschaft Erbach
F. Grafschaft Fugger
Fr. Bistum Freising
Fü. Fürstentum Fürstenberg
I. Fürstentum Isenburg
Ley. Grafschaft von der Leyen
S. Grafschaft Solms
Sa. Grafschaft Sayn
S.-C. Herzogtum Sachsen-Coburg
Schw. Grafschaft Schwarzenberg
S.-E. Herzogtum Sachsen-Eisenach
S.-L. Grafschaft Schaumburg-Lippe
S.-M. Fürstentum Sachsen-Meiningen
TE. Grafschaft Tecklenburg
0 20 40 60 80 100 km
HZM. HOLSTEIN
HZM. MECKLENBURG-SCHWERIN
SCHWEDISCH-VORPOMMERN
HANNOVER
KURMARK
MÜNSTER
SACHSEN
HESSEN-KASSEL
WÜRZBURG
WÜRTTEMBERG
KFSM. BAYERN
SALZBURG
TIROL
SCHWEIZ
KÖNIGREICH FRANKREICH
KGR. BÖHMEN
REP. VENEDIG
REPUBL. DER VEREIN. NIEDERLANDE
ÖSTERREICH. NIEDERLANDE
HZM. LUXEMBURG

dass die Territorialisierung des Reiches in fast 300 landeshoheitl. Einzelstaaten legalisiert wurde. Die Fürsten erhielten die fast volle Souveränität, während die Gewalt des Kaisers fortan auf die formelle Lehnshoheit, einzelne Reg.- und Privatrechte beschränkt blieb. Das Kurfürstenkolleg wurde erweitert (Pfalz/Bayern 1648, Kurbraunschweig/Hannover 1692). In der religiösen Frage wurde die Gleichberechtigung der Konfessionen anerkannt und auf das ref. Bekenntnis ausgedehnt.

Zeitalter des Absolutismus (1648–1789)

Der Überwindung der sozialen und wirtsch. Katastrophe, insbesondere der Bevölkerungsverluste des Dreißigjährigen Krieges, dienten u.a. staatlich gelenkte Bevölkerungspolitik, landwirtsch. Förderungsprogramme, Wiederbelebung des Handwerks in den Städten und verbesserte Möglichkeiten für den Handel; der Wiederaufbau leitete unmittelbar in kameralist. und merkantilist. Wirtschaftsformen über. Die Finanzpolitik schuf das System der modernen Steuern. Parallel dazu war in den dt. Territorien die Tendenz zur Ausbildung des absolutist. und dynast. Fürstenstaats zu beobachten, die allerdings nicht einheitlich verlief. Der moderne, zentral regierte, antiständ. Staat fand in Brandenburg seit Friedrich Wilhelm, dem Großen Kurfürsten (1640–88), seine Verwirklichung. Die Militarisierung des sozialen und polit. Lebens in Brandenburg-Preußen ermöglichte den Aufstieg dieses Staates zunächst zu führender Stellung in Norddeutschland und schließlich zur dt. und europ. Großmacht. Es kam dadurch zu einem preußisch-österr. Dualismus im Reich, der bis 1871 bestimmend blieb. Der Frieden von Oliva (1660) garantierte die Souveränität des Kurfürsten von Brandenburg im Herzogtum Preußen. 1701 erhob sich Friedrich III. von Brandenburg als Friedrich I. zum König in Preußen (bis 1713). Gleichzeitig stieg Österreich nach dem Sieg über die Türken am Kahlenberg (1683) und dem Frieden von Karlowitz (1699) zur europ. Großmacht auf.

In der Zeit Kaiser Leopolds I. (1658–1705) wurde das Reich durch die Wechselwirkung zw. der Türkengefahr und der Expansionspolitik König Ludwigs XIV. von Frankreich (→Rheinbund [1658–68]) bedroht. Nach dem niederländisch-frz. Krieg, 1672 durch einen frz. Angriff von dt. Boden aus eingeleitet und 1674 zum Reichskrieg ausgeweitet, mussten sich Kaiser und Reich 1679 dem Frieden von Nimwegen anschließen; die Augsburger Allianz (1686) konnte die Ausbreitung Frankreichs (→Reunionen, 1681 Wegnahme Straßburgs) nicht wieder zurückdrängen (1688/89 Verwüstung der Pfalz als Folge des →Pfälzischen Erbfolgekrieges). Der sächs. Kurfürst Friedrich August I. (August der Starke) war 1697 zum poln. König gewählt worden (Personalunion bis 1763), Kurfürst Georg Ludwig von Hannover hatte 1714 die Nachfolge der brit. Könige angetreten (Personalunion bis 1837). Der säkulare Gegensatz Bourbon–Habsburg erreichte im Span. Erbfolgekrieg (1701–13/14) und im Poln. Thronfolgekrieg (1733–35) gesamteurop. Ausmaß und mündete nach dem Erlöschen des habsburg. Mannesstamms (→Pragmatische Sanktion) in den Österr. Erbfolgekrieg (1740–48). Be-

deutsche Geschichte: Maria Theresia mit ihren Söhnen Leopold II., Ferdinand Karl, Joseph II. und Maximilian Franz, Gemälde des Zeitgenossen Louis Joseph Maurice (1775; Wien, Kunsthistor. Museum) hielt schließlich das habsburg. Erbhaus durch die Kaiserwahl des Gemahls der Maria Theresia, Franz I. Stephan (1745–65), auch die vornehmste Stellung im Reich, so verfestigte sich der preußisch-österr. Dualismus im Siebenjährigen Krieg (1756–63) und brach im Fürstenbund von 1785 und in den Poln. Teilungen erneut aus. Im Preußen König Friedrichs II., des Großen, im Österreich Kaiser Josephs II. (1765–90), im Bayern des Kurfürsten Maximilian III. Joseph, in der Kurpfalz und in Bayern unter Karl Theodor sowie im Baden des Markgrafen Karl Friedrich, aber auch in zahlreichen anderen Territorialstaaten prägte sich die Verbindung von Absolutismus und Aufklärung aus; Letztere führte zu vielseitiger innerer Reformpolitik. Das Bürgertum gelangte zu neuer Bedeutung. Das letzte Drittel des 18. Jh. brachte eine geistige Blütezeit der klass. Literatur, den Beginn der Romantik und der (idealist.) Philosophie in Deutschland.

Das Ende des Reiches und die Befreiungskriege (1789–1813/14)

Angesichts der Bedrohung durch die Frz. Revolution trat der preußisch-österr. Gegensatz vorübergehend zurück. Kaiser Leopold II. (1790–92) und König Friedrich Wilhelm II. von Preußen (1786–97) vereinbarten 1791 die Pillnitzer Konvention, die zur Intervention in Frankreich aufrief und am 20. 4. 1792 zur frz. Kriegserklärung führte. Unter dem Druck der Koalitionskriege (das linke Rheinufer fiel 1801 im Frieden von Lunéville an Frankreich) wurde die Auflösung des Reiches eingeleitet, dessen polit. und rechtl. Grundlagen, schon 1795 von Preußen im Basler Frieden preisgegeben, der Reichsdeputationshauptschluss 1803 weitgehend zerstörte: Durch Säkularisation und Mediatisierung wurden fast alle geistl. Territorien beseitigt, so auch die Kurfürstentümer Köln und Trier. Als neue Kurfürstentümer entstanden Hessen(-Kassel), Baden, Württemberg und Salzburg. Die auf die österr. Niederlage von 1805 folgende Aushöhlung der Reichsidee mit der Erhebung Bayerns und Württembergs zu Königreichen, Badens und Hessen-Darmstadts zu Großherzogtümern, alle eng verbunden mit Frankreich, gipfelte in der Gründung des Rheinbunds (1806). Das frz. Ultimatum, das Franz II. (1792–1806) zur Niederlegung der Kaiserkrone zwang (6. 8. 1806), bedeutete das Ende des Hl. Röm. Reiches. Nach dem verlorenen 4. Koalitionskrieg von 1806/07 (Niederlage Preußens bei Jena und Auerstedt, 1806; Friede von Tilsit, 1807) sah sich der Großteil Dtl.s der europ. Hegemonie Frankreichs unterworfen. In Österreich erlebte die Reformpolitik der Erzherzöge Karl und Johann und des Ministers J. P. von Stadion nur eine kurze Phase der Erfüllung bis zur militär. Niederlage (1809) und dem Aufstieg Metternichs.

deutsche Geschichte: Friedrich II., der Große als Kronprinz, Gemälde von Antoine Pesne (um 1740; Berlin, Gemäldegalerie)

In den von K. Freiherr vom Stein, K. A. Fürst von Hardenberg und G. von Scharnhorst durchgesetzten preuß. Reformen (Bauernbefreiung, Städteordnung [Selbstverwaltung], Gewerbefreiheit, Steuer-, Heeres- [allg. Wehrpflicht] und Bildungsreform) wurde ein Umbau von Staat und Gesellschaft eingeleitet. Auf die militärisch erfolgreichen Befreiungskriege 1813/14 (v.a. Völkerschlacht bei Leipzig, 16.–19. 10. 1813) folgte im Wiener Kongress (1815) neben der staatl. Neuordnung Mitteleuropas auch die Regelung der territorialen Gliederung und verfassungsmäßigen Ordnung Dtl. im Dt. Bund, einem losen Staatenbund auf der Grundlage der Dt. Bundesakte vom 8. 6. 1815 (1820 ergänzt durch die Wiener Schlussakte). An Mehrheitsentscheidungen des Dt. Bundes waren die 37 souveränen Fürsten und vier freien Städte gebunden; drei fremde Souveräne (die Könige Großbritanniens, der Niederlande und Dänemarks) waren für ihre dt. Besitzungen Mitgl. des Dt. Bundes.

Klemens Wenzel Fürst Metternich (Ausschnitt aus einer Kreidezeichnung von Anton Graff)

Deutscher Bund und Gründung des Deutschen Reiches (1815–1871)

Der Dt. Bund konnte die erwachende nat. Einheitsbewegung nicht befriedigen. Der unter österr. Präsidentschaft stehende Bundestag in Frankfurt am Main bestand aus den Gesandten der Einzelstaaten, während eine gemeinsame Volksvertretung fehlte. Der leitende österr. Minister K. W. Fürst Metternich gewann die Führung der Bundespolitik; im Kampf gegen die nat. und liberalen Bestrebungen, die zuerst bes. in der Studentenschaft (Burschenschaft) hervortraten, veranlasste

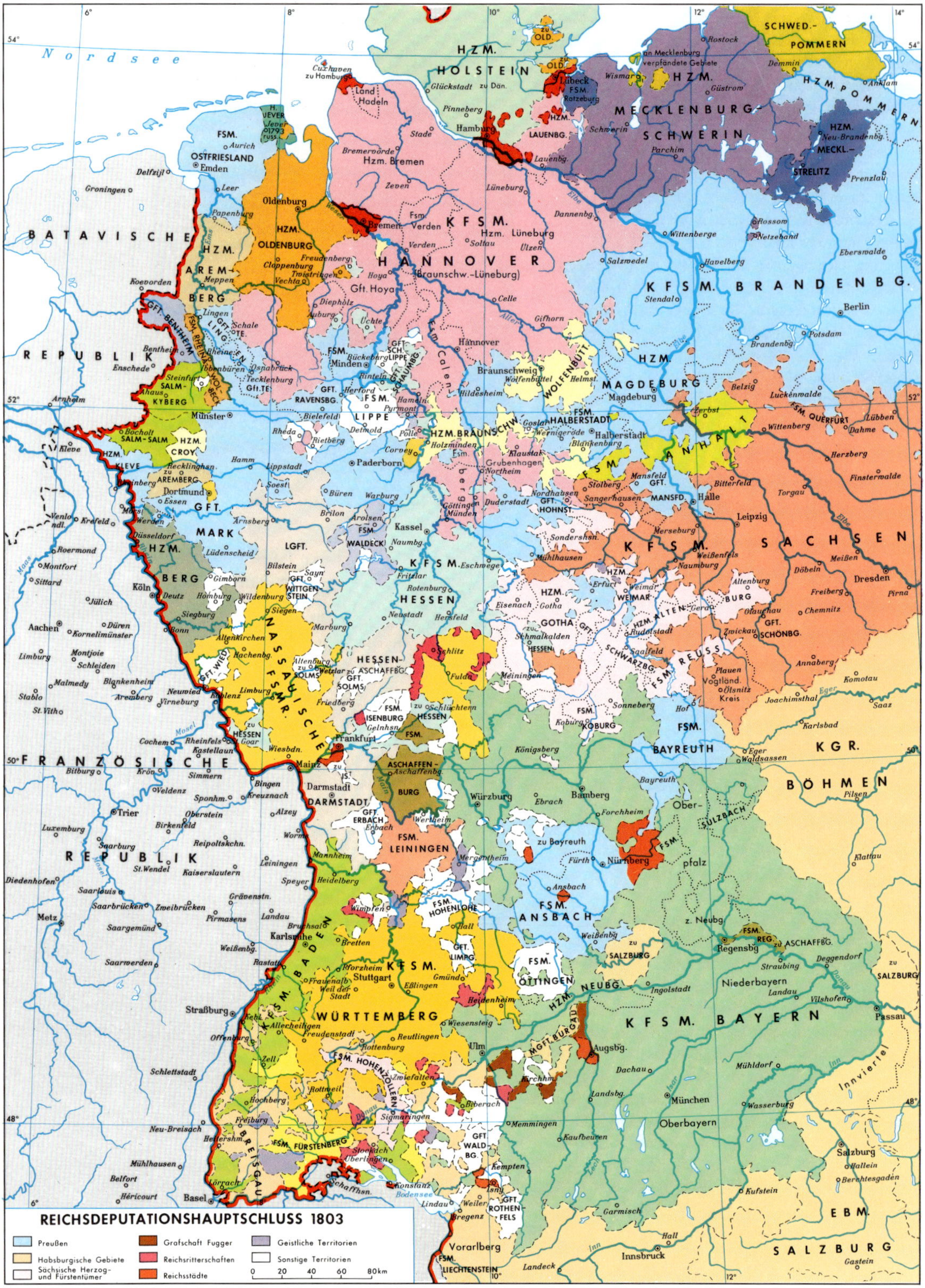
REICHSDEPUTATIONSHAUPTSCHLUSS 1803
Preußen
Habsburgische Gebiete
Sächsische Herzog- und Fürstentümer
Grafschaft Fugger
Reichsritterschaften
Reichsstädte
Geistliche Territorien
Sonstige Territorien
0 20 40 60 80 km
Nordsee
HZM. HOLSTEIN
HZM. MECKLENBURG-SCHWERIN
SCHWED.-POMMERN
HZM. POMMERN
HZM. MECKL.-STRELITZ
KFSM. HANNOVER
KFSM. BRANDENBG.
BATAVISCHE REPUBLIK
HZM. OLDENBURG
FSM. OSTFRIESLAND
HZM. MAGDEBURG
ANHALT
KFSM. SACHSEN
KFSM. HESSEN
LGFT.
NASSAUISCHE FSMR.
FRANZÖSISCHE REPUBLIK
KGR. BÖHMEN
KFSM. BAYERN
FSM. BAYREUTH
FSM. ANSBACH
KFSM. WÜRTTEMBERG
KFSM. BADEN
BREISGAU
SALZBURG
Oberpfalz
Niederbayern
Oberbayern
Innviertel
Vorarlberg
Bodensee

er die →Karlsbader Beschlüsse von 1819 und die gefürchteten »Demagogenverfolgungen«. Die Teilnahme des liberalen Bürgertums am polit. Prozess war damit zunächst unterbunden (»Restauration«). Zwar wurden in Süd-Dtl. bereits 1818/19 Volksvertretungen geschaffen und der Liberalismus bedeutsam, doch hielt Preußen am Absolutismus fest und unterstützte die Politik Metternichs. 1832 kam es zur Massenkundgebung in der Pfalz, dem Hambacher Fest, was mit weiteren Repressionsmaßnahmen beantwortet wurde. Unter preuß. Führung kam 1834 der Dt. Zollverein zustande, der dem größten Teil Dtl.s (ohne Österreich) die wirtsch. Einheit gab. Gefördert auch durch den Bau der ersten Eisenbahnen (1835 Nürnberg–Fürth, 1839 Leipzig–Dresden) setzte nun das Industriezeitalter ein.

Der Gedanke der nat. Einheit und der Ruf nach Verwirklichung des Rechts- und Verfassungsstaats erhielten durch die frz. Julirevolution (1830) neue Impulse. Das Bürgertum neigte immer mehr liberalen und nat. Ideen zu; in dieser Unruhe des »Vormärz« bildeten sich die ersten Ansätze dt. Parteien heraus. Das Übergreifen der mit der frz. Februarrevolution 1848 einsetzenden Bewegung auf Dtl. in Gestalt der v.a. vom bürgerl. Mittelstand getragenen Märzrevolution ließ das metternichsche System einstürzen und mündete in die →Frankfurter Nationalversammlung. Nachdem König Friedrich Wilhelm IV. von Preußen die ihm angebotene Kaiserkrone (am 28. 3. 1849 zum »Kaiser der Deutschen« gewählt) abgelehnt hatte und nur die kleineren dt. Staaten zur Annahme der Reichsverfassung bereit waren, war die bürgerl. Revolution gescheitert; die Aufstände in Sachsen, Baden und der Pfalz wurden niedergeworfen.

Nach 1850 wurden die alten verfassungsrechtl. Zustände des Dt. Bundes nach dem Scheitern der Frankfurter Nationalversammlung und dem preuß. Rückzug vor dem österr. Ultimatum (Olmützer Punktation, 29. 11. 1850) wiederhergestellt. Während v.a. in den süddt. Staaten die Reaktion nur zögernd einsetzte, wurde in der Habsburgermonarchie der Scheinkonstitutionalismus von 1849 annulliert und ein Neoabsolutismus errichtet. In dieser Situation verfassungspolit. Rückschritts gingen entscheidende Änderungsimpulse von der Wirtschaftsentwicklung und dem zw. Preußen und Österreich erneut aufbrechenden Dualismus aus.

Vor der polit. Einigung von 1871 vollzog sich die wirtsch. Einigung der dt. Länder. Ende der 1850er-Jahre war Dtl. schon von einem mehr als 6000 km langen Eisenbahnnetz durchzogen und wurde zu einem einheitl. Verkehrsgebiet, das einen einheitl. Markt erschloss. Es entstanden die ersten wirkl. Großbetriebe. Die Führung in der dt. Frage beanspruchte aufgrund seines wirtsch. und militär. Potenzials Preußen, wo das Erstarken des Liberalismus im Kampf um die Reorganisation und Kontrolle der preuß. Armee zum preuß. Verfassungskonflikt zw. Krone und Abgeordnetenhaus führte.

deutsche Geschichte: Anton von Werner, »Kaiserproklamation in Versailles« (1885; Schloss Friedrichsruh, Bismarck-Museum)

Deutschland zur Zeit des Deutschen Bundes (1815-1866)
0 100 200 300km
Preußische Provinzen außerhalb des Deutschen Bundes (1848–51 zum Deutschen Bund)
Grenze des Deutschen Bundes von 1815
Spätere Grenzkorrekturen
Krain bis 1849 KGR. Illyrien
Ulm Bundesfestungen
Gebiet der Militärgrenze gegen die Türken
B. Fürstentum Birkenfeld (zu Oldenburg)
BR. Herzogtum Braunschweig
H. Fürstentümer Hohenzollern
H.H. Ldgft. Hessen-Homburg
L. Herzogtum Lauenburg 1865 zu Pr.
L.–D. Fürstentum Lippe-Detmold
LI. Fürstentum Lichtenberg
LIE. Fürstentum Liechtenstein
R. Fürstentümer Reuß
S. Fürstentum Schwarzburg
S.H. Sächsische Herzogtümer
S.–L. Fürstentum Schaumburg-Lippe
W. Fürstentum Waldeck
M.–SCHW. Grhzm. Mecklenburg-Schwerin
M.–STR. Grhzm. Mecklenburg-Strelitz
KGR. DÄNEMARK
KAISERREICH RUSSLAND
KGR. POLEN
KGR. PREUSSEN
KGR. HANNOVER
KGR. SACHSEN
KGR. BAYERN
KGR. WÜRTTEMBERG
KAISERREICH ÖSTERREICH
KGR. UNGARN
SCHWEIZ
KGR. DER NIEDERLANDE
KGR. BELGIEN seit 1831
KGR. FRANKREICH
KGR. SARDINIEN
KGR. GROSS-BRITANNIEN
Nordsee
Ostsee

Auf dem Höhepunkt der Krise wurde 1862 Bismarck als Kandidat der Militärpartei zum MinPräs. berufen. Er zielte auf den Bruch des Dt. Bundes und eine Neugründung durch Preußen. Den von Österreich einberufenen Frankfurter Fürstentag 1863 (zur Beratung des österr. Bundesreformplans) brachte er zum Scheitern. Die schleswig-holstein. Frage und der Dt.-Dän. Krieg 1864 führten die beiden dt. Vormächte noch einmal zusammen. Preußens Vorgehen im Konflikt um Schleswig-Holstein (Besetzung Holsteins) und das von Bismarck dem Bundestag vorgelegte Reformprogramm (Neubildung des Bundes ohne Österreich, kleindt. Lösung) führten zum Dt. Krieg 1866, zu dessen wichtigsten innerdt. Folgen die Ausschließung Österreichs aus dem dt. Staatenverband und die Bildung des Norddt. Bundes gehörten. Die Bundesverfassung stellte den Reichstag mit allg., gleichem und unmittelbarem Wahlrecht gleichberechtigt neben den Bundesrat (Vertretung der einzelstaatl. Regierungen), Bundespräs. war der König von Preußen. Die span. Thronkandidatur eines Hohenzollernprinzen gab im Juli 1870 Anlass zum Dt.-Frz. Krieg 1870/71 (→Emser Depesche), der die kleindt. Reichsbildung durch Beitritt der süddt. Staaten (Novemberverträge von Versailles, Kaiserproklamation des preuß. Königs als Wilhelm I. am 18. 1. 1871 in Versailles) als einen Bund der dt. Fürsten und Hansestädte vollendete. Die Reichsverfassung vom 16. 4. 1871 ging allerdings über eine Ergänzung der Verfassung des Norddt. Bundes nicht hinaus. Oberstes Organ war der Bundesrat, in dem die dt. Fürsten vertreten waren; eine zentrale Stelle hatte der Reichskanzler. Durch die Friedensschlüsse von Versailles (26. 2., davor am 18. 1. Ausrufung Wilhelms I. zum Dt. Kaiser) und Frankfurt am Main (10. 5. 1871) gewann das Reich Elsass-Lothringen zurück und war damit von Anfang an mit der Feindschaft Frankreichs belastet.

Kaiserreich (1871–1918)

Die Wirtschafts- und Innenpolitik nach 1871 setzte den Weg der liberalen Kompromisse fort. Bismarck regierte mit den liberal-konservativen Mehrheiten im Reichstag und im preuß. Abgeordnetenhaus, ohne von ihnen abhängig zu werden. Der →Kulturkampf gegen den polit. Katholizismus sollte die Liberalen ideologisch auf das System Bismarcks festlegen. Die den ungesunden »Gründerjahren« (1871–73) folgende Depression seit 1873 brachte die organisierten Interessen des Großgrundbesitzes und der Schwerind. hinter Bismarcks Kurs der Orientierung auf das konservative Preußen, der Abwehr von Liberalismus und Parlamentarismus und der repressiven Lösung der sozialen Frage (Sozialistengesetz, 1878; 1879 Annahme eines gemäßigten, bis 1890 rasch steigenden Schutzzolls zugunsten von Landwirtschaft und Industrie). Der Preis für diese Lösung des dt. Verfassungsproblems war eine strukturelle Schwächung von Parlament und Parteien und die Entfremdung der Arbeiterbewegung vom preußisch-dt. Obrigkeitsstaat, die auch die Schaffung einer vorbildl. →Sozialversicherung (1883) nicht mehr rückgängig

deutsche Geschichte: »Der Lotse verläßt das Schiff«, Karikatur aus dem satirischen Londoner Wochenblatt »Punch« zu Otto von Bismarcks Entlassung

machte. Die zunehmende Industrialisierung genügte nicht zur Beschäftigung der sich rasch vermehrenden Bevölkerung; bei der Massenauswanderung nach Amerika verließen Millionen Menschen Dtl. Dem Tod Kaiser Wilhelms I. folgten die Regierung der 99 Tage Friedrichs III. und die Thronbesteigung Wilhelms II. (1888). Der Sturz Bismarcks (1890) markierte v. a. außenpolitisch das Ende einer Epoche. Grundlage seiner Außenpolitik waren die Ideen des Gleichgewichts der europ. Mächte, wechselseitiger Sicherheit und des Interessenausgleichs. Auf dieser Basis ist sein Bündnissystem zu verstehen (Dreikaiserabkommen 1873, Dreikaiservertrag 1881, Zweibund 1879, Dreibund 1882, Mittelmeerabkommen und Rückversicherungsvertrag 1887) als ein Schwebezustand offener diplomat. Allianzen zur Vermeidung des Kriegsfalles (Höhe- und Wendepunkt: Berliner Kongress 1878). 1884/85 hatte Bismarck »Schutzgebiete« in Afrika (Togo, Kamerun, Dt.-Südwestafrika, Dt.-Ostafrika) und der Südsee (u. a. Dt.-Neuguinea) erworben. Großbritannien tauschte 1890 die Insel Helgoland und den Caprivi-Zipfel gegen bisher dt. Gebiete in Ostafrika (u. a. Sansibar). Dennoch ver-

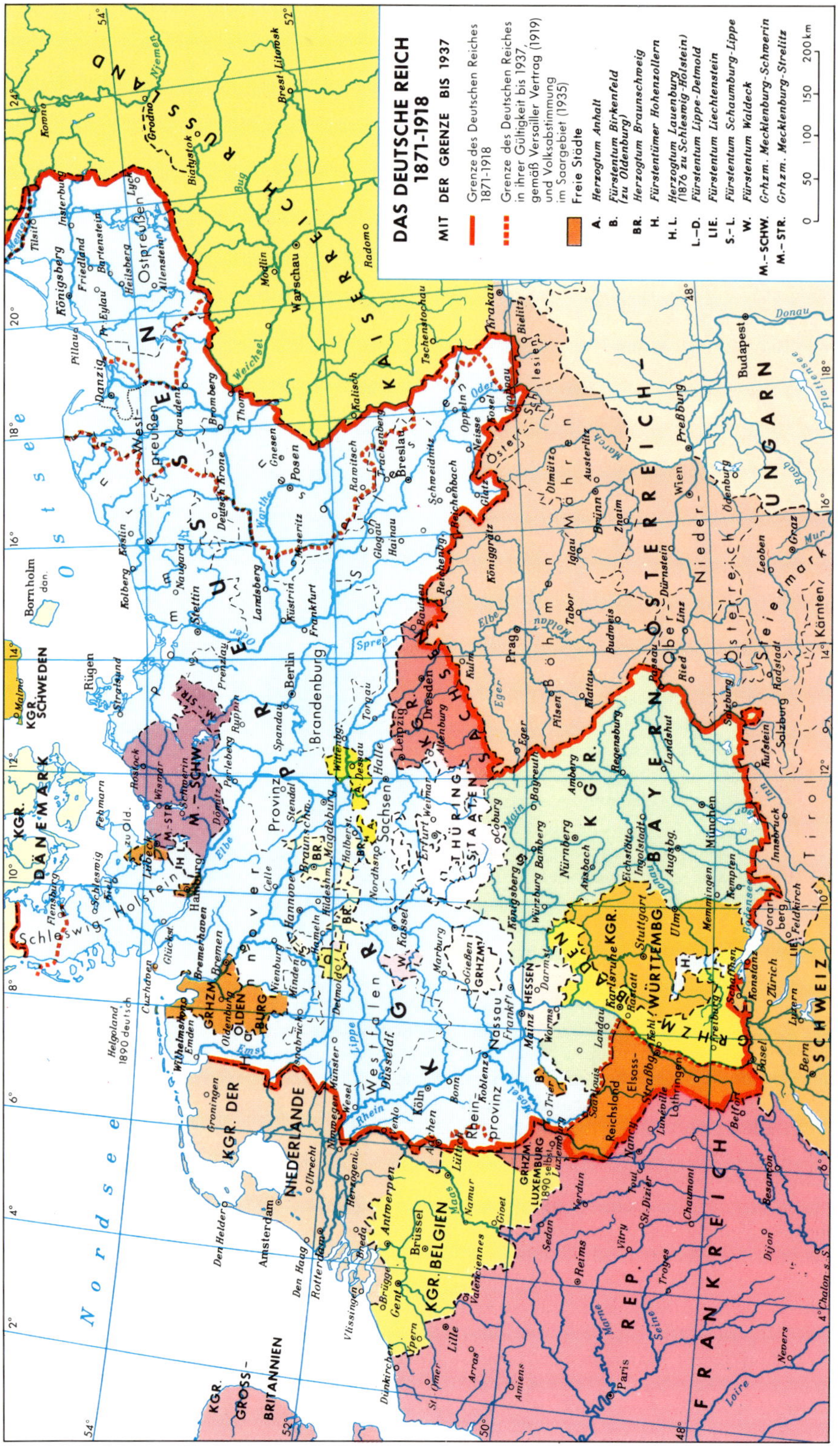
DAS DEUTSCHE REICH 1871-1918
MIT DER GRENZE BIS 1937
Grenze des Deutschen Reiches 1871-1918
Grenze des Deutschen Reiches in ihrer Gültigkeit bis 1937, gemäß Versailler Vertrag (1919) und Volksabstimmung im Saargebiet (1935)
Freie Städte
A. Herzogtum Anhalt
B. Fürstentum Birkenfeld (zu Oldenburg)
BR. Herzogtum Braunschweig
H. Fürstentümer Hohenzollern
H.L. Herzogtum Lauenburg (1876 zu Schleswig-Holstein)
L.-D. Fürstentum Lippe-Detmold
LIE. Fürstentum Liechtenstein
S.-L. Fürstentum Schaumburg-Lippe
W. Fürstentum Waldeck
M.-SCHW. Grhzm. Mecklenburg-Schwerin
M.-STR. Grhzm. Mecklenburg-Strelitz
0 50 100 150 200 km

schlechterte sich das dt.-brit. Verhältnis zunehmend.

Die 1890er-Jahre, gekennzeichnet durch die Diskussion um das »persönliche Regiment« Wilhelms II., zeigten einen unbewältigten gesellschaftl. Wandlungsprozess auf. Ein konstruktiver Ansatz zu innerer Entspannung lag anfangs in dem »Neuen Kurs« der Innenpolitik, den Wilhelm II. und Kanzler L. von Caprivi einschlugen (Fortsetzung staatl. Sozialpolitik zur Lösung der Arbeiterfrage, sozialpolit. Versöhnungskurs). Nach dem Sturz Caprivis (1894) fehlte dieser Innenpolitik des Neuen Kurses die klare Grundlinie. Die Folgen des Rückgangs der politisch-demokrat. gegenüber der wirtsch.-techn. Entwicklung gewannen an Intensität. Das persönl. Regiment Wilhelms II. wurde mehr und mehr eingeschränkt, ohne dass Parlament und Parteien in das Vakuum nachstießen. Der Reichstagsauflösung 1906 folgte das Experiment des Bülow-Blocks, das aber an dem ungelösten Problem einer Reform des preuß. Wahlrechts und an dem der Reichsfinanzreform scheiterte (1909). T. von Bethmann Hollwegs Innenpolitik als Reichskanzler 1909–17 war gekennzeichnet von Reformansätzen, die jedoch entweder zu spät kamen oder nur Teilreformen waren. Dem Scheitern der preuß. Wahlrechtsreform (1910) stand der Aufstieg der Sozialdemokratie zur stärksten Reichstagsfraktion 1912 gegenüber.

Unter dem Druck handels- und finanzpolit. Interessen gab die dt. Außenpolitik endgültig die kontinentaleurop. Orientierung der Bismarck-Ära auf. Der Ruf nach dem »Platz an der Sonne« (Bülow) wurde zum Ausdruck des Anspruchs auf Gleichberechtigung als überseeische Weltmacht. Die weltpolit. Gruppierung wurde seit der Jahrhundertwende v.a. durch die Einbeziehung Großbritanniens und Dtl.s (seit 1898 Aufbau einer dt. Kriegsflotte unter A. von Tirpitz; →Krügerdepesche) in zwei gegensätzl. Lager gekennzeichnet: Entente (später Tripelentente) bzw. Zweibund (der Dreibund wurde durch die stille Teilhaberschaft Italiens am Dreiverband zur hohlen Form). In den Marokkokrisen 1905 und 1911 zeigte sich eine zunehmende dt. Isolation in Europa. Seit 1911 sah das Dt. Reich seinen Entwicklungsspielraum auf den SO eingeschränkt, wo die Annexion Bosniens durch Österreich-Ungarn (1908/09) das Überlappen der Einflusssphären der europ. Großmächte zeigte und über die Balkankriege (1912/13) zu der Krisensituation führte, aus der nach dem Mord von Sarajevo an dem österr.-ungar. Thronfolger Franz Ferdinand und seiner Frau der 1. Weltkrieg (1914–18) ausgelöst wurde. Sein Ausbruch schuf zunächst eine innere Einheit des Volkes und den »Burgfrieden« der Parteien. Nach dem Scheitern (1915/16) der zunächst erfolgreichen Siegstrategien der Mittelmächte und der Alliierten führte auch in Dtl. die wachsende Kluft zw. Kriegsbelastung und Friedenschancen seit dem Frühjahr 1916 zum Ende des Burgfriedens. Während die parlamentar. Linke die Beendigung des Krieges und die Einlösung des Versprechens verfassungspolit. »Neuorientierung« forderte, sahen die Gruppierungen der Rechten bis in das Zentrum hinein im Anschluss v.a. an die innenpolitisch höchst aktive, halbdiktator. 3. Oberste Heeresleitung (Hindenburg, Ludendorff) die Alternative zum Kurs innerer Reform. Erst die Stoßwellen revolutionärer Explosionen 1918 veränderten die innere Kräfteverteilung in Dtl. Schließlich führte die Ausweglosigkeit der militär. Lage, verbunden mit den von dem amerikan. Präs. W. Wilson formulierten Grundsätzen für eine Friedensordnung (Vierzehn Punkte) Ende Sept. 1918 zur Bildung einer erstmals aus Parlamentariern bestehenden Regierung unter Prinz Max von Baden, deren Hauptaufgabe die Beendigung des Krieges wurde. Die Novemberrevolution 1918 stürzte die Dynastien, die Republik wurde ausgerufen. Entscheidend für die weitere polit. Entwicklung war, dass die Mehrheitssozialisten konsequent auf Errichtung des bürgerlich-parlamentar. Verfassungsstaats abzielten. In den Wahlen zur Nationalversammlung (19. 1. 1919) erhielten die Partner der Weimarer Koalition, die die Regierung übernahm, eine $^3/_4$-Mehrheit und konnten weitgehend die Kompromissstruktur der Weimarer Reichsverfassung (11. 8. 1919) festlegen; die am 6. 2. 1919 zusammengetretene Weimarer Nationalversammlung wählte am 11. 2. 1919 F. Ebert (SPD) zum Reichspräsidenten.

Weimarer Republik (1918–33)

Die erste dt. Republik war zunächst im Innern geprägt von der Schwäche der die Republik tragenden Parteien und von bürgerkriegsähnl. Angriffen auf die Republik von links (1919–23) und rechts (Kapp-Putsch 1920, Hitlerputsch 1923), begleitet von (seit 1922) galoppierender Inflation, Kapitalmangel und Zerrüttung der Wirtschaft. Außenpolitisch bestimmte der Versailler Vertrag (28. 6. 1919) die Behandlung des besiegten Dtl. Angesichts der frz. Ruhrbesetzung 1923 kam es zum offenen britisch-frz. Gegensatz. Das Verhältnis zu Sowjetrussland wurde im Rapallovertrag 1922 bereinigt. Danach begann eine Periode der Stabilisierung auf der Grundlage der Währungsneuordnung im Nov. 1923 (Rentenmark) und der Neuordnung der Reparationen entsprechend der wirtschaftl. Leistungsfähigkeit Dtl.s (Dawesplan 1924). 1925 schufen die →Locarnoverträge (Reichsaußenmin. G. Stresemann) die Basis eines Systems kollektiver Sicherheit; 1926 konnte der Eintritt in den Völkerbund folgen; doch hat die Außenpolitik, zw. Ost

Friedrich Ebert

Gustav Stresemann

deutsche Geschichte: Die Abgeordneten der Nationalversammlung im Weimarer Nationaltheater im Februar 1919

Paul von Hindenburg

Heinrich Brüning

Adolf Hitler

und West schwankend, die Dynamik des extremen Nationalismus im Innern nicht auffangen können. Nach Eberts Tod (1925) wurde Hindenburg (Kandidat der Rechten) Reichspräs. Der als Regelung der Reparationsfrage gedachte →Youngplan 1929 führte zur verschärften Aktion der rechtsradikalen Kräfte (→Harzburger Front). Die zur Auflösung der Republik führende Periode von 1930 bis 1933 war gekennzeichnet durch ein autoritäres, auf das Notverordnungsrecht des Reichspräsidenten gestütztes, parlamentarisch zunächst durch Sozialdemokraten und Zentrum toleriertes Präsidialsystem (Reichskanzler H. Brüning). Ab 1932 wurden die Regierungen (unter den Reichskanzlern F. von Papen und K. von Schleicher) allein vom Vertrauen Hindenburgs sowie von Kräften der Reichswehr und Interessenvertretern des Großgrundbesitzes getragen. Das Ergebnis dieser Staatskrise stand vor dem Hintergrund der →Weltwirtschaftskrise, die seit 1929 das dt. Wirtschaftsleben lähmte, die Zahl der Arbeitslosen auf über 6 Mio. hinaufschnellen ließ und die Radikalisierung der polit. Gegensätze (Nationalsozialisten, Kommunisten) vorantrieb. Nachdem Schleichers Pläne einer »Front der Gewerkschaften« unter Einschluss einer von ihm intendierten Spaltung der NSDAP über G. Strasser gescheitert waren, wurde Hitler am 30. 1. 1933 Chef eines Präsidialkabinetts.

Das nationalsozialistische Deutschland (1933–45)

Legitimiert von einer obrigkeitsstaatlich orientierten Staatsrechtslehre, wurde das Präsidialkabinett Hitler mithilfe scheinlegaler Maßnahmen und offener Rechtsbrüche zur Einparteien- und Führerdiktatur umgebaut: enorme Machtsteigerung der Exekutive mit Mitteln des Präsidialregimes (u. a. erneute Auflösung des Reichstags, Einschränkung der Pressefreiheit, endgültige Gleichschaltung Preußens, Ausnahmezustand und Aufhebung der Grundrechte nach dem Reichstagsbrand, staatsstreichförmige Unterwerfung der Länder nach den noch halbfreien Reichstagswahlen vom 5. 3. 1933, →Ermächtigungsgesetz vom März 1933 als Legalitätsfassade), Liquidierung des Rechtsstaats (u. a. »Säuberung« des Beamtenapparats und der Justiz von Demokraten und Deutschen jüd. Abstammung, Zerschlagung der Gewerkschaften, demokrat. Berufsverbände und aller nichtnationalsozialist. Parteien sowie gesetzl. Verankerung des Einparteienstaats), Aufbau des totalitären »Führerstaates«, der, auf die Rassenideologie gestützt (→Nürnberger Gesetze), außenpolit. Machtstreben mit diktator., den Rechtsstaat durch »Gleichschaltung« aufhebenden Innenpolitik verband (→Hitler, →Nationalsozialismus). Am kompromisslosesten manifestierte sich das totalitäre System im SS-Staat, dessen Kern das System von Judenverfolgung und KZ war. Demütigung, Entrechtung, Verfolgung der Juden (Judengesetze; Pogromnacht 9./10. 11. 1938), ihre Vertreibung und schließlich zum Genozid gesteigerte planvolle, Vernichtung (→Holocaust) war proklamiertes Kampfziel (sog. Endlösung der Judenfrage). Die nat.-soz. Wirtschaftspolitik ging zunächst davon aus, die traditionelle kapitalist. Struktur und effiziente Wirtschaftsbürokratie nutzend, alle Kräfte auf Kriegsvorbereitung und Sicherung der Nahrungsmittelbasis zu lenken, erweiterte aber seit 1936 durch Gründung weitverzweigter Reichsunternehmen, Vierjahresplan und (seit 1941/42) Mobilisierung für Kriegswirtschaft den staatskapitalist. Bereich. Methoden, Motive und Ziele des Widerstandes waren verschieden, teils gegensätzlich (→Widerstandsbewegung). Neben den alten Gegnern des Nationalsozialismus auf der polit. Linken standen desillusionierte Konservative. Opposition wurde auch innerhalb der Kirchen wirksam (→Bekennende Kirche). 1938 und seit 1942/43 standen Militärs im Zentrum konspirativer Planungen zur Beseitigung des Systems (Attentat vom 20. 7. 1944).

Die Rückgewinnung des Saargebiets (1935), die Besetzung der entmilitarisierten Rheinlandzone (1936) und die Schaffung der Achse Berlin–Rom (1936; Stahlpakt 1939), im Antikominternpakt (1936) mit Japan ergänzt (1940 durch den →Dreimächtepakt zur »Achse Berlin–Rom–Tokio« erweitert), täuschten im Innern eine erfolgreiche Außenpolitik vor, die (eingeleitet vom Austritt aus dem Völkerbund 1933) im Wesentlichen Kriegspolitik war und seit 1935 in unverhüllt aggressive Politik überleitete, begünstigt durch die v. a. brit. Politik des Appeasement. Die Einführung der Wehrpflicht (16. 3. 1935), der »Anschluss« Österreichs (Einmarsch 12. 3. 1938) und die Einverleibung des Sudetenlands, sanktioniert durch das →Münchener

deutsche Geschichte: Adolf Hitler begrüßt den Reichspräsidenten Paul von Hindenburg vor der Eröffnung des Reichstags am 23. März 1933

Abkommen 1938, gehörten bereits zur unmittelbaren Kriegsvorbereitung. Hinter der Annexion der Tschechoslowakei (15. 3. 1939) wurde der Expansionswille des nat.-soz. Regimes unübersehbar deutlich. Mit dem trotz brit. Garantieerklärung (31. 3. 1939), aber mit Rückendeckung durch den →Deutsch-Sowjetischen Nichtangriffspakt (23. 8. 1939) unternommenen Angriff auf Polen entfesselte Hitler den 2. →Weltkrieg. Der Kriegsausgang (Gesamtkapitulation der dt. Wehrmacht am 7./8. 5. 1945 nach Hitlers Selbstmord am 30. 4. 1945) besiegelte das Ende des dt. Nationalstaats in der Form, die er 1867–71 erhalten hatte. Ermordung von 5,5 Mio. Juden, über 27 Mio. Tote in der UdSSR, 4,5–6 Mio. in Polen, 1,7 Mio. in Jugoslawien, 810 000 in Frankreich, 386 000 in Großbritannien, 5,25 Mio. Tote in Dtl., mehr als doppelt so viele Flüchtlinge sowie die Verstümmelung und Teilung des Landes – das war die Bilanz der nat.-soz. Diktatur.

Teilung Deutschlands (1945–49)

Gemäß den Vereinbarungen der Jalta-Konferenz (Febr. 1945) verkündete die Berliner Viermächteerklärung vom 5. 6. 1945 die »Übernahme der obersten Regierungsgewalt hinsichtlich Dtl.« durch die USA, die UdSSR, Großbritannien und Frankreich, die Einteilung in vier Besatzungszonen und die Bildung des Alliierten Kontrollrats als oberstes Organ der Regierung in Dtl. durch die vier Siegermächte. Österreich wurde in seine Eigenstaatlichkeit zurückgeführt. Berlin bildete eine besondere Einheit unter Viermächteverwaltung. Die Grundlinien der alliierten Dtl.-Politik legte das →Potsdamer Abkommen (2. 8. 1945) fest, in dem die USA, die UdSSR und Großbritannien die Abtrennung der dt. Ostgebiete festlegten, in Abkehr von früheren Zerstückelungsplänen aber vereinbarten, Dtl. westlich der Oder-Neiße-Linie als wirtschaftl. Einheit zu behandeln und einige dt. zentrale Verwaltungsstellen zu bilden, wozu es jedoch nicht kam. Bestimmend wurde der sich verschärfende Ost-West-Gegensatz, der in den Kalten Krieg mündete und ab 1945 zur Entstehung zweier getrennter sozioökonom. Systeme in der sowjet. und in den westl. Besatzungszonen führte. Er verhinderte letztendlich auch ein einheitl. deutschlandpolit. Konzept der Alliierten. Eine schwere Belastung für den wirtschaftl. Wiederaufbau stellten v. a. in den ersten Nachkriegsjahren Reparationen und Demontagen dar, bes. in der sowjet. Besatzungszone (SBZ). Die Folgen von Flucht und Vertreibung etwa 13 Mio. Deutscher aus den dt. Ostgebieten sowie aus O-Europa warfen weit tragende Probleme der Eingliederung, v. a. in die westdt. Gesellschaft, auf. Dem Potsdamer Abkommen gemäß leiteten die Siegermächte zur Bestrafung der Verantwortlichen und zur Ausschaltung eines Fortlebens des Nationalsozialismus sowie der ihn im dt. Volk begünstigenden Kräfte die →Nürnberger Prozesse sowie →Entnazifizierung und Reeducation ein. Zur innenpolit. Grundlage der Spaltung des in vier Besatzungszonen aufgeteilten Dtl. wurde die Entstehung auf gegensätzl. Wertvorstellungen beruhender Parteiensysteme und der Neuaufbau von Verwaltung und Regierung. In der Ostzone leitete die Sowjet. Militäradministration in Dtl. (SMAD) im Juni/Juli 1945 die

Staatsoberhäupter	
Dt. Reich – Reichspräsidenten:	
Friedrich Ebert	1919–25
Paul von Hindenburg	1925–34
Adolf Hitler (»Führer und Reichskanzler«)	1934–April 45
Karl Dönitz	Mai 1945
Bundesrepublik Deutschland – Bundespräsidenten:	
Theodor Heuss	1949–59
Heinrich Lübke	1959–69
Gustav W. Heinemann	1969–74
Walter Scheel	1974–79
Karl Carstens	1979–84
Richard Freiherr von Weizsäcker	1984–94
Roman Herzog	seit 1994
Dt. Demokrat. Republik:	
Wilhelm Pieck (Präsident)	1949–60
Vors. des Staatsrats:	
Walter Ulbricht	1960–73
Willi Stoph	1973–76
Erich Honecker	1976–Okt. 89
Egon Krenz	Okt.–Dez. 1989
Manfred Gerlach	Dez. 1989–April 1990
als Präs. der Volkskammer:	
Sabine Bergmann-Pohl	April–Okt. 1990

Wilhelm Pieck

Otto Grotewohl

Bildung eines Blocksystems ein mit der Zulassung von vier Parteien (KPD, CDU, LDPD, SPD), denen die Gründungen kommunist., christl., liberaler und sozialdemokrat. Parteien in allen Zonen noch 1945 entsprach, ohne dass es jedoch zur Entstehung gesamtdt. Parteienorganisationen gekommen wäre. Auch in der Aufgliederung der Besatzungszonen in Länder machte die sowjet. den Anfang (1945), die Westzonen folgten 1945–47. Im April 1946 erfolgte, teils von der Basis getragen, teils unter Zwang, die Vereinigung von KPD und SPD der sowjet. Zone zur →Sozialistischen Einheitspartei Deutschlands (SED) mit Wilhelm Pieck und Otto Grotewohl als Vorsitzenden (1946–54). In den Westzonen entstand ein pluralist. Parteiensystem, in dem bald CDU/CSU und SPD dominierten. Nach dem Scheitern des Versuchs, gemeinsame Maßnahmen der Siegermächte zur Bewältigung der dt. Wirtschaftsprobleme zu vereinbaren, schritten die USA und Großbritannien zur wirtsch. Vereinigung ihrer Besatzungszonen in Gestalt der Bizone (1. 1. 1947; am 8. 4. 1949 durch Anschluss der frz. Besatzungszone zur Trizone erweitert), der durch Konstituierung eines Wirtschaftsrats (25. 6. 1947), später eines Exekutiv- und eines Länderrats, Elemente der Staatlichkeit verliehen wurden. Auf Gründung und Ausbau der Bizone antwortete die SED im Dez. 1947 mit dem Dt. Volkskongress für Einheit und gerechten Frieden, der als verfassunggebende Körperschaft den Dt. Volksrat (März 1948) bildete; mit der Dt. Wirtschaftskommission (14. 6. 1947) war in der Sowjetzone bereits ein zentrales Exekutivorgan geschaffen worden. Der Konflikt um die im Juni in West und Ost separat durchgeführte Währungsreform steigerte sich bis zur →Berliner Blockade und wirkte als Katalysator des Vollzugs der Staatsgründungen unter Führung der Siegermächte. Das von dem im Sept. 1948 konstituierten Parlamentar. Rat am 8. 5. 1949 verabschiedete, am 12. 5. von den Militärgouverneuren genehmigte →Grundgesetz (GG) für die Bundesrep. Dtl. wurde am 23. 5. 1949 verkündet. Die vom Verfassungsausschuss des Dt. Volksrats ausgearbeitete Verf. der DDR wurde vom 3. Dt. Volkskongress angenommen (30. 5. 1949) und vom 2. Dt. Volksrat verabschiedet (7. 10. 1949). Damit waren die Grundlagen der Zweistaatlichkeit Dtl.s geschaffen; von 1949 bis 1990 vollzog sich die d. G. dann in getrennten Bahnen.

deutsche Geschichte: Proklamation der Deutschen Demokratischen Republik durch den Deutschen Volksrat am 7. Oktober 1949; am Mikrofon Wilhelm Pieck

Deutsche Demokratische Republik (1949–90)

Die DDR war zunächst ein Produkt der Besatzungspolitik. Wichtige Veränderungen in der sozioökonom. Struktur waren bereits vor Gründung der DDR vorgenommen worden (Bodenreform, Schulreform, Justizreform, Aufbau einer neuen Verwaltung und Zentralverwaltungswirtschaft, Enteignung und Verstaatlichung großer Teile der Industrie). Die SED war das entscheidende polit. Herrschaftsinstrument, um aus der Sowjetzone die DDR zu entwickeln; mit der Dt. Wirtschaftskommission (1947) und dem 2. Dt. Volksrat (1949) entstanden bereits die Vorläufer einer Regierung und eines Parlaments. Die Konstituierung des Dt. Volksrats als Provisor. Volkskammer und die Annahme der Verf. sowie die Bildung der Regierung Grotewohl (11. 10. 1949) schlossen die »antifaschistisch-demokrat. Umwälzung« ab. Mit der »Schaffung der Grundlagen des Sozialismus« begann dann die Periode der »sozialist. Revolution«. Eine Verf. bürgerlich-demokrat. Charakters wurde in Kraft gesetzt, zugleich wurde die Gesellschaft mehr und mehr nach dem sowjet. »Grundmodell des Sozialismus« organisiert. Die erste Zäsur war dabei der Beschluss der Parteien und Massenorganisationen, für die Volkskammerwahlen im Okt. 1950 eine Einheitsliste der Nationalen Front zur völligen Gleichschaltung der bürgerl. Parteien aufzustellen, die nach offiziellem Wahlergebnis 99,7 % Zustimmung fand. Für die Phase des sozialist. Aufbaus, dem im Mai 1952 mit der Aufstellung von Streitkräften, zunächst als Kasernierte Volkspolizei, das entscheidende Machtmittel gegeben wurde, markierte die 2. Parteikonferenz der SED (Juli 1952) im Sinne des sowjet. Grundmodells die Zielpunkte: vorrangige Entwicklung der Schwerindustrie, Bildung von landwirtschaftl. Produktionsgenossenschaften, verschärfter »Klassenkampf« gegen den bürgerl. und bäuerl. Mittelstand, gegen die Intelligenz und gegen die Kirchen.

deutsche Geschichte: 17. Juni 1953; Ostberliner bewerfen sowjetische Panzer mit Steinen

Im Zuge der Verwaltungsreform vom 23. 7. 1952 wurden die fünf Länder Sachsen, Sachsen-Anhalt, Thüringen, Brandenburg und Mecklenburg-Vorpommern aufgelöst und durch 14 Bezirke ersetzt. Die Politik des sozialist. Aufbaus wurde weder durch den »Neuen Kurs« (9. 6. 1953) noch durch den Aufstand des →Siebzehnten Juni 1953 entscheidend verlangsamt. Auch die Konsequenzen der Entstalinisierung 1955/56 wurden in der DDR 1957/58 in Aktionen gegen »revisionist. Abweichler« (Schauprozesse gegen W. Harich, W. Janka, E. Wollweber und K. Schirdewan) gewendet, die Parteiführung dadurch entscheidend stabilisiert. Ab 1956 beschleunigte die polit. Führung die Sozialisierung des Mittelstandes (Produktionsgenossenschaften des Handwerks, staatl. Beteiligung an Privatbetrieben, Kommanditgesellschaften des Handels) und verstärkte die Integration in den »Rat für Gegenseitige Wirtschaftshilfe«. Die ungünstigen Ausgangsbedingungen (schmale Energie- und Rohstoffbasis, Reparationen, Demontagen), zu hoch gesteckte Planziele v.a. in der Schwerindustrie, die bürokrat. Wirtschaftsordnungspolitik, die einseitige Ausrichtung des Außenhandels auf die »sozialist. Staatengemeinschaft« und polit. Faktoren hatten den 1. Fünfjahrplan (1951–55) mit erhebl. Rückständen abschließen lassen und den 2. Fünfjahrplan so belastet, dass er abgebrochen und durch einen Siebenjahrplan (1959–65) ersetzt werden musste. Mit der 1960 abgeschlossenen »Vollkollektivierung« der Landwirtschaft und der Abriegelung Ost-Berlins (13. 8. 1961; Bau der →Berliner Mauer) – und damit der DDR gegenüber der Bundesrep. Dtl. insgesamt – infolge der Massenflucht aus der DDR sah W. Ulbricht, seit 1960 offizielles Staatsoberhaupt (Vors. des Staatsrates), die Voraussetzungen für den Sieg »der sozialist. Produktionsverhältnisse« gegeben.

Mit der Akzeptierung der Oder-Neiße-Linie im Görlitzer Abkommen (6. 7. 1950), der Mitgliedschaft im »Rat für Gegenseitige Wirtschaftshilfe« (29. 9. 1950) und der Mitbegründung des Warschauer Paktes (14. 5. 1955) gewann die DDR an polit. Gewicht im Rahmen der Staaten des →Ostblocks. Dem entsprach die schrittweise Aufwertung der DDR durch die UdSSR: Die sowjet. Kontrollkommission wurde (28. 5. 1953) durch einen Hochkommissar ersetzt; am 25. 3. 1954 und 20. 9. 1955 wurde die Souveränität der DDR von der UdSSR anerkannt (mit Ausnahme der den alliierten Berlinverkehr betreffenden Fragen) und am 12. 3. 1957 der Vertrag über die Stationierung der sowjet. Besatzungstruppen unterzeichnet. 1962 folgte die Einführung der Wehrpflicht in der DDR. Gleichzeitig wurde die Zweistaatentheorie (→deutsche Nation) formuliert, die die Deutschland- und Außenpolitik der DDR sowie der sozialist. Staaten lange Zeit geprägt hat. Seit dem VI. Parteitag der SED 1963 begann mit dem sog. Neuen Ökonom. System der Planung und Leitung der Volkswirtschaft (NÖSPL) eine Phase v.a. wirtschaftl. Experimente zur Erhöhung der Selbstständigkeit der volkseigenen Betriebe (VEB). Die DDR wurde zur zweitstärksten Industriemacht des Ostblocks (nach der UdSSR). Die Verf. vom April 1968 glich mit mehreren Gesetzeswerken einer sozialist. Rechtsreform (1961–68) das bis dahin weitgehend noch bürgerlich-demokrat. Verfassungsrecht der Verfassungswirklichkeit in der DDR an, v.a. wurde die Einparteienherrschaft der SED ver-

deutsche Geschichte: Bauarbeiter schließen, bewacht von einem Volkspolizisten, im Mai 1962 die durch einen Sprengstoffanschlag beschädigte Mauer an der Bernauer Straße

Walter Ulbricht

Erich Honecker

deutsche Geschichte: Bundeskanzler Helmut Kohl empfängt im September 1987 SED-Generalsekretär Erich Honecker mit militärischen Ehren

fassungsmäßig verankert. Parallel zur Integration in das sozialist. Bündnissystem entwickelte die DDR ein System bilateraler »Freundschaftsverträge« (1964 mit der UdSSR, 1967 mit Polen, der Tschechoslowakei, Ungarn und Bulgarien), auf deren Grundlage weitere Abkommen über Handel, Verkehr, wissenschaftl. und kulturelle Verbindungen geschlossen wurden. Internationale diplomat. Anerkennung blieb der DDR trotz einzelner Erfolge bis zum Ende der 60er-Jahre, v.a. wegen der Hallsteindoktrin, versagt. Am 3. 5. 1971 übernahm E. Honecker das Amt des 1. Sekretärs der SED (seit Okt. 1976 auch Vors. des Staatsrates). An der in den Jahren zuvor entwickelten Konzeption wurden einschneidende Veränderungen vorgenommen. In der Wirtschaftspolitik wurde die »immer bessere Befriedigung der wachsenden Bedürfnisse der Bev.« propagiert, in der Innenpolitik aber zugleich

deutsche Geschichte: Montagsdemonstration in Leipzig am 18. November 1989

ein zunehmend härterer Kurs gegen Kritiker eingeschlagen, der im Verlauf der 70er-Jahre zu zahlreichen Hausarresten (z.B. R. Havemann), Verurteilungen (z.B. R. Bahro) und Abschiebungen (z.B. W. Biermann) in die Bundesrep. Dtl. führte. Immer mehr Künstler, Schriftsteller, Schauspieler u.a. Bürger verließen die DDR.

Im Zuge der neuen Ostpolitik der Bundesrep. Dtl. (Deutsch-Sowjet. und Deutsch.-Poln. Vertrag 1970; Viermächteabkommen über Berlin 1971) kam es zu intensiven Kontakten zw. der DDR und der Bundesrep. Dtl. Nach Abschluss des →Grundvertrages (1972) wurde die DDR von fast allen Staaten diplomatisch anerkannt und 1973 zus. mit der Bundesrep. Dtl. in die UN aufgenommen. Die von der DDR letztlich auch in Reaktion auf die neue Ostpolitik und im Bestreben, die nationale Eigenständigkeit zu betonen, verstärkt verfolgte Politik der Abgrenzung von der Bundesrep. Dtl. führte schließlich zum Verzicht auf den Begriff »dt. Nation« in der Verf.änderung von 1974, in der auch die unwiderrufl. Verbindung der DDR mit der UdSSR festgeschrieben wurde. Nach dem sowjet. Einmarsch in Afghanistan (Dez. 1979) und im Zusammenhang mit der Entwicklung um die freien Gewerkschaften in Polen seit Aug. 1980 verschlechterte sich das Klima in den dt.-dt. Beziehungen, obwohl die DDR-Führung negative Auswirkungen zu begrenzen suchte. Auch nach dem Regierungswechsel in Bonn im Okt. 1982 wurden Begegnungen auf der zwischenstaatl. Ebene – z.T. verstärkt – weitergeführt. In der Ost-West-Auseinandersetzung um die Mittelstreckenraketen in Europa wurde das Bemühen der DDR deutlich, gegenüber der Sowjetunion eigene Interessen geltend zu machen sowie das Verhältnis zur Bundesrep. Dtl. möglichst wenig durch diese Auseinandersetzung zu belasten. Im Inneren hatte die internat. Rüstungsdiskussion das Entstehen von autonomen Friedensgruppen zur Folge, die – häufig im Konflikt mit dem SED-Regime – für Abrüstung in Ost und West eintraten.

Zahlreiche Rahmen- und Einzelvereinbarungen zeigten die Weiterentwicklung des dt.-dt. Verhältnisses (Kulturabkommen, hohe Kredite, Verkauf der S-Bahn an den Senat von Berlin [West], Ausbau der Straßenverbindung Berlin–Hamburg usw.). Der Staatsbesuch des Staatsratsvors. und SED-Generalsekretärs E. Honecker in der Bundesrep. Dtl. im Sept. 1987 wurde v.a. in der DDR als endgültige Anerkennung der Eigenstaatlichkeit gewertet.

Ausreisewünsche von DDR-Bürgern führten immer wieder zu Konflikten mit den Behörden; z.T. nahm sich die evang. Kirche der Ausreisewilligen an und zog damit die Gegnerschaft des Staates auf sich. Die Kirche bot als einzige große gesellschaftl. Organisation Freiräume auch für alternative polit. Strömungen, deshalb unterlag sie bes. der argwöhn. Beobachtung des Staates. Die in der Sowjetunion unter den Schlagworten Glasnost und Perestroika von Staats- und Parteichef M. Gorbatschow eingeleiteten gesellschaftl. und kulturellen Veränderungen lehnte die SED-Führung ab und ließ Andersdenkende weiter systematisch überwachen und verfolgen. Sie konnte jedoch nicht verhindern, dass die oppositionelle Bewegung an Breite gewann und das Ende des »vormundschaftl. Staates« (R. Henrich) sowie die tatsächl. Beteiligung der Bürger an der Gestaltung von Staat und Gesellschaft. auf demokrat. Grundlage forderte.

Das innenpolit. Klima verschlechterte sich rapide nach den Kommunalwahlen vom Mai 1989, die offensichtlich manipuliert worden waren, und nach Erklärungen von SED-Führung und Volkskammer, in denen im Widerspruch zur Meinung der Bevölkerung die brutale Niederschlagung der Demokratiebewegung in China im Juni 1989 gebilligt wurde. Durch diese Ereignisse und eine Fluchtwelle bisher nicht gekannten Ausmaßes über die ungarisch-österr. Grenze und Botschaften der Bundesrep. Dtl. in Prag, Budapest und Warschau erhielten im Frühsommer und Sommer 1989 Forderungen nach polit. Reformen besonderen Nachdruck. Als sich ab Sept. 1989 in Leipzig und bald auch in anderen Großstädten (Berlin, Dresden, Halle, Magdeburg u.a.) Menschen zu Demonstrationen zusammenfanden, gingen Sicherheitskräfte z.T. brutal gegen die Demonstranten vor; bes. an den Tagen um den 7. 10., an dem mit großem Aufwand das 40-jährige Bestehen der DDR gefeiert werden sollte, kam es in mehreren Städten zu Übergriffen. Am 9. 10. 1989 verlief die Leipziger Montagsdemonstration (70000 Teilnehmer) trotz eines starken Aufgebots bewaffneter Kräfte friedlich. Unter dem Druck der Lage erfolgte am 18. 10. 1989, auch auf Betreiben des Politbüros, der Rücktritt E. Honeckers als Parteichef, wenig später auch als Staatschef. Sein Nachfolger in allen Ämtern wurde E. Krenz (seit 18. 10. Generalsekretär, seit 24. 10. Vors. des Staatsrates und des Nationalen Verteidigungsrates). Dennoch weiteten sich v.a. die Montagsdemonstrationen in Leipzig zu Massenprotesten aus. Am 4. 11. demonstrierten in Berlin (Ost) rd. 500000 Menschen u.a. für Reisefreiheit, freie Wahlen, Aufgabe des Machtmonopols der SED und die Auflösung des Staatssicherheitsdienstes. Der anhaltende Druck der Demonstrationen, die fortdauernde Fluchtbewegung und das Scheitern eines neuen Reisegesetzes führten zur Öffnung der Grenzen zur Bundesrep. Dtl. am 9. 11. 1989. Die Berliner Mauer wurde abgerissen (bis Juli 1990). In der Folgezeit entwickelte sich eine z.T. kontrovers geführte Debatte um die Frage der dt. Einheit, die v.a. ab Dez. auch die Montagsdemonstrationen prägte.

Wahlen zur Volkskammer (18. 3. 1990[1])

Partei/Wahlbündnis	%	Mandate
Christlich-Demokratische Union Deutschlands (CDU)[2]	40,59	163
Sozialdemokratische Partei Deutschlands (SPD)	21,76	88
Partei des Demokratischen Sozialismus (PDS)	16,32	66
Deutsche Soziale Union (DSU)[2]	6,27	25
Bund Freier Demokraten[3]	5,28	21
Bündnis 90[4]	2,90	12
Demokratische Bauernpartei Deutschlands (DBD)	2,17	9
Grüne Partei/Unabhängiger Frauenverband (UFV)	1,96	8
Demokratischer Aufbruch (DA)[2]	0,93	4
National-Demokratische Partei Deutschlands (NDPD)	0,38	2
Demokratischer Frauenbund Deutschlands (DFD)	0,33	1
Aktionsbündnis Vereinigte Linke (AVL)[5]	0,18	1
Sonstige	0,45	-

[1] Amtl. Endergebnis. – [2] Wahlbündnis »Allianz für Deutschland« ohne gemeinsame Liste. – [3] Wahlbündnis von Freier Demokratischer Partei (FDP), Liberal-Demokratischer Partei Deutschlands (LDP) und der Deutschen Forum-Partei (DFP). – [4] Wahlbündnis von Neuem Forum, Demokratie Jetzt und Initiative für Frieden und Menschenrechte. – [5] Wahlbündnis von Die Nelken und Vereinigte Linke.

Bundesrepublik Deutschland (1949–90)

Wesentl. Schritte zur Gründung der aus der frz., brit. und amerikan. Besatzungszone gebildeten Bundesrep. Dtl. waren die Währungsreform (20. 6. 1948) und die Konstituierung des →Parlamentarischen Rates (1. 9. 1948), der das als provisor. Verf. gedachte »Grundgesetz« ausarbeitete, das am 23. 5. 1949 verkündet wurde. Aus den Wahlen zum ersten Bundestag am 14. 8. 1949 gingen CDU und CSU als stärkste miteinander verbundene Gruppe hervor, dicht gefolgt von der SPD. Aus der Gruppe der kleineren Parteien ragte die FDP heraus. Die radikalen Kräfte des linken (KPD) und rechten Parteienspektrums (DRP) fanden nur ein geringes Echo. Mit der Wahl des MinPräs. von Nordrhein-Westfalen, K. Arnold (CDU), zum Bundesratspräs. (7. 9.), von T. Heuss (FDP) zum Bundespräs. (12. 9.) und K. Adenauers (CDU) zum Bundeskanzler (15. 9. 1949) vollzog sich die Bildung der Bundesrepublik Deutschland. Im Rahmen des →Besatzungsstatuts war die Regierung Adenauer, eine Koalitionsreg. aus CDU, CSU, FDP und DP, der »Alliierten Hohen Kommission« (AHK) verantwortlich, die im Auftrag der Westmächte die »oberste Gewalt« ausübte. Während die SPD im Sinne einer »sozialist. Gemeinwirtschaft« (E. Nölting) planwirtschaftl. Vorgaben und die Verstaatlichung der Schlüsselindustrien forderte, leitete die Reg. Adenauer unter Wirtschaftsmin. L. Erhard eine Politik der sozialen Marktwirtschaft ein. Sie ermöglichte u.a. die wirtschaftl. Eingliederung der Vertriebenen und Flüchtlinge (Lastenausgleichs-Ges., 1952). Auf der Basis einer kompromissbereiten Politik gegenüber den Westmächten suchte

Theodor Heuss

Konrad Adenauer

Ludwig Erhard

Franz Josef Strauß

Adenauer mit wachsendem Erfolg die USA, Großbritannien und Frankreich zu Zugeständnissen zu bewegen: die Aufnahme der Bundesrep. Dtl. in die »Internat. Ruhrbehörde«, das Ende der Demontage, Beitritt zum Europarat, Revision des Besatzungsstatuts, Errichtung eines dt. Auswärtigen Amtes und Verzicht auf die Überwachung der Bundes- und Ländergesetzgebung durch die AHK sowie die Beendigung des Kriegszustandes mit Dtl. Die Ablösung der internat. Ruhrkontrolle erfolgte 1952 im Zuge der Gründung der Montanunion (→Europäische Gemeinschaft für Kohle und Stahl). Vor dem Hintergrund des Ost-West-Konfliktes verfolgte Adenauer die Ziele, die Bundesrep. Dtl. durch ihre enge wirtschaftl. und polit. Verflechtung mit dem Westen zu sichern, damit eng verbunden, den dt.-frz. Gegensatz abzubauen und durch eine »Politik der Stärke« (z.B. Ablehnung der »Stalinnote«, 1952) die UdSSR zur Aufgabe ihres Einflusses in der DDR zu bewegen. Mit einer Politik der →Wiedergutmachung suchte er darüber hinaus, für die vom nat.-soz. Dtl. an den Juden Europas begangenen Verbrechen materiell einzustehen.

deutsche Geschichte: Der Parlamentarische Rat bei der Verkündigung des Grundgesetzes am 23. Mai 1949

Nachdem Adenauer unter dem Eindruck des Koreakrieges (1950–53), bes. unter Zustimmung der USA, einen dt. Verteidigungsbeitrag vorgeschlagen hatte, setzte in der Bundesrep. Dtl. eine leidenschaftl. Diskussion über eine dt. »Wiederbewaffnung« ein: Es entstand eine politisch nicht einheitl. Bewegung gegen die Aufstellung dt. Streitkräfte (Devise: »Ohne mich«), die 1955 in der Paulskirchenbewegung gipfelte. Nach kontroversen Debatten im Bundestag verpflichtete sich die Bundesrep. Dtl. 1952, im Rahmen einer →Europäischen Verteidigungsgemeinschaft (EVG) eigene Streitkräfte aufzustellen, und erreichte im Gegenzug im →Deutschlandvertrag die Beendigung des Besatzungsstatuts. In den →Pariser Verträgen (5. 5. 1955) entließen die Westmächte die Bundesrep. Dtl. in die Unabhängigkeit und ermöglichten ihr die Aufstellung eigener Streitkräften (→Bundeswehr) im Rahmen der →Westeuropäischen Union (WEU) und der NATO.

Bei den Bundestagswahlen von 1953 und 1957 konnten die Unionsparteien v.a. dank des Ansehens Adenauers in großen Teilen der Bevölkerung ihre parlamentar. Basis im Bundestag stark verbreitern (1957 Gewinn der absoluten Mehrheit). Als Adenauer in den Pariser Verträgen im Sinne der dt.-frz. Verständigung der »Europäisierung« des Saargebietes zustimmte, schieden FDP und GB/BHE aus der 1953 mit der CDU/CSU und der DP gebildeten Koalitionsregierung aus. Nachdem die Bev. des Saarlandes in einer Abstimmung (Okt. 1955) die »Europäisierung« abgelehnt hatte, wurde es zum 1. 1. 1957 in die Bundesrep. Dtl. eingegliedert. In der innenpolit. Auseinandersetzung mit den radikalen Strömungen setzte die Bundesregierung 1952 das Verbot der rechtsextremen Sozialistischen Reichspartei (SRP), 1956 das Verbot der KPD durch. Auf dem Gebiet der Sozialpolitik leitete die Regierung 1957 eine Rentenreform ein. Im Juli 1959 wählte die Bundesversammlung H. Lübke zum Bundespräs. Im »Godesberger Programm« (verabschiedet im Nov. 1959) wandte sich die SPD stärker von marxist. Gesellschaftspostulaten ab und suchte sich über den Charakter einer Arbeiterpartei hinaus stärker als Volkspartei zu profilieren. (→Sozialdemokratie). Mit der Unterzeichnung der »Röm. Verträge« (März 1957) setzte Adenauer die Politik der Westintegration fort und vertiefte mit dem Abschluss des →Deutsch-Französischen Vertrages (1963) die Politik der Aussöhnung mit Frankreich. Die deutschlandpolit. Entwicklung, die mit der sowjet. Forderung nach Anerkennung von zwei dt. Staaten und damit der DDR als zweitem dt. Staat eine Wende erfuhr, sich in der Berlinkrise (1958) fortsetzte und im Bau der Berliner Mauer (1961) einen Höhepunkt erreichte, schwächte die innenpolit. Stellung Adenauers; hinzu kam eine latente Kritik an seinem Regierungsstil (»Politik der einsamen Entschlüsse«). Nach den Bundestagswahlen von 1961, bei denen die CDU die absolute Mehrheit verlor, sah sich Adenauer im Rahmen einer Koalition mit der FDP auf eine zweijährige Regierungszeit beschränkt und trat 1963 als Bundeskanzler zurück.

Gestützt auf eine Koalition der Unionsparteien mit der FDP suchte Bundeskanzler L. Erhard (CDU; 1963–66) unter dem Leitbild der »formierten Gesellschaft« alle Kräfte in Wirtschaft, Kultur und Wissenschaft zur Zusammenarbeit zu bewegen. Unter Aufnahme entspannungspolit. Elemente (»Friedensnote« von 1966) setzte die Regierung Erhard, die bei den Bundestagswahlen von 1965 bestätigt wurde, die Außenpolitik Adenauers fort. Vor dem Hintergrund einer sich abzeichnenden Rezession der Wirtschaft sah sich Erhard in den Unionsparteien mit einer Diskussion über die Möglichkeit einer großen Koalition mit der SPD konfrontiert. Nach dem Austritt der FDP-Minister aus der Regierung sah sich Erhard am 30. 11. 1966 gezwungen, zugunsten von K. G. Kiesinger (CDU) als Bundeskanzler zurückzutreten, der die Führung einer Koalition aus CDU/CSU und SPD übernahm. Im Zusammenwirken von Wirtschaftsmin. K. Schiller (SPD) und Finanzmin. F. J. Strauß (CSU) gelang es, mit einem Stabilitäts-Ges. Instrumente zur Überwindung der Rezession zu schaffen. Die innenpolit. Diskussion um die Verabschiedung einer →Notstandsverfassung und um die Notwendigkeit einer Bildungsreform verband sich v. a. in Kreisen der Intellektuellen und Studenten mit der Kritik am amerikan. Engagement in Vietnam und artikulierte sich in der →außerparlamentarischen Opposition. In der Außenpolitik (Außenmin. W. Brandt, SPD) bemühte sich die Regierung um die Modifizierung der Hallsteindoktrin und um die Verbesserung der Beziehungen zu den Ostblockstaaten.

Im März 1969 wählte die Bundesversammlung G. Heinemann (SPD; bis 1952 CDU) zum Bundespräs. Nach den Bundestagswahlen im Sept. 1969 bildeten SPD und FDP unter der Kanzlerschaft W. Brandts eine Regierung. Die Unionsparteien sahen sich auf die Rolle der Opposition verwiesen. Als »Kanzler der inneren Reformen« wollte Brandt in der Innenpolitik »mehr Demokratie wagen«; er setzte in der Folgezeit in der Außenpolitik mit seiner Deutschland- und Ostpolitik starke Akzente. Unter Verzicht auf die →Hallsteindoktrin erkannte seine Regierung die Existenz zweier dt. Staaten an, die füreinander »aber nicht Ausland seien«. In diesem Sinne traf sich Brandt 1970 mit DDR-MinPräs. W. Stoph in Erfurt und Kassel. Um diese Linie der Deutschlandpolitik entspannungspolitisch international abzusichern, schloss die Bundesregierung im selben Jahr mit der UdSSR den →Moskauer Vertrag und mit Polen den →Warschauer Vertrag. Politisch unabdingbar waren diese Verträge verknüpft mit einer für die Bundesregierung »befriedigenden« Berlinregelung. Nach dem Abschluss eines Viermächteabkommen über Berlin (→Berlinabkommen, Sept. 1971) traten die Verträge am 3. 6. 1972 in Kraft, nachdem es im Bundestag zu schweren Auseinandersetzungen mit der CDU/CSU-Opposition und im April 1972 zum (gescheiterten) Versuch eines Sturzes der Regierung Brandt gekommen war; Kanzlerkandidat der Unionsparteien war R. Barzel. Durch den Übertritt von SPD- und FDP-Abgeordneten zu den Unionsfraktionen ihrer Mehrheit im Bundestag verlustig gegangen, setzte die Regierung Brandt Neuwahlen durch, aus denen die Parteien der Regierungskoalition im Nov. 1972 gestärkt hervorgingen. Mit dem Abschluss des →Grundvertrages (Dez. 1972) mit der DDR setzte die Reg. Brandt einen entscheidenden Akzent in den dt.-dt. Beziehungen. In der Folge diese Vertrages wurden beide dt. Staaten 1973 Mitgl. der UNO. Im Dez. desselben Jahres kam es zum Abschluss eines Vertrages der Bundesrep. Dtl. mit der Tschechoslowakei. Innerparteil. Auseinandersetzungen in der SPD und Spannungen innerhalb der Koalition (z. B. in der Mitbestimmungsfrage) schwächten die Regierung Brandt. Nach der Entdeckung eines Spions der DDR im Kanzleramt (»Affäre Guillaume«) trat Brandt am 7. 5. 1974 als Bundeskanzler zurück.

Willy Brandt

Helmut Schmidt

Am 16. 5. 1974 wählte der Bundestag mit den Stimmen der SPD und FDP H. Schmidt (SPD) zum Bundeskanzler. Er übernahm die Führung der sozialliberalen Koalition, die in den Bundestagswahlen von 1976 und 1980 bestätigt wurde. Bundespräs. waren in dieser Zeit: W. Scheel (FDP; 1974–79) und K. Carstens (CDU; 1979–84). Die Regierung Schmidt stand von Anfang an im Schatten einer weltweiten Rezession. Daher stand der Kampf um die Geldwertstabilität und den Abbau der Arbeitslosigkeit im Vordergrund. 1976 kam es zum Gesetz zur →Mitbestimmung. Angesichts steigender Erdölpreise traten in den 70er-Jahren energiepolit. Fragen in den Vordergrund. In der Auseinandersetzung um die Kernenergie bildeten

deutsche Geschichte: Egon Bahr (rechts) und Michael Kohl (links), die Verhandlungsführer der Bundesrepublik Deutschland und der Deutschen Demokratischen Republik, bei der Paraphierung des Grundvertrags am 8. November 1972

Hans-Dietrich Genscher

Helmut Kohl

Richard von Weizsäcker

sich aus den Reihen der Kernenergiegegner zahlreiche Bürgerinitiativen, aus denen später die →Grünen und in enger Verflechtung mit ihnen die →alternative Bewegung hervorgingen. Ausgehend von einer kleinen, aber entschlossenen Minderheit radikaler Kritiker der gesellschaftl. Entwicklung der Bundesrep. Dtl. erreichte der →Terrorismus 1977 seinen Höhepunkt. In der Außenpolitik (Außenmin. H.-D. Genscher, FDP) beteiligte sich die Regierung Schmidt auf »Gipfelkonferenzen« im europ. und weltweiten Rahmen an Bemühungen, die Probleme des Wirtschaftswachstums, der Arbeitslosigkeit und der Energieversorgung zu lösen. Sie beteiligte sich führend an der Errichtung eines →Europäischen Währungssystems (1979) und förderte die Aufnahme neuer Mitgl. in die EG. Sie beteiligte sich an den Entspannungsbemühungen der →KSZE und ihrer Nachfolgekonferenzen. Gegenüber der DDR sowie bes. der UdSSR setzte sie die Ost- und Deutschlandpolitik der Reg. Brandt fort. Unter dem Eindruck des sowjet. Rüstungsstandes v.a. auf dem Gebiet der Mittelstreckenraketen hatte Bundeskanzler Schmidt maßgebl. Anteil an der Ausarbeitung des →NATO-Doppelbeschlusses. Dieser löste innenpolitisch eine starke Kontroverse aus und aktivierte die →Friedensbewegung.

Unterschiedl. Konzepte bei der Bekämpfung der Arbeitslosigkeit und der Sanierung der Staatsfinanzen führten im Sept. 1982 zum Zusammenbruch der sozialliberalen Koalition. Am 1. 10. 1982 stürzte der Bundestag mit den Simmen der Unionsparteien und der Mehrheit der FDP-Abg. Bundeskanzler Schmidt und wählte den CDU-Vors. H. Kohl zu seinem Nachfolger an der Spitze einer Koalition aus CDU/CSU und FDP. Aus den im März 1983 durchgesetzten vorzeitigen Neuwahlen gingen die Parteien der neuen Reg.-Koalition gestärkt hervor. Die Partei »Die Grünen« zog erstmals in den Bundestag ein. und trat neben der SPD als engagierte Oppositionspartei hervor. Die Bundestagswahlen vom Jan. 1987 bestätigten die Regierungskoalition. Im Mai 1984 wählte die Bundesversammlung R. v. Weizsäcker (CDU) zum Bundespräs. und bestätigte ihn im Mai 1989 mit großer Mehrheit. In der Innenpolitik standen bes. die Bekämpfung der Arbeitslosigkeit (Verbesserung der wirtschaftl. Rahmenbedingungen), Reformen im Steuersystem (Steuerreform-Ges. von 1988 und 1990), Neuordnungsprojekte im sozialen Bereich (Ges. zur Reform des Gesundheitswesens 1988) sowie die Frage der Kernenergie und deren Entsorgung im Vordergrund. Mit den Stimmen der Reg.-Parteien und der SPD (nach dem Rücktritt von W. Brandt als Parteivors. 1987 geführt von J. Vogel) verabschiedete der Bundestag ein Rentenreform-Gesetz. Zw. 1984 und 1987 belastete die →Parteispendenaffäre das innenpolit. Klima. In ihrer Außenpolitik legte die Regierung Kohl von Anfang an ein starkes Gewicht auf die Weiterentwicklung der europ. Integration; sie beteiligte sich v.a. an den Schritten zur Erweiterung der Europ. Gemeinschaft zur Europäischen Union. Unter Betonung ihrer sicherheits- und deutschlandpolit. Interessen beteiligte sich die Regierung (Außenmin. H.-D. Genscher) v.a. im Rahmen der KSZE-Nachfolgekonferenzen an den abrüstungs- und entspannungspolit. Bemühungen.

Wiederherstellung der Einheit Deutschlands (1989/90)

Die Volkskammer der DDR wählte am 13. 11. 1989 den SED-Bezirkschef von Dresden, H. Modrow, zum Nachfolger W. Stophs als Vors. des Ministerrats. Er führte eine Regierungskoalition aus SED und den bisherigen Blockparteien CDU (bis Jan. 1990), LDPD, NDPD und DBD, die sich zunehmend aus der polit. und organisator. Abhängigkeit von der SED lösten und neu profilierten. Die

deutsche Geschichte: Die Außenminister James Baker (USA), Douglas Hurd (Großbritannien), Eduard Schewardnadse (UdSSR), Roland Dumas (Frankreich), Lothar de Maizière (DDR) und Hans-Dietrich Genscher (Bundesrepublik Deutschland) bei der Unterzeichnung des »Zwei-plus-vier-Vertrags« am 12. September 1990 in Moskau

Politik der Reg. Modrow zielte v.a. auf eine Wirtschaftsreform, die im Rahmen einer Vertragsgemeinschaft mit der Bundesrep. Dtl. erfolgen sollte.

Am 1. 12. 1989 strich die Volkskammer die führende Rolle der SED aus der Verf. der DDR. Weit reichende Vorwürfe wegen Korruption und Amtsmissbrauch gegen ehem. Spitzenfunktionäre der SED führten seit Okt. 1989 mehrfach zu Umbildungen des Politbüros. Schließlich traten am 3. 12. das ZK und das Politbüro der SED geschlossen zurück. Auf einem Sonderparteitag (8./9. und 16./17. 12. 1989) gab sich die SED ein neues Statut und benannte sich in SED – Partei des Demokrat. Sozialismus (SED-PDS) um, seit Febr. 1990 nur noch PDS. Mit einer neuen Führung unter G. Gysi suchte sie sich programmatisch und organisatorisch zu erneuern.

E. Krenz trat am 6. 12. 1989 auch als Vors. des Staatsrats und des Nat. Verteidigungsrats zurück; amtierender Staatsratsvors. wurde M. Gerlach (LDPD), der Nat. Verteidigungsrat wurde aufgelöst. Zur Kontrolle der Regierungsarbeit konstituierten sich am 7. 12. Vertreter der Oppositionsgruppen (u.a. Neues Forum, Demokrat. Aufbruch, Sozialdemokrat. Partei [SDP]), der Blockparteien und der SED unter der Gesprächsleitung der Kirchen zu einem zentralen »Runden Tisch« (analog wurde bald auch auf kommunaler Ebene verfahren). Dieses Gremium setzte Volkskammerwahlen für den 6. 5. 1990 fest (später vorgezogen auf 18. 3.). Der »Runde Tisch« vermochte die (bereits Ende 1989 unter wachsendem Druck der demokrat. Öffentlichkeit und unter Beteiligung örtl. Bürgerkomitees begonnene) Auflösung des im Nov. 1989 in Amt für Nat. Sicherheit umbenannten Ministeriums für Staatssicherheit durchzusetzen und verhinderte die von der Regierung beabsichtigte Gründung eines DDR-Verfassungsschutzes. Gemeinsam mit der Regierung erarbeitete der »Runde Tisch« einen Katalog wirtschaftl. Maßnahmen und Positionspapiere für die Verhandlungen zw. den beiden dt. Regierungen. Anfang Febr. 1990 nahm H. Modrow acht Vertreter der Oppositionsgruppen als Min. ohne Geschäftsbereich in die Regierung auf. Gespräche zw. Bundeskanzler Kohl und MinPräs. Modrow in Dresden (19. 12. 1989) und Bonn (13./14. 2. 1990) hatten die Ausgestaltung der dt.-dt. Beziehungen zum Gegenstand.

Die großen Parteien der Bundesrep. Dtl. unterstützten im Wahlkampf zu den ersten freien Wahlen in der DDR ihre Schwesterorganisationen in der DDR massiv. Insgesamt stellten sich 24 Parteien zur Volkskammerwahl am 18. 3. 1990. Überlegener Sieger wurde die »Allianz für Dtl.« (CDU, DSU, Demokrat. Aufbruch [DA]; ÜBERSICHT). Dem Vors. der CDU, L. de Maizière, gelang es, auch die SPD in eine Koalition aus Liberalen und Allianz für Dtl. einzubinden. Am 12. 4. 1990 wählte ihn die Volkskammer zum neuen Vors. des Ministerrats sowie das neue Kabinett. Er stellte die schnelle Herbeiführung der dt. Einheit auf der Grundlage des Art. 23 GG in den Mittelpunkt seiner Politik. Im April 1990 begannen Verhandlungen über eine Wirtschafts-, Währungs- und Sozialunion mit der Bundesrep. Dtl., die am 18. 5. 1990 mit dem Abschluss eines Staatsvertrages beendet wurden; am 1. 7. 1990 trat sie in Kraft. Damit endete auch die Notaufnahme der Übersiedler aus der DDR (Jan. bis Juli 1990: 190 100). Gleichzeitig wurden Rechtsvorschriften der Bundesrep. Dtl. für das Gebiet der DDR übernommen, um die Rechtsnormen den Erfordernissen der sozialen Marktwirtschaft anzupassen und wichtige Voraussetzungen für ein geeintes Dtl. innerhalb Europas zu schaffen. Nach Ablehnung des Verf.entwurfes des »Runden Tischs« durch die Volkskammer wurde als Übergangsregelung die weiterhin gültige Verf. von 1968 durch »Verfassungsgrundsätze« auf Rechtsstaatlichkeit und marktwirtsch. Grundlagen ausgerichtet. Die rapide Verschlechterung der wirtsch. Verhältnisse und der innenpolit. Situation veranlasste die Regierung, die dt. Einheit zu einem früheren als urspr. geplanten Zeitpunkt anzustreben. Mit ihrer Vollendung durch den Einigungsvertrag, unterzeichnet am 31. 8. 1990, und dem darauf basierenden Beitritt der DDR zur Bundesrep. Dtl. am 3. 10. 1990 (Tag der dt. Einheit) endete die histor. Existenz der DDR am 2. 10. 1990. Die fünf Länder, die auf dem Territorium der DDR bis 1952 bestanden, wurden nach den Landtagswahlen vom 14. 10. 1990 wiederhergestellt (z.T. in geänderten Grenzen). In Mecklenburg-Vorpommern, Sachsen-Anhalt, Thüringen und Sachsen bestehen seitdem von der CDU geführte

deutsche Geschichte: Vor dem Berliner Reichstag feiern Menschen in der Nacht vom 2. auf den 3. Oktober 1990 die deutsche Vereinigung

Roman Herzog

Regierungen, in Brandenburg eine von der SPD geführte. Strukturanpassung der Wirtschaft (unter Wahrung sozialer Aspekte), Beseitigung der schwerwiegenden Umweltschäden, Aufbau einer modernen Infrastruktur sowie Wohnungsbau und Städtesanierung waren die vordringlichsten Aufgaben in den fünf neuen Bundesländern.

Die Bundesregierung war bestrebt, den Einigungsprozess außenpolitisch abzusichern und die Bundesrep. Dtl. als verlässl. Vertragspartner ihrer Nachbarstaaten darzustellen. Der Einbettung in einen gesamteurop. Prozess im Rahmen der KSZE dienten die Verhandlungen der beiden dt. Staaten mit den ehem. Siegermächten des 2. Weltkrieges (Zwei-plus-vier-Gespräche); sie wurden am 12. 9. 1990 in Moskau mit dem Abschluss des »Vertrages über die abschließende Regelung in Bezug auf Deutschland« beendet.

Zuvor hatte schon der Bundestag in zwei Erklärungen (8. 11. 1989, 8. 3. 1990) die Endgültigkeit der poln. Westgrenze erklärt, die durch eine gleich lautende Entschließung von Bundestag und Volkskammer am 21. 6. 1990 bekräftigt wurde. Die staatl. Vollendung der dt. Einheit durch den Einigungsvertrag, abgeschlossen am 31. 8. 1990, wurde begleitet von der Wiederherstellung der vollen Souveränität Gesamtdeutschlands (»Suspendierungserklärung« der Alliierten vom 1. 10. 1990 über den Verzicht auf noch bestehende Rechte in Bezug auf Berlin und Dtl.), sodass es seit dem Beitritt der DDR zur Bundesrep. Dtl. am 3. 10. 1990 wieder ein souveränes geeintes Dtl. gibt.

Das vereinigte Deutschland (seit 1990)

Nach den Landtagswahlen vom 14. 10. 1990 wurden die auf dem Territorium der DDR 1952 aufgelösten, nunmehr (z. T. bei geänderten Grenzen) wiederhergestellten Länder in die föderale Struktur der Bundesrep. Dtl. eingegliedert. Bereits Mitte 1990 hatte der Prozess der organisator. Eingliederung bes. der Parteien und Gewerkschaften der DDR in entsprechende bundesdeutsche Organisationen begonnen. Unmittelbar nach der Vereinigung der beiden Staaten, am 4. 10. 1990 bezog Bundeskanzler Kohl ostdt. Politiker (u. a. L. de Maizière) als Minister ohne Geschäftsbereich in die Regierung ein. Nach dem Einigungsvertrag galten die völkerrechtl. Verträge der Bundesrep. Dtl. für das vereinigte Dtl. fort. Im Rahmen von »Übergangsregelungen« (22. 10. 1990) wurde das Gebiet der früheren DDR in das Vertragssystem der EG einbezogen. Unter Reduzierung der Mannschaftstärke der Bundeswehr und Auflösung der NVA der DDR blieb das vereinigte Dtl. Mitgl. der NATO. Während die westl. Mächte (Frankreich, Großbritannien, USA) in reduzierter Form zunächst weiterhin Truppen in Dtl. unterhielten, vereinbarten Dtl. und die UdSSR in einem Stationierungsvertrag (12. 10. 1990) den Abzug der sowjet. Streitkräfte bis Ende 1990 (Abschluss am 31. 8. 1994). Am 8. 9. 1994 verabschiedeten sich die Truppen der Westalliierten. Seit 1993 ist ein neues NATO-Truppenstatut in Kraft.

Die ersten gesamtdt. Wahlen am 2. 12. 1990 bestätigten die CDU/CSU-FDP-Koalitionsregierung unter Bundeskanzler Kohl. Am 20. 6. 1991 beschloss der Bundestag mit knapper Mehrheit die Verlegung des Bundestags- und Regierungssitzes nach Berlin, das im Einigungsvertrag neu als dt. Hauptstadt bestimmt worden war. Als erstes Verfassungsorgan nahm der Bundespräs. im Jan. 1994 seinen Sitz in Berlin.

Große Bedeutung erlangten für die erste gesamtdt. Regierung innenpolitisch die Umstrukturierung der Rechts-, Wirtschafts- und Sozialordnung in den neuen Bundesländern, der zunehmende Rechtsextremismus und der mit ihm verbundene Terror (v. a. Anschläge auf Asylantenwohnheime) sowie die Fragen der europ. Einigung und Fragen des →Asylrechts. Von großer rechtspolit. Brisanz erwiesen sich das umfangreiche Aktenmaterial des Ministeriums für Staatssicherheit (MfS) der DDR (»Stasi-Akten«) sowie die strafrechtl. Verfolgung von durch die Staatsorgane der DDR oder in ihrem Auftrag begangenen Straftaten (»Regierungskriminalität«, z. B. Tötung von Flüchtlingen an der innerdt. Grenze, Staatsschutzdelikte). Am 23. 5. 1994 wählte die Bundesversammlung R. Herzog, den Kandidaten der Unionsparteien, zum Bundespräs. Nach den Wahlen vom 16. 10. 1994 konnte die christlich-liberale Koalition unter Bundeskanzler Kohl die Regierungsarbeit mit knapper Mehrheit fortsetzen. Innenpolitisch rückten seit Mitte der 90er-Jahre der Abbau hoher Abgaben- und Steuerlasten, Reformen des Sozialsystems sowie Deregulierungsmaßnahmen in den Vordergrund. Die Zukunft des Sozialstaates allgemein sowie die Erfüllung der Kriterien des Maastrichter Vertrages zur Einführung des Euro als Währung in Dtl. traten 1996/97 in den Mittelpunkt der Diskussion. Bei den Bundestagswahlen am 27. 9. 1998, die ganz im Zeichen der grassierenden Arbeitslosigkeit standen siegte die SPD unter ihrem Kanzlerkandidaten G. Schröder. Die SPD erhielt 40,9 % der Zweitstimmen, die CDU/CSU 35,2 %, Bündnis 90/Die Grünen errangen 6,7 %, die FDP 6,2 % und die PDS 5,1 %. Nach der Wahl Schröders zum Bundeskanzler am 27. 10. 1998 wurde das neue Bundeskabinett, bestehend aus Ministern von SPD und Bündnis 90/Die Grünen, am gleichen Tag vereidigt.

Erste außenpolit. Maßnahmen des vereinigten Staates waren der Abschluss zweier Grundsatzverträge mit der UdSSR (9. 11. 1990) und Polen (14. 11.

1990). Im →Deutsch-Polnischen Grenzvertrag wurde die →Oder-Neiße-Linie als völkerrechtlich verbindl. Grenze zw. Dtl. und Polen festgelegt. Am 27. 2. 1992 wurde der →Deutsch-Tschechoslowakische Nachbarschaftsvertrag abgeschlossen, dem 1997 die →Deutsch-Tschechische Erklärung folgte. Mit der Unterzeichnung der Maastrichter Verträge (7. 2. 1992) war die Frage der europ. Integration in ein neues Stadium getreten. In der Außenpolitik setzt Dtl. seine aktive Beteiligung am KSZE-Prozess, an der europ. Integration sowie der Lösung von internat. Konflikten fort (u. a Beteili-

deutsche Geschichte: Ergebnisse der Bundestagswahlen 1949–94 (bis 1987 ohne Berlin [West])

Wahlen:	14. Aug. 1949		6. Sept. 1953		15. Sept. 1957		17. Sept. 1961	
Wahlberechtigte (Mio.):	31,2		33,1		35,4		37,4	
Wahlbeteiligung (%):	78,5		85,8		87,8		87,7	
	Stimmen in %	Mandate	Stimmen in %	Mandate	Stimmen in %	Mandate	Stimmen in %	Mandate
CDU/CSU	31,0	139	45,2	243	50,2	270	45,3	242
SPD	29,2	131	28,8	151	31,8	169	36,2	190
FDP	11,9	52	9,5	48	7,7	41	12,8	67
DP, ab 1961 GDP	4,0	17	3,3	15	3,4	17	2,8	-
GB/BHE	-	-	5,9	27	4,6	-	-	-
Zentrum	3,1	10	0,8	3	0,3	-	-	-
Bayernpartei (BP)	4,2	17	1,7	-	0,5	-	-	-
KPD	5,7	15	2,2	-	-	-	-	-
DFU	-	-	-	-	-	-	1,9	-
DRP	1,8	5	1,1	-	1,0	-	0,8	-
sonstige	9,1	16	1,5	-	0,5	-	0,2	-
insgesamt	100	402	100	487	100	497	100	499

Wahlen:	19. Sept. 1965		28. Sept. 1969		19. Nov. 1972		3. Okt. 1976	
Wahlberechtigte (Mio.):	38,5		38,6		41,4		42,1	
Wahlbeteiligung (%):	86,8		86,7		91,1		90,7	
	Stimmen in %	Mandate	Stimmen in %	Mandate	Stimmen in %	Mandate	Stimmen in %	Mandate
CDU/CSU	47,6	245	46,1	242	44,9	225	48,6	243
SPD	39,3	202	42,7	224	45,8	230	42,6	214
FDP	9,5	49	5,8	30	8,4	41	7,9	39
GDP	-	-	0,1	-	-	-	-	-
Bayernpartei (BP)	-	-	0,2	-	-	-	-	-
DFU	1,3	-	-	-	-	-	-	-
DKP	-	-	-	-	0,3	-	0,3	-
NPD	2,0	-	4,3	-	0,6	-	0,3	-
sonstige	0,3	-	0,8	-	-	-	0,3	-
insgesamt	100	496	100	496	100	496	100	496

Wahlen:	5. Okt. 1980		6. März 1983		25. Jan. 1987		2. Dez. 1990[1]		16. Okt. 1994	
Wahlberechtigte (Mio.):	43,2		44,1		45,3		60,4		60,4	
Wahlbeteiligung (%):	88,6		89,1		84,3		77,8		79,0	
	Stimmen in %	Mandate	Stimmen in %	Mandate	Stimmen in %	Mandate	Stimmen in %	Mandate	Stimmen in %	Mandate
CDU/CSU	44,5	226	48,8	244	44,3	223	43,8	319	41,5	294
SPD	42,9	218	38,2	193	37,0	186	33,5	239	36,4	252
FDP	10,6	53	7,0	34	9,1	46	11,0	79	6,9	47
Grüne	1,5	-	5,6	27	8,3	42	3,9	-	-	-
Bündnis 90/Grüne	-	-	-	-	-	-	1,2	8	7,3	49
PDS	-	-	-	-	-	-	2,4	17	4,4	30[2]
DKP	0,2	-	0,2	-	-	-	-	-	-	-
NPD	0,2	-	0,2	-	0,6	-	-	-	-	-
sonstige	0,1	-	0,1	-	0,7	-	4,2	-	3,5	-
insgesamt	100	497	100	498	100	497	100	662	100	672

[1] erste gesamtdt. Wahlen. Die 5%-Klausel galt in modifizierter Form: jedes Wahlgebiet (Wahlgebiet West = alte Bundesrepublik Dtl., Wahlgebiet Ost = ehem. DDR) wurde getrennt ausgezählt und daraus die 5%-Klausel errechnet; die Ergebnisse für den Wahlbereich Ost waren: CDU 41,8%, SPD 24,3%, FDP 12,9%, PDS 11,1%, Bündnis 90/Grüne 6,0%, DSU 1,0%, Die Grünen 0,1%. – [2] Die PDS erreichte über 4 Direktmandate (in Berlin) trotz der Unterschreitung der 5%-Hürde den Einzug in den Bundestag.

deutsche Geschichte: Kabinette der Bundesrepublik Deutschland (seit 1949)

Kabinette	*konstituiert*	*Koalition*	*Bundeskanzler*	*Vizekanzler*
1. Kabinett:	15. 9. 1949	CDU, CSU, FDP, DP	K. Adenauer CDU	F. Blücher FDP
2. Kabinett:	20. 10. 1953	CDU, CSU, FDP, DP, GB/BHE[1)]	K. Adenauer CDU	F. Blücher FDP/FVP
3. Kabinett:	28. 10. 1957	CDU, CSU, DP[2)]	K. Adenauer CDU	L. Erhard CDU
4. Kabinett:	14. 11. 1961	CDU, CSU, FDP	K. Adenauer CDU	L. Erhard CDU
5. Kabinett:	14. 12. 1962	CDU, CSU, FDP	K. Adenauer CDU	L. Erhard CDU
6. Kabinett:	17. 10. 1963	CDU, CSU, FDP	L. Erhard CDU	E. Mende FDP
7. Kabinett:	26. 10. 1965	CDU, CSU, FDP	L. Erhard CDU	E. Mende FDP
8. Kabinett:	1. 12. 1966	CDU, CSU, SPD	K. G. Kiesinger CDU	W. Brandt SPD
9. Kabinett:	21. 10. 1969	SPD, FDP	W. Brandt SPD	W. Scheel FDP
10. Kabinett:	15. 12. 1972	SPD, FDP	W. Brandt SPD	W. Scheel FDP
11. Kabinett:	16. 5. 1974	SPD, FDP	H. Schmidt SPD	H.-D. Genscher FDP
12. Kabinett:	15. 12. 1976	SPD, FDP	H. Schmidt SPD	H.-D. Genscher FDP
13. Kabinett:	5. 11. 1980	SPD, FDP[3)]	H. Schmidt SPD	H.-D. Genscher FDP
14. Kabinett:	4. 10. 1982	CDU, CSU, FDP	H. Kohl CDU	H.-D. Genscher FDP
15. Kabinett:	30. 3. 1983	CDU, CSU, FDP	H. Kohl CDU	H.-D. Genscher FDP
16. Kabinett:	12. 3. 1987	CDU, CSU, FDP	H. Kohl CDU	H.-D. Genscher FDP
17. Kabinett:	17. 1. 1991	CDU, CSU, FDP	H. Kohl CDU	H.-D. Genscher FDP; J. W. Möllemann FDP[4)] K. Kinkel FDP[5)]
18. Kabinett:	17. 11. 1994	CDU, CSU, FDP	H. Kohl CDU	K. Kinkel FDP
19. Kabinett:	27. 10. 1998	SPD, Bündnis 90/Die Grünen	G. Schröder SPD	J. Fischer Bündnis 90/ Die Grünen

[1)] nach der Kabinettsumbildung am 16. 10. 1956 CDU, CSU, FVP, DP. – [2)] ab 1. 7. 1960 CDU, CSU. – [3)] ab 17. 9. 1982 SPD-Minderheitskabinett. – [4)] ab 18. 5. 1992. – [5)] ab 21. 1. 1993.

gung von Bundeswehreinheiten an den NATO-Friedenstruppen in Bosnien und Herzegowina und 1998 im Kosovo aufgrund des Bundestagsbeschlusses vom 6. 12. 1995).

📖 *Handbücher: Hb. der dt. Wirtschafts- u. Sozialgeschichte, hg. v.* H. Aubin *u. a., 2 Bde. Stuttgart 1971–76. Bd. 1 Nachdr. 1978. – Handbuch der d. G., hg. v.* H. Grundmann, *22 Bde. Taschenbuchausg. München* *6–15**1986–96.* – Henning, F.-W.: *Handbuch der Wirtschafts- u. Sozialgeschichte Deutschlands, auf 3 Bde. ber. Paderborn u. a. 1991 ff.*

Nachschlagewerke: Sachwörterbuch zur d. G., hg. v. H. Rössler *u. a. München 1958, Nachdr. Nendeln 1978. – Lexikon des Mittelalters, hg. v.* R.-H. Bautier *u. a. Auf mehrere Bde. ber. München u. a. 1980 ff. – Enzyklopädie deutscher G., hg. v.* L. Gall, *auf 100 Bde. ber. München* *1–2**1988 ff. – Die großen Deutschen unserer Epoche, hg. v.* L. Gall. *Neuausg. Berlin 1995.* – Köbler, G.: *Histor. Lexikon der dt. Länder. München* *5**1995. – Ploetz, d. G.: Epochen u. Daten, hg. v.* W. Conze *u.* V. Hentschel. *Freiburg im Breisgau* *6**1996.*

Gesamtdarstellungen: Conrad, H.: *Dt. Rechtsgeschichte, 2 Bde. Karlsruhe* *1–2**1962–66.* – Brunner, O.: *Land u. Herrschaft. Wien* *5**1965, Nachdr. Darmstadt 1990.* – Hartung, F.: *Dt. Verfassungsgeschichte vom 15. Jh. bis zur Gegenwart. Stuttgart* *9**1969. – Geschichte der dt. Länder. Territorien-Ploetz, hg. v.* G. W. Sante, *2 Bde. Freiburg im Breisgau u. a. 1971–78.* – Kellenbenz, H.: *Dt. Wirtschaftsgeschichte, 2 Bde. München 1977–81. – D. G., hg. v.* J. Leuschner, *10 Bde. Taschenbuchausg. Göttingen* *1–7**1982–1994. – Propyläen-Geschichte Deutschlands, hg. v.* D. Groh *u. a., auf 10 Bde. in 11 Tlen. berechnet. Berlin 1983 ff.; bisher 9 Bde. in 10 Tlen. erschienen. – Antisemitismus u. d. G., hg. v.* K. Schneider *u. a. Berlin 1985.* – Wehler, H.-U.: *Dt. Gesellschaftsgeschichte, auf 4 Bde. ber. München* *1–3**1987 ff.* – Müller, Helmut: *D. G. in Schlaglichtern. Mannheim u. a.* *2**1990. – Deutschlands Grenzen in der Geschichte, hg. v.* A. Demandt. *München* *3**1993. – Moderne d. G. Von der Reformation bis zur Vereinigung, hg. v.* H.-U. Wehler, *12 Bde. u. 1 Register-Bd. Frankfurt am Main 1996.* – Schulze, Hagen: *Kleine d. G. München 1996.*

Mittelalter: Heimpel, H.: *Deutschland im späteren Mittelalter. Konstanz 1957.* – Hampe, K.: *Dt. Kaisergeschichte in der Zeit der Salier u. Staufer, bearb. v.* F. Baethgen. *Heidelberg* *12**1968, Nachdr. Darmstadt 1985.* – Mitteis, H.: *Der Staat des hohen Mittelalters. Grundlinien einer vergleichenden Verfassungsgeschichte des Lehnszeitalters. Weimar* *11**1986. – Die Deutschen u. ihr Mittelalter, hg. v.* G. Althoff *Darmstadt 1992.* – Althoff, G. *u.* Keller, H.: *Heinrich I. u. Otto der Große. Neubeginn auf karolingischem Erbe, 2 Bde. Göttingen u. a.* *2**1994.* – Brühl, C.: *Deutschland – Frankreich. Die Geburt zweier Völker. Köln u. a.* *2**1995.*

Frühere Neuzeit: Ritter, G.: *Die Neugestaltung Deutschlands u. Europas im 16. Jh. Frankfurt am Main 1967.* – Hubatsch, W.: *Das Zeitalter des Absolutismus 1600–1789. Braunschweig* *4**1975. – Neue d. G., hg. v.* P. Moraw *u. a., auf 11 Bde. berechnet. München* *1–2**1989 ff.* – Rabe, H.: *D. G. 1500–1600. Das Jh. der Glaubensspaltung. München 1991.* – Aretin, K. O. von: *Das Alte Reich 1648–1806, auf 3 Bde.*

ber. Stuttgart 1993ff. – Vogler, G.: *Absolutist. Herrschaft u. ständ. Gesellschaft. Reich u. Territorien von 1648 bis 1790. Stuttgart 1996.* – Lutz, H.: *Reformation u. Gegenreformation. München [4]1997.*

19. und 20. Jahrhundert: Schnabel, F.: *D. G. im neunzehnten Jh., 8 Bde. Neuausg. Freiburg im Breisgau 1964–65.* – Hillgruber, A.: *Dt. Großmacht- u. Weltpolitik im 19. u. 20. Jh. Düsseldorf [2]1979.* – Hillgruber, A.: *Die gescheiterte Großmacht. Eine Skizze des Deutschen Reiches, 1871–1945. Düsseldorf [4]1984.* – *D. G. der neuesten Zeit. Vom 19. Jh. bis zur Gegenwart, hg. v.* M. Broszat *u. a., auf 30 Bde. berechnet. München [1–5]1986ff.; einzelne Bde. in Neuausg.* – Gall, L.: *Europa auf dem Weg in die Moderne 1850–1890. München [2]1989.* – *Die Geschichte der Bundesrep. Deutschland, hg. v.* W. Benz, *4 Bde. Neuausg. Frankfurt am Main 1989–93.* – Fricke, K. W.: *Politik u. Justiz in der DDR. Zur Geschichte der polit. Verfolgung 1945–1968. Köln [2]1990.* – Klessmann, C.: *Die doppelte Staatsgründung. D. G. 1945–1955. Göttingen [5]1991.* – Rudzio, W.: *Das polit. System der Bundesrep. Deutschland. Opladen [3]1991.* – Craig, G. A.: *D. G. 1866–1945. A. d. Engl. München 67.–72. Tsd. 1993.* – Ellwein, Th.: *Krisen u. Reformen. Die Bundesrep. seit den sechziger Jahren. München [2]1993.* – Weber, H.: *Die DDR 1945–1990. München [2]1993.* – Bahrmann, H. *u.* Links, C.: *Chronik der Wende, 2 Tle. Berlin 1994–95.* – Benz, W.: *Die Gründung der Bundesrepublik. München [4]1994.* – Nipperdey, Th.: *D. G. 1800–1866. München 46.–51. Tsd. 1994.* – Nipperdey, Th.: *D. G. 1866–1918, 2 Bde. München [3]1994–95.* – Schulze, Hagen: *Der Weg zum Nationalstaat. München [4]1994.* – *Siedler D. G., 12 Bde. Neuausg. Berlin 1994.* – *Sozialgeschichte der DDR, hg. v.* H. Kaelble *u. a. Stuttgart 1994.* – Lehmann, H. G.: *Deutschland-Chronik 1945–1995. Bonn 1995.* – Longerich, P.: *Deutschland 1918–1933. Die Weimarer Republik. Hannover 1995.* – Mai, G.: *Der Alliierte Kontrollrat in Deutschland 1945–1948. München u. a. 1995.* – Mann, G.: *D. G. des 19. u. 20. Jh.s. Neuausg. Frankfurt am Main 51.–53. Tsd. 1995.* – Staritz, D.: *Die Gründung der DDR. München [3]1995.* – Henke, K.-D.: *Die amerikan. Besetzung Deutschlands. München [2]1996.* – Hildebrand, K.: *Das vergangene Reich. Dt. Außenpolitik von Bismarck bis Hitler 1871–1945. Stuttgart [2]1996.* – Ritter, G. A.: *Arbeiter, Arbeiterbewegung u. soziale Ideen in Deutschland. München 1996.*

Deutsche Gesellschaft für chemisches Apparatewesen und Biotechnologie e. V., →DECHEMA.

Deutsche Gesellschaft für Ernährung e. V., Abk. **DGE,** 1953 gegründete Gesellschaft zur Förderung der Ernährungskunde durch wiss. Aufklärung; Sitz: Frankfurt am Main; Hg. der »Ernährungs-Umschau« (seit 1954).

Deutsche Gesellschaft für Luft- und Raumfahrt – Lilienthal-Oberth e. V., Abk. **DGLR,** 1993 durch die Vereinigung der Deutschen Gesellschaft für Luft- und Raumfahrt e.V. mit der Hermann-Oberth-Gesellschaft (HOG) aus den alten sowie dem Fachverband Luftfahrt (FL) und der Gesellschaft für Weltraumforschung und Raumfahrt (GWR) aus den neuen Bundesländern gegründete Forschungseinrichtung; Sitz: Berlin.

Deutsche Gesellschaft für Soziologie, Abk. **DGS,** gegr. 1909 in Berlin von W. Sombart, F. Tönnies, Max Weber u. a. mit dem Anliegen der Pflege und Verbreitung, Akademisierung und Professionalisierung der Soziologie.

Deutsche Gesellschaft für technische Zusammenarbeit GmbH, Abk. **GTZ,** staatliches Dienstleistungsunternehmen, entstanden 1974 aus dem Zusammenschluss staatl. und privater Entwicklungshilfeinstitutionen, verwirklicht die Entwicklungshilfeprojekte der Bundesregierung; Sitz: Eschborn.

Deutsche Gesellschaft zur Rettung Schiffbrüchiger, Abk. **DGzRS,** gegr. 1865; alleinige Trägerin der zivilen Seenotrettungsdienste; eigene Rettungsstationen; Sitz: Bremen.

Deutsche Gesellschaft zur Rettung Schiffbrüchiger

Deutsche Girozentrale – Deutsche Kommunalbank [-'ʒi:ro-], Frankfurt am Main und Berlin, gegr. 1918 als **Deutsche Girozentrale,** Spitzeninstitut der Sparkassenorganisationen; betreibt auch banktyp. Kredit- und Wertpapiergeschäfte.

Deutsche Kernreaktor-Versicherungsgemeinschaft, Abk. **DKVG,** Zusammenschluss von Versicherungsgesellschaften, welche die Inhaber von Kernanlagen, bes. Kernkraftwerken, gegen Sachschäden versichern und die gesetzl. Haftpflicht gegenüber Dritten aus Nuklearunfällen abdecken; gegr. 1957, Sitz: Köln.

Deutsche Klinik für Diagnostik, Abk. **DKD,** 1970 in Wiesbaden nach dem amerikan. Vorbild der →Mayo-Klinik gegr. überregionales Krankenhaus. Hauptaufgaben: Allgemein- und Früherkennungsuntersuchungen, Klärung schwieriger Krankheitsbilder sowie die ärztl. Fortbildung.

deutsche Kolonien, die überseeischen Besitzungen des Deutschen Reiches, →Schutzgebiete.

Deutsche Kommunistische Partei, Abk. **DKP,** linksextremist. Partei in der Bundesrep. Dtl., von Funktionären der (seit 1956) verbotenen KPD 1968 gegr., etwa 8000 Mitgl. (1991); von der SED finanziell und ideologisch abhängig; wollte sich von der KPD durch die Anerkennung der Verf.ordnung des GG sowie durch den Verzicht auf die vom Bundesverfassungsgericht als mit dem GG unvereinbar bezeichneten polit. und organisator. Prinzipien unterscheiden; 1989/90 rapider Mitgl.schwund.

📖 Wilke, M. *u. a.: Die Deutsche Kommunistische Partei (DKP). Geschichte, Organisation, Politik.* Köln *1990.*

Deutsche Krankenversicherung AG, Abk. **DKV,** eine der größten privaten Krankenversicherungen Europas; gegr. 1927, Sitz: Köln. Großaktionäre sind die Allianz AG Holding (51%) und die Hamburg-Mannheimer Versicherungs-AG 39%).

Deutsche Krebshilfe e. V., auf Initiative von Mildred Scheel (*1932, †1985) 1974 gegr. Organisation; Hauptaufgabe ist die Krebsbekämpfung durch Förderung von Aufklärung, Vorbeugung, Früherkennung, Behandlung und Rehabilitation aus Spenden u. a. Zuwendungen; Sitz: Bonn.

deutsche Kunst. Die Geschichte der d. K. beginnt zur Zeit Karls d. Gr., andererseits wird die →karolingische Kunst als Kunst des Fränkischen Reiches ausgegrenzt. Die →ottonische Kunst löste sich weitgehend von spätantiken Traditionen, führte aber Elemente der karoling. Kunst weiter und stellte den ersten Höhepunkt der Romanik dar.

Romanik: Die Baukunst der Romanik übernahm den bis in got. Zeit verbindlichen karoling. Kirchentypus der dreischiffigen Basilika, oft mit mächtigen Westwerken oder als Doppelchoranlagen ausgebildet. Charakteristisch sind die ausgewogene Gruppierung der Bauteile, die Rhythmisierung durch Stützenwechsel (Sankt Michael in Hildesheim; geweiht 1033) und die Vorliebe für geschlossene Wandflächen; die Ausformung des Würfelkapitells gehört ebenfalls in die Zeit der Romanik. Bed. Leistungen wurden auf dem Gebiet der otton. Buch- und Wandmalerei (Reichenauer Schule), der Goldschmiedekunst und der Bronzebildnerei (Bernwardstür, 1015, Dom S. Mariä in Hildesheim) erzielt. Auch in der Epoche der Salier war Dtl. in der Baukunst führend (Kaiserdom in Speyer, 1061 geweiht; Einwölbung [Kreuzgratgewölbe] um 1080 ff.). Der Wille zur Plastiziät zeigt sich auch in der roman. Bildhauerkunst (Gerokruzifix, um 970, Kölner Dom; Imad-Madonna in Paderborn, zw. 1051 und 1076). In der Baukunst der Stauferzeit blieb die Geschlossenheit des Baukörpers bestehen (Wormser Dom, 1181 geweiht), das Kreuzrippengewölbe wurde um 1120/30 aus Frankreich übernommen.

deutsche Kunst: Romanische Imad-Madonna, Holz (zw. 1051 und 1076; Paderborn, Diözesanmuseum)

Gotik: Bereits im Übergang von der Romanik zur Gotik steht die spätstauf. Bildhauerkunst: Figurenzyklen in Straßburg (Südportal und Engelspfeiler, um 1235), Bamberg (Adamspforte, Bamberger Reiter, vor 1237) und die Arbeiten des →Naumburger Meisters. Die Baukunst der Gotik, v. a. durch die →Bauhütten vermittelt, setzte mit der Marburger Elisabethkirche (1233 ff.) ein; sie ist an der frz. Frühgotik orientiert. Mit der Trierer Liebfrauenkirche (1233 ff.), v. a. aber dem Kölner Dom (1248 ff.) und dem Straßburger Münster (Langhaus 1235 ff.) wurde auch im Reichsgebiet die frz. Kathedralgotik aufgegriffen und verbreitet (Freiburger Münster), begleitet von einer Blüte der dt. Glasmalerei (v. a. im 14. Jh.), der auch die großen Hallenkirchen der Bettelorden Raum gaben (Regensburg, um 1250, Erfurt, Freiburg im Breisgau, Colmar, Greifswald). Die Architektur des Ostseeraums wurde im 13./14. Jh. v. a. von der Backsteingotik geprägt (u. a. Lübecker Marienkirche, Nikolaikirche in Stralsund, Schweriner Dom, Marienkirche in Danzig). Die westfäl. Hallenkirchen nahmen ihren Ausgang von der hochgot. Wiesenkirche in Soest (1317 ff.), die süddt. Baukunst von dem Hallenchor der Heiligkreuzkirche in Schwäbisch Gmünd (H. Parler, 1351 ff.), Landshut (St. Martin, 1387 ff.) und in der 2. Hälfte des 15. Jh. von den Georgskirchen von Dinkelsbühl und Nördlingen sowie der Frauenkirche in München (Neubau 1468–88). P. Parler schuf die ersten monumentalen Netzgewölbe der dt. Baukunst (Prager Dom). Bed. Bauvorhaben waren auch (ab Ende des 14. Jh.) das Ulmer Münster und (ab Anfang des 15. Jh.) der Wiener Stephansdom (Flamboyantstil). Neben sakralen Bauaufgaben gewann die profane Baukunst zunehmend an Bedeutung. Städt. Repräsentationsbauten (Patrizierhäuser, Zunft- und Rathäuser, Tore, Türme und Stadtmauern) sind Zeugen aufstrebender Bürgerkultur (Aachen, Braunschweig, Breslau, Lüneburg, Stralsund, Tangermünde, Thorn u. a.). – Die got. Plastik des 13./14. Jh. übernahm die Portalprogramme der frz. Kathedralen (Straßburg, Köln, Regensburg, Freiburg im Breisgau); es entstanden Andachtsbilder wie Schmerzensmann und Pietà. In der 2. Hälfte des 14. Jh. verlieh P. Parler der Bauskulptur einen neuen Realismus. Den Übergang zum 15. Jh. bestimmte die internat. Strömung des »Weichen Stils« (Schöne Madonnen). Das 15. Jh. wurde zu einer der produktivsten Epochen der dt. Bildhauerei: N. Gerhaert von Leyden (Wien, Straßburg, Baden-Baden), G. Erhart, A. Krafft, B. Notke, H. Backofen, H. Leinberger. Der spätgot. Schnitzaltar erlebte eine Blütezeit in Süd-Dtl. (H. Multscher, M. Pacher, Niklaus Hagenauer, V. Stoß, T. Riemenschneider und Meister H. L.). In der Malerei hatte in der 2. Hälfte des 14. Jh. Prag (Meister Theoderich) besondere Bedeutung, die böhm. Tafelmalerei wirkte u. a. auf Meister Bertram in Hamburg. Andere Zentren waren Köln (S. Lochner) und der Oberrhein (K. Witz). In der 2. Hälfte des 15. Jh. machte sich – wie schon bei L. Moser – niederländ. Einfluss bemerkbar: Meister des Marienlebens (Köln), Hausbuchmeister, M. Schongauer, H. Pleydenwurff, M. Wolgemut. M. Pacher brachte Elemente der italien. Renaissance ein. Einen wichtigen Beitrag lieferte die d. K. mit der Entwicklung der Druckgrafik (Spielkartenmeister,

Hausbuchmeister, Meister E. S. und v. a. M. Schongauer).

Renaissance: Der Begriff wird für die d. K. des 16. Jh. mit Vorbehalt verwendet, da die Kunst auch weiterhin stark von gotischen Stilelementen durchsetzt blieb und vielfach manierist. Züge trug, z. B. in der profanen Baukunst (Rat- und Bürgerhäuser). Als einer der reinsten Renaissancebauten gilt der Ottheinrichsbau (1556 ff.) des Heidelberger Schlosses, in der Bildhauerkunst erhält das Sebaldusgrab der Vischer-Werkstatt in Nürnberg (Sebalduskirche, vollendet 1519) einen bed. Stellenwert; daneben wirkten u. a. A. Pilgram und H. Daucher. Die Maler dieser Zeit gehörten zu den schöpferischsten Künstlern der d. K. überhaupt. M. Grünewald schuf Altarwerke von visionärer Ausdruckskraft, die noch stark aus der got. Vorstellungswelt erwuchsen. A. Dürer brachte von seinen Italienreisen die ersten Landschaftsaquarelle der dt. Kunst mit, ferner ein neues Selbstverständnis als Künstler. Sein Werk entstand aus der Spannung zw. spätgot. Gestaltung (v. a. in der Grafik) und dem Bemühen um renaissancehafte Klarheit in der Menschendarstellung. Zahlr. weitere Maler sorgten für den künstler. Reichtum der ersten Jahrzehnte des 16. Jh. (L. Cranach d. Ä., H. Baldung, H. Holbein d. J. und A. Altdorfer, der Hauptvertreter der →Donauschule). Niederländ. und italien. Strömungen waren Grundlage der dt. manierist. Malerei an den Höfen von München und Prag (H. von Aachen, B. Spranger). In der Übergangszeit vom Manierismus zum Frühbarock entstanden bed. Werke der Bildhauerkunst (H. Gerhard, H. Reichle, J. Zürn und L. Münstermann).

Barock: Ansätze dt. Barockkunst im frühen 17. Jh., in der Architektur durch E. Holl (Augsburger Rathaus, 1615–20), in der Plastik durch G. Petel, in der Malerei durch die Landschaften des Frankfurters A. Elsheimer in Rom, die mytholog. und religiösen Bilder des J. Liss sowie die Stillleben von G. Flegel, wurden durch den Dreißigjährigen Krieg unterbrochen. Erst seit 1680, als im übrigen Europa bereits der Spätbarock begann, entwickelte sich der dt. Barock nun kontinuierlich fort, getragen durch den Darstellungswillen der absolutist. Fürsten und der kath. Kirche. Beherrschende Gattung war die Architektur. Die Bauten der österr. Baumeister J. B. Fischer von Erlach (Karlskirche in Wien, 1716 ff.), J. L. von Hildebrandt (Oberes Belvedere in Wien, 1723 vollendet), J. Prandtauer (Stift Melk, 1702–36) sowie A. Schlüters Berliner Schloss (1698 ff.) entstanden in Auseinandersetzung mit dem röm. Hochbarock. C. und K. I. Dientzenhofer prägten das barocke Stadtbild Prags (Sankt Nikolaus auf der Kleinseite, 1703 ff.), die Brüder Asam erbauten die Klosterkirche Weltenburg (um 1716), J. Dientzenhofer errichtete für Fürstbischof L. F. von Schönborn Schloss Weißenstein bei Pommersfelden und die Klosterkirche in Banz (1709–19). J. B. Neumann schuf in der Würzburger Residenz eine der großartigsten Treppenhausanlagen; für den Kirchenbau fand er überzeugende Lösungen in der Durchdringung von Längs- und Zentralbau (→Vierzehnheiligen, 1743 ff.; Neresheim, 1745 ff.). Bed. Barockbaumeister waren außerdem J. M. Fischer (Klosterkirche Zwiefalten, ab 1741, Klosterkirche Ottobeuren, 1741 ff.), D. Zimmermann (Wallfahrtskirche Steinhausen bei Schussenried, 1727–33).

Dem **Rokoko** zuzurechnen sind das von G. W. von Knobelsdorff 1745–47 errichtete Schloss →Sanssouci bei Potsdam, die →Wies von D. Zimmermann (1745 ff.) und die Münchner Amalienburg von F. Cuvilliés d. Ä. (1734–39). Die barocken Bauwerke verbanden sich mit Plastik und Malerei zu grandiosen Gesamtkunstwerken (Dresdner Zwinger von D. Pöppelmann, 1711–28, plast. Schmuck von B. Permoser). Einige Baumeister waren auch als Bildhauer tätig, z. B. A. Schlüter. Im süddt. Raum widmeten sich zahlr. Künstler dem Stuckdekor (J. B. Zimmermann, E. Q. Asam, P. Egell, J. A. Feuchtmayer, J. B. Straub, I. Günther) und der Deckenmalerei (u. a. J. M. Rottmayr, F. A. Maulpertsch, C. D. Asam, Januarius und Johann Zick, J. B. Zimmermann). Die bedeutendste Deckenmalerei schuf im Treppenhaus der Würzburger Residenz der Italiener G. B. Tiepolo (1751 ff.). Neben den Stilmitteln des Rokoko wurden frühklassizist. Strömungen deutlich (G. R. Donner, Wien, Neumarktbrunnen, 1737 ff.; A. R. Mengs, mit dem Deckengemälde »Parnaß« der Villa Albani in Rom, 1760/61).

deutsche Kunst: Johann Joachim Kändler, »Schäferin«, Rokoko-Porzellanplastik (1745; Museum für Kunst- und Kulturgeschichte der Stadt Dortmund)

19. Jahrhundert: F. von Erdmannsdorff, sein Schüler F. Gilly (Entwürfe) und C. G. Langhans (→Brandenburger Tor, 1788–91) waren Vertreter des *Klassizismus* in Berlin. In München wirkte L. von Klenze, in Karlsruhe F. Weinbrenner. K. F. Schinkel in Berlin verwendete beliebig klassizist. oder got. Formverkleidungen für seine Bauten, womit er bereits auf den *Historismus* verwies, der für das weitere 19. Jh. charakteristisch blieb. Neue Bauaufgaben wurden das Theater, das Museum sowie seit dem letzten Drittel des Jh. auch Bahnhöfe. Die Bildhauerei beschränkte sich auf Porträtbüsten, Grab- und Denkmäler (G. von Schadow, C. D. Rauch und A. von Hildebrand). Für die klassizist. Maler (Deutschrömer, Nazarener) wurde Rom Ausbildungs- und Wirkungszentrum. Die Malerei im Umkreis von C. D. Friedrich und P. O. Runge wurde durch ein von der literar. Romantik beeinflusstes Naturgefühl getragen. Bei M. von Schwind verband sich die Romantik mit märchenhaften, bei L. Richter und C. Spitzweg mit bieder-

deutsche Kunst

Der Begriff deutsche Kunst umfasst im frühen Mittelalter die Kunst im Heiligen Römischen Reich unter den Ottonen, Saliern und Staufern; sie nahm Einflüsse der französischen und italienischen Kunst auf und vermittelte ihre Stilformen nach Osteuropa. Da sie jedoch keinen geschlossenen Stil entwickelte, ist eine Abgrenzung zur österreichischen und schweizerischen Kunst, die sich ab dem Spätmittelalter herauszubilden beginnen, bis in die Neuzeit hinein oft schwierig

| 1

| 2

| 3

| 4

| 5

| **1** Die Ostteile des Speyerer Doms, sie gehören zu dessen ältestem Baubestand (frühes 11. Jh.) | **2** Das Kreuzgratgewölbe im Mittelschiff des Speyerer Doms wurde ab etwa 1080 gebaut | **3** Eckehard und Uta, um 1250 vom Naumburger Meister geschaffene Stifterfiguren im Westchor des Naumburger Doms

| **4** Mittelschrein des Heiligblutaltars von Tilman Riemenschneider (1501–05; Rothenburg ob der Tauber, St. Jakob) | **5** Hans Holbein d. J., »Die Gesandten« (1533; London, National Gallery)

meierl. Zügen. In der Mitte des 19. Jh. setzten sich realistische Auffassungen durch (A. von Menzel, W. Leibl, H. Thoma). Idealist. und symbolist. Tendenzen überwogen bei A. Böcklin, A. Feuerbach, H. von Marées. Gegen Ende des Jh. entwickelten Maler wie M. Slevogt, M. Liebermann und L. Corinth einen dt. *Impressionismus.*

20. Jahrhundert: Der *Jugendstil* vollzog mit seiner einheitl. künstler. Durchformung des gesamten menschl. Lebensraums eine entschiedene Abwendung vom Historismus. Architekten zur Zeit des Jugendstils wie A. Loos, O. Wagner, P. Behrens, J. M. Olbrich, J. Hoffmann, B. Pankok, R. Riemerschmid und der in Dtl. arbeitende Belgier H. van de Velde schufen durch ihre funktionale Auffassung die Voraussetzungen für die dt. Werkbundausstellungen: 1914 in Köln (Glaspavillon von B. Taut) und 1927 die Weißenhofsiedlung in Stuttgart. Internat. Bedeutung errang das 1919 von W. Gropius gegründete → Bauhaus. Den Anschluss an den internat. Standard fand die dt. Architektur erst wieder mit H. B. Scharoun (Berliner Philhar-

6

7

8

9

| **6** Blick auf den Wallpavillon des Dresdner Zwingers, links davon der Mathematisch-Physikalische Salon; der barocke, 1711–28 von Matthäus Daniel Pöppelmann erbaute Zwinger wurde nach den Zerstörungen im Zweiten Weltkrieg bis 1964 originalgetreu wieder hergestellt

| **7** Caspar David Friedrich, »Kreidefelsen auf Rügen« (um 1820; Winterthur, Stiftung Oskar Reinhart) | **8** Otto Mueller, »Zigeuner und Sonnenblumen« (1927; Saarbrücken, Saarland-Museum) | **9** Anselm Kiefer, »Sulamith« (1983; London, Satchi Collection)

monie, 1960–63), G. Böhm, F. Otto und G. Behnisch.

Die dt. Malerei vollzog zu Beginn des Jh. mit dem **Expressionismus** eine entscheidende Wendung, getragen v.a. von den Malern der →Brücke (E. L. Kirchner, E. Heckel, K. Schmidt-Rottluff, M. Pechstein, O. Mueller, E. Nolde) und des →Blauen Reiters (F. Marc, A. Macke, W. Kandinsky, Gabriele Münter u.a.). Kandinsky wandte sich um 1910 der abstrakten Kunst zu. Die expressionist. Bildhauerei vertraten E. Barlach, Käthe Kollwitz, zeitweilig auch W. Lehmbruck und G. Marcks. Auf breiter Basis etablierte sich die dt. abstrakte Malerei jedoch erst nach dem 1. Weltkrieg, als sich nicht zuletzt aus internat. Anregungen (De Stijl, Suprematismus und Konstruktivismus) eine systemat. Bildtektonik, u.a. im Bauhaus, ausprägte (L. Feininger, J. Itten, O. Schlemmer, P. Klee, F. Vordemberge-Gildewart, W. Baumeister u.a.). Gleichzeitig arbeiteten Künstler wie G. Grosz, O. Dix, M. Beckmann, K. Hubbuch, auch Käthe Kollwitz einen gesellschafts- und sozialkrit.

Realismus aus. Auf die Verunsicherung bürgerl. Denkens zielten die Dada-Künstler mit gattungsprengenden Collagen und Materialbildern, Nonsenslyrik und Aktionen (H. Arp, M. Ernst, R. Hausmann, K. Schwitters, Hannah Höch, J. Heartfield).

Künstler der Dada-Bewegung wie H. Arp und M. Ernst, die sich dem *Surrealismus* zuwandten, waren bereits zur Emigration gezwungen und arbeiteten bis in die zweite Hälfte des Jh. meist in Paris. Ihre Ideen wurden von u.a. von H. Bellmer und M. Zimmermann weitergeführt. Die Vielfalt der künstler. Richtungen wurde im Dritten Reich zugunsten eines ideolog. Neoklassizismus unterdrückt, die abstrakte Kunst als »entartet« verfemt und eine Vielzahl von abstrakten bzw. sozialkritisch-realist. Künstlern in die Illegalität bzw. Emigration getrieben. Förderung erfuhren hingegen u.a. A. Breker und J. Thorak.

Kunst der Bundesrep. Dtl.: Nach 1945 wurde die abstrakte Kunst wieder aufgenommen (W. Baumeister), wobei internat., v.a. frz. Kontakte (H. Hartung, Wols u.a. Tachisten) Einfluss gewannen (K. F. Dahmen, G. Hoehme). Neben der figürl. Plastik (E. Cimiotti, G. Seitz) gab es auch konstruktivist. Ansätze als Versuch, Raum, Umraum und Zeit zu definieren (O. H. Hajek, E. Hauser, N. Kricke), auch mit kinet. Mitteln wie Bewegung, Licht, Wasser (H. Mack). Plakative (H. Antes) und neokonstruktivist. Malerei (G. K. Pfahler, G. Fruhtrunk), Objektkunst (G. Graubner u.a.; →Op-Art) und von amerikan. →Pop-Art und →Fotorealismus beeinflusster neuer Realismus (K. Klapheck, M. Lüpertz) entwickelten sich neben- und nacheinander. In die 1960er-Jahre reichen auch Konzept- und Aktionskunst zurück, deren bekannteste dt. Vertreter J. Beuys, J. Gerz, HA Schult, W. Vostell und S. Polke sind. Ende der 1970er-Jahre traten die →Neuen Wilden (R. Fetting, H. Middendorf) in Erscheinung. Auf dem Gebiet der Grafik sind u.a. HAP Grieshaber, J. Grützke, P. Wunderlich, H. Janssen, K. Staeck und J. Immendorff von Bedeutung.

deutsche Kunst: Jörg Immendorf, »Quadriga 11«, bemaltes Holz (1981; Köln, Galerie Michael Werner)

In den 1980er- und 90er-Jahren sind auf dem Gebiet der Architektur durch Entwürfe von G. Behnisch (Dt. Postmuseum, Frankfurt am Main, 1990; Neubau des Dt. Bundestags, Bonn, 1992), G. Böhm (Univ.-Bibliothek Mannheim, 1988), A. Schultes (Kunstmuseum Bonn, 1992), M. von Gerkan, V. Marg & Partner (Flughafen Stuttgart, 1994; Leipziger Messehallen, 1996) u.a. eindrucksvolle Lösungen gelungen.

Im Bereich der figurativen Malerei arbeiten M. Bach, M. van Ofen und Karin Knefel, konstruktive Bilder wurden von I. Knoebel geschaffen. Eine expressive Figürlichkeit findet man unter den jüngeren, hauptsächlich aus der DDR stammenden Künstlern, darunter H. Leiberg, Cornelia Schleime, H. Ebersbach, R. Stangl, Angela Hampel und M. Götze. Vor allem mit Holz arbeiten S. Balkenhol, W. Pokorny und S. Pietryga. Künstler einer jüngeren Generation wie Katharina Fritsch und Leni Hoffmann erweitern das plast. Formenvokabular um Objektinstallationen, Prozessanordnungen u.a. Für die Bereiche der Computerkunst und Videoinstallation entstand mit dem Zentrum für Kunst- und Medientechnologie in Karlsruhe (gegr. 1990) ein neuer Kristallationspunkt.

Kunst der DDR: In der DDR wurde der krit. Realismus der Nachkriegszeit innerhalb der Malerei und Grafik v.a. von ehem. Mitgl. der Künstlervereinigung ASSO (Assoziation Revolutinärer Bildender Künstler Deutschlands) getragen (O. Nerlinger, O. Nagel, W. Lachnit, H. und Lea Grundig, C. Querner). Beiträge zur Grafik leisteten u.a. H. Sandberg, J. Hegenbarth, H. T. Richter und E. Hassebrauk. Die antifaschist. Bewältigung der jüngsten Vergangenheit, Aufbauthemen und Arbeiterdarstellungen erhielten in den ersten Jahren vorrangige Bedeutung. In der Plastik entstanden wichtige Werke antifaschistischer Denkmalskunst (F. Cremer, W. Grzimek). Dogmatisch entstellte Forderungen nach einer festen parteil. Bindung der Kunst führten schon Ende der 40er-/Anfang der 50er-Jahre zu heftigen Debatten (Formalismus-Diskussion 1948–51). Künstler, die sich gegen eine polit. Vereinnahmung ihrer Werke wendeten oder stilistisch nicht ins Konzept »passten«, wurden diffamiert (W. Lachnit, W. Rudolph u.a.). Entsprechend den Zielsetzungen des →sozialistischen Realismus wurde auf den Bitterfelder Konferenzen (»Bitterfelder Weg«, 1959, 1964) ein sich gegenseitig befruchtendes Verhältnis von Künstlern und Werktätigen als Basis künstler. Schaffens proklamiert. Mitte der 50er-Jahre einsetzend (und in den Folgejahren immer nachdrücklicher), begannen sich bes. jüngere Künstler von problemlosem Optimismus und vordergründiger Verständlichkeit zu distanzieren (u.a. G. Baselitz, A. R. Penck, M. Uhlig, C. Weidensdorfer). Die Lockerung der Doktrin des sozialist. Realismus in den 70er-Jahren wirkte sich zugunsten einer Erweiterung der künstler. Ausdrucksmittel sowie der Motiv- und Themenkreise aus. Künstler wie der am Konstruktivismus geschulte H. Glöckner und der feinsinnige »fantast.« Realist G. Altenbourg oder der konzeptionell arbeitende C. Claus fanden zögernd offizielle Anerkennung. Zu den führenden Vertretern dieser neuen Version des sozialist. Realismus zählten u.a. W. Sitte, B. Heisig, W. Mattheuer, W. Tübke, V. Stelzmann, A. Rink, S. Gille, deren Stilkonzepte z.T. in Anlehnung an Entwicklungslinien des dt. Expressionismus und der neuen Sachlichkeit, z.T. in Anknüpfung an Formengut der Renaissance und des Manierismus neue Gestaltungsformen einbrachten. Zu den häufig mythologisch oder allegorisch-symbolisch verschlüsselten »Problembildern« traten zunehmend Darstellungen, die eine zurückhaltende, stärker subjektiv-verinnerlichte Sicht kennzeichnet (N. Quevedo u.a.). Vielfältig war die Produktion auf den Gebieten Zeichnung und Grafik (u.a. G. Altenbourg, G. Kettner, W. Wolff, M. Uhlig). Trotz eines proklamierten Stilpluralismus konnten sich v.a. experimentelle Richtungen nur schwer behaupten (u.a. H.-H. Grimmling, L. Dammbeck, E. Göschel, P. Herrmann, J. Böttcher). – Zahlr. Künstler verließen das Land, u.a. 1980 A. R. Penck, 1983 H. Leiberg und R. Kerbach, 1984 Cornelia Schleime, 1986 V. Stelzmann und H.-H. Grimmling.

📖 DEHIO, G.: *Geschichte der d. K., 4 Bde. in 8 Tlen. Berlin $^{1-4}$1930–1934, Bd. 4 verf. v.* G. PAULI. – DOLGNER, D.: *Die Architektur des Klassizismus in Deutschland. Dresden 1971.* – *Architektur in der Bundesrep., bearb. v.* H. KLOTZ. *Frankfurt am Main u.a. 1977.* – EINEM, H. VON: *Dt. Malerei des Klassizismus u. der Romantik 1760–1840. München 1978.* – BRAUNFELS, W.: *Die Kunst im Heiligen Römischen Reich Deutscher Nation, 6 Bde. München 1979–1989.* – KELLER, H.: *Dt. Maler des 19. Jh.s. München 1979.* – THOMAS, K.: *Die Malerei in der DDR. 1949–1979. Köln 1980.* – KADATZ, H.-J.: *Dt. Renaissancebaukunst. Von der frühbürgerl. Revolution bis zum Ausgang des Dreißigjährigen Krieges. Berlin-Ost 1983.* – JENSEN, J. C.: *Malerei der Romantik in Deutschland. Köln 1985.* – THOMAS, K.: *Zweimal d. K. nach 1945. 40 Jahre Nähe u. Ferne. Köln 1985.* – SCHMIDT-WULFFEN, S.: *Spielregeln. Tendenzen der Gegenwartskunst. Köln 1987.* – VOGT, P.: *Geschichte der dt. Malerei im 20. Jh. Köln ^{3}1989.* – *Kunst in der DDR, hg. v.* E. GILLEN *u.* R. HAARMANN. *Köln 1990.* – *Aquarelle u. Zeichnungen der dt. Romantik, bearb. v.* J. C. JENSEN. *Köln ^{3}1992.* – BAUER, H.: *Barock. Kunst einer Epoche. Berlin 1992.* – *Architektur der Gegenwart. Konzepte, Projekte, Bauten, hg. v.* P. P. SCHWEGER *u.a. Stuttgart u.a. 1993.* – KLOTZ, H.: *Kunst im 20. Jh. Moderne – Postmoderne – zweite Moderne. München 1994.* – NUSSBAUM, N.: *Dt. Kirchenbaukunst der Gotik. Darmstadt ^{2}1994.* – *D. K. im 20. Jh. Malerei u. Plastik 1905–1985, hg. v.* C. M. JOACHIMIDES *u.a., Ausst.-Kat. Staatsgalerie Stuttgart. Neuausg. München 1995.* – *Lexikon der Kunst, begr. v.* G. STRAUSS, *hg. v.* H. OLBRICH, *7 Bde. München 1996.* – *Romanische Kunst in Deutschland, bearb. v.* A. LEGNER, *Aufnahmen v.* A. HIRMER *u.* I. ERNSTMEIER-HIRMER. *München ^{2}1996.*

Deutsche Landrasse, durch Kreuzung vieler Landschweinrassen entstandene, großwüchsige Schweinerasse mit langem, breitem Rumpf, dichter, glatt anliegender weißer Behaarung auf weißer Haut sowie Schlappohren; ursprüngl. als Fettschwein gezüchtet, wurde ab den 1950er-Jahren als Fleischschwein umgezüchtet.

Deutsche Landwirtschafts-Gesellschaft e.V., Abk. **DLG,** 1885 von M. Eyth gegr., 1934 aufgelöst, 1947 wieder gegr., Vereinigung zur Förderung des landwirtsch. Betriebes; führt alljährlich in Berlin die **Grüne Woche** durch; Sitz: Frankfurt a.M.

Deutsche Lebens-Rettungs-Gesellschaft e.V., Abk. **DLRG,** gegr. 1913 zur Verbreitung von Kenntnissen und Fertigkeiten im Retten und Wiederbeleben Ertrinkender; Rettungsdienste an Gewässern; Sitz: Bad Nenndorf.

Deutsche Lebens-Rettungs-Gesellschaft e.V.

deutsche Literatur, die Literatur in dt. Sprache; vgl. auch: →niederdeutsche Literatur; →österreichische Literatur; →rumäniendeutsche Literatur; →schweizerische Literatur.

Frühes Mittelalter (750–900: Karolingerzeit; 900–1050: Zeit der Ottonen; 1050–1150: Salische Zeit): Der Verfall der Laienschulen in der Zeit der letzten Merowinger führte zum Bildungsmonopol der röm. Kirche; die Autoren der folgenden Epoche waren v.a. Mönche, bevorzugte Literatursprache war das Latein. Jedoch ist auch der Gebrauch der althochdt. Sprache belegt (ältestes Zeugnis: der »Abrogans«, ein lat.-althochdt. Wörterbuch, um 765). Die germanisch-heidn. Dichtung (althochdt. »Merseburger Zaubersprüche«) wurde zunehmend durch christl. Schrifttum (»Wessobrunner Gebet«, Handschrift frühes 9. Jh.; altsächs. »Heliand«, zw. 822 und 840) abgelöst. Nur das »Ältere Hildebrandslied« (aufgezeichnet Anfang des 9. Jh.), das einzige überlieferte dt. Heldenlied im Stil german. Heldendichtung, ist noch weitgehend unberührt vom neuen Glauben. Mit Otfrid von Weißenburgs »Evangelienbuch« (zw. 863 und 871) erfolgte der Übergang von der Stab- zur Endreimdichtung. In den folgenden 200 Jahren erscheint als alleinige Dichtersprache wieder das Latein. Erst mit dem »Ezzolied« (um 1060) und dem »Annolied« (um 1080) setzt die dt.-sprachige Überlieferung wieder ein. Den Abschluss dieser Epoche bilden Geschichtsepen (»Kaiserchronik«, um 1150, das »Alexanderlied« des Pfaffen Lamprecht, um 1150, und das »Rolandslied« des Pfaffen Konrad, um 1170). Mit den beiden Letzteren tauchten erstmals Werke auf, die frz. Vorbildern folgten.

Hohes Mittelalter (Zeit der Staufer, 1150–1250): In diese Epoche fällt die Begegnung mit der Welt des Ostens durch die Kreuzzüge (seit 1096) und die Herausbildung einer vom Kriegeradel getragenen weltl., ritterlich-höf. Kultur. Die – fortbestehende – geistl. Literatur war seit dem 12. Jh. nicht mehr repräsentativ für die Adelskultur. Die höf. Dichtung erlebte ihren Höhepunkt in den Epen Heinrichs von Veldeke (»Eneit«, beendet spätestens 1190), Hartmanns von Aue (»Iwein«, um

deutsche Literatur: Die Illustration zu Wolfram von Eschenbachs »Parzival« (1200–10) stammt aus einer Handschrift des 13. Jh. (München, Bayerische Staatsbibliothek)

1200), Wolframs von Eschenbach (»Parzival«, 1200–10) und Gottfrieds von Straßburg (»Tristan und Isolt«, um 1210) sowie im »Nibelungenlied« (um 1200) und im »Kudrun«-Epos (zw. 1230/50?). Unter dem Einfluss der provenzal. Troubadourdichtung entwickelte sich der hohe Minnesang in der Lyrik Hartmanns von Aue, Heinrichs von Morungen, Reinmars des Alten und v. a. mit Walther von der Vogelweide, der neben Lied und Leich die Spruchdichtung weiterentwickelte. Die didakt. und satir. Spruch-, Fabel- und Schwankdichtung kritisierte geistl. und weltl. Missstände (Freidanks

deutsche Literatur: Seite aus der 1494 erschienenen Erstausgabe der Moralsatire »Das Narrenschiff« von Sebastian Brant

Sprichwortsammlung »Bescheidenheit« und Hugo von Trimbergs Moralkompendium »Der Renner«, beide 13. Jh.).

Spätes Mittelalter (1250–1500): Dem weiteren Aufstieg der Städte in dieser Zeit der Umschichtungen entsprach eine Verbürgerlichung der Kultur. Die Lyrik erstarrte im Meistersang (Hans Folz) oder löste die überkommenen Formen auf (Oswald von Wolkenstein). Eine bedeutende Leistung ist die Ausbildung einer dichter. Prosa, die durch Verbreiterung der Schicht der Lesekundigen und die Erfindung des Buchdrucks mit bewegl. Lettern (um 1450) begünstigt wurde und entscheidende Impulse durch die Predigten der Mystiker (Meister Eckhart, H. Seuse, J. Tauler) erhielt. An dramat. Formen entstanden Oster-, Weihnachts-, Fronleichnams- und Fastnachtsspiele.

Renaissance, Humanismus und **Reformation** (1470–1600): Kräftige Impulse für neue Formen gingen vom Humanismus, von der Reformation und vom zunehmenden stadtbürgerl. Lesepublikum aus. Bed. Vertreter des Humanismus waren Erasmus von Rotterdam, J. Reuchlin und U. von Hutten. M. Luthers Bibelübersetzung (1522–34) wirkte als fundamentaler Beitrag zur Herausbildung einer einheitl. neuhochdt. Schriftsprache. Das Drama diente religiöser wie bürgerl. Erziehung (H. Sachs u. a.). Eine eigene dramatisch-theatralische lat. Kultur schufen die Jesuitenkollegs. S. Brant schuf den letzten umfassenden Weltspiegel (»Narrenschiff«). Die Volksbücher »Dyl Ulenspiegel« (1510/11), »Historia von D. Johann Fausten« (1587) und »Lalebuch« (1597) wurden zu einer weit verbreiteten Lektüre. Die größte lyr. Leistung des Jh. liegt im prot. Kirchenlied (Luther).

Barock (1600–1700): In dieser Epoche wurde der Zentralismus der frz. Entwicklung zum Modell, das kulturelle Leben war an den Höfen zentriert; die höf. Kultur strahlte auch auf die bürgerl. aus. Die Gelehrten, die v.a. die lat. Sprache benutzten, gingen zunehmend zur Volkssprache über. Das Bewusstsein der Spracherneuerung war Grundlage der Verteidigung der dt. Sprache durch die →Sprachgesellschaften und Basis der Poetiken (M. Opitz, »Buch von der Dt. Poeterey«, 1624). Zum ersten Mal wurden auch philosoph. Schriften in dt. Sprache verfasst (J. Böhme). Die Spannweite der Lyrik reicht vom Petrarkismus P. Flemings bis zur dichter. Gestaltung der barocken Grunderfahrung der Vergänglichkeit alles Irdischen (A. Gryphius). Das Drama stand im Dienst der Repräsentation und (bei Gryphius) der Verbreitung des christl. Glaubens. Das prot. Kirchenlied erlebte in P. Gerhardt, die kath. Dichtung in F. von Spee, Angelus Silesius und dem Österreicher Abraham a Sancta Clara eine Blüte. Mit J. J. C. von Grimmelshausens »Simplicissimus« (1669) erreichte der Roman seinen ersten künstler. Höhepunkt (weitere Romane von A. U. von Braunschweig, P. von Zesen).

Aufklärung, Empfindsamkeit, Sturm und Drang (1700– etwa 1790): Im Zeitalter der Aufklärung waren Prinzipien krit. Vernunft und befreiter Natur maßgebend, im Stilistischen das Ideal der Klarheit und Einfachheit. Literatur wurde als Bildungsmittel verstanden. Bis etwa 1740 war J. C. Gottsched literarisch führend. Die Poesie bedeutete für ihn vernünftige Ordnung und Spiegel universaler Harmonie; er erwarb sich Verdienste um eine dt. Bühnenreform. Stilideale sah er in der klassischen frz. Literatur verkörpert. G. E. Lessings Dramentheorie artikulierte dagegen Kritik an der frz. Klassik und an starren formalen Regeln und stellte diesen das »innere Gesetz« und das »Genie« (Vorbildfunktion Shakespeares) entgegen. Seine »Miß Sara Sampson« (1755) gilt als erstes deutsches bürgerl. Trauerspiel, in »Nathan der Weise« (1779) entwarf er eine Welt, in der das Gebot der Humanität über allen Konfessionen steht. Die von der Auffassung des Dichters als eines religiös Berufenen und genial Schöpferischen getragene Dichtung F. G. Klopstocks beeinflusste nachhaltig die jüngere Generation (Göttinger Hainbund um L. C. H. Hölty, C. und F. L. Graf zu Stolberg). Nach engl. und frz. Vorbild bestimmte der Subjektivismus der Empfindsamkeit die »weinerl. Lustspiele« und die Briefromane in der Mitte des Jh. (C. F. Gellert, Sophie von Laroche, der junge C. M. Wieland). Auch die Dichtung des Sturm und Drang war – gegen die Betonung der Vernunft in der Epoche der Aufklärung – stark emotional und subjektiv geprägt (Geniekonzeption); sie brachte auch aktuelle politisch-soziale Stoffe auf die Bühne (J. M. R. Lenz). Zahlreiche Dichter orientierten sich an der Volksdichtung und an der großen dramat. Kraft Shakespeares. Geistiger Anreger des Sturm und Drang war J. G. Herder, herausragende Vertreter waren der junge Goethe (»Die Leiden des jungen Werthers«, 1774, Neufassung 1787), F. M. Klinger, G. A. Bürger, C. F. D. Schubart und der junge F. Schiller (»Die Räuber«, 1781).

Zeit der Klassik und **Romantik:** Als Weimarer Klassik wird die Zeit der Wirkungsgemeinschaft Goethes und Schillers von 1794 bis Schillers Tod 1805 bezeichnet. Die idealisierte Antike wurde in dieser Epoche zum gültigen Musterbild vollendeter Menschennatur und Kunstschönheit (J. J. Winckelmann). Goethe fasste die grch. Kunst als Urbild des Schönen und Vollkommenen auf, Schiller sah Schönheit als Instrument moral. Erziehung auf dem Weg zu sittl. Freiheit (»Über die ästhet. Erziehung des Menschen«, 1795). Im Drama hatte schon Goethes »Iphigenie« (endgültige Fassung 1787) dem klass. Humanitätsideal Gestalt verliehen. Schillers Beiträge zum klass. Drama sind u. a. repräsentiert durch seine Wallenstein-Trilogie (1880), »Maria Stuart« (1801), »Die Jungfrau von Orléans« (1802) und »Wilhelm Tell« (1804). Die klass. Lyrik umspannt die symbol. Poesie Goethes

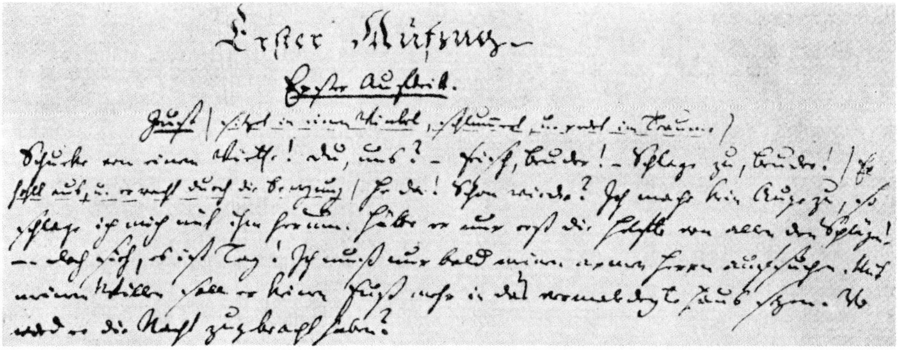
Erster Aufzug.
Erster Auftritt.

deutsche Literatur: Beginn der ersten Seite des Lustspiels »Minna von Barnhelm« (1767) von Gotthold Ephraim Lessing, Autograph aus dem Jahre 1763

deutsche Literatur: Das von Ernst Rietschel geschaffene Goethe- und Schiller-Denkmal (1857) vor dem Nationaltheater in Weimar

und die Gedankenlyrik Schillers. Goethes Roman »Wilhelm Meisters Lehrjahre« (1796) wurde beispielhaft für das klass. Bildungsideal. Im Epos »Hermann und Dorothea« (1794) gestaltete Goethe die zeitgenössische dt. Bürgerwelt nach antiken Vorbildern. Der I. (1808) und II. (1832) Teil des »Faust«-Dramas, in dem der Mensch in der Spannungsweite seiner Möglichkeiten erscheint, gehört bereits Goethes nachklass. Zeit an. Die dichter. Zusammenarbeit von Goethe und Schiller fand ihren Niederschlag in den Zeitschriften »Die Horen« (1795–97) und »Propyläen« (1798–1800). – Jenseits von Klassik und Romantik stehend, erwuchs J. C. F. Hölderlins Werk aus dem Widerspruch zw. einem (an der Antike orientierten) Ideal und der erfahrenen Wirklichkeit (»Hyperion«, 1797–99). Jean Paul leitete in seinem Werk eine Erzählweise ein, die – in der Tradition des humorist. engl. Romans stehend – als experimentell bezeichnet werden kann. Die Dramen H. von Kleists kreisen um das komplexe Verhältnis von Gefühl und Bewusstsein.

Die Romantik ist durch die geistige Wendung gegen die im Rationalismus erstarrte Welt der Aufklärung gekennzeichnet. Der Bezug auf das Unendliche verlieh der romant. Dichtung eine religiöse und metaphys. Dimension. Die Jenaer (Früh-)Romantiker (Novalis, L. Tieck, W. H. Wackenroder, A. W. und F. Schlegel) proklamierten eine neue Dichtungstheorie (Poetisierung der Welt) und Kunstprogrammatik (Ztschr. »Athenaeum«); sie erwarben sich auch Verdienste um Übersetzungen (Shakespeare, Calderón). Angesichts der dt. Niederlagen und der Napoleon. Expansion erhielt in der Hochromantik das Historisch-Nationale einen starken Akzent. Die Heidelberger (Spät-)Romantik (A. von Arnim, C. Brentano, J. Görres) wandte sich der Volksliteratur zu (»Des Knaben Wunderhorn«, 1806–08). Märchenhaft-fantast. Werke schuf E. T. A. Hoffmann. Viele Anregungen gingen von der Volksdichtung aus (Kunstmärchen von W. Hauff, Volksmärchensammlungen der Brüder Grimm). Der spekulativ-idealist. Lyrik der Frühromantik steht die naturinnige Stimmungslyrik der Hoch- und Spätromantik gegenüber (J. von Eichendorff u. a.). Viele von diesen Gedichten, aber auch die des späten Brentano, L. Uhlands, H. Heines u. a. wurden vertont. – Die kunsttheoret. Ansätze der Romantik wurden wesentlich für die Moderne.

19. Jahrhundert (weitere Entwicklung): Bestimmend für das so genannte *Biedermeier* und (ab 1830) das *Junge Deutschland* war die Verunsicherung bezüglich der gesellschaftl. Werte und Normen und der Zusammenstoß von Tradition und Realität. Im Biedermeier wurde das private dem öffentl. Leben vorgezogen; Zurückgezogenheit und Resignation, Melancholie und Verzicht wurden typisch (F. Grillparzer, J. N. Nestroy, A. Stifter, E. Mörike, Annette von Droste-Hülshoff, J. Gotthelf, N. Lenau, die jedoch mit ihrem Gesamtwerk nicht nur das Biedermeier repräsentieren). Für das Junge Deutschland wurden Gesellschafts- und Zeitkritik vorrangig (K. Gutzkow, Heine, L. Börne). Die Zeit des Vormärz fand in der polit. Lyrik (A. H. Hoffmann von Fallersleben, G. Herwegh, F. Freiligrath) ihre dichter. Entsprechung. In den Dramen G. Büchners war eine radikale Abkehr vom klass. Drama und vom klass. Helden vollzogen worden. Dem weltanschaulich-bürgerl. Liberalismus als Versuch einer Versöhnung des Realen mit dem Humanen entsprach ein (poetischer) *Realismus,* der zwar die Beschreibung der komplexen Wirklichkeit erstrebte, aber dennoch im Individuellen das Typische, im Naturhaften das Geistige sichtbar zu machen suchte (im Roman: A. Stifter, G. Keller, W. Raabe, C. F. Meyer, T. Fontane; in der Novelle: T. Storm, Keller, Meyer). Fontane führte den Roman auf die Höhe des krit. Gesellschaftsromans (mit Auswirkungen bes. auf T. Mann). Einziger bed. Dramatiker dieser Zeit war F. Hebbel. Der *Naturalismus* (1880–1900) versuchte die empirisch fassbare Wirklichkeit möglichst naturgetreu abzubilden und damit die Distanz zw. Kunst und »Natur« zu verringern. Mit der Wendung gegen idealist. Positionen (u. a. des poet. Realismus) war auch eine Erschließung neuer Stoffbereiche, v. a. der Lebensumstände der sozial Schwächsten, verbunden, so in den sozialen Dramen G. Hauptmanns. Der Bruch mit dem klassisch-romant. Formenkanon wurde in der Lyrik von A. Holz bes. fruchtbar.

20. Jahrhundert: Noch gleichzeitig mit dem Naturalismus wurden Gegenströmungen maßgeblich, für die Bez. wie Impressionismus, Neuromantik, literar. Jugendstil verwendet worden sind. Sie lassen sich mit der großen internat. Strömung des Symbolismus vergleichen. Die Diskussion der Kunst als Form stand im Vordergrund. Die Lyrik der frz. Symbolisten wurde in Übersetzungen zugänglich gemacht (R. Dehmel, S. George). Auf konservative Erneuerung zielte die Lyrik von George, der aber ebenso wie R. M. Rilke und H. von Hofmannsthal die ästhetizist. Linie verließ und der Dichtung eth. und quasi religiöse Aufgaben zuwies. Für die Epik gelang T. Mann die Synthese von neueren Tendenzen und realist. Tradition; diese blieb auch in den psycholog. Erzählungen von A. Schnitzler wirksam. Die Anklage bürgerl. Moralvorstellungen – schon ein Charakteristikum des Naturalismus – fand ihre Fortsetzung in den Dramen F. Wedekinds wie in der Dramatik des *Expressionismus* (1910–25; G. Kaiser, C. Sternheim, E. Toller; über den Expressionismus hinausweisend E. Barlach und der frühe B. Brecht). Im Zusammenhang mit gesellschaftl. Krisenbewusstsein wurde mit der Negation der bürgerl. Gesellschaft auch eine Erneuerung des Menschen aus schöpfer. Geistigkeit angestrebt, was sich gestalterisch in einer gesteigerten Intensität des Ausdrucks niederschlug (Lyrik von G. Heym, E. Stadler, A. Stramm, G. Trakl). Der *Dadaismus* ging in seiner Protesthaltung gegenüber traditionellen Wertvorstellungen und Darstellungsmitteln noch weiter und proklamierte einen freien Umgang mit den Elementen der Wirklichkeit. In den epocheübergreifenden Romanen von H. Mann, A. Döblin, H. H. Jahnn blieb expressionist. Erbe wirksam. Die vielen, sich individuell ausprägenden literar. Stile lassen sich immer weniger mit verallgemeinernden Begriffen erfassen. Vor dem Hintergrund eines zunehmend komplexer werdenden Lebens kann etwa der Roman u.a. vielschichtige geistig-kulturelle und gesellschaftl. Strömungen spiegeln (T. Mann, H. von Doderer), den Zerfall der Werte einer sich auflösenden Gesellschaft (H. Broch), die Entfremdung des Intellektuellen gegenüber der Gesellschaft thematisieren (R. Musil) oder auch romantisierende Utopien entwerfen (H. Hesse). Die Erfahrung existenziellen Ausgesetztseins artikuliert sich im Werk F. Kafkas. Der Nationalsozialismus zerstörte die Kontinuität der d. L., die zu einem großen Teil nur als →Exilliteratur (1933–45) fortgeführt werden konnte, als solche aber bed. Werke hervorbrachte (u.a. T. Mann »Joseph und seine Brüder«, Romantetralogie; H. Mann »Henri Quatre«, Roman; epische Dramen B. Brechts).

Literatur nach 1945: Die Aufteilung Deutschlands in Besatzungszonen nach dem Krieg und die sich daran anschließende Zweistaatlichkeit führte zur getrennten Entwicklung der d. L. in beiden Staaten. Für viele Schriftsteller war bereits die Wahl ihres Aufenthaltsortes ein Moment ihrer künstler. und weltanschaul. Entscheidung.

deutsche Literatur: Skizzenblatt von Franz Kafka zu seinem Roman »Der Prozeß«

Literatur in der Bundesrep. Dtl. (1949–90): Unter dem Begriff des »Kahlschlags« (W. Weyrauch) suchte man nach 1945 im Anschluss an die Traditionen von vor 1933 und an neue geistige Strömungen einen literar. Neubeginn. Mit Krieg (Heimkehrerproblematik) und Faschismus setzten sich u.a. W. Borchert (im Drama), P. Celan (in der Lyrik), H. Böll (in der Prosa) und G. Eich (im Hörspiel) auseinander. Bedeutung erlangte in dieser Zeit die »Gruppe 47« um H. W. Richter. In den 50er-/60er-Jahren und bis in die 70er-Jahre wurde in der Prosa zunehmend bundesdt. Wirklichkeit gestaltet (W. Koeppen), ausgehend von einer krit. Analyse der Vergangenheit (A. Andersch, G. Grass,

deutsche Literatur: Bert Brecht, Gemälde von Hans Jürgen Kallmann (1956; Köln, Wallraf-Richartz-Museum)

S. Lenz, M. Walser). Man nutzte auch neue künstler. Ausdrucksmittel (W. Hildesheimer, U. Johnson mit seinem zentralen Thema der dt. Teilung sowie – als radikaler Nonkonformist – Arno Schmidt). Der Spannungsbogen der Nachkriegslyrik reichte von der »modernen Klassik« G. Benns über die Naturlyrik im weitesten Sinn (u. a. K. Krolow, Eich), die auf das Subjekt konzentrierte (Ingeborg Bachmann, Rose Ausländer) und die experimentelle Dichtung (→konkrete Poesie; E. Jandl, H. Heißenbüttel, F. Mon) bis zur zeit- und/oder gesellschaftspolitisch engagierten Lyrik (H. M. Enzensberger, P. Rühmkorf, E. Fried u. a.). Mit Beginn der 70er-Jahre jedoch wurden politisch-soziale Themen von einer »neuen Subjektivität« abgelöst (N. Born u. a.). Seit Ende der 60er-Jahre waren zunehmend Biographien und zeitgeschichtl. Rückblicke literarisch gestaltet worden (aus unterschiedl. Positionen: Hildesheimer, Koeppen, E. Canetti, E. Jünger, W. Kempowski). Innerhalb der Bekenntnisprosa nahm die Frauenliteratur einen wichtigen Platz ein (u. a. Karin Struck und Christa Reinig). – Das Hörspiel – zunächst Spiegelbild der dt. Nachkriegszeit – erschloss sich zunehmend weitere Themenbereiche (Eich, Hildesheimer, Bachmann) und wandelte sich in den 70er-Jahren zum Sprechspiel (W. Wondratschek, H. Heißenbüttel). Das Drama wurde nach der unmittelbaren Nachkriegszeit (Borchert) von den Schweizern M. Frisch und F. Dürrenmatt bestimmt. Seit den 60er-Jahren entstanden auch in der Bundesrepublik bed. Dramen, mit polit. Engagement, z. T. auch mit dokumentarischem Charakter (R. Hochhuth, P. Weiss, H. Kipphardt, Grass, Enzensberger); einige Stücke sind dem absurden Theater verpflichtet (Hildesheimer u. a.). Volksstücke mit stark sozialkrit. Akzent schufen u. a. M. Sperr, R. W. Fassbinder, F. X. Kroetz und H. Achternbusch. Der Übergang von polit. zu existenzieller Dramatik wurde u. a. von T. Dorst vollzogen. Der Rückzug auf die Innenwelt brachte eine Phase erneuter Ästhetisierung (P. Handke, B. Strauß). Die (west)dt. Literatur der 80er-Jahre umfasst das breite Spektrum von literar. Selbstverständnis als »Gewissen der Nation« bis zur Postmoderne. In den Alterswerken zahlr. Nachkriegsautoren kamen nochmals die Zeitzeugen der Vergangenheit zu Wort (Böll, Canetti, Grass u. a.). Daneben traten auch zahlreiche jüngere Autoren hervor, als Erzähler u. a. S. Nadolny und P. Süskind. Provokative experimentelle Prosa aus dem Geist der Postmoderne schufen u. a. K. Modick, G. Köpf, R. Goetz und Strauß. Schriftstellerinnen arbeiteten wiederum Zeitprobleme aus der Sicht der Frauen auf (u. a. Gisela Elsner, Gabriele Wohmann, Brigitte Kronauer, Eva Demski). In der Lyrik artikuliert sich ein Gefühl zunehmender Bedrohung der Erde (Fried, Krolow u. a.); das Drama (erfolgreich u. a. mit Süskind, Strauß) setzte auch das sozialkrit. Volkstheater fort (T. Strittmatter). Im letzten Jahrzehnt der dt. Teilung waren die Werke der ihre Erfahrungen nach ihrer Ausbürgerung aus der DDR bzw. nach ihrer Übersiedlung in die Bundesrep. Dtl. aufarbeitenden Autoren wichtige literar. und zeitgeschichtl. Dokumente (J. Becker, Monika Maron, Sarah Kirsch, R. Kunze, W. Biermann, G. Kunert, W. Hilbig).

Literatur in der DDR (1949–90): Schon der Beginn (1949 bis Anfang der 60er-Jahre) war zwiespältig: Einerseits bedeutete er geistigen Aufbruch, Bekenntnis zu Humanismus und Auseinandersetzung mit dem Nationalsozialismus (Anna Seghers, S. Hermlin, S. Heym, J. Bobrowski), andererseits spiegelte er eine allmähl. Ideologisierung, verbunden mit dem Impetus eines erzieher. Auftrags mit literar. Mitteln (W. Bredel, J. R. Becher).

B. Brechts Konzept eines Theaters mit dem Ziel, krit. Bewusstsein zu wecken, spielte dabei eine bed. (und umstrittene) Rolle (Einflüsse Brechts zeigen u.a. die Dramen von H. Müller, V. Braun und P. Hacks); seitdem war der Konflikt zw. Anpassung und Widerstreit bestimmendes Charakteristikum. Die Liedlyrik hatte meist offiziösen Charakter (Kuba, auch L. Fürnberg, Brecht), die so genannten »Produktionsstücke« sollten unmittelbar auf die Realität wirken. Seit den 50er-Jahren dominierte das Bestreben, die Autoren auf das Prinzip des →sozialistischen Realismus zu verpflichten. Resignierend oder unter Druck verließen einige Autoren bereits in dieser Zeit die DDR (u.a. G. Zwerenz, U. Johnson). Schon in den 60er-Jahren spiegelten Romane von Christa Wolf, Brigitte Reimann, E. Strittmatter, G. de Bruyn u.a. in Ansätzen konflikthafte Prozesse der sozialist. Entwicklung; die öffentl. Diskussion über die Zulässigkeit solcher Problematik in der Lit. war von der SED gesteuert. Beispiele für die Anpassung an die offizielle Kulturpolitik einerseits und Leserbedürfnisse andererseits bieten u.a. die Romane von H. Kant. Nachdrücklicher konnte die Lyrik – wenn auch oft in verschlüsselter Form – nach den Möglichkeiten und Defiziten des Individuums in der bereits als existent behaupteten »sozialist. Menschengemeinschaft« fragen (A. Endler, Elke Erb, V. Braun, Kirsch, Kunze, Kunert, K. Mickel). Die Ausbürgerung des Liedermachers W. Biermann 1976, Kampagnen gegen Schriftsteller, deren krit. Werke in westlichen Verlagen erschienen waren (Heym, Rolf Schneider) und die Übersiedlung wichtiger Autoren in die Bundesrep. Dtl. oder ins westl. Ausland (u.a. Jurek Becker, Kirsch, Kunze, T. Brasch, H.J. Schädlich, Kunert, E. Loest) machten die tiefe Krise der DDR auch auf geistigem Gebiet sichtbar. Parallel dazu gelang anderen Autoren eine ästhet. Emanzipation, die sich in der verstärkten Aneignung formaler Möglichkeiten der Moderne und in einer Hinwendung zu mytholog., histor. und fantast. Stoffen äußerte (F. Fühmann, Heym u.a.); maßgebl. Anteil an dieser Entwicklung hatten die Autorinnen (u.a. Irmtraud Morgner, Helga Königsdorf, Helga Schütz). Im Aufgreifen globaler Fragen (atomare Bedrohung, Ökologie, Zivilisationskritik) und in der Reflexion krisenhafter Prozesse in der geschlossenen Gesellschaft der DDR trugen Schriftsteller (C. Hein, Heym, Wolf, de Bruyn u.a.) indirekt zur geistigen Vorbereitung des polit. Umbruchs im Herbst 1989 bei.

Zur Lit. der DDR gehörte auch die →sorbische Literatur.

Die dt. Literatur seit 1990: Mit dem Ende der DDR und der Wiederherstellung der staatl. Einheit Deutschlands zeichnete sich ein grundlegender Wechsel in der ostdt. wie der westdt. Literaturszene ab. Der dt. Einigungsprozess hatte u.a. eine Auseinandersetzung mit der polit. Vergangenheit ehem. DDR-Autoren zur Folge; er forderte von ost- und westdt. Schriftstellern eine künstler. Neubesinnung in einer nun gesamtdt. Literaturlandschaft. Die d. L. der Gegenwart kennt keine klar definierbaren Richtungen und Gruppen; sie zeigt eine Vielfalt ästhet. Konzepte und Schreibweisen ebenso wie gegensätzliche polit. Standpunkte. Als Gemeinsamkeiten können die zivilisationskrit. Grundhaltung, die Skepsis gegenüber vereinfachenden Sinnkonstruktionen und die Verweigerung des einst geläufigen Fortschrittsglaubens gelten.

In den ersten Jahren nach 1989 erschien eine Vielzahl essayist., dokumentar. und autobiograph. Veröffentlichungen sowie Romane und Erzählungen, die persönl. Erfahrungen, u.a. des Umbruchs und der »Wende«, ostdt. Autoren aufarbeiten (von Königsdorf, Endler, Hein, Loest, de Bruyn, Kant, Müller u.a.); auch westdt. Schriftsteller (Peter Schneider, Grass u.a.) legten Texte zur Zeitgesch. vor. Die Vereinigung der beiden dt. Staaten verstärkte auch im literar. Leben das Nachdenken über die »nat. Frage«. Von den arrivierten Autoren wie Walser, S. Lenz, Heym, Enzensberger, Kunze, Walser, Grass u.a. erschienen in den 90er-Jahren weitere wichtige Werke. Immer mehr prägen aber die nach 1945 geborenen Autoren die Literaturszene, neben Köpf und Modick u.a. W. Hilbig, D. Grünbein, B. Spinnen, U. Holbein, M. Biller, Dagmar Leupold, T. Kling, Birgit Vanderbeke, B. Morshäuser, H. Krausser und A. N. Herbst.

📖 MÜLLER, GÜNTHER: *Dt. Dichtung von der Renaissance bis zum Ausgang des Barock. Wildpark-Potsdam 1927, Nachdr. Wildpark-Potsdam u.a. 1957.* – STAMMLER, W.: *Von der Mystik zum Barock 1400–1600. Stuttgart ²1950.* – SCHULTZ, FRANZ: *Klassik u. Romantik der Deutschen, 2 Bde. Stuttgart ³1959.* – *Die d. L., hg. v.* W. KILLY, *7 Bde. in 11 Tlen. München ¹⁻³1966–88.* – *D. L. im 20. Jh. Strukturen u. Gestalten, begr.* H. FRIEDMANN *u.a., hg. v.* O. MANN *u.a., 2 Bde. Bern ⁵1967.* – *Dt. Literatur-Lexikon. Biographisch-bibliograph. Handbuch, begr. v.* W. KOSCH, *hg. v.* H. RUPP *u.a., auf zahlr. Bde. u. Erg.-Bde. ber. Bern u.a. ³1968 ff.* – DUWE, W.: *Dt. Dichtung des zwanzigsten Jh.s. Vom Naturalismus zum Surrealismus, 2 Bde. Zürich ²1969.* – SENGLE, F.: *Biedermeierzeit, 3 Bde. Stuttgart 1971–80.* – *Geschichte der d. L. von den Anfängen bis zur Gegenwart, begr. v.* H. DE BOOR *u.* R. NEWALD, *auf mehrere Bde. ber. München ¹⁻¹¹1973 ff.* – *Die d. L. des Mittelalters. Verfasserlexikon, begr. v.* W. STAMMLER, *fortgef. v.* K. LANGOSCH *u.a., hg. v.* K. RUH *u.a., auf 10 Bde. ber. Berlin ²1978 ff.* – SZYROCKI, M.: *Die d. L. des Barock. Eine Einführung. Stuttgart 1979. Nachdr. Stuttgart 1994.* – *Die Literatur der Bundesrep.*

Deutschland, hg. v. D. LATTMANN, *2 Bde. Aktualisierte Ausg. Frankfurt am Main 1980.* – MARTINI, F.: *D. L. im bürgerl. Realismus 1848–1898. Stuttgart* ^{4}*1981.* – KOHLSCHMIDT, W.: *Geschichte der d. L. vom jungen Deutschland bis zum Naturalismus. Stuttgart* ^{2}*1982.* – *D. L. Eine Sozialgeschichte, hg. v.* H. A. GLASER, *auf mehrere Bde. ber. Reinbek 1.–20. Tsd. 1987ff.* – *Lexikon der deutschsprachigen Gegenwartsliteratur, begr. v.* H. KUNISCH, *fortgef. v.* H. WIESNER, *erg. u. erw. v.* S. CRAMER. *München* ^{2}*1987.* – *Literaturlexikon. Autoren u. Werke dt. Sprache, hg. v.* W. KILLY, *15 Bde. Gütersloh 1988–93.* – WILPERT, G. VON: *Dt. Dichterlexikon. Stuttgart* ^{3}*1988.* – *Lexikon deutschsprachiger Schriftsteller, begr. v.* G. ALBRECHT, *hg. v.* K. BÖTTCHER *u. a., 2 Bde. Neuausg. Leipzig u. a. 1989–93.* – WAPNEWSKI, P.: *D. L. des Mittelalters. Göttingen* ^{5}*1990.* – MARTINI, F.: *Dt. Literaturgeschichte. Stuttgart* ^{19}*1991.* – MAYER, HANS: *D. L. nach zwei Weltkriegen. Berlin 1992.* – BUMKE, J.: *Geschichte der d. L. im hohen Mittelalter. München* ^{2}*1993.* – *Neues Handbuch der deutschsprachigen Gegenwartsliteratur seit 1945, begr. v.* H. KUNISCH, *fortgef. v.* H. WIESNER *u. a., hg. v.* D.-R. MOSER *u. a. Neuausg. München 1993.* – *Geschichte der d. L. von 1945 bis zur Gegenwart, hg. v.* W. BARNER. *München 1994.* – *Metzler-Autoren-Lexikon. Deutschsprachige Dichter u. Schriftsteller vom Mittelalter bis zur Gegenwart, , hg. v.* B. LUTZ. *Stuttgart* ^{2}*1994.* – ARNOLD, H. L.: *Die westdt. Literatur 1945 bis 1990. Neuausg. München 1995.* – *Autorenlexikon deutschsprachiger Literatur des 20. Jh.s, hg. v.* M. BRAUNECK *unter Mitarbeit v.* W. BECK. *Neuausg. Reinbek 34.–43. Tsd. 1995.* – BAUMGART, R.: *D. L. der Gegenwart. Neuausg. München 1995.* – *Geschichte der d. L. vom 18. Jh. bis zur Gegenwart, hg. v.* V. ŽMEGAČ, *2 Bde. in 4 Tlen. Weinheim* ^{4}*1995–96.* – JÄGER, A.: *Schriftsteller aus der DDR. Ausbürgerungen u. Übersiedlungen von 1961 bis 1989. Frankfurt am Main u. a. 1995.* – EMMERICH, W.: *Kleine Literaturgeschichte der DDR. Neuausg. Leipzig 1996.* – *Wende-Literatur. Bibliographie u. Materialien zur Literatur der dt. Einheit, hg. v.* J. FRÖHLING *u. a. Frankfurt am Main u. a. 1996.* – ROTHMANN, K.: *Kleine Geschichte der d. L. Stuttgart* ^{15}*1997.* – WEHRLI, M.: *Geschichte der d. L. im Mittelalter. Von den Anfängen bis zum Ende des 16. Jh.s. Stuttgart* ^{3}*1997.*

Deutsche Lufthansa AG, Abk. **DLH,** dt. Luftverkehrsgesellschaft, gegr. am 6. 1. 1926 durch Zusammenschluss von Junkers Luftverkehr und Dt. Aero Lloyd. Durch techn. und finanzielle Unterstützung ausländ. Gesellschaften und durch flieger. Pioniertaten (Luftpostdienst nach Südamerika) förderte die DLH die Entwicklung des gesamten Luftverkehrs. 1945 stellte sie aufgrund eines Kontrollratsbeschlusses ihren Betrieb ein und wurde am 6. 1. 1953 als AG für Luftverkehrsbedarf (Luftag) neu gegr., seit 1954 heutiger Name. Sitz der Hauptverwaltung ist Köln, der Werft Hamburg, der Betriebsbasis Frankfurt am Main. 1955 wurde der Liniendienst aufgenommen. Der Flugpark (Bestand 1996: 314 Verkehrsflugzeuge) umfasst v. a. Boeing- sowie Airbus-Flugzeuge. Durch das Kooperationsabkommen mit United Airlines, Thai Airways, Air Canada und der SAS (Star Alliance) wurde das Liniennetz 1997 erheblich ausgeweitet. – Tochtergesellschaften und Beteiligungen: Condor-Flugdienst GmbH, Cargolux Airlines International S. A. (24,5 %), Lauda Air (20 %), Sun Express (40 %), DER Dt. Reisebüro (33,2 %), DHL International Ltd. (25 %). Am Kapital der DLH hat der Bund über die Kreditanstalt für Wiederaufbau einen Anteil von 37,5 %, der aber verringert werden soll. (ÜBERSICHT Luftverkehrsgesellschaften)

Deutsche Lufthansa AG

Deutsche Mark (D-Mark), Abk. **DM,** Währungseinheit in der Bundesrep. Dtl.; 1 DM = 100 Deutsche Pfennige (Pf.). Sie löste nach der → Währungsreform vom 20. 6. 1948 die **Reichsmark (RM)** ab. Nach der Währungsreform galt zunächst 1 US-Dollar (US-$) = 3,33 DM, mit Wirkung vom 19. 9. 1949 1 US-$ = 4,20 DM. Dieser Kurs wurde nach Beitritt der Bundesrep. Dtl. (1952) zum Internat. Währungsfonds der offiziellen Parität zugrunde gelegt (1 DM = 0,211588 g Feingold = 0,24 US-$). Mit dem Übergang zu flexiblen Wechselkursen bilden sich seit 1973 die Kurse gegenüber dem US-$ u. a. Währungen frei auf den Devisenmärkten. Feste Wechselkurse besitzt die DM jedoch gegenüber den Mitgl.ländern des → Europäischen Währungssystems. – Mit Wirkung vom 1. 7. 1990 wurde mit der Währungs-, Wirtschafts- und Sozialunion zw. der Bundesrep. Dtl. und der DDR die DM auch in der DDR eingeführt (→ Währungsunion). – Im internat. Devisenhandel rangiert die DM nach dem US-$ auf dem zweiten Platz vor Yen, brit. Pfund und dem Schweizer Franken; 1996 wurden 14 % der Weltdevisenreserven in DM gehalten.

deutsche Mundarten, → Mundarten.

deutsche Musik. Die d. M. entstand in der Auseinandersetzung von heidnisch-german. Musik mit dem Tonsystem der christl. Mittelmeerkultur. Im 8. Jh. wurde über die geistigen Zentren der Kloster- und Domschulen der gregorian. Gesang übernommen, der sich zu einer eigenen, auch Elemente der Volksmusik einschließenden Stilform entwickelte: den Sequenzen und Tropen, die nicht rein vokal, sondern mit Instrumentarium ausgeführt wurden (Notker Balbulus, Tuotilo). Seit dem 12. Jh. entwickelte sich der einstimmige, von Instrumenten begleitete höf. Kunstgesang der Minnesänger (u. a. Heinrich von Morungen, Walther von der Vogelweide, Neidhart von Reuental, Heinrich von Meißen, gen. Frauenlob), den später die Meistersinger als lehrbare Techniken in feste Regeln fassten (→Meistersang, Hans →Sachs). Neben kunstvollen polyphonen Vokalwerken wurden seit der 2. Hälfte des 14. Jh. ausdrucksvolle Liedsätze von schlichter Stimmführung geschaffen. Spielleute und Vaganten musizierten im derbvolkstüml. Ton. Die bedeutendsten Sammlungen der frühen Volkslieder und der mehrstimmigen Gesänge sind das Lochamer Liederbuch (zw. 1450 und 1460) und das Glogauer Liederbuch (um 1480). Das Volkslied wird mit Cantus firmus im Tenor bearbeitet (»Dt. Tenorlied«), so von H. Finck, H. Isaac aus Flandern, L. Senfl, die alle am Kaiserhof wirkten. Im 15. Jh. bildete sich eine eigenständige Orgelmusik (K. Paumann). Der im 16. Jh. von M. Luther und J. Walther geschaffene dt. Choral wurde zum Mittelpunkt der prot. Kirchenmusik.

Den Barock leitete M. Praetorius († 1621) ein, der mehrchörige polyphone Motetten schrieb, dann aber den neuen italien. (monod.) Konzertstil mit Generalbass aufnahm und das prot. Kirchenlied pflegte. H. Schütz verschmolz die italien. Barockform mit polyphoner Satzweise. Neben und nach ihm wirkten u. a. J. H. Schein, S. Scheidt, D. Buxtehude, N. Bruhns, J. J. Froberger, J. Pachelbel. Die erste dt. Oper (»Dafne«, 1627, nicht erhalten) schuf H. Schütz. Im 18. Jh. erreichte die ältere, streng gebaute Polyphonie bei J. S. Bach einen Höhepunkt; zugleich ist bei ihm der neue harmonisch bestimmte Konzertstil ausgebildet. G. F. Händel schuf italien. Opern und Oratorien. Ein weiterer Meister dieser Zeit war G. P. Telemann. Ausgehend von der italien. Opera buffa wandte sich das Singspiel vom Pathos der Barockoper ab. C. W. Glucks Reform der Oper zielte auf eine dem Sinngehalt adäquate »wahre« dichterisch-musikal. Aussage ab. Der musikalische Satz der →Mannheimer Schule bildete eine der Voraussetzungen für die Entstehung der Wiener klass. Musik.

Um 1780 wurde Wien zum musikal. Zentrum (→Wiener Klassik). Die Instrumentalmusik erlangte durch die Ausbildung des Sonatensatzes in Sinfonie, Sonate und Streichquartett klass. Gestalt. J. Haydn schuf das volkstüml. Oratorium, W. A. Mozart führte die Gattungen von Opera seria, Opera buffa und Singspiel auf den Höhepunkt, und L. van Beethoven erreichte in seinen Werken eine neue Individualität des Ausdrucks. Der bedeutendste Vertreter der Frühromantik, F. Schubert, war ein Meister des Lieds, das R. Schumann, J. Brahms und H. Wolf weiterentwickelten.

In der Musik der Romantik trat die Darstellung von Stimmungen in den Vordergrund. C. M. von Weber schuf die erste romant. Oper (»Freischütz«, 1821); A. Lortzing widmete sich bes. der Spieloper. In der Klaviermusik bildeten Schubert, Schumann und F. Mendelssohn Bartholdy das Stimmungs- und Charakterstück aus. Brahms und A. Bruckner führten die Tradition der Sinfonie fort. An seinem Lehrer Bruckner orientiert ist das sinfon. Werk G. Mahlers. M. Reger griff auf die Kunst J. S. Bachs zurück. Veränderungen in der Orchestermusik brachten F. Liszt und R. Wagner durch die Verbindung von Musik und Poesie. Wagner schuf eine neue Opernform des musikalisch-dramat. Gesamtkunstwerks, Liszt entwickelte die Programmmusik, die bis zu R. Strauss u. a. weiterwirkte. Strauss führte auch das Musikdrama fort.

Um 1900 begann A. Schönberg, die übernommenen harmon. Schemata aufzulösen. Durch die von der übersteigerten chromat. Harmonik der vorausgehenden Zeit mitbedingte Atonalität (→atonale Musik) und →Zwölftontechnik wies er der Musikentwicklung neue Wege. Zu seinen Schülern zählen u. a. A. (von) Webern, A. Berg und H. Eisler. Ein Repräsentant des an älteren Vorbildern orientierten Neoklassizismus war P. Hindemith. C. Orff, dessen Werk ebenfalls entscheidende Anregungen von der älteren Musik bekam, wurde durch sein Schulwerk und sein neuartiges Instrumentarium bekannt. Weitere Vertreter dieser Generation sind u. a. E. Krenek, W. Egk, B. Blacher und W. Fortner.

Während eine Reihe von jüngeren Komponisten nach 1945, wie H. W. Henze, trotz aller Neuerungen an traditionellen Satztypen festhielt, ver-

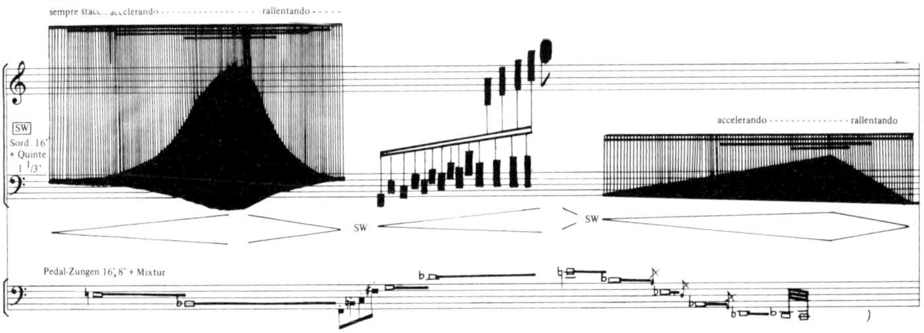

deutsche Musik: Notation der »Improvisation sur E. B.« für Orgel (1971) von Werner Jacob zichteten die Komponisten der seit 1950 entwickelten →seriellen Musik und der →elektronischen Musik auf wesentl. Elemente des überkommenen Tonsatzes wie Thematik und Durchführung, schließlich auch auf geschlossene Form. Dies führte u.a. zu neuartigen Notationsweisen bis zur →musikalischen Grafik. Zunehmend wurde bei der Suche nach neuen Tonmaterialien und kompositor. Verfahrensweisen auch empirisch-experimentell vorgegangen, z.B. in der aleator. Musik (→Aleatorik), die die Ausführung weitgehend dem Interpreten und damit zufälliger, improvisator. Gestaltungsweise überlässt. Mitunter wird der Umgang mit vorgegebenen Elementen auch dem Computer (→Computermusik) überlassen. Zu einem wichtigen Bestandteil der Aufführungsweise neuer Kompositionen wurde die →Live-Elektronik. Vertreter der Neuen Musik nach dem 2. Weltkrieg sind u.a. B. A. Zimmermann, G. Ligeti (ungar. Herkunft), K. Stockhausen, D. Schnebel, M. Kagel (argentin. Herkunft), H. Lachenmann, A. Reimann, N. A. Huber.

In den 70er-Jahren widmeten sich avantgardist. Kreise bes. der →experimentellen Musik, so der Kunst des →Multimedia, andererseits sind auch Bemühungen von Komponisten um eine neue Ausdrucksmusik expressiver, teils lyr. Art anzutreffen. Neben der reichen Instrumentalmusik wurde (bes. durch K. Stockhausen) die szen. Musik (→instrumentales Theater) weiterentwickelt. Seit etwa 1975 ist die Richtung der →Neuen Einfachheit durch ein Streben nach unmittelbarer Expressivität und z.T. einen Rückgriff auf traditionelle (z.B. spätromant.) Stilelemente gekennzeichnet (P. M. Hamel, M. Trojahn, W. Rihm, H.-J. von Bose u.a.). Bei manchen Komponisten macht sich eine neue Religiosität bemerkbar, z.B. bei A. Pärt (estn. Herkunft) und K. Stockhausen (mit seinem Zyklus »Licht«). Darüber hinaus wird das Musikleben, das bisher bis auf wenige Ausnahmen (Ruth Zechlin, Grete von Zieritz) von Männern dominiert wurde, zunehmend von Komponistinnen bereichert (u.a. Carola Bauckholt, Susanne Erding, Babette Koblenz). Weitere Vertreter heutiger d.M. sind u.a.: H. U. Engelmann, H. Otte, W. Killmayer, P.-H. Dittrich, W. Heider, S. Matthus, R. Kunad, H.-J. Hespos, T. Medek, J. G. Fritsch, V. D. Kirchner, R. Gehlhaar, U. Zimmermann, Y. Höller, P. M. Hamel.

📖 DAHLHAUS, C.: *Klass. u. romant. Musikästhetik. Laaber 1988.* – DAMMANN, R.: *Der Musikbegriff im dt. Barock. Laaber* [3]*1995.* – BRAUN, W.: *Die Musik des 17. Jh.s. Sonderausg. Laaber 1996.* – DAHLHAUS, C.: *Die Musik des 19. Jh.s. Sonderausg. Laaber 1996.* – DANUSER, H.: *Die Musik des 20. Jh.s. Sonderausg. Laaber 1996.* – *Die Musik des 18. Jh.s, hg. v.* C. DAHLHAUS. *Sonderausg. Laaber 1996.* – *Die Musik des 15. u. 16. Jh.s, hg. v.* L. FINSCHER. *Sonderausg. Laaber 1996.* – *Die Musik des Mittelalters, hg. v.* HARTMUT MÜLLER *u.* R. STEPHAN. *Sonderausg. Laaber 1996.*

deutsche Nation, die (sprachlich, kulturell oder politisch verstandene) Nation der Deutschen.

Als sprachl. und polit. Gemeinschaft entwickelte sich die d. N. vom 9. bis zum 15. Jh. Im Hoch-MA. galt (in Abhebung von der ital. und burgund. Krone) die Bez. Regnum Teutonicum (Dt. [König-]Reich); seit dem 15. Jh. wurde dem Titel des Hl. Röm. Reiches der Zusatz **deutscher Nation** hinzugefügt (→Heiliges Römisches Reich). Diese d. N. war in den Reichsständen (Kurfürsten, Fürsten, Reichsstädte) des Reichstags, in den Reichskreisen und in der Reichsritterschaft sichtbar. Sprach- und Reichsgrenzen deckten sich nicht. Nach dem Zusammenbruch des Hl. Röm. Reichs (1806) und den Befreiungskriegen 1813/14 wurde die Frage der d. N. zur polit. Frage: Die dt. Liberalen forderten die im Dt. Bund (1815) nach ihrer Ansicht nicht verwirklichte Einheit der d. N. Die Bewegung gipfelte in der Revolution von 1848/49. – Die Frage eines dt. Nationalstaats wurde 1866 (→Deutscher Krieg) militärisch entschieden: Die österr. Deutschen wurden staats- und völkerrechtlich ausgeschlossen; nach dem Sieg über Frankreich wurde 1871 das **Deutsche Reich** unter preuß. Führung gegründet (kleindt. Lösung). Doch blieb die Gleichsetzung von Reichs- und Nationszugehörigkeit nach 1871 umstritten, weil Menschen nichtdeutschen Nationalbekenntnisses (z.B. Polen) in das Reich einbezogen waren und weil die Deutschen Österreichs vielfach an ihrer Zugehörigkeit zur d. N. festhielten. Die mangelnde Identifizierung der d. N. mit zeittyp. Verfassungslösungen sowie das Auftreten von Ideologien und Weltmachttendenzen, bes. die propagandist. Ausnutzung des Nationalen im →Nationalsozialismus, haben dann zu einer Krise im Verständnis der d. N. geführt.

Nach dem Zusammenbruch des Dt. Reiches (1945) stellte die weitere Entwicklung in den vier Besatzungszonen und in den vier Sektoren Berlins mit der Gründung der Bundesrep. Dtl. und der DDR (1949) die Frage nach dem Fortbestand von dt. Staat und d. N. In der *DDR* wurde zunächst an einer gesamtdt. Staatskonzeption festgehalten (Verf. von 1949); mit der Zweistaatentheorie (seit 1955), dem Staatsbürgerschafts-Ges. von 1967 und der Verf. von 1968 (Präambel) wurde die staatl. Eigenständigkeit propagiert. Dennoch gelang es der Staats- und SED-Führung letztlich nicht, die seit 1970/71 (gipfelnd in der Verf.änderung von 1974) postulierte These von einer allein auf diesen Staat bezogenen »sozialist. Nation« anstelle der traditionellen Vorstellung von einer einheitl. d. N. in der Bev. zu verankern. Das Bekenntnis des GG der

Bundesrepublik Dtl. zur rechtlich fortdauernden, (1945/49–90) nur tatsächlich beeinträchtigten Existenz der staatl. Einheit und zum Fortbestand der d. N. (Art. 116 GG) bildete die Grundlage zur Wiederherstellung eines einheitl. dt. Nationalstaates im Zuge des dt.-dt. Einigungsprozesses (Beitritt der DDR zur Bundesrep. Dtl. nach Art. 23 GG mit Wirkung vom 3. 10. 1990; →deutsche Geschichte).

Deutschendorf, Stadt in der Slowakei, →Poprad.

Deutschenspiegel (Spiegel deutscher Leute), süddt. Rechtsbuch, teils freie Bearbeitung, teils oberdt. Übersetzung des Sachsenspiegels (um 1275).

Deutsche Olympische Gesellschaft, Abk. **DOG,** 1951 gegr. zur Pflege der olymp. Idee, Sitz: Frankfurt a. M.

deutsche Ostgebiete, Bez. für die Teile des ehemaligen dt. Reichsgebietes zw. der →Oder-Neiße-Linie im W und der Reichsgrenze von 1937 im O (→Deutschland); wurden aufgrund des →Potsdamer Abkommens vorbehaltlich der Regelung durch einen Friedensvertrag unter poln. bzw. sowjet. Verwaltung gestellt: Ostpreußen, fast ganz Schlesien, der größte Teil von Pommern und ein Teil Brandenburgs, insgesamt 114296 km² mit (1939) 9,56 Mio. Ew. Die dt. Bevölkerung wurde zum größten Teil ausgewiesen (→Vertriebene); nur rd. 800000 Deutsche (Polendeutsche) sind zurückgeblieben. Polen und die Sowjetunion besiedelten diese Gebiete neu. Mit dem →Zwei-plus-vier-Vertrag (in Kraft seit dem 15. 3. 1991) und dem →Deutsch-Polnischen Grenzvertrag (in Kraft seit dem 16. 1. 1992) gab Dtl. völkerrechtlich verbindlich seinen Anspruch auf die d. O. auf. Der →Deutsch-Polnische Vertrag über gute Nachbarschaft und freundschaftliche Zusammenarbeit (in Kraft seit dem 16. 1. 1992) erkennt die Existenz einer dt. Minderheit in Polen an. Zugleich wurde eine grenznahe Zusammenarbeit vereinbart.

deutsche Ostsiedlung (deutsche Ostbewegung, deutsche Ostkolonisation, ostdeutsche Siedlung), im MA. die Besiedlung sowie wirtsch. und kulturelle Erschließung der Gebiete östlich der als Folge der Völkerwanderung entstandenen ethn. Grenzen zw. german. (später dt.) und slaw. Stämmen in Mitteleuropa. Die d. O. erfolgte durch dt. Fürsten, Ritter, Mönche, Bauern, Bürger und Bergleute, ohne direkte Einflussnahme des Königtums. Dabei standen mehr wirtsch. Interessen, nur in Teilgebieten Missionierung im Vordergrund. Die d. O. setzte um die Mitte des 8. Jh. im O-Alpengebiet ein, getragen vom Stammesherzogtum und der Kirche Bayerns (Pannon. Mark, bayr. Ostmark, heutiges Kärnten). Im NO hatte das Karolingerreich westlich von Elbe und Saale die eingedrungenen Slawen integriert; die Marken jenseits der Flüsse gingen um 900, endgültig nach ihrer Erneuerung durch die Ottonen im N infolge der Slawenaufstände (983/1066) verloren (außer Mark Meißen). Elbe und Saale blieben bis zum 12. Jh. die Grenze zw. Deutschen und Slawen. Im S konnte sich die Markenorganisation zw. Saale und Bober bzw. Queis halten. Bäuerl. Siedlung ging allerdings nur im O-Alpengebiet und an der Donau weiter.

Östlich der Saale begann die d. O. erst im 12. Jh., bedingt durch Übervölkerung v. a. der nordwestdt. Gebiete, eingeleitet bes. durch die wettin. Markgrafen von Meißen, die Verwalter des stauf. Reichsgutes im Vogtland, die Bischöfe und Klöster. Im N folgten dem Gebietserwerb der Erzbischöfe von Magdeburg, der Grafen von Holstein und der askan. Markgrafen von Brandenburg im 12. Jh. rasche Siedlungswellen. Die sich dem Reich anschließenden Fürsten von Mecklenburg und Rügen öffneten im 13. Jh. ihre Länder dt. Siedlern. Weiter im O waren es einheim. Fürsten, die durch polit. und familiäre Anlehnung an Dtl. ihre Herrschaft und Selbstständigkeit zu sichern suchten (Pommern, Schlesien). Im stets dem Reich zugerechneten Böhmen, seit dem 11. Jh. von Deutschen

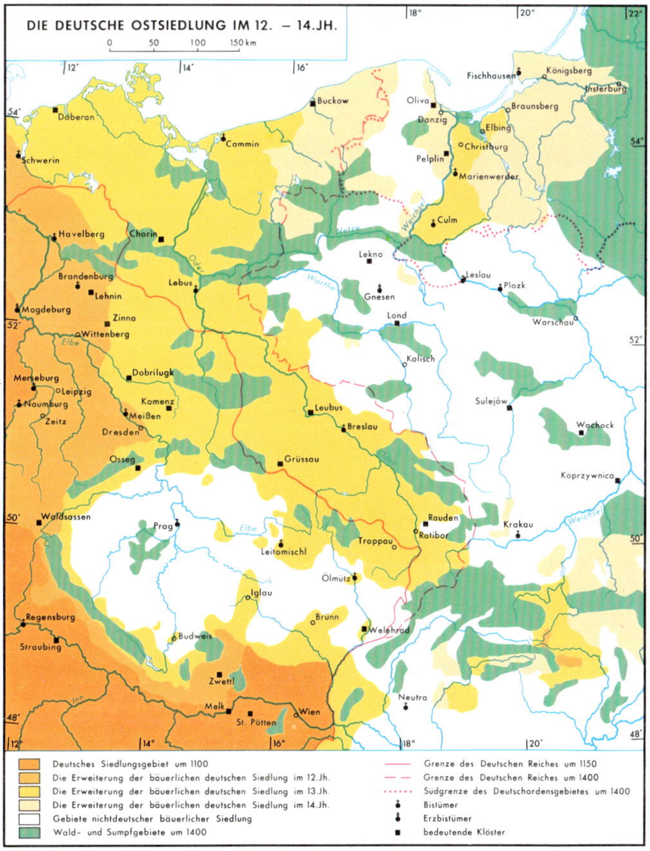

besiedelt, erfolgte im 13. Jh. eine neue Siedlungswelle. In Polen und Ungarn, die schon im 11. Jh. die dt. Oberhoheit abschütteln konnten, fand dennoch im 13. Jh. ein starker Zustrom dt. Bürger und Bauern statt (in Ungarn die sog. Zipser und Siebenbürger Sachsen). Durch Herzog Konrad I. von Masowien wurde 1226 der →Deutsche Orden ins Culmer Land gerufen; im eigentl. Preußen folgte die d. O. der militär. Inbesitznahme durch den Dt. Orden (nach der Missionierung Städtegründungen, Ansiedlung von Bauern). In Livland und Kurland, seit 1237 im Besitz des Ordens, blieb die d. O. auf die Städte und den Adel beschränkt.

Die d. O. wurde in den Anfängen als eine Art Gruppenlandnahme realisiert, die östlich der Elbe der militär. Eroberung folgte. Vom 12. Jh. ab war sie ein partnerschaftlich-vertragsrechtl. Unternehmen, vereinbart zw. Landgeber (Landes- bzw. Grundherr) und Siedler bzw. Bürger. Siedlungsunternehmer (Lokatoren) holten gegen besondere Vergünstigungen bäuerl. oder bürgerl. Siedler, organisierten die Ansiedlung und leiteten das Gemeinwesen. Die Ansiedlung erfolgte »nach dt. Recht« (noch bevor es im Reich ein gesamtdt. Recht gab), das persönl. Freiheit, weitgehende Verfügbarkeit des Besitzes, feste Zinsabgaben statt Dienstleistungen und eigene Gerichtsbarkeit beinhaltete. Seit der 2. Hälfte des 14. Jh. ließ die d. O. nach, bes. wegen der großen Bevölkerungsverluste durch die Pest von 1347/48–52, als dadurch die Zuwanderungen ausblieben. Mit Beginn der Neuzeit wurde die Besiedlung des dt. NO von Brandenburg-Preußen aus planmäßig staatlich gelenkt, v. a. unter dem Großen Kurfürsten (Havelland, Pommern, Ostpreußen) und Friedrich d. Gr. (Schlesien, Westpreußen; Urbarmachung des Oder-, Warthe- und Netzebruchs). Besondere Bedeutung kam der Aufnahme von Glaubensflüchtlingen zu (Hugenotten, Schweizer, Pfälzer, Salzburger).

In Ungarn löste das Zurückweichen der Türken nach 1718 eine groß angelegte staatl. Siedlungspolitik aus (dt. Siedlungen in der »Schwäb. Türkei« zw. unterer Drau und Donau sowie im Gebiet um Sathmar und Carei [Sathmarer Schwaben]). Weitaus planmäßiger war seit den 1760er-Jahren das große Siedlungswerk Maria Theresias und Josephs II. im Banat (Banater Schwaben), wo neben Bauern auch ein städt. Bürgertum Fuß fassen konnte. Weitere Siedlungsaktionen wurden in der Batschka (etwa 1748–70 und 1784–87), in O-Galizien (seit 1781) und danach in der Bukowina durchgeführt. Nach Russland (Wolgagebiet um Saratow, Schwarzes Meer, Krim, Kaukasus, später Bessarabien u. a.) zogen viele Bauern, nachdem Katharina II. mit ihrem Ansiedlungsmanifest (1763) Kolonisten große Vergünstigungen zugesagt hatte. (→Deutsche)

📖 ERLEN, P.: *Europ. Landesausbau u. mittelalterl. dt. Ostsiedlung. Marburg 1992.*

Deutsche Partei, Abk. **DP,** 1947 hervorgegangen aus der welfisch orientierten **Niedersächs. Landespartei;** konservativ, föderalistisch; 1949–60 in der Bundesregierung vertreten, ging 1961 in der Gesamtdt. Partei auf.

Deutsche Pfandbriefanstalt, →DePfa-Bank.

deutsche Philosophie. Schon an der Ausbildung der mittelalterl. Philosophie, bes. seit dem 13. Jh., waren dt. Philosophen beteiligt. Albertus Magnus begründete die aristotel. Scholastik. Meister Eckart schuf eine spekulative Mystik. Mit seinem universalist. Unendlichkeitsdenken nahm Nikolaus von Kues wichtige Gedanken der neuzeitl. Philosophie vorweg. Melanchthons Systematisierung der Lutherschen Aussagen hatte zunächst aber eine Wiederherstellung des Aristotelismus, insbes. an prot. Universitäten, zur Folge.

Im 16. und 17. Jh. waren in Deutschland Naturrechtslehren (H. Grotius, J. Althusius, S. Pufendorf, C. Thomasius), Theosophie (J. Böhme) und Naturphilosophie (Paracelsus, Agrippa von Nettesheim) bes. lebendig.

Der erste universale dt. Denker der Neuzeit war G. W. Leibniz. Er verarbeitete das gesamte Ideengut seiner Zeit; die Wirkung seiner Lehren reicht bis in die Gegenwart. Im dt. Geistesleben des 18. Jh. (→Aufklärung) übernahm die Philosophie eine führende Rolle, bes. durch die schulbildende Lehrtätigkeit C. Wolffs (in der Nachfolge von Leibniz), der ein geschlossenes System der Philosophie in dt. Sprache schuf (Rationalismus). Durch Gottsched wurden seine Lehren auf die Literatur übertragen. Wolffs Schüler A. G. Baumgarten begründete die Ästhetik als selbstständige Wissenschaft.

Durch das Bekanntwerden des engl. Empirismus, die Veröffentlichung der Werke von Leibniz und den hohen Stellenwert der Kosmologie Newtons wurde die weitere Entwicklung entscheidend beeinflusst. Die philosoph. Begründbarkeit der Mechanik und deren Verträglichkeit mit der christl. Dogmatik wurden zu bewegenden Problemen. C. A. Crusius, J. H. Lambert, der junge I. Kant und bes. L. Euler wirkten in diesen Auseinandersetzungen bahnbrechend. Mit Kants »Kritik der reinen Vernunft« (1781) begann die »kopernikan. Wende« in der Philosophie. Wie Descartes und Leibniz nahm er den Bestand der Naturwiss. (Newton) zum Ausgangspunkt, stellte jedoch die Frage nach den Bedingungen der Möglichkeit von Naturerkenntnis. Er begrenzte die Tragweite beweisbarer Erkenntnis auf das Gebiet der Erfahrung. Diese verstand er als Verarbeitung von sinnlich Gegebenem durch die im Verstand vorhandenen aprior. Erkenntnisformen (Anschauungsformen von Raum und Zeit, Kategorien). Die alte rationalist. Metaphysik war damit als Scheinwiss. hingestellt, ihre Hauptinhalte Gott, Freiheit und Unsterblichkeit wurden zu bloßen »regulativen Ideen« und »Postulaten« der theoret. Vernunft. Diese krit. Transzendentalphilosophie, die in J. G. Hamann, J. G. Herder und F. H. Jacobi Gegner fand, leitete die Blütezeit der d. P. ein. In den mannigfachen Auseinandersetzungen um Kants Lehren, an denen Denker wie K. L. Reinhold, F. Schiller, J. S. Beck, S. Maimon, G. E. Schulze (Pseudo »Aenesidemus«) beteiligt waren, bahnte sich bes. in J. G. Fichtes »Wissenschaftslehre« von 1794 die Philosophie des →deutschen Idealismus an, die, von F. W. Schelling und G. W. F. Hegel ausgebildet, den Höhepunkt in der d. P. darstellt.

Nach dem Tod Hegels zerfiel seine Schule (→Hegelianismus), die idealist. Metaphysik trat zurück. Hegel wirkte in den meisten europ. Ländern jedoch weiter schulbildend. Welthistor. Bedeutung erlangte die »linke« Hegelschule mit L. Feuerbach, Moses Hess, M. Stirner, D. F. Strauß und K. Marx. Auch in der Theologie (F. C. Baur), der Philosophiegeschichtsschreibung (E. Zeller, K. Fischer) und der späteren philosoph. Spekulation blieb Hegels Einfluss lebendig. Mit dem Niedergang der idealist. Philosophie gewannen in krit. Auseinandersetzung Denker wie F. Schleiermacher, J. F. Fries, J. F. Herbart, F. A. Trendelenburg und F. T. Vischer an Geltung. Schärfster Gegner der Philosophie Fichtes, Schellings und bes. Hegels wurde A. Schopenhauer mit seiner an Kant anknüpfenden, diesen aber umdeutenden Philosophie. In Ablehnung des dt. Idealismus suchte F. Brentano auf der Grundlage der Psychologie eine wissenschaftlich-empir. Begründung der Philosophie und wirkte damit bes. auf die Phänomenologie. Neben dem Einfluss der Naturwiss. auf die Philosophie (R. Avenarius, E. Mach) entwickelten sich antirationalist. Tendenzen: Voluntarismus (W. Wundt), Lebensphilosophie (W. Dilthey, F. Nietzsche), Vitalismus (H. Driesch). Eine biologistisch bestimmte Morphologie der Geschichte entwarf O. Spengler. Die Erneuerung idealist. und aristotel. Lehren (G. Th. Fechner, A. Trendelenburg) führte zur Überwindung des naturwiss. Materialismus L. Büchners, J. Moleschotts, E. Haeckels u. a. Die Versuche, systemat. Philosophie und Naturwiss. zu vereinen (R. H. Lotze, E. von Hartmann), gipfelten im →Neukantianismus (H. Cohen, P. Natorp, E. Cassirer, H. Rickert, W. Windelband); sie wurden bes. vom →Positivismus (Wiener Kreis: M. Schlick, R. Carnap, O. Neurath) bekämpft. G. Frege wurde zum Begründer einer mathemat. Logik. Einen selbstständigen Weg in der erkenntniskrit. Auseinandersetzung mit dem Psychologismus ging E. Husserl (→Phänomenologie). Seine Lehre wurde von M. Scheler zu einer personalen Wertethik (→Anthropologie), von N. Hartmann zu einer Schichtenlehre des Seins (→Ontologie) von Hedwig Conrad-Martius zur Realontologie und von M. Heidegger, ähnlich auch von K. Jaspers, zur →Existenzphilosophie fortgebildet. Eine hermeneut. Methode der Geisteswiss. entwickelte H. G. Gadamer aus der Philosophie Heideggers (→Hermeneutik). Weitere Tendenzen liegen in einer Wendung zur seit Scheler wieder aufgegriffenen philosophischen Anthropologie (A. Gehlen, H. Plessner), zur Soziologie (→kritische Theorie; →Frankfurter Schule: T. W. Adorno, M. Horkheimer, H. Marcuse, J. Habermas) und zur Sprachphilosophie, die in ihrer Intention über eine philosoph. Teildisziplin hinauswächst: Reflexion über die Sprache wird als zentrale und z. T. einzige Aufgabe der Philosophie angesehen (L. Wittgenstein, W. Stegmüller, E. Tugendhat). Letztere und eine mehr logistisch-wissenschaftstheoret. und methodolog. Orientierung, v. a. in Gestalt des →kritischen Rationalismus, nahmen ihre Anregungen vorwiegend aus dem angelsächs. Raum (bes. K. R. Popper, P. Feyerabend). Auf dem Boden des dialekt. Materialismus entwickelte E. Bloch eine »Philosophie der Hoffnung«. Die Auseinandersetzung zwischen kritischem Rationalismus (v. a. H. Albert) und kritischer Theorie (J. Habermas) im Positivismusstreit setzte Impulse für die Weiterentwicklung von Wissenschaftstheorie und Sozialphilosophie, ebenso die Diskussion zwischen Systemtheorie (N. Luhmann) und der Theorie des kommunikativen Handelns (J. Habermas). Weitere wichtige Felder gegenwärtiger d. P. sind Ethik und Metaethik (H. Jonas, G. Patzig, Tugendhat), dialog. Logik (P. Lorenzen/K. Lorenz), Religionsphilosophie (K. Albert, H. Lübbe, H. Blumenberg), Naturphilosophie (C. F. von Weizsäcker) und konstruktivist. Wissenschaftstheorie (P. Lorenzen, W. Kamlah).

📖 KRONER, R.: *Von Kant bis Hegel, 2 Bde. Tübingen ³1977.* – BAUMGARTNER, H. M. *u.* SASS, H.-M.: *Philosophie in Deutschland 1945–1975. Frankfurt am Main ⁴1986.* – STEGMÜLLER, W.: *Hauptströmungen der Gegenwartsphilosophie, 4 Bde. Stuttgart ¹⁻⁸1987–89.* – *Dt. Philosophen 1933, hg. v.* W. F. HAUG. *Hamburg 1989.* – HINDLER, P.: *D. P. Wien 1991.* – SCHULZ, WALTER: *Philosophie in der veränderten Welt. Pfullingen ⁶1993.* – STURLESE, L.: *Die d. P. im Mittelalter. A. d. Italien. München 1993.* – LÖWITH, K.: *Von Hegel zu Nietzsche. Der revolutionäre Bruch im Denken des neunzehnten Jh.s. Neuausg. Hamburg 1995.*

Deutsche Physikalische Gesellschaft, Abk. **DPG,** Fachorganisation der dt. Physiker mit Sitz in Bad Honnef. Sie geht auf die 1845 gegr. Physikal. Ges. zu Berlin zurück; nach dem 2. Weltkrieg regional wieder gegründet; 1950 Zusammenschluss

Deutscher Gewerkschaftsbund

Industriegewerkschaft Bauen – Agrar – Umwelt

Industriegewerkschaft Bergbau und Energie

Industriegewerkschaft Chemie – Papier – Keramik

Gewerkschaft der Eisenbahner Deutschlands

Gewerkschaft Handel, Banken und Versicherungen

Gewerkschaft Holz und Kunststoff

Gewerkschaft Leder

zum Verband Dt. Physikal. Gesellschaften, 1963 wieder D. P. G.; ca. 30 000 Mitglieder. Gesellschaftszweck: Förderung der reinen und angewandten Physik und Verbreitung ihrer Forschungsergebnisse.

Deutsche Post, die Post im Vereinigten Wirtschaftsgebiet 1947–50, seit 1950 Deutsche Bundespost.

Deutsche Post AG, im Zuge der Umstrukturierung des Post- und Fernmeldewesens (→Postreform) 1989 aus der Dt. Bundespost unter der Bez. Dt. Bundespost Postdienst hervorgegangenes Unternehmen für Kommunikation, Transport und Logistik, AG mit dem jetzigen Namen seit 1. 1. 1995; Sitz: Bonn. Das Grundkapital der D. P. AG wird vom Bundes-Min. für Post und Telekommunikation gehalten, soll aber bis zum Jahr 2000 durch einen Börsengang teilprivatisiert werden.

Im Geschäftsbereich Briefpost wurden von der D. P. AG 1996 im Tagesdurchschnitt (werktäglich) 65 Mio. Briefsendungen bearbeitet, wobei v. a. die Infopost-Sendungen (adressierte Werbesendungen) stark zugenommen haben. Von der Frachtpost wurden täglich rd. zwei Mio. Sendungen bearbeitet. Mit ihren rd. 33 000 stationären und mobilen Vertriebsstützpunkten (Filialen, den früheren Postämtern, Agenturen, Mobiler Postservice), die auch von der Dt. Postbank AG genutzt werden (»Schalterverbund«), verfügt die D. P. AG über das größte Vertriebsnetz in Dtl. Dienstleistungen der D. P. AG werden auch von über 4500 entsprechend ausgestatteten Schreibwaren- oder Lebensmittelgeschäften (»Postagenturen«) angeboten. Mit 285 000 Beschäftigten erzielte die D. P. AG 1996 einen Gesamtumsatz von 26,7 Mrd. DM.

Deutsche Postbank AG, im Zuge der Umstrukturierung des Post- und Fernmeldewesens (→Postreform) 1989 aus der Dt. Bundespost unter der Bez. Dt. Bundespost Postbank hervorgegangenes Kreditinstitut, AG mit jetzigem Namen seit 1. 1. 1995; Sitz: Bonn. Die D. P. AG wird von einer Zentrale geleitet, der die 14 Postbank-Niederlassungen (frühere Postgiroämter; zusätzlich eine Niederlassung in Luxemburg) unterstehen. Aufgrund eines Vertriebsverbundes mit der Dt. Post AG (»Schalterverbund«) kann die D. P. die Postfilialen nutzen. Das Grundkapital der D. P. beträgt 800 Mio. DM, es wird vom Bundes-Min. für Post und Telekommunikation gehalten. Dem Bund ist eine bis Ende 1998 befristete Sperrminorität (25 % plus eine Aktie) angesichts der beabsichtigten Privatisierung gesetzlich eingeräumt. Bei einer Konzernbilanzsumme von 106,8 Mrd. DM und rd. 14 800 Beschäftigten 1996 hatte die D. P. 4,2 Mio. Girokonten mit einem Sichtguthaben von 27,9 Mrd. DM und 20,4 Mio. Sparkonten mit einem Einlagevolumen von 97,3 Mrd. DM.

Deutsche Presse-Agentur GmbH, →dpa.

Deutscher Akademischer Austauschdienst e. V., Abk. **DAAD,** gemeinnütziger Verein, der der Pflege der Beziehungen zum Ausland auf wiss. und pädagog. Gebiet dient. Er fördert u. a. den Austausch von Dozenten und Studenten. Die Mittel werden von Bund, Ländern, der Wirtschaft und Spendern aufgebracht. Der DAAD wurde 1931 in Berlin gegr., 1950 in Bad Godesberg wieder gegr., Sitz: Bonn.

Deutscher Bauernverband e. V., Abk. **DBV,** Spitzenverband der Bauernverbände in den einzelnen Bundesländern, gegr. 1948, Sitz: Bonn.

Deutscher Beamtenbund, Abk. **DBB,** gewerkschaftl. Spitzenorganisation der Beamten in Dtl., 1918 als Interessenvertretung der dt. Beamten gegr., (1994) rund 1,1 Mio. Mitgl.; Sitz: Bonn.

Deutscher Bücherbund GmbH & Co, Buchgemeinschaft; 1876 gegr. als »Bibliothek der Unterhaltung und des Wissens«, 1937 von G. von Holtzbrinck übernommen, 1948–59 als »Stuttgarter Hausbücherei« wirkend; 1989 Übernahme durch die Kirch-Gruppe, 1992 gingen die Mehrheitsanteile an die Bertelsmann AG über.

Deutscher Bund, 1815–66 bestehender Zusammenschluss der souveränen dt. Fürsten und freien Städte als Staatenbund (→deutsche Geschichte).

Deutscher Bundestag, →Bundestag.

Deutscher Bundeswehr-Verband e. V., Interessenverband, gegr. 1956, vertritt die ideellen, sozialen und berufl. Interessen der Soldaten während und nach ihrer Dienstzeit; Sitz: Bonn-Bad Godesberg.

Deutscher Caritasverband, Abk. **DCV,** →Caritas.

Deutsche Reichsbahn, Abk. **DR, 1)** die Staatsbahnen des Dt. Reichs 1920–45. Die dt. Eisenbahnen wurden erstmalig im 1. Weltkrieg unter eine gemeinsame Kriegsbetriebsleitung gestellt. Nach 1918 erklärten sich die dt. Einzelstaaten mit der Aufgabe ihres Staatsbahnbesitzes einverstanden (Reichs-Ges. vom 1. 4. 1920). Die Not-VO vom 12. 2. 1924 schuf im Zusammenhang mit den Reparationen das selbstständige Unternehmen DR als Sondervermögen des Reichs, das am 1. 10. 1924 in die Dt. Reichsbahn-Gesellschaft überführt wurde. Sie verwaltete die Reichseisenbahnen als Betriebsgesellschaft für das Reich, das Eigentümer blieb. Wert des Anlagekapitals (1930): 26,287 Mrd. RM. Die Länge der Betriebsanlagen betrug 1932: 53 931 km. Im Juni 1933 wurde als Zweigunternehmen die Gesellschaft »Reichsautobahnen« gegründet. Die nat.-soz. Reg. unterstellte 1939 die Reichsbahn-Gesellschaft wieder als DR der Reichshoheit. Nach dem 2. Weltkrieg wurde für jede der vier Zonen eine Eisenbahn-Zentralbehörde errichtet, die sich mit Ausnahme der für die Sowjetzone am 1. 10.

1946 zur Hauptverwaltung der Eisenbahnen (HVE) vereinigten. 1949 wurde in der Bundesrep. Dtl. die Dt. Bundesbahn (seit 1994 Dt. Bahn AG) gegründet.

2) Abk. **DR,** Nachfolgerin der ehemaligen DR in der DDR; gemäß Einigungsvertrag (Art. 26) vom Aug. 1990 mit der Dt. Bundesbahn (seit 1994 Dt. Bahn AG) zusammengeführt.

Deutsche Reichspartei, Abk. **DRP,** ehem. Partei in der Bundesrep. Dtl., 1946 gegr., nationalistisch; 1964/65 schlossen sich ihre Mitgl. der neu gegr. Nationaldemokrat. Partei Deutschlands (NPD) an.

Deutsche Reichspost, Abk. **DRP,** 1924–45 Name der Post im Dt. Reich (→Deutsche Bundespost).

Deutsche Rentenbank, →Rentenmark.

Deutscher Entwicklungsdienst, Abk. **DED,** Organisation der personellen Entwicklungshilfe, speziell zur Entsendung von freiwilligen Entwicklungshelfern, gegr. 1963; Sitz: Berlin. Der DED ist eine gemeinnützige GmbH mit den Gesellschaftern Bundesrep. Dtl. (95%) und dem Arbeitskreis »Lernen und Helfen in Übersee e.V.« (5%).

Deutscher Fußball-Bund, Abk. **DFB,** Fachverband für die Belange des Fußballs in Dtl.; gegr. 1900, wieder gegr. 1949, Mitgl. der FIFA seit 1904; Sitz: Frankfurt am Main.

Deutscher Gemeindetag, →kommunaler Spitzenverband, der auf den 1919 gegr. Dt. Landgemeindetag zurückging; wurde 1973 mit dem Dt. Städtebund zum →Deutschen Städte- und Gemeindebund vereinigt.

Deutscher Genossenschafts- und Raiffeisenverband e.V., Abk. **DGRV,** Dachverband des gewerbl. und landwirtsch. Genossenschaftswesens; entstanden 1972 durch Fusion von »Dt. Genossenschaftsverband (Schulze-Delitzsch) e.V.« und »Dt. Raiffeisenverband e.V.« (DRV, gegr. 1930), Sitz: Bonn. Der DGRV ist in drei Bundesverbänden organisiert: DRV, Bundesverband der Dt. Volksbanken und Raiffeisenbanken e.V. (BVR) und Zentralverband der genossenschaftl. Großhandels- und Dienstleistungsunternehmen e.V. (ZENTGENO)

Deutscher Gewerkschaftsbund, Abk. **DGB,** Dachverband von 15 Einzelgewerkschaften; nicht rechtsfähiger Verein, Sitz: Düsseldorf. 1949 in München mit dem Ziel gegr., eine einheitl., wirkungsvolle und parteipolitisch unabhängige Gewerkschaftsbewegung zu schaffen, gegliedert nach dem Industrieverbandsprinzip. Der DGB und seine rd. 9 Mio. Mitgl. (Rückgang u.a. aufgrund der Arbeitslosigkeit) vertreten die gesellschaftl., wirtsch., sozialen und kulturellen Interessen der Arbeitnehmer. Sie bekennen sich zur freiheitlich demokrat. Grundordnung. Höchstes Organ ist der Bundeskongress (gewählte Delegierte der 15 Einzelgewerkschaften). Der Bundesvorstand (fünf Mitgl. des Geschäftsführenden Bundesvorstands, 13 Vors. der Einzelgewerkschaften, Bundesausschuss und Revisionskommission) vertritt den DGB nach innen und außen. Regional ist der DGB in 13 Landesbez. gegliedert.

Nach der Liquidation der →Neuen-Heimat und dem Konkurs der →coop-Gruppe hat der DGB sein Engagement in der Gemeinwirtschaft aufgegeben und sich von gemeinwirtsch. Unternehmen getrennt. Die u.a. über die Beteiligungsges. der Gewerkschaften AG (BGAG) gehaltenen Unternehmen bzw. Unternehmensbeteiligungen dienen zur Verwirklichung der originären Ziele des DGB. – Ziele des DGB sind die gesellschaftl., wirtsch. und soziale Gleichberechtigung der Arbeitnehmer, parität. Mitbestimmung, Verbesserung der Arbeitsbedingungen, Ausbau der sozialen Sicherung, Arbeitszeitverkürzung, Abbau der Arbeitslosigkeit. 1996 wurde das neue Grundsatzprogramm »Die Zukunft gestalten« beschlossen. Darin erkennt der DGB an, dass die soziale Marktwirtschaft einen hohen materiellen Wohlstand bewirkt, allerdings weder Massenarbeitslosigkeit und Ressourcenverschwendung verhindert noch soziale Gerechtigkeit hergestellt habe, und fordert die Stärkung der »sozialen Regulierung«. Um dem abnehmenden Einfluss der Gewerkschaften zu begegnen, haben sich in den letzten Jahren Einzelgewerkschaften zusammengeschlossen oder Kooperationen vereinbart. – 1955 trat ein Teil der christl. Arbeitnehmer aus dem DGB aus und gründete den Christl. Gewerkschaftsbund Deutschlands. – Vors. des DGB waren: H. Böckler (1949–51), C. Fette (1951/52), W. Freitag (1952–56), W. Richter (1956–62), L. Rosenberg (1962–69), H. O. Vetter (1969–82), E. Breit (1982–90), H.-W. Meyer (1990–94), seitdem D. Schulte.

deutscher Idealismus, philosoph. Bewegung, die mit Kants Wendung zum transzendentalen Idealismus einsetzte und bis etwa 1830 in großen Systembildungen (J. G. Fichte, F. W. J. von Schelling, G. W. F. Hegel) Gestalt gewann. Da der d. I. mit der Dichtung und Wiss. der Zeit in vielfältiger Wechselwirkung stand, macht er einen wesentl. Bestandteil der dt. Klassik und Romantik aus. Den Systemen des d. I. ist, bei großer Verschiedenheit der Grundbegriffe und des Aufbaus, gemeinsam, dass sie über Kants krit. Grundhaltung hinausgehen und die gesamte Wirklichkeit aus einem geistigen Prinzip metaphysisch ableiten; insofern stellen sie einen Höhepunkt in der Geschichte der Metaphysik dar. Mit dem Tod Hegels (1831) verlor der d. I. seine beherrschende Stellung. Doch wirkten viele der von ihm geprägten Anschauungen und Begriffe, zumal in den Geisteswiss. und in der

Industriegewerkschaft Medien, Druck und Papier, Publizistik und Kunst

IG Metall
Industriegewerkschaft Metall

Gewerkschaft Nahrung – Genuss – Gaststätten

Gewerkschaft Öffentliche Dienste, Transport und Verkehr

Gewerkschaft der Polizei

Deutsche Postgewerkschaft

Gewerkschaft Textil-Bekleidung

Die Mitgliederzahlen der DGB-Gewerkschaften[1] (in 1 000)

IG = Industriegewerkschaft, G. = Gewerkschaft	1991	1996
IG Metall (IGM)	3 624	2 752
G. Öffentl. Dienste, Transport und Verkehr (ÖTV)	2 138	1 712
IG Chemie – Papier – Keramik	877	695
IG Bauen – Agrar – Umwelt (IG BAU)[2]	–	694
Deutsche Postgewerkschaft (DPG)	612	513
G. Handel, Banken und Versicherungen (HBV)	737	505
G. der Eisenbahner Deutschlands (GdED)	528	384
IG Bergbau und Energie (IGBE)	507	364
G. Nahrung – Genuss – Gaststätten (NGG)	431	311
G. Erziehung und Wissenschaft (GEW)	360	296
G. Textil – Bekleidung (GTB)	348	200
G. der Polizei (GdP)	201	199
IG Medien – Druck und Papier, Publizistik und Kunst	245	197
G. Holz und Kunststoff (GHK)	240	161
G. Leder	42	22
DGB	11 800	9 007

[1] Stand jeweils zum Jahresende. – [2] 1996 durch Zusammenschluss von IG Bau – Steine – Erden (1991: 777 000 Mitgl.) und G. Gartenbau, Land- und Forstwirtschaft (135 000) entstanden.

Staatslehre, fort. Vereinzelte Anhänger traten bis zum Ende des 19. Jh. auf (R. H. Lotze, E. von Hartmann). Um 1860 kam es zu einer Neubelebung bes. der Philosophie Kants (Neukantianismus), später der Hegels (Neuhegelianismus), die Einfluss auf die europ. und außereurop. Philosophie gewann.

Deutscher Industrie- und Handelstag, Abk. **DIHT,** Spitzenorgan der →Industrie- und Handelskammern; Sitz: Bonn.

Deutscher Jugendliteraturpreis, Auszeichnung, die seit 1956 jährlich von einer vom »Arbeitskreis für Jugendliteratur« (München) eingesetzten Jury vergeben wird; hieß bis 1980 »Deutscher Jugendbuchpreis«; Träger ist das Bundesministerium für Frauen und Jugend.

Deutscher Juristentag e.V., freie Vereinigung dt. Juristen zur Förderung des wiss. Erfahrungsaustausches, des persönl. Verkehrs und der Erhaltung und Fortbildung eines einheitl. Rechts in Dtl., gegr. 1860; Veranstalter des Juristentages (alle zwei Jahre); Sitz: Bonn.

Deutscher Kaiser, 1) im (späteren) Hl. Röm. Reich 962–1806: →Kaiser, →deutsche Geschichte.

2) im Dt. Reich 1871–1918 der Titel, unter dem der König von Preußen das Bundespräsidium wahrnahm. Er hatte die völkerrechtl. Vertretung des Reichs nach außen und den militär. Oberbefehl inne; ferner oblag ihm die Ernennung des Reichskanzlers und der Reichsbeamten, die Einberufung und Schließung des Reichstags; in der Gesetzgebung jedoch nur die Ausfertigung und Verkündung der Gesetze.

Deutscher Kinderschutzbund e.V., Abk. **DKSB,** 1953 als Nachfolgeorganisation des »Vereins zum Schutze der Kinder vor Ausnützung und Misshandlung« (1898–1933) gegr. Verein, Sitz: Hannover; Landes- und Ortsverbände in allen Bundesländern; rd. 45 000 Mitgl.; Aufgaben: Beratung bei Erziehungs- und Familienproblemen; Mithilfe bei Unterbindung von Kindesmisshandlungen und sexuellem Missbrauch von Kindern sowie das Einwirken auf Gesetzgebung und Öffentlichkeit zur Schaffung einer kindergerechten Umwelt.

Deutscher König, unkorrekte Bez. für den Herrscher des dt. Regnums innerhalb des (späteren) Hl. Röm. Reiches (911–1806; auch altes [dt.] Reich genannt). Der Herrschertitel lautete zunächst – entsprechend dem Herauswachsen des Reiches aus der karoling. Monarchie – **König der Franken** (lat. **Rex Francorum**), seit dem 11. Jh. zunehmend **Röm. König** (lat. **Rex Romanorum**). (→deutsche Geschichte, →König)

Deutscher Kraftfahrzeug-Überwachungsverein e.V., →Technische Überwachungs-Vereine.

Deutscher Krieg 1866, die Auseinandersetzung zw. Preußen und Österreich über die →deutsche Frage; entstanden aus ihrem Gegensatz in Schleswig-Holstein und in der Frage der Bundesreform. Der Besetzung Holsteins durch preuß. Truppen entgegen der →Gasteiner Konvention folgte der Bruch mit Österreich, dessen Antrag auf Mobilmachung der Bundesarmee mit Ausschluss Preußens am 14. 6. 1866 von der Mehrheit des Bundestags angenommen und von Preußen als Kriegserklärung betrachtet wurde. Österreich war mit Sachsen, Bayern, Württemberg, Baden, Hannover, Hessen-Darmstadt, Kurhessen und Nassau ver-

deutscher Michel

Die spöttische Bezeichnung für den Deutschen, meist gemünzt auf den biederen, unpolitischen, etwas schlafmützigen Bürger, findet sich erstmals 1541 in der »Sprichwörtersammlung« des deutschen Dichters Sebastian Franck. Sie meint dort einen ungebildeten, einfältigen Menschen und wurde in dieser Bedeutung bis ins 17. Jahrhundert verwendet. Zugrunde liegt die in bäuerlichen Kreisen häufige Kurzform des Vornamens »Michael«, der im Mittelalter in der christlichen Welt als Name des Erzengels Michael Verbreitung fand. Als Überwinder des Teufels galt dieser als Schutzheiliger, besonders des deutschen Volkes. Von der städtischen Bildungsschicht dürfte die Kurzform des Namens wohl zuerst satirisch auf den Bauernstand bezogen worden sein und dann in Verbindung mit dem Attribut »deutsch« endgültig eine Ausweitung auf das ganze Volk erfahren haben. In den Bemühungen des 17. Jahrhunderts um die Reinhaltung der deutschen Sprache kennzeichnet der Name dann den redlichen, aufrechten Deutschen, der seine Muttersprache gegen die Aufnahme von Fremdwörtern verteidigt. In den 1830er- und 40er-Jahren wird er in der politischen Auseinandersetzung zum Spottnamen für den gutmütigen, aber einfältigen und verschlafenen Deutschen (in der Karikatur mit Zipfelmütze dargestellt), der sich seiner Machthaber nicht zu erwehren weiß und wachgerüttelt werden sollte.

bündet, Preußen mit den meisten norddt. Klein- und Mittelstaaten und mit Italien (Bündnis vom 8. 4.). Die preuß. Hauptmacht mit H. Graf von Moltke als Generalstabschef rückte mit drei Armeen in Böhmen ein, warf die österr. Nordarmee unter L. von Benedek in mehreren Gefechten zurück und konnte am 3. 7. bei →Königgrätz den entscheidenden Sieg erringen. Dagegen siegten die Österreicher über die Italiener bei Custoza (24. 6.), die österr. Flotte bei Lissa (20. 7.). Inzwischen waren Hannover, Kurhessen und Sachsen von preuß. Truppen besetzt und die Armee Hannovers bei Langensalza zur Kapitulation gezwungen worden (29. 6.). Um einem Eingreifen Napoleons III. zuvorzukommen, entschloss sich Bismarck zu sofortigem Waffenstillstand; am 26. 7. wurde der Vorfriede von →Nikolsburg, am 23. 8. der Friede von Prag geschlossen. Die Friedensschlüsse mit den süddt. Staaten wurden zw. dem 13. 8. und 3. 9. in Berlin abgeschlossen, der österr.-italien. Frieden am 3. 10. in Wien. Preußen annektierte Schleswig-Holstein, Hannover, Kurhessen, Nassau und die Stadt Frankfurt am Main; Österreich trat Venetien an Italien ab. Es kam zur Gründung des →Norddeutschen Bundes und zum Ausscheiden Österreichs aus dem dt. Nationalverband (kleindt. Lösung der dt. Frage).

Deutscher Kulturbund, →Kulturbund.

Deutscher Künstlerbund e. V., Interessenverband von bildenden Künstlern, der durch jährl. Ausstellungen einen repräsentativen Querschnitt der dt. Kunstszene zeigen will; 1903 gegr.; Sitz: Berlin.

Deutscher Landkreistag, →kommunaler Spitzenverband, gegr. 1924; Sitz: Bonn.

deutscher Michel, Darstellung des Deutschen v. a. als Karikatur. Michel ist die Kurzform von Michael, des Erzengels und Schutzpatrons der Deutschen. Der d. M., ein Bauernbursche in Zipfelmütze und Kniehosen, ist der Inbegriff der Einfalt und gutmütigen Schwerfälligkeit; schon seit dem 17. Jh. mit polit. Akzentuierung belegt.

Deutscher Mieterbund e. V., Abk. **DMB,** Organisation zur Wahrung der Interessen von Wohnungsmietern. Der DMB berät seine Mitgl. in Mietrechtsfragen, gewährt ihnen Rechtsschutz und nimmt auf die kommunale Wohnungsbaupolitik im Interesse der Mieter Einfluss; gegr. 1900, Sitz: Köln.

📖 *Das Mieterlexikon für alle Bundesländer, bearb. v.* Franz-Georg Rips. *München 1996.*

Deutscher Naturschutzring e. V. – Bundesverband für Umweltschutz, Abk. **DNR,** 1950 gegr. Dachverband; schließt zahlr. Organisationen zusammen, die sich mit Naturschutz, Landschaftsschutz, Landschaftspflege und der Erhaltung der natürl. Umwelt befassen; Sitz: Bonn.

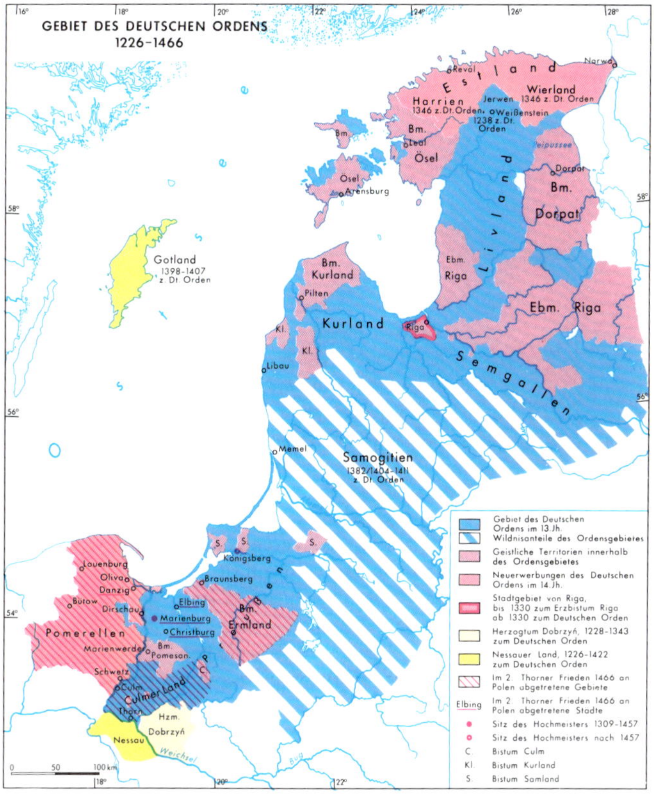

Deutscher Naturschutztag, jährl. Fachtagung der »Arbeitsgemeinschaft beruflich und ehrenamtl. Naturschutz e. V.«; erstmals veranstaltet 1925 in München.

Deutscher Orden, 1) (Deutschritterorden, Deutschherrenorden, Kreuzritterorden) 1198 entstandener geistl. Ritterorden; ging aus einer Hospitalgenossenschaft hervor, die norddt. Kaufleute während des 3. Kreuzzuges 1190 bei der Belagerung von Akko gründeten. Die Ordensritter trugen einen weißen Mantel mit schwarzem Kreuz. Oberhaupt des D. O. war der auf Lebenszeit gewählte Hochmeister (kein Reichsfürst, aber reichszugehörig); ihm zur Seite standen beratend fünf Großgebietiger. Daneben gab es in untergeordneter Stellung den Landmeister für Livland, den Deutschmeister für die zwölf binnendt. Ordensballeien und die Landkomture der außerdt. Ordensgebiete (Apulien, Sizilien, Achaia u. a.). Zum Orden gehörten gleichberechtigt Ritter- und Priesterbrüder, beide auf mönch. Gelübde verpflichtet, sowie dienende, nichtadlige Halbbrüder.

Bereits im 13. Jh. verlagerte der D. O., dessen Hochmeister bis 1291 seinen Sitz in Akko hatte, den Schwerpunkt seines Wirkens nach O-Europa. Unter dem Hochmeister Hermann von Salza

Deutscher Orden 1): Brustkreuz des Hochmeisters

(1210–39) besaß er 1211–25 als ungar. Lehen das siebenbürg. Burzenland und erhielt 1226, von Herzog Konrad von Masowien gegen die heidn. →Prußen zu Hilfe gerufen, das Culmer Land. Von hier aus unterwarf der D. O. bis 1283 das ganze Land der Prußen, das er mit dt. Bauern besiedelte und durch die Errichtung von Ordensburgen sowie die Gründung von Städten (u.a. Elbing, Königsberg) strategisch sicherte und kultivierte. Durch Vereinigung mit dem Schwertbrüderorden (1237) fasste der D. O. auch in Livland und Kurland Fuß. 1242 wehrte Nowgorod einen Angriff des Ordens in der Schlacht auf dem Eis des Peipussees ab. Nachdem 1291 Akko an die Muslime verloren gegangen war, wurde der Sitz des Hochmeisters nach Venedig, 1309 nach der Marienburg, 1457 nach Königsberg verlegt. Immer neue Grenzkriege führte der Orden gegen die heidn. Litauer, die 1370 in der Schlacht bei Rudau besiegt wurden und 1380 Samogitien abtreten mussten. Ferner gewann er 1308 Pommerellen mit Danzig, 1346 das bisher dän. Estland, 1398 Gotland, 1402 die Neumark. Damit hatte der D. O. seine größte Ausdehnung erreicht.

Deutscher Sportbund

Unter dem Hochmeister Winrich von Kniprode (1351–82) erlebte der Ordensstaat den Höhepunkt seiner wirtsch. und kulturellen Entwicklung; seine Städte (z.B. Danzig, Thorn, Königsberg) gehörten der Hanse an.

Bereits im 14. Jh. bildete sich aber auch im Innern des Ordensstaates eine wachsende Opposition des Landadels und der Städte heraus. Gegen das seit 1385 vereinigte Polen-Litauen verlor der D. O. am 15. 7. 1410 die Schlacht bei Tannenberg und trat im 1. Thorner Frieden von 1411 Samogitien ab. Ein durchgreifender Reformversuch des Hochmeisters Heinrich von Plauen (1410–13) scheiterte. 1440 schlossen sich die Stände zum Preuß. Bund zusammen, der mit Unterstützung Polens gegen den D. O. den »Dreizehnjährigen Krieg« führte; dieser endete mit dem 2. Thorner Frieden (1466), in dem der Orden Pomerellen, das Culmer Land und Ermland sowie die Städte Danzig, Elbing und Marienburg dem poln. König überlassen und dessen Oberhoheit über das übrige preuß. Ordensland anerkennen musste. Schließlich verwandelte der letzte Hochmeister Markgraf Albrecht von Brandenburg-Ansbach 1525 den preuß. Ordensstaat in ein prot. Herzogtum, für das er die poln. Lehnshoheit anerkannte.

In Livland suchte der Landmeister Wolter von Plettenberg (1494–1535) die Ordensherrschaft zu behaupten, drohte aber den russ. Angriffen zu erliegen; daher unterwarf sich 1561 Estland der schwed. und Livland der poln. Herrschaft, während Kurland 1561 als poln. Lehen ein prot. Herzogtum des letzten livländ. Ordensmeisters Gotthard Kettler wurde. – Der D. O. selbst war seitdem auf seine zerstreuten süd- und westdt. Besitzungen beschränkt; der Hauptsitz wurde Mergentheim, und dem Deutschmeister, der katholisch blieb, verlieh 1530 Kaiser Karl V. die Würde des Hochmeisters. 1809 hob Napoleon I. den Orden in Dtl. auf. (→Deutschordensburgen, →Deutschordensdichtung)

2) (Deutsch-Ordens-Priester) in Österreich der 1834 durch Franz I. als kath. Adelsgemeinschaft wieder belebte D. O. 1); erhielt 1839 neue Statuten; »Hoch- und Deutschmeister« war bis 1918 stets ein österr. Erzherzog (zuletzt Eugen). Der seit 1918 allein weiter bestehende priesterl. Zweig (von Papst Pius XI. in einen geistl. Orden umgewandelt) mit Sitz des Hochmeisters in Wien zählt zu den klerikalen Bettelorden; er erhielt 1929 eine neue Regel. Vom Nationalsozialismus unterdrückt, wurde er nach 1945 in Österreich und der Bundesrep. Dtl. wiederhergestellt (Arbeitsbereich: Seelsorge, Sozialhilfe, Mission). Die **Deutschordensschwestern** (Mutterhaus in Wien) sind in der Kranken- und Altenpflege tätig.

📖 Tumler, M.: *Der D. O. Von seinem Ursprung bis zur Gegenwart. Bad Münstereifel 26.–33. Tsd. [5]1992. – Stadt u. Orden. Das Verhältnis des D. O. zu den Städten Livlands, Preußen u. im Deutschen Reich, hg. v.* U. Arnold. *Marburg 1993.* – Boockmann, H.: *Der D. O. Zwölf Kapitel aus seiner Geschichte. München [4]1994.*

Deutscher Paritätischer Wohlfahrtsverband e.V., Abk. **DPWV,** konfessionell und politisch nicht gebundener Spitzenverband der freien Wohlfahrtspflege, tätig v.a. in der Behinderten-, Alten- und Jugendhilfe; 1924 gegr., Sitz: Frankfurt am Main.

Deutscher Presserat, publizist. Selbstkontrolleinrichtung, Aufgaben: Schutz der Pressefreiheit und des freien Zugangs zu publizist. Quellen; gegr. 1956, reorganisiert 1986, Sitz: Bonn.

Deutscher Raiffeisenverband e.V., →Deutscher Genossenschafts- und Raiffeisenverband e.V.

Deutscher Richterbund, Abk. **DRB,** Spitzenorganisation der Vereine von Richtern und Staatsanwälten in Dtl., dient u.a. der Förderung von Gesetzgebung, Rechtspflege und Rechtswiss. sowie berufl., wirtsch. und sozialer Belange der Richter und Staatsanwälte, gegr. 1909; Sitz: Bonn.

Deutscher Sängerbund e.V., Abk. **DSB,** 1862 in Coburg gegr. Vereinigung von Laienchören, 1949 in Göppingen neu gegr.; mit (1995) rd. 21000 Chören größte dt. Laienmusik-Organisation; Sitz: Köln.

Deutscher Schutzbund, 1919–33 Verband von Vereinen für das Grenz- und Auslandsdeutschtum, wirkte bes. bei den Abstimmungen in Ost- und

Westpreußen, Nordschleswig, Oberschlesien und Kärnten mit.

Deutscher Sparkassen- und Giroverband [-'ʒiro-], Abk. für **DSGV,** Dachverband der dt. Sparkassenorganisationen, gegr. 1924 in Berlin durch Vereinigung des Dt. Sparkassenverbandes mit dem Dt. Zentralgiroverband und dem Dt. Verband der kommunalen Banken; Sitz: Bonn. Der DGSV wird von den regionalen Sparkassen- und Giroverbänden, den Landesbanken/Girozentralen und der Dt. Girozentrale – Dt. Kommunalbank, nicht aber von den Sparkassen selbst, getragen.

Deutscher Sportbund, Abk. **DSB,** in der Bundesrep. Dtl. 1950 gegr. Dachorganisation aller Sportfachverbände und Landessportbünde; Sitz: Berlin, Verwaltung: Frankfurt am Main, (1997) rd. 26 Mio. Mitgl. Aufgaben: Förderung des Sports, Vertretung gegenüber Staat, Gemeinden und Öffentlichkeit, Repräsentanz des dt. Sports im In- und Ausland.

Deutscher Sprachatlas, von G. Wenker in Marburg 1879 gegründete Kartensammlung, die die sprachl., bes. die lautl. Eigentümlichkeiten der dt. Mundarten darstellt. Das Werk wurde seit 1927 von F. Wrede (bis 1956), W. Mitzka und B. Martin fortgesetzt (insgesamt 128 Karten). 1983–87 erschien der »Kleine dt. Sprachatlas« (2 Bde., bearbeitet von W. H. Veith).

Deutscher Sprachverein (Allgemeiner D. S.), gegr. 1885 zur Pflege der dt. Sprache; verlor nach 1930 an Bedeutung. 1947 wurde er als →Gesellschaft für deutsche Sprache neu gegründet.

Deutscher Städtetag, Zusammenschluss der kreisfreien und eines Teils der kreisangehörigen Städte zu einem →kommunalen Spitzenverband, 1905 gegr.; Sitz: Köln.

Deutscher Städte- und Gemeindebund, Abk. **DStGB,** →kommunaler Spitzenverband, gegr. 1973 infolge des Zusammenschlusses des Dt. Städtebundes und des Dt. Gemeindetages, umfasst kreisangehörige Städte und Gemeinden, Sitz: Düsseldorf.

Deutscher Taschenbuchverlag, Abk. **dtv,** ein 1960 von elf Verlagen gegründeter Verlag; Sitz: München. Gesellschafter sind Verlage wie Artemis, C. H. Beck, Hanser, Hoffmann und Campe, Kiepenheuer & Witsch, Kösel, Patmos u. a.; dtv übernahm 1993 die »Sammlung Luchterhand«.

Deutscher Tierschutzbund e. V., Abk. **DTSchB,** 1881 gegr. Spitzenorganisation aller Tierschutzvereine Dtl.s; Aufgaben u. a.: Förderung des Tierschutzgedankens, Vervollkommnung des dt. Tierschutzrechts; Sitz: Bonn.

Deutscher Verein für Kunstwissenschaft, gegr. 1908 in Berlin mit dem Ziel, die Forschungen zur dt. Kunst zu fördern; zahlr. Publikationen.

Deutscher Sportbund: Spitzenfachverbände (e.V.) des DSB (Stand 31.12.1995)

Verband	Abkürzung	Gründungsjahr	Sitz	Mitglieder
Dt. Aero Club	DAeC	1902	Gersfeld (Rhön)	73541
Dt. Alpenverein	DAV	1869	München	571387
American Football Verband Dtl.	AFVD	1983	München	21812
Allgemeiner Dt. Automobil-Club	ADAC	1903	München	131329*)
Automobilclub von Dtl.	AvD	1899	Frankfurt am Main	9152*)
Dt. Badminton-Verband	DBV	1953	Mülheim a. d. Ruhr	215744
Dt. Bahnengolf-Verband	DBV	1966	Brauneberg (Rheinl.-Pf.)	13600
Dt. Baseball und Softball Verband	DBV	1953	Mainz	18812
Dt. Basketball Bund	DBB	1949	Hagen	189412
Dt. Behinderten-Sportverband	DBS	1951	Duisburg	244562
Dt. Billard-Union	DBU	1911	Köln	42749
Dt. Bob- und Schlittensportverband	DBSV	1911	Berchtesgaden	9915
Dt. Boccia-, Boule- und Pétanque-Verband	DBBPV	1988	Griesheim	8897
Dt. Amateur-Box-Verband	DABV	1920	Kassel	52186
Dt. Eissport-Verband	DEV	1890	München	168624
Dt. Fechter-Bund	DFB	1911	Bonn	26409
Dt. Fußball-Bund	DFB	1900	Frankfurt am Main	5675783
Dt. Gehörlosen-Sportverband	DGS	1910	Essen	12601
Bundesverband Dt. Gewichtheber	BVDG	1969	Leimen	42601
Dt. Golf Verband	DGV	1907	Wiesbaden	225001
Dt. Handball-Bund	DHB	1949	Dortmund	826757
Dt. Hockey-Bund	DHB	1909	Hürth	60804
Dt. Judo-Bund	DJB	1956	Frankfurt am Main	275207
Dt. Ju-Jutsu-Verband	DJJV	1990	Mainz	34675
Dt. Kanuverband	DKV	1914	Duisburg	111124
Dt. Karate Verband	DKV	1976	Gladbeck	155125
Dt. Keglerbund	DKB	1885	Berlin	276729
Dt. Lebens-Rettungs-Gesellschaft	DLRG	1913	Bonn	538741
Dt. Leichtathletik-Verband	DLV	1898	Darmstadt	831618
Dt. Verband für Modernen Fünfkampf	DVMF	1961	Darmstadt	3071
Dt. Motorsport Verband	DMV	1923	Frankfurt am Main	19852
Dt. Motoryacht-Verband	DMYV	1907	Hamburg	111250
Bund Dt. Radfahrer	BDR	1884	Frankfurt am Main	156079
Dt. Rasenkraftsport- und Tauzieh-Verband	DRTV	1971	Frankfurt am Main	8988
Dt. Reiterl. Vereinigung (Fédération Nationale)	FN	1905	Warendorf	680960
Dt. Ringer-Bund	DRB	1972	Saarbrücken	78818
Dt. Rollsport-Bund	DRB	1949	Frankfurt am Main	22246
Dt. Ruderverband	DRV	1883	Hannover	78897
Dt. Rugby-Verband	DRV	1900	Hannover	7941
Dt. Schachbund	DSB	1877	Berlin	95060
Dt. Schützenbund	DSB	1861	Wiesbaden	1540929
Dt. Schwimm-Verband	DSV	1886	Kassel	631744
Dt. Segler-Verband	DSV	1888	Hamburg	190907
Dt. Skibob-Verband	DSBV	1965	München	2351
Dt. Skiverband	DSV	1905	Planegg (bei München)	680782
Dt. Sportakrobatik-Bund	DSAB	1971	Pfungstadt	8399
Verband Dt. Sportfischer	VDSF	1946	Offenbach am Main	615698
Verband Dt. Sporttaucher	VDST	1954	Mörfelden-Walldorf	49815
Dt. Squash Rackets Verband	DSRV	1973	Duisburg	26225
Dt. Taekwondo Union	DTU	1981	München	49205
Dt. Tanzsportverband	DTV	1921	Neu-Isenburg	247158
Dt. Tennis Bund	DTB	1902	Hamburg	2333326
Dt. Tischtennis-Bund	DTTB	1925	Berlin	750049
Dt. Triathlon-Union	DTU	1985	Hanau	23208
Dt. Turner-Bund	DTB	1950	Frankfurt am Main	4604485
Dt. Volleyball-Verband	DVV	1955	Frankfurt am Main	462693
Dt. Wasserski-Verband	DWSV	1958	Kassel	3881

*) erfasst sind nur Sportfahrer

Deutsches Eck: Blick auf das Deutsche Eck mit der Anlage um die 1993 wieder aufgestellte Nachbildung des Reiterstandbilds von Kaiser Wilhelm I.

Deutscher Volkskongress, in der SBZ 1947, 1948 und 1949 eine Versammlung aus Delegierten der SED und der mit ihr im Blocksystem gleichgeschalteten Parteien und Massenorganisationen. Der dritte D. V. konstituierte sich im Okt. 1949 als **Nationale Front des demokrat. Deutschland** (→Nationale Front der DDR).

Deutscher Werkbund, →Werkbund.

Deutscher Zollverein, die handelspolit. Einigung dt. Bundesstaaten zur Herstellung einer dt. Wirtschaftseinheit im 19. Jh. Nachdem die Versprechungen des Art. 19 der Dt. Bundesakte von 1815 unerfüllt geblieben und die Denkschriften von F. List und dem bad. Minister K. F. Nebenius auf stärksten Widerstand gestoßen waren, traf Preußen unter seinem Finanzminister F. von →Motz 1828 zunächst eine Teillösung durch den **Zollvertrag** mit Hessen-Darmstadt. Bayern und Württemberg hatten kurz vorher einen **Süddt. Zollverein** gegründet. Ferner traten 1828 Hannover, Braunschweig, Kurhessen, Nassau, Sachsen, die thüring. Staaten, Hamburg und Bremen zum **Mitteldt. Handelsverein** zusammen. Dieser zerbrach, als sich Kurhessen 1831 dem preußisch-hess. Verein anschloss. Dessen Einigung mit dem Süddt. Zollverein erfolgte in dem Vertrag vom 22. 3. 1833, dem sich auch Sachsen und die thüring. Staaten anschlossen, sodass am 1. 1. 1834 der D. Z. in Kraft trat. Ihm traten 1836 Baden, Nassau und Frankfurt, 1842 Luxemburg, Braunschweig und Lippe bei. 1851–54 gelang die Einigung mit Hannover und Oldenburg, die 1834 einen **Steuerverein** gebildet hatten. Der D. Z. baute Handelsschranken ab und bildete eine Vorstufe für die Gründung des Dt. Reiches 1871. Österreich empfand diese Wirtschaftspolitik als eine Stärkung der preuß. Macht. Nach der Schaffung des Norddt. Bundes tagten 1867–70 in Berlin ein **Zollbundesrat** und ein **Zollparlament.** Mecklenburg und Lübeck schlossen sich 1868, Bremen und Hamburg erst 1888 dem D. Z. an; Luxemburg gehörte ihm bis 1919 an.

📖 HAHN, H.-W.: *Geschichte des D. Z.s. Göttingen 1984.*

Deutsches Elektronen-Synchrotron: Blick in den HERA-Tunnel, oben die supraleitenden Magneten zur Führung der Protonen, unten der konventionelle Elektronenring

Deutsches Adelsarchiv, 1945 mit gleichnamiger Monatsschrift (seit 1962 **Dt. Adelsblatt**) gegr. Einrichtung zur Pflege der Adelskunde, seit 1961 als Einrichtung der Vereinigung der dt. Adelsverbände **Verein Dt. Adelsarchiv e. V.** gen. Sitz: Marburg.

Deutsches Archäologisches Institut, Abk. **DAI,** wiss. Anstalt (Bundesbehörde) in der Zuständigkeit des Auswärtigen Amtes mit der Aufgabe, die Erforschung des Altertums zu fördern; als privates Institut 1829 in Rom gegr.; seit 1874 Sitz der Zentralverwaltung in Berlin; Abteilungen in Rom, Athen, Istanbul, Kairo, Madrid, Bagdad, Teheran sowie Stationen in Damaskus und Sanaa.

Deutsches Arzneibuch, Abk. **DAB,** das amtl. deutsche, mit Gesetzeskraft versehene Vorschriftenbuch über Beschaffenheit, Prüfung und Aufbewahrung der gebräuchlichsten Arzneimittel **(offizinelle Arzneimittel);** zurzeit gilt die 10. Ausgabe vom 1. 3. 1992 (DAB 10).

Deutsches Atomforum e. V., Gesellschaft zur Förderung der Entwicklung und Verwendung der Kernenergie; Tätigkeitsbereiche: Unterstützung von Wiss. und Technik, Informierung der Öffentlichkeit, nationale (Reaktortagung) und internat. Tagungen und Ausstellungen; gegr. 1959, Sitz: Bonn.

Deutsche Schillergesellschaft, →Schillergesellschaft.

deutsche Schrift, die →Fraktur.

Deutsches Eck, Landzunge in Koblenz an der Mündung der Mosel in den Rhein. Die Anlage um das Reiterstandbild von Kaiser Wilhelm I. wurde als Mahnmal für die dt. Einheit gestaltet.

Deutsches Elektronen-Synchrotron, Abk. **DESY,** Stiftung der Bundesrep. Dtl. und der Hansestadt Hamburg, am 18. 12. 1959 errichtete Großforschungseinrichtung für Elementarteilchen- und Hochenergiephysik und Name des 1964 in Betrieb genommenen 7-GeV-Elektronen-Synchrotrons. 1974 wurde das **Do**ppelspeicher**ri**ng**s**ystem DORIS, 1978 die **P**ositron-**E**lektron-**T**andem-**R**ingbeschleuniger-**A**nlage PETRA (∅ 734 m) fertig gestellt. In beiden Speicherringen werden in entgegengesetzter Richtung umlaufende Elektronen und Positronen gleicher Energie (bei DORIS max. jeweils 5 GeV, bei PETRA 2×23,5 GeV) in den Wechselwirkungszonen aufeinander geschossen und durch Elektron-Positron-Vernichtung neue Teilchen erzeugt. Die zur experimentellen Überprüfung von Theorien zur Vereinigung der unterschiedl. Wechselwirkungen benötigten höheren Energien werden mit der 1990 fertig gestellten Elektron-Proton-Speicherringanlage HERA (Abk. für **H**adron-**E**lektron-**R**ing-**A**nlage) erzielt; sie ist die erste (und derzeit einzige) Anlage, in der man Partikel unterschiedl. Art speichern und miteinander kollidieren lassen kann. Sie besteht aus zwei Speicherringen mit über 6,3 km Umfang, in denen Protonen auf 820 GeV und Elektronen auf 30 GeV beschleunigt werden können, sodass Schwerpunktsenergien von etwa 380 GeV zur Verfügung stehen. – Außerdem umfasst das DESY zahlreiche Strahlen- und Teilchendetektorsysteme sowie seit 1980 das **Ha**mburger **Sy**nchrotronstrahlungs-**La**boratorium HASYLAB. 1992 wurde das frühere Institut für Hochenergiephysik der DDR in Zeuthen an das DESY angegliedert.

Deutsches Forschungs- und Managementzentrum für Luft- und Raumfahrt e.V., Abk. **DLR,** 1997 durch die Fusion der Deutschen Forschungsanstalt für Luft- und Raumfahrt (DLR) und der Deutschen Agentur für Raumfahrtangelegenheiten (Dara) entstandene Institution, die aus zwei Geschäftsbereichen besteht. Die DLR konzentriert sich auf Forschungen und Entwicklungen mit Blick auf die industrielle Nutzung. Des Weiteren bestehen ihre Aufgaben im Raumfahrtmanagement und der Vertretung Deutschlands in internationalen Organisationen (z. B. ESA).

Deutsche Shakespeare-Gesellschaft ['ʃeɪkspɪə-], älteste noch bestehende dt. literar. Vereinigung, gegr. 1864, Sitz: Weimar (Hauptsitz) und Bochum; Ziele sind die Erforschung, Verbreitung und Pflege von Shakespeares Werk, die Förderung der engl. Sprache und Kultur; war 1963–93 auf die DDR beschränkt, daneben 1963–93 (Beitritt zur D. S.-G.) D. S.-G. West, Sitz: Bochum. Hg. seit 1865 ff. des »Jb. der D. S.-G.«, ab 1925 ff. u. d. T. »Shakespeare-Jb.« (1964 ff. erschien das »Jb. der D. S.-G. West«).

Deutsches Hydrographisches Institut, Abk. **DHI,** aus der **Dt. Seewarte** (1875–1945) und dem Marineobservatorium (bis 1945) hervorgegangenes Institut in Hamburg (untersteht dem Bundesverkehrsministerium) mit den Aufgaben u. a.: Herausgabe von Seekarten, nautisch-techn. Forschungen, Überprüfung des Meerwassers auf Radioaktivität und schädl. Beimengungen.

Deutsches Institut für Normung e. V., → DIN Deutsches Institut für Normung e. V.

Deutsches Institut für Wirtschaftsforschung, Abk. **DIW,** eines der führenden → wirtschaftswissenschaftlichen Forschungsinstitute mit Sitz in Berlin; gegr. 1925 als **Institut für Konjunkturforschung;** Aufgabenschwerpunkte: Analyse

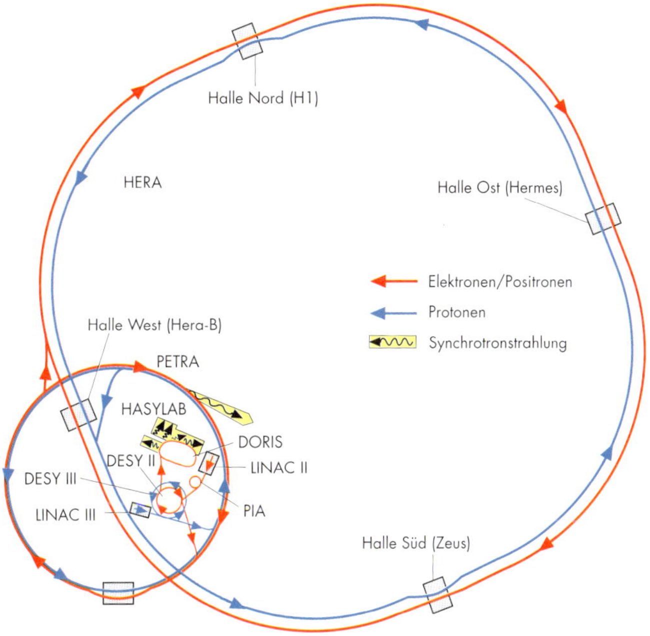

Deutsches Elektronen-Synchrotron: Die Forschungen werden an den Speicherringen HERA und DORIS durchgeführt. HERA hat vier Wechselwirkungszonen, in denen sich die Teilchendetektoren befinden: H 1 und ZEUS zur Messung der Elektron-Proton-Kollisionen sowie die Strahl-Target-Experimente HERA-B und HERMES, die jeweils nur einen Teilchenstrahl von HERA nutzen. DORIS dient als Quelle für die Synchrotronstrahlung, das Hamburger Synchrotronstrahlungs-Laboratorium HASYLAB als Experimentierplatz mit Synchrotronstrahlung. HERA und DORIS werden von einem System von Vorbeschleunigern mit den Teilchen der erforderlichen Anfangsenergie gespeist. Hierzu gehören der Linearbeschleuniger LINAC II für Elektronen/Positronen mit dem Akkumulator PIA (ursprünglich Positronen-Intensitäts-Akkumulator) sowie LINAC III für Protonen. Im Synchrotron DESY II werden die Elektronen/Positronen weiter beschleunigt und von dort entweder zu DORIS oder über den nächstgrößeren Vorbeschleuniger PETRA zu HERA gelenkt. Die Protonen gelangen über DESY III und PETRA in den HERA-Speicherring der dt. Wirtschafts-, Finanz- und Sozialpolitik, der europ. Integrationsprozess, die internat. Arbeitsteilung, die volkswirtsch. Gesamtrechnung. Das DIW gibt die »Vierteljahreshefte zur Wirtschaftsforschung« (1926 ff.) und den »Wochenbericht« (1928 ff.) heraus.

Deutsches Jugendinstitut e.V., Forschungsstelle für Jugendkunde, gegr. 1961; gibt Dokumentationen und Berichte zur Situation der Jugend in der industriellen Gesellschaft heraus; untersteht dem Bundesministerium für Jugend, Familie und Gesundheit; Sitz: München.

Deutsches Krebsforschungszentrum, Abk. **DKFZ,** als Stiftung des öffentl. Rechts 1964 in Heidelberg gegr. Forschungsstätte, der 1966 die Inst. für Virusforschung und experimentelle Krebsforschung der Univ. angegliedert wurden, seit 1975 als Großforschungseinrichtung überwiegend von der Bundesrep. Dtl. finanziert. Aufgabe ist die Erforschung von Ursachen, Entstehung, Verhütung und Bekämpfung der Krebserkrankungen.

Deutsches Literaturarchiv, →Schiller-Nationalmuseum.

Deutsches Museum von Meisterwerken der Naturwissenschaft und Technik (kurz Deutsches Museum), München, gegr. 1903 von Oskar von Miller, zeigt die histor. Entwicklung der Naturwiss., der Technik und Industrie durch Originalmaschinen und -apparate, Nachbildungen, Modelle, Demonstrationseinrichtungen, Bilder, Zeichnungen. Der Neubau (1925) auf der »Museumsinsel« in der Isar umfasst 50 000 m^2 Ausstellungsfläche. Die Bibliothek verfügt über mehr als 700 000 Bände.

Deutsche Soziale Union, Abk. **DSU,** am 20. 1. 1990 aus 12 christl., konservativen und liberalen Oppositionsgruppen gebildete polit. Partei der DDR; setzte sich v.a. für die schnellstmögl. Einigung Dtl.s ein. Im Rahmen der »Allianz für Dtl.« erreichte sie 6,3 % der Stimmen bei den Volkskammerwahlen vom 18. 3. 1990. Nach den Einbußen bei den Landtagswahlen vom 14. 10. 1990 (überall unter 5 %) und bei den gesamtdt. Wahlen vom 2. 12. 1990 (insgesamt 0,2 %; Wahlbereich Ost 1,0 %) ist sie v.a. auf kommunaler Ebene in Sachsen, Sachsen-Anhalt und Thüringen wirksam.

Deutsche Sporthochschule Köln, →Sporthochschule.

Die **deutsche Sprache** *ist an sich reich, aber in der deutschen Konversation gebrauchen wir nur den zehnten Teil dieses Reichtums; faktisch sind wir also spracharm.*

Heinrich Heine

deutsche Sprache, zur german. Gruppe (→germanische Sprachen) der →indogermanischen Sprachen gehörende Sprache, die außer in Dtl., in Österreich, der dt.sprachigen Schweiz und Liechtenstein auch in Luxemburg, Belgien (bes. im Gebiet Eupen-Malmédy), Frankreich (bes. im Elsass und in Lothringen), in Dänemark (v.a. in Nordschleswig) und in Italien (u.a. in Südtirol) gesprochen wird, zudem gibt es in O- und SO-Europa noch Gebiete mit dt.sprachiger Bev.; außerhalb Europas bestehen Sprachinseln u.a. in Kanada, USA (Pennsylvaniadeutsch), Südamerika, Australien und Afrika (Namibia und Rep. Südafrika); heute rd. 100 Mio. Sprecher.

Bis zum 8. Jh. erstreckte sich die d. S. im O nur bis etwa an die Elbe und die Saale. Im S gehörten die langobard. Teile Oberitaliens zum dt. Sprachgebiet, große Teile des westl. Frankreich waren dt. oder gemischt romanisch-deutsch. In althochdt. Zeit breitete sich die d. S. nach S und W, mit Beginn der dt. Ostsiedlung weit nach O aus. Seit dem 12. Jh. wurde in Schleswig und in den nördl. Gebieten östlich der Elbe dt. gesprochen. Seit dem 13. Jh. kamen Deutsche nach Ostpreußen und ins Baltikum. Auch in Böhmen drang das Dt. vor, bes. im Sudetenland. Andererseits bildete das Niederländische bis zum 16. Jh. eine eigene Hochsprache aus und spaltete sich vom Dt. ab. Die größten Einbußen erlitt das dt. Sprachgebiet durch die Folgen des 2. Weltkriegs.

Althochdeutsch (etwa 750–1050): Die Voraussetzungen für die Entstehung der d. S. aus mehreren german. Dialekten wurde durch das Frankenreich unter Karl d. Gr. geschaffen; es bildete sich im Ostteil des Reiches heraus, der die germanische Dialekte sprechenden Stämme umfasste. Die Bildungsreform Karls d. Gr. schloss auch eine Reform des Kirchen- und Schulwesens ein. Um eine Ausbreitung des Christentums zu erreichen, musste die Kluft zw. lat. Bildungs- und fränk. Volkssprache überwunden werden; es entstanden viele althochdt. Übersetzungen kirchl. Texte. Antikes und christl. Gedankengut wurde in Klöstern und Klosterschulen als Bildungszentren vermittelt. Durch Predigt in der Volkssprache sollte auch dem Laien die neue, christl. Lehre zugänglich gemacht werden. Die Ausdrucksfähigkeit der Sprache wurde durch Wortentlehnungen aus dem Lateinischen oder Griechischen, häufiger durch Lehnprägungen (Neuprägungen mithilfe von Bestandteilen dt. Wörter nach dem Vorbild der lat. Kirchensprache) erweitert. Klöster wie Fulda (Hrabanus Maurus), Lorsch, Weißenburg im Elsass (Otfrid), St. Gallen, Reichenau, Wessobrunn, Murbach, Sankt Emmeran, Mondsee sowie die Bischofssitze Salzburg, Regensburg und Freising spielten dabei eine bedeutende Rolle. – In der sprachl. Form des Althochdt. ist die Klangfülle der Wörter auffallend, die durch die volltönenden Vokale der Nebensilben bedingt ist und eine Vielfalt im Formensystem ermöglicht. Das wichtigste Ereignis in der althochdt. Lautentwicklung war die 2. oder hochdt. →Lautverschiebung, die das Hochdt. von den anderen german. Sprachen abhebt.

Mittelhochdeutsch (etwa 1050–1350): Die Sprache wird verfestigt und zu einer Kultursprache ausgestaltet, die bereits den Anforderungen der versch. Literaturgattungen angepasst werden konnte. Hauptträger dieser Sprache waren v. a. Rittertum und Adel als polit. und wirtsch. Führungsschicht. Diese Blüte dauerte jedoch nur kurze Zeit, denn der Zerfall der kaiserl. Zentralgewalt 1250 bedeutete auch den Zerfall der alten polit. Ordnung. In die Zeit des Umbruchs und der geistigen Orientierungslosigkeit fiel der Versuch versch. religiöser Bewegungen, eine seel. Erweckung des Menschen zu bewirken; in diesem Zusammenhang war (auch für die Entwicklung der d. S.) die Mystik von besonderer Bedeutung. Die engen Beziehungen zum frz.-provenzal. Rittertum förderten im MA. die Übernahme einer großen Zahl von Lehnwörtern aus dem Französischen (Lanze, Tanz, Flöte, Turnier) sowie frz. Wortbildungselemente, z. B. die Suffixe -ieren und -ie (parlieren, Partie). Die Mystiker mussten für das »Unsagbare«, das Verhältnis des Menschen zu Gott, erst sprachl. Mittel finden, um ihre Gedanken und Erlebnisse verständlich machen zu können, z. B. Wörter wie Einkehr, Einfluss, einförmig, gelassen. Bes. die Abstraktbildungen mit -heit, -keit, -ung und -lich sowie Substantivierungen (das Sein) haben die d. S. stark beeinflusst. – Die sprachl. Struktur des Mittelhochdt. weist deutl. Unterscheidungsmerkmale gegenüber dem Althochdt. auf. Die Vokale der Nebensilben wurden zu -e- abgeschwächt (geban: geben); die Vokale der Tonsilben wurden umgelautet, wenn i oder j folgte (mahtig: mähtec »mächtig«). Im Konsonantismus trat die Auslautverhärtung der stimmhaften Verschlusslaute ein (Genitiv leides: Nominativ leit). Durch die Abschwächung der Nebensilbenvokale konnten viele Flexionsformen nicht mehr unterschieden werden. Dies hatte die zunehmende Verwendung von Artikel und Pronomen zur Folge.

Frühneuhochdeutsch (etwa 1350–1650): In den Territorien des Reiches entstanden fürstl. Kanzleien, die durch die zunehmende Umstellung der Verwaltung und Rechtsprechung auf schriftl. Urkunden an Bedeutung gewannen. Von der Kanzleisprache gingen Impulse zu einer neuen schriftsprachl. Einheit aus. Die großen Kanzleien wurden langsam zu Vorbildern, sodass einige Urkundensprachen (Kanzleisprachen) entstanden, die überregionale Geltung hatten, bes. die der Prager Kanzlei der Luxemburger, die kaiserl. Kanzlei der Habsburger, die sächs. oder meißn. Kanzlei der Wettiner sowie die Kanzleien von Nürnberg, Augsburg, Köln, Trier u. a. Für die Verbreitung der neuen Sprachformen war die Erfindung des Buchdrucks entscheidend. M. Luthers Bibelübersetzung mit ihrer aus ostmitteldt. und ostoberdt. Elementen gebildeten Ausgleichssprache hatte auf die Entwicklung der neuhochdt. Sprache großen Einfluss; Luther übernahm weitgehend die sächs. Kanzleisprache, die sich aus dem Prager Kanzleideutsch entwickelt hatte. – Die sprachl. Struktur des Frühneuhochdt. unterscheidet sich vom Mittelhochdt. durch einige Lautveränderungen: Die neuhochdt. Diphthongierung (mîn: mein; hûs: Haus); die Monophthongierung der alten Diphthonge (guot: gut; güetec: gütig); die Vokale der kurzen, offenen Stammsilben wurden gedehnt (leben: lēben). Durch die Abschwächung der Endsilbenvokale wurden die Deklinationsklassen immer

Entwicklung der neuhochdeutschen Laute aus dem Westgermanischen

westgermanisch	*althochdeutsch*	*mittelhochdeutsch*	*neuhochdeutsch*
Vokale			
kurz:			
a	a	a	a
e (Umlaut)	e	e	e, ä
ë	e	e	e
i	i	i	i
o	o	o	o
u	u	u	u
lang:			
ā	â	â	a
ē	ia	ie, î	ie (gespr. î)
ī	î	î	ei
ō	uo	uo	u
ū	û	û	au
ū	û	û	(u)
ai	ei	ei	ei, ai
ai	ê	ê	e
au	ou	ou	au
au	ô	ô	o
eu	iu	iu (gespr. û̈)	eu
eo	io	ie	ie (gespr. î)
Konsonanten			
stimmhafte Verschlusslaute:			
d	t	t	t
b	b (p)	b, p (Auslaut)	b
g	g (k)	g, c (Auslaut)	g
g, w	g, w	g, w	g, w
stimmlose Verschlusslaute:			
t	z, tz, zz	z, tz, zz	z, tz, ss, ß, s
p	pf (p), f (ff)	pf (p), ff (f)	pf (p), ff (f)
k	k, c, hh	k, ch	k, ch
qu, k	qu, k	qu, k	qu, k
stimmlose Reibelaute:			
s	s	s, sch	s, sch
þ	d	d, t (Auslaut)	d
v	v, f,	v, f	v, f
h	h (Reibe- und Hauchlaut)	h, ch	h, ch
h, w, f, hw	h, w, f	h, w, f	h, w, f
stimmhafte Reibelaute:			
r, s	r, s	r, s, sch	r, s, sch
d	t	t	t
ƀ	ƀ	b, p (Auslaut)	b
g	g, g	g, c (Auslaut)	g
g, w	g, w	g, w	g, w
Sonore:			
r, l, m, n, w, j (unverändert)			

mehr verwischt, was zu einer Vernachlässigung der Kasus (Fälle), bes. des Genitivs, zugunsten präpositionaler Fügungen führte.

Neuhochdeutsch (seit 1650): Versuche einer theoret. Beschreibung der d. S. führten zu Normierungsansätzen in Form dt. Grammatiken. Die ersten waren die »Teutsche Sprachkunst« (1641) und die »Ausführl. Arbeit von der Teutschen Haubt Sprache« (1663) von J. G. Schottel. Die Grammatiker des 18. Jh. (außer Schottel und Gottsched auch J. C. Adelung) setzten diese Bestrebungen fort. Die Lexikographen (u. a. Adelung und J. H. Campe) trugen zur Vereinheitlichung der Wortformen und der Rechtschreibung bei. Im 18. Jh. wurden Stil und Handhabung der d. S. durch einzelne Dichterpersönlichkeiten (z. B. Klopstock, Goethe, Schiller) vorbildlich für die Ausdrucksform der gebildeten Schichten. Im 19. Jh. begann die i. e. S. philolog. Auseinandersetzung mit der d. S. (»Dt. Grammatik«, 1819–37, 4 Bde., von J. Grimm, »Dt. Wörterbuch«, 1852 ff., von J. und W. Grimm). Die sich die ganze neuhochdt. Epoche hinziehenden Bemühungen um eine Regelung der →Rechtschreibung hatten erst 1901 Erfolg, nachdem K. Duden mit seinem Wörterbuch bahnbrechend gewirkt hatte. Durch T. Siebs erfolgte die Regelung der Aussprache (Aussprachenorm an führenden dt. Bühnen). – Die Strukturveränderungen des Neuhochdt. gegenüber dem Frühneuhochdt. betrafen v. a. die Flexionsformen, während die Laute nahezu unverändert blieben bzw. nur orthographisch anders wiedergegeben wurden. Beim Substantiv stand die Markierung der Unterscheidung zw. Singular und Plural durch Artikel, Endungen und Umlaut weiter im Vordergrund, ebenso der Ersatz des Genitivs und Dativs durch die Akkusativ- oder Präpositionalgefüge. Beim Verb schwanden die Konjunktivformen immer mehr. Für das Verb ist das Vordringen schwacher Formen typisch; neue Verben werden nur noch schwach (ohne Ablaut und mit Dentalsuffix) gebildet. Die Verwendung des Konjunktivs ist rückläufig; an seine Stelle treten zunehmend Umschreibungen mit »würde« oder mit Modalverben. Als ein stilist. Merkmal der dt. Gegenwartssprache (bes. in Wiss. und Verwaltung) gilt der →Nominalstil.

Morphologie: Im Dt. gibt es vier →Kasus und zwei Numeri (Singular und Plural). Für die Deklination des Substantivs gibt es drei Gruppen, eine sog. starke, eine schwache und eine gemischte Deklination. Die Deklinationsklassen des Substantivs reichen zur Kennzeichnung der Funktion des Wortes im Satz nicht mehr aus, diese Aufgabe haben die Artikel und Attribute übernommen. Bei den Verben unterscheidet man u. a. starke und schwache Verben. Die starken Verben verändern im Präteritum den Stammvokal und bilden das 2. Partizip auf -en, die schwachen bilden bei gleich bleibendem Stammvokal das Präteritum mit -t und das 2. Partizip auf -(e)t. (ÜBERSICHT Verb)

Wortschatz: Die dt. →Mundarten, aus denen die Hochsprache (Standardsprache) hervorgegangen ist, liefern der Hochsprache immer neues Wortgut und tragen so zur Erweiterung des Wortschatzes und der Ausdrucksmittel bei. Zunehmend wirksam sind der Einfluss der Fachsprachen aus Wiss., Technik, Wirtschaft, Sport u. a. Ein weiteres Merkmal der dt. Gegenwartssprache ist die Übernahme fremdsprachl. Termini, bes. aus dem Amerikanischen und Englischen. Dies steht im Zusammenhang mit der zunehmenden Internationalisierung des modernen Lebens. Ein weiteres wichtiges lexikal. Kennzeichen der d. S. im 20. Jh. ist das zunehmende Eindringen von umgangs- und alltagssprachl. Wendungen sowie von Wörtern und Ausdrücken aus Sondersprachen (z. B. der Jugendsprache) in die Hochsprache.

📖 *Dt. Wörterbuch, bearb. v.* JACOB GRIMM *u.* WILHELM GRIMM, *16 Bde. in 32 Tlen. Leipzig 1854–1960, Quellenverzeichnis 1971, Nachdr. in 33 Bden. München 1984. Neubearb. Stuttgart u. a. 1965 ff.* – BACH, A.: *Geschichte der d. S. Wiesbaden* [9]*1980.* – POLENZ, P. VON: *Geschichte der d. S. Erweiterte Neubearb. der früheren Darstellung v.* H. SPERBER. *Berlin u. a.* [9]*1987.* – EGGERS, H.: *Dt. Sprachgeschichte, 2 Bde. Neuausg. Reinbek 1992–96.* – ERBEN, J.: *Dt. Grammatik. Ein Abriß. München* [12]*1992.* – *DUDEN. Das große Wörterbuch der d. S., hg. u. bearb. vom Wissenschaftl. Rat der Dudenredaktion unter der Leitung v.* G. DROSDOWSKI, *8 Bde. Mannheim u. a.* [2]*1993–95.* – KÖNIG, W.: *dtv-Atlas zur d. S. Tafeln u. Texte. Graphik:* H.-J. PAUL. *München 181.–196. Tsd.,* [10]*1994.* – KLUGE, F.: *Etymolog. Wörterbuch der d. S., bearb. v.* E. SEEBOLD. *Berlin* [23]*1995.* – HELBIG, G.: *Dt. Grammatik. Grundfragen u. Abriß. München* [3]*1996.*

deutsches Recht, das auf german. Grundlage erwachsene Recht deutschsprachiger Länder, ein Tochterrecht des german. Rechts und als solches im Ggs. zum rezipierten röm. Recht stehend, nicht gleichbedeutend mit der Gesamtheit des heute in Dtl. geltenden Rechts. Das ältere german. Recht war mündlich überliefertes Gewohnheitsrecht der Volksgerichte (Ding). In der Völkerwanderungszeit bildete sich ein **Stammesrecht** für die Angehörigen der einzelnen Stämme (→germanische Volksrechte). Im Fränkischen Reich trat das auf königl. Verordnungen (Kapitularien) beruhende **Reichsrecht** hinzu. Im mittelalterl. Reich entwickelten sich die Stammesrechte zu **Landrechten** für die Bev. eines bestimmten Gebiets. Daneben entstanden Sonderrechte für bestimmte Personenkreise oder Berufe (Lehns-, Hof-, Stadtrecht u. a.).

Im Übrigen beschränkte sich die Reichsgesetzgebung auf einzelne Verfassungsgesetze, z.B. die →Goldene Bulle. Zu größerer Rechtsangleichung trugen im 13. Jh. entstandene private Rechtsbücher bei (Sachsenspiegel, Schwabenspiegel) sowie die Beleihung neu gegründeter Städte, bes. im dt. Osten, mit dem Recht einer älteren Stadt, deren Oberhof Rechtsweisungen gab. Inhaltlich war das d. R. des MA durch starken sittl. Gehalt sowie genossenschaftl. und sozialen Geist geprägt.

Seit der 2. Hälfte des 15. Jh. wurde das d. R. durch das spätröm. Recht des Corpus Iuris Civilis (→Rezeption) und das in Italien gelehrte zeitgenöss. Recht beeinflusst. Das röm. Recht galt zwar nur ergänzend (subsidiär) zu den Orts- und Landrechten, doch wurden diese vielfach romanisiert. Der Übergang vom mündl. Verfahren zum geheimen Aktenprozess bewirkte eine Entfremdung zw. Justiz und Volk. Seit dem 18. Jh. begann jedoch das d. R. wieder zu erstarken, bes. unter dem Einfluss des Naturrechts; die neuen Gesetzbücher (Preuß. Allg. Landrecht, Österr. ABGB) erneuerten eine Reihe german. Rechtsgedanken. Große Verdienste um das d. R. erwarb sich die dt. histor. Rechtsschule im 19. Jh. (F. C. von Savigny), indem sie die gemeinsame Grundlage der dt. Partikularrechte aufdeckte. Die durch die Reichsgründung von 1871 gewonnene weitgehende Rechtseinheit leitete die Phase der großen Kodifikationen ein (z.B. StGB, StPO, ZPO, HGB, BGB). Im Prozessrecht kehrte man zum Grundsatz der Öffentlichkeit und Mündlichkeit zurück. In der ersten Hälfte des 20. Jh. bewirkte die nat.-soz. Herrschaft, gefördert durch die Willfährigkeit großer Teile der Justiz, den Niedergang der dt. Rechtsstaatlichkeit. Nach 1945 galten in der Bundesrep. Dtl. und in der DDR auf weiten Gebieten zunächst noch gemeinsame alte Rechtsvorschriften (BGB, HGB, ZPO, StGB u.a.), doch wurden sie zunehmend verändert, v.a. unterschiedlich gehandhabt. Im Recht der Bundesrep. Dtl. hat seit 1945 das Landesrecht neben dem Bundesrecht wieder eine verstärkte Bedeutung erlangt. In der DDR wurde das Recht zentralistisch und im Sinne des Staatssozialismus umgestaltet (kodifiziert im StGB von 1968, Gesetzbuch der Arbeit von 1961, Zivilgesetzbuch von 1975). Mit der dt. Vereinigung (3. 10. 1990) wurde die Wirksamkeit des →Grundgesetzes der Bundesrep. Dtl. und somit deren Rechtsordnung auf das Gebiet der ehem. DDR ausgedehnt (→Einigungsvertrag).

Das nat. Recht wird in der Gegenwart zunehmend von supranat. Recht (→Europarecht) beeinflusst und z.T. überlagert.

📖 MITTEIS, H.: *Dt. Rechtsgesch., neubearb. v.* H. LIEBERICH. *München* [19]*1992.* – KÖBLER, G.: *Dt. Rechtsgesch. Ein systemat. Grundriß der geschichtl. Grundlagen des d. R. von den Indogermanen bis zur Gegenwart. München* [5]*1996.*

Deutsches Reich, 1) Bez. für das alte dt. Reich (911–1806), das seit dem 11. Jh. als »Röm. Reich«, seit dem 15. Jh. als »Heiliges Röm. Reich deutscher Nation« bezeichnet wurde.

2) amtl. Bez. des dt. Staates 1871–1945. Zum Gebiet des D. R. gehörten 1871–1918 22 monarch. Staaten, drei republikan. Stadtstaaten und das Reichsland Elsass-Lothringen, während der Weimarer Republik umfasste das D. R. 18 Länder. Weitere ÜBERSICHT S. 268

Deutsches Reisebüro GmbH, Abk. **DER,** Sitz: Berlin (Hauptverwaltung Frankfurt a. Main), gegr. 1917, mit (1996) 5200 Vertretungen größtes dt. Reisebüro; auch Reiseveranstalter und Generalvertreter der →Deutschen Bahn AG.

Deutsches Reiterabzeichen

Deutsches Reiterabzeichen, Auszeichnung in Bronze, Silber, Gold; bestätigt dem Reiter Können und Wissen im Reiten sowie in Pferdepflege, Pferdehaltung und Leistungsprüfungswesen.

Deutsches Reitpferd, typ. Warmblutpferd, aus regionalen Landschlägen (Hannoveraner, Holsteiner, Trakehner) unter Einfluss span., engl. und

Deutsches Reich 1871–1918

Staat	Fläche in km²	Ew. (1905) in 1 000	Ew. je km²	Haupt- und Residenzstadt bzw. Reg.-Sitz
Königreiche				
Preußen	348 702	37 293	107	Berlin, Potsdam
Bayern	75 870	6 524	86	München
Sachsen	14 993	4 509	301	Dresden
Württemberg	19 512	2 302	118	Stuttgart
Großherzogtümer				
Baden	15 068	2 011	133	Karlsruhe
Hessen	7 689	1 209	157	Darmstadt
Mecklenburg-Schwerin	13 127	625	48	Schwerin
Mecklenburg-Strelitz	2 930	103	35	Neustrelitz
Oldenburg	6 428	439	68	Oldenburg
Sachsen-Weimar-Eisenach	3 611	388	107	Weimar
Herzogtümer				
Anhalt	2 299	328	143	Dessau
Braunschweig	3 672	486	132	Braunschweig
Sachsen-Altenburg	1 324	207	156	Altenburg
Sachsen-Coburg und Gotha	1 977	242	123	Coburg, Gotha
Sachsen-Meiningen	2 468	269	109	Meiningen
Fürstentümer				
Lippe	1 215	146	120	Detmold
Reuß ältere Linie	316	71	223	Greiz
Reuß jüngere Linie	827	145	175	Gera
Schaumburg-Lippe	340	45	132	Bückeburg
Schwarzburg-Rudolstadt	940	97	103	Rudolstadt
Schwarzburg-Sondershausen	862	85	99	Sondershausen
Waldeck	1 121	59	53	Arolsen
Freie Städte				
Bremen	256	263	1 027	-
Hamburg	414	875	2 114	-
Lübeck	298	106	356	-
Reichsland				
Elsass-Lothringen	14 518	1 815	125	Straßburg
Deutsches Reich	540 777	60 641	112	Berlin

Deutsches Reich 1918–1945

Land	Fläche in km^2	Ew. (1925)[1] in 1 000	Ew. je km^2	Haupt- und Residenzstadt bzw. Reg.-Sitz
Preußen[2]	291 701	38 120	130,7	Berlin, Potsdam
Bayern[3]	75 997	7 380	97,1	München
Anhalt	2 299	351	152,7	Dessau
Baden	15 071	2 312	153,4	Karlsruhe
Braunschweig	3 672	502	136,7	Braunschweig
Bremen	256	339	1 321,6	-
Hamburg	415	1 153	2 775,4	-
Hessen	7 693	1 347	175,1	Darmstadt
Lippe	1 215	164	134,7	Detmold
Lübeck[4]	298	128	429,8	-
Mecklenburg-Schwerin	13 127	674	51,4	Schwerin
Mecklenburg-Strelitz[5]	2 930	110	37,6	Neustrelitz
Oldenburg	6 424	545	84,9	Oldenburg
Sachsen	14 993	4 992	333,0	Dresden
Schaumburg-Lippe	340	48	141,2	Bückeburg
Thüringen[6]	11 724	1 609	137,3	Weimar
Waldeck[7]	1 055	56	52,9	Arolsen
Württemberg	19 508	2 580	132,3	Stuttgart
Deutsches Reich[8]	468 718	62 410	133,1	Berlin

[1] Volkszählung vom 16. 6. 1925. – [2] zuzüglich preuß. Saargebiet: 1 486 km^2, 672 000 Ew., 452,0 Ew./km^2. – [3] zuzüglich Saarpfalz: 424 km^2, 98 000 Ew., 231,8 Ew./km^2. – [4] am 1. 4. 1937 Anschluss an Preußen. – [5] am 1. 1. 1934 Anschluss an Mecklenburg-Schwerin. – [6] am 1. 5. 1920 gebildet. – [7] am 1. 4. 1929 Anschluss an Preußen. – [8] zuzüglich Saargebiet (1920–35 unter Verwaltung des Völkerbundes): 1 910 km^2, 770 000 Ew., 403,1 Ew./km^2.

arab. Pferde entstanden, nach dem 2. Weltkrieg durch starke Einkreuzung von Engl. Vollblut, Araber u.a. zu einem edlen Reitpferd umgezüchtet.

Deutsches Rotes Kreuz, Abk. **DRK,** →Rotes Kreuz.

Deutsche Telekom AG

Deutsches Sportabzeichen, →Sportabzeichen.

Deutsche Staatspartei, →Deutsche Demokratische Partei.

Deutsches Wörterbuch, Abk. **DWB,** von J. und W. Grimm begonnene Samml. aller nhd. Wörter. Das 16 Bde. umfassende Werk, dessen erster Band 1854 erschien (Beginn der Arbeiten war 1838), wurde 1960 mit 32 Bänden abgeschlossen; 1971 erschien ein Quellenband. Das D. W. wurde bis 1945 hg. von der Preuß. Akademie der Wiss., seit 1946 fortgeführt von der Dt. Akademie der Wiss. zu Berlin und einer von der Dt. Forschungsgemeinschaft finanzierten Arbeitsstelle in Göttingen. Die Neubearbeitung erscheint seit 1965.

Leistungen der Deutschen Telekom AG

	1990	1996
T-Online[1]-Kunden (in 1 000)	260,1	1 353,9
T-Online[1]-Anrufe (in Mio.)	63,2	310,1
D1-Netz-Kunden (in 1 000)	-	2 156
C-Tel Kunden (in 1 000)	274	532
Cityruf-Kunden (in 1 000)	65	339
Inlandsgespräche (in Mrd.)	35,4	50,7
Auslandsgespräche (in Mrd.)	0,8	1,4
Anschlüsse (in Mio.)	32,0	44,1
ISDN-Basisanschlüsse (in 1 000)	14,5	1 918,3
Kabelanschlüsse (angeschlossene Haushalte [in Mio.])	8,1	16,7
Kupferkabel (in 1 000 km)	227,4	168,7[2]
Glasfaserkabel (in 1 000 km)	36,8	112,6
Breitbandkabel (in 1 000 km)	273,0	408[2]
Umsatzerlöse (in Mrd. DM)	40,6	63,1
Jahresüberschuss (in Mrd. DM)	1,3	1,8
Beschäftigte (in 1 000)	212	201

[1] früher Btx. – [2] 1995.

Deutsches Zentralinstitut für soziale Fragen, Abk. **DZI,** 1893 gegründete Auskunfts- und Forschungsstelle über das Sozialwesen und die prakt. Sozialarbeit; Sitz: Berlin. Es überprüft die Ordnungsmäßigkeit der Verwendung von Spenden an humanitär-karitative spendenfinanzierte Hilfsorganisationen und vergibt auf Antrag das **DZI-Spenden-Siegel.**

Deutsche Telekom AG (Kurz-Bez. Telekom), Abk. **DTAG,** im Zuge der Umstrukturierung des Post- und Fernmeldewesens (→Postreform) 1989 aus der Dt. Bundespost unter der Bez. Dt. Bundespost Telekom hervorgegangenes Unternehmen für Telekommunikation, seit 1. 1. 1995 AG mit dem jetzigen Namen; Sitz: Bonn.

Die DTAG entwickelt und betreibt die techn. Netze (ISDN, Breitbandkabel u.a.), die für den Betrieb von Informations- und Kommunikationsdiensten wie Mobilfunk, Funkruf, Datenfunk, Satellitenkommunikation, Kabelfernsehen, Multimedia (z.B. den Onlinedienst »T-Online«) und Mehrwertdienste erforderlich sind. Mit der Umstrukturierung der DTAG von einer technisch orientierten Fernmeldeverwaltung im Monopol zu einem international agierenden Konzern im Wettbewerb (das letzte Monopol fiel zum 1. 1. 1998) wurden die früheren Fernmeldeämter in Geschäftskunden-, Privatkunden- und Netzeniederlassungen umgewandelt. Ihre Aktivitäten hat die DTAG in zahlreiche Beteiligungsgesellschaften wie T-Mobil, DeTeSystem, DeTeImmobilien, DeTeMedien ausgegliedert. Auslandsschwerpunkte bilden die mittel- und osteurop. Staaten (v.a. Ukraine, Ungarn) sowie Indonesien. Zur Verbesserung ihrer internat. Wettbewerbsfähigkeit hat sich die DTAG mit France Telecom und der amerikan. Sprint Corp. zusammengeschlossen (Global One).

Seit Nov. 1996 ist die Telekomaktie an der Börse notiert und in den DAX aufgenommen. Mit dieser bislang umfangreichsten Börseneinführung in Europa sollten breite Bev.kreise für den Aktienbesitz gewonnen werden. Der Anteil des Staates wurde dadurch auf 74% reduziert.

Deutsche Verkehrs-Bank AG, Abk. **DVB,** Hausbank der Dt. Bahn AG und Zentralbank der Sparda-Banken; gegr. 1923, Sitz: Berlin und Frankfurt am Main.

Deutsche Volkspartei, Abk. **DVP,** in der Weimarer Republik eine rechtsliberale Partei, gegr. im Dez. 1918 von G. Stresemann und H. Stinnes; ihr schloss sich der rechte Flügel der →Nationalliberalen Partei an. Die Partei lehnte zunächst die Verf. des neuen dt. Staates ab, beteiligte sich aber ab 1923 unter ihrem Vors. G. Stresemann an der Reichsregierung. Nach Abschluss der Locarno-Verträge verstärkten sich aber die rechtsoppositionellen Strömungen in der DVP, die 1930 den Bruch der großen Koalition unter dem sozialdemokrat. Reichskanzler H. Müller mitbewirkten. Von da an bis zur Selbstauflösung am 30. 6. 1933 gingen Einfluss und Stimmenanteil der DVP stark zurück (Sitze im Reichstag: 1920: 62; 1933: 2).

Deutsche Volksunion, Abk. **DVU,** polit. Partei in Dtl., 1987 von G. Frey (seitdem Bundesvors.) gegr.; größte rechtsextremist. dt. Partei; 1987–90 Wahlbündnis mit der NPD; 1987 Wahl in das Landesparlament in Bremen, 1991 Wiederwahl (6,2% der Stimmen, 6 Mandate), 1992–96 in Schlesw.-Holst. (6,3% der Stimmen, 6 Mandate) parlamentarisch vertreten. Erhielt 1998 bei der Landtagswahl in Sa.-Anh. 12,9% der Stimmen.

deutsche Weine, in Dtl. erzeugte Weine, durchschnittlich etwa 10 Mio. hl im Jahr, und zwar in den 13 genau umgrenzten Weinbaugebieten: Rheinhessen (26372 ha), Pfalz (23804 ha), Baden (16371 ha), Mosel-Saar-Ruwer (12809 ha), Württemberg (11204 ha), Franken (6048 ha), Nahe (4665 ha), Rheingau (3288 ha), Mittelrhein (662 ha), Ahr (521 ha), Hess. Bergstraße (469 ha), Saale-Unstrut (447 ha) und Sachsen (319 ha). Die wichtigsten Rebsorten sind Müller-Thurgau (Anteil 23%), Riesling (22%), Silvaner (7%), Kerner (7%) und Spätburgunder (6%; wichtigste Rotweinrebe). D. W. werden in drei Güteklassen erzeugt: Tafelwein (Anteil nur etwa 5%), Qualitätswein bestimmter Anbaugebiete (QbA) und Qualitätswein mit Prädikat; die Prädikate sind Kabinett, Spätlese, Auslese, Beerenauslese, Trockenbeerenauslese und daneben Eiswein. Die Zuordnung zu diesen Qualitätsstufen erfolgt nach der Leseart und dem Mostgewicht (Zuckergehalt) des Lesegutes. D. W., meist sortenrein ausgebaut, werden i.d.R. durch eine fruchtige Säure geprägt, außerdem weisen sie in den einzelnen Jahren als Folge des von Jahr zu Jahr recht unterschiedl. Witterungsverlaufes große qualitative und geschmackl. Unterschiede auf.

Deutsche Welle, öffentlich-rechtl. Rundfunkanstalt, gegr. 1953 als Gemeinschaftseinrichtung der ARD, seit 1960 Bundesanstalt, Sitz: Köln; verbreitet Hörfunkprogramme in 40 Sprachen und seit 1992 Fernsehprogramme für das Ausland.

Deutsch Eylau, Stadt in Polen, →Iława.

Deutsch-Französischer Krieg 1870/71, verursacht durch die gegner. Haltung Frankreichs unter Napoleon III. zu Bismarcks Politik der nat. Einigung und Einengung der frz. Machtstellung in Europa nach dem preuß. Sieg im Dt. Krieg 1866. Den äußeren Anlass gab der Streit um die Berufung des Erbprinzen von Hohenzollern-Sigmaringen auf den span. Thron (→Emser Depesche). Am 19. 7. 1870 erklärte Frankreich den Krieg. Ein frz.-österr. Bündnis kam nicht mehr zustande. Die süddt. Staaten traten sofort auf die Seite Preußens. Das dt. Heer war dem Gegner v.a. durch seine Führung (Moltke) weit überlegen (Siege der dt. Armeen bei Weißenburg am 4. 8., Wörth und Spichern am 6. 8. sowie bei Colombey-Nouilly, Vionville-Mars-la-Tour und Gravelotte-Saint-Privat vom 14. bis 18. 8.). Der dt. Sieg von Sedan (2. 9.; Gefangennahme Napoleons III.) bedeutete das Ende des frz. Kaiserreiches. Gegen die nach Ausrufung der frz. Republik (4. 9.) aufgebotenen Massenheere fiel die militär. Entscheidung erst im Jan. 1871 vor Paris. In Paris erhob sich März–Mai 1871 die Kommune. Am 26. 2. wurde der Vorfriede von Versailles und am 10. 5. 1871 der Frankfurter Friede geschlossen. Frankreich trat Elsass-Lothringen ab und musste eine Kriegsentschädigung von 5 Mrd. Franken leisten. Die Gründung des Dt. Reiches unter preuß. Führung (Kaiserproklamation Wilhelms I. am 18. 1. 1871 in Versailles) ging unmittelbar aus dem D.-F. K. hervor.

Deutsche Weine

Deutschland

Fläche: 356 978 km²
Einwohner: (1996) 81,2 Mio.
Hauptstadt: Berlin
Verwaltungsgliederung: 16 Bundesländer
Amtssprache: Deutsch
Nationalfeiertag: 3. 10.
Währung: 1 Deutsche Mark (DM) = 100 Deutsche Pfennige (Pf)
Zeitzone: MEZ

Staatswappen

D

Internationales Kfz-Kennzeichen

Bevölkerung (in Mio.) Bruttosozialprodukt je Ew. (in US-$)

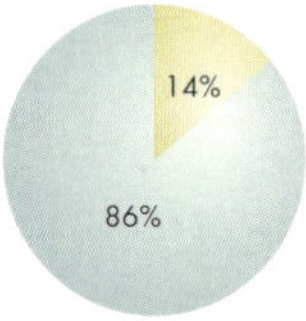

Stadt
Land

Bevölkerungsverteilung 1993

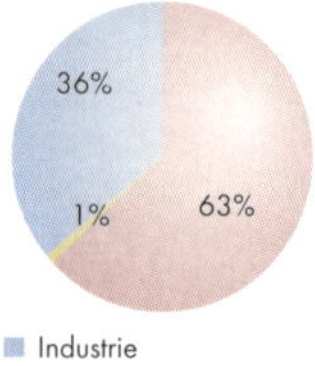

Industrie
Landwirtschaft
Dienstleistung

Bruttoinlandsprodukt 1993

Reichsgründung 1870/71, hg. v. T. SCHIEDER *u. a. Stuttgart 1970.* – ROTH, F.: *La guerre de 1870. Paris 1993.*

Deutsch-Französischer Vertrag (Elysée-Vertrag), abgeschlossen am 22. 1. 1963 zw. Bundeskanzler K. Adenauer und Präs. C. de Gaulle im Elysée-Palast; sollte als Ausdruck der dt.-frz. Aussöhnung nach dem 2. Weltkrieg eine dauerhafte Zusammenarbeit sicherstellen. Vereinbart wurde das **Deutsch-Französische Jugendwerk** für den Jugendaustausch. Im Rahmen des D.-F. V. unterzeichneten Staatspräs. F. Mitterrand und Bundeskanzler H. Kohl am 22. 1. 1988 ein Zusatzprotokoll über die Errichtung eines **Deutsch-Französischen Rates für Verteidigung und Sicherheit** sowie ein Protokoll über die Gründung eines **Deutsch-Französischen Finanz- und Wirtschaftsrates,** der die Wirtschafts-, Finanz-, Haushalts- und Währungspolitik beider Staaten abstimmen und koordinieren soll.

Deutschhannoversche Partei (Welfenpartei), 1866/69 nach der Einverleibung Hannovers in Preußen gegr., erstrebte die Wiedererrichtung des Königreichs Hannover, nach 1919 die Gründung eines Landes Niedersachsen; löste sich 1933 auf. Nach dem 2. Weltkrieg nahm die → Deutsche Partei ihr Gedankengut wieder auf.

Deutschkatholiken, Anhänger einer in der kath. Kirche 1844 entstandenen nationalkirchl. und rationalist. Reformbewegung, die seit 1850 mit den Freireligiösen verschmolz.

Deutsch Krone, Stadt in Polen, → Wałcz.

Deutsch Kurzhaar, Rasse bis 70 cm schulterhoher, kurzhaariger, temperamentvoller Jagdhunde (Gruppe Vorstehhunde); Kopf mit deutl. Stirnabsatz, kräftiger Schnauze und Schlappohren.

Deutschland (amtl. Bundesrepublik Deutschland), Staat in Mitteleuropa, grenzt im N an Nordsee, Dänemark und Ostsee, im O an Polen und die Tschechische Rep., im S an Österreich und die Schweiz, im W an Frankreich und im NW an Luxemburg, Belgien und die Niederlande. Zu D. gehören in der Nordsee die Ostfriesischen Inseln, Helgoland und der überwiegende Teil der Nordfriesischen Inseln, in der Ostsee Fehmarn, Poel, Rügen und der größte Teil von Usedom.

Staat und Recht: Die staatl. Ordnung der Bundesrep. D. wird durch das → Grundgesetz bestimmt, dessen Art. 20 als eine Fundamentalnorm angesehen wird, in der das Selbstverständnis der Verfassung und die sie tragenden Grundentscheidungen gebündelt werden: D. ist ein republikan., demokrat., sozialer und föderativer Staat. Alle Staatsgewalt geht vom Volke aus (d. h. das Volk ist der Souverän); sie wird vom Volk in Wahlen und Abstimmungen durch besondere Organe der Gesetzgebung (Legislative), der vollziehenden Gewalt (Exekutive) und der Rechtsprechung (Judikative) ausgeübt (Art. 20 Abs. 2). Das hierin zum Ausdruck gebrachte Prinzip der → Gewaltenteilung wird allerdings nicht strikt gehandhabt, sodass gewisse Formen der Gewaltenüberschneidung möglich sind. Die Gesetzgebung ist an die verfassungsmäßige Ordnung, die vollziehende Gewalt und die Rechtsprechung sind an Gesetz und Recht gebunden (Art. 20 Abs. 3). Die Festlegung des GG auf die Staatsform der parlamentar. Demokratie, auf das Mehrparteienprinzip und die Achtung der Menschenrechte wird zusammenfassend als freiheitl. demokrat. Grundordnung bezeichnet; alle Deutschen haben das Recht zum Widerstand gegen jeden, der die Beseitigung dieser Grundordnung betreibt (Art. 20 Abs. 4). Eine bestimmte Wirtschaftsordnung schreibt das GG nicht vor (Wirtschaftsneutralität des GG).

Die föderativen Glieder D.s sind die Länder, also Baden-Württemberg, Bayern, Brandenburg, Hessen, Mecklenburg-Vorpommern, Niedersachsen, Nordrhein-Westfalen, Rheinland-Pfalz, Saarland, Sachsen, Sachsen-Anhalt, Schleswig-Holstein, Thüringen sowie die Stadtstaaten Berlin, Bremen und Hamburg. Obwohl die Länder Staaten mit eigener Staatsgewalt und eigenem Staatsgebiet sind, liegt die höchste Staatsgewalt, die Souveränität, beim Bund als dem Gesamtstaat;

Deutschland - Verwaltungsgliederung

Deutschland: Größe und Bevölkerung (1996)*)

Bundesland	Hauptstadt	Fläche in km²	Ew. in 1000	Ew. je km²
Baden-Württemberg	Stuttgart	35753	10319	288,6
Bayern	München	70551	11993	170,0
Berlin	–	889	3472	3905,5
Brandenburg	Potsdam	29481	2546	86,4
Bremen	–	404	680	1683,2
Hamburg	–	755	1708	2262,3
Hessen	Wiesbaden	21115	6016	284,9
Mecklenburg-Vorpommern	Schwerin	23170	1823	78,7
Niedersachsen	Hannover	47611	7795	163,7
Nordrhein-Westfalen	Düsseldorf	34078	17908	525,5
Rheinland-Pfalz	Mainz	19853	3978	197,8
Saarland	Saarbrücken	2570	1083	421,4
Sachsen	Dresden	18412	4567	248,0
Sachsen-Anhalt	Magdeburg	20446	2731	133,6
Schleswig-Holstein	Kiel	15770	2725	172,8
Thüringen	Erfurt	16171	2497	154,4
Deutschland	Berlin	357029	81841	229,2

*) Länderangaben

Bundesrecht bricht Landesrecht (Art. 31 GG). Die verfassungsmäßige Ordnung in den Ländern muss den Grundsätzen des republikan., demokrat. und sozialen Rechtsstaates entsprechen. Den Gem. und Gem.verbänden steht das Recht der kommunalen Selbstverw. zu (Art. 28 GG). Eine Staatskirche besteht nicht.

Deutschland

Was ist des Deutschen Vaterland?

Die patriotischen Lieder Ernst Moritz Arndts sind geprägt von leidenschaftlichem Widerstand gegen die napoleonische Fremdherrschaft und von der Parteinahme für die nationale Sache der Deutschen. 1813 veröffentlichte er seine »Lieder für die Teutschen«, darunter das Gedicht »Des Teutschen Vaterland«, dessen sechs erste Strophen jeweils mit dem Vers beginnen »Was ist des Teutschen Vaterland?« Diese rhetorische Frage und der Schlussvers der beiden letzten Strophen »Das ganze Teutschland soll es sein« dienten in der Folgezeit häufig dazu, mit stark nationalistisch gefärbtem Unterton eine Standortbestimmung Deutschlands und der Deutschen vorzunehmen. So nahm zum Beispiel Ferdinand Freiligrath das Zitat in seinem 1870 geschriebenen Gedicht »Hurra, Germania!« in der fünften Strophe auf:

Was ist des Deutschen Vaterland –
Wir fragen's heut nicht mehr!
Ein Geist, ein Arm,
ein einz'ger Leib,
Ein Wille sind wir heut!

Regierungssystem: Staatsoberhaupt ist der →Bundespräsident. Er wird von der →Bundesversammlung auf fünf Jahre gewählt. Die →Bundesregierung ist oberstes Organ der Exekutive. Sie besteht aus dem →Bundeskanzler und den Bundesministern. Legislative Gewalt haben aufgrund der föderalist. Struktur der →Bundestag als Bundesparlament sowie die Länderparlamente. Das GG unterscheidet die ausschließliche, die konkurrierende und die Rahmengesetzgebung (→Gesetzgebungsverfahren); der Bundesreg. steht ein Initiativrecht (Gesetzesinitiative) zu. Der Bundestag ist das einzige Bundesorgan, das unmittelbar vom Volk gewählt wird. Durch den →Bundesrat wirken die Länder bei der Gesetzgebung und der Verw. des Bundes mit (Art. 50 GG).

Parteien und Verbände: Nach dem GG sollen die polit. Parteien bei der polit. Willensbildung des Volkes mitwirken: ihre innere Ordnung muss demokrat. Grundsätzen entsprechen; über die Herkunft ihrer Mittel müssen sie öffentlich Rechenschaft ablegen (Art. 21 GG). Wenngleich sie im GG nicht erwähnt werden, nehmen neben den Parteien versch. Interessenverbände Einfluss auf die individuelle Meinungs- und die polit. Willensbildung. Ein starker und unkontrollierbarer Einfluss der Interessenvertretungen auf Parteien, Fraktionen und Landes- bzw. Bundesreg. wird gelegentlich als die im GG verankerte Volkssouveränität und demokrat. Ordnung unterlaufend kritisiert.

Die Verwaltung obliegt den Behörden des Bundes (→Bundesverwaltung) und der Länder.

Rechtswesen: Durch die Verankerung des Rechtsstaatsprinzips wird in D. staatl. Handeln den Gesetzen unterworfen und diese Gesetzmäßigkeit staatl. Handelns durch eine umfassende Rechtsschutzgarantie und durch die Unabhängigkeit der Gerichte sichergestellt. Die Stellung der Justiz wurde durch die Möglichkeit, zur Überprüfung polit. Entscheidungen und Vereinigungen auf ihre Verfassungsmäßigkeit das Bundesverfassungsgericht anzurufen, erheblich verstärkt. – Für die der Bundesrep. D. am 3. 10. 1990 (nach Art. 23 GG) beigetretenen Länder der ehem. DDR gilt Bundesrecht mit bestimmten Ausnahmen, die in der Anlage I zum Einigungsvertrag vom 31. 8. 1990 festgelegt sind.

Soziales: Das GG verpflichtet den Staat, für einen Ausgleich sozialer Gegensätze und eine gerechte Sozialordnung zu sorgen (Sozialstaatsprinzip); es garantiert die Koalitionsfreiheit, freie Berufswahl, verpflichtet zum gemeinnützigen Gebrauch des Eigentums und ermöglicht die Verstaatlichung von Boden, Naturschätzen und Produktionsmitteln. Auf dieser Grundlage entstand ein weit gehendes System der sozialen Sicherung: neue Sozialgesetze, die Kündigungsschutz, Tarifvertragsrecht, Mutterschutz, Betriebsverfassung, Personalvertretung, Mitbestimmung, Lastenausgleich, die verschiedenen Sozialversicherungen, Sozialhilfe, Arbeitsförderung und -beschaffung, Vermögensbildung u. a. regeln.

Landesnatur: D. hat eine max. Ausdehnung von 876 km von Nord nach Süd (vom Norddt. Tiefland über die Mittelgebirgsschwelle und das Alpenvorland bis zu den Alpen) und 640 km von

Deutschland

1

2

3

4

5

6

| **1** Westerhever Leuchtturm auf der Halbinsel Eiderstedt an der Westküste von Schleswig-Holstein
| **2** Lüneburger Heide
| **3** Westküste der nordöstlich von Rostock gelegenen Halbinsel Darß im Winter | **4** Landschaft im Spreewald bei Lehde (zu Lübbenau/Spreewald)
| **5** Donautal bei Beuron mit Blick auf Schloss Werenwag
| **6** Allgäuer Alpen bei Oberstdorf

Ost nach West. Die Nordseeküste, die größtenteils bedeicht ist, wird im Unterschied zur Ostseeküste von den im Gezeitenrhythmus täglich zweimal trockenfallenden Watten begleitet. Das Norddt. Tiefland, das in der Niederrhein. und der Westfäl. Bucht sowie in der Leipziger Tieflandsbucht weit nach S reicht, ist in West-D. durch Marschen, Geestplatten (Altmoränen), flache Sanderflächen und feuchte Niederungen sowie die Jungmoränenzone im östl. Schlesw.-Holst. (mit der seenreichen Holsteinischen Schweiz) charakterisiert. Eine bes. ausgedehnte Geestlandschaft, durchzogen von den Endmoränenwällen des Südl. Landrückens, ist die Lüneburger Heide zw. den Urstromtälern von Elbe und Aller. Das Norddt. Tiefland setzt sich in Ost-D. fort. Zur Jungmoränenzone, die bis zum südlich von Berlin verlaufenden Glogau-Baruther Urstromtal reicht, gehören die welligen, von Talzügen (mit Seen) unterbrochenen Platten im nördl. Meckl.-Vorp., die Mecklenburg. Seenplatte, die Uckermark, die Prignitz und die Platten in Brandenburg (u.a. Ländchen Bellin, Rhinow, Barnim), außerdem die Märk. Schweiz. Im S des Norddt. Tieflands finden sich die Dübener, Dahlener und Annaburger Heide sowie das Oberlausitzer Heideland. Zu den Niederungen gehören das Rhinluch und das Oderbruch, das Havelländ. Luch, der Spreewald sowie als größtes dt. Auenwaldgebiet das Biosphärenreservat Mittlere Elbe. Die fruchtbare, aus Lössaufwehungen bestehende Bördenzone, die den nördl. Fuß der Mittelgebirge begleitet, umfasst u.a. die Jülicher und Zülpicher Börde, die Soester Börde, die Magdeburger Börde, die S-Seite der Dresdner Elbtalweitung sowie das Lausitzer Gefilde mit der Kamenzer Pflege.

Die Mittelgebirgsschwelle gliedert sich nördlich von Saar-Nahe-Bergland und Main in Rhein. Schiefergebirge (linksrheinisch: Eifel und Hunsrück, rechtsrheinisch: Siebengebirge, Bergisches Land, Sauerland, Rothaargebirge, Westerwald und Taunus), Teutoburger Wald, Egge, Weserbergland, Harz mit dem Brocken (1141 m ü.M.), Hess. Bergland und Vogelsberg, Thüringer Becken, Thüringer Wald und Thüringer Schiefergebirge, Rhön, Grabfeld, Vogtland, Elster- und Erzgebirge, Elbsandsteingebirge mit dem Nationalpark Sächs. Schweiz sowie Lausitzer Bergland und Zittauer Gebirge. Weiter im S folgen Spessart, Frankenwald und Fichtelgebirge. Im südwestl. D. wird das 30–50 km breite Oberrhein. Tiefland (zw. Basel und Mainz/Bingen) von Pfälzer Wald und Saar-Nahe-Bergland (im W) sowie (im O) von Odenwald und Schwarzwald (Feldberg 1493 m ü.M.) flankiert, z.T. von Lössbändern gesäumt, sowie (im S) vom vulkan. Kaiserstuhl durchbrochen. Jenseits von Schwarzwald und Odenwald entfaltet sich aus schmaler Wurzel am Hochrhein das von den verkarsteten Juraflächen der Schwäb. und Fränk. Alb umrahmte Schwäbisch-Fränk. Schichtstufenland (mit fruchtbaren Gäulandschaften) wie ein Fächer nach NO bis zur Donau und an den Fuß von Thüringer Wald, Oberpfälzer Wald und Bayerischem Wald.

Das bis an die Donau reichende Alpenvorland, eine von Tertiärsedimenten erfüllte Alpenrandsenke, ähnelt wegen der verbreiteten Überdeckung mit eiszeitl. Ablagerungen in manchen Zügen dem Norddt. Tiefland; doch liegt es viel höher (400–800 m ü.M.). Vor dem Alpenrand umschließen die Endmoränenkränze der würmeiszeitl. Alpengletscher das Jungmoränenhügelland mit vielen Seen: Bodensee, Ammer-, Starnberger, Kochel-, Tegern-, Schlier- und Chiemsee. Dem ausgedehnten Altmoränengebiet (Iller-Lech-Platte, Münchener Ebene) ist im NO das von der unteren Isar durchschnittene, z.T. lössbedeckte Tertiärhügelland vorgelagert, dessen fruchtbarster Teil der Dungau zw. Regensburg und Vilshofen ist. – Der dt. Alpenanteil besteht vorwiegend aus den schwäbisch-oberbayer. Vor- oder Randalpen, die sich von den waldreichen, mehr rundlichen Flyschvorbergen zu immer höheren, vereinzelt schon über 2000 m hohen Ketten der Kalkvoralpen staffeln und mit einzelnen felsigen Gipfeln über die Waldgrenze aufragen (Ammergebirge, Wendelstein, Chiemgauer Alpen). Mehrfach verläuft die Staatsgrenze auch in den Nördl. Kalkalpen: in den Allgäuer Alpen, im Wetterstein- (Zugspitze 2962 m ü.M.) und Karwendelgebirge sowie in den Berchtesgadener Alpen. Der Nationalpark Berchtesgaden, in dessen Zentrum der Königssee liegt, reicht bis an die österr. Grenze. – Der größte Teil des Landes wird von den Stromsystemen von Rhein, Weser und Elbe zur Nordsee entwässert, ein kleiner Teil von der Donau zum Schwarzen Meer.

Klima: D. liegt in der gemäßigten Klimazone und nimmt eine Mittellage ein zw. dem maritimen Klima W-Europas und dem Kontinentalklima O-Europas. Der Unterschied zw. N und S wird durch die Höhenlage der südl. Landesteile abgeschwächt. Westl. Winde bringen genügend Feuchtigkeit vom Ozean, Niederschläge fallen zu allen Jahreszeiten. Die Temperaturen verzeichnen ein Maximum im Juli und ein Minimum im Januar. Lokale Abweichungen im Temperaturverlauf und in der Niederschlagshöhe sind häufig. So haben die W-Seiten der Gebirge höhere Niederschlagsmengen als die O-Seiten; im Schutze von Gebirgen liegen Wärmeinseln (z.B. das Oberrhein. Tiefland).

Pflanzenwelt: D. liegt in der mitteleurop. Zone der sommergrünen Laubwälder. Im NW herrschen, abgesehen von den Hochmooren, Eichen-Birken-Wälder vor. Auf sandigen Böden des Norddt. Tieflands dominiert ein Kiefern-Eichen-

Wald; von Menschen zerstörte Waldgebiete werden heute weitgehend von Heidegebieten eingenommen (Lüneburger Heide). Die Waldgebiete der Mittelgebirge zeigen eine starke Artendifferenzierung. Nach oben folgen auf Buchenwälder Mischwälder (v.a. Buchen und Fichten). Die Kammlagen, vereinzelt mit Hochmoorbildung, sind vielfach waldfrei. Zum Typ der Bergmischwälder zählt die Vegetation des von zahlr. Mooren durchsetzten Alpenvorlandes; auf Kalkschottern findet sich hier auch die Kiefer. Die Mischwälder setzen sich in den Nördl. Kalkalpen fort mit Buche, Bergahorn und Fichte, die bis zur natürl. Waldgrenze in etwa 1800 m Höhe immer mehr in den Vordergrund tritt. Über dem Krummholzgürtel folgt die Zwergstrauchstufe, darüber alpine Matten.

Tierwelt: Der urspr. Bestand ist nur noch in Resten erhalten. Viele Großtierarten sind ausgerottet (Auerochse). Elch und Adler sind auf wenige Individuen, der Uhu auf einige Populationen beschränkt oder werden nur in Naturschutzgebieten gehegt. Gämsen wurden im Schwarzwald und auf der Schwäb. Alb, Muffelwild in vielen Gegenden erfolgreich angesiedelt. Jagdbar sind u.a. Hirsch, Reh, Wildschwein und Feldhase. Sehr vielfältig ist die Vogelwelt; zahlr. Kulturflüchter wurden durch Kulturfolger ersetzt. Der Fischbestand ging durch Verschmutzung der Gewässer zurück, konnte sich jedoch in jüngster Zeit wieder erholen.

Bevölkerung: In D. lebten bis 1945 fast ausschließlich Deutsche; geringe Minderheiten bildeten Polen, Dänen und Sorben. Das kontinuierl. Wachstum der Bev. in den westl. Bundesländern war nach dem 2. Weltkrieg neben einem anfängl. Geburtenüberschuss v.a. auf Zuzug von außen zurückzuführen. Bis 1953 kamen etwa 10,6 Mio. Heimatvertriebene und Flüchtlinge aus den ehem. dt. Ostgebieten und den angrenzenden Staaten O- und SO-Europas. Die Bev.-Entwicklung verlief im geteilten D. recht unterschiedlich. Bis 1961 war im W die Zuwanderung aus der DDR maßgeblich am Wachstum beteiligt. Seit den 60er-Jahren spielte die konjunkturbedingte Zuwanderung ausländ. Arbeitskräfte die größte Rolle; die Bev. selbst verzeichnete seit 1972 sogar einen Überschuss der Sterbefälle.

Auf dem Gebiet der DDR nahm die Bev. nach Kriegsende infolge des Flüchtlingszustroms und der Umsiedlung aus dem O zunächst zu, dann aber bis in die 2. Hälfte der 70er-Jahre ständig ab. Dazu trugen die starke Abwanderung von Arbeitskräften in die Bundesrep. D. bis 1961 sowie ein hoher Frauenüberschuss als Folge des Krieges bei. Nach der Wende von 1989 verließen erneut sehr viele Menschen v.a. im arbeitsfähigen Alter die ostdt. Landesteile; insgesamt wanderten 1961–90 2 Mio.

Bevölkerungsentwicklung in Deutschland[1] (in Mio.)

Jahr	insgesamt	Gebiet - alte Bundesländer	Gebiet - neue Bundesländer
1939	59,7	43,0	16,7
1946	64,9[1]	46,2	17,3
1950	68,4	50,8	18,4
1955	70,2	52,4	17,8
1960	72,6	55,4	17,2
1965	75,6	58,6	17,0
1970	77,8	60,7	17,1
1975	78,6	61,8	16,8
1980	78,2	61,5	16,7
1985	77,6	61,0	16,6
1990	79,4	63,3	16,1
1993	81,3	65,7	15,6
1994	81,5	67,0[2]	14,5
2000[3]	83,5	68,3	15,2
2004[3]	84,0	69,0	15,0

[1] nach dem Gebietsstand von 1971. – [2] einschließlich Gesamtberlin. – [3] geschätzt.

Menschen, 1991–94 nochmals 784000 Bewohner aus Ost-D. ab.

Ende 1995 lebten 7,2 Mio. Ausländer in D., das sind 8,6% der Gesamtbevölkerung. Davon waren 28,1% Türken, 11,1% Menschen aus Restjugoslawien, 8,2% Italiener, 5,0% Griechen, 4,4% Bosnier, 3,9% Polen, 2,6% Kroaten, 2,3% Österreicher, 1,8% Spanier, 1,7% Portugiesen, je 1,5% Rumänen, Iraner und US-Amerikaner. Etwa drei Viertel aller Ausländer wohnen in Bad.-Württ., Bayern, Hessen und NRW; in den neuen Ländern ist der Ausländeranteil wesentlich geringer. 1989–95 beantragten 1,59 Mio. Ausländer Asyl in D. Von den Anträgen wurden 1994 7,3% anerkannt.

Die Bev.zahl steigt nur durch Zuwanderungsüberschuss oder den Wechsel der Staatsangehörigkeit. Die Geburtenrate war in den 70er-Jahren eine der niedrigsten aller europ. Länder, z.B. 1978

Größte Städte (Ew. in 1000; 1996)

Berlin	3472,0	Gelsenkirchen	289,8
Hamburg	1708,0	Halle (Saale)	280,1
München	1236,4	Karlsruhe	275,7
Köln	964,4	Wiesbaden	267,1
Frankfurt am Main	648,4	Mönchengladbach	266,8
Essen	612,3	Chemnitz	266,7
Dortmund	597,9	Münster	265,0
Stuttgart	585,6	Augsburg	259,7
Düsseldorf	570,8	Magdeburg	255,5
Bremen	551,0	Braunschweig	252,3
Duisburg	533,9	Krefeld	248,6
Hannover	522,7	Aachen	247,8
Nürnberg	492,4	Kiel	246,0
Leipzig	471,4	Oberhausen	224,4
Dresden	469,1	Rostock	224,0
Bochum	399,3	Lübeck	217,0
Wuppertal	380,7	Hagen	211,3
Bielefeld	323,7	Erfurt	210,0
Mannheim	311,3	Kassel	201,4
Bonn	298,6	Freiburg im Breisgau	199,3

mit 0,94% (ausländ. Bev.teil: 1,87%, dt. Bev.teil: 0,87%). 1980 stieg die Geburtenrate erstmals seit 1972 wieder über 1%, 1994 lag sie wiederum bei nur 0,95%. Der Anteil der weibl. Bev. beläuft sich (Ende 1994) auf 51,4%. Von den (1994) 36,695 Mio. Privathaushalten sind 34,7% Einpersonenhaushalte. 1994 waren 16,4% der Bev. unter 15 Jahre alt (16,0% in West-D., 17,8% in Ost-D.), 68,4% 15 bis unter 65 Jahre alt (68,6% in West-D., 68,1% in Ost-D.), 15,2% 65 Jahre und älter (15,4% in West-D., 14,1% in Ost-D.). Die Lebenserwartung (1992/94) der männl. Neugeborenen liegt in West-D. bei 73,37 Jahren, in Ost-D. bei 70,31 Jahren, die Lebenserwartung der weibl. Neugeborenen in West-D. bei 79,69 Jahren, in Ost-D. bei 77,72 Jahren. Die Bev.-Projektion für 2000 lautet 82,58 Mio., für 2010: 84,11 Mio. und für 2025: 83,88 Mio. Einwohner.

Die Bevölkerungsverteilung ist recht unterschiedlich, v.a. bedingt durch das seit rd. 100 Jahren anhaltende Wachstum der wirtsch. und städt. Ballungsgebiete. Der älteste Ballungsraum ist das Ruhrgebiet; weitere Räume der Bev.konzentration sind das Rhein-Neckar-Gebiet, das Rhein-Main-Gebiet, das Saarland, Hannover, München und Nürnberg/Fürth. Unter den Städten haben nach dem 2. Weltkrieg v.a. die Großstädte ein überdurchschnittl. Wachstum erfahren; erst in der jüngsten Gegenwart sind hier fast ausnahmslos Bev.verluste zu verzeichnen, in erster Linie verursacht durch Abwanderung in die Stadtrandgebiete. Im stark industrialisierten S der neuen Bundesländer ragen drei Ballungsräume heraus: Halle–Leipzig, Chemnitz–Zwickau und der Raum Dresden.

Nachdem D. im Mai 1995 das Europaratsabkommen zum Schutz nat. Minderheiten als 23. Staat unterzeichnet hat, sind vier Volksgruppen (zus. etwa 190000 Menschen) als nat. Minderheiten anerkannt: die Sinti und Roma, die Dänen in Südschleswig, die Lausitzer Sorben und die dt. Friesen.

Das GG verpflichtet den Staat zu Toleranz, Neutralität und Parität gegenüber allen Religionen und Religionsgesellschaften und sichert unter dem Vorbehalt der allg. Staatsges. die Religionsfreiheit des Einzelnen sowie die Autonomie der Religionsgesellschaften als öffentlich-rechtl. Körperschaften. Gegenwärtig (Ende 1994) haben die kath. Kirche in D. 27,9 Mio., die Gliedkirchen der EKD 28,2 Mio., die evang. Freikirchen rd. 640000 Mitglieder; 1,1 Mio. orth. Christen gehören versch. Ostkirchen an. Die jüd. Kultusgemeinden haben etwa 53800 Mitglieder. Die größte nichtchristl. Religionsgemeinschaft bildet der Islam (rd. 2 Mio. Muslime).

Bildung: Das Bildungswesen unterliegt der Kulturhoheit der Länder. Die allg. Schulpflicht beträgt je nach Bundesland 9–10 Jahre. Der Grundschule (4 Jahre) schließen sich die Hauptschule (5–6 Jahre) bzw. Realschule (6 Jahre) bzw. Gymnasium (8–9 Jahre) oder Gesamtschule an. In manchen Ländern sind Erprobungs-, Orientierungs-, Beobachtungs- oder Förderstufen zwischengeschaltet. Auch existieren versch. Sonder- und Spezialschulen bzw. -klassen. Auf die Schule folgt im Allg. die dreijährige Berufsschule, falls keine weiterführende Fach- oder Hochschule besucht wird. 1995/96 gab es in D. 83 Universitäten, 7 Gesamthochschulen und 241 weitere Hoch- und Fachhochschulen. Das Bildungswesen der ehem. DDR umfasste eine zehnjährige Schulpflicht (polytechn. Oberschule); die erweiterte Oberschule führte in 2 Jahren zum Abitur. Die neuen Bundesländer übernahmen entsprechend den Vorgaben des Einigungsvertrages prinzipiell die Strukturen des allgemeinen wie des berufl. Bildungswesens.

Wirtschaft, Verkehr: D. ist eins der führenden Ind.länder der Erde. Mit einem Bruttosozialprodukt von (1995) 3449,5 Mrd. DM (je Ew. 42400 DM) zählt es zu den Ländern mit hohem Lebensstandard. Die am 3. 10. 1990 vollzogene Wiedervereinigung erhöhte das Wirtschaftspotenzial nicht in dem Maße, wie es die Addition der viertstärksten Volkswirtschaft der Erde mit der Volkswirtschaft der DDR erwarten ließ, die industriell und technologisch eine hervorgehobene Stellung innerhalb des Rates für gegenseitige Wirtschaftshilfe eingenommen hatte. Mit der Umstrukturierung der Rechtsordnung (auf der Basis des GG) sowie der Wirtschafts- und Sozialordnung (auf der Basis der sozialen Marktwirtschaft) in Ost-D. ergaben sich – trotz zahlreichen Bemühungen um einen sozial verträgl. Ablauf dieses Prozesses – schwerwiegende Probleme, insbesondere eine stark anwachsende Arbeitslosigkeit infolge Umstellung oder Liquidation von Betrieben in Industrie und Landwirtschaft (→Treuhandanstalt). Weitere Schwierigkeiten erwuchsen aus ungeklärten Eigentumsfragen auch in Verbindung mit dem Grundsatz »Rückgabe vor Entschädigung« und verzögerten oder verhinderten private Investitionen. Durch den Zusammenbruch der Märkte im Ostblock (Auflösung des RGW Mitte 1991) verlor die ostdeutsche Ind. ihre traditionellen Abnehmer, denn mit den RGW-Staaten wickelte sie zwei Drittel ihres Außenhandels ab.

In der Wirtschaftsstruktur und der wirtschaftl. Entwicklung bestehen auch fünf Jahre nach der dt. Vereinigung noch immer deutl. Unterschiede zw. dem früheren Bundesgebiet und den neuen Bundesländern. Eines der Hauptprobleme ist die seit der Wiedervereinigung erstmals in den neuen Bundesländern auftretende →Arbeitslosigkeit. Insgesamt beläuft sich die Zahl der Arbeitslosen in Dtl. auf (1996) 3,965 Mio.

Deutschland - Wirtschaft

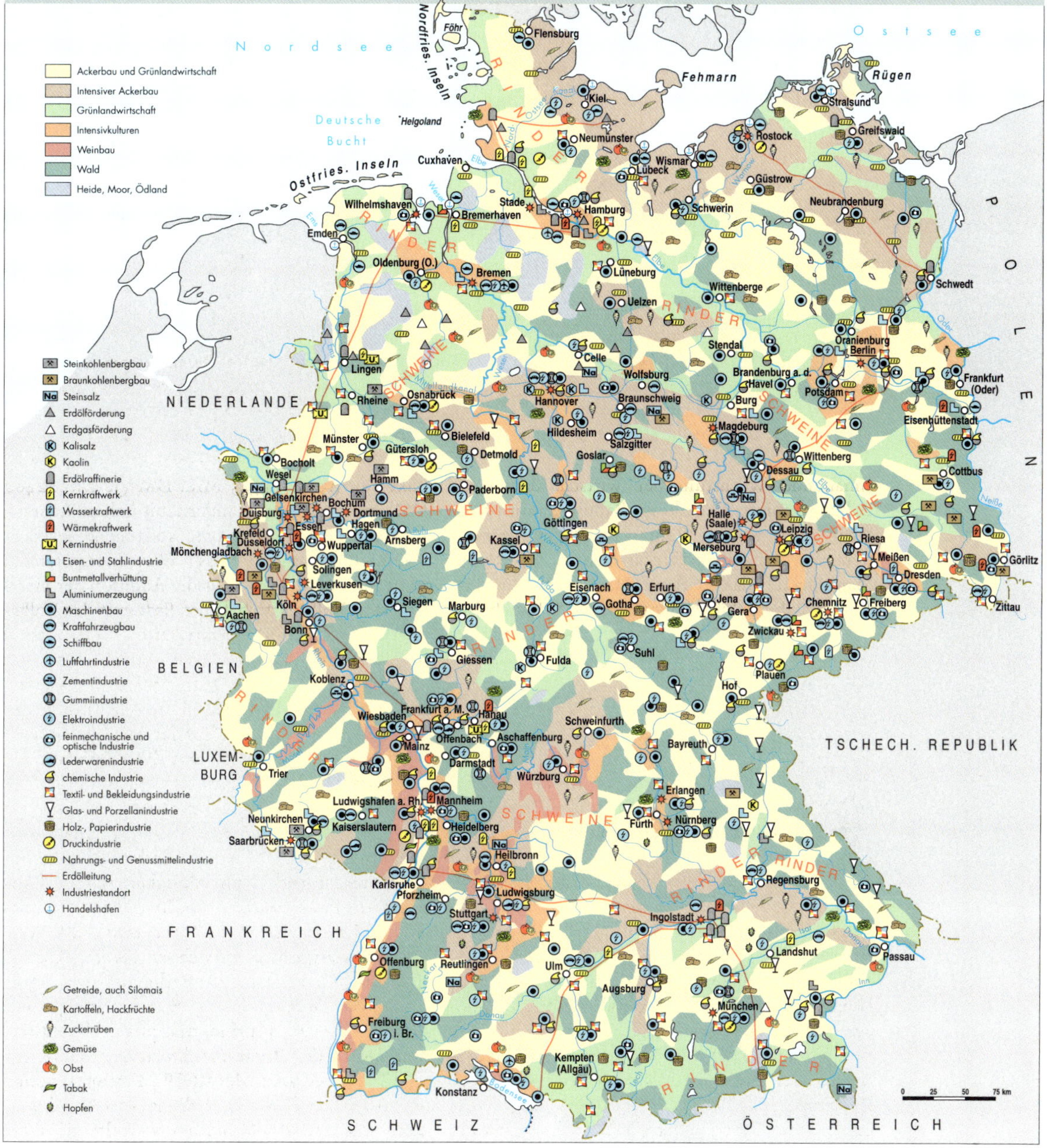

Landwirtschaft: In D. sind mit (1994) 1,04 Mio. Personen nur noch 3,0% aller Erwerbstätigen in der Landwirtschaft beschäftigt, davon 815000 im früheren Bundesgebiet und 226000 in den neuen Bundesländern. Die Zahl der Beschäftigten in der ostdt. Landwirtschaft hat sich damit innerhalb von nur drei Jahren halbiert (1991: 454000 Personen). Die Struktur der landwirtsch. Betriebe in West- und Ost-D. ist sehr unterschiedlich. Während es (1995) im früheren Bundesgebiet 524817 Betriebe mit einer landwirtsch. Fläche von 11,7 Mio. ha gibt, existieren in den neuen Bundesländern lediglich 30248 Betriebe, jedoch mit einer Fläche von 5,5 Mio. ha. Die Ursache liegt darin, dass im alten Bundesgebiet die bäuerl. Familienbetriebe vorherrschen, während in der DDR die einzelbäuerl. Landwirtschaft mit der Zwangskollektivierung 1952–60 weitgehend zerschlagen worden war. Die danach eingeführten staatl. oder genossenschaftl. Großbetriebe bewirtschafteten i.d.R. mehrere Tausend Hektar und waren entweder auf Pflanzen- oder auf Tierproduktion spezialisiert. Die Umstrukturierung der Landwirtschaft in den neuen Ländern verlief nach der Wiedervereinigung nicht immer reibungslos. Differenziert nach Kulturarten verteilt sich (1994) die genutzte landwirtsch. Fläche von 17,3 Mio. ha. (altes Bundesgebiet 11,9 Mio. ha, neue Bundesländer 5,5 Mio. ha) wie folgt: 68,2% Ackerland (altes Bundesgebiet 62,6%; neue Bundesländer 80,4%), 30,5% Grünland (35,7%; 19,1%) sowie 0,6% Rebland, 0,4% Obstanlagen, 0,3% sonstige Flächen. Die Anbaustrukturen in West- und Ost-D. unterscheiden sich nur geringfügig. Hauptanbauprodukte sind Weizen, Gerste, Roggen, Hafer, Raps und Körnermais. Bei den Hackfrüchten überwiegen Kartoffeln und Zuckerrüben. Silomais und Runkelrüben dominieren bei den Futterpflanzen. Im Bereich der Sonderkulturen hat D. nur im Hopfenanbau Weltgeltung: Mit rd. einem Viertel der Welterzeugung ist D. hinter den USA der zweitgrößte Hopfenproduzent der Erde. Die Erntemenge bei Gemüse beträgt (1994) 1,9 Mio.t, bei Obst 1,1 Mio.t. Die Weinproduktion findet mit Ausnahme einiger kleiner Anbaugebiete in Sachsen und Sa.-Anh. fast ausschließlich im westlichen Bundesgebiet statt (→deutsche Weine).

Einen Schwerpunkt der Landwirtschaft bildet die Erzeugung hochwertiger tier. Veredelungsprodukte. Unter den EU-Staaten steht D. in der Milchproduktion an 1. Stelle und bei der Fleischproduktion an 2. Stelle hinter Frankreich (weltweit an 4. bzw. 6. Stelle). Erzeugt werden Milch, Butter, Käse und Quark sowie Schweine- und Rindfleisch. D. besitzt die größten Schweinebestände (24,7 Mio.) und den zweitgrößten Rinderbestand (16,0 Mio., darunter 5,3 Mio. Milchkühe) in der EU. 89% des Nahrungsmittelbedarfs können in D. aus heim. Produktion gedeckt werden.

Forstwirtschaft: Die Waldfläche, (1993) 10,4 Mio. ha, beträgt fast 30% der Gesamtfläche; davon werden 52,3% forstwirtschaftlich genutzt. Zwei Drittel sind Nadelwälder (v.a. Fichten und Kiefern) und ein Drittel Laubwälder (v.a. Buchen). Etwa zwei Drittel der Bäume weisen Umweltschäden auf.

Fischerei: Durch die Wiedervereinigung wurden die für die westdt. Hochsee- und Küstenfischerei zugängl. Gewässer um größere Bereiche der Ostsee erweitert. Gleichzeitig können aber die ehem. Fangrechte der DDR im Süd- und Zentralatlantik nicht mehr genutzt werden. Wichtigstes dt. Fanggebiet ist weiterhin die Nordsee. Die Fangmenge der Fischerei liegt bei (1995) 137630t. Der Hochseefang wird in Cuxhaven und Bremerhaven angelandet. Rostock hat seine Bedeutung als Fischereihafen für die stark verringerte ostdt. Fangflotte weitgehend verloren.

Bergbau: D. zählt auch nach der Wiedervereinigung zu den rohstoffarmen Ländern. Von Bedeutung sind lediglich die Lagerstätten von Braunkohle, Steinkohle und Salz. D. verfügt nach Russland und den USA über die drittgrößten wirtschaftlich nutzbaren Braunkohlelager der Erde; die größten Vorkommen befinden sich in der Niederrhein. und in der Leipziger Bucht sowie in der Niederlausitz, in geringerem Umfang auch in der Westhess. Senke und in der Oberpfalz. Die Steinkohlevorkommen im Rheinisch-Westfäl. Industriegebiet, im Aachener Raum und im Saarrevier betragen (1993) 23,9 Mrd.t (knapp 5% der Weltvorräte). Weitere Bodenschätze sind die Steinsalzlager in Ndsachs. und in Bayern, die Kalisalze in Ndsachs., in Hessen und Thüringen und in Südbaden, die Erdöllagerstätten in Nordwest-D., die Erdgasvorkommen im Norddt. Tiefland, in Sachs.-Anh., im Oberrhein. Tiefland und im bayer. Alpenvorland. Die Förderung von Erzen spielt keine Rolle mehr: An Zinkerz wurden 1993 nur noch 14300t gefördert, an Bleierz 2100t, die Förderung von Kupfer-, Eisen- und Uranerzen wurde Anfang der 1990er-Jahre völlig eingestellt.

Energiewirtschaft: Beim Primärenergieverbrauch ist D. zu 65% auf Einfuhren angewiesen. Der Gesamtenergieverbrauch liegt (1994) bei 479,8 Mio.t Steinkohleeinheiten (SKE). Wichtigster Primärenergieträger ist Erdöl mit 40,4%, gefolgt von Kohle mit 28,7% (Steinkohle 15,5%, Braunkohle 13,2%) und Erdgas mit 18,3%, das weiterhin an Bedeutung gewinnt (1970: 5,5%). Der Anteil der Kernenergie ist seit 1970 (0,6%) ständig gestiegen (1994: 10,0%). An der Elektrizitätserzeugung von (1994) 526,1 Mrd. kWh sind v.a. die Energieträger Kernkraft (28,7%), Steinkohle (28,1%), Braunkohle (27,7%) und Erdgas (6,8%) beteiligt. 21 Kernkraftwerke mit einer Kapazität von 23869 MW sind in Betrieb. In den neuen Bundesländern wird Elektrizität v.a. aus Braunkohle (1994: 87,7%) erzeugt.

Industrie: In den westl. Bundesländern weist die regionale wie auch die sektorale Entwicklung in der Ind. erhebl. Unterschiede auf. Zunächst wurden die traditionellen Zentren des Bergbaus und der Schwerind., das Ruhrgebiet und der Raum Hannover–Braunschweig–Salzgitter–Peine, sowie die Handelszentren Hamburg und Bremen begünstigt. Seit den 60er-Jahren entwickelten sich dagegen die Verdichtungsräume Rhein–Main, Rhein–Neckar, München, Nürnberg–Erlangen und Stuttgart als Standorte zumeist wachstumsstarker Ind.zweige (Chemie, Elektrotechnik, Elektronik, Maschinen, Straßenfahrzeugbau) deutlich schneller als die übrigen Teilräume, die norddeutschen Küstenländer Schlesw.-Holst. und Ndsachs. (ausgenommen die Agglomerationen Hannover, Hamburg, Bremen) ebenso wie NRW nur noch unterdurchschnittlich.

Auch auf dem Gebiet der ehemaligen DDR ist die Industrie der wichtigste Wirtschaftszweig. Sie ist v.a. in Berlin, Sachsen, Sa.-Anh., Thür. sowie im südl. Brandenburg konzentriert. Traditionelle Branchen sind Maschinenbau (Werkzeug-, Textil-, Druckerei-, Landmaschinenbau), Schiffbau, Straßen- und Schienenfahrzeugbau, Bau von Bergbauausrüstungen, elektrotechn., opt., chem. und Textilindustrie. Die chem. Ind. ist bes. in Sa.-Anh. – mit Leuna, Schkopau (Buna), Bitterfeld, Wolfen, Zeitz und Wittenberg – sowie in Schwedt/Oder konzentriert; wegen ihrer Umweltverschmutzung werden seit 1990 viele Betriebe bes. der Braunkohlenchemie stillgelegt. Die Eisenhüttenind. hat ihre Hauptstandorte im Land Brandenburg, in Riesa, die Buntmetallurgie in Hettstedt und Freiberg. Der Schwermaschinenbau ist bes. in Magdeburg, der allg. Maschinenbau in Sachsen und Berlin, der Fahrzeugbau in Eisenach, Zwickau, Zschopau, Suhl und Ludwigsfelde angesiedelt; Schiffbau wird an der Ostseeküste (Meckl.-Vorp.) betrieben. Werke der elektrotechnisch-elektron. Ind. befinden sich in Berlin, Sachsen und Thüringen, der feinwerktechnisch-opt. Ind. in Jena, Rathenow, Erfurt und Sömmerda. Die Textil- und Bekleidungsind. ist in Sachsen, Thür. und in der Niederlausitz (Brandenburg) verbreitet. Die Glasind. ist in Jena, im Thüringer Wald und in der Niederlausitz, die keram. Ind. in Meißen sowie in Thür., die Holzverarbeitung im Erzgebirge und Thüringer Wald konzentriert.

Im Dienstleistungssektor sind inzwischen über 60% aller Erwerbstätigen beschäftigt; sein Beitrag zur Bruttowertschöpfung liegt bei 63,5% (1994). Der Wirtschaftszweig Tourismus beschäftigt etwa 2 Mio. Menschen. D. mit seinen vielfältigen Landschaften ist für den nat. und internat. Fremdenverkehr ein beliebtes Reiseland (im internat. Vergleich hinter Frankreich, den USA und Spanien an vierter Stelle). Bes. in den neuen Bundesländern nahm das Übernachtungsvolumen stark zu.

Außenhandel: Nach dem Anteil am Welthandel liegt D. hinter den USA an zweiter Stelle. Dem schon traditionellen Defizit der Dienstleistungs- und Übertragungsbilanz steht ein positiver Saldo der Handelsbilanz gegenüber. Sowohl bei den Importen als auch bei den Exporten dominieren die industriellen Produkte (Straßenfahrzeuge, Maschinen, chem. und elektrotechn. Erzeugnisse). Haupthandelspartner sind Frankreich, Italien, Niederlande, Großbritannien und USA.

Verkehr: Der Güterverkehr wird zum Teil auf Schiene und Wasser abgewickelt, beim Personenverkehr steht der Individualverkehr auf der Straße bei weitem an der Spitze. Auch beim öffentl. Personenverkehr überwiegt der Straßenverkehr. Durch Neubauten v.a. bei Autobahnen wurde das Straßennetz des überörtl. Verkehrs der westl. Bundesländer bis 1995 auf 11143 km Bundesautobahnen, 41770 km Bundesstraßen, 86503 km Landesstraßen und 89188 km Kreisstraßen erweitert. Hinzu kommen die Gemeindestraßen. Dennoch ergibt sich beim Straßenverkehr zu Stoßzeiten häufig eine Überlastung des Straßennetzes an bes. neuralg. Punkten. 1996 waren 40,5 Mio. Pkw registriert; auf 1000 Ew. kamen 495 Pkw. Das Schienennetz der Dt. Bahn AG (nach Zusammenlegung der Dt. Bundesbahn und der Dt. Reichsbahn) beträgt – nach Verringerungen in den letzten Jahren – (1994) 42787 km; dazu kommen noch 3155 km Strecken von Regionalbahnen. Als erste der geplanten Hochgeschwindigkeitsstrecken (ICE) ist die Strecke Hamburg–Hannover–Frankfurt–München in Betrieb. Durch die Binnenschifffahrt werden v.a. Sand und Kies sowie Heizöl und Kraftstoffe befördert. Das Netz der befahrenen Binnenwasserstraßen ist (1994) 7348 km lang (neue Bundesländer: 3079 km). Größter Binnenhafen mit einem Güterumschlag von (1994) 45,7 Mio. t ist mit Abstand Duisburg; wichtigste Binnenwasserstraße ist der Rhein. Der Bestand an Handelsschiffen nimmt weiterhin ab; 1995 fuhren nur noch 774 Schiffe (davon 68 Tanker und 136 Schiffe für die Personenbeförderung) mit einer Tonnage von 5,3 Mio. BRT unter dt. Flagge. Größter dt. Seehafen ist Hamburg mit einem Güterumschlag von (1995) 72,1 Mio. t, gefolgt von Wilhelmshaven (33,1 Mio. t), Bremen/Bremerhaven (31,2 Mio. t), Rostock (18,5 Mio. t) und Lübeck (14,7 Mio. t). Der Luftverkehr wird v.a. von der »Dt. Lufthansa AG« bestritten; die größten Flughäfen sind Frankfurt am Main, Düsseldorf, München, Berlin-Tegel, Hamburg und Stuttgart.

Geschichte: →deutsche Geschichte. Über die früheren deutschen Kolonien →Schutzgebiete. Zur Frage der Nation →deutsche Nation.

📖 *Allgemeines: Statist. Jahrbuch für die Bundesrep. D. Stuttgart 1952 ff. (erscheint jährl.).* – G. HAENSCH *u.a.: Kleines D.-Lexikon. Wissenswertes über Land u. Leute. München 1994. – Hb. der dt. Bundesländer, hg. v.* J. HARTMANN. *Frankfurt am Main u.a.* [2]*1994.* – SCHÄFERS, B.: *Gesellschaftl. Wandel in D. Ein Studienbuch zur Sozialstruktur u. Sozialgeschichte. Stuttgart u.a.* [6]*1995. – D. heute, bearb. v.* TH. GEUS. *Neuausg. Frankfurt am Main 1996.*

Staat und Recht: HESSE, J. J. *u.* ELLWEIN, TH.: *Das Regierungssystem der Bundesrep. D., 2 Bde. Opladen* [7]*1992. – Handbuch des Verfassungsrechts der*

Bundesrep. D., hg. v. E. Benda *u. a. Berlin* [2]*1994, Nachdr. als Studienausg., 2 Tle. 1995.* – Hesse, K.: *Grundzüge des Verfassungsrechts der Bundesrep. D. Heidelberg* [20]*1995.* – Beyme, K. von: *Das polit. System der Bundesrep. D. München u. a.* [8]*1996.*

Landesnatur und Bevölkerung: Phys. Geographie D.s, hg. v. H. Liedtke *u.* J. Marcinek. *Gotha* [2]*1995.* – *Grund- u. Strukturdaten, Ausg. 1995/96, hg. vom Bundesministerium für Bildung u. Wissenschaft. Bad Honnef 1995.* – Ellenberg, H.: *Vegetation Mitteleuropas mit den Alpen in ökolog. Sicht. Stuttgart* [5]*1996.* – Semmel, A.: *Geomorphologie der Bundesrep. D. Stuttgart* [5]*1996.* – *Verstädterungsprozesse in der Bundesrep. D., bearb. v.* W. Kaiser. *Stuttgart* [3]*1996.*

Wirtschaft und Verkehr: Henning, F.-W.: *Hb. der Wirtschafts- u. Sozialgeschichte D.s, auf 3 Bde. ber. Paderborn u. a. 1991 ff.* – Abelshauser, W.: *Wirtschaftsgesch. der Bundesrep. D. (1945–1980). Frankfurt am Main* [7]*1993.* – Eckart, K. *u. a.: Landwirtschaft in D. Leipzig 1994.* – *Chancen u. Risiken der industriellen Restrukturierung in Ost-D., hg. v.* Rudi Schmidt *u.* B. Lutz. *Berlin 1995.* – Simons, R. *u.* Westermann, K.: *Industriestandort D. Marburg* [2]*1995.* – Lampert, H.: *Die Wirtschafts- u. Sozialordnung der Bundesrep. D. München u. a.* [12]*1995.*

Deutschlandfunk, →DeutschlandRadio.

Deutschlandlied

»Deutschland, Deutschland über alles«

So beginnt die erste Strophe des 1841 von Hoffmann von Fallersleben auf Helgoland zu einer Melodie von Joseph Haydn (»Gott erhalte Franz den Kaiser«) gedichteten Deutschlandliedes. »Das Lied der Deutschen«, so der ursprüngliche Titel, wurde 1922 zur deutschen Nationalhymne erklärt. Seit 1952 wird in der Bundesrepublik Deutschland nur noch die dritte Strophe, die mit den Worten »Einigkeit und Recht und Freiheit« anfängt, gesungen. Karl Simrocks 1848 entstandenes Gedicht »Deutschland über alles« enthält die oben zitierte Zeile in allen fünf Strophen. – Der patriotische Überschwang dieser Worte wurde schon von Kurt Tucholsky ironisiert, der einem von ihm zusammen mit John Heartfield 1929 herausgegebenen politisch-satirischen Buch den Titel »Deutschland, Deutschland über alles!« gab. Tucholsky schrieb dazu: »Aus Scherz hat dieses Buch den Titel ›Deutschland über alles‹ bekommen, jenen törichten Vers eines großmäuligen Gedichts. Nein, Deutschland steht nicht über allem und ist nicht über allem – niemals. Aber mit allen soll es sein, unser Land.« – Hans Magnus Enzensberger veröffentlichte 1967 einen Band gesellschaftskritischer Essays mit dem Titel »Deutschland, Deutschland unter anderm«.

Deutschlandlied, das Gedicht »Deutschland, Deutschland über alles« von A. H. Hoffmann von Fallersleben (1841) mit der Melodie von J. Haydn (1797), offiziell dt. Nationalhymne seit 1922. Die dritte Strophe »Einigkeit und Recht und Freiheit« ist die offizielle Hymne der Bundesrep. Dtl.

DeutschlandRadio, Rundfunkanstalt öffentl. Rechts, gegr. durch Staatsvertrag vom 17. 6. 1993 zw. dem Bund und allen Ländern, durch den die Hörfunkanstalten Deutschlandfunk, Deutschlandsender-Kultur (DS-Kultur, in dem »Stimme der DDR« aufgegangen ist) und RIAS Berlin zum 1. 1. 1994 zu einem bundesweiten Sender zusammengefasst wurden. Das von ARD und ZDF gemeinsam getragene D. besteht aus zwei werbefreien Hörfunkprogrammen, die aus Köln (als Deutschlandfunk) und Berlin (D. Berlin) bundesweit ausgestrahlt werden.

Deutschlandsender, 1) Rundfunkgesellschaft, 1932 aus der »Dt. Welle GmbH« entstanden zur Verbreitung eines repräsentativen Reichsprogramms über Langwelle (bis 1945).

2) Sendergruppe, gegr. 1948 in Berlin (Ost); seit 1971 »Stimme der DDR«, seit 1991 »D. Kultur«, 1994 im DeutschlandRadio aufgegangen.

Deutschlandvertrag (Bonner Vertrag), der am 26. 5. 1952 in Bonn zw. der Bundesrep. Dtl. und den USA, Großbritannien und Frankreich abgeschlossene »Vertrag über die Beziehungen der Bundesrep. Dtl. mit den 3 Mächten«, mit dem **Generalvertrag** als Kernstück. Der D. sollte mit dem Vertrag über die Europ. Verteidigungsgemeinschaft (EVG) das Besatzungsstatut ablösen, konnte jedoch nach dem Scheitern des EVG-Vertrags (1954) erst als Bestandteil der →Pariser Verträge am 5. 5. 1955 in Kraft treten, nachdem er durch das »Protokoll über die Beendigung des Besatzungsregimes« (23. 10. 1954) geändert und erweitert worden war. Aufgrund des D. wurde die Bundesrep. Dtl. Mitgl. der NATO und der Westeurop. Union.

Deutsch Langhaar, Rasse bis 70 cm schulterhoher Jagdhunde (Gruppe Vorstehhunde) mit lang gestrecktem Kopf, Schlappohren und lang behaartem Schwanz.

Deutschmeister, der Landmeister des →Deutschen Ordens; seit etwa 1600 als Hoch- und Deutschmeister bezeichnet.

deutschnationale Bewegung, die versch. Parteibestrebungen der Deutschen in Österreich bis 1918. Die d. B. setzte sich seit 1866 im österr. Nationalitätenkampf für die dt. Sache ein und nahm 1879 den Kampf gegen die herrschende dt. liberale Partei auf. Unter der Leitung G. Schönerers forderte 1882 das **Linzer Programm** eine bloße Personalunion mit Ungarn und die Befestigung des Bündnisses mit dem Dt. Reich; 1885 durch einen antisemit. Zusatz erweitert. Die d. B. zerfiel 1891 in die **Dt. Nationalpartei** und die **Dt. Volkspartei,** die die Grundlagen der habsburg. Monarchie anerkannten, während sich die Anhänger Schönerers 1901 zur **Alldt. Vereinigung** zusammenschlossen; aus ihr entstand 1910 der **Dt. Nationalverband,** der 1911 die stärkste Partei des österr. Reichsrats wurde (104 Abg.). Nach 1918 übernahm in der Rep. Österreich die Großdt. Volkspartei das Erbe der d. B.

Deutschnationale Volkspartei, Abk. **DNVP,** die stärkste Rechtspartei in der Weimarer Republik, gegr. im Dez. 1918, nationalistisch und antisemitisch, lehnte das parlamentar. System ab, forderte die Wiedereinführung der Monarchie und bekämpfte Liberalismus und Sozialismus. In der Weimarer Nationalversammlung lehnte sie 1919 die Weimarer Reichsverf., den Versailler Vertrag und eine auf Verständigung gerichtete Außenpolitik gegenüber den Siegermächten des Krieges als »Erfüllungspolitik« ab. Parteiführer wurde nach K. Helfferich und K. Graf Westarp 1928 A. Hugenberg, unter dem die DNVP nach vorübergehenden Reg.beteiligungen (1925, 1927/1928) zu einer extrem oppositionellen Haltung zurückkehrte; das führte zum Bündnis mit den Nationalsozialisten (→Harzburger Front). Im Zuge der Errichtung der nat.-soz. Diktatur löste sich die DNVP im Juni 1933 unter Druck auf.

Deutsch-Neuguinea [-giˈneːa], Bez. für den als →Schutzgebiet zum Dt. Reich gehörenden Teil von Neuguinea.

Deutschordensburgen, die im Zuge der →deutschen Ostsiedlung erbauten Klosterburgen des Dt. Ordens; älteste Gründungen im Weichselgebiet, u.a. Nessau bei Thorn 1230, Thorn 1231, Marienwerder 1233, Marienburg 1274 (1309–1457 Hochmeistersitz), dann insgesamt 150 Burgengründungen in Ostpreußen, u.a. Heilsberg 1242, Memel 1252, Königsberg 1255, Allenstein 1348, Neidenburg 1382 und in Kurland, Livland und Estland, u.a. Riga 1330, Reval 1346; östlichste und nördlichste D. war Narwa. Die ältesten D. waren Holzbauten. Etwa 1280–1300 wurde der klass. Typus der D. ausgebildet; Blütezeit war das 14. Jh. An die Kirche schloss das Geviert des »Konventhauses« an; dazu kamen Wehrtürme, zuweilen ein Bergfried, Ringmauern, Torbefestigungen und der charakterist. Dansker (Abortturm).

Deutschordensdichtung, mhd. und lat. Dichtungen in Versen und Prosa von Angehörigen des Deutschen Ordens oder ihm nahe stehenden Verfassern; Blütezeit Ende des 13. Jh. bis etwa 1400; glorifizierende Geschichtsdichtungen sowie erbaul. didaktische Schriften.

Deutsch-Ostafrika, Bez. für die als →Schutzgebiete zum Dt. Reich gehörenden Teile Ostafrikas.

Deutschösterreich, 1867–1918 Bez. für die in Österreich-Ungarn von Deutschen bewohnten Gebiete Zisleithaniens (westl. Teil Österreich-Ungarns), seit dem 12. 11. 1918 offizieller Name der österr. Republik. Aufgrund des Friedensvertrages von St. Germain (1919) musste die Rep. D. auf Südtirol, die sudetendt. Gebiete und kleinere Gebietsstreifen (→Österreich, Geschichte) verzichten und sich in **Rep. Österreich** umbenennen.

Deutsch-Polnischer Grenzvertrag, völkerrechtl. Vertrag, unterzeichnet am 14. 11. 1990, in dem Deutschland und Polen die beiderseitige Grenze entlang der →Oder-Neiße-Linie als unverletzlich anerkennen. Beide Staaten verpflichten sich zur Achtung ihrer Souveränität und territorialen Integrität sowie zum Verzicht auf gegenseitige Gebietsansprüche.

Deutsch-Polnischer Vertrag über gute Nachbarschaft und freundschaftliche Zusammenarbeit, internat. Vertrag, unterzeichnet am 17. 6. 1991, dient – unter ausdrückl. Bezugnahme auf den Dt.-Frz. Vertrag (1963) – der Aussöhnung beider Nationen. Im Vertragswerk ist erstmals die Existenz einer dt. Minderheit in Polen förmlich anerkannt. Entsprechend dem dt.-frz. Vorbild wurde zugleich ein Vertrag über die Errichtung eines **Deutsch-Polnischen Jugendwerkes** geschlossen. Gleichzeitig wurde die Bildung eines bilateralen **Umweltrates** vereinbart. Die Verträge traten am 16. 1. 1992 in Kraft.

Deutschordensburgen: Die 1274 an der Nogat gegründete Ordensburg von Marienburg (Westpreußen) wurde nach Zerstörung im Zweiten Weltkrieg wieder aufgebaut

Deutschrömer, eine Gruppe dt. Künstler, die in der 1. Hälfte des 19. Jh. in Rom arbeitete. Im Mittelpunkt stand J. A. Koch; Treffpunkt war das Casino Massimo, das 1817 ff. mit Fresken ausgestattet wurde (u.a. P. von Cornelius, J. A. Koch, J. F. Overbeck, J. Schnorr von Carolsfeld). Zur »2. Generation« gehören A. Böcklin, A. Feuerbach, H. von Marées.

Deutsch-Sowjetischer Nichtangriffspakt (Hitler-Stalin-Pakt), am 23. 8. 1939 in Moskau für zehn Jahre abgeschlossener und sofort in Kraft gesetzter Vertrag; enthielt auch die Verpflichtung zu gegenseitiger Neutralität bei Auseinandersetzungen mit einem Dritten. Der von den Außenmin. J. von Ribbentrop und W. M. Molotow unterzeichnete Vertrag enthielt ein **geheimes Zusatz-**

protokoll (bis 1989 von der UdSSR bestritten), in dem das westl. Polen (bis zur Linie der Flüsse Narew, Weichsel und San) und Litauen der dt. Interessensphäre, Finnland, Estland, Lettland, das östl. Polen und Bessarabien der sowjet. zugewiesen wurden. Der Pakt, der Hitler die Entfesselung des 2. Weltkriegs erleichterte und der UdSSR den Weg nach Mitteleuropa öffnete, wurde nach der militär. Niederlage Polens im Sept. 1939 durch den **Deutsch-Sowjet. Grenz- und Freundschaftsvertrag** vom 28. 9. 1939 ergänzt (Verschiebung der dt.-sowjet. Demarkationslinie in Polen nach O, Zuordnung Litauens zur sowjet. Interessensphäre). Am 22. 6. 1941 brach Dtl. mit dem Überfall auf die UdSSR den Pakt.

Deutsch-Sowjetischer Vertrag über gute Nachbarschaft, Partnerschaft und Zusammenarbeit (Deutsch-sowjetischer Nachbarschaftsvertag), internat. Vertrag, unterzeichnet am 9. 11. 1990 (seit 5. 7. 1991 in Kraft), dient der Aussöhnung zw. Dtl. und den Völkern der Sowjetunion. Die Vertragspartner betonen, dass sie keine Gebietsansprüche »gegen irgend jemanden« haben. Die Grenzen aller Staaten in Europa werden als unverletzlich bezeichnet. Unter Bezugnahme auf die Schlussakte der KSZE betonen beide Vertragspartner, dass sie sich der Androhung und Anwendung von Gewalt enthalten. Beide Länder vereinbaren gegenseitige »regelmäßige Konsultationen«. Im Hinblick auf Russland gilt der Vertrag weiter (Staatenkontinuität).

Deutsch-Südwestafrika, Bez. für die als →Schutzgebiete zum Dt. Reich gehörenden Teile Afrikas zw. Angola und der Kapkolonie.

Deutsch-Tschechische Erklärung: Der deutsche Bundeskanzler Helmut Kohl (links) und der tschechische Ministerpräsident Václav Klaus unterzeichnen am 21. 1. 1997 in Prag die Deutsch-Tschechische Erklärung. Im Hintergrund die beiden Außenminister Klaus Kinkel (hinten links) und Josef Zieleniec

Deutsch-Tschechische Erklärung, eine Erkärung der Regierungen der Bundesrep. Dtl. und der Tschech. Republik, unterzeichnet am 21. 1. 1997 in Prag von Bundeskanzler H. Kohl und dem tschech. MinPräs. V. Klaus, knüpft mit der Absicht, die deutsch-tschechischen Beziehungen im Geist guter Nachbarschaft weiterzuentwickeln, an den Deutsch-tschechoslowak. Vertrag über gute Nachbarschaft und freundschaftliche Zusammenarbeit (1992) an. Die dt. Seite bekennt sich in der Erklärung zu ihrer Verantwortung für die Rolle Dtl.s, die zum Münchener Abkommen (1938), zur Vertreibung von Menschen aus dem tschechoslowak. Grenzgebiet und zur Zerschlagung und Besetzung der Tschechoslowakei geführt hat. »Sie bedauert das Leid und das Unrecht, das dem tschech. Volk durch die nationalsozialistischen Verbrechen von Deutschen angetan worden ist.« Die tschechische Seite bedauert, »dass durch die nach dem Kriege erfolgte Vertreibung sowie zwangsweise Aussiedlung der Sudetendeutschen aus der Tschechoslowakei, die Enteignung und Ausbürgerung unschuldigen Menschen viel Leid und Unrecht zugefügt wurde«. Sie bedauert darüber hinaus, dass Exzesse tschechischerseits 1946 durch Ges. als nicht widerrechtlich bezeichnet und infolgedessen auch nicht bestraft wurden. Beide Seiten richten einen Fonds zur Finanzierung von Projekten gemeinsamen Interesses (u.a. Jugendbegegnung, Altenfürsorge, Förderung von Minderheiten) ein.

Deutsch-Tschechoslowakischer Vertrag über gute Nachbarschaft und freundschaftliche Zusammenarbeit, völkerrechtl. Vertrag, abgeschlossen am 27. 2. 1992 in Prag, löst den Prager Vertrag von 1973 (»Normalisierungsvertrag«) ab und soll die Aussöhnung nach dem 2. Weltkrieg zw. Deutschen, Tschechen und Slowaken fördern. Der Vertrag bestätigt die bestehenden Grenzen und sichert der dt. Minderheit in der ČSFR einen Minderheitenschutz zu. Vermögensfragen (Restitutionsansprüche der 1945/46 vertriebenen →Sudetendeutschen) wurden ausgeklammert. In der Präambel des Vertrages wird von tschechoslowak. Seite erstmals offiziell der Begriff »Vertreibung« benutzt. – Beide Nachfolgestaaten der ČSFR, die Tschech. Republik und die Slowak. Republik, erkennen den Vertrag an.

deutschvölkische Bewegung, eine polit. Bewegung mit antisemit. Tendenz, die gegen die demokrat. Verfassung der Weimarer Republik und gegen die »Verständigungspolitik« sowie für eine »german. Erneuerung« kämpfte. Obwohl ohne klares polit. Programm, hatte sie infolge ihrer schwärmer. Ideologie zeitweise starken Widerhall; sie bildete eine der Vorstufen des →Nationalsozialismus. Aus der 1914 gegründeten **Deutschvölkische Partei** ging 1918 der **Deutschvölkische Bund** hervor, der 1922 verboten wurde. 1922 wurde die **Deutschvölkische Freiheitspartei** gegründet, die sich nach Verbot der NSDAP (Nov. 1923) mit den Nationalsozialisten zur **Nationalsozialistischen Freiheitsbewegung** vereinigte.

Deutzie *die* (Deutzia), Gattung der Steinbrechgewächse, in Ostasien und Mexiko; Sträucher mit behaarten Blättern und weißen oder rötl. Blüten; auch Ziersträucher.

Deux-Sèvres [dø'sɛ:vr], Dép. im mittleren W-Frankreich, 5999 km², (1990) 346000 Ew.; Hptst. ist Niort.

Deva [Sanskrit] (Dewa), in der ved. Religion Bezeichnung für Götter; auch Ehrentitel für Könige und Brahmanen.

Deva, Hptst. des Bezirks Hunedoara in Rumänien, im SW von Siebenbürgen, 77200 Ew.; Konservenfabrik, Baustoffindustrie. – Schloss Bethlen (1621, heute Museum). – Die Stadt entwickelte sich im Zusammenhang mit dem Ausbau einer Festung (13.–16. Jh.).

de Valera [də və'leərə], Eamon, ir. Politiker, →Valera, Eamon de.

Devalvation [nlat.] *die,* →Abwertung.

Deventer, Stadt in der niederländ. Prov. Overijssel, an der IJssel, 68500 Ew.; Druck-, chem., Metall-, Kunststoff verarbeitende und Konservenind., Herstellung von Honigkuchen (D.-Koek); Viehmarkt. – Spätgot. und Renaissancebauten prägen das Stadtbild, u. a. »De Waag« 1528–31, heute Museum). – D., im 13./14. Jh. bed. Hansestadt, stand im niederländ. Freiheitskampf zunächst auf span. Seite, dann endgültig 1591 von Moritz von Oranien den Generalstaaten angegliedert.

Deverbativum [lat.] *das,* verbale Ableitung von einem Verbalstamm, z. B. »lächeln« von »lachen«.

Deviation [lat.] *die,* **1)** *Ballistik:* Abweichung einer Geschossflugbahn von ihrer theoret. Bahnkurve, z. B. durch Wind, Erdrotation und vom Sollwert abweichende Anfangsgeschwindigkeit.

2) *Navigation:* der Winkel, um den die Anzeige eines Magnetkompasses von der magnet. Nordrichtung nach O (+) oder W (–) infolge des Eigenmagnetismus eines See- oder Luftfahrzeugs abgelenkt wird; zu unterscheiden von der →Deklination.

Devise [frz.] *die,* **1)** *allg.:* Wahlspruch, Losung.

2) *Heraldik:* ein auf Wappen, Ordenszeichen, Münzen, Siegeln und Bauwerken angebrachter, mit einem Sinnbild zusammengehörender Spruch, auch der Spruch allein, z. B. die D. Friedrichs d. Gr. »Pro Gloria et Patria« mit dem preuß. Adler, die der brit. Krone →Dieu et mon droit.

3) *Kulturgeschichte:* die von chines., japan. u. a. ostasiat. Herrschern für ihre Regierungszeit gewählte Losung; in China 114 v. Chr. eingeführt, von Japan 645 übernommen. Die Jahreszählung erfolgte nach Devisen.

Devisen, ausländ. Zahlungsmittel im Besitz von Inländern; bankwirtschaftlich: Ansprüche auf Zahlungen in fremder Währung an einem ausländ. Platz, z. B. Guthaben bei ausländ. Banken, auf fremde Währung lautende, im Ausland zahlbare Wechsel und Schecks. D. sind zu unterscheiden von **Sorten** (ausländ. Banknoten und Münzen). D. entstehen durch die Außenwirtschaftsbeziehungen und dienen der Bezahlung importierter Waren und ausländ. Dienstleistungen. In einer Volkswirtschaft werden die D.-Zugänge und -Abgänge einer bestimmten Periode in der D.-Bilanz (→Zahlungsbilanz) gegenübergestellt. – Der **D.-Handel** umfasst den An- und Verkauf von D. gegen Inlandswährung oder gegen andere Devisen. Der **D.-Markt,** Angebot von und Nachfrage nach D., besteht aus einer Vielzahl von Kontakten zw. D.-Disponenten bei Nichtbanken (v. a. große Industrieunternehmen) und D.-Händlern von Banken. Die **D.-Börse,** der institutionalisierte D.-Markt, erreicht nur Spitzenbeträge, da die Banken ihre Kauf- und Verkaufsaufträge vorbörslich im Interbankengeschäft auszugleichen versuchen (Telefonhandel). Wichtige Funktion der D.-Börse ist

Deventer: Das spätgotische Gebäude »De Waag« (1528–31; heute Museum) am »Brink«, dem Hauptplatz der Stadt

Deventer
Stadtwappen

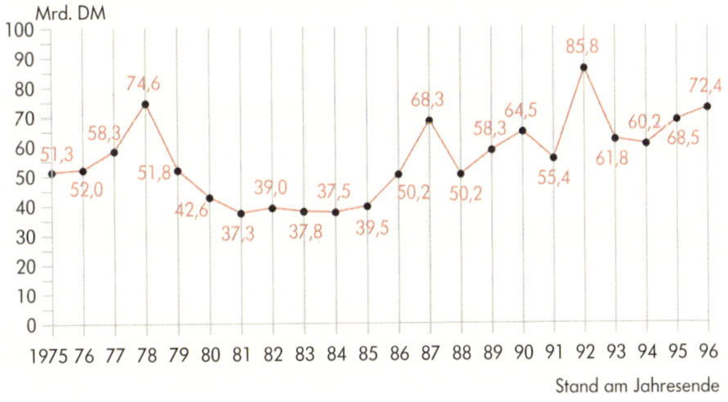

Devisen: Entwicklung der Devisenreserven der Deutschen Bundesbank (einschließlich Sorten) in Mrd. DM

werktäglich die allgemeinverbindl. Festlegung der **D.-Kurse** durch amtlich bestellte Makler (Fixing). Der (niedrigere) Geldkurs wird von den Banken beim Ankauf, der (höhere) Briefkurs beim Verkauf von D. zugrunde gelegt. Das arithmet. Mittel aus beiden ergibt den Mittelkurs. Arten der Notierung: Bei der Preisnotierung (allgemein üblich) wird der Preis für eine bestimmte Summe der Fremdwährung in inländ. Währungseinheiten angegeben (z.B. 2 DM je 1 US-$); die Mengennotierung gibt an, wie viel ausländ. Währungseinheiten einem festen Betrag an inländ. Währung entsprechen (z.B. 0,5 US-$ je 1 D-Mark).

D.-Geschäfte sind: **D.-Kassageschäfte,** die zu D.-Kassakursen (Spotrates) am D.-Kassamarkt (Spotmarket) abgeschlossen werden. Die D. müssen beiderseits am zweiten Werktag nach Abschluss angeschafft werden. Ein **D.-Termingeschäft** liegt bei der Anschaffung der D. zu einem späteren Zeitpunkt vor (meist ein oder drei Monate); Kursbasis ist der Terminkurs. Es dient i.d.R. der Kurssicherung als Gegengeschäft zu künftigen D.-Transaktionen. Die Differenz zw. Kassakurs und Terminkurs (oft im Verhältnis zum Kassakurs) ist der Swapsatz. Wird ein bestimmter D.-Betrag per Termin verkauft (gekauft) und per Kassa gekauft (verkauft), liegt ein **D.-Swapgeschäft** vor. Wenn ein D.-Händler Kursunterschiede bei einer Devise an verschiedenen D.-Märkten ausnutzt, liegt ein Arbitragegeschäft **(D.-Arbitrage)** vor. Dagegen betreibt er **D.-Spekulation,** wenn er erwartete Kursunterschiede bei der D. zu verschiedenen Zeitpunkten ausnutzt. D.-Spekulation kann je nach der Erwartung über die Kursbewegungen zu verstärkten oder zu abgeschwächten Bewegungen des D.-Kurses führen.

Eine Währungsbehörde kann durch versch. Maßnahmen den D.-Kurs beeinflussen **(D.-Kurspolitik).** Hierzu gehören v.a. der Ankauf und Verkauf von D. am D.-Markt **(D.-Marktinterventionen).** Ein D.-Ankauf stützt den Kurs der fremden Währung und wirkt so einer Aufwertung der heim. Währung entgegen. In einem System fester Wechselkurse ist die Zentralbank zu solchen Interventionen verpflichtet, bei flexiblen Wechselkursen interveniert die Zentralbank systemwidrig, wenn sie marktbedingte Kursentwicklungen (politisch) nicht hinnehmen oder glätten will. Die **D.-Bewirtschaftung** (D.-Zwangswirtschaft), die v.a. durch die D.-Kontrolle mit D.-Anbietungs- und D.-Ablieferungspflicht erreicht wird und unerwünschte D.-Abflüsse ins Ausland verhindern soll, andererseits aber die freie Konvertibilität untergräbt, wurde nach 1945 in den westl. Industrieländern allmählich abgebaut.

📖 LIPFERT, H.: *Devisenhandel mit Devisenoptionshandel. Frankfurt am Main ^{4}1992.* – FISCHER-ERLACH, P.: *Handel u. Kursbildung am Devisenmarkt. Stuttgart u.a. ^{5}1995.* – WISSKIRCHEN, C.: *Devisenhandel als Bankgeschäft. Wiesbaden 1995.*

Devolutionskrieg, der 1. Eroberungskrieg Ludwigs XIV. von Frankreich 1667/68. Aufgrund des in einigen niederländ. Provinzen gebräuchl. Rechts der »Devolution« (Kinder aus 1. Ehe erbten vor Kindern aus 2. Ehe) forderte er, dass diese Territorien nach dem Tod seines Schwiegervaters Philipp IV. von Spanien (1665) seiner Gemahlin Maria Theresia zufallen müssten. Im Aachener Frieden (2. 5. 1668) gewann Ludwig XIV. einige Gebiete im Hennegau und in Flandern, musste jedoch die Freigrafschaft Burgund herausgeben.

Devon [nach der engl. Cty. Devon] *das,* ein →geologisches System des Paläozoikums, in Unter-, Mittel- und Ober-D. gegliedert. Nach der kaledon. Gebirgsbildung entstand im nördl. Europa ein ausgedehntes Festland, der Oldred-Kontinent. Südlich anschließend entwickelte sich die varisk. Geosynklinale (Nordfrankreich, Rhein. Schiefergebirge, Harz, Mittelpolen). Im Mitteldevon erfolgte die Ausdehnung des Meeres; ein Flachmeer bedeckte den Südkontinent Gondwana). Im D. traten Pflanzen, Amphibien und Insekten und erste Samenpflanzen auf dem Festland auf.

Devon ['devn], County in SW-England, 6711 km^2, (1990) 998200 Ew.; Hptst. ist Exeter.

Devon Island ['devn 'aɪlənd], unbewohnte Insel im Kanadisch-Arkt. Archipel, Kanada; ein größtenteils eisbedecktes Plateau, 55247 km^2 groß. Im Westen befindet sich der Meteoritenkrater **Haughton Dome** (Durchmesser von 18 km).

devot [lat.], demütig, unterwürfig.

Devotio moderna [lat. »neue Frömmigkeit«], eine aus den Niederlanden stammende, der dt. Mystik verwandte religiöse Erneuerungsbewegung des 14./15. Jh. An die Stelle des mönchisch-klösterl. Frömmigkeitsideals trat eine »praktische« Frömmigkeit (u.a. Krankenpflege, Armenfürsorge). Wichtigstes Werk ist Thomas von Kempens Werk »De imitatione Christi« (um 1420).

Devotionalilen, Gegenstände, die zur Andacht anregen sollen (Rosenkränze, Heiligenbilder u.a.).

Ludwig Devrient

Devrient [də'fri(:)nt oder dəvri'ɛ̃], Schauspielerfamilie: Ludwig D., *Berlin 15. 12. 1784, †ebd. 30. 12. 1832; überragender Charakterschauspieler am Berliner Hoftheater (Lear, Falstaff, Franz Moor), mit E. T. A. Hoffmann befreundet. Schauspieler wurden auch seine drei Neffen: Karl D. (*1797, †1872), Emil D. (*1803, †1872) und Eduard D. (*1801, †1877).

Dewar ['dju:ə], Sir (seit 1904) James, brit. Chemiker und Physiker, *Kincardine-on-Forth (Verw.gebiet Fife) 20. 9. 1842, †London 27. 3. 1923; arbeitete v.a. über organ. Chemie, Sprengstoffchemie, Tieftemperaturphysik und -chemie einschl. der Gasverflüssigung; verbesserte das von A. F. Weinhold hergestellte Vakuummantelgefäß (→Thermosgefäße) zur Aufbewahrung tiefgekühlter Materialien durch Verspiegelung der Wände.

Dewey ['dju:ɪ], John, amerikan. Philosoph, Pädagoge und Psychologe, *Burlington (Vt.) 20. 10. 1859, †New York 1. 6. 1952; bildete die Erkenntnislehre des →Pragmatismus im Sinne des Instrumentalismus fort. Erziehung sei Denkschulung, nicht im Sinne einer Einübung vorgegebener log. Formen, sondern der sozialbezogenen Denk- und Lebensbewältigung. Als Psychologe gilt D. als einer der Begründer des frühen darwinistisch orientierten Funktionalismus. Als Sozialkritiker befürwortete er die Sozialisierung der kapitalist. Wirtschaft. D. hat das amerikan. Denken und die amerikan. Pädagogik (bes. die Einführung des Arbeitsunterrichts) maßgeblich beeinflusst.

Werke: Wie wir denken (1909); Demokratie und Erziehung (1916); Die menschliche Natur (1922); Logic ... (1938); Problems of men (1946).

📖 SUHR, M.: *J. D. zur Einführung. Hamburg 1994.*

John Dewey

Dewsbury ['dju:zbərɪ], Stadt in der engl. Metrop. Cty. West Yorkshire, am Calder, 50200 Ew.; Wollind., Maschinenbau.

Dextrane [lat.], schleimartige, hochmolekulare Polysaccharide, die von bestimmten Mikroorganismen gebildet werden; verwendet für Molekularsiebe, Leime, Appreturen und Blutersatzmittel.

Dextrine [lat.], farblose bis gelbbraune, wasserlösl. Stärkeabbauprodukte, molare Masse zw. 2000 und 30000. Technisch werden D. aus Mais- oder Kartoffelstärke durch Erhitzen **(Röst-D.)** oder durch Hydrolyse mit verdünnten Säuren **(Säure-D.)** hergestellt. Sie werden v.a. als Klebstoffe, Verdickungs- und Appreturmittel, in Gießereien als Formsandzusatz verwendet.

Dextrose [grch.] *die,* die →Glucose.

Dezember [zu lat. decem »zehn«], Abk. **Dez.,** der zwölfte Monat im Jahr, vor Einführung des julian. Kalenders der zehnte. Nach dem Christfest heißt er auch **Christmonat.**

Dezemvirn [lat. »Zehnmänner«], im antiken Rom Beamten- oder Priesterkollegium von zehn Mitgliedern. **Decemviri legibus scribundis,** die D., die 451 v.Chr. mit außerordentl. Vollmachten zur Gesetzeskodifikation gewählt worden sein sollen (→Zwölftafelgesetz).

Dezennium [lat.] *das,* Zeitspanne von zehn Jahren.

dezent [lat.], unaufdringlich, taktvoll.

Dezentralisation [frz.] *die,* in der Staatsverwaltung die Übertragung staatl. Aufgaben auf die Organe der →Selbstverwaltung, bes. auf Gemeinden. (→Föderalismus)

Dezernat [lat.] *das,* bestimmter Amts- oder Geschäftsbereich einer Behörde, Verwaltung.

Dezi..., Vorsatzzeichen **d,** Vorsatz vor Einheiten für den Faktor $10^{-1} = 0{,}1$, z.B. 1 **Dezimeter** = 1 dm = 0,1 m.

Dezibel *das,* Kurzzeichen **dB,** der zehnte Teil des **Bel,** in der Nachrichtentechnik übl. Pegelmaß für die →Dämpfung oder Verstärkung zweier physikal. Größen. Bei elektroakust. Messungen wird zusätzlich zum Wert des Schalldruckpegels noch angegeben, nach welcher Bewertungskurve die Messung bewertet wurde, z.B. dB (Ampere).

dezimal [lat.], auf die Zahl 10 bezogen.

Dezimalbruch, *Mathematik:* Bruch, dessen Nenner eine Zehnerpotenz ist, z.B. $4\,{}^{13}/_{100} = 4{,}13$, $6\,{}^{3}/_{50} = 6\,{}^{6}/_{100} = 6{,}06$; vor dem Komma steht die ganze Zahl, hinter dem Komma der echte Bruch; der Nenner ergibt sich aus der Anzahl der Dezimalstellen (Dezimale) hinter dem Komma. Als D. bezeichnet man auch eine Zahl, die hinter dem Komma unendlich viele Stellen aufweist; wiederholen sich diese Zahlen periodisch, heißt der D. **periodisch,** und man schreibt beispielsweise für $0{,}515151... = 0{,}\overline{51}$.

Dezimalklassifikation, Abk. **DK,** ein Ordnungssystem für das menschl. Gesamtwissen; 1876 von dem amerikan. Bibliothekar M. Dewey entworfen. Der Wissensstoff wird in 10 Hauptabteilungen gegliedert, die mit 0 bis 9 bezeichnet sind. Jede Hauptabteilung wird in 10 Abteilungen zerlegt (Zufügung einer zweiten Zahl), diese abermals in 10 Abteilungen usw. Beispiel: 6 = Angewandte Wissenschaften, 62 = Technik, 622 = Bergbautechnik, 622.3 = einzelne Bergbauzweige, 622.33 = Kohlenbergbau. Angewendet in Bibliotheken und in der Dokumentation.

Dezimalsystem (dekadisches System), *Mathematik:* Stellenwertsystem mit der Grundzahl 10. Jede reelle Zahl lässt sich im D. mit 10 Zahlzeichen darstellen. Der Wert einer Ziffer richtet sich nach der Stellung, sie muss entsprechend mit einer Zehnerpotenz multipliziert werden, z.B.:

$$642{,}31 = 6 \cdot 10^2 + 4 \cdot 10^1 + 2 \cdot 10^0 + 3 \cdot 10^{-1} + 1 \cdot 10^{-2}.$$

Ziffern vor dem Komma werden mit Zehnerpotenzen mit positiven Exponenten, Ziffern hinter dem Komma mit Zehnerpotenzen mit negativen Exponenten multipliziert. BILD S. 286

Dezimalwaage, eine ungleicharmige Hebelwaage mit einem Verhältnis von 10:1 bei Gleichgewicht zw. Last und aufgelegten Gewichten.

Dezime [lat.] *die, Musik:* Intervall von zehn diaton. Stufen (Oktave und Terz).

Dezimeterwellen, →Wellenlängenbereich.

DFB, Abk. für →**D**eutscher **F**ußball-**B**und.

DGB, Abk. für →**D**eutscher **G**ewerkschafts**b**und.

Dezimalsystem: Vorder- und Rückseite eines chinesischen Elfenbeinlineals (Länge 30,23 cm, Breite 3 cm), dessen Maßeinteilung dem Dezimalsystem folgt (Tang-Zeit; Shanghai, Shanghaimuseum)

DG Bank Deutsche Genossenschaftsbank, Frankfurt am Main, als Körperschaft des öffentl. Rechts Spitzeninstitut der genossenschaftl. Bankengruppe (Volksbanken, Raiffeisenbanken, regionale genossenschaftl. Zentralbanken) zur Förderung des Genossenschaftswesens; gegr. 1895 als Preuß. Central-Genossenschaftskasse. Sie betreibt Universalbankgeschäfte aller Art.

Dhahran [dax'ra:n], Stadt in Saudi-Arabien, an der Küste des Pers. Golfes, südlich von →Damman, mit dem es eine städt. Einheit bildet; Hochschule für Erdöl- und Montanwiss.; Knotenpunkt mehrerer Erdölpipelines; internat. Flughafen. – Entstand 1935 als Erdölcamp.

Dhaka (Dacca, Dakka), Hptst. von Bangladesh, im Ganges-Brahmaputra-Delta, 3,4 Mio. Ew. (Metrop. Area 6,11 Mio. Ew.); kath. Erzbischofssitz, zwei Univ., TU; Ind.zentrum (v.a. Textil-, Glas-, Gummi-, Nahrungsmittelind.); größter Binnenhafen des Landes, internat. Flughafen. – Zahlr. indoislam. Bauten aus dem 17. Jh. – D. war 1608–39 und 1660–1704 Hptst. Ostbengalens, seit 1947 Ostpakistans, seit 1972 Hptst. von Bangladesh.

Dhaka: Das Prunkgrabmal der Bibi Pari (gestorben 1684) im Lal Bagh Fort (1678 ff., unvollendet)

Dhanbad, Stadt im Bundesstaat Bihar, Indien, im Damodartal, 151 800 Ew. (städt. Agglomeration 815 000 Ew.); Bergbauhochschule; Kohlenbergbau; landwirtsch. Zentrum.

Dharma [Sanskrit »Stütze«, »Gesetz«] *das* oder *der,* im Hinduismus Bez. für »kosm. Ordnung; Tugend, Lehre, Gerechtigkeit; Pflicht«, die es im Zusammenhang mit der Karmalehre zu erfüllen gilt. – Im Buddhismus: die das Dasein bestimmenden Kräfte, aus denen sich eine Persönlichkeit und die von ihr erlebte Welt bilden; alle ird. Erscheinungen einschl. des Menschen bestehen nach dieser D.-Lehre aus flüchtigen und wechselnden Wirkzusammenhängen. – Auch Bez. für die Lehre Buddhas selbst.

Dhau *die,* Segelboot, →Dau.

Dhaulagiri, Berggipfel des Himalaja im nordwestl. Nepal, 8 167 m ü. M.; 1960 erstmals erstiegen.

d'Hondtsches Höchstzahlverfahren [nach dem belg. Juristen V. d'Hondt, *1841, †1901], Verfahren der Sitzverteilung bei Verhältniswahl (→Wahlrecht). Dabei werden die für die einzelnen Parteien abgegebenen Stimmen nacheinander durch 1, 2, 3 usw. geteilt, bis aus den gewonnenen Teilungszahlen so viele Höchstzahlen ausgesondert werden können, wie Sitze zu vergeben sind. Jede Partei erhält so viele Sitze wie Höchstzahlen auf sie entfallen. – Das Verfahren begünstigt die größeren Parteien. (→Hagenbach-Bischoff-Verfahren).

Dhünn [dyn] *die,* linker Zufluss der Wupper im Berg. Land, NRW, 37 km lang, mündet unmittelbar vor der Wuppermündung; südöstlich von Burscheid die D.-Talsperre mit Stausee (4,4 km²).

di..., Di... [grch.], **1)** zwei..., doppel...

2) Vorsilbe in Namen chem. Verbindungen, die das Auftreten von zwei ident., unsubstituierten Atomgruppen oder Atomen im Molekül kennzeichnet.

Dia *das,* Kw. für →Diapositiv.

dia... [grch.], vor Vokalen meist **di...,** durch..., zer..., ent..., über..., quer...

Diabas [grch.] *der,* fein- bis mittelkörniges, bas. Ganggestein der Gabbrofamilie; Hauptbestandteile sind Augit und Plagioklas, oft grünlich gefärbt; Verwendung als Pflaster- und Werkstein.

Diabelli, Anton, österr. Musikverleger und Komponist, *Mattsee (bei Salzburg) 5. 9. 1781, †Wien 8. 4. 1858; schrieb u.a. zwei- und vierhändige Klavierstücke, die noch heute im Unterricht verwendet werden.

Diabetes [grch. »Durchgang«] *der* (Harnruhr), vermehrte Ausscheidung von Harn, die unterschiedl. Ursachen haben kann; auch Kurzbez. für den → Diabetes mellitus.

Diabetes insipidus [grch.-lat.] *der* (Wasserharnruhr), Stoffwechselstörung mit abnorm gesteigerter Ausscheidung von Harn (Polyurie, 5–20 l täglich) mit niedrigem spezif. Gewicht, der jedoch keine krankhaften Bestandteile enthält; verbunden mit quälendem Durst und Trinken entsprechend großer Flüssigkeitsmengen. Ursache ist eine Harnkonzentrationsstörung der Niere (ungenügende Rückresorption von Wasser), die u. a. durch ungenügende oder fehlende Ausschüttung des antidiuret. Hormons Vasopressin bewirkt wird. Der D. i. kann erworben (Regulationsstörung im Hirnanhangdrüsen-Zwischenhirn-System z. B. durch Gehirntumor oder Entzündung) oder ererbt sein. – *Behandlung* durch Dauerersatz des fehlenden Vasopressins.

Diabetes mellitus [grch.-lat.] *der* (Zuckerkrankheit, Zuckerharnruhr), chron. Stoffwechselerkrankung, bei der es durch unzureichende Insulinproduktion in den Langerhans-Inseln (B-Zellen) der Bauchspeicheldrüse zu einer Störung des Kohlenhydrat-, aber auch des Fett- und Eiweißstoffwechsels kommt. Außerdem treten Schäden an Leber, Nieren, Blutgefäß- und Nervensystem auf.

Formen und Auswirkungen: Die Weltgesundheitsorganisation (WHO) unterscheidet zw. einem durch Insulinmangel gekennzeichneten **Typ-I-Diabetes,** der v. a. im Jugendalter auftritt, und einem durch verminderte Insulinwirkung gekennzeichneten **Typ-II-Diabetes,** der bevorzugt im Erwachsenenalter manifest wird. Der Entstehung von Typ I liegt eine Schädigung der B-Zellen durch eine entzündl. Reaktion des Inselgewebes zugrunde, die zum absoluten Insulinmangel führt. Die Spätmanifestation (nach dem 65. Lebensjahr), bei der eine altersspezif. Degeneration der B-Zellen mitwirken dürfte, wird als **Altersdiabetes** bezeichnet. Krankheitszeichen des D. m. sind Harnflut, Durst, Gewichtsverlust, körperl. Schwäche, Sehstörungen, erhöhter Blutzuckergehalt, zuckerhaltiger Harn, Juckreiz, Haut- und Schleimhautinfektionen. Der Blutzuckerspiegel liegt im nüchternen Zustand bei 60–110 mg%. Da die Niere normalerweise nur als Überlaufventil fungiert und mehr als 99 % des abgefilterten Zuckers wieder zurückgewinnt, erscheinen nüchtern nur minimale Zuckerspuren im Harn. Erst bei einem Blutzuckerspiegel von über 170 mg% kommt es zur Überschreitung der Nierenschwelle und damit zur Zuckerausscheidung. Für die Konstanterhaltung des Blutzuckerspiegels sorgen außer der Niere eine zentralnervöse Steuerung, versch. Hormone, die über das Blut auf das Glykogendepot Leber und die Zucker konsumierenden Muskeln einwirken. Während einige Hormone den Zuckerspiegel erhöhen, ist nur das Insulin imstande, ihn zu senken; daher führt Insulinmangel zum charakterist. Zuckeranstieg im Blut (Hyperglykämie) und damit auch zur Vermehrung des Harnzuckers. Außerdem kommt es bei Insulinmangel v. a. zu einer Beeinträchtigung des Fettstoffwechsels. Der Fettaufbau ist gestört, und anstelle von Zucker werden Fette und Eiweiße abgebaut, bis größere Mengen kurzkettiger organ. Säuren aus dem Fettstoffwechsel ins Blut übertreten, die nicht weiter verbrannt werden können. Solche Säuren (wie die Betaoxybuttersäure und die Acetessigsäure) führen zu einer gefährl. Übersäuerung des Blutes und der Gewebe. Tiefe Atmung, fruchtartiger Mundgeruch und zuletzt die Bewusstlosigkeit kennzeichnen dieses sog. diabet. Koma **(Coma diabeticum).** Der starke Zuckeranstieg und Zuckerverlust schwemmt mit dem Harn täglich bis zu 8 l Flüssigkeit und entsprechend viele Salze aus. Dadurch kommt es bei fortdauerndem Insulinmangel zu einer gefährl. Verstärkung des Komas mit Blutdruckabfall und Kreislaufzusammenbruch. Manche Früherscheinungen des D. m. sind unmittelbar auf die Stoffwechselstörung, andere auf die Zucker- und Wasserverluste zurückzuführen. Fettleibigkeit geht dem D. m. in rd. 50 % der Fälle voraus, und nicht selten werden anfangs auch Zeichen einer vorübergehenden Unterzuckerung (Hypoglykämie) durch gesteigerte Zuckerverwertung beobachtet (Heißhunger, Schweißausbrüche, Schwäche und Zittern, Kopfschmerz, Schwindel, Leistungsabfall und Konzentrationsschwäche). Die Diagnose des D. m. ist eindeutig durch Bestimmung des Blutzuckerspiegels (nüchtern über 120 mg%, nach Blutzuckerbelastungsprobe über 200 mg%) und Zuckernachweis im Harn zu erbringen.

Behandlung: Zu den therapeut. Hauptmaßnahmen gehören Diät, ggf. blutzuckersenkende Mittel (Antidiabetika), körperl. Aktivität und Schulung des Patienten zur optimalen Anpassung seiner Lebensführung. Bei Typ-I-Diabetes steht die unumgängl. Insulinzufuhr an erster Stelle, bei Typ-II-Diabetes sind die Reduzierung des Übergewichts, körperl. Aktivität, Normalisierung der Blutfettwerte, in manchen Fällen Anwendung oraler Antidiabetika die wesentl. Maßnahmen. Der bisher nicht insulinbedürftige Zuckerkranke des Typs II wird insulinbedürftig, wenn er anhaltend Nüchternblutzuckerwerte über 150 mg%, nach den Mahlzeiten über 250 mg% bei gleichzeitig hoher Harnzuckerausscheidung und schlechten Blutfettwerten aufweist. Ziel der Behandlung ist der Ausgleich des Stoffwechseldefekts (Einstellung möglichst auf 130 mg% Nüchternblutzucker, nach Mahlzeiten nicht über 180 mg%) zur Ausschließung akuter Komplikationen (Unterzuckerungsschock oder diabet. Koma) und Vermeidung oder Verzögerung der Spätschäden.

📖 MEHNERT, H. *u.* STANDL, E.: *Hb. für Diabetiker. Stuttgart* [5]*1991. – Diabetologie in Klinik u. Praxis, hg. v.* H. MEHNERT *u. a. Stuttgart u. a.* [3]*1994.* – MEHNERT, H. *u.* STANDL, E.: *Diabetes. Mit der Krankheit leben lernen. Stuttgart 1995.* – PETZOLDT, R.: *Sprechstunde Diabetes. München 1995. – Diabetes in der Praxis, hg. v.* W. WALDHÄUSL *u.* F. A. GRIES. *Berlin u. a.* [2]*1996.*

Diabolo: Scherenschnittdarstellung einer Diabolospielerin (1835)

Diabetes renalis [grch.-lat.] *der* (renale Glukosurie), Zuckerausscheidung im Harn ohne erhöhten Blutzuckergehalt infolge einer Funktionsstörung der Nieren.

Diablerets, Les [le djablə'rɛ; frz. »Teufelshörner«], Gebirgsgruppe der nördl. Westalpen auf der Grenze der schweizer. Kt. Bern, Waadt und Wallis, im Sommet des D. 3209 m ü. M.; am Nordfuß der Luftkurort Les D., 1155 m ü. M.; Bergbahnen auf den 3000 m hoch gelegenen Gletscher, Wintersport.

Diabolo [von italien. diavolo »Teufel«] *das,* Geschicklichkeitsspiel, bei dem ein sanduhrförmiger Körper durch eine an zwei Stäben befestigte Schnur in Drehung versetzt, in die Höhe geschleudert und auf der Schnur aufgefangen wird.

Diac [Kw. aus engl. **di**ode **a**lternating **c**urrent switch »Diodenwechselstromschalter«] *der,* ein Halbleiterbauelement, das bei Überschreiten eines bestimmten Wertes der zw. den beiden Anschlüssen angelegten Spannung vom Sperr- in den Durchlasszustand umschaltet. D. werden z. B. zur Ansteuerung von → Triacs verwendet.

Sergei Diaghilew

Diachronie [grch.] *die,* die histor. Sprachbetrachtung, im Unterschied zur → Synchronie.

Día de la Hispanidad [-'ðað] (Fiesta de la Raza), Jahrestag der Entdeckung Amerikas durch Kolumbus (12. 10. 1492), seit 1911 von den lateinamerikan. Republiken und den Mutterländern Spanien und Portugal begangen.

Diadem [grch., eigtl. »Umgebundenes«] *das,* hinten offener Stirn- oder Kopfreif aus Edelmetall; altes Herrschafts-, Hoheits- und Siegeszeichen.

Diadem: Golddiadem von Sat-Hathor-Junit, einer Tochter des ägyptischen Königs Sesostris II., verziert mit Rosetten und der heiligen Uräusschlange, gefunden in Lahun (12. Dynastie; Kairo, Ägyptisches Museum)

Diadochen [grch. »Nachfolger«], die Feldherren Alexanders d. Gr., die sich nach dessen Tod (323 v. Chr.) sein Reich teilten: **Antipater** (nach ihm **Kassander**) behielt Makedonien, **Lysimachos** erhielt Thrakien, **Antigonos I. Monophthalmos** Lykien, Pamphylien und Phrygien, **Ptolemaios I. Soter** Ägypten, **Seleukos I. Nikator** Babylonien. Nach langen Kämpfen der D. untereinander bildeten sich etwa seit 280 v. Chr. unter der folgenden Generation die 3 großen **hellenist. Reiche:** Ägypten unter den Ptolemäern, Syrien, Mesopotamien, Iran unter den Seleukiden, Makedonien unter den Antigoniden, später das Reich von Pergamon unter den Attaliden.

📖 SEIBERT, J.: *Das Zeitalter der D. Darmstadt 1983.* – BENGTSON, H.: *Die D. Die Nachfolger Alexanders (323–281 v. Chr.). München 1987.*

Diadochen

Die Suda, ein byzantinisches Wort- und Sachlexikon aus dem 10. Jahrhundert, definiert die Herrschaft der Diadochen so (Basileia §2):

Nicht Mehrheitsentscheidung oder Recht begründen die Königsherrschaft, sondern die Fähigkeit, ein Heer und die Staatsgeschäfte zweckmäßig zu führen; so war es bei Philipp und den Nachfolgern Alexanders.

Diagenese [grch.] *die,* Umbildung und Verfestigung lockerer Sedimente zu festen Gesteinen durch physikal. (Druck, Temperatur) und chem. Veränderungen, z. B. von Kalkschlamm zu Kalkstein, von Sand zu Sandstein. Bei stärkerer Gesteinsveränderung spricht man von → Metamorphose.

Diaghilew, Sergei Pawlowitsch, russ. Ballettimpresario, * in der Kaserne Selischtschew (Gouv. Nowgorod) 31. 3. 1872, † Venedig 19. 8. 1929; leitete mit der Gründung der → Ballets Russes eine Erneuerung des Balletts ein.

Diagnose [grch. »Unterscheidung«] *die,* **1)** *allg.:* Feststellen, Prüfen und Klassifizieren von Merkmalen mit dem Ziel der Einordnung zur Gewinnung eines Gesamtbildes.

2) *Biologie:* in der Systematik die Analyse der Merkmale eines Tieres oder einer Pflanze als Grundlage zur Bestimmung der Einordnung in das → System.

3) *Medizin:* das Erkennen einer Krankheit aufgrund der durch Anamnese (Vorgeschichte), Beobachtung und Untersuchung festgestellten Krankheitszeichen und Befunde. Neben den klass. Verfahren der Inspektion (Betrachtung), Palpation (Abtastung), Perkussion (Abklopfen), Auskultation (Abhorchen) sowie Blutdruckmessung verwendet die moderne Medizin eine Reihe z.T. hoch spezialisierter techn. Hilfsmittel wie Computertomographie, Elektrokardiographie, Endoskopie. Die D. dient dazu, das richtige Heilverfahren (Therapie) zu finden.

Diagonale [grch.] *die, Mathematik:* a) Verbindungsgerade zw. zwei nicht benachbarten Ecken eines Vielecks oder eines Körpers; b) die Folge derjenigen Elemente eines quadrat. Zahlenschemas (Matrix), die in der geometr. D. des Zahlenquadrats liegen.

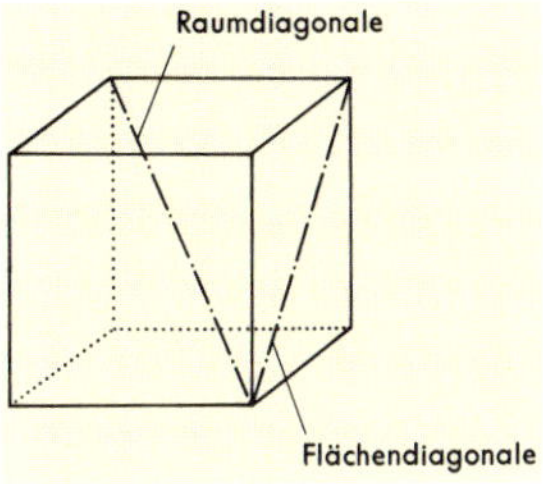

Diagonale: Flächen- und Raumdiagonale eines Würfels

$$\begin{pmatrix} \mathbf{3} & 2 & 0 & 5 \\ 8 & \mathbf{5} & 3 & 1 \\ 1 & 0 & \mathbf{6} & 4 \\ 2 & 4 & 9 & \mathbf{11} \end{pmatrix}$$

Diagonale: Diagonale einer vierzeiligen quadratischen Matrix (fette Ziffern)

Diagramm [grch.] *das,* **1)** *Botanik:* (Blüten-D.) schemat., in eine Ebene projizierter Grundriss einer Blüte.

2) *Statistik:* graf. Darstellung zur Veranschaulichung von statist. Größen und Größenbeziehungen, oft als Ergänzung von Tabellen. Meist werden mathematisch regelmäßige Formen (Kreise, Quadrate, Rechtecke) verwendet, v.a. Stab-, Säulen-, Kreis- (»Torten-D.«), Baum-, Polar-, Strahlen-, Linien-D., auch Kurven- und Kartodiagramm.

Diagraph [grch.] *der* (Perigraph), Gerät zum Aufzeichnen von Umrisskurven beliebiger Körper in der Ebene.

Diakon [grch. »Diener«] *der,* kirchl. Amtsträger, der für bestimmte liturg., karitative und seelsorger. Dienste in einer Kirchengemeinde tätig ist. – In der *kath. Kirche* ein Kleriker nach Empfang der untersten Stufe des Weihesakraments (als Vorstufe der Priesterweihe oder für das ständige Diakonat). Befugnisse: u.a. liturg. Dienst, z.B. Mitwirkung bei der Messfeier. Nach der Erneuerung des Amtes im 2. Vatikan. Konzil können auch verheiratete Männer zum D. geweiht werden (die Eheschließung nach der Weihe ist ausgeschlossen). – In den *evang. Kirchen* urspr. ein kirchl. Angestellter, der als Erzieher in Anstalten, als Gemeindehelfer, als Krankenpfleger in kirchl. Krankenhäusern bestellt war; heute erstreckt sich die Tätigkeit auf den sozialen Bereich, die Jugendpflege und einzelne Bereiche der Gemeindeverwaltung. Die Ausbildung für Männer und Frauen **(Diakonin)** erfolgt an kirchl. Fach- und Fachhochschulen.

Diakonie *die,* in der evang. Kirche soziale Arbeit in der Gemeinde.

Diakonisches Werk – Innere Mission und Hilfswerk der Evangelischen Kirche in Deutschland e.V., in über 100 Fachverbände gegliederte Organisation der evang. Landes- und Freikirchen Dtl. zur Koordinierung der diakonisch-missionar. Arbeit (Gemeinde-, Anstalts- und ökumen. Diakonie), 1957 durch Fusion von Hilfswerk der EKD und Innerer Mission entstanden. Sitz ist Stuttgart; Organe sind die Diakon. Konferenz und der Diakon. Rat; zentrale Fortbildungsstätte ist die Diakon. Akademie in Stuttgart. Dem Diakon. Werk gehören etwa 263000 hauptberufl. Mitarbeiter an, die in Krankenhäusern, Kindergärten, Einrichtungen der sog. »halboffenen Hilfe« (Sozialarbeit i.w.S.) und Aus- und Fortbildungsstätten arbeiten.

Diakonisse *die,* sozialpflegerisch ausgebildete Schwester im Dienst der evang. Kirche.

diakritisches Zeichen [grch.] (Diakritikum), Zeichen über, unter oder innerhalb eines Buchstabens zur weiteren Unterscheidung bes. von Buchstaben in Alphabetschriften und von Lautsymbolen in Lautschriften, z.B. Akut, Trema.

Dialekt [grch. »Redeweise«] *der,* **1)** → Mundart.

2) *Verhaltensforschung:* standortgebundene Sonderform der Lautäußerung einer Tierart. D. sind am besten bei Singvögeln untersucht, aber auch von anderen Tiergruppen (Säugetieren, Fröschen, Grillen) bekannt.

Dialektdichtung, → Mundartdichtung.

Dialektik [grch. »Kunst der Unterredung«], logische Beweisführungstechnik; auch metaphys. Seinsprinzip, so bei Platon und Hegel. – Zenon wurde nach Aristoteles Erfinder der D., als er die innere Widersprüchlichkeit der Bewegung nachzuweisen suchte (D. als Widerspruchsaufweis). Bei den Sophisten und der megarischen Schule (Euklid von Megara u.a.) diente die D. als intellektuelles Werkzeug der Streitkunst **(Eristik)** und der Scheinbeweise. Sokrates und Platon entfalten die D. zur allg. Methode der Wahrheitsfindung durch Überwindung widersprüchlicher Meinungen im Dialog; bei Platon wird sie zudem Zentralbegriff seiner Ontologie: Sie ist der Gang von der erscheinenden Realität zu den sie begründenden Ideen, bis hinauf zur Idee der Ideen, dem an sich Guten. – Vom MA. bis zum 18. Jh. war D. vorwiegend Bez. für die Logik insgesamt. – Bei I. Kant ist D. Ausdruck der Verwicklung der Vernunft in Widersprüche, weil sie allein aus sich heraus zu Erkenntnissen zu gelangen sucht, ohne sich auf Erfahrung stützen zu wollen (»transzendentale Dialektik«). – Die heutige Bedeutung der D. geht in

Kurvendiagramm

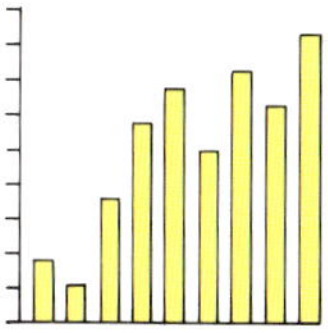

Stabdiagramm

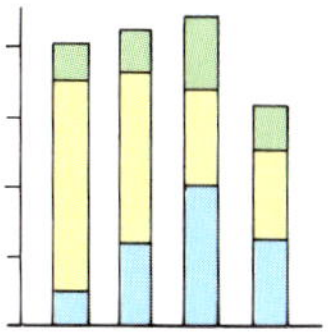

Säulendiagramm

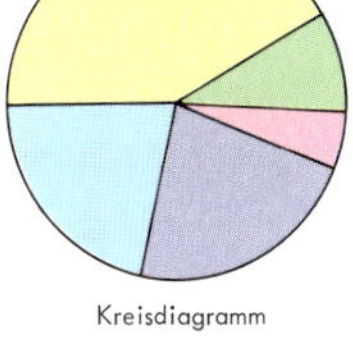

Kreisdiagramm

Diagramm 2)

erster Linie auf J. G. Fichte zurück, der sie als den durch Widersprüche zur Synthese fortschreitenden Gang des Bewusstseins verstand (dialekt. Dreischritt); bei G. W. F. Hegel wurde die D. (anknüpfend an Platons Seins-D.) zum wesentl. Bestandteil eines umfassenden philosoph. Systems. Grundgedanke seiner D. ist, dass jede Setzung **(Thesis)** mit innerer Notwendigkeit ihr Gegenteil **(Antithesis)** aus sich hervortreibt und dass sich beide in einer höheren Einheit **(Synthesis)** gegenseitig aufheben. Da nach Hegel Denken und Wirklichkeit zusammenfallen, ist die D. das innere Bewegungsgesetz nicht nur der Begriffe, sondern auch des »wirkl.« Seins, bes. der geschichtl. Welt; D. wird damit zur **Realdialektik.** – Die materialist. Interpretation der Hegelschen D. durch K. Marx wurde im System des dialekt. Materialismus (→Marxismus) zum Bewegungsgesetz der wirtschaftlich-gesellschaftlichen Wirklichkeit, das F. Engels auch auf das Naturgeschehen **(Natur-D.)** auszudehnen suchte. Im Rahmen des Neomarxismus strebte bes. J.-P. Sartre eine wissenschaftsmethodolog. Grundlegung der D. auf dem Gebiet der Geistes- und Sozialwiss. an. Innerhalb der kritischen Theorie der →Frankfurter Schule entwickelte T. W. Adorno die Lehre der **negativen D.,** die sich gegen alle geschlossenen, auf Identitätssetzung beruhenden Systeme wendet und demgegenüber die unauflösl. Nichtidentität des Besonderen hervorhebt. Die Methode der D. wurde häufig kritisiert und von K. Popper im Sinne der Trial-and-error-Methode uminterpretiert.

📖 RÖD, W.: *Dialektische Philosophie der Neuzeit. München* [2]*1986. – Strukturen der D., hg. v.* H. H. HOLZ. *Hamburg 1992.*

dialektischer Materialismus, →Marxismus.

dialektische Theologie, eine Neuorientierung innerhalb der evang. Theologie seit dem 1. Weltkrieg (K. Barth, E. Brunner, R. Bultmann, F. Gogarten, E. Thurneysen u. a.), die bes. an S. →Kierkegaard anknüpft. Die d. T. geht von der unbedingten Souveränität der Offenbarung gegenüber jedem theolog., philosoph., religiösen oder eth. Bemühen aus; allen ihren Vertretern gemeinsam ist die Ansicht, Mensch und Gott, Zeit und Ewigkeit seien diametral gegensätzlich und stünden einander unvereinbar gegenüber; nur im Wort, das Gott in dem Ereignis Jesus Christus gesprochen habe und in der Verkündigung spreche, offenbare sich der verborgene Gott. Es stelle den Menschen, sein Denken, seine Gesch. infrage, fordere seinen Glauben als Selbstpreisgabe an Gott. Die Wahrheit Gottes sei für den Menschen nur dialektisch aussagbar in Thesis und Antithesis ohne Synthesis. Die Theologie habe nicht die Aufgabe, den christl. Glauben logisch einleuchtend zu machen, sondern ihn als Wagnis aufzudecken. Die d. T. richtete sich u. a. gegen die orth. Theologie und hat stark auf die theolog. Ausrichtung der Bekennenden Kirche gewirkt; sie vereinigte luther., reformierte und unierte Theologen und führte zu einer Neubesinnung auf das Wort Gottes in der Bibel.

Dialog [grch. »Zwiegespräch«] *der,* **1)** *allg.:* schriftl. oder mündl. Zwiegespräch, Unterredung zw. zwei oder mehreren Personen; Ggs.: Monolog.

2) *Informatik:* →Dialogbetrieb.

3) *Literatur:* als Kunstmittel in Epos, Roman, Drama (wo er formbestimmend ist), Essay gebraucht. Als selbstständige literar. Form tritt der D. bes. in der philosoph. und satir. Lit. auf. Im **sokrat. (platon.) D.** führt der Frager den Partner stufenweise zur Erkenntnis. Der **lukian. D.** beleuchtet moral., kulturelle oder literar. Zustände satirisch. Vom Humanismus wurde der D. wieder belebt (Erasmus von Rotterdam, Ulrich von Hutten).

Dialog 3): Titelholzschnitt von Hans Baldung, gen. Grien, zu Ulrich von Huttens »Gesprächsbüchlein« (1521)

Dialogbetrieb (engl. interactive mode), Betriebsart einer Datenverarbeitungsanlage, bei der es einem oder mehreren Teilnehmern möglich ist, über Ein-/Ausgabegeräte (→Terminal) im Wechsel von Frage und Antwort **(Dialog)** direkt mit dem Computer Informationen und Daten auszutauschen; v. a. bei Personal- und Homecomputern.

dialogische Philosophie, jenes philosoph. Denken, dem der Mensch von vornherein nur in einer unableitbaren Du-Beziehung als Ich gegeben ist; seine Welt ist die gemeinsame Welt des menschl. Miteinanderdaseins. Dieses vollzieht sich besonders im Dialog. Die d. P. nahm ihren eigentl. Ausgang vom religiös-philosoph. Denken M. Bubers und F. Ebners und spielt eine zentrale Rolle v. a. in der Existenzphilosophie bei G. Marcel und K. Jaspers.

Dialyse [grch.] *die,* physikal. Verfahren zur Abtrennung von niedermolekularen Teilchen (z. B. Salze) aus einer Lösung hochmolekularer Stoffe (z. B. Eiweiße, Stärke). Eine semipermeable Membran hält die Makromoleküle in der Lösung zurück, während die kleinen Moleküle durchtreten und von einem an der Membranaußenwand vorbeigeführten Lösungsmittelstrom abtransportiert werden. Bei der **Elektro-D.** erhöht eine angelegte elektr. Spannung die Wanderungsgeschwindigkeit. – In der Medizin wird die D. zur Reinigung des Blutes von Stoffwechselprodukten bei Ausfall der Nierenfunktionen angewendet (→ künstliche Niere).

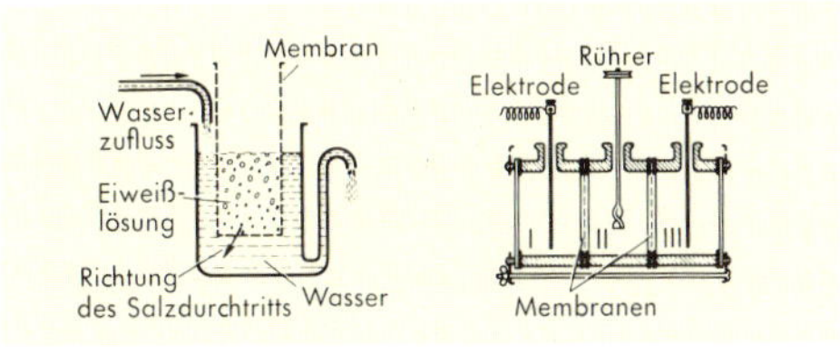

Dialyse: Prinzipdarstellung der Dialyse einer Eiweißlösung (links) und einer Elektrodialyse (rechts); I und III Außenzellen mit durchfließendem Wasser als Lösungsmittel, II Mittelzelle mit der zu dialysierenden Eiweißlösung

Diamagnetismus, Eigenschaft aller Stoffe, in einem Magnetfeld der Feldrichtung entgegengesetzte, schwach ausgeprägte magnet. Eigenschaften zu entwickeln; er ist meist durch → Paramagnetismus oder → Ferromagnetismus verdeckt. Der D. beruht darauf, dass ein äußeres Magnetfeld die Bahn der Elektronen in einem Stoff beeinflusst (→ Larmor-Präzession) und dadurch magnet. Momente induziert.

Diamagnetismus: Verdrängung der magnetischen Feldlinien durch einen in das Magnetfeld eingebrachten diamagnetischen Körper

Diamant [von grch. adámās, eigtl. »Unbezwingbares«], **1)** *die, graf. Technik:* ein → Schriftgrad von vier Punkt.

2) *der, Mineralogie:* aus reinem Kohlenstoff (C) bestehendes kub. Mineral. Die Kristalle sind teils eingewachsen, teils lose, meist charakteristisch gerundet; ihre vorherrschenden Formen sind Oktaeder und Dodekaeder, seltener Würfel. D. kommen auch in dichten, regellosen Massen **(Ballas)** oder in dichten bis körnigen, schwarz glänzenden koksartigen Rollstücken **(Carbonados)** vor. Farblos (»blauweiß«) ist der D. einer der wertvollsten

Diamant (von links): Rohdiamant (Oktaeder); geschliffener Diamant (Brillantschliff in Pendeloqueform)

Edelsteine; auch kräftige, durch Fremdatome (Verunreinigungen) verursachte (»Phantasie«-)Farben (Rot, Blau, Grün, Orange- und Goldgelb, Kaffeebraun), werden hoch bewertet. Der D. ist der härteste natürl. Stoff (Mohshärte 10, Dichte 3,52), doch gut spaltbar und sehr spröde. Er wird bes. als → Brillant bearbeitet, um seine opt. Eigenschaften (Brechzahl 2,40 bis 2,48) am besten zur Wirkung zu bringen.

Vorkommen: Bis ins 18. Jh. war Indien das einzige Herkunftsland, 1725 kamen Brasilien und 1866/67 Südafrika hinzu. D. finden sich in »primären« (Muttergestein Kimberlit, Peridotit; bergmänn. Abbau in Australien, der Rep. Südafrika, Demokrat. Rep. Kongo, Russland [Sibirien]) und in »sekundären« Lagerstätten sowie weit verbreitet in losen und verfestigten Flussablagerungen (Seifen); Abbau durch Auswaschen. 1983 wurde in W-Australien das Argylfeld (die größte D.-Tagebaumine der Erde) entdeckt. Als neuestes Förderland ist Kanada 1996/97 hinzugekommen. Die Qualität der Rohsteine wird nach Kristallform, Farbe, Reinheit und Größe, die der geschliffenen D. nach Farbe, Reinheit, Schliffgüte und Größe beurteilt. Gewichtseinheit ist das Karat (1 ct = 0,2 g). Größter Roh-D. war der faustgroße »Cullinan« (3 106 ct), der zu 105 Brillanten verarbeitet wurde, deren größte als »Cullinan I« (530,20 ct) und »Cullinan II« (317,40 ct) zum brit. Kronschatz gehören.

Wirtschaft: Rd. 75 % der D.-Förderung werden zu techn. Zwecken verwendet **(Industrie-D., D.-Werkzeuge),** z. B. als Bohrkronenbesatz, Glasschneider, Drahtziehsteine, für Abricht-, Dreh- u. a. Werkzeuge. Die Synthese von D. bei sehr hohen Drücken und Temperaturen gelang 1956 und wird heute vielerorts zu techn. Zwecken industriell betrieben. Seit den 1980er-Jahren lässt sich aus der Gasphase bei Niederdruck sog. CVD-D. (→ CVD-Verfahren) als D.-Film abscheiden (Verwendung in der Optik). 1992 ist es gelungen, aus dem seltenen Kohlenstoffisotop ^{13}C isotopenreine ^{13}C-D.-Kristalle zu züchten (größere Packungsdichte als Natur-D.). Außerdem fand man heraus, dass sich der fußballförmige Kohlenstoff (Fulleren) C_{60} schon bei Raumtemperatur unter bestimmtem Druck in D. umwandelt.

Bei einer weltweiten D.-Produktion 1994 (1990) von 110 (102) Mio. ct waren Australien mit 43,8 (34,7) Mio., Russland mit 17,0 (15,0) Mio., Demokrat. Rep. Kongo mit 16,3 (19,4) Mio., Botswana mit 15,5 (17,4) Mio. sowie die Rep. Südafrika mit 10,9 (8,7) Mio. ct die größten D.-Produzenten (für Ind.- und Schmuck-D.). Rd. 80% des weltweiten Umsatzes an Roh-D. werden von den südafrikan. De Beers Consolidated Mines über die Central Selling Organization, CSO, London (gegr. 1930) abgewickelt. Weil die Weltproduktion u.a. durch Russland, Kanada und Australien ausgedehnt wurde, kontrolliert die CSO heute nur noch ein Viertel der Produktion. Hauptabnahmeländer sind die USA und Japan. Größtes Umschlagszentrum für Schmuck- und natürl. Industrie-D. ist Antwerpen (vier D.-Börsen); gehandelt werden sie vornehmlich in London und Antwerpen. Wichtigste Schleifzentren sind Antwerpen, Tel Aviv, Bombay und New York; in Dtl. Idar-Oberstein.

Diana,
Princess of Wales

📖 LENZEN, G.: *Diamantenkunde mit krit. Darst. der Diamantengraduierung. Eine Einführung, unter Mitarb. v.* B. GÜNTHER. *Kirschweiler* [4]*1986.* – LANGE-MECHLEN, S.: *D.en. Stuttgart u. a.* [4]*1989.*

Diamantbarsch (Enneacanthus obesus), etwa 5–10 cm langer, in Nordamerika lebender Süßwasserfisch, Art der →Sonnenbarsche.

Diamantbarsch

Diamantberge (korean. Kŭmgangsan), in Nord-Korea gelegener Teil des sich längs der Ostküste Koreas erstreckenden Taebaekgebirges, bis 1638m ü.M.; berühmt wegen seiner landschaftl. Schönheit und zahlr. buddhist. Klöster.

diamantene Hochzeit, der 60. Hochzeitstag.

Diamantina, Stadt im Staat Minas Gerais, Brasilien, in der Serra do Espinhaço, 25000 Ew.; Erzbischofssitz; Textilfabrik, Diamantenschleifereien und -museum.

Diamantschildkröte (Malaclemys terrapin), Sumpfschildkröte an der SO-Küste Nordamerikas; Panzerlänge etwa 20 cm.

Diamat *der,* Abk. für **dia**lektischer **Mat**erialismus, →Marxismus.

diametral [grch., zu diámetros »Durchmesser«], **1)** *allg.:* gegenüberliegend, entgegengesetzt.

2) *Geometrie:* an den Endpunkten eines Durchmessers durch eine geometr. Figur gelegen.

Diamine [Kw.], basenartige organ. Verbindungen, die zweimal die Aminogruppe NH_2 im Molekül enthalten; z.B. Benzidin.

Diana, altitalische Natur- und Fruchtbarkeitsgöttin, frühzeitig der grch. Artemis gleichgesetzt.

Diana [daɪˈænə], Princess of Wales, urspr. Lady Diana Frances Spencer, *Sandringham 1. 7. 1961, †Paris 31. 8. 1997; 1981–96 ⚭ mit dem brit. Thronfolger →Charles.

Diane de Poitiers [diˈan dəpwaˈtje], *3. 9. 1499, †Schloss Anet (bei Évreux) 22. 4. 1566; Geliebte des um 18 Jahre jüngeren Dauphins Heinrich (II.), erlangte nach dessen Thronbesteigung (1547) großen Einfluss; sie förderte die Guisen und bestärkte den König in seiner streng kath. Haltung. Nach Heinrichs Tod (1559) musste sie den Hof verlassen.

Dianoetik [grch.] *die,* Lehre vom Denken.

Dianthus [grch.], die Gattung →Nelke.

Diapason [grch.] *der,* auch *das,* Name der altgrch. →Oktave.

Diapause [grch.] *die,* Entwicklungsruhe in der Gesamtentwicklung, bes. von Insekten, z.B. während der Embryonalentwicklung, der Larven- oder Puppenstadien; meist erblich festgelegt, jedoch durch äußere Einflüsse (Temperaturerniedrigung, Abnahme der Tageslänge) ausgelöst.

Diaphanoskopie [grch.] *die* (Diaphanie), Ausleuchtung von Körperhöhlen zu diagnost. Zwecken mithilfe einer starken elektr. Lampe.

Diaphoretika [grch.], die →schweißtreibenden Mittel.

Diaphragma [grch.] *das,* **1)** *Anatomie:* bei Mensch und Wirbeltieren eine Scheidewand (meist muskulös-sehnig); i.e.S. das →Zwerchfell.

2) *Chemie:* a) poröse, stromdurchlässige Trennwand, die z.B. bei der Elektrolyse Anoden- und Kathodenraum voneinander trennt, um eine Vermischung von Stoffen zu verhindern; b) eine semipermeable →Membran.

3) *Medizin:* (Scheiden-D.) →Empfängnisverhütung.

Diaphyse [grch.] *die,* Mittelteil des Röhrenknochens.

Diapir [grch.] *der,* großer, pilz-, kuppel- oder blasenförmiger Gesteins- oder Magmenkörper, der auflagernde Schichten durchbrochen hat, z.B. ein Salzstock oder ein Hotspot.

Diapositiv [grch.-lat.] *das,* Kw. **Dia,** durchsichtiges positives fotograf. Bild, das auf Film, in Sonderfällen auf Glas hergestellt wird. D. werden mit Diaprojektoren projiziert.

Diärese [grch. »Trennung«] *die,* **1)** *Philosophie:* bei Platon Methode der Wesensbestimmung durch fortschreitende Einordnung eines Artbegriffs unter jeweils höhere Begriffe bis zum obersten Gattungsbegriff, i. Allg. mittels der →Dichotomie.

2) *Phonetik:* die getrennte Aussprache aufeinander folgender Vokale, oft durch →Trema bezeichnet, z.B. frz. noël (»Weihnachten«).

3) *Verslehre:* →Zäsur.

Diarium [lat.] *das,* Notiz-, Tagebuch.

Diarrhö [-ˈrø:; grch. »Durchfluss«] *die,* der →Durchfall.

Diaspor [grch.] *der,* farbloses oder schwachfarbiges, durchscheinendes rhomb. Mineral der chem. Zusammensetzung $AlO(OH)$; wesentl. Bestandteil des Bauxits.

Diaspora [grch. »Zerstreuung«] *die,* unter Andersgläubigen zerstreut lebende religiöse Minderheit sowie das Gebiet, das diese bewohnt, z.B. das **D.-Judentum** als die Gesamtheit der dauernd außerhalb des jüdischen Staates (auch des modernen Israel) lebenden Juden.

Diastasen [grch.], frühere Bez. für →Amylasen.

Diastema [grch. »Zwischenraum«] *das,* angeborene Zahnlücke vieler Säugetiere; selten beim Menschen.

Diastereo|isomerie [grch.] *die* (Diastereomerie), Stereomerie, bei der sich die Isomere nicht wie Bild und Spiegelbild verhalten. Sie tritt u.a. bei Verbindungen mit mehreren asymmetr. Kohlenstoffatomen auf. Diastereoisomere zeigen unterschiedl. chem. und physikal. Eigenschaften.

Diastole [grch. »Ausdehnung«] *die,* Phase der Erschlaffung des rhythmisch tätigen Herzmuskels. Während der D. erfolgt die Blutfüllung der Herzkammern sowie die für den Stoffaustausch des Herzmuskels erforderl. Blutdurchströmung desselben. Ggs.: Systole.

Diät [grch.], von der übl. Ernährung abweichende Kostform, bei der die Nahrung zur Vermeidung oder Behandlung von Krankheiten (z.B. kohlenhydratreduzierte Kost bei Diabetes mellitus, kochsalzarme Kost bei bestimmten Nierenerkrankungen) den jeweiligen Erfordernissen angepasst ist.

Diäten [lat.], Bez. für die finanzielle Entschädigung der Parlamentsabg., die den Verdienstausfall ausgleichen und die Unabhängigkeit der Abg. sichern soll. Die für Bundestagsabg. im Abg.-Ges. i.d.F. v. 21.2.1996 geregelten Leistungen bestehen aus einer steuerpflichtigen Entschädigung und einer steuerfreien Amtsausstattung, die Geld- und Sachleistungen umfasst (z.B. monatl. Kostenpauschale für die Unterhaltung eines Büros, Benutzung der Dienstfahrzeuge des Bundestages), sowie einer im Vergleich mit der öffentl. Rentenversicherung vorteilhaften Altersversorgung. Ähnl. Regelungen gibt es in den Ländern.

In *Österreich* bestimmt das Bezüge-Ges. u.a. die Höhe der Nationalrats-D., die anfänglich an das Gehalt eines Bundesbeamten der Allg. Verw., Dienstklasse IX, Gehaltstufe 1, zuzüglich Teuerungszulagen gekoppelt sind; alle zwei Jahre rücken die Abg. eine Gehaltsstufe vor. In der *Schweiz* werden die Abg. des Nationalrates aus der Bundeskasse, die des Ständerates von den Kantonen alimentiert. Die D. der Nationalräte bestehen aus einer steuerpflichtigen Sitzungsentschädigung pro Sitzung, aus einem Spesensatz und einer nur z.T. steuerpflichtigen Jahresentschädigung.

Diätetik [grch.] *die,* Lehre von der Diät, →Ernährungstherapie.

diatherman [grch.], für Infrarotstrahlen (Wärmestrahlen) durchlässig.

Diathermie [grch.] *die* (Wärmedurchdringung), Anwendung hochfrequenter Wechselströme zur tiefen Durchwärmung bestimmter Gewebsabschnitte im Körperinneren (→Kurzwellenbehandlung, →Mikrowellenbehandlung); zur chirurg. D. →Elektrochirurgie.

Diathese [grch.] *die,* gesteigerte Bereitschaft des Körpers zu einer bestimmten krankhaften Reaktion, z.B. hämorrhag. D. (→Blutungsübel).

Diäthyläther, der wichtigste →Äther.

Diatomeen [grch.], die →Kieselalgen.

Diatomeenerde, die →Kieselgur.

Diatomeenschlamm, silikathaltiges Meeressediment aus den Schalen von Diatomeen (Kieselalgen); bedeckt z.T. Tiefseeböden.

Diatomit [grch.] *der,* **1)** *Bautechnik:* aus Kieselgur hart gebrannter, feuerfester Formstein mit guter Wärmedämmung.

2) *Geologie:* Bez. für verfestigte diatomeenreiche kieselige Sedimente, auch für →Kieselgur.

Diatonik [grch.] *die,* musikal. Satz aufgrund einer siebenstufigen, aus Ganz- und Halbtonfortschreitungen gebildeten Dur- oder Molltonleiter; Ggs.: →Chromatik.

Diatretglas [grch.-lat. diatretus »durchbrochen«], Prunkbecher der röm. Kaiserzeit; die in Alexandria und später in rhein. Glashütten entstandenen Gefäße sind mit einem kunstvollen Glasgitter überzogen, das durch Stege mit dem inneren Glaskörper verbunden ist. Bild S. 294

Diatribe [grch.] *die,* satir. Moralpredigt; entstand in hellenist. Zeit aus popularphilosoph. Ansprachen der Kyniker; heute Streitschrift.

Diätsalz, natrium- und kaliumchloridarmes Salzgemisch als Ersatz bei kochsalzarmer Diät.

Diaz [ˈdiaʃ] (Dias), Bartolomeu, portugies. Seefahrer, * um 1450, † Ende Mai 1500; umsegelte 1488, vom Sturm verschlagen, die Südspitze Afrikas, ohne es zu wissen. Auf der Rückreise sichtete er sie

Bartolomeu Diaz

Diatretglas: Prunkbecher mit einer Schriftzeile unterhalb des Randes, rheinische Arbeit (Anfang 4. Jh.; Köln, Römisch-Germanisches Museum)

und nannte sie »Kap der Stürme« (später umbenannt in »Kap der Guten Hoffnung«). Auf dem Weg nach Indien ging das von D. befehligte Schiff später unter.

Porfirio Díaz

Díaz ['dias], Porfirio, mexikan. Politiker, *Oaxaca de Juárez 15. 9. 1830, †Paris 2. 7. 1915; seit 1861 General unter B. Juárez García; 1876–80 und 1884–1911 diktatorisch regierender Staatspräs., förderte die wirtsch. Entwicklung mithilfe ausländ. Kapitals; von der Revolution ins Exil gezwungen.

Diazine, Bez. für sechsgliedrige, heterozykl. Verbindungen mit zwei Stickstoffatomen im Ring; z. B. **1,3-Diazin,** das →Pyrimidin.

Diazoniumverbindungen, salzartige organ. Verbindungen mit dem Kation $[R{-}N{=}N]^+$ (R = Arylgruppe), die bei der Einwirkung von salpetriger Säure auf primäre aromat. Amine entstehen **(Diazotierung).** Die meist sehr unbeständigen und explosiven D. sind wichtige Zwischenprodukte bei der Herstellung der Azofarbstoffe.

Otto Dibelius

Diazoreaktion, Harn- oder Serumprobe zum Nachweis krankhaft vermehrter Diazokörper (aromat. Stoffwechselprodukte) und von Bilirubin mittels diazotierter Sulfanilsäure und Natriumnitritlösung (Ehrlichs Reagenz); diagnostisch wichtig bei Infektionskrankheiten, z. B. Typhus sowie Bilirubinämie und -urie.

Díaz Rodríguez ['dias rrɔ'ðriyɛs], Manuel, venezolan. Schriftsteller, *Chacao (heute zu Caracas) 28. 2. 1871, †New York 24. 8. 1927; bed. Vertreter des Modernismus; Romane (»Ídolos rotos«, 1901), Erzählungen, Essays.

Dib, Mohammed, alger. Schriftsteller, *Tlemcen 21. 7. 1920; lebt in Paris; schrieb in frz. Sprache eine alger. Romantrilogie »Das große Haus« (1952), »Der Brand« (1954), »Der Webstuhl« (1957); weitere Romane (u. a. »Die maurische Infantin«, 1994), ferner u. a. Novellen und Essays.

Dibbuk [hebr. »Anhaftung«] *der* (Dybuk), im Spätjüdischen Bez. für einen Totengeist, der sich an den Leib eines Lebenden heftet und durch Exorzismen vertrieben wird.

Dibelius, Friedrich Karl Otto, evang. Theologe, *Berlin 15. 5. 1880, †ebd. 31. 1. 1967; wurde 1921 Mitgl. des Oberkirchenrats, 1925 Generalsuperintendent der Kurmark, 1933 als Mitgl. der Bekennenden Kirche des Amtes enthoben; 1945–66 evang. Bischof von Berlin-Brandenburg, 1949–61 Vors. des Rates der EKD; vertrat die Eigenständigkeit der Kirche gegenüber totalitarist. Herrschaftsansprüchen. – *Werke:* Grenzen des Staates (1949); Ein Christ ist immer im Dienst (1961); Obrigkeit (1963).

DiCaprio, Leonardo, amerikan. Filmschauspieler, *Hollywood (Calif.) 11. 11. 1974. Nach Auftritten in Fernsehserien und ersten Filmen (u. a. »Critters III«, 1991) erlangte L. DiCaprio mit den Filmen »Romeo und Julia« (1996) sowie »Titanic« (1997) internationale Bekanntheit.

Dicarbonsäuren, organ. Säuren mit zwei Carboxylgruppen, die v. a. als Zwischenprodukte für Ester (Weichmacher), Polyester und Polyamide verwendet werden.

Dichloräthan (1,2-Dichloräthan), ein →Chlorkohlenwasserstoff.

Dichlordiäthylsulfid (Lost, Senfgas), ein im 1. Weltkrieg verwendeter, sehr wirksamer chem. Kampfstoff (→Gelbkreuz). Gasförmiges D. greift Atmungsorgane und Augen an, flüssiges ruft Blasenbildung und schwer heilende Wunden hervor.

Dichotomie [grch.] *die,* **1)** *Biologie:* gabelige Verzweigung bei Algen, Moosen, Farnen.

2) *Philosophie:* in der traditionellen Logik die zweigliedrige Bestimmung eines Begriffs durch einen ihm untergeordneten und dessen Verneinung (Seele: Bewusstes, Unbewusstes).

Dichroismus [grch.] *der,* →Pleochroismus.

Dichromasie [grch.] *die* (Dichromatopsie), →Farbenfehlsichtigkeit.

Dichromate (Bichromate), gelb- bis dunkelrote giftige Salze der Dichromsäure.

Dichte, i. w. S. das Verhältnis einer physikal. Größe zu Raum, Fläche oder Länge **(Raum-, Flächen- oder Linien-D.),** z. B. die Raumladungs-D. (= Ladung/Volumen) bei Ladungsverteilungen sowie die Strom-D. (= Stromstärke/Querschnittsfläche) bei strömenden Medien oder elektr. Strömen; i. e. S. das Verhältnis der Masse m eines Körpers zu seinem Volumen V **(Massen-D.,** Formelzeichen ρ, SI-Einheit kg/m³); bei homogener Massenverteilung gilt: $\rho = m/V$. Die D. eines Materials hängt von Temperatur und Druck ab, sodass sie, bes. bei Gasen, häufig auf den →Normzustand **(Norm-D.)** bezogen wird. – Zur D.-Bestimmung: u.a. →Aräometer, →Pyknometer. (→Wichte)

Dichte fester und flüssiger Stoffe (in g/cm^3 bei 20 °C)

Aluminium	2,699	Kupfer	8,93
Anthrazit	1,3-1,5	Quecksilber	13,54
Äthylalkohol	0,7893	Sand (trocken)	1,5-1,6
Bernstein	1,0-1,1	Schaumstoff	0,02-0,05
Beton	1,5-2,4	Silber	10,5
Blei	11,35	Stahl (Flussstahl)	7,8
Eis (bei 0 °C)	0,917	Steinkohle	1,2-1,4
Eisen	7,86	Steinsalz	2,3-2,4
Fette	0,90-0,95	Uran	18,7
Gold	19,3	Wasser	0,998
Holz (trocken)	0,4-0,8	Ziegel (trocken)	1,4-1,8
Kork (Platten)	0,2-0,35	Zink	7,13

Dichtefunktion, *Statistik:* Funktion, die man kontinuierlich verteilten Zufallsvariablen zuordnet (→Verteilungsfunktion).

Normdichte einiger Gase (in kg/m^3)

Ammoniak	0,7714	Methan	0,7174
Argon	1,784	Sauerstoff	1,42895
Äthan	1,3566	Luft	1,2923
Chlor	3,214	Stickstoff	1,2505
Helium	0,1785	Wasserstoff	0,08989

Dichterakademi|en, Vereinigungen zur Pflege von Sprache und Literatur. Frühe Gründungen waren u.a. die Académie française (1635; →Institut de France) und die Accademia dell'Arcadia in Rom (1690). Die erste dt. D. entstand 1926 in Berlin als Abteilung für Dichtung der Preuß. Akademie der Künste. Eine der Nachfolgeinstitutionen ist die Dt. Akademie für Sprache und Dichtung mit Sitz in Darmstadt (1949). Bisweilen sind die D. an Akademien der Künste angeschlossen.

Dichterkreis, Zusammenschluss von Dichtern aufgrund gemeinsamer Anschauungen in Fragen von Form und Inhalt der Dichtung, oft auch zus. mit anderen Künstlern, mit Kritikern und Wissenschaftlern; in der dt. Literatur u.a.: Sprachgesellschaften des 17. Jh., Göttinger Hain, Münchner Dichterkreis, George-Kreis, Gruppe 47.

Dichterkrönung, →Poeta laureatus.

dichtester Wert, *Statistik:* der Wert einer Reihe mit der größten Häufigkeit, meist Mittelwert.

Dichteziffern, *Statistik:* Verhältniszahlen, die statist. Größen durch Beziehung auf eine »Milieugröße« normieren, z.B. Ew. je km^2 (Bevölkerungsdichte), Zahl der Kraftfahrzeuge je 1000 Ew. (Kraftfahrzeugdichte).

Dichtung [ahd. dihton »schreiben«, »ersinnen«], Begriff, der allg. die **Dichtkunst,** konkret das einzelne **Sprachkunstwerk** bezeichnet. Von den anderen Künsten ist die D. unterschieden durch das akust., körperlose Material der Sprache, mit der in einem zeitl. Nacheinander von Einzeleindrücken (anders als in den bildenden Künsten) Klang und Bedeutung zugleich (dies grenzt die D. von der Musik ab) übermittelt werden. – Seit der Neuzeit werden neben »D.« verwendet: Dichtkunst, Sprachkunst[werk], Wortkunst[werk], literar. Kunstwerk, Poesie (z.B. konkrete Poesie), schöne Literatur (Belletristik). Zur Eigenart der D. gehören Mehrdeutigkeit, Vieldimensionalität, Tiefenschichtung des sprachl. Ausdrucks. Die Vielfalt der D. erschwert auch ihre literaturwiss. Klassifikation. Die seit dem 18. Jh. (J. C. Gottsched) übl. Dreiteilung der D.-Gattungen in Lyrik, Epik und Dramatik wird immer wieder durch grenzüberschreitende Formen infrage gestellt. Daneben tritt eine Unterscheidung nach inhaltsbezogenen Begriffen: lyrisch, episch, dramatisch. Der Versuch, D. auf diese »Naturformen« (Goethe) oder »Grundbegriffe« (E. Staiger) zurückzuführen, erfolgte aus der Erkenntnis, dass es keine gattungstyp. Reinformen gebe, sondern immer nur Mischformen versch. Grundhaltungen (z.B. lyr. oder ep. Drama, dramat. oder lyr. Roman). Für die Abgrenzung zw. dichter. und anderen literar. Formen impliziert der Begriff »Literatur« die schriftl. Fixierung (Geschriebenes, Gedrucktes) im Ggs. zur D., die es auch unabhängig von der Niederschrift geben kann (Volksdichtung).

Nach der Definition der D. als fiktionaler Sprachschöpfung sind Didaktik, Rhetorik (Predigt, Rede) und Kritik reine Zweckformen und keine D. Die Wirkung einer D. kann sich je nach Zeit und Publikum verändern, z.B. kann das soziale oder gesellschaftl. Anliegen eines Werkes als entscheidender oder unwesentl. Faktor betrachtet werden. Die Sprache der D. kann sich mehr oder weniger von der Alltagssprache entfernen; Zeiten mit einer bes. ausgeprägten D.-Sprache (mittelhochdt. Blütezeit, Barock, Goethezeit) wurden von Perioden abgelöst, in denen die möglichst getreue Anlehnung an die Umgangssprache, an Dialekte (Dialekt-D., Mundart-D.) dichter. Wahrheit gewährleisten sollte. Die Entstehung von D. wurde in verschiedenen Zeiten verschieden erklärt: durch Inspiration (Sturm und Drang, Romantik) oder mithilfe von lehr- und lernbaren Regeln (Meistersang, Barock, Aufklärung).

📖 SEIDLER, H.: *Die D. Wesen, Form, Dasein. Stuttgart* ^{2}*1965.* – STAIGER, E.: *Grundbegriffe der Poetik. Neuausg. München* ^{5}*1983.* – KAYSER, W.: *Das sprachl. Kunstwerk. Eine Einführung in die Literaturwissenschaft. Tübingen u.a.* ^{20}*1992.* – HAMBURGER, K.: *Die Logik der D. Stuttgart* ^{4}*1994.*

Dichtung [zu dicht], **1)** *Bautechnik:* →Dichtungsstoffe.

Es ist das Eigentümliche der **Dichtung,** *dass sie eine ständige Schöpfung ist und uns so aus uns selbst heraustreibt, uns aus uns vertreibt und uns zu unseren äußersten Möglichkeiten führt.*

Octavio Paz

2) *Technik:* Vorrichtung zur Verhinderung oder Verminderung des Aus- und Überströmens von gasförmigen, flüssigen oder körnigen Stoffen aus Behältern oder Rohren durch Spalte. **Ruhende D.** (flüssige oder plast. Masse, Papier, Gummi, Kupfer, Aluminium u.a.) befinden sich zw. unbeweglich miteinander verbundenen Teilen. Bei gegeneinander bewegten Teilen verwendet man Berührungs-D. oder berührungsfreie Dichtungen. **Berührungs-D.** sind z.B. Flachdichtungen, Stopfbüchsen, Packungen (aus z.B. Metallen), Kolbenringe. **Berührungsfreie D.** behindern den Durchtritt von Gasen und Dämpfen durch enge Spalte (z.B. bei Labyrinth-D. durch stufenweisen Druckabfall). D. für begrenzte Bewegungen sind Membranen, Manschetten und Bälge.

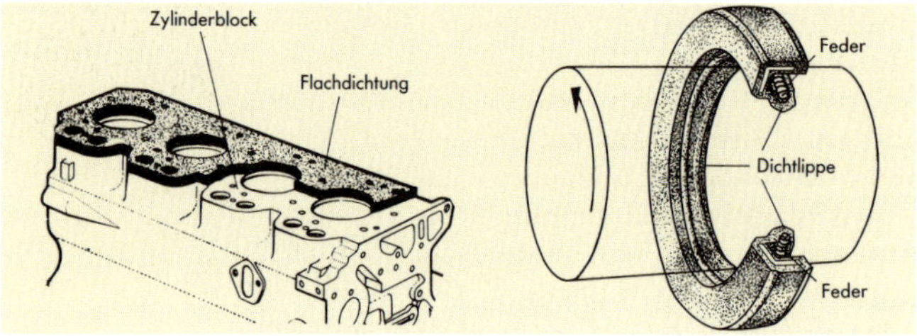

Dichtung 2): Flachdichtung eines Zylinderblocks (links) und Radialdichtring (Simmerring)

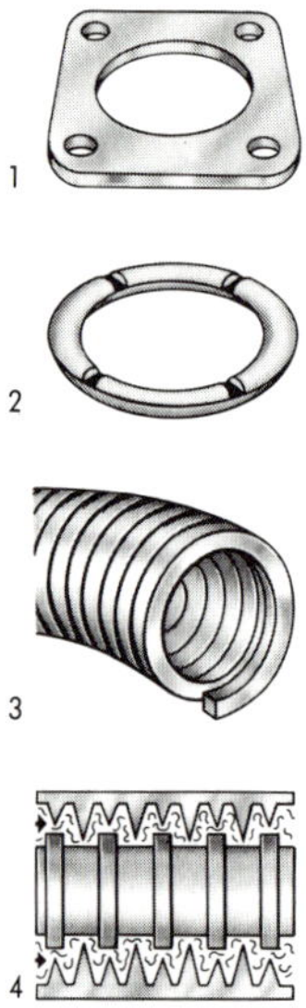

Dichtung 2):
1 Flachdichtung,
2 Dichtring,
3 Stopfbüchse,
4 Labyrinthdichtung

Dichtungsmassen (Dichtstoffe), plast. oder elast. Massen zum Abdichten von Fugen im Bausektor (→Dichtungsstoffe), in der Automobilind., im Straßen- und Schiffbau u.a. Besondere Bedeutung haben D. auf Basis von Polysulfiden, Siliconen, Polyurethanen, Butylkautschuk und Polyisobutenen. Sie können als Ein- oder Zweikomponentensysteme angewendet werden.

Dichtungsstoffe, Sperrstoffe zur Abdichtung (Dichtung) gegen meist von außen auf ein Bauwerk einwirkendes Wasser. Zu den D. gehören Dichtungsbahnen und -folien aus Dachpappen, Kunststoffen, Dichtungsmassen und NE-Metallen, Dichtungsanstriche und Spachtelmassen auf bituminöser oder Kunststoffbasis zur flächenhaften Abdichtung sowie Dichtungsmassen (Vergussmassen) und Dichtungsprofile zur Fugenabdichtung. Dichtungsstreifen aus Gummi, Schaumgummi, Schaumstoff, Filz oder federndem Metall zur Abdichtung gegen Gase (Luft), Lärm, Staub werden z.B. in Tür- und Fensterfalze eingelegt.

Dickblatt (Crassula), Gattung der Dickblattgewächse mit 300 Arten (bes. in S-Afrika). Viele D.-Arten sind Zierpflanzen.

Dickblattgewächse (Crassulaceae), weltweit verbreitete Pflanzenfamilie mit rd. 1400 an trockenen Standorten angepassten Arten, bes. in S-Afrika, Mexiko und im Mittelmeergebiet; einjährige und ausdauernde Kräuter, Halbsträucher und Sträucher mit dickfleischigen Blättern und meist fünfzähligen Blüten, z.B. Dickblatt, Fetthenne.

Dickdarm, Teil des →Darms.

Dickdarmentzündung, →Darmentzündung.

Dicke Berta [nach Berta Krupp von Bohlen und Halbach, *1886, †1957], volkstüml. Bez. für die von der kruppschen Fabrik gebauten 42-cm-Haubitzen, die im 1. Weltkrieg eingesetzt wurden.

Dickens ['dɪkɪnz], Charles, engl. Schriftsteller, Pseudonym Boz, *Portsmouth 7.2.1812, †Gadshill Place (bei Rochester) 9.6.1870; verlebte seine Jugend in ärml. Verhältnissen in Chatham, seit 1822 in London, urspr. Advokatenschreiber, Parlamentsberichterstatter, begann seine literar. Laufbahn mit scharf beobachteten, witzigen Skizzen aus dem Londoner Leben (»Sketches«, 2 Bde., 1836). D. wurde berühmt durch die humorist., in Fortsetzungen erschienenen »Pickwick Papers« (Die Pickwickier, 2 Bde., 1837). In seinen Romanen (»Oliver Twist«, 3 Bde., 1838; »Nicholas Nickleby«, 1839, 3 Bde.; »Barnaby Rudge«, 1841; »Der Raritätenladen«, 1841; »Martin Chuzzlewit«, 1844, 3 Bde.; »Dombey und Sohn«, 1848; »David Copperfield«, 1850; »Bleakhaus«, 1852; »Klein Dorrit«, 1857, 3 Bde.; »Zwei Städte«, 1859; »Große Erwartungen«, 1861, 3 Bde.) und den jährl. Weihnachtsgeschichten (z.B. »Ein Weihnachtslied in Prosa«, 1843) stellte er voll Liebe und mit groteskem Humor die Welt der kleinen Leute und Sonderlinge dar und übte eine aus Mitleid erwachsene Kritik an den sozialen Missständen; gilt als Begründer des sozialen Romans.

📖 MAACK, A.: *C. D. Epoche – Werk – Wirkung. München 1991.* – SCHMIDT, JOHANN N.: *C. D. Reinbek 23.–24. Tsd. 1996.*

Dickfilmtechnik (Dickschichttechnik), *Elektronik:* Herstellungsverfahren für Schaltkreise. Auf

Dicke Berta: Deutscher Mörser »Gamma-Gerät«, Kaliber 42 cm

ein isolierendes Trägermaterial (Substrat) werden mittels Siebdruck Leiterbahnen sowie Widerstände, Kondensatoren und spiralförmige Induktivitäten in Schichtdicken zw. 10 und 50 µm aus pastenartigen Mischungen eines organ. Binders mit leitenden oder dielektr. Substanzen aufgebracht und eingebrannt. Aktive Halbleiterbauelemente (z.B. Dioden, Transistoren) müssen nachträglich eingefügt werden.

Dickfuß (Cortinarius), eine Untergattung der Schleierlinge, Lamellenpilze; bekanntester Vertreter ist der ungenießbare **Violette D.** (**Lila D.**; Cortinarius traganus).

Dickfußröhrling (Hutdurchmesser 5–20 cm)

Dickfußröhrling (Boletus calopus), schwach giftiger Röhrenpilz mit hell- bis olivgrauem Hut und gelbem Röhrenfutter; Stiel netzadrig, oben gelb, unten rot.

Dickhäuter (Pachydermata), Sammelbegriff für Elefanten, Nashörner, Tapire und Flusspferde.

Dickinson ['dıkınsn], Emily Elizabeth, amerikan. Lyrikerin, *Amherst (Mass.) 10. 12. 1830, †ebd. 15. 5. 1886. Ihre meist erst nach ihrem Tod veröffentlichten Gedichte geben in präzisen Bildern Grenzzustände wie Sehnsucht, Schmerz, Einsamkeit und Sterben wieder.

Dickkolben (Amorphophallus), Gattung der Aronstabgewächse; in Sumatra die **Titanenwurz** (Amorphophallus titanum) mit über 25 kg schweren, essbaren Knollen.

Dickkopffalter (Dickköpfe, Hesperiidae), kleine bis mittelgroße Schmetterlinge mit breitem Kopf, v.a. im trop. Südamerika. Die Raupen fressen bes. Gräser, schädlich u.a. an Reis, Hirse, Mais; in Mitteleuropa kommen 20 Arten, z.B. der **Kommafalter** (Hesperia comma), vor.

Dickmilch (Sauermilch), durch Tätigkeit von Milchsäurebakterien geronnene Milch.

Dick-Read [-'ri:d], Grantly, brit. Gynäkologe, *Beccles (Cty. Suffolk) 26. 1. 1890, †Wroxham (Cty. Norfolk) 11. 6. 1959; propagierte die körperlich-seel. Vorbereitung der Schwangeren auf eine schmerzarme Geburt (z.B. gymnast. Entspannungs- und Atemübungen).

Dickschichttechnik, →Dickfilmtechnik.

Dicksonilengewächse (Dicksoniaceae) [nach dem schott. Botaniker J. Dickson, *1737, †1822], trop. und subtrop. Familie der Baumfarne; Pflanzen mit behaartem Stamm und gefiederten Blättern in Endrosette.

Dick und Doof, die Filmkomiker S. →Laurel und O. →Hardy.

Dickung, Altersklasse des Forstes; die Entwicklung vom Bestandesschluss bis zum Absterben der unteren Äste.

Dicumarol *das*, Abkömmling des Cumarins, hemmt als Arzneimittel die Blutgerinnung; kann Gewebsblutungen bewirken.

Dicyan *das* (Cyan), $(CN)_2$, nach Bittermandel riechendes, sehr giftiges, farbloses Gas, das durch Einwirkung von zweiwertigen Kupferverbindungen auf Blausäure bzw. Cyanide hergestellt werden kann.

Didache [grch. »Lehre«] *die* (Lehre der zwölf Apostel), älteste urchristl. »Gemeindeordnung« mit Vorschriften über Leben, Gottesdienst und Leitung der Gemeinde; im Grenzland von Syrien und Palästina in der 1. Hälfte des 2. Jh. entstanden.

Didacta, seit 1956 internat. Bez. für die seit 1950 bestehende, seit 1979 alle drei Jahre stattfindende internat. Fachmesse für Lehrmittel.

Didaktik [grch.] *die*, urspr. Lehrkunst; heute allg. als die Wiss. vom Lehren und Lernen (**Unterrichtslehre**) aufgefasst oder als die Theorie der Bildungsinhalte und des Lehrplans (Was wird unterrichtet?), der die D. der Methode (Wie wird unterrichtet?) gegenübergestellt wird. Das Verhältnis von D. (Ziel/Inhalt) zur Methode, früher als Primat der D. verstanden, wird als »Implikationszusammenhang« beschrieben, der von »method. Leitfragen« strukturiert wird. Die allgemeine D. sucht die innere Gliederung des Bildungsvorgangs, den systemat. Zusammenhang der Faktoren allen Unterrichts sowie die Struktur des Lehrgefüges (Bildungskanon) zu erfassen und allgemeine Unterrichtsprinzipien herauszuarbeiten. Daneben stehen versch. spezielle D. wie die Fach-D. (Begründung und Zielsetzung des jeweiligen Fachs, dessen Stellung im Fächerkanon sowie dessen fachspezif. Inhalte), die Bereichs-D. (Gemeinsamkeiten inhaltlich ähnlich strukturierter Fächer oder Lernbereiche) sowie die D. einzelner Schulstufen (Kriterien für Primarstufe, Orientierungsstufe, Sekundarstufe I und II; Hochschul-D. und die D. der Weiterbildung).

📖 BLANKERTZ, H.: *Theorien u. Modelle der D. Weinheim u.a.* ^{13}*1991*. – KLAFKI, W.: *Neue Studien zur Bildungstheorie u. D. Weinheim u.a.* ^{5}*1996*. – PETERSSEN, W.H.: *Lehrbuch allgemeine Didaktik. München* ^{5}*1996*.

didaktische Dichtung, →Lehrdichtung.

Charles Dickens
(Ausschnitt aus einem Gemälde von Ary Scheffer)

Emily Dickinson

Didaskalien [grch.], **1)** *Altertumskunde:* in der antiken Dramaturgie das Einstudieren eines Chors.

2) *Kulturgeschichte:* seit dem 5. Jh. v. Chr. angelegte chronolog. Listen über die aufgeführten Dramen mit Angabe über Zeit, Verfasser u. a.

Didelphier (Didelphia) [grch.], veraltete Bez. für die →Beuteltiere.

Diderot [di'dro], Denis, frz. Schriftsteller und Philosoph, *Langres 5. 10. 1713, †Paris 31. 7. 1784; bed. Vertreter der frz. Aufklärung; nach Besuch einer Jesuitenschule Studien in Paris; begann mit Übersetzungen aus dem Englischen und mit philosoph. Schriften (»Philosoph. Gedanken«, 1746), arbeitete 1751–72, z. T. zusammen mit J. Le Rond d'Alembert, als Herausgeber und Autor der »Encyclopédie« (→Enzyklopädisten). Mit seinen philosoph. Traktaten und Dialogen trug er zur Überwindung des erstarrten rationalist. Weltbildes der Frühaufklärung bei (»Gedanken zur Interpretation der Natur«, 1754); in ihnen verbinden sich deist. und empirist., skeptizist., materialist. und atheist. Positionen. Sein belletrist. Werk vermittelt aufklärer. Kritik an Kirche und Gesellschaft durch publikumswirksame Stoffe (»Die Nonne«, R., hg. 1796); in der Erzählung »Rameaus Neffe« (Original hg. 1891) entwirft er ein Bild der korrupten Gesellschaft des Ancien Régime. In seinem Roman »Jakob und sein Herr« (hg. 1796) verbinden sich Zeit- und Gesellschaftskritik mit neuen erzähltechn. Perspektiven. Auf dem Theater entwickelte er die Form der »Comédie larmoyante« zum bürgerl. Trauerspiel weiter: »Der Hausvater« (1758, dt. von G. E. Lessing, 1760). D. schrieb auch Kunstkritiken (»Salons«, 1759–81). Viele seiner Werke wurden zunächst nur handschriftlich oder anonym verbreitet und erschienen erst nach der Frz. Revolution in Buchausgaben.

📖 STACKELBERG, J. VON: *D. Eine Einführung. München u. a. 1983.* – LEPAPE, P.: *D. D. Eine Biographie. A. d. Frz. Frankfurt am Main u. a. 1994.*

Denis Diderot: Stahlstich nach einer Zeichnung von Émile Béranger

Dido

Die »Ochsenhaut« der Dido

Als die legendäre Gründerin Karthagos, die aus Tyros vertriebene Prinzessin Dido, auf ihrer Flucht in Nordafrika anlangte, soll sie – einer Erzählung Vergils nach – dem dort herrschenden König Iarbas so viel Land abgehandelt haben, wie sie mit einer Ochsenhaut belegen konnte: Dido ließ daraufhin eine Rindshaut in Streifen zerschneiden und umspannte damit das Gebiet, auf dem sie die Burg Byrsa (griechisch: Ochsenhaut), das spätere Karthago, errichtete.

Didion ['dɪdɪən], Joan, amerikan. Schriftstellerin und Journalistin, *Sacramento (Calif.) 5. 12. 1934; übt in sehr erfolgreichen Romanen und Essays Kritik an der sinnentleerten Welt des »American Dream« (»Spiel dein Spiel«, R., 1970; »Wie die Vögel unter dem Himmel«, R., 1977; »Demokratie. Ein Roman«, 1984; »Nach Henry«, 1992, Reportagen und Essays).

Dido, im röm. Mythos Gründerin Karthagos; tötete sich aus Verzweiflung über die Abfahrt des Äneas, der auf seiner Flucht von Troja an der karthag. Küste gelandet war.

Didot [di'do], frz. Drucker- und Buchhändlerfamilie. Der älteste Sohn François Ambroise D. (*1730, †1804) des Begründers François D. (*1689, †1757) verbesserte das von P. Fournier aufgestellte typograph. Punktsystem (**D.-System,** →Schriften). Dessen Söhne Pierre D. (*1761, †1853) und Firmin D. (*1764, †1836) erlangten die größte Bedeutung. Firmin gab der Type des Vaters die endgültige, heute als **D.-Antiqua** bekannte Gestalt.

Didyma, antikes Heiligtum in Kleinasien, südlich von Milet, Apollonheiligtum **(Didymaion)** mit berühmtem Orakel; heute Ruinenstätte, 1984 wurde ein Artemisheiligtum entdeckt.

Diebitsch, Johann Karl Friedrich Anton Graf (seit 1827), russ. Iwan Iwanowitsch Dibitsch-Sabalkanskij, russ. Generalfeldmarschall, *Groß Leipe (heute Wiela Lipa, bei Breslau) 13. 5. 1785, †Kleczewo (bei Warschau) 10. 6. 1831; trat 1801 aus preuß. in russ. Dienste, schloss 1812 mit dem preuß. General Yorck von Wartenburg die Konvention von Tauroggen.

Diebskäfer (Ptinidae), Käferfamilie mit rd. 500 Arten. Die kugeligen oder längl., 2–5 mm großen, bräunl. Tiere leben in tier. und pflanzl. Stoffen;

schädlich an Getreide, Lebensmitteln und Textilien; z.B. der Messingkäfer (Niptus hololeucus).

Diebstahl, die Wegnahme einer fremden bewegl. Sache in der Absicht, sie sich rechtswidrig anzueignen (§242 StGB). D. ist eines der häufigsten Vermögensdelikte. Man unterscheidet den **einfachen D.,** der mit Freiheitsstrafe bis zu fünf Jahren oder Geldstrafe, und den **bes. schweren Fall,** der mit Freiheitsstrafe von drei Monaten bis zu zehn Jahren bestraft wird. I.d.R. liegt ein bes. schwerer Fall u.a. vor bei: Einbruchs-D., Nachschlüssel-D., Kirchen-D. Der D. mit Waffen und der Banden-D. werden nach §244 StGB mit Freiheitsstrafe von sechs Monaten bis zu zehn Jahren bestraft. D. geringwertiger Sachen wird im Fall des §242 StGB, sofern kein öffentl. Interesse an der Strafverfolgung besteht, nur auf Antrag verfolgt; sonen, mit denen der Täter in häusl. Gemeinschaft lebt, ist reines Antragsdelikt (§§ 247, 248a). Unter besondere Bestimmungen fallen Gebrauchs-D., Feld- und Forst-D., Elektrizitätsentwendung. – Ähnl. Bestimmungen gelten in *Österreich* (§§127ff. StGB) und in der *Schweiz* (Art. 137ff. StGB).

Diebstahlversicherung, →Einbruchdiebstahlversicherung.

Dieburg, Stadt im Landkreis Darmstadt-D., Hessen, an der Gersprenz, 14300 Ew.; Fachhochschule; Eisen-, Leder-, Textilindustrie. – Wallfahrtskirche (13.–14. Jh.), Fechenbachsches Schloss (Museum). – D. war röm. Straßenknotenpunkt; bei der 1169 erstmals erwähnten Wasserburg D. entstand die heutige Vorstadt Altenstadt; 1277 Stadtrecht.

Dieckmann, 1) Johannes, Politiker (LDPD), *Fischerhude (heute zu Ottersberg, bei Bremen) 19. 1. 1893, †Berlin (Ost) 22. 2. 1969; 1919–33 Gen.-Sekr. der DVP, Mitarbeiter G. Stresemanns, war 1949–69 stellv. Vors. der LDPD und Präs. der Volkskammer der DDR.

2) Max, Hochfrequenztechniker, *Hermannsacker (Harz) 5. 7. 1882, †Gräfelfing 28. 7. 1960; schlug 1906 die braunsche Röhre als Bildschreiber für das Fernsehen vor, gründete die »Drahtlostelegraph. und luftelektr. Versuchsstation« Gräfelfing, erfand 1925 mit R. Hell die lichtelektr. Bildzerlegerröhre.

Diedenhofen, Stadt in Lothringen, →Thionville.

Dieffenbachia [nach dem österr. Botaniker J. Dieffenbach, *1796, †1863], Gattung der Aronstabgewächse mit rd. 30 Arten im trop. und subtrop. Amerika; zahlr. (buntblättrige) Arten und Formen sind Zimmerpflanzen; sehr giftig.

Diego Cendoya [- θen'doja], Gerardo, span. Lyriker, *Santander 3. 10. 1896, †Madrid 8. 7. 1987. Sein Werk (u.a. als Herausgeber der »Poesía española. Antología 1915–1931«, 1932) wurde für die moderne span. Lyrik wegweisend; Meister sprachlich-klangl. Nuancierung (»Gedichte«, span. u. dt. Auswahl 1965).

Didyma: Die Ruine des nach 334/333 v. Chr. unter den Baumeistern Daphnis von Milet und Paionios von Ephesos gebauten Apollonheiligtums, vom Aufgangsbereich her gesehen

Diego García [-gar'θia], die größte der →Chagosinseln, im Ind. Ozean, 36 km², keine Zivilbevölkerung; seit 1968 zum brit. und amerikan. Militärstützpunkt ausgebaut; steht unter brit Verwaltung. D. G. wird von Mauritius beansprucht.

Diégo-Suarez [djegosya'rɛ:z], Stadt in Madagaskar, →Antsiranana.

Die Grünen, polit. Partei, →Grünen, Die.

Diehl, Hans-Jürgen, Maler und Grafiker, *Hanau 22. 5. 1940; Bilder mit polit. und gesellschaftskrit. Aspekt (Berliner krit. Realismus), v.a. simulierte (d.h. gemalte) Fotomontagen. BILD S. 300

Diekirch, Kantonshptst. in Luxemburg, an der Sauer, 5600 Ew.; Fremdenverkehr; Großbrauerei. – Reste röm. Badeanlagen.

Diele, 1) *allg.:* Brett, bes. Fußbodenbrett, Parkettdiele.

2) *Architektur:* Teil des norddt. Bauernhauses; im niedersächs. Bauernhaus war die D. Stallgasse

Dieffenbachia

Didyma

Das Orakel an der kleinasiatischen Westküste in Didyma war das berühmteste Apollon-Orakel nach Delphi. Die Inschrift, die aus dem 3. Jahrhundert n. Chr. stammt, ist die Orakelanfrage des Schatzmeisters Hermias. Am Ende sind Waage und Geldbeutel als seine Amtszeichen abgebildet. Die Orakelanfrage lautet: »Schatzmeister Hermias stellt die Frage: Der Altar der in deinem Heiligtum verehrten Tyche ist im so genannten Paradeisos infolge der ringsum errichteten Gebäude eingeschlossen und wird deshalb von vielen nicht aufgesucht. Ist es daher wünschenswerter und besser und der Göttin willkommener, dass auch dieser Altar zusammen mit den übrigen Götter(altären) in den Altarkreis miteinbezogen wird, oder nicht? Der Gott erteilte das Orakel: Allen den Göttern sei Achtung gezollt und allen Verehrung! Der fromme Schatzmeister Hermias, Sohn des Epagathos.«

und Dreschboden zugleich; im Bürgerhaus oft zentraler Wohnraum, Küche und Werkstatt.

Dielektrikum [grch.] *das,* Isolierstoff (spezif. Widerstand größer als 10^{10} Ω cm); die Elektroden trennende Substanz, vor allem eines Kondensators. (→Dielektrizitätskonstante)

Hans-Jürgen Diehl: »Die besondere Einheit« (1987; Berlin, Galerie Eva Pohl)

dielektrische Verschiebung, die →elektrische Flussdichte.

Dielektrizitätskonstante, Abk. **DK** (Permittivität), die Größe ε in der Beziehung $D = \varepsilon E$ zw. der elektr. Flussdichte (elektr. Verschiebung) D und der elektr. Feldstärke E. Im Vakuum ist ε gleich der **elektr. Feldkonstanten** $\varepsilon_0 = 8{,}854 \cdot 10^{-12}$ F/m **(absolute D. des Vakuums, Influenzkonstante).** In einem isotropen Dielektrikum ist die D. ein skalarer Stoffwert ($\varepsilon = \varepsilon_0 \cdot \varepsilon_r$), in anisotropen Stoffen ein Tensor 2. Stufe. Das Verhältnis $\varepsilon_r = \varepsilon / \varepsilon_0$ heißt **relative D. (relative Permittivität, Dielektrizitätszahl).** In elektrischen Wechselfeldern hängt die D. von der Frequenz ab.

Otto Diels

Diels, 1) Hermann, klassischer Philologe, *Biebrich (heute zu Wiesbaden) 18. 5. 1848, †Berlin 4. 6. 1922; Vater von 2); Prof. in Berlin, verdient um das Verständnis der grch. Philosophie, Medizin und Technik, förderte die Kenntnis der Realien des Altertums.

2) Otto Paul Hermann, Chemiker, *Hamburg 23. 1. 1876, †Kiel 7. 3. 1954, Sohn von 1); Prof. in Berlin und Kiel, entdeckte das Grundskelett der Steroide, das Kohlensuboxid C_3O_2 sowie die Selen-Dehydrierung und entwickelte 1928 die →Diensynthese, die für die chem. Ind. große Bedeutung gewann. Hierfür erhielt D. 1950 mit K. Alder den Nobelpreis für Chemie.

Diem, 1) Carl, Sportwissenschaftler, *Würzburg 24. 6. 1882, †Köln 17. 12. 1962; 1920 Mitbegründer der Dt. Hochschule für Leibesübungen in Berlin, organisierte 1936 die XI. Olymp. Spiele in Berlin; 1947 gründete er in Köln die Sporthochschule.

2) [di'ɛm], Ngo Dinh, vietnames. Politiker, →Ngo Dinh Diem.

Diemel *der,* linker Nebenfluss der Weser, entspringt im Hochsauerland, NRW, 105 km lang, mündet bei Bad Karlshafen, Hessen; im Oberlauf Talsperre bei Helminghausen; Naturpark Diemelsee.

Dien Bien Phu [djɛnbjɛn'fu], ehemaliger frz. Stützpunkt in Nord-Vietnam; im Indochinakrieg durch frz. Fallschirmjäger 1953 besetzt, wurde am 7. 5. 1954 von den Vietminh nach schweren Kämpfen erobert. Nach dieser Niederlage zog sich Frankreich aus Indochina zurück.

Diene (Diolefine), ungesättigte aliphat. **(Alka-D.)** oder zykl. **(Cyclo-D.)** Kohlenwasserstoffe mit zwei Doppelbindungen im Molekül. Benachbarte Doppelbindungen nennt man **kumuliert,** solche, die durch eine Einfachbindung voneinander getrennt sind, **konjugiert;** bei **isolierten** liegt mindestens eine CH_2-Gruppe zw. ihnen. D. mit konjugierten Doppelbindungen können Stoffe mit einfacher Doppelbindung unter Ringbildung anlagern (→Diensynthese). D. sind technisch bei der Kunststoffherstellung wichtig.

Diener Mariens, die →Serviten.

Dienst, 1) *allg.:* Erfüllung von Pflichten (religiös, karitativ), im Beruf die Verrichtung der geforderten Leistung.

2) *Architektur:* bes. in der Gotik den Innenwänden oder Pfeilern (Bündelpfeiler) vorgelegte oder eingebundene dünne Säule, die entsprechend des von ihr gestützten Gewölbebogens von größerem oder geringerem Durchmesser ist. Die stärkeren **(alte Dienste)** tragen Gurt- und Schildbögen, die schwächeren **(junge Dienste)** Gewölberippen.

Dienstag [vom auf Inschriften in lat. Sprache bezeugten Namen des german. Kriegsgottes »Mars Thingsus« (»Mars als Thingbeschützer«)], der zweite Tag der Woche.

Dienstalter, von Beamten und Soldaten im öffentl. Dienst zurückgelegte Dienstzeit, von der Gehalt (»Besoldungs-D.«, gerechnet ab dem 21. Lebensjahr), Beförderung und Versorgung (Ruhegehalt) abhängen.

Dienstaufsicht, Aufsichts- und Weisungsbefugnis der höheren gegenüber der nachgeordneten Behörde und des Dienstvorgesetzten gegenüber den ihm unterstellten Mitarbeitern. Sie umfasst die Beaufsichtigung der fachl. Arbeit und der Art und Weise ihrer Erledigung sowie die Befugnis zur Einleitung von Disziplinarverfahren bei Dienstvergehen.

Dienstaufsichtsbeschwerde, form- und fristloser, kostenloser Rechtsbehelf zur Nachprüfung einer behördl. Maßnahme und des Verhaltens eines öffentl. Bediensteten (zu unterscheiden von Beschwerde und Widerspruch). D. sind zu prüfen und zu bescheiden.

Dienstbarkeit (Servitut), das dingl. Recht zu beschränkter Nutzung einer fremden Sache, im Unterschied zu den schuldrechtl. Nutzungsrechten (Miete, Pacht). Man kennt: **Grund-D.** sind Belastungen eines (des »dienenden«) Grundstücks zugunsten des jeweiligen Eigentümers eines fremden (des »herrschenden«) Grundstücks (§ 1018 BGB). Sie können dem Eigentümer des fremden Grundstücks das Recht geben, das dienende Grundstück in auf einen bestimmten Zweck beschränktem Umfang zu benutzen, z. B. darüber zu gehen (Wegerecht), oder die Vornahme bestimmter Handlungen (z. B. den Bau eines Betriebes) auf dem Grundstück zu verbieten. **Beschränkte persönl. D.** stehen nicht dem Eigentümer eines Grundstücks zu, sondern einer bestimmten Person oder Personenmehrheit (§ 1090 BGB). Sie sind nur übertragbar, wenn sie zugunsten jurist. Personen bestehen (→ Nießbrauch). Zur Begründung einer D. durch Rechtsgeschäft sind Einigung und Eintragung in das Grundbuch erforderlich (§ 873 BGB). – Ähnlich sind die D. in *Österreich* (»Servituten«, §§ 472–530 ABGB) und in der *Schweiz* (Art. 730 ff. ZGB) geordnet.

Dienstbeschädigung, eine im Beamten- oder im Wehrdienst ursächlich entstandene Gesundheitsschädigung; sie begründet Versorgungsansprüche (→ Versorgung).

Dienstbezüge, → Besoldung.

Diensteid, der → Amtseid.

Dienstentfernung, Disziplinarmaßnahme gegen einen Beamten oder Soldaten, die von einem Disziplinargericht im förml. Disziplinarverfahren bei schweren Dienstvergehen ausgesprochen werden kann. Die D. ist mit dem Verlust des Anspruchs auf Dienstbezüge, Versorgung und des Rechts zur Führung der Amtsbez. verbunden. (→ Disziplinarrecht)

Dienstenthebung (vorläufige D., Suspendierung), mögl. Maßnahme bei der Einleitung eines Disziplinarverfahrens gegen einen Beamten, die das Verbot jeder dienstl. Handlung umfasst; unter bestimmten Voraussetzungen kann die Einbehaltung eines Teils der Dienstbezüge angeordnet werden.

Diensterfindung, → Arbeitnehmererfindung.

Dienstgeheimnis, → Amtsgeheimnis.

Dienstgipfelhöhe, Höhe, in der die Steiggeschwindigkeit eines Flugzeugs noch einen zur Ausführung von Flugmanövern ausreichenden Mindestwert (meist 0,5 m/s) aufweist.

Dienstgrad, militär. Rangbezeichnung; entstand im 17. Jh. mit den stehenden Heeren. Zur äußeren Kennzeichnung werden D.-Abzeichen (Rangabzeichen) aus Stoff und Metall auf der Uniform getragen.

Diensthunde (Schutzhunde, Gebrauchshunde), Hunderassen, die sich bes. für den Einsatz bei der Polizei und beim Zoll sowie als Wachhunde eignen; z. B. Dt. Schäferhund, Airedaleterrier, Dobermann, Riesenschnauzer.

Dienstleistungen, → Dienstleistungsgesellschaft.

Dienstleistungsbilanz, Teil der → Zahlungsbilanz.

Dienstleistungsfreiheit, in Art. 59 ff. EG-Vertrag formuliertes grundlegendes Freiheitsrecht von Angehörigen der Mitgl.staaten, Dienstleistungen (gewerbl., kaufmänn., handwerkl., freiberufl. Tätigkeiten) auch in einem Staat der Gemeinschaft außerhalb des Heimatstaates zu erbringen.

Dienstleistungsgesellschaft, eine Form der hoch entwickelten Gesellschaft, in der nicht mehr die industrielle Fertigung die sozioökonom. Strukturen, die Arbeits- und Lebensbedingungen sowie auch Normen- und Wertesysteme bestimmt, sondern ein vielfältig strukturierter Dienstleistungssektor.

Dienstleistungen können allg. als ökonom. Güter aufgefasst werden, die wie Waren (Sachgüter) der Befriedigung menschl. Bedürfnisse dienen. Anders als Sachgüter zeichnen sie sich als an Personen gebundene, Nutzen stiftende Leistungen durch mangelnde Dauerhaftigkeit und Lagerfähigkeit, durch Standortgebundenheit, durch Gleichzeitigkeit von Produktion und Konsum sowie durch vergleichsweise arbeitsintensive Produktion aus; sie werden oft auch als immaterielle Güter bezeichnet. Diese allgemeine Definition ist nicht unumstritten, da z. B. die Nutzungsleistungen von Diensten mithilfe von Sachgütern dauerhaft, lagerfähig und fast unbegrenzt nutzbar gemacht werden können und die Definitionsmerkmale der Vielschichtigkeit von Dienstleistungen nicht immer gerecht werden.

Man unterscheidet verbraucherbezogene (z. B. Erholung, Reinigungs- und Reparaturdienste, Körperpflege) von produktionsbezogenen Dienstleistungen (z. B. Unternehmensberatung, Marktforschung, Gebäudereinigung). Obwohl die meisten Verbraucher- oder Haushaltsdienstleistungen als arbeitsintensiv und als vom direkten Kontakt zw. Anbieter und Nachfrager abhängig bezeichnet werden können (»persönliche Dienstleistungen«), sind einige aber auch sehr kapitalintensiv (z. B. öffentl. Personenverkehr).

Als Maßstab für die Entwicklung zur D. dient v. a. die steigende Bedeutung des Dienstleistungs-

Carl Diem

Dienstgradabzeichen

Deutschland (Heer/Luftwaffe)

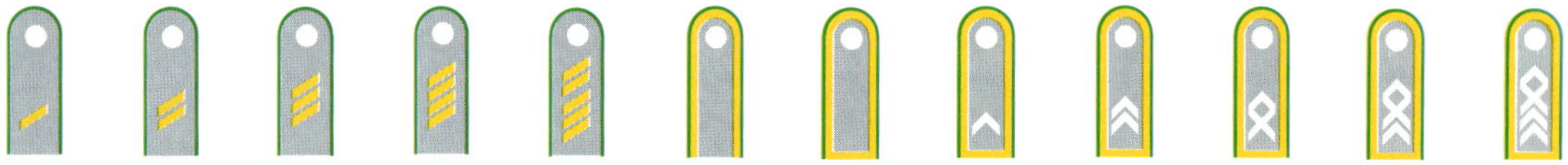

- Gefreiter (Gefreiter UA[1]/OA[2])
- Ober-gefreiter
- Haupt-gefreiter
- Stabs-gefreiter
- Oberstabs-gefreiter
- Unteroffizier/ Fahnenjunker[2]
- Stabsunter-offizier
- Feldwebel/ Fähnrich[2]
- Ober-feldwebel
- Haupt-feldwebel/ Oberfähnrich[3]
- Stabs-feldwebel
- Oberstabs-feldwebel

- Leutnant
- Oberleutnant
- Hauptmann
- Stabs-hauptmann
- Major
- Oberst-leutnant
- Oberst
- Brigade-general
- General-major
- General-leutnant
- General

Deutschland (Marine)

- Gefreiter[4]
- Ober-gefreiter
- Haupt-gefreiter
- Stabs-gefreiter
- Oberstabs-gefreiter
- Maat/ Seekadett[4]
- Obermaat
- Bootsmann/ Fähnrich zur See[4]
- Ober-bootsmann
- Haupt-bootsmann
- Stabs-bootsmann
- Oberstabs-bootsmann

- Oberfähnrich zur See
- Leutnant zur See
- Oberleutnant zur See
- Kapitän-leutnant
- Stabskapitän-leutnant
- Korvetten-kapitän
- Fregatten-kapitän
- Kapitän zur See
- Flottillen-admiral
- Konter-admiral
- Vize-admiral
- Admiral

1) Die Unteroffizieranwärter (UA) vom Schützen UA bis zum Hauptgefreiten UA tragen zusätzlich zu den Dienstgradabzeichen einen quer gestellten Streifen.

2) Die Offizieranwärter (OA; Mannschaften OA, Fahnenjunker, Fähnrich, Oberfähnrich) tragen zusätzlich zu den Dienstgradabzeichen an allen Schulterklappen und Aufschiebeschlaufen eine silberfarbene Kordel als Überziehschlaufe.

3) Beim Oberfähnrich ist die silberfarbene Kordel nur an der Kampfbekleidung anzubringen, da die Ausführung seiner Schulterklappe, abgesehen von den Dienstgradabzeichen selbst, derjenigen der Offiziere entspricht.

4) Die Offizieranwärter der Marine (Mannschaften OA, Seekadett, Fähnrich zur See) tragen zusätzlich zu den Dienstgradabzeichen einen Stern.

Österreich

- Gefreiter
- Korporal
- Zugsführer
- Wachtmeister
- Ober-wachtmeister
- Stabs-wachtmeister
- Oberstabs-wachtmeister
- Offiziers-stellvertreter
- Vize-leutnant
- Fähnrich

- Leutnant
- Oberleutnant
- Hauptmann
- Major
- Oberst-leutnant
- Oberst
- Brigadier
- Divisionär
- Korps-kommandant
- General

Schweiz

- Gefreiter
- Korporal
- Wachtmeister
- Fourier
- Feldwebel
- Adjutant-Unteroffizier

- Leutnant
- Oberleutnant
- Hauptmann
- Major
- Oberst-leutnant
- Oberst
- Brigadier
- Divisionär
- Korps-kommandant
- General

Dienstgradbezeichnungen

Dienstgrad-gruppe	*Deutschland Heer/Luftwaffe*	*Marine*	*Schweiz Heer*	*Österreich Heer*	
Generale	General	Admiral	General[1]	General	
	Generalleutnant	Vizeadmiral	Korpskommandant	Korpskommandant	
	Generalmajor	Konteradmiral	Divisionär	Divisionär	
	Brigadegeneral	Flottillenadmiral	Brigadier	Brigadier	
Stabsoffiziere	Oberst	Kapitän zur See	Oberst	Oberst	
	Oberstleutnant	Fregattenkapitän	Oberstleutnant	Oberstleutnant	
	Major	Korvettenkapitän	Major	Major	
Hauptleute	Stabshauptmann	Stabskapitänleutnant	Hauptmann	Hauptmann	
	Hauptmann	Kapitänleutnant			
Leutnante	Oberleutnant	Oberleutnant zur See	Oberleutnant	Oberleutnant	
	Leutnant	Leutnant zur See	Leutnant	Leutnant	
				Fähnrich	
				Vizeleutnant	
Unteroffiziere mit Portepee	Oberstabsfeldwebel	Oberstabsbootsmann		Offiziersstellvertreter	
	Stabsfeldwebel	Stabsbootsmann	Adjutant-Unteroffizier	Oberstabswachtmeister	
	Hauptfeldwebel	Hauptbootsmann	Feldweibel	Stabswachtmeister	
	(Oberfähnrich)	(Oberfähnrich zur See)			
	Oberfeldwebel	Oberbootsmann	Fourier	Oberwachtmeister	
	Feldwebel	Bootsmann	Wachtmeister	Wachtmeister	
	(Fähnrich)	(Fähnrich zur See)			
Unteroffiziere ohne Portepee	Stabsunteroffizier	Obermaat		Zugsführer	Chargen
	Unteroffizier	Maat	Korporal	Korporal	
	(Fahnenjunker)	(Seekadett)			
Mannschaften	Oberstabsgefreiter	Oberstabsgefreiter			
	Stabsgefreiter	Stabsgefreiter			
	Hauptgefreiter	Hauptgefreiter			
	Obergefreiter	Obergefreiter			
	Gefreiter	Gefreiter	Gefreiter	Gefreiter (Vormeister)	
	Soldat[2]	Matrose	Wehrmann[2]	Wehrmann[2]	

[1] Bei einem größeren Truppenaufgebot im Falle eines Aktivdienstes von der Bundesversammlung gewählt. –
[2] Je nach Truppengattung: Schütze, Kanonier, Funker, Jäger, Füsilier (Schweiz) u. a.

sektors in den Industrieländern, gemessen am Anteil dieses Sektors an der Bruttowertschöpfung oder anderen Sozialproduktgrößen oder am Anteil der Erwerbstätigen in diesem Sektor. Im Rahmen der volkswirtsch. Gesamtrechnung zählen zum Dienstleistungssektor die Wirtschaftsbereiche Handel, Banken, Versicherungen, Gaststätten- und Beherbergungswesen, Transport- und Nachrichtenwesen, öffentliche Verwaltung (z. B. öffentl. Dienste in Bildung, Erziehung, Krankenpflege, Polizei, eigentl. Verwaltung), freie Berufe und sonstige private Dienstleistungen. Neben den Sektoren Land-, Forstwirtschaft und Fischerei (»primärer Sektor«) sowie Waren produzierendes Gewerbe (»sekundärer Sektor«) mit Energie-, Wasserversorgung, Bergbau, verarbeitendem Gewerbe (Industrie und Handwerk) wird der Dienstleistungssektor als »tertiärer Sektor« erfasst.

Die wachsende Bedeutung des Dienstleistungssektors ist eine typ. Erscheinung des 20. Jh. Gerade nach 1945 ist der Anteil des tertiären Sektors an der Bruttowertschöpfung in den westl. Industrieländern stark gestiegen, bei gleichzeitigem Rückgang des primären und des sekundären Sektors. Im Dienstleistungsbereich entstanden bei steigender Nachfrage überproportional viele neue Arbeitsplätze, da der Dienstleistungssektor als bes. arbeitsintensiv gilt. Andererseits zeigte sich in den letzten Jahren, im Zusammenhang mit dem zunehmenden Einsatz elektron. Informations- und Kommunikationssysteme, dass sowohl im Dienstleistungssektor (z. B. Handel, Verkehr, Banken) als auch bei Dienstleistungsberufen (z. B. im Bürobereich) stark rationalisiert werden kann. Der tertiäre Sektor hat es trotz einer stetig steigenden absoluten Erwerbstätigenzahl in diesem Bereich nicht vermocht, alle in anderen Sektoren freigesetzten Arbeitskräfte aufzunehmen. Die mit der zunehmenden Verbreitung von elektron. Informations- und Kommunikationssystemen und deren wachsenden Einsatzmöglichkeiten verbundenen Entwicklungen der letzten Jahre haben den Begriff der → Informationsgesellschaft in den Vordergrund gerückt.

📖 MALERI, R.: *Grundlagen der Dienstleistungsproduktion. Berlin u. a.* ³*1994.* – BELL, D.: *Die nach-*

industrielle Gesellschaft. A. d. Amerikan. Neuausg. Frankfurt am Main u. a. 1996.

Dienstmannen, → Ministerialen.

Dienst nach Vorschrift, Bez. für ein Verhalten von Angehörigen des öffentl. Dienstes, bes. solchen, die kein Streikrecht besitzen, im Zuge von Tarifkonflikten o. Ä.: Dienstl. Obliegenheiten werden nur unter peinlich genauer Beachtung der Vorschriften erfüllt mit der gewollten Folge von Verzögerungen.

Dienststrafrecht, veraltete Bez. für → Disziplinarrecht.

Dienstunfähigkeit, *Beamten-* und *Militärdienst:* Verlust der zur Ausübung des Dienstes erforderl. geistigen oder körperl. Eigenschaften, bes. durch Krankheit, Unfall, Alter, Verwundung im Krieg; kann Versetzung in den Ruhestand begründen.

Dienstvergehen, → Disziplinarrecht.

Dienstverpflichtung, die Verpflichtung bestimmter Personenkreise zur Leistung von Diensten im Verteidigungs- und im Spannungsfall, in Dtl. im Zuge der Notstandsverf. (1968) durch Art. 12a GG geregelt. Dabei ist nach D. zu jeder Zeit (→ Wehrpflicht), D. für den Verteidigungs- und den Spannungsfall (ausgeführt im Arbeitssicherstellungs-Ges. vom 9. 7. 1968) zu unterscheiden. Im Verteidigungsfall können Wehrpflichtige, die weder Wehr- noch Ersatzdienst geleistet haben, für Zwecke der Verteidigung und des Bev.-Schutzes in Arbeitsverhältnisse eingewiesen, Frauen bis zum 55. Lebensjahr zu waffenlosen Dienstleistungen herangezogen werden.

Dienstvertrag, ein Vertrag, durch den der eine Teil dem anderen Teil (Dienstberechtigter, Dienstherr) die Leistung von Diensten gegen eine Vergütung verspricht (§§ 611 ff. BGB). Er ist abzugrenzen vom Werkvertrag, der auf die Herstellung eines bestimmten Werkes gerichtet ist, und vom Geschäftsbesorgungsvertrag, der eine selbstständige, höher qualifizierte wirtsch. Tätigkeit zum Gegenstand hat (z. B. Kontenbetreuung der Banken). Eine Art des D. ist der → Arbeitsvertrag, der weitgehend eigenen Regeln folgt, auf den die Bestimmungen des D. jedoch ergänzend Anwendung finden. Soweit nicht anders vereinbart, hat der Dienstpflichtige die Leistungen persönlich zu erbringen. Der D. endet durch Erfüllung, Aufhebung oder Kündigung. – In *Österreich* ist der D. in §§ 1151 ff. ABGB geregelt. In der *Schweiz* übernehmen die Funktionen des D. der Arbeitsvertrag (Art. 319 ff. OR) und der Auftrag (Art. 394 ff. OR).

Christoph Dientzenhofer: Innenraum des 1703-11 erbauten Langhauses der Kirche St. Nikolaus auf der Prager Kleinseite, das Bauwerk wurde von seinem Sohn Kilian Ignaz Dientzenhofer 1737-53 vollendet

Dienstwohnung, → Werkmietwohnung.

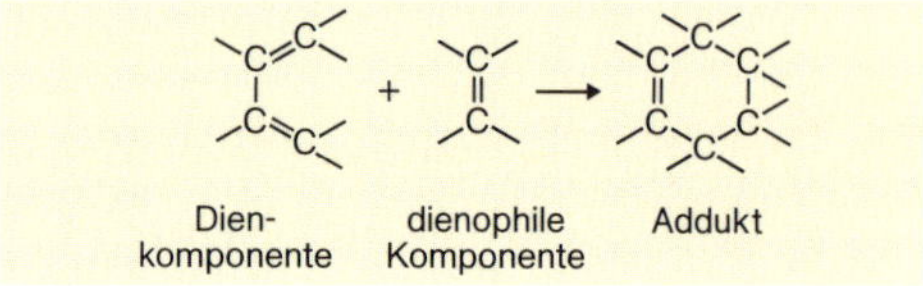

Diensynthese

Diensynthese (Diels-Alder-Reaktion), chem. Cycloadditionsreaktion zur Darstellung von 6-Ring-Verbindungen durch Anlagerung eines Diens (→ Diene) an eine ungesättigte Verbindung (sog. Dienophil), z. B. Alken, Alkin. Die Molekülverbindung wird auch als **Addukt** bezeichnet. – Die D. ist eines der wichtigsten Verfahren der organ. Chemie und hat sich bes. zur Darstellung vieler Naturstoffe bewährt.

Dientzenhofer, bayer. Baumeisterfamilie des 17./18. Jh., tätig in Böhmen und Franken.

1) Christoph, * Sankt Margarethen (heute zu Brannenburg, Kr. Rosenheim) 7. 7. 1655, † Prag 20. 6. 1722, Bruder von 2), 3) und 4); übernahm von G. Guarini die Technik der einander durchschneidenden Gewölbe mit sphärisch gekrümmten Gurten: Langhaus und Fassade von St. Nikolaus auf der Kleinseite in Prag (1703–11); Klosterkirche Břevnov bei Prag (1709–15).

2) Georg, * Aibling (heute Bad Aibling) 1643, † Waldsassen 2. 2. 1689, Bruder von 1), 3) und 4), Vater von 5); baute die Wallfahrtskirche »Kappel« bei Waldsassen über symbol. Dreipassgrundriss (1684–89).

3) Johann, * Sankt Margarethen (heute zu Brannenburg, Kr. Rosenheim) 25. 5. 1665, † Bamberg 20. 7. 1726, Bruder von 1), 2) und 4); errichtete den Dom in Fulda (1704–12) und die Klosterkirche Banz (1709–19).

4) Johann Leonhard, * Sankt Margarethen (heute zu Brannenburg, Kr. Rosenheim) 20. 2. 1660, † Bamberg 26. 11. 1707, Bruder von 1), 2) und 3);

baute u.a. die neue Residenz (1695–1703) und St. Michael (1697–1712) in Bamberg.

5) Kilian Ignaz, *Prag 1. 9. 1689, †ebd. 18. 12. 1751, Sohn und Schüler von 1); schuf v.a. Kirchenbauten, in denen er Lang- und Zentralbau zu reich bewegten Raumwirkungen verschmolz (Kirchen in Prag, u.a. Vollendung von St. Nikolaus).

🕮 *Die D. Ein bayerisches Baumeistergeschlecht in Böhmen u. Franken, bearb. v.* H. G. FRANZ. *München 1991.*

Rudolf Diesel: Der erste Dieselmotor (1897)

Diepgen, 1) Eberhard, Politiker (CDU), *Berlin 13. 11. 1941; Rechtsanwalt, 1980–84 Vors. der CDU-Fraktion des Berliner Abgeordnetenhauses, seit 1983 Landesvors. der CDU; 1984–89 Regierender Bürgermeister von Berlin (West), seit 1991 von (Gesamt-)Berlin.

2) Paul Robert, Medizinhistoriker, *Aachen 24. 11. 1878, †Mainz 2. 1. 1966; arbeitete v.a. über Medizin und Kultur, Medizin im MA. und im 19. Jh. sowie über die Gesch. der Frauenheilkunde.

Diepholz, 1) Landkreis im RegBez. Hannover, Ndsachs., 1987 km², (1996) 205 200 Einwohner.

2) Krst. von 1), in Ndsachs., an der Hunte, 16 200 Ew.; Kunststoffverarbeitung, Schallplattenproduktion, Bau von Diesellokomotiven. – Schloss (1663 neu erbaut). – D. erhielt 1380 erstmals, 1929 erneut Stadtrechte.

Dieppe [djɛp], frz. Hafenstadt an der normann. Küste, Dép. Seine-Maritime, 36 600 Ew.; Fährverbindung mit Newhaven, England; Fisch verarbeitende und pharmazeut. Ind., Motoren- und Schiffbau; Seebad. – Got. Kirche Saint-Jacques, Schloss (14.–17. Jh., heute Museum). – D. war im 16. Jh. eines der Zentren des frz. Protestantismus. Bei D. am 19. 8. 1942 verlustreiches Landungsunternehmen der Alliierten.

Di|ergol [grch.] *das,* Zweistoffsystem für Flüssigkeitsraketenantriebe.

Diesdorf, Gemeinde im Altmarkkreis Salzwedel, Sa.-Anh., 2 100 Ew.; Kirche des 1161 gegr. Augustinerchorfrauenstifts, eine gut erhaltene spätroman. Backsteinbasilika (Anfang 13. Jh.) mit reichem Südportal und frühgot. Westbau.

Eberhard Diepgen

Diesel, Rudolf, Maschineningenieur, *Paris 18. 3. 1858, †(ertrunken im Ärmelkanal) 29. 9. 1913; Erfinder des →Dieselmotors. D. erhielt 1892 ein Patent auf eine Verbrennungskraftmaschine, gab 1893 die Schrift »Theorie und Konstruktion eines rationellen Wärmemotors« heraus und entwickelte 1893–97 mit der Maschinenfabrik Augsburg und der Firma F. Krupp den nach ihm ben. Hochdruckverbrennungsmotor (erstes Modell im Dt. Museum in München).

🕮 SITTAUER, H. L.: *Nicolaus August Otto, R. D. Leipzig ⁴1990.*

dieselelektrischer Antrieb, Fahrzeugantrieb, bei dem Dieselmotoren Gleich- oder Drehstromgeneratoren antreiben, die die Antriebsmotoren speisen. Der Dieselmotor läuft immer mit der günstigsten Drehzahl, die Regelung ist stufenlos ohne Getriebe, in beiden Drehrichtungen; wird v.a. bei Lokomotiven und Schiffen eingesetzt.

Rudolf Diesel

dieselhydraulischer Antrieb, Fahrzeugantrieb, bei dem die Leistung eines Dieselmotors über ein Flüssigkeitsgetriebe hydrodynamisch oder hydromechanisch auf die Treibräder übertragen wird, v.a. für Schienenfahrzeuge.

Dieselkraftstoff, Kraftstoff für Motoren mit Selbstzündung. Für schnell laufende Motoren werden Gasöle, d.h. Kohlenwasserstoffgemische mit einem Siedebereich zw. 170 und 360 °C verwendet. Zur Verbesserung der →Zündwilligkeit (Cetanzahl mindestens 45) können Zündbeschleuniger zugesetzt werden. Der Schwefelgehalt von D. ist seit 1996 gesetzlich auf 0,05 Gewichts-% beschränkt. Um die Partikelemission zu begrenzen (zurzeit 0,08 g/km, 0,04 g/km ab dem Jahr 2000), werden Additive wie Ceroxid zugesetzt und die Motoren mit Rußfiltern oder Katalysatoren ausgerüstet. Der Ruß wirkt im Tierversuch karzinogen.

dieselmechanischer Antrieb, Fahrzeugantrieb, bei dem die Leistung eines Dieselmotors über ein Zahnradgetriebe auf die Treibräder übertragen wird, z.B. beim Kraftwagen.

Dieselmotor, der von R. Diesel erfundene Verbrennungsmotor. Im Zylinder wird Luft durch den Kolben so hoch verdichtet (30–55 bar) und erhitzt (700–900 °C), dass sich der von der Einspritzpumpe geförderte und durch die Einspritzdüse eingespritzte →Dieselkraftstoff entzündet (Selbstzündung). Dadurch steigen Druck und Temperatur im Brennraum, der Kolben wird nach unten getrieben und leistet Arbeit.

Ganze 20 PS leistete der erste betriebsfähige **Dieselmotor.** *Er steht heute im Deutschen Museum in München. Am 17. Februar 1897 wurde er offiziell abgenommen.*

Man unterscheidet versch. Gemischbildungsverfahren: Beim **Direkteinspritzverfahren** wird der

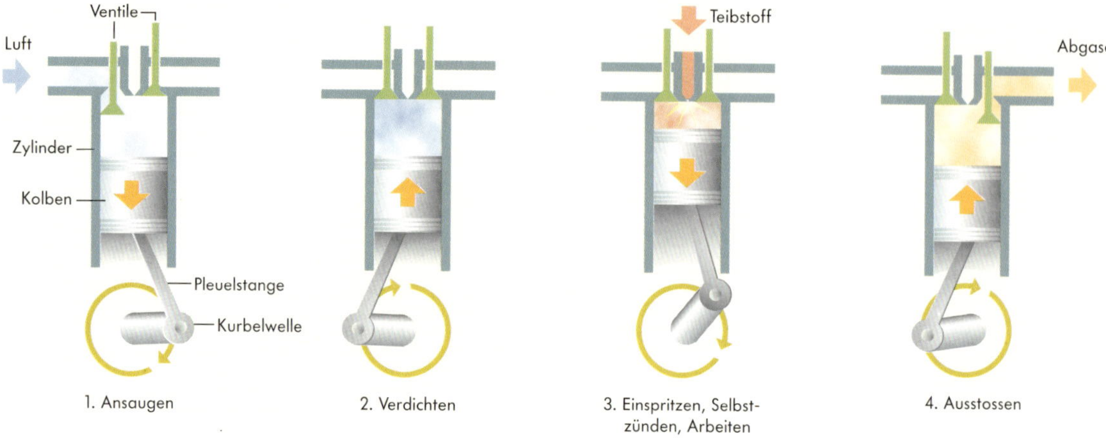

Dieselmotor: Ventil- und Kolbenstellung beim Viertaktverfahren

Kraftstoff direkt in den Brennraum gespritzt. Beim **Vor-** und beim **Wirbelkammerverfahren** (mit unterteiltem Brennraum) wird der Kraftstoff in eine Kammer, in der er sich entzündet, gespritzt und von da in den Hauptbrennraum geblasen, wo er vollständig verbrennt. In der Wirbelkammer bildet sich durch tangentiales Einströmen ein Luftwirbel aus. Beim Vorkammerverfahren ist dies nicht notwendig. Bei schlechter Verbrennung ergibt sich Ruß im Abgas. Die Ruß- oder Rauchgrenze bestimmt die Leistungsgrenze des D. Die Leistung kann durch Aufladung, insbesondere durch ladeluftgekühlte Abgasturboaufladung, erheblich gesteigert werden. Für Schwerlastwagen wurden sog. LEV-Modelle entwickelt (LEV: Abk. für engl. **l**ow **e**mission **v**ehicle), die darüber hinaus mit speziell gestalteten Brennräumen, höheren Einspritzdrücken, Kraftstoffdispersion durch Mehrlochdüsen u.a. arbeiten. Gleichzeitig wurden durch innermotor. Maßnahmen die Geräuschemissionen vermindert. Um den Rußanteil im Abgas zu reduzieren, werden →Rußfilter eingebaut. – Wegen hoher Verdichtung ist der D. die Wärmekraftmaschine mit dem höchsten therm. Wirkungsgrad. Der D. arbeitet meist als Viertaktmotor, sehr kleine und sehr große D. als Zweitaktmotoren. Große und mittlere D. dienen zur Krafterzeugung in Kraftwerken, Schiffen, Lokomotiven, Triebwagen; mittlere und kleine D. bei Kraftfahrzeugen (zwar höheres Leistungsgewicht als der Ottomotor, aber geringer Kraftstoffverbrauch, längere Lebensdauer), Schleppern, Bau- und Landmaschinen. (→Vielstoffmotor)

📖 REUSS, H.-J.: *Hundert Jahre D. Ideen, Patente, Lizenzen, Verbreitung. Stuttgart 1993.*

Dieselsatz, ein Dieselmotor mit einem direkt gekuppelten →Generator; häufigste Verwendung zur Notstromversorgung.

Dies irae [lat. »Tag des Zorns«], das Jüngste Gericht; daher Anfang eines lat. Hymnus auf das Weltgericht sowie Sequenz der Totenmesse.

Diesis [grch.] (frz. Dièse, italien. Diesis) *die, Musik:* das Kreuz (♯) als →Versetzungszeichen.

Dießen a. Ammersee, Markt im Landkreis Landsberg a. Lech, Oberbayern, am S-Ufer des Sees, 9300 Ew.; Verlage und Kunsthandwerk; Fremdenverkehr. – Kirche St. Maria (1732–39, von J. M. Fischer) des ehem. (1132–1803) Augustinerchorherrenstifts.

Diessenhofen, Bezirkshauptort im Kt. Thurgau, Schweiz, am Hochrhein, 3000 Ew. – Pfarrkirche St. Dionysius (15. Jh.), Siegelturm (1545–46), zahlr. spätgot. Häuser. – D. wurde 1178 als Brückenstadt gegründet.

Adolph Diesterweg

Diesterweg, Friedrich Adolph Wilhelm, Pädagoge, *Siegen 29. 10. 1790, †Berlin 7. 7. 1866; trat für die Verbesserung der Lehrerbildung und die Anerkennung des Lehrerstandes sowie für die Ausgestaltung des Volksschulwesens im Geiste Pestalozzis ein. Als liberaler Schulpolitiker wandte er sich gegen den kirchl., aber auch gegen zu starken staatl. Einfluss im Schulwesen.

Werke: Das pädagog. Dtl., 2 Bde. (1835/36); Pädagog. Wollen und Sollen (1857).

Dieterle, William (Wilhelm), Regisseur und Schauspieler, *Ludwigshafen am Rhein 15. 7. 1893, †Hohenbrunn (bei München) 8. 12. 1972; spielte unter Max Reinhardt, ging 1930 als Filmregisseur nach Hollywood, kehrte 1955 nach Dtl. zurück; drehte u.a. die Filme »Die Heilige und ihr Narr« (1929), »Der Glöckner von Notre Dame« (1939); 1961–65 Leiter der Festspiele in Bad Hersfeld.

Dietikon, Stadt westlich von Zürich, Schweiz, 21200 Ew.; Maschinenbau, Textil- u.a. Ind., Orgelbau.

Dietl, Helmut, Regisseur, *Bad Wiessee 22. 6. 1944; dreht v.a. Fernsehfilme, so die Serien »Monaco-Franze« (1982) und »Kir Royal« (1985), und die Filmkomödien »Schtonk« (1992) und »Rossini« (1996).

Dietmar von Aist (Dietmar von Eist), mhd. Minnesänger des 12. Jh., aus niederösterr. Adelsgeschlecht. Das überlieferte Werk reicht thematisch von den für den frühen Minnesang charakterist. Frauenklagen bis zu ritterl. Werbestrophen des hohen Minnesangs, darunter das erste dt. Tagelied.

Dietrich, Marlene, eigtl. Maria Magdalena von Losch, Filmschauspielerin und Sängerin, *Berlin 27. 12. 1901, †Paris 6. 5. 1992; seit 1922 am Dt. Theater in Berlin; wirkte zunächst in Stummfilmen mit und wurde 1930 durch den Film »Der blaue Engel« (Regie J. von Sternberg) weltbekannt; filmte seitdem v.a. in den USA (seit 1937 amerikan. Staatsbürgerin). In den 50er- und 60er-Jahren trat sie als gefeierte Diseuse auf. – *Weitere Filme:* »Marokko« (1930), »Shanghai Express« (1932), »Zeugin der Anklage« (1957).

Dietrich von Bern [nach Bern, dem mhd. Namen von Verona], Gestalt der german. Heldendichtung, in der der Ostgotenkönig Theoderich d. Gr. weiterlebt. Das →Hildebrandslied setzt schon eine von der Geschichte abweichende got. Dietrichdichtung voraus, nach der D. v. B. vor Odoaker floh und 30 Jahre lang am Hof des Hunnenkönigs Etzel lebte. Das dt. Doppelepos von der »Rabenschlacht« (Schlacht um Ravenna) und von »Dietrichs Flucht« behandelt vor allem Ds. v. B. Versuche, mithilfe der Hunnen sein Reich wiederzugewinnen. Als Gegner D.s v. B. tritt jetzt ein älterer Gotenkönig des 4. Jh. auf, Ermanrich. Von Ermanrichs Tod und Dietrichs Heimkehr berichtet die nord. Thidrekssaga. In das →Nibelungenlied wurde Dietrich als Idealgestalt des christlich-ritterl. Helden aufgenommen. Im »Wormser Rosengarten« und im Epos von Biterolf und Dietleib vermischen sich Dietrich-, Siegfried- und Burgundenstoff. Märchenhafte Fabeln, die D. v. B. im Kampf mit Riesen und Zwergen und als Befreier von Jungfrauen zeigen, bestimmen die Epen von Goldemar, Ecke (»Ecken Ausfahrt«), Sigenot, Laurin und der Jungfrau Virginal.

📖 HAUSTEIN, J.: *Der Helden Buch. Zur Erforschung dt. Dietrichepik im 18. u. frühen 19. Jh.* Tübingen 1989.

Dietrich von Freiberg (lat. Theodoricus Teutonicus), Dominikaner, *um 1250, †um 1320; verfasste als Naturforscher (Schule des Albertus Magnus) naturwiss. (u.a. Erklärung des Regenbogens), philosoph. und theolog. Schriften. Seine neuplaton. Anschauungen hatten großen Einfluss auf die dt. Mystik.

Dietz (Tietz), Ferdinand, Bildhauer, getauft Holschitz (heute Holešice, Nordböhm. Gebiet) 5. 7. 1708, †Memmelsdorf (bei Bamberg) 1777; wohl Schüler von M. B. Braun in Prag; bekannt v.a. durch die Rokokobildwerke im Park von Veitshöchheim.

Ferdinand Dietz: Skulptur im Park des Schlosses in Veitshöchheim, Kopie (1763–68; Original im Mainfränkischen Museum, Würzburg)

Dietze, Friedrich Carl Nikolaus Constantin von, Volkswirtschaftler und Agrarwissenschaftler, *Gottesgnaden, heute zu Calbe (Saale) 9. 8. 1891, †Freiburg im Breisgau 21. 3. 1973; als Mitgl. der Bekennenden Kirche 1937 verhaftet, erneut 1944 als Mitarbeiter C.-F. Goerdelers; 1955–61 Präses der Generalsynode der EKD.

Dietzenbach, Stadt im Landkreis Offenbach, Hessen, am O-Rand des Ballungsgeb. Rhein-Main, 32 800 Ew.; elektrotechn. u.a. Industrie. – Seit 1970 Stadt.

Dieudonné [djødɔ'ne], Jean Alexandra Eugène, frz. Mathematiker, *Lille 1. 7. 1906, †Paris 29. 11. 1992; Mitbegründer der Bourbaki-Gruppe; arbeitete auf fast allen Gebieten der Mathematik, beschäftigte sich bes. mit algebraischer Geometrie, Analysis, Funktionalanalysis, Topologie, Lie-Gruppen und nichtkommutativen Ringen.

Dieu et mon droit [djøemɔ̃'drwa; frz. »Gott und mein Recht«], der Wahlspruch der brit. Krone im Königswappen.

Diez, Stadt im Rhein-Lahn-Kreis, Rheinl.-Pf., an der Lahn, 10 300 Ew.; Luftkurort; Kunststoff verarbeitende, elektron. und Baustoffindustrie; Schloss (hauptsächlich 14./15. Jh.) mit Bergfried (11. Jh.), Pfarrkirche (13. Jh.); nahebei Schloss Oranienstein (17. Jh.). – D. wird 790 erstmals erwähnt und erhielt 1329 Stadtrecht. BILD S. 308

Diez, Friedrich Christian, Romanist, *Gießen 15. 3. 1794, †Bonn 29. 5. 1876; Prof. in Bonn; Be-

Marlene Dietrich

Friedrich Christian Diez

Diez: Das auf einem steilen Felsen über der Altstadt gelegene Schloss mit dem Bergfried aus dem 11. Jh. wurde zum großen Teil im 14./15. Jh. erbaut

gründer der roman. Sprachwiss.; schrieb: »Leben und Werke der Troubadours« (1829), »Grammatik der roman. Sprachen« (3 Bde., 1836–44), »Etymolog. Wörterbuch der roman. Sprachen« (1853).

Differdingen (frz. Differdange), Stadt in Luxemburg, nahe der frz. Grenze, 16100 Ew.; Eisenverhüttung und Walzwerk.

Differenz [lat. »Verschiedenheit«] *die,* Ergebnis einer Subtraktion, Ausdruck der Form $a-b$.

Differenzgeschäft, ein auf Lieferung von Waren oder Wertpapieren gerichteter Vertrag, bei dem nicht eine effektive Erfüllung erfolgen soll, sondern nur die Differenz zw. dem vereinbarten Preis und dem Börsen- oder Marktpreis am Erfüllungstag an den gewinnenden Teil zu zahlen ist. D. fallen unter den Begriff und die Rechtsfolgen des →Spiels (§§ 762, 764 BGB); volle Verbindlichkeit erlangen sie nur durch die Sondervorschriften des Börsen-Ges., z. B. im Termingeschäft.

Differenzial [lat.] *das,* **1)** *Mathematik:* →Differenzialrechnung.

2) *Technik:* Kurzbez. für D.-Getriebe, →Ausgleichsgetriebe.

Differenzialgeometrie, die Anwendung der Methoden der Analysis in der Geometrie; die D. untersucht insbesondere das Verhalten von Kurven und Flächen in der Umgebung eines Punktes.

Differenzialgleichung, Bestimmungsgleichung einer Funktion, in der die Funktion selbst und mindestens eine ihrer Ableitungen vorkommt. Handelt es sich um Funktionen einer Variablen ($y=f(x)$), spricht man von **gewöhnlichen D.,** bei Funktionen mehrerer Veränderlicher von **partiellen D.** Eine D. n-ter Ordnung liegt vor, wenn ihre Ableitungen bis zur Ordnung n vorkommen. Die Lösungen einer D. sind ihre **Integrale.** Sie sind nur bis auf Integrationskonstanten bestimmt, die aber durch Anfangs- und Randbedingungen zusätzlich festgelegt werden können. – Die einfachste gewöhnl. D. 1. Ordnung der Form $y=y'$ hat die Lösungen $y=c\cdot e^x$ mit einer Konstanten c.

📖 COLLATZ, L.: *Differentialgleichung. Stuttgart* ^{7}*1990.*

Differenzialprinzipilen, *Physik:* →Extremalprinzipien.

Differenzialrechnung, Teilgebiet der Mathematik; sie bildet, mit der Integralrechnung zur Infinitesimalrechnung zusammengefasst, eine der Grundlagen für die höhere Analysis. Gegenstand der D. ist die Untersuchung des Differenzialquotienten einer Funktion; solche Größen treten in vielen mathemat. und physikal. Fragestellungen auf. Eine reellwertige Funktion $y=f(x)$ der Variablen x, die in der Umgebung von x_0 definiert ist, nennt man an der Stelle x_0 differenzierbar, wenn der →Grenzwert des Differenzenquotienten

$$\lim_{\Delta x\to 0}\frac{\Delta y}{\Delta x}=\lim_{x\to x_0}\frac{f(x)-f(x_0)}{x-x_0}=f'(x_0)$$

existiert.

Man bezeichnet diesen Grenzwert als **Differenzialquotienten** oder die **Ableitung** der Funktion $f(x)$ an der Stelle x_0 und schreibt

$$f'(x_0)=y'=\frac{dy}{dx}\ \text{bzw.}\ =\left.\frac{dy}{dx}\right|_{x=x_0}$$

(gesprochen dy nach dx). Das Berechnen der Ableitung heißt **Differenziation** (auch **Differenzieren**). Ist $f'(x)$ ebenfalls differenzierbar, existieren die zweite Ableitung $f''(x)$ und ggf. höhere Ableitungen. – Der Ausdruck $dy=f'(x_0)\,dx$ heißt **Differenzial** von f an der Stelle x_0, die Größe $dx=\Delta x$ Differenzial der unabhängigen Variablen. Geometrisch stellt der Differenzenquotient den Tangens der zugehörigen, durch die Kurvenpunkte P und Q gehenden Sekante dar: $\tan\alpha=\Delta y/\Delta x$. Beim Grenzübergang $\Delta x\to 0$ geht die Sekante in die Kurventangente an die Kurve $y=f(x)$ in P über, sodass $f'(x)$ die Steigung der Kurve darstellt: $\tan\alpha_0=f'(x_0)$. – Ist eine Funktion von mehreren Variablen abhängig, so bildet man partielle Ableitungen nach einer Variablen, indem man alle anderen Variablen als konstant ansieht. – Die D. wurde am Ende des 17. Jh. durch Leibniz und Newton (unabhängig voneinander) entwickelt.

📖 COURANT, R.: *Vorlesungen über Differential- u. Integralrechnung, 2 Bde. Berlin u. a.* ^{4}*1971–72.* – DIEUDONNÉ, J. A.: *Grundzüge der modernen Analysis, 9 Bde. A. d. Engl. u. Frz. Berlin u. a.* $^{1-3}$*1976–87.*

Differenzialrente, Sondergewinn einer Unternehmung, die bei gleichem Preis zu niedrigeren Kosten als ihre Konkurrenten anbieten kann. Die

D. basiert auf der unterschiedl. Leistungsfähigkeit der Anbieter. (→Grundrente)

Differenzialschraube, koaxiale Doppelschraube mit zwei Gewinden unterschiedl. Steigung h_1 und h_2. Die Drehung des einen Gewindeteils um 360° ruft eine nur geringe, der Differenz $h_2–h_1$ entsprechende axiale Verschiebung des anderen Gewindeteils hervor. Anwendung: Feinverstellung bei Geräten oder Erzeugung großer Kräfte mit nach dem gleichen Prinzip arbeitenden Differenzialpressen und -winden.

Differenzialschutz, Schutzeinrichtung gegen Störungen in elektr. Anlagen (z.B. Generatoren, Transformatoren). D. beruht darauf, dass die Stromstärken der in den zu schützenden Anlagenteil hinein- und herausfließenden Ströme im Normalbetrieb mit genau gleich starken verglichen werden. Bei Ungleichheit spricht ein Differenzialrelais an und liefert z.B. einen Impuls zum Abschalten des gestörten Anlageteils.

Differenziation *die,* **1)** *Mathematik:* →Differenzialrechnung.

2) *Petrologie:* kristallchem. Entmischungsvorgänge, durch die neue Magmen oder Gesteine sowie Erzlagerstätten entstehen. Man unterscheidet magmat. D. und metamorphe Differenziation.

Differenziator *der* (Differenziergerät, Derivator, Spiegellineal), mathemat. Gerät zum Bestimmen von Tangentenrichtungen an Kurven oder zum Zeichnen der Differenzialkurven einer nur grafisch vorliegenden Kurve.

differenzielle Psychologie, Teilbereich der Psychologie, der das Erleben und Verhalten von Menschen vorwiegend unter dem Aspekt der individuellen Unterschiede (persönl. Eigenheiten, soziale Herkunft) betrachtet und v.a. vergleicht (z.B. nach Alter, Geschlecht, sozialer Schicht). Der Begriff d. P. wurde um 1900 von W. Stern geprägt.

Differenzierglied, Übertragungsglied in einer elektron. Schaltung, dessen Übertragungsverhalten mathematisch durch die Ableitung der Eingangsgröße nach der Zeit beschrieben wird; lässt sich schaltungstechnisch z.B. durch einen aus Kondensator und Widerstand gebildeten Hochpass realisieren.

Differenzierung, 1) *allg.:* genaue Unterscheidung, feine Abstufung, Aufgliederung.

2) *Entwicklungsphysiologie:* Bez. für den Vorgang während des Wachstums eines Lebewesens, durch den sich zwei gleichartige embryonale Zellen, Gewebe oder Organe in morpholog. und physiolog. Hinsicht in versch. Richtungen entwickeln. Die D. wird durch die unterschiedl. Aktivität der Gene gesteuert und von Umweltfaktoren beeinflusst.

3) *Soziologie:* (soziale D.) die Entstehung versch. Teilbereiche und -gruppen in einer ursprünglich gleichartigen Gruppe (Entwicklung der arbeitsteiligen Gesellschaft und der Berufe).

Differenzton, *Akustik:* →Kombinationston.

Differenzträgerverfahren, ein Verfahren zur Gewinnung des Tonsignals im Fernsehempfänger aus der Differenzträgerfrequenz zw. Bild- und Tonträger.

Differenzverstärker, symmetrisch aufgebauter Gleichspannungsverstärker, der die verstärkte Differenz der an den beiden Eingängen angelegten Eingangssignale abgibt; Anwendung z.B. in der Messtechnik.

Diffluenz [lat. »das Auseinanderströmen«] *die,* Gabelung, bes. bei Gletschern, wobei es wegen der Verringerung der Abtragungskraft zu Gefällstufen kommt; Ggs.: Konfluenz.

Diffraktion [lat.] *die, Physik:* die →Beugung.

diffus [lat.], unregelmäßig zerstreut, ohne scharfe Grenzen, z.B. diffuse Nebel. Unter **diffusem Licht** versteht man Licht ohne geordneten Strahlenverlauf, also ohne Schlagschatten.

Diffusion [lat. »das Auseinanderfließen«] *die,* **1)** *Chemie, Physik:* mit einem Masse- und/oder Ladungstransport verbundener physikal. Ausgleichsprozess, in dessen Verlauf Teilchen infolge ihrer Wärmebewegung (→brownsche Bewegung) von Orten höherer zu solchen niedrigerer Teilchendichte oder Konzentration diffundieren, sodass die Dichte- oder Konzentrationsunterschiede sich ausgleichen. Die bekannteste Wirkung der D. ist die Vermischung von Gasen oder Flüssigkeiten; eine besondere Form ist die →Thermodiffusion. D. tritt auch in oder an der Oberfläche **(Oberflächen-D.)** fester Körper auf, allg. an der Grenzfläche zweier Phasen **(Grenzflächen-D.).** In Kristallen findet man eine (sehr langsame) **Volumen-D.** über Platzwechselvorgänge. Eine einseitige D. tritt bei der →Osmose und der →Dialyse auf. Leichte Moleküle diffundieren wegen ihrer größeren Molekulargeschwindigkeit schneller als schwere. Besteht der diffundierende Stoff aus versch. schweren Teilchen, so können sich die Teilchen durch D. teilweise entmischen **(D.-Trennung),** was zur Gas- und Isotopentrennung ausgenutzt wird.

2) *Physiologie:* die treibende Kraft der Stoffverteilung innerhalb der Zellen oder zw. benachbarten Zellen, wobei räuml. Konzentrationsunterschiede der diffundierenden Stoffarten die Wanderung der Moleküle durch D. beschleunigen.

3) *Soziologie, Völkerkunde:* Vorgang der Ausbreitung und des Annehmens neuer Kulturelemente. Die **Diffusionstheorie (Diffusionismus)** in der Völkerkunde führt die Ähnlichkeit zw. Kulturen nicht auf parallele Entwicklung, sondern auf ein Diffusionszentrum als Ausgangspunkt zurück.

Diffusionspumpe, von W. Gaede erfundene →Vakuumpumpe zum Erzeugen niedriger Drücke

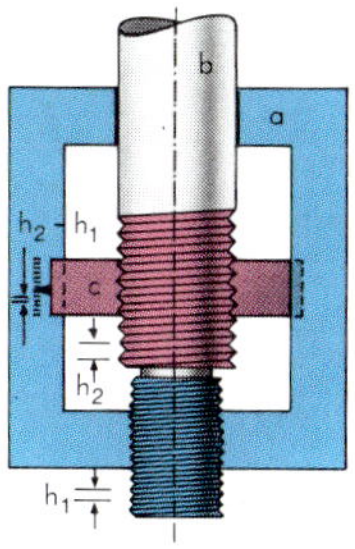

Differenzialschraube: a Rahmen mit Gewinde der kleineren Steigung; b Schaft der Doppelschraube; c bewegliche Mutter der größeren Steigung; h_1 kleinere, h_2 größere Steigung; $h_2–h_1$ Verschiebungsweg der Mutter bei einer Umdrehung der Schraube

(bis 10^{-10} mbar) in abgeschlossenen Gefäßen. In einem Siedegefäß werden Quecksilber **(Quecksilber-D.)**, Öl **(Öl-D.)** oder andere Treibmittel verdampft. Die Dämpfe steigen hoch, werden durch eine Düse beschleunigt und nehmen dabei durch Diffusion aus dem auszupumpenden Gefäß Gasmoleküle mit. Der Dampf wird am Kühlmantel kondensiert, das Gas von der Vor(vakuum)pumpe abgesaugt. Bei mehrstufigen D. sind mehrere Pumpsysteme so hintereinander geschaltet, dass die in einer Stufe verdichteten Gase von der folgenden übernommen werden.

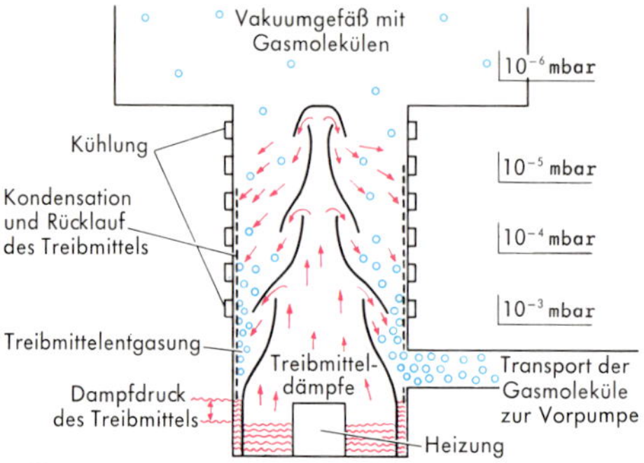

Diffusionspumpe: Darstellung der Arbeitsweise; rechts Drücke in verschiedenen Pumpenbereichen

Diffusor [lat.] *der,* **1)** *Optik:* Licht verteilende Streuscheibe.

2) *Strömungstechnik:* ein in der Strömungsrichtung sich stetig erweiternder, geschlossener Kanal zur Umsetzung von kinet. Energie in Druckenergie, z. B. in Windkanälen; Umkehrung einer Düse.

Digamma [grch. »doppeltes Gamma«], geschrieben Ϝ, der sechste Buchstabe im ältesten grch. Alphabet, hat den Lautwert [v].

Digerieren [lat.], das Herauslösen (Ausziehen) lösl. Bestandteile aus einem Stoffgemisch oder auch aus (getrocknetem) Pflanzenmaterial durch Übergießen mit einem geeigneten Lösungsmittel und anschließendes Dekantieren oder Filtrieren.

Digest ['daɪdʒest; engl., aus lat. digesta »Sammlung«] *der* oder *das,* **1)** *allg.:* Zusammenstellung von Auszügen aus Veröffentlichungen.

2) *Recht:* amerikan. Sammlung von Gerichtsentscheidungen.

Digesten [lat.], Teil des →Corpus Iuris Civilis.

Digestion [lat., zu digerere »zerteilen«] *die,* die →Verdauung.

Digestor *der, Chemie:* →Abzug.

digital [lat., zu digitus »Finger«], **1)** *Medizin:* den Finger (auch die Zehen) betreffend; mithilfe des Fingers (z. B. Untersuchungen).

2) *Technik, Physik:* stufenförmig, nur diskrete, d. h. nicht stetig veränderl. Werte annehmend, in diskrete Einzelschritte aufgelöst; Ggs.: →analog.

Digital-analog-Umsetzer, Abk. **DAU** (Digital-analog-Wandler, kurz: D/A-Wandler), elektron. Anordnung, die ein digitales Eingangssignal in ein analoges Ausgangssignal umsetzt, um es der Weiterverarbeitung durch analog arbeitende Komponenten zuzuführen; Ggs.: →Analog-digital-Umsetzer.

Digitaldarstellung, jede Form der Darstellung veränderl. Größen durch diskrete Zeichen(gruppen), die den darzustellenden Größen durch einen Code zugeordnet sind. Bei stetig veränderl. Größen kann die Codierung erst nach einer Stufeneinteilung (Quantisierung) erfolgen. Die wichtigsten D. von Zahlen sind jene zur Basis 2 und 10 (Binär- bzw. Dezimaldarstellung).

digitaler Hörfunk (engl. Digital Audio Broadcasting, Abk. DAB), digitales Übertragungsverfahren für den Hörfunk sowie zur Übermittlung digitaler Informationen (Daten, Texte, Bilder). Dazu wird ein speziell entwickeltes Verfahren verwendet, bei dem die analogen Daten in digitale flexibel codiert umgewandelt werden, wobei eine Datenreduktion (Komprimierung) von 1411 KBit/s auf 192 KBit/s stattfindet. Vorteile sind weitgehende Störungsfreiheit, bessere Tonqualität (CD-Qualität) und höhere Reichweite.

digitales Drucksystem, Gerätesystem zum Drucken ohne Verwendung opt. Vorlagen oder analoger Zwischenschritte. Die in digitaler Form vorhandenen Text- und Bildinformationen werden – durch einen Computer gesteuert – direkt an die digitale Druckmaschine (z. B. Tintenstrahl- oder Laserdrucker) weitergegeben **(Computer-to-print).** Die Aufbereitung der Bild- und Textinformationen erfolgt mit einem Raster Image Processor (RIP). D. D. ermöglichen ein schnelles Drucken nach Bedarf **(Printing-on-Demand).** Die erreichbaren Qualitätsstandards sind wesentlich geringer als die analoger Druckverfahren.

digitales Fernsehen, Fernsehverfahren und -systeme, mit denen anstelle analoger Signale digital codierte Signale zw. Sender und Empfänger übertragen werden. Dazu werden mehrere digitale Signale multiplex zusammengefasst und einem Transponder eines Nachrichtensatelliten zugeleitet. Um die Übertragungskapazität zu erhöhen, werden Verfahren der Datenkompression genutzt. Konventionelle Fernsehempfänger sind für die unmittelbare Aufnahme digital codierter Sendungen nicht geeignet. Es muss ein Decoder (Set-Top-Box) zur empfangsgerechten Aufbereitung der Signale vorgeschaltet werden. Vorzüge des d. F. sind u. a. die Nutzbarkeit von HDTV, bessere Qualität in Bild und Ton, Vervielfachung des Programmangebots und Zugriffsmöglichkeit auf weitere Serviceleistungen wie interaktives Fernsehen oder Pay-TV (Gebührenfernsehen).

Digitalis [lat.], Pflanzengattung, →Fingerhut.

Digitalisglykoside (kurz Digitalis), in den Blättern versch. Fingerhutarten (Digitalis purpurea, Digitalis lanata u.a.) vorkommende herzwirksame Stoffe. Zu den D. gehören die Purpureaglykoside A (Digitoxin) und B (Gitoxin) sowie die Lanatoside A (Azetyldigitoxin), B und C (Digoxin).

Digitalisierung, die Umwandlung von analogen in digitale Signale mithilfe eines Analog-digital-Umsetzers. Die wichtigste Methode zur D. von Signalen ist die →Pulscodemodulation.

Digitaloide, herzwirksame, den Digitalisglykosiden in ihrer Wirkung verwandte Glykoside anderer Pflanzen (u.a. Meerzwiebel, Adonisröschen).

Digitalrechner, digital arbeitende Datenverarbeitungsanlage (→Computer), die Daten und Programme intern durch Binärzeichen (→Bit) verschlüsselt; Ggs.: →Analogrechner.

Digitaltechnik, Teilgebiet der Informationstechnik und Elektronik zur Erfassung, Darstellung, Verarbeitung und Übertragung digitaler Größen. Die D. gliedert sich in die Bereiche **Schaltkreistechnik** (kombinator. und sequenzielle Schaltkreistechnik) und **Informatik** (elektron. Datenverarbeitung, Prozessrechner- und Mikroprozessoranwendungen). Die mathemat. Grundlage der D. bilden die Theorie der Zahlensysteme, die →Schaltalgebra und die Theorie diskreter Systeme. Die techn. Realisierung log. Verknüpfungen von digitalen (oder digitalisierten) Informationen ist mit unterschiedlichen techn. Konzepten möglich. Von besonderer Bedeutung sind die in Halbleitertechnik hergestellten elektron. Schaltkreise (→integrierte Schaltung). Wesentl. Einrichtungen der D. sind die Analog-digital- und Digital-analog-Umsetzer sowie die Datenspeicher.

🕮 Lichtberger, B.: *Praktische D. Heidelberg* [2]*1992.*

Digitaluhr, elektrisch oder elektronisch betriebene Uhr mit Ziffernanzeige (Flüssigkristallanzeige, Klapptafeln, Lumineszenzdioden), wobei die Ziffern sprungweise umschalten.

Digne-les-Bains [diɲle'bɛ̃], Hptst. des frz. Dép. Alpes-de-Haute-Provence, in den Voralpen, 17400 Ew.; Thermalbad (Schwefelquellen), Holz- und Möbelind., Lavendelhandel. – Kirche Notre-Dame-du-Bourg (13./15. Jh.), Kathedrale (15. Jh.).

DIHT, Abk. für **D**eutscher **I**ndustrie- und **H**andels**t**ag (→Industrie- und Handelskammer).

Dihydro|ergotamin *das,* hydriertes Alkaloid des →Mutterkorns; angewendet v.a. zur Vorbeugung und Behandlung von Migräne.

Dihydroxyphenylalanin *das,* Abk. **Dopa,** Aminosäure, die aus Tyrosin durch Einführung einer weiteren Hydroxylgruppe in den aromat.

Dijon: Die im Flamboyantstil erbaute Doppelturmfassade der Kirche Saint-Michel (15./16. Jh.)

Rest entsteht; trägt zur Pigmentierung der Haut bei. Das Fehlen von D. bewirkt Albinismus.

Dijon [di'ʒɔ̃], Hptst. von Burgund und des Dép. Côte-d'Or, Frankreich, im westl. Saônebecken, 151600 Ew.; Univ., Akademie der Wiss. und Lit., Museen; Handelszentrum für Burgunderweine, gastronom. Messe, Marktzentrum mit Nahrungsmittel-, Fahrzeug-, Flugzeug-, Musikinstrumentenind.; Hafen am Burgundkanal, Flugplatz. – Rathaus aus dem 15. Jh. (ein Teil des früheren Palais der Herzöge von Burgund), Kartause (Chartreuse de Champmol) mit Mosesbrunnen von Claus Sluter, Kirche Notre-Dame (13. Jh., Vorhalle in burgund. Spitzbogenstil), Kathedrale (13. Jh., Krypta 11. Jh.), Kirche Saint-Michel (15./16. Jh.). – D., das röm. **Divio,** war im MA. die Hptst. des Herzogtums Burgund, es gehört seit 1477 zu Frankreich.

Dijon
Stadtwappen

Dike [grch.], *grch. Mythos:* Tochter des Zeus und der Themis, die Göttin der vergeltenden Gerechtigkeit, eine der →Horen.

diklin [grch.], eingeschlechtig; **dikline Blüten** enthalten entweder nur Staubblätter oder nur Fruchtblätter.

Dikotyledonen (Dicotyledoneae), *Botanik:* →Zweikeimblättrige.

Diktaphon [lat.-grch.] *das,* →Diktiergerät.

Diktat [lat.] *das,* 1) Nachschrift, Niederschrift nach Gesprochenem; 2) etwas, was jemandem von einem anderen verpflichtend vorgeschrieben wird.

Diktator *der,* **1)** (lat. Dictator) im republikan. Rom ein außerordentl., bes. in Notzeiten für höchstens sechs Monate eingesetzter Beamter mit unbeschränkten Befugnissen (zuletzt 202 n. Chr.).

2) in der Neuzeit der Inhaber diktator. Gewalt (→Diktatur).

Diktatur [lat.] *die,* Herrschaftsform mit unbeschränkter Macht einer Person oder Gruppe; bes. als Gegensatz zur Demokratie verstanden. Zu

Diktatur

Das öffentliche Leben der Staaten mit beschränkter Freiheit ist eben deshalb so dürftig, so armselig, so schematisch, so unfruchtbar, weil es sich durch Ausschließung der Demokratie die lebendigen Quellen allen geistigen Reichtums und Fortschritts absperrt.

Rosa Luxemburg

Dilemma

Das Gefangenendilemma beschreibt die Situation zweier des Raubmordes Verdächtiger, die in Untersuchungshaft sitzen, wobei die Polizei beiden die Beteiligung an einem Raubüberfall nachweisen kann. Einer von beiden allerdings muss der Mörder sein. Beiden bietet die Staatsanwaltschaft an, im Falle einer Aussage gegen den anderen, den »Verräter« freizulassen. Der überführte Mörder hat mit »lebenslänglich« zu rechnen. Schweigen beide, so erhalten sie mangels Beweisen nur eine relativ geringe Strafe. Beschuldigen sich beide gegenseitig des Verbrechens, so können sie beide für zehn Jahre eingesperrt werden. Genau dieser Fall wird aber eintreten, da keiner der beiden riskieren wird, zu schweigen, vom anderen aber beschuldigt zu werden, obwohl dieses Ergebnis für beide einen eigentlich sehr ungünstigen Ausgang des »Spiels« bedeutet.

unterscheiden sind: 1) die vorübergehende Vereinigung außerordentl. Machtbefugnisse zur Überwindung von Notlagen **(Notstands-D.);** sie erlaubt Maßnahmen zur Aufrechterhaltung der öffentl. Ordnung. 2) die dauernde Konzentration der gesamten Macht in der Hand eines Einzelnen oder einer Gruppe, häufig mit ideolog. Begründung (eigentl. Diktatur). – Die D. als Dauerherrschaft ist verbunden mit der Unterdrückung der Opposition, der Aufhebung der Gewaltenteilung, der Ausschaltung oder Behinderung der Öffentlichkeit bei der Kontrolle polit. Macht sowie der weitgehenden Einschränkung der verfassungsmäßigen Grund- und Mitwirkungsrechte der Bürger. Sie stützt sich meist auf eine Partei, auf das Militär oder das Proletariat. Die national- und sozialrevolutionären Bewegungen des 20. Jh. (Faschismus, Nationalsozialismus, Kommunismus) entwickelten die Form der totalitären D. (Totalitarismus).

Dill (Höhe 60–125 cm)

📖 BRACHER, K. D.: *Die deutsche D. Entstehung, Struktur. Folgen des Nationalsozialismus. Köln [7]1993.* – SCHMITT, CARL: *Die D. Von den Anfängen des modernen Souveränitätsgedankens bis zum proletar. Klassenkampf. Berlin [6]1994.*

Diktatur des Proletariats, ein von L. A. Blanqui 1837 geprägter, von K. Marx übernommener Begriff zur Kennzeichnung der Herrschaftsform des Proletariats in der Übergangsphase zw. der proletar. Revolution und der klassenlosen Gesellschaft. Im Marxismus-Leninismus gelten der Einparteienstaat sowjet. Typs und die →Volksdemokratie als ihre Ausprägungen. Bei den Parteien des →Eurokommunismus trat der Begriff in den Hintergrund.

Diktaturparagraph, der Artikel 48 der Weimarer Reichsverfassung. Er räumte dem →Reichspräsidenten bei erhebl. Gefahr für die öffentliche Sicherheit und Ordnung umfangreiche exekutive und legislative Befugnisse ein, so die Verfügungsmacht über die Streitkräfte und die Möglichkeit der Rechtsetzung ohne Inanspruchnahme des Reichstags.

Diktiergerät (Diktaphon), elektroakust. Gerät zum Aufnehmen, Speichern und Wiedergeben gesprochener Texte auf Tonträger (überwiegend Magnetband, seltener -platte oder -folie). Man unterscheidet kombinierte Geräte zur Aufnahme und Wiedergabe und einfache Geräte nur zur Wiedergabe. Der wiedergegebene Text wird durch Kopfhörer oder Lautsprecher abgehört.

Diktion [lat.] *die,* Ausdrucksweise, Rede-, Schreibstil.

Dilatation [lat.] *die,* **1)** *Medizin:* normale (physiolog.) oder krankhafte (patholog.) Erweiterung eines Hohlorgans, z. B. des Herzens.

2) *Physik:* Ausdehnung (Verlängerung) eines Körpers durch äußere Kräfte oder Wärme; in der →Relativitätstheorie die Zeitdilatation.

Dilation [lat.] *die, Recht:* Aufschub. **dilatorisch,** aufschiebend, verzögernd, z. B. dilatorische Einrede (→Einrede).

Dilatometer [lat.-grch.] *das,* →Dehnungsmesser.

Dilemma [grch., eigtl. »Doppelgriff«] *das,* **1)** *allg.:* schwierige Wahl zw. zwei gleichwertigen Übeln.

2) *Logik:* ein Schluss der Form: A wird befriedigt, wenn entweder B oder C erfüllt ist; B und C sind aber miteinander unverträglich.

Dilettant [italien.] *der,* Nichtfachmann, Laie.

Dilke [dılk], Sir Charles, brit. Politiker und Schriftsteller, *London 4. 9. 1843, †ebd. 26. 1. 1911. Sein Buch »Greater Britain« (2 Bde., 1868), dessen Titel zum Schlagwort wurde, war Wegbereiter des brit. Imperialismus.

Dill (Echter D., Anethum graveolens), in S-Europa heim., einjähriges Doldengewächs, 60–125 cm hoch, mit weißstreifigem Stängel und fiederteiligen Blättern; Gewürzpflanze.

Dillenburg, Stadt im Lahn-Dill-Kreis, Hessen, im Dilltal, 25 100 Ew.; Zentrum des Lahn-Dill-Industriereviers (früher auch Eisenerzbergbau) mit Edelstahlwerk, Gießerei, Maschinenbau, Metall-, Holz-, Kunststoffind.; Hess. Landgestüt. – Stadtkirche (1490 bis 1501), Rathaus (1724), alte Fachwerkbauten. Vom Schloss, Geburtsstätte von Wilhelm und Moritz von Oranien (zerstört 1760) sind nur die Kasematten erhalten; über den Ruinen der Wilhelmsturm (1872–75, Museum). – D. entstand um eine um 1200 angelegte nassauische Burg und erhielt 1344 Stadtrecht; es gehörte zum Stammbesitz der Grafen von →Nassau.

Dilleni|e *die,* →Rosenapfelbaum.

Dillingen a. d. Donau, 1) Landkreis im Reg.-Bez. Schwaben, Bayern, 792 km², (1996) 90 800 Einwohner.

2) Krst. von 1), in Bayern, am N-Rand des Donaurieds, 17 600 Ew.; Akademie für Lehrerfortbildung; Herstellung von Elektrogeräten, Präzisionswerkzeugen; Glasveredelung, Brauereien. – Die Burg (13. Jh.; nur die Kasematten erhalten) war vom 15. Jh. bis ins 18. Jh. Sitz der Bischöfe von Augsburg; mehrere Barockkirchen und Profanbauten. – D. war 1554–1804 Sitz einer Univ. und kam mit dem Hochstift Augsburg 1803 an Bayern.

Dillingen/Saar, Stadt im Kr. Saarlouis, Saarland, 22 100 Ew.; Eisenhüttenwerke; Binnenhafen an der Saar.

Dilsberg, ehemals selbstständige Stadt in malerischer Spornlage oberhalb des Neckars, heute Teil von Neckargemünd, Bad.-Württ.; Teile der mittelalterl. Stadtummauerung und der Burg sind erhalten; barocke Pfarrkirche. – D., ab 1300 als Stadt ausgebaut, verlor 1973 die Selbstständigkeit.

Dilthey, Wilhelm, Philosoph, * Biebrich (heute zu Wiesbaden) 19. 11. 1833, † Seis (bei Bozen) 1. 10. 1911; Prof. in Basel, Kiel, Breslau, seit 1882 in Berlin; Hauptvertreter einer historisch orientierten, wiss. Lebensphilosophie; Begründer der Erkenntnistheorie der Geisteswiss.; strebte eine systemat. Grundlegung der Geisteswiss. als »Erfahrungswiss. der geistigen Erscheinungen« (1910) an. Als spezif. Methode der Geisteswiss. beschrieb er eine als → Hermeneutik bezeichnete Kunst der wiss. Deutung, das Sinnverstehen durch Nachvollziehen von Sprache, Handlung und Ausdrucksverhalten. Zu D.s Schule einer geisteswiss. orientierten Philosophie gehören bes. G. Misch, H. Nohl, E. Spranger, O. F. Bollnow.

Werke: Das Leben Schleiermachers (1870); Einleitung in die Geisteswiss. (1883); Das Erlebnis und die Dichtung (1906); Der Aufbau der geschichtl. Welt in den Geisteswiss. (1910); Weltanschauung, Philosophie und Religion (1910); Von dt. Dichtung und Musik (1933).

📖 Herfurth, T.: *D.s Schriften zur Ethik. Würzburg 1992.*

Diluvium [lat. »Überschwemmung«] *das,* veraltete Bez. für das Pleistozän, → Eiszeitalter.

dim. (dimin.), *Musik:* Abk. für → diminuendo.

Dimension [lat. »Abmessung«] *die,* **1)** *allg.:* Ausmaß, Ausdehnung.

2) *Mathematik:* in der Geometrie die kleinste Anzahl von Koordinaten, mit denen die Punkte eines geometr. Gebildes beschrieben werden können. Ein Punkt hat 0, eine Linie 1, eine Fläche 2, ein Körper 3 Dimensionen. Die D. von → fraktalen Strukturen ist eine nichtganze Zahl. Unter der **D. eines Vektorraumes** versteht man die max. Zahl der linear unabhängigen Vektoren (→ Basis).

3) *Physik:* Ausdruck zur qualitativen Beschreibung einer physikal. Größe als Potenzprodukt der Basisgrößen, ohne numer. Faktoren, Vorzeichen, Vektorcharakter u. Ä. zu berücksichtigen. So haben z. B. die Größen Breite, Höhe, Brennweite und Radiusvektor alle die D. einer Länge, geschrieben dim $[l]$ = L. Alle relativen Größen sind **dimensionslos.**

dimer [grch.], *Chemie:* zweigliedrig.

Dimerisation [grch.] *die, Chemie:* Vereinigung zweier gleicher Moleküle zu einem neuen Molekül, dem **Dimeren,** durch Additionsreaktionen.

Dimeter [grch.] *der, antike Metrik:* eine Verszeile, die aus zwei gleichen Metren besteht, z. B. der jambische Dimeter:

◡ ◡́ ◡ ◡́ / ◡ ◡́ ◡ ◡́ .

Das Wasser rauscht', das Wasser schwoll.

Dimethylsulfat *das* (Schwefelsäuredimethylester), stark giftige, ölige Flüssigkeit, technisch wichtig zur Methylierung u. a. von Aminen und Carbonsäuren.

Wilhelm Dilthey

Dimethylsulfoxid *das,* farblose, mit Wasser und vielen organ. Lösungsmitteln mischbare Flüssigkeit; wird in Spinnlösungen von Polyacrylnitril, als Abbeizmittel, als Lösungsmittel bei der Aromatenextraktion und als Reaktionsmedium bei organ. Synthesen verwendet.

diminuendo [italien.], Abk. **dim., dimin.,** *Musik:* abnehmend an Klangstärke; Zeichen: >.

Diminution [lat. »Verkleinerung«] *die, Musik:* Verkürzung eines Themas durch Verwendung kleinerer Notenwerte; auch variierende Verzierung eines Stückes durch Umspielung der Melodienoten.

Diminutiv [lat.] *das,* Verkleinerungsform, im Deutschen mit der Nachsilbe -chen (z. B. Bäumchen), seltener -lein (z. B. Männlein) gebildet; Bedeutungsunterschiede sind dabei möglich (z. B. Frauchen gegenüber Fräulein).

Dimitrow, Georgi Michailow, bulgar. Politiker, * Kowatschewzi (bei Pernik) 18. 6. 1882, † bei Moskau 2. 7. 1949; gründete 1919 die bulgar. KP mit, emigrierte nach dem Aufstand von 1923, wurde 1933 vor dem Reichsgericht in Leipzig von der Anklage der Brandstiftung (→ Reichstagsbrand) freigesprochen. 1935–44 war er Gen.-Sekr. der Komintern, 1946–49 MinPräs. von Bulgarien und 1948–49 KP-Generalsekretär.

Dimitrowa, Blaga Nikolowa, bulgar. Schriftstellerin, * Bjala Slatina (Bez. Wraza) 2. 1. 1922; schreibt Lyrik und Prosa über Ereignisse des 2. Weltkriegs und v. a. die bulgar. Gegenwart mit autobiograph. Zügen; auch als Übersetzerin tätig.

Dimitrowgrad, 1) Industriestadt in der Region Chaskowo, Bulgarien, an der Maritza, 50 700 Ew.; chem. Ind. (u. a. Phosphatdüngerherstellung), Zementind., Braunkohlenbergbau.

2) 1972–93 Name der russ. Stadt → Melekess.

Dimmer [engl.] *der,* stufenloser Helligkeitsregler für Glühlampen.

Dinant: Das Maasufer mit der frühgotischen Liebfrauenkirche aus dem 13. Jh.; die aus dem 11. Jh. stammende Zitadelle links auf dem Felsen wurde zuletzt im 19. Jh. modernisiert

Dimona, Stadt in Israel, im nördl. Negev, 28 300 Ew.; Textilind., Kernforschungsinst. mit Kernkraftwerk; bei Oron Phosphatabbau. – Gegr. 1955.

Dimorphie [grch.] *die,* → Polymorphie.

Dimorphismus [grch.] *der,* das Auftreten derselben Tier- oder Pflanzenart in zwei versch. Formen, z. B. → Saisondimorphismus.

Mircea Dinescu

Dinanderie [nach der belg. Stadt Dinant] *die,* eine → Treibarbeit aus Dinant.

Dinant [di'nã], Stadt in der belg. Prov. Namur, im Durchbruchstal der Maas durch die Ardennen, 12 000 Ew.; Fremdenverkehr, Chemiefaserwerk, traditionelles Kupferschmiedehandwerk (u. a. Dinanderien). – Frühgot. Liebfrauenkirche (13. Jh.), Zitadelle (im Kern 11. Jh., zuletzt im 19. Jh. modernisiert).

Dinar [zu Denar] *der,* 1) Goldmünzen der mittelalterlichen arab. Staatenwelt seit Ende des 7. Jahrhunderts. 2) Währungseinheit in versch. Staaten. (→ Währung, ÜBERSICHT)

Dinarisches Gebirge (Dinarische Alpen, Dinariden), küstennahes, verkarstetes, vielfach plateauartiges Kalkgebirge, das sich von den Ostalpen in südöstl. Richtung durch Slowenien, Kroatien, Bosnien und Herzegowina und Montenegro bis zu den Alban. Alpen erstreckt; erreicht Höhen über 2 500 m ü. M.; Klima- und Kulturlandschaftsscheide zw. dem mediterranen Küstenstreifen im W und dem kontinentalen Binnenland.

DIN Deutsches Institut für Normung e. V., nat. Normenorganisation in Dtl., Sitz: Berlin; erarbeitet zusammen mit interessierten Kreisen (Hersteller, Handel, Wiss., Verbraucher, Behörden) in Normenausschüssen Normen, die der Rationalisierung der Sicherheit, der Qualitätssicherung u. a. in Wirtschaft, Technik und Wiss. dienen. Die Arbeitsergebnisse werden als **DIN-Normen** in das Dt. Normenwerk aufgenommen. Das Verbandszeichen DIN darf unter bestimmten Voraussetzungen zur Kennzeichnung genormter Gegenstände verwendet werden. Das DIN ist federführend für die dt. Vertretung bei internat. Normungsarbeiten, z. B. in der ISO (International Organization for Standardization).

📖 KLEIN, M.: *Einführung in die DIN-Normen. Stuttgart u. a.* [11]*1993. – Grundlagen der Normungsarbeit des DIN, hg. vom DIN. Berlin u. a.* [6]*1995.*

Dine [daın], Jim, amerikan. Maler und Grafiker, *Cincinnati (Oh.) 16. 6. 1935; beeinflusste die engl. Pop-Art; schuf Zeichnungen, die z. T. mit Gebrauchsgegenständen, Schrift und Fotografien kombiniert sind, sowie rein maler. Bilder, darunter Porträts.

Diner [di'ne:, frz.] *das,* festliches Mittag- oder Abendessen.

Dinescu, Mircea, rumän. Schriftsteller und Bürgerrechtler, *Slobozia 11. 12. 1950; schreibt an R. M. Rilke und T. S. Eliot orientierte nonkonformist. Verse mit sachl. Aussage (»Exil im Pfefferkorn« dt. Auswahl 1989; »Ein Maulkorb fürs Gras«, rumän. u. dt. Auswahl 1990). D. stand während der Ceaușescu-Diktatur ab März 1989 unter Hausarrest und rief – von den Revolutionären herbeigeholt – am 22. 12. 1989 im Fernsehen den Sturz Ceaușescus aus; 1990–93 war er Vors. des rumän. Schriftstellerverbandes.

📖 *M. D., Dichter u. Bürgerrechtler. Neue Gedichte, Dokumente, Analysen, hg. v.* I. CONSTANTINESCU *u. a. Augsburg* [2]*1992.*

DIN-Formate, genormte Papier- und Kartonabmessungen. Das Format A 0 hat 1 m² Fläche. Die Formate einer Reihe entstehen durch Halbierung der größeren Bogenseite. Für alle unabhängigen

Jim Dine: »Schuh« (1961; Privatbesitz)

Papiergrößen (z.B. Briefe, Zeitschriften, Zeichnungen) gilt die A-Reihe, für die abhängigen Papiergrößen (z.B. Briefhüllen, Aktendeckel) gelten die B- und C-Reihen.

DIN-Formate

Formatbezeichnung	Reihe A (mm)	Reihe B (mm)	Reihe C (mm)
0	841 × 1 189	1 000 × 1 414	917 × 1 297
1	594 × 841	707 × 1 000	648 × 917
2	420 × 594	500 × 707	458 × 648
3	297 × 420	353 × 500	324 × 458
4	210 × 297	250 × 353	229 × 324
5	148 × 210	176 × 250	162 × 229
6	105 × 148	125 × 176	114 × 162

Ding (griech. prãgma, lat. res), *Philosophie:* Begriff mit vielen Bedeutungen, z.B. Träger (Substanz) von Eigenschaften oder menschl. Ordnungsvorstellungen in einer Empfindungsmannigfaltigkeit. **D. an sich** ist die Bez. I. Kants für die Wirklichkeit, wie sie unabhängig von einem erkennenden Subjekt für sich selbst besteht; dessen »Erscheinungen« sind die empir. Dinge.

Ding (nordgerman. Thing), die german. Volks- und Gerichtsversammlung, auf der alle Rechtsangelegenheiten des Stammes behandelt wurden; in den skandinav. Ländern noch heute für Volksvertretung gebräuchlich (z.B. Folketing in Norwegen). Das D. wurde unter freiem Himmel an hergebrachtem Ort **(D.-Stätte, Mahlstatt)** abgehalten. Es gab **echte D.,** die zu feststehenden Zeiten stattfanden, und **gebotene D.,** die im Bedarfsfall angesetzt wurden und eine besondere Ladung der **D.-Genossen** erforderten. Das D. wurde durch Verkündung des **D.-Friedens,** des Schweigegebotes, eröffnet. In fränk. Zeit bezeichnete D. nur noch die Gerichtsversammlung.

Dingelstedt, Franz Freiherr von (seit 1876), Schriftsteller und Theaterleiter, *Halsdorf (heute zu Wohratal, Landkr. Marburg-Biedenkopf) 30. 6. 1814, †Wien 15. 5. 1881; Meister der polit. Satire (»Lieder eines kosmopolit. Nachtwächters«, anonym 1841); wurde 1851 Intendant des Hoftheaters in München, 1857 Generalintendant in Weimar und 1867 Direktor der Hofoper, 1870 des Burgtheaters in Wien.

Dingi [Bengali] *das,* kleinstes Beiboot auf Schiffen, zum Rudern oder Segeln durch einen Mann, trägt 2–3 Personen.

Dingla, Pass im Transhimalaja, Tibet, 5885 m ü.M., über ihn führt der höchste Karawanenweg der Erde.

Dingler, Hugo, Philosoph und Wissenschaftstheoretiker, *München 7. 7. 1881, †ebd. 29. 6. 1954; arbeitete bes. über die method. Grundlegung der exakten Wiss. im Sinne des von ihm mitbegründeten →Operationalismus. – *Werke:* »Grundriß der method. Philosophie« (1949); »Aufbau der exakten Fundamentalwiss.« (hg. 1964) u.a.

dingliches Recht, absolutes, subjektives Recht, das eine unmittelbare Herrschaft über eine Sache gewährt und durch besondere (dingl.) Ansprüche (auf Sachherausgabe oder Unterlassung von Störungen) gegenüber jedem Dritten geschützt ist, z.B. Eigentum (→Sachenrecht). Beim **beschränkten d. R.** ist das Herrschaftsrecht des Hauptrechtsinhabers eingeschränkt, z.B. Erbbaurecht.

Ding Ling (Ting Ling), eigtl. Jiang Weiwen, chines. Schriftstellerin, *Linli (Hunan) 12. 10. 1904, †Peking 4. 3. 1986; behandelte in Romanen und Kurzgeschichten Probleme der Frauenemanzipation und das Leben in der kommunist. Bewegung.

Dinglinger, Johann Melchior, Goldschmied, *Biberach an der Riß 26. 12. 1664, †Dresden 6. 3. 1731; Hofgoldschmied Augusts des Starken, schuf barocke Prunkstücke, Tafelaufsätze und Kleinplastiken.

Dingo

Dingo [austral.] *der* (Warragal, Canis lupus familiaris dingo), verwilderter Haushund in Australien, schäferhundgroß, mit rot- bis gelbbraunem Fell, buschigem Schwanz und spitzer Schnauze.

Dingolfing, Krst. des Landkreises D.-Landau, RegBez. Niederbayern, an der Isar, 17700 Ew.; Kraftfahrzeugindustrie. – Spätgot. Backsteinhal-

Johann Melchior Dinglinger: Zwei Orientalen, die Hand des Kekrops präsentierend; Gruppe aus dem »Hofhalt des Großmoguls zu Delhi« (1701-08; Dresden, Grünes Gewölbe)

lenkirche (1467–1522), Herzogsburg (15. Jh.). – D. erhielt 1274 Stadtrecht.

Dingolfing-Landau, Landkreis im RegBez. Niederbayern, 878 km², (1996) 86 600 Ew.; Krst. ist Dingolfing.

Dingwort, dt. Bez. für → Substantiv.

Dinis [dəˈniʃ] (Diniz), König von Portugal (1279–1325), * Lissabon 9. 10. 1261, † Santarém 7. 1. 1325; bekämpfte die Übermacht der Kirche, stiftete 1290 die Univ. Lissabon, förderte den Gebrauch der portugies. Sprache und dichtete selbst.

Dinka, Volk am oberen Nil, Rep. Sudan, 1–2 Mio. Menschen; vorwiegend Rinderzüchter; ihre Sprache gehört zur nilot. Sprachengruppe.

Dinkel (Spelz, Spelt, Schwabenkorn, Triticum spelta), Weizenart, deren Korn im Ggs. zum Kulturweizen von der Spelze fest umschlossen ist; anspruchslos und winterhart. **Grünkern** ist unreif geernteter und gedarrter D. Grünkern und D. werden für Vollwertkost und Mehlspeisen verwendet.

Dinkelsbühl
Stadtwappen

Dinkelsbühl, Stadt im Landkreis Ansbach, Mittelfranken, Bayern, an der Wörnitz, 11 500 Ew.; Fremdenverkehr. – Das mittelalterl. Stadtbild (Stadtmauer mit Türmen und Doppelgraben, Fachwerkhäuser, Rathaus, Pfarrkirche Sankt Georg 1488–99) ist gut erhalten. – D., 1188 erwähnt, war 1273–1803 Reichsstadt.

DIN-Leistung, Leistungsangabe für Kraftfahrzeugmotoren, wobei der Motor die kraftverzehrenden Ausrüstungsteile (Ansaug- und Auspuffanlage, Wasserpumpe oder Kühlluftgebläse, Kraftstoffpumpe, Einspritzpumpe, Lichtmaschine) betreiben muss, im Unterschied zu der (in den USA üblichen) Leistungsangabe in → SAE-PS.

Dinner [ˈdɪnə, engl.] *das,* die engl. Hauptmahlzeit am Abend.

Dinoflagellaten [grch.-lat.] (Peridinales), Ordnung der Algen, einzellige, planktisch lebende Flagellaten; Zellhülle häufig aus panzerartigen Celluloseplatten mit zwei Geißeln; oft sind Schwebefortsätze vorhanden. Einige Arten rufen Meeresleuchten hervor.

Dinosaurier [grch.] (Dinosauria), zusammenfassende Bez. für die ausgestorbenen Kriechtierordnungen **Saurischia** und **Ornithischia,** die ihre größte Verbreitung zur Jura- und Kreidezeit hatten. Die D. waren 0,3–35 m lang, hatten meist einen kleinen Kopf sowie langen Hals und Schwanz. Sie waren urspr. räuber. Fleischfresser, die sich auf den Hinterbeinen fortbewegten, wobei die oft sehr kurzen Vorderbeine Greifhände hatten; viele Arten wurden im Verlauf der späteren Entwicklung zu Pflanzenfressern, die auf vier säulenartigen Beinen liefen. Über das Aussterben der D. gegen Ende der Kreidezeit gibt es versch. Theorien.

📖 HAUBOLD, H.: *Die D. Wittenberg* ⁴*1990.* – *D. Leben u. Untergang der geheimnisvollen Urzeittiere, Beiträge v.* S. J. CZERKAS *u. a. A. d. Engl. Augsburg*

Dinosaurier: Rekonstruktionszeichnung einer Landschaft des Oberjura; im Vordergrund von links ein Corythosaurus und ein Ornithominus sowie zwei Arten des Compsognathus; in der Luft von links Archaeopteryx, Pteranodon und Rhamphorhynchus; im Hintergrund von links Stegosaurus, Brontosaurus und Brachiosaurus

1991. – Charig, A.: *D. Rätselhafte Riesen der Urzeit. Neuausg. Frankfurt am Main 1992.*

Dinotherium [grch.] *das,* ausgestorbene Gattung mittel- bis elefantengroßer Rüsseltiere mit rückwärts gebogenen unteren Stoßzähnen (verlängerte Schneidezähne). D. lebten in Europa und Asien bis zum oberen Pliozän, in Afrika bis zum Pleistozän.

Diokletian auf einem Goldmedaillon aus Nikomedia (um 294 n. Chr.)

Dinslaken, Stadt im Kreis Wesel, NRW, am rechten Ufer des Niederrhein, 69 300 Ew.; Steinkohlenbergbau; Stahl erzeugende und verarbeitende sowie Schuh- und Bekleidungsind.; Trabrennbahn. – Stadtrecht seit 1273.

DIN-Verbrauch, genormte Angabe des Kraftstoffverbrauchs von Kfz in l/100 km, und zwar bei Pkw ermittelt für drei Werte: Stadtverkehr (Leerlaufanteil 30 %), konstante Geschwindigkeit von 90 und von 120 km/h (jeweils unter Berücksichtigung des Luftwiderstands, der Streckenbeschaffenheit, der Wetterbedingungen u. a.). Der vereinfachte Durchschnittswert ist der Drittelmix. Bei anderen Kfz wird der D.-V. über 10 km auf ebener, trockener Fahrbahn bei 34 % der Höchstgeschwindigkeit (jedoch maximal 110 km/h) plus einem Zuschlag von 10 % ermittelt.

Dio Cassius, grch. Geschichtsschreiber, → Cassius Dio Cocceianus.

Diode [grch.] *die,* Halbleiterbauelement mit zwei Anschlüssen. D. haben eine ausgeprägte Stromrichtungsabhängigkeit (»Ventilwirkung«): In Durchlassrichtung betrieben, fließt bei zunehmender zw. den beiden Anschlüssen angelegter Spannung ein stark ansteigender Durchlassstrom, in Sperrrichtung fließt nur ein sehr geringer Sperrstrom, der erst bei Überschreiten eines bestimmten Grenzwertes steil ansteigt. Verantwortlich für den Leitungsmechanismus ist der im Halbleiterkristall durch Dotierung gebildete → pn-Übergang. Zur Herstellung sind bes. Silicium, daneben Germanium, Galliumarsenid, Galliumphosphid u. a. Verbindungshalbleiter geeignet. Die gleiche Ventilwirkung wie beim pn-Übergang im Kristall erzielt man auch durch einen Metall-Halbleiter-Kontakt (z. B. **Schottky-D.**). Anwendungen: Gleichrichtung von Wechselströmen **(Gleichrichter-D.),** Spannungsstabilisierung und Signalbegrenzung **(Z-D.),** im Mikrowellenbereich **(Tunnel-D., IMPATT-D., Gunn-D.),** für optoelektron. Zwecke **(Lumineszenz-D., Laser-D., Photo-D.)** sowie für spezielle Anwendungen **(Backward-D., Kapazitäts-D., Magnet-D., Vierschicht-D.).** Früher Bez. für die zur Gleichrichtung benutzte Elektronenröhre ohne Gitter **(Röhren-D.),** deren geheizte Kathode im Vakuum Elektronen zur Anode sendet.

Diodor (grch. Diodoros, lat. Diodorus), grch. Historiker des 1. Jh. v. Chr. aus Sizilien; verfasste die »Histor. Bibliothek«, eine Geschichte des Altertums bis 54 v. Chr. (15 Bücher erhalten).

Diogenes von Sinope, grch. Philosoph, * um 412, † 323 v. Chr.; der bekannteste Vertreter des Kynismus (→ Kyniker), zog als Wanderlehrer umher; bekannt durch seinen Witz und Anekdoten (D. in der Tonne).

Das konsequent bedürfnislose Leben des berühmtesten Kynikers, **Diogenes von Sinope,** *führte zu zahlreichen Anekdoten. Die bekannteste berichtet, dass Alexander der Große, als er einmal Diogenes besuchte, der in einer Tonne gelebt haben soll, und ihn fragte, welchen Wunsch er ihm erfüllen könne, zur Antwort bekam: »Geh mir aus der Sonne«.*

Diokletian, Gaius Aurelius Valerius Diocletianus, urspr. Diocles, röm. Kaiser (284–305), * um 245 in Dalmatien, † Spalatum (heute Split) 313 (?); nahm 286 Maximian zum Mitregenten (Augustus) für den Westen, 293 Galerius und Constantius Chlorus als Unterregenten (Cäsaren) an, behielt aber in dieser »Viererherrschaft« (Tetrarchie) die oberste Leitung. D. ordnete Heer, Wirtschaft und Verwaltung neu; 303 befahl er eine allg. Christenverfolgung. Zus. mit Maximian dankte er 305 zugunsten der beiden Cäsaren ab.

Diole, zweiwertige Alkohole, technisch bed. als Komponenten von Polyurethanen und Polyester.

Diolefine, Kohlenwasserstoffe, → Diene.

Diomedes, *grch. Mythos:* **1)** König von Argos, Held im Trojan. Krieg; ihm ist der 5. Gesang der »Ilias« gewidmet.

2) Sohn des Ares, König in Thrakien, von Herakles seinen eigenen, Menschenfleisch fressenden Rossen zum Fraß vorgeworfen.

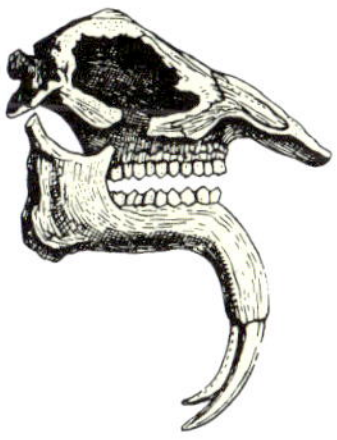
Dinotherium: Schädelskelett

Dion, * 409, † (ermordet) 354 v. Chr.; vornehmer Syrakuser, Schwager und Schwiegersohn von Dionysios d. Ä., Anhänger Platons, wurde von Dionysios d. J. aus Sizilien verbannt, stürzte diesen 357 v. Chr.; scheiterte bei dem Versuch einer Staatsreform (nach 367) im Sinne Platons.

Dione, 1) *Astronomie:* ein Mond des Planeten Saturn.

2) *grch. Mythos:* Göttin, bei Homer Mutter der Aphrodite, wurde in Dodona als Gemahlin des Zeus verehrt.

Dionissi, russ. Fresken- und Ikonenmaler, * 1440, † nach 1502; in der Nachfolge A. Rubljows stehend, prägte er den Stil der Moskauer Malerei um 1500 (lang gestreckte schlanke Gestalten, lichte Farben); erhalten ist u. a. der Freskenzyklus der ehem. Klosterkirche in Ferapontowo (500 km südlich von Moskau). Bild S. 318

Dionissi: Der heilige Dimitri Prilutzki und Szenen aus seinem Leben (1500; Wologda, Museum)

Dionysios, grch. Herrscher: **1) D. I., der Ältere,** Tyrann von Syrakus (seit 405 v. Chr.), *um 430, †Frühjahr 367 v. Chr., Vater von 2); gewann als Feldherr (seit 406) gegen die Karthager die Tyrannis; nach Syrakus unterwarf er auch die anderen Städte Ostsiziliens und suchte seit 398 die Karthager aus Westsizilien zu vertreiben. Im Frieden von 392 v. Chr. konnte er zwei Drittel Siziliens als Besitz behaupten. D. dehnte seine Macht auch auf Süditalien bis an die Adria aus und griff als Bundesgenosse Spartas auch im grch. Mutterland ein.

2) D. II., der Jüngere, Tyrann von Syrakus (seit 367), *um 397, †nach 337 v. Chr., Sohn von 1); floh 357 vor Dion nach Lokroi (heute Locri, Prov. Reggio di Calabria), eroberte 347 Syrakus zurück; 344 erneut vertrieben und lebte dann in Korinth.

Diopsid (Kristallstufe)

Dionysios von Halikarnassos, grch. Rhetor und Historiker, kam 30 v. Chr. nach Rom, verfasste eine Geschichte des röm. Altertums (»Antiquitates Romanae«) von den Anfängen bis zum Beginn des 1. Pun. Krieges (264 v. Chr.).

dionysisch [nach dem Gott Dionysos], rauschhaft, irrational; Ggs.: apollinisch.

Dionysius Areopagita, Mitgl. des Areopags in Athen, von Paulus bekehrt (Apg. 17, 34), soll als erster Bischof von Athen den Märtyrertod erlitten haben. Unter dem Namen D. A. – und damit mit dessen Autorität ausgestattet – verfasste ein unbekannter Philosoph **(Pseudo-D. A.)** im 5./6. Jh. n. Chr. einige Schriften, die im MA. nach der »Heiligen Schrift« zu den bedeutendsten gehörten: Der Autor wendet darin die Theorie der Neuplatoniker Proklos und Plotin vom bestimmungslosen Einen auf die christl. Glaubensvorstellungen an (negative Theologie).

Dionysius Exiguus, skyth. Mönch, lebte etwa 500–550 n. Chr. in Rom. Von ihm stammt die bis zur gregorian. Kalenderreform gültige Berechnung des Ostertermins und die seit 525 geltende christl. Zeitrechnung (→Ära).

Dionysius von Paris, frz. Nationalheiliger, im 3. Jh. in Paris als Märtyrer enthauptet; einer der 14 Nothelfer, Tag: 9. 10.

Dionysos (Bakchos, lat. Bacchus), *grch. Mythos:* Gott der Fruchtbarkeit und der Ekstase, Sohn des Zeus und der →Semele, mit →Ariadne verbunden; urspr. vermutlich thrak. Bauerngott. Sein Gefolge waren Mänaden und Satyrn; sein Kennzeichen und das der Mänaden war der Thyrsos, ein Stab mit einem Pinienzapfen. Weinstock und Efeu waren ihm heilig. D. wurde in orgiast. Kulten gefeiert. Seine Hauptfeste waren u. a. die **Anthesterien** (im Frühjahr) und die **Dionysien** (mit Theateraufführungen) sowie alle zwei Jahre die Wiedergeburt des D.-Kindes. Dargestellt wurde D. bis Ende des 5. Jh. v. Chr. als bärtiger Mann mit Binde oder Efeukranz um das Haupt, einem Trinkgefäß in der Hand, später als Jüngling, mit einem Reh- oder Pantherfell bekleidet.

📖 *D. – Bacchus. Kult u. Wandlungen des Weingottes, bearb. v.* F. W. Hamdorf. *München 1986.* – Otto, W. F.: *D. Mythos u. Kultus. Frankfurt am Main ⁶1996.*

Diophantos von Alexandria, grch. Mathematiker des 3. Jh. n. Chr., wohl der bedeutendste Algebraiker der Antike; behandelte in der »Arithmetika« (13 Bücher, davon sind sechs in grch. und vier in arab. Sprache erhalten) v. a. allg. Regeln zum Lösen von Gleichungen und zum Rechnen mit Potenzen. Die nach ihm ben. **diophantischen Gleichungen** sind Gleichungen der Form $f(x_1, x_2, \ldots, x_n) = 0$ mit $n \geqq 2$, für die alle ganzzahligen Lösungen $x_1, x_2, \ldots, x_n$ gesucht werden.

Diopsid [grch.] *der,* farbloses, auch grünl. Mineral aus der Familie der monoklinen Pyroxene, mit der chem. Zusammensetzung $CaMg[Si_2O_6]$; kommt in metamorphen, auch in magmat. Gesteinen vor.

Dioptas [grch.] *der,* smaragdgrünes, durchscheinendes trigonales Mineral mit der chem. Zusammensetzung $Cu_6[Si_6O_{18}] \cdot 6H_2O$; wird z. T. als Schmuckstein verwendet.

Diopter [grch.] *das,* eine Visiereinrichtung an opt. Geräten und an Handfeuerwaffen.

Dioptrie [grch.] *die,* Einheitenzeichen **dpt,** gesetzl. Einheit des →Brechwertes opt. Systeme: 1 D. ist gleich dem Brechwert eines opt. Systems mit der Brennweite 1 m in einem Medium der Brechzahl 1. Dies entspricht dem Kehrwert der in Meter gemessenen Brennweite: $1\,\text{dpt} = 1\,\text{m}^{-1}$.

dioptrisch, nur Licht brechende Elemente (Linsen, Prismen) enthaltend.

Dior ['djɔ:r], Christian, frz. Modeschöpfer, *Granville (Dép. Manche) 21. 1. 1905, †Montecatini 24. 10. 1957; Vertreter der Haute Couture von Paris, u.a. Schöpfer des »New Look« (1947).

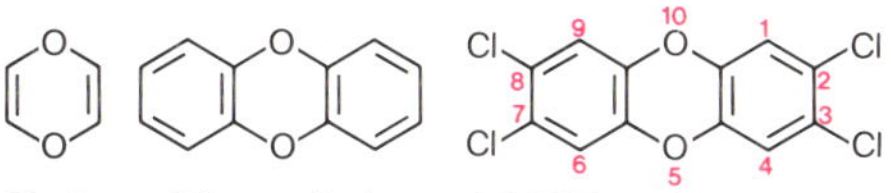

Dioxin Dibenzodioxin 2,3,7,8-Tetrachlordibenzodioxin, 2,3,7,8-TCDD

Dioxine

Diorama [grch.] *das,* im 19. Jh. beliebte, auf wechselnde Effekte angelegte Schaubühne in einem dunklen Raum, erfunden von →Daguerre. Heutige D. sind zu Lehrzwecken meist in einem Schaukasten zusammengestellte plast. Darstellungen mit gemaltem Hintergrund.

Diorit [grch.] *der,* körniges, meist helles, grünl. graues Tiefengestein, besteht hauptsächlich aus Plagioklas und Hornblende sowie Biotit, Pyroxen, Quarz und Alkalifeldspat; wird verwendet für Grab- und Pflastersteine; weit verbreitet.

Dioskuren [»Söhne des Zeus«], *grch. Mythos:* die unzertrennl. Zwillingsbrüder **Kastor** (lat. Castor) und **Polydeukes** (lat. Pollux), Brüder der Helena und Klytämnestra. Ihre Mutter war Leda, deren Gatte Tyndareos, König von Sparta, war Vater des Kastor, der von Polydeukes war Zeus. Da nur Polydeukes unsterblich war, wurde den D. erlaubt, nach dem Tod abwechselnd bei den Göttern und in der Unterwelt zu weilen. Die D. galten als Götter der Freundschaft, Schirmherren der Jünglinge und der Kampfspiele: Kastor als Rossebändiger, Polydeukes als Faustkämpfer. Auch als Sterne (»Zwillinge«), Helfer in der Schlacht und Retter in Seenot wurden sie verehrt. Dargestellt wurden sie als Jünglinge mit ihren Rossen.

Dioskurides (Pedanios D.), grch. Arzt des 1. Jh. n. Chr. aus Anazarbos im östl. Kilikien (heute Anavarza, bei Ceyhan); Verfasser einer Arzneimittellehre, die für mehr als anderthalb Jahrtausende maßgebendes Lehrbuch blieb.

Ausgabe: Des Pedanios D. aus Anazarbos Arzneimittellehre, übers. u. mit Erklärungen v. J. BERENDES (1902, Nachdr. 1988).

Diotima [grch.], 1) in Platons Dialog »Symposion« Name der erdichteten Priesterin zu Mantinea, von der Sokrates die Gedanken über das Wesen der Liebe gehört zu haben vorgibt. 2) Name, unter dem Hölderlin Susette Gontard, in deren Haus in Frankfurt am Main er 1796–98 als Hofmeister beschäftigt war, feierte.

Diouf [djuf], Abdou, senegalesischer Politiker, *Louga 7. 9. 1935; 1970–80 MinPräs., seit 1981 Staatspräsident von Senegal.

1,4-Dioxan *das* (Diäthylendioxid), ein zykl. Äther, wichtiges Lösungsmittel für Celluloseester und -äther sowie für Harze.

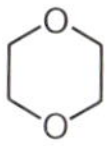

1,4-Dioxan

Dioxid *das,* Verbindung, bei der jeweils zwei Sauerstoffatome an ein anderes Atom gebunden sind, z.B. CO_2 (Kohlendioxid).

Dioxine [grch.], stark giftige organ. Substanzen, die sich vom Dioxin, einer hypothet. heterozykl. Verbindung, ableiten. D. entstehen bei Verbrennung von Kohlenstoff- und Chlor- oder anderen Halogenverbindungen bei Temperaturen zw. 300 und 600 °C; sie gelangen mit Rauchgasen, Verbrennungs- und Produktionsrückständen in die Umwelt. Am giftigsten ist das als **Sevesogift** bekannt gewordene 2,3,7,8-**T**etra **c**hlor**d**ibenzo**d**ioxin (kurz **TCDD**), die im Tierversuch stärkste bekannte Krebs erzeugende Substanz. TCDD ist wie viele Chlorkohlenwasserstoffe chemisch und thermisch äußerst beständig und wird auch biochemisch praktisch nicht abgebaut.

Diözese [grch.] *die,* Amtsbezirk eines kath. Bischofs (Bistum); früher auch Bezirk eines prot. Superintendenten (heute: Kirchenkreis, Dekanat).

Diözie [grch.] *die* (Zweihäusigkeit), Form der Getrenntgeschlechtlichkeit (Diklinie) bei Pflanzen; die Ausbildung der männl. und weibl. Blüten ist auf zwei versch. Individuen einer Art verteilt.

Abdou Diouf

Diphenyl, das →Biphenyl.

Diphosphate (Pyrophosphate), Salze der Diphosphorsäure, $H_4P_2O_7$.

Diphtherie [grch.] *die* (volkstümlich: Bräune, Halsbräune, Rachenbräune), meldepflichtige akute Infektionskrankheit, die in Nase, Rachen oder Kehlkopf fest haftende Beläge bildet und durch tox. Auswirkungen auf den Gesamtorganismus gekennzeichnet ist; tritt vorwiegend im Kindesalter auf. **D.-Bakterien** (Corynebacterium

Dioskuren: Marmorskulpturen auf dem Kapitol in Rom (330 n. Chr.)

Ein wahrer **Diplomat** *ist ein Mann, der zweimal nachdenkt, bevor er nichts sagt.*

Winston Churchill

diphtheriae) werden durch Tröpfcheninfektion übertragen. Die Inkubationszeit beträgt 2 bis 7 Tage. Bei **Kehlkopf-D.** können die bis in die Luftröhre reichenden Membranen zum Tod durch Ersticken führen, wenn nicht schnelle Hilfe durch Luftröhrenschnitt oder Intubation erfolgt. Die Auswirkungen des Bakteriengiftes (Toxin) machen sich am Kreislauf (kleiner, schneller Puls, Blutdruckabfall; in schweren Fällen Kreislaufschock), am Herzmuskel (Herzrhythmusstörungen, akute Herzschwäche) und am Nervensystem (Lähmungen peripherer Nerven) bemerkbar. Bei der *Behandlung* ist die möglichst sofortige Gabe von Heilserum entscheidend, das durch Antitoxine (nur) das Bakteriengift neutralisiert; zusätzlich wird Penicillin verabreicht. Der Vorbeugung dienen Schutzimpfungen mit D.-Toxoid (entgiftetes Toxin).

Diphtherie: Gemeldete Fälle in Deutschland

Jahr	Erkrankungen	Todesfälle
1910	108 640	14 755
1920	83 377	7 891
1930	70 552	5 642
1940	143 505	7 344
1950[1]	42 888	924
1960	1 965	27
1970	57	3
1980	19	2
1989	4	2
1990[2]	6	1
1991	2	1
1992	1	2
1993	9	-
1994	8	3
1995	4	2

[1] ab 1950 nur alte Bundesländer. – [2] ab 1990 alte und neue Bundesländer.

Diphthong [grch.] *der* (Doppellaut), die Verbindung zweier versch. Vokale in derselben Silbe, z. B. ei, au, eu.

Dipl., Abk. für →**Diplom**, z. B. Dipl.-Ing. (Diplomingenieur).

Diplegie [grch.] *die,* doppelseitige Lähmung des gleichen Körperabschnitts.

Diplexer [engl.] *der* (Senderweiche), Einrichtung zum rückkopplungsfreien Zusammenschalten der Ausgangsleistungen zweier Sender (z. B. Bild- und Tonsender) zur gemeinsamen Abstrahlung über die Sendeantenne.

diploid [grch.], mit doppeltem Chromosomensatz versehen, einen Chromosomensatz aus Paaren homologer Chromosomen besitzend.

Diplokokken [grch.], paarig angeordnete, kugelförmige Bakterien.

Diplom [grch. »gefaltetes Schreiben«] *das,* **1)** urspr. bei Griechen und Römern Bez. für bestimmte amtl. Schriftstücke. In der Diplomatik (→Urkundenlehre) wird der Ausdruck D. seit dem 17. Jh. für Kaiser- und Königsurkunden mit dauernder Rechtskraft gebraucht, im Unterschied zu dem hauptsächlich Verwaltungszwecken dienenden Mandat.

2) Urkunde über Auszeichnungen und Prüfungen; in Verbindung mit bestimmten Berufsbez. heute v. a. die Urkunde über die Verleihung eines akadem. Grades bzw. dieser Grad selbst (sowie einiger nichtakadem. staatl. und privater Abschlüsse).

Diplomat [grch.] *der,* mit der Vertretung der Interessen des eigenen Staats in fremden Ländern und bei internat. und supranat. Organisationen beauftragter Beamter des auswärtigen Dienstes als Missionschef oder diesem zugeordneter Beamter (→Botschaft, →Gesandter, →Nuntius); die →Konsuln gehören nicht zum diplomat. Dienst. Die Missionschefs beginnen ihre Tätigkeit mit Überreichung des Beglaubigungsschreibens nach erteiltem →Agrément. Die Rechtsstellung der D. ist international durch die Wiener D.-Konvention vom 18. 4. 1961 geregelt. D. genießen bestimmte Vorrechte: Immunität (Unverletzlichkeit der Person und der Wohnung, Befreiung von Zöllen und Steuern, keine Unterwerfung unter die Zivil- und Strafgerichtsbarkeit) und Exterritorialität (Schutz der Dienstgebäude). Diese Vorrechte werden zunehmend auch Beamten internat. und supranat. Organisationen eingeräumt.

In Dtl. besteht eine einheitl. Laufbahn des höheren auswärtigen Dienstes. Voraussetzungen sind u. a. geeignete Persönlichkeit, abgeschlossenes Hochschulstudium, umfassende Allgemeinbildung, Kenntnisse im Recht (Völker- und Staatsrecht), in der Volkswirtschaft und der neueren Geschichte, gute engl. und frz. Sprachkenntnisse, Tropentauglichkeit. Die Zulassung zum Vorbereitungsdienst als Attaché erfolgt aufgrund eines strengen Auswahlwettbewerbs mit Fach- und Sprachprüfung (Aufnahmealter höchstens 32 Jahre). Der zweijährige Vorbereitungsdienst umfasst eine theoret. und prakt. Ausbildung mit Lehrgängen in eigener Ausbildungsstätte des Auswärtigen Amtes in Bonn und Verwendung im In- und Ausland. Die der Einstellung vorausgehende Laufbahnprüfung umfasst eine Fach- und Sprachprüfung während des Vorbereitungsdienstes und eine Abschlussprüfung.

Diplomatie [grch.] *die,* Pflege der Beziehungen zw. den Staaten durch Verhandlung und die dabei angewandten Methoden; auch die Kunst der Verhandlung. Die Staaten bedienen sich zur Vertretung, Interessenwahrung, Verhandlung, Unterrichtung oder Förderung der Beziehungen hauptsächlich der in gegenseitigem Einvernehmen des Entsendelandes und des Empfangsstaates errichte-

Diplomatie *ist die Kunst, mit hundert Worten zu verschweigen, was man mit einem Wort sagen könnte.*

Saint-John Perse

ten ständigen Vertretungen: Missionen, Botschaften oder Gesandtschaften. Der Missionschef und das diplomat. Personal genießen Vorrechte und Immunitäten (→Diplomat).

Diplomatik [grch.] *die,* die →Urkundenlehre.

diplomatisch, die Diplomatie betreffend; übertragen: geschickt verhandelnd.

diplomatisches Korps [-kɔːr] (frz. Corps diplomatique, Abk. CD), die Gesamtheit der bei einem Staat beglaubigten Missionschefs fremder Staaten. Sprecher des d. K. ist der →Doyen.

Dipnoi (Dipneusti, Dipnoer) [grch.], die →Lungenfische.

Dipodie [grch.] *die,* metr. Einheit aus zwei gleichen Versfüßen, z. B. ◡–◡– (Kombination von zwei Jamben).

Diptychon 2): Konsul Stilicho (links) mit Frau und Sohn (um 400; Monza, Tesoro della Basilica di San Giovanni)

Dipol *der,* Anordnung von zwei gleich großen elektr. Ladungen entgegengesetzten Vorzeichens **(elektr. D.)** oder zweier entgegengesetzter Magnetpole **(magnet. D.)** in geringem Abstand zueinander. D. werden durch ihr **D.-Moment** gekennzeichnet, das Vektorprodukt aus Ladung bzw. Polstärke und Abstand; es zeigt in Richtung der neg. Ladung. Bei einem elektr. Oszillator **(hertzscher D.)** ändern sich Abstand und D.-Moment periodisch durch Schwingung einer Ladung gegen die andere, wodurch elektromagnet. Wellen abgestrahlt werden **(D.-Strahlung).** Der D. (in unterschiedl. Ausführung) ist die Grundform der Sende- und Empfangsantennen (→Antenne).

Dipolmolekül, Molekül mit ungleichmäßig verteilter elektr. Ladung und einem daraus resultierenden permanenten Dipolmoment, z. B. das Wassermolekül H_2O.

dippen [engl. to dip »eintauchen«], *Schifffahrt:* zur Begrüßung die Schiffsflagge (Nationalflagge) halb niederholen und wieder aufziehen.

Dippoldiswalde, Krst. des Weißeritzkreises, Sachsen, im östlichen Erzgebirge an der Roten Weißeritz, oberhalb der Maltertalsperre (See: 8,8 Mio. m^3), 8 500 Ew.; Herstellung von Hydraulikanlagen, Papierind.; Lohgerbermuseum. Der seit etwa 1250 belegte Silbererzbergbau wurde im 15. und 16. Jh. auf Kupfer- und Bleierz ausgedehnt, 1864 eingestellt. – Stadtkirche (v. a. 15. Jh., älteste Teile 13. Jh.) und Nikolaikirche (13. Jh.), Rathaus (15./16. Jh.), Schloss (16./17. Jh.). D. wurde vor 1218 zur Stadt ausgebaut. – Südwestlich von D. die Talsperre Lehnmühle, die die Wilde Weißeritz zu einem See von 21,9 Mio. m^3 staut.

Dipsomanie [grch.] *die,* periodisch auftretende Trunksucht, Quartalstrinken, →Alkoholismus.

Diptam [nlat.], Gattung der Rautengewächse. Der **Gemeine D.** (Dictamnus albus), der in trockenen Bergwäldern wächst, ist eine bis 1 m hohe, zitronenartig duftende Staude, die unter Naturschutz steht.

Diptera [grch.], die →Zweiflügler.

Dipteros [grch.] *der,* grch. Tempel mit doppeltem Säulenumgang um die Cella.

Diptychon [grch.] *das,* **1)** *Kunst:* im MA. ein zweiflügeliges Altarbild.

2) *röm. Antike:* ein zusammenklappbares Paar von Holz-, Elfenbein- oder Metalltäfelchen, außen oft mit Reliefs, innen mit einer Wachsschicht zum Beschreiben. Diptychon wurden gebraucht als kaiserl. Ernennungsdekrete, bes. beim Konsulatsantritt der röm. Konsuln **(Konsular-D.),** daneben im sakralen sowie privaten Bereich. In der frühchristl. Kirche wurden D. zur Namensaufzeichnung von Lebenden und Toten verwendet.

Dipylon [grch. »Doppeltor«] *das,* ein Haupttor des alten Athen. In seiner Nähe lag seit Ende der myken. Zeit eine Nekropole; aus ihr wurden bis zu 2 m hohe Tongefäße mit Mustern und Figuren in geometr. Stil **(D.-Vasen)** ausgegraben. BILD S. 322

Dirac [dɪˈræk], Paul Adrien Maurice, brit. Physiker, *Bristol 8. 8. 1902, †Tallahassee (Fla.) 20. 10. 1984; trug durch grundlegende Arbeiten wesentlich zum Aufbau der Quantenmechanik und -elektrodynamik bei; 1933 erhielt er mit E. Schrödinger den Nobelpreis für Physik (→diracsche Wellengleichung).

diracsche Wellengleichung [dɪˈræk-] (Dirac-Gleichung), von Dirac 1928 aufgestellte relativist. Wellengleichung für Elektronen (→Wellenmechanik), die das quantenphysikal. Verhalten der Elektronen auf der Grundlage der speziellen Relativitätstheorie beschreibt. Sie erklärt die Feinheiten im Spektrum des Wasserstoffatoms und führte zur Voraussage des →Positrons und Antiprotons, den →Antiteilchen von Elektron und →Proton. Die d. W. liefert außerdem den Spin des Elektrons, der

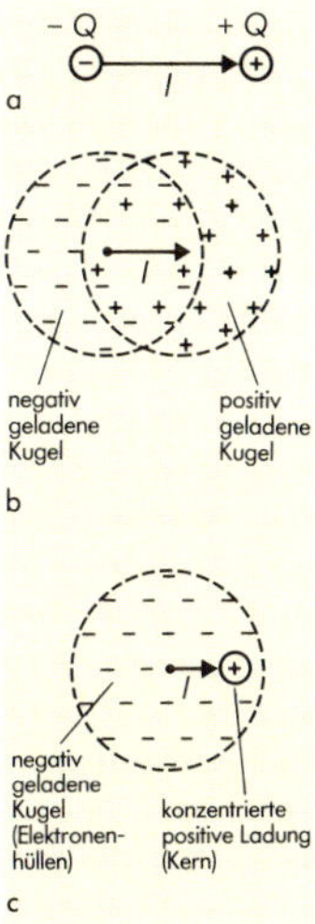

Dipol: Modell eines elektrischen Dipols aus a zwei konzentrierten Ladungen vom gleichen Betrag und b zwei Ladungsverteilungen, c Modell eines polarisierten Atoms; *l* Abstand der Ladungen

Paul Dirac

Dipylon: Dipylonvase (Anfang 8. Jh. v. Chr.; München Staatliche Antikensammlung)

sich als innerer, mit einem magnet. Moment verbundener Drehimpuls äußert.

Directoire [dirɛkˈtwaːr, frz.] *das,* Kunst- und Modestil während des frz. Direktoriums (1795–99), zw. Louis-seize und Empire. In der Architektur herrschen Symmetrie und große freie Flächen nach antikem Muster mit sparsamen Ornamenten (Palmetten, Mäander) vor. Nach dem Vorbild der röm. Kaiserzeit trugen die Frauen dünne, lose fallende Hemdkleider mit hoher Taille (→Chemise), flache Schuhe und kurzes gelocktes Haar. Die Herren trugen →Pantalons in Schaftstiefeln, Rock und darunter üppige Halstücher im offenen Hemdkragen; dazu Zweispitz oder Zylinder.

Dire Dawa (Diredaua), Stadt in Äthiopien, an der Bahnlinie Djibouti – Addis-Abeba, 1200 m ü. M.; 98100 Ew.; Textil-, Zementind.; bed. Handelsplatz für Kaffee und Häute; Flughafen.

direkte Aktion, Kampfmethode der Verfechter des →Syndikalismus und der neuen Linken.

direkter Speicherzugriff (engl. direct memory access, Abk. DMA), der Datenaustausch zw. Speicher und Peripheriegeräten eines Computers unter Umgehung der Zentraleinheit.

direkte Steuern, Steuern, die das Einkommen oder Vermögen des Steuerpflichtigen unmittelbar erfassen und i. d. R. nicht überwälzbar sind (z. B. Lohnsteuern); Ggs.: →indirekte Steuern.

Direktinvestitionen (Auslandsinvestitionen), langfristige Kapitalanlagen im Ausland, um eine dauerhafte und unmittelbare Einflussnahme auf ein dortiges Unternehmen zu erhalten (Ggs.: →Portfolioinvestition). D. erfolgen, indem Filialen oder Tochtergesellschaften errichtet oder Beteiligungen an Unternehmen erworben werden. Gründe für D. sind u. a. kostengünstigere Produktion, Erschließung, Ausbau und Sicherung von Absatz- und Beschaffungsmärkten, Inanspruchnahme von Steuervorteilen und Subventionen, Umgehung von Handelshemmnissen (z. B. Zölle) und anderen staatl. Auflagen (z. B. Arbeits- und Umweltschutzbestimmungen).

📖 ZELGERT, J. E.: *Internat. D.en. Theoret. Ansätze u. empir. Befunde internationaler Realkapitalbewegungen. Idstein 1993.* – PLUM, M.: *Auswirkungen von D.en in Empfängerländern. Bergisch Gladbach u. a. 1995.*

Direktionsgröße, die →Richtgröße.

Direktionskraft, die →Rückstellkraft, manchmal auch die Richtgröße.

Direktionsrecht, aus dem Arbeitsverhältnis entspringendes Recht des Arbeitgebers, dem Arbeitnehmer hinsichtlich des Inhalts der Arbeitsleistung (Art, Umfang, Ort und Zeit) und der Ordnung des Betriebes Weisungen zu erteilen, soweit dies nicht gesetzlich, tarif- oder einzelvertraglich geregelt ist.

Direktive [frz.] *die,* Richtlinie, Verhaltensregel, Weisung.

Direktkraftsteuerung, Steuerung eines Flugzeugs oder Flugkörpers durch Beeinflussung des Kräftegleichgewichts, wobei Flugbahn und Lagewinkel unabhängig voneinander sind. Mit D. können Einzelbewegungen des Flugzeugs voneinander unabhängig gemacht (entkoppelt) werden, sodass das Flugzeug schneller auf Steuerkommandos reagiert.

Direktmandat, →Erststimme.

Direktor [lat.], **1)** *allg.:* 1) Leiter eines Unternehmens, auch einer großen Behördenabteilung. **General-D.** ist der Vorstandsvors. einer AG, auch einer bed. Bibliothek, eines bed. Museums. 2) Leiter einer Fachschule oder höheren Schule.

2) *Funktechnik:* Draht definierter Länge, der in einem festgelegten Abstand vor einer Dipolantenne zur Erhöhung der Richtwirkung angebracht wird.

Direktorium [lat.] *das,* **1)** *allg.:* Gemeinschaft aus mehreren Personen, die zur Leitung eines Unternehmens, einer wiss. Anstalt oder einer Organisation berufen sind.

2) *Geschichte:* (frz. Directoire) die oberste Regierungsbehörde in Frankreich von 1795 (Sturz Robespierres) bis 1799 (Staatsstreich Napoleon Bonapartes am 18. Brumaire des Jahres VIII, 9. 11. 1799); bestand aus fünf Mitgl., u. a. P. de Bazzas, L. Carnot, E. Sieyès. Es suchte, die bürgerl. Republik gegen Royalisten und Jakobiner zu sichern.

Direktrice [-ˈtriːs(ə), frz.] *die,* leitende Angestellte in der Bekleidungsherstellung; Ausbildung: Lehre als Schneiderin, anschließend Fachschule.

Direktsendung, die Livesendung (→live).

Direktumwandler (Wandler), Anlagen und Vorrichtungen, die unmittelbar eine Energieform in eine andere, insbes. in elektr. Energie, umwandeln, z.B. →Brennstoffzelle, →Solarzelle, →magnetohydrodynamischer Generator.

Direktverkauf (Direktabsatz), der Absatz von Waren vom Erzeuger unmittelbar an Verwender oder Verbraucher ohne Einschaltung eines Groß- und Einzelhandelsbetriebs.

Dirham, →Währung ÜBERSICHT.

Dirichlet [diriˈkle], Johann Peter Gustav, eigtl. Lejeune-D., Mathematiker, *Düren 13. 2. 1805, †Göttingen 5. 5. 1859; arbeitete bes. über Zahlentheorie, unendl. Reihen, Integralrechnung, Potenzialtheorie und Randwertprobleme.

Peter Dirichlet

Dirigent [lat.], Leiter eines Chores oder Orchesters.

Dirigismus [lat.] *der,* Form der staatl. Wirtschaftslenkung; i.w.S. die vollständige zentrale Lenkung einer Volkswirtschaft (Planwirtschaft), i.e.S. nicht systemkonforme wirtschaftspolit. Maßnahmen in einer Marktwirtschaft (z.B. Lohn- und Preisstopps, Devisenbewirtschaftung, Investitionslenkung, übertriebene bürokrat. Regulierungen). (→Interventionismus)

Dirke, *grch. Mythos:* die Gemahlin des theban. Königs Lykos, wurde, da sie →Antiope gepeinigt hatte, von deren Söhnen an die Hörner eines Stiers gebunden (dargestellt in der Marmorgruppe »Farnesische Stiere«) und durchs Gebirge geschleift, bis Dionysos sie in eine Quelle verwandelte.

Dirks, Walter, Publizist und Schriftsteller, *Dortmund 8. 1. 1901, †Wittnau 30. 5. 1991; war 1923–33 Kulturredakteur der »Rhein-Main. Volkszeitung«, 1935–43 Feuilletonredakteur der »Frankfurter Zeitung«; nach dem 2. Weltkrieg Mitbegründer der »Frankfurter Hefte« und Leiter der Hauptabteilung Kultur des Westdt. Rundfunks (1956–67). D. trat für einen christl. Sozialismus ein; er schrieb u.a. »Das schmutzige Geschäft – Politik und die Verantwortung der Christen« (1965); »War ich ein linker Spinner? Republikan. Texte« (1983).

Walter Dirks

Dirne [ahd. thiorna »Jungfrau«], *veraltet:* Mädchen (vom Lande), Magd (österr. und bair. Dirndl); Prostituierte.

Dirschau, Stadt in Polen, →Tczew.

Dis (D. pater), der röm. Gott der Unterwelt, gleichgesetzt mit dem grch. →Hades.

dis... (di..., vor f dif...) [lat.], auseinander..., miss..., un..., z.B. *Disproportion,* Missverhältnis.

Disagio [disˈaːdʒo, italien.] *das* (Abschlag), Spanne, um die der Preis oder Kurs hinter dem Nennwert eines Wertpapiers oder der Parität einer Geldsorte zurückbleibt. Aktien dürfen nicht mit D. ausgegeben werden; Ggs.: Agio.

Discountbroker [ˈdɪskaʊntbrəʊkə, engl.] *der,* Wertpapierhandelsunternehmer, der Effektenkommissionsgeschäfte zu vergleichsweise niedrigen Gebühren, jedoch ohne weitergehende Beratungsdienstleistungen abwickelt.

Discounter [dɪsˈkaʊntə, engl.] *der* (Discountladen, Diskontgeschäft), Einzelhandelsunternehmen, das unter Verzicht auf Dienstleistungen Kostenersparnisse erzielt und dadurch Preisnachlässe gewähren kann.

Discovery [dɪsˈkʌvərɪ; engl. »Entdeckung«], Name einer amerikan. Raumfähre (→Spaceshuttle); erster bemannter Start am 30. 8. 1984.

Disengagement [dɪsɪnˈgeɪdʒmənt, engl.] *das,* polit. Begriff, bezeichnete im Ost-West-Konflikt eine polit. Forderung, die bes. auf das Auseinanderrücken der Machtblöcke in Mitteleuropa ausgerichtet war.

Disentis (bündnerroman. Mustér, amtl. Disentis/Mustér), Wintersport- und Kurort im Kt. Graubünden, Schweiz, am Vorderrhein, 1150 m ü.M., 2200 Ew.; östlicher Ausgangspunkt der Straße über den Oberalp- und nördlicher der über den Lukmanierpass; Benediktinerabtei (gegr. um 750, Neubau 1696–1712 nach Plänen von K. Moosbrugger).

Diseur [diˈzøːr, frz.] *der,* **Diseuse** [-ˈzøːz(ə)] *die,* Sprecher bzw. Sprecherin, Vortragskünstler bzw. -künstlerin, bes. im Kabarett.

Disincentives [dɪsɪnˈsentɪvz, engl.], staatliche, v.a. steuerl. Maßnahmen, die hemmend auf den privaten ökonom. Leistungswillen wirken; können z.B. zu einer Verminderung der Investitionen führen; Ggs.: Incentives.

disjunkt heißen zwei Mengen A und B, wenn sie keine Elemente gemeinsam haben, d.h., wenn ihr mengentheoret. Durchschnitt die leere Menge ist; in Zeichen: $A \cap B = \emptyset$.

Disjunktion [lat.] *die, Logik, Informatik:* Verknüpfung zweier Aussagen durch »oder«; Grundfunktion der Schaltalgebra.

Diskant [lat.] *der,* Oberstimme, Sopran, auch hohe Tonlage eines Instruments. Als **D.-Schlüssel** (Sopranschlüssel) wird der C-Schlüssel auf der untersten Notenlinie bezeichnet.

Diskette [zu engl. disk »Schallplatte«] *die* (Floppydisk), in einer festen Hülle befindl., schallplattenähnl., flexible Scheibe mit einer magnetisierbaren Schicht. Die D. dient bei elektron. Datenverarbeitungsanlagen als externer →Speicher für Daten und Programme. Durch einen ovalen Ausschnitt in der Hülle hat der zum **D.-Laufwerk** gehörende Schreib-Lese-Kopf Zugang zur Magnetscheibe; Informationen können so auf die rotierende Scheibe aufgeschrieben bzw. aus ihr gelesen werden. Ausführungen: 8-Zoll-D., $5^1/_4$-Zoll-D. **(Minifloppy),** $3^1/_2$-Zoll-D. **(Mikrofloppy).**

Diskjockey ['dɪskdʒɔke, engl.] *der* (Deejay), Programmgestalter und Moderator in Diskotheken. D. haben in den 1980er-Jahren im Umfeld von Rap, House und Techno durch das Zusammenmischen vorhandener Musik zu neuer sowie durch die Veröffentlichung am Computer hergestellter eigener Soundkreationen einen dem Musiker vergleichbaren künstler. Stellenwert erhalten.

Diskographie *die,* Verzeichnis von Tonträgern aller Art, insbes. Schallplatten.

Diskont [italien.] *der* (Diskonto), Zinsabzug beim Ankauf noch nicht fälliger Forderungen, insbesondere von Wechseln, durch Banken (D.-Geschäft) für die Zeit vom Verkaufstag bis zur Fälligkeit der Forderung bzw. des Wechsels. Der Verkäufer erhält die um den D. verkürzte Wechselsumme gutgeschrieben. Die Wechsel (Diskonten) bleiben bis zum Einzug am Verfalltag bei den Banken oder werden an die Zentralbank weiterverkauft **(Rediskontierung).** Der **D.-Satz,** zu dem die Zentralbank Wechsel diskontiert, wird nach wirtschaftspolit. Aspekten festgelegt und hat eine gewisse Leitfunktion. Die anderen Banken diskontieren i. Allg. zu einem über dem amtl. D.-Satz liegenden Satz. Die D.-Rechnung erfolgt nach den gleichen Grundsätzen wie die Zinsrechnung. Die Banken berechnen ferner meist eine Provision sowie Spesen. – Die Festsetzung des D.-Satzes **(D.-Politik)** ist eines der »klass.« Mittel der Notenbank zur Beeinflussung des gesamten Zinsniveaus und damit der Konjunkturlage; sie bewirkt eine Erhöhung oder Verminderung der umlaufenden Geldmenge.

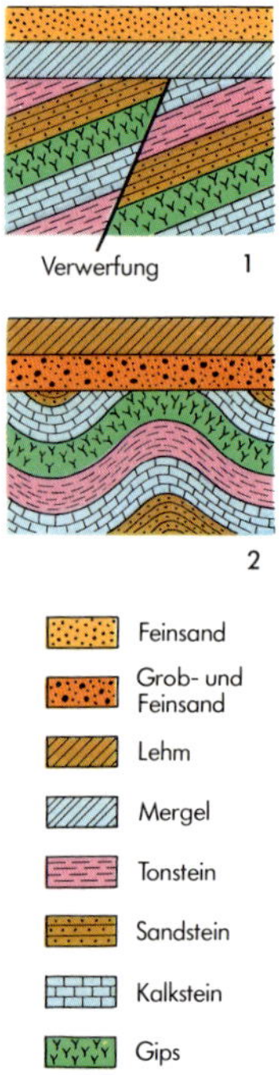

Diskordanz:
1 Winkeldiskordanz über verworfenen und tektonisch verstellten Schichten,
2 Winkeldiskordanz über gefalteten Schichten

diskontinuierlich [lat.], Bez. für Größen, die sich sprunghaft ändern.

diskontinuierlicher Betrieb (Chargenbetrieb), *Verfahrenstechnik:* Betriebsform, bei der ein Apparat mit den zu verarbeitenden Stoffen gefüllt und nach einer bestimmten Zeit, in der die gewünschte Stoffumwandlung stattfindet, wieder entleert wird.

Diskontinuitätsfläche (Unstetigkeitsfläche), *Physik:* Fläche, in deren Normalenrichtung sich eine physikal. Größe, Eigenschaft bzw. ein Zustand sprunghaft ändert, z. B. der Übergangsbereich zw. zwei Strömungen unterschiedl. Geschwindigkeit und Richtung.

Diskordanz [lat.] *die, Geologie:* bei Sedimentgesteinen das winklige Anschließen (»Abstoßen«) der Schichten eines Gesteinskomplexes gegenüber denen seines Hangenden **(Winkel-D., tekton. D.).** Bei Magmenkörpern, Gängen und Salzstöcken versteht man unter D. das winklige oder unregelmäßige Durchsetzen der Nebengesteine. I. w. S. bezieht man die D. auch auf die durch Sedimentationsunterbrechung oder Erosion hervorgerufenen Schichtlücken **(Erosions-D., Semi-D.).** Von **Schein-D.** spricht man bei Schräg- und Kreuzschichtung. Ggs.: → Konkordanz.

Diskothek [grch.] *die,* **1)** Archiv mit Beständen an Schallplatten, Tonbändern u. Ä. (→ Phonothek).

2) (kurz Disko) Tanzlokal in dem Musik von Tonträgern gespielt wird.

diskreditieren [lat.], jemanden in Verruf bringen, jemandes Ansehen schaden.

Diskrepanz [lat.] *die,* Unstimmigkeit, Zwiespältigkeit, Missverhältnis.

diskret [frz.], **1)** *allg.:* verschwiegen, unauffällig.

2) *Physik, Mathematik:* nur in endl. Schritten veränderlich, aus isolierten Elementen bestehend; Ggs.: kontinuierlich.

Diskriminante [lat.] *die,* algebraischer Ausdruck, der sich aus den Koeffizienten einer algebraischen Gleichung zusammensetzt und aus dem zu erkennen ist, ob die Lösungen reell oder komplex sind, ohne diese selbst zu kennen. Beispiel: Die D. der quadrat. Gleichung $ax^2+bx+c=0$ lautet b^2-4ac. Ist $D>0$, so hat die quadrat. Gleichung zwei reelle Lösungen, für $D=0$ eine reelle und für $D<0$ zwei komplexe Lösungen.

Diskriminanzanalyse, *Statistik:* Methode zum Gewinnen eines Maßes (Index), das erlaubt, zwei oder mehr Gruppen von statist. Daten (mit mehreren Merkmalen) zu unterscheiden.

Diskriminator [lat.] *der,* techn. Anordnung, die zwischen zwei Werten unterscheiden kann. – In Funkempfängern eine Schaltung für die Demodulation frequenzmodulierter Schwingungen. Eine Amplitudenbegrenzung und damit eine Störverminderung bewirkt der bei der Rundfunkempfangstechnik gebräuchl. Verhältnisdetektor (Ratiodetektor).

Diskriminierung [lat. »(Unter)scheidung«], **1)** *Außenwirtschaft:* unterschiedl. Behandlung der einzelnen Partnerstaaten im Außenhandel. D. liegt vor beim Abweichen von der → Meistbegünstigung, bei unterschiedl. Devisenbestimmungen für bestimmte Währungsräume oder Länder und zahlreichen weiteren nichttarifären Handelshemmnissen (Zölle, Kontingentierung, Importverbote u. a.). Die internat. Wirtschaftsorganisationen (z. B. die WTO) treten für den Abbau von D. ein.

2) *Soziologie:* Ungleichbehandlung, Benachteiligung v. a. von sozialen Minderheiten aufgrund von Merkmalen wie rass. oder ethn. Zugehörigkeit, Geschlecht, religiöse oder politisch-weltanschaul. Überzeugung, Zugehörigkeit zu bestimmten sozialen Gruppen.

📖 MARKEFKA, M.: *Vorurteile – Minderheiten – D. Ein Beitrag zum Verständnis sozialer Gegensätze. Neuwied u. a. ⁷1995.*

Walt Disney: Minnie, Mickymaus und Donald Duck vor der Kulisse von Euro-Disneyland bei Paris

Diskriminierungsverbot, Verbot der ohne sachl., von der Rechtsordnung gebilligten Grund vorgenommenen nachteiligen Ungleichbehandlung. D. gibt es bes. im politisch-soziolog. und im Grundrechtsbereich (→Gleichheitssatz). Ein D. gegen Kartelle, marktbeherrschende Unternehmen u.Ä. enthält ferner das Gesetz gegen Wettbewerbsbeschränkungen (GWB) und das auf dem Prinzip der souveränen Gleichheit der Staaten aufgebaute Völkerrecht.

Diskurs [lat.] *der,* **1)** *allg.:* Abhandlung, Erörterung.

2) *Philosophie:* bei J. Habermas Verfahren der argumentativ-dialog. Prüfung von Behauptungen oder Aufforderungen mit dem Ziel, einen universalen, d.h. für alle vernünftig Argumentierenden gültigen Konsens zu erreichen. Das **diskursive Denken** ist das schrittweise begriffl. Denken im Ggs. zum intuitiven Denken.

3) *Sprachwissenschaft:* der aktuelle Vollzug von Sprache. Die **D.-Analyse** erfolgt auf versch. Ebenen; so werden in der Gesprächsforschung die intonator., stilist., aber auch die außersprachl. Verständigungsmittel über den reinen Sinnzusammenhang hinaus untersucht.

Diskus [lat.-grch.] *der, Sport:* Wurfscheibe, von 22 (für Frauen 18) cm Durchmesser, 2 (für Frauen 1) kg Gewicht und 45 (für Frauen 38) mm Dicke, die beim **D.-Werfen,** einem olymp. Weitwurfwettbewerb, aus einem Wurfkreis mit 2,50 m Ø im Schleuderwurf herausgeworfen wird.

Diskussion [lat.] *die,* Auseinandersetzung (über ein Thema), Aussprache, Meinungsaustausch.

Dislokation [zu lat. dislocare »verschieben«] *die,* **1)** *allg:* Lageveränderung.

2) *Geologie:* durch Faltung, Überschiebung oder Verwerfung gestörte Lagerung eines Gesteins.

Disney ['dɪznɪ], Walt E., amerikan. Filmproduzent, *Chicago (Ill.) 5. 12. 1901, †Burbank (Calif.) 15. 12. 1966. Seine Zeichentrickfilme hatten Welterfolg (»Mickey-Mouse«-Serie, 1928 begonnen; »Donald Duck«, seit 1934; »Schneewittchen«, 1937; »Pinocchio«, 1939/40; »Bambi«, 1941/42; »Cinderella«, 1949; »Alice im Wunderland«, 1951), ebenso seine Kultur- und Dokumentarfarbfilme (»Die Wüste lebt«, 1953; »Wunder der Prärie«, 1954) und Spielfilme (u.a. »20000 Meilen unter dem Meer«, 1954). D. ist Gründer der →Walt Disney Co.

📖 Eliot, M.: *W. D. Genie im Zwielicht. A. d. Amerikan. München 1994.*

Walt Disney

Dispache [dis'paʃ(ə), frz.] *die,* im Seehandelsrecht die Aufstellung (Aufmachung) der Schadensrechnung bei der großen →Havarie, auch Plan zur Verteilung des Havarieschadens auf Schiff, Fracht und Ladung. Die D. wird nach dt. Recht von einem gerichtlich vereidigten Sachverständigen, dem **Dispacheur,** aufgestellt.

Dispatcher [dɪs'pætʃər, engl.] *der,* leitender Angestellter im Ind.betrieb, der Koordinierungs-, Kontroll- und Steuerungsaufgaben wahrnimmt und für einen reibungslosen Produktionsablauf verantwortlich ist (z.B. Auslastung der Arbeitskräfte und der Kapazität, Überwachung des Zeitplans).

Dispens [lat.] *der,* **1)** *kath. Kirche:* Befreiung von kirchl. Gesetzen im Einzelfall durch die zuständige kirchl. Autorität (Bischof, Ordensoberer, Pfarrer), sofern diese nicht dem Papst vorbehalten ist.

2) *Recht:* die Befreiung von einem gesetzl. Verbot im Einzelfall, im Unterschied zur Erlaubnis. Der D. soll i.d.R. unbillige Härten für den Einzelnen vermeiden oder aus Gründen des Allgemeinwohls ausgesprochen werden. Er hat im Verwaltungs-, bes. im Baurecht Bedeutung. D. im Eherecht ist die Befreiung von Eheverboten (→Eherecht).

Dispenser [engl.] *der,* Hilfsfahrzeug zur Betankung von Flugzeugen aus Unterflurtankanlagen.

Dispergiermittel, grenzflächenaktive Stoffe, die die Benetzung erhöhen und so die Bildung von →Dispersionen erleichtern.

Dispersion [lat.] *die,* **1)** *Chemie:* ein System aus mehreren Phasen, von denen eine kontinuierlich **(D.-Mittel)** und mindestens eine weitere fein verteilt ist **(disperse Phase),** z.B. Emulsion, Aerosole.

2) *Physik:* die Abhängigkeit einer physikal. Größe oder Erscheinung von der Wellenlänge; i.e.S. die Wellenlängenabhängigkeit der Brechzahl und damit der Ausbreitungsgeschwindigkeit einer Welle in einem Medium. Die D. der Brechzahl bewirkt, dass Licht versch. Wellenlängen beim Übergang zw. zwei Medien mit unterschiedl. Brechzahl versch. stark gebrochen wird. Daher wird weißes Licht beim Durchgang durch ein Prisma in seine

Diskussion
Das Schwierigste am Diskutieren ist nicht, den eigenen Standpunkt zu verteidigen, sondern ihn zu kennen.
André Maurois

farbigen Bestandteile (Spektrum) zerlegt. Nimmt die D. mit zunehmender Wellenlänge ab, spricht man von **normaler D.**, ansonsten von **anomaler Dispersion.** Die Quantentheorie erklärt die D. als Folge der Wechselwirkung der Welle mit den atomaren Bausteinen der Materie.

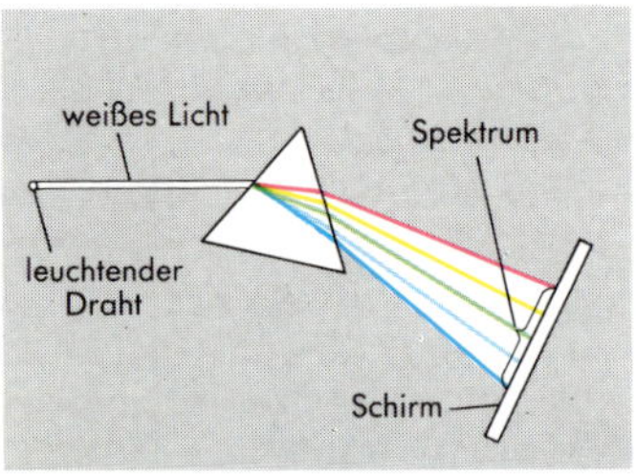

Dispersion 2): Aufspaltung von weißem Licht (links); kontinuierliches Spektrum bei normaler Dispersion (unten)

3) *Statistik:* (Streuungsquadrat, Varianz) Maß für die →Streuung bzw. Variation von statist. Beobachtungen (→Zufallsgrößen).

Dispersionsfarben (Binderfarben), pigmentierte Anstrichmittel und Künstlerfarben auf der Grundlage einer Kunststoff- oder Kunstharzdispersion (Binder). Sie sind mit Wasser verdünnbar und nach dem Trocknen wasserunlöslich.

Dispersionskräfte (London-Kräfte), →zwischenmolekulare Kräfte.

Displaced Persons [dɪsˈpleɪst ˈpəːsnz; engl. »verschleppte Personen«], Abk. **D. P.**, Personen nichtdeutscher Staatsangehörigkeit, die im 2. Weltkrieg von den dt. Besatzungsbehörden in das Gebiet des Dt. Reiches verschleppt worden (als Zwangsarbeiter) oder dorthin geflüchtet waren. Am Ende des 2. Weltkriegs befanden sich etwa 8,5 Mio. D. P. im Gebiet des früheren Dt. Reiches; sie wurden von Hilfsorganisationen der UNO betreut und repatriiert oder in andere Staaten umgesiedelt. Der Status der in der Bundesrep. Dtl. verbliebenen D. P. wurde durch Gesetz geregelt (→heimatlose Ausländer).

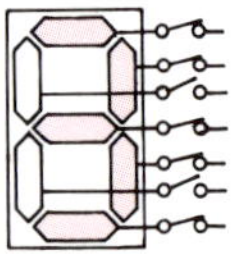

Display 2): 7-Segment-Anzeige; jedes Bildelement hat eine eigene Zuleitung

Display [dɪsˈpleɪ, engl.] *das,* **1)** *Handel:* im Rahmen der Verkaufsförderung eingesetzte Werbemittel (Plakate, Produktständer, Regalstopper).

2) *Physik:* Anzeigesystem, das elektr. Signale von Maschinen, Messgeräten, Uhren, Computern u. a. in für das menschl. Auge erkennbare Zeichen umwandelt.

Disponenden [lat.], *Buchherstellung:* →Konditionsgut.

Disponent [lat.] *der,* Angestellter, der aufgrund von Vollmachten für bestimmte Geschäftsbereiche selbstständig und verantwortlich handeln und verfügen kann.

disponieren [lat.], etwas einteilen, über etwas oder jemanden verfügen.

Dispositio Achillea, →Albrecht 6).

Disposition [lat. »Anordnung«] *die,* **1)** *allg.:* Plan, Gliederung.

2) *Medizin:* angeborene oder erworbene Erkrankungsbereitschaft des Organismus; Gesamtheit der inneren Krankheitsbedingungen im Unterschied zur Exposition.

3) *Orgelbau:* Auswahl der Stimmen und ihre Verteilung auf die einzelnen Werke.

Dispositionsfonds [-fɔ̃], Gelder, deren Verwendung in das freie Ermessen des Staatsoberhauptes bzw. der Verwaltung, bes. der Ministerien, gestellt ist.

Dispositionsmaxime (Verfügungsgrundsatz), die Prozessmaxime, dass die Parteien über Beginn, Gegenstand und Ende des Prozesses bestimmen (bes. im Zivilprozess). Das Gericht wird nur tätig, wenn (durch Klageerhebung), soweit (im Rahmen der gestellten Anträge) und solange (also nicht mehr nach Klage- oder Rechtsmittelrücknahme, Vergleich, beiderseitiger Erledigungserklärung) die Parteien Rechtsschutz begehren.

dispositives Recht (lat. Ius dispositivum, nachgiebiges Recht), zusammenfassende Bez. für Rechtsvorschriften, von denen im Einzelfall durch Vereinbarung abgewichen werden kann. Ggs.: zwingendes Recht.

Disproportion, Missverhältnis.

Disproportionierung, chem. Reaktion, bei der ein Element mit mittlerer Oxidationszahl gleichzeitig in eine höhere und eine tiefere Oxidationsstufe übergeht, z. B. die D. von Chlor in wässriger Lösung:

$$\overset{0}{Cl}_2 + OH^- \rightarrow \overset{-1}{Cl} + HO\overset{+1}{Cl}$$

Disput [lat.] *der,* Streitgespräch.

Disputation *die,* urspr. die öffentl. Auseinandersetzung zw. Gelehrten zur Klärung wiss. Streitfragen (z. B. die D. Luthers mit J. Eck 1519 in Leipzig); später v. a. die Verteidigung einer wiss. Arbeit zur Erlangung eines akadem. Grads.

Disqualifikation *die, Sport:* der Ausschluss vom Wettkampf bei Verletzen der Regeln oder bei Disziplinarverstößen.

Benjamin Disraeli

Disraeli [dɪzˈreɪlɪ], Benjamin, Earl of Beaconsfield (seit 1876), brit. Politiker und Schriftsteller, *London 21. 12. 1804, †ebd. 19. 4. 1881; aus jüd. Familie italien. Herkunft, trat 1817 der anglikan. Kirche bei, wurde 1837 Abg. und 1848 Führer der Konservativen im Unterhaus. Als Schatzkanzler (1852, 1858–59 und 1866–68) setzte er die Wahlrechtsreform von 1867 durch, womit er die Stimmen der nun wahlberechtigten Arbeiter zu gewinnen hoffte. Als Premiermin. (1868 und 1874–80) verband er seine konservativen Ideen mit dem imperialist. Gedanken, den er außenpolitisch verwirklichte. 1875 erwarb er die Mehrheit der Suezkanalaktien für Großbritannien, 1876 veranlasste er die Erhebung der Königin Viktoria zur Kaiserin von Indien, 1878 trat er auf dem Berliner Kongress Russlands Balkanplänen erfolgreich entgegen und erreichte von der Türkei die Abtretung Zyperns. Innenpolitisch bed. waren 1875 Gesetze zur Verbesserung des Gesundheitswesens und zur Sicherstellung des rechtl. Status der Gewerkschaften. D. verfasste mehrere Tendenzromane zu politisch-sozialen Fragen seiner Zeit, u.a. »Vivian Grey« (5 Bde., 1826–27), »Coningsby« (3 Bde., 1844). – »Selected speeches«, hg. von T. E. Kebbel (2 Bde., 1882).

Dissens [lat.] *der, Recht:* beim Vertragsabschluss die objektive Nichtübereinstimmung der Erklärungen der Beteiligten; sie verhindert das Zustandekommen des Vertrages.

Dissenters [dɪˈsentəz; engl. »Andersdenkende«] (auch Nonconformists), die nicht zur engl. Staatskirche, jedoch zur Anglikan. Kirchengemeinschaft gehörenden Gruppen in England (Kongregationalisten, Presbyterianer, Baptisten, Quäker).

Dissertation [lat.] *die* (Inauguraldissertation), selbstständige, schriftliche wiss. Abhandlung, die für die Zulassung zum Promotionsverfahren (Erwerb des Doktorgrades) an wiss. Hochschulen gefordert wird. Die D. müssen i.d.R. gedruckt oder als Mikrofilm vorgelegt werden, um den Austausch der D. zw. Instituten und Bibliotheken zu ermöglichen.

Dissident [lat.] *der,* i.w.S. jemand, der in einem Gemeinwesen von den herrschenden polit., weltanschaul. und religiösen Grundsätzen abweicht; i.e.S. wurden Angehörige der osteurop. Bürgerrechtsbewegungen D. genannt.

Dissimilation [lat.] *die,* **1)** *Biologie:* Abbau körpereigener Stoffe in lebenden Zellen der Organismen unter Freisetzung von Energie (z.B. Atmung, Gärung); Ggs.: Assimilation.

2) *Sprachwissenschaft:* Verminderung der phonet. Ähnlichkeit gleicher oder ähnlicher Laute eines Wortes, z.B. frz. »pélérin« (»Pilger«) aus lat. »peregrinus«.

Dissipation [lat.] *die* (Energie-D.), *Physik:* Übergang irgendeiner Energieform in Wärme.

dissipative Strukturen, offene Systeme weitab vom thermodynam. Gleichgewicht, die sich durch nichtlineare Gleichungen beschreiben lassen. Ihre Stabilität beruht auf der Balance von Nichtlinearität und Energiedissipation (→ Selbstorganisation).

Dissonanz [frz.] *die,* **1)** *allg.:* Unstimmigkeit.

2) *Musik:* eine aus zwei oder mehr Tönen bestehende Tonverbindung, die nach Auflösung in die → Konsonanz drängt. Die atonale Musik hebt den Unterschied von D. und Konsonanz auf, indem sie D. und Konsonanz gleichwertig behandelt.

Dissousgas [diˈsu-, frz.], → Aceton.

Dissoziation [lat.] *die,* **1)** *allg.:* Trennung, Auflösung.

2) *Chemie* und *Physik:* Spaltung chem. Bindungen unter Bildung kleinerer Einheiten; Ggs.: Assoziation. Bei der **therm. D.** (z.B. von Gasen) wird die benötigte Energie als Wärme zugeführt; entstehen bei der D. Atome, spricht man auch von **Atomisierungswärme.** Die therm. D. läuft i.d.R. erst bei hohen Temperaturen ab. Die D. von Elektrolyten in Lösungen **(elektrolyt. D.)** lässt sich dagegen infolge der energetisch günstigen Wechselwirkung der gebildeten Ionen mit dem Lösungsmittel **(Solvatationsenergie)** bereits bei Zimmertemperatur beobachten. Bei schwachen Elektrolyten (z.B. Essigsäure) stellt sich ein **D.-Gleichgewicht** ein, dessen Lage durch die **D.-Konstante** beschrieben wird. Die **photochem. D.** spielt u.a. bei der Entstehung des → Ozonlochs eine Rolle.

distal [lat.], *Anatomie:* vom Mittelpunkt oder der Mittelebene eines Lebewesens entfernt gelegen; Ggs.: proximal.

Distanz [lat.] *die,* räuml. Abstand, Entfernung.

Distanzgeschäft (Fernkauf), Kauf, bei dem die Ware laut Vertrag an den Wohnsitz oder die Niederlassung des Käufers zu übersenden ist; zu unterscheiden vom Versendungskauf.

Di Stefano, Giuseppe, italien. Sänger (Tenor), * Motta Sant'Anastasia (bei Catania) 24. 7. 1921; bed. Interpret lyr. italien. Opernpartien.

Distel, verschiedene stachlige Pflanzen, meist Korbblütler, bes. Gatt. **Carduus** mit der **Nickenden D.** (Carduus nutans), Gatt. **Cirsium** mit der schlanken, kleinköpfigen **Acker-, Kratz-D.** (Cirsium arvense), der rot blühenden **Wollkopfkratz-D.** (Cirsium eriophorum) und der gelblich blühenden Fettwiesenpflanze **Kohl-D.** (Cirsium oleraceum); Gatt. **Esels-D.** (Onopordon), bis 2 m hoch.

Distel: Nickende Distel (Höhe 30 – 100 cm)

Distelfalter (Spannweite etwa 5 cm)

Distelfalter (Vanessa cardui), weltweit (Ausnahme: Südamerika) verbreiteter bunter Fleckenfalter; seine Raupe lebt bes. an Disteln.

Distelfink, der →Stieglitz.

Distelorden

Distelorden (The Most Ancient and Most Noble Order of the Thistle), urspr. schottischer, jetzt hoher brit. Orden; soll der Sage nach zu Ehren des Schutzpatrons von Schottland, Sankt Andreas, gegründet worden sein; wurde 1687 von König Jakob II. erneuert.

Distelrasen, Basaltrücken zw. Vogelsberg und Rhön, wird von der Bahnlinie Bebra–Frankfurt am Main im D.-Tunnel (Schlüchterner Tunnel, 3575 m lang) zw. Schlüchtern und Flieden unterfahren.

Disthen [grch. »doppelkräftig«] *der* (Cyanit), blaues bis weißes, oft durchsichtiges, meist stängeliges triklines Mineral, Modifikation von $Al_2[O|SiO_4]$ (→Andalusit); kommt in kristallinen Schiefern vor.

Disthen

Distichon [grch. »Doppelvers«] *das,* Strophe aus zwei Versen versch. Versmaßes; meist Zeilenpaar aus Hexameter und Pentameter (elegisches D.), z.B. Schillers D. auf das D.:

Im Hexameter steigt des Springquells flüssige Säule,
Im Pentameter drauf fällt sie melodisch herab.

Hugo Distler

Distler, Hugo, Komponist und Organist, *Nürnberg 24. 6. 1908, †(Selbstmord) Berlin 1. 11. 1942; schuf einen neuen Stil in der evang. Kirchenmusik, in dem sich lineare Polyphonie und ausdrucksstarker Textvortrag verbinden. Seine Werke (Chormusik, u.a. Mörike-Chorliederbuch, 1939; Motetten, Klavier-, Orgelstücke) wurden von den Nationalsozialisten als »entartet« abgelehnt.

Distorsion [lat.] *die,* **1)** *Medizin:* die →Verstauchung.

2) *Optik:* (Verzeichnung) ein →Abbildungsfehler.

Distribution [lat.] *die,* **1)** *allg.:* Verteilung.

2) *Mathematik:* verallgemeinerte Funktion, erklärt als lineares Funktional, z.B. das →Deltafunktional. D. erweitern die Differenzierbarkeitsbedingungen von reellen Funktionen und ermöglichen die mathemat. korrekte Formulierung vieler physikal. Probleme.

3) *Wirtschaft:* In der *Betriebswirtschaftslehre* alle Aktivitäten und Absatzorgane, die der Verteilung von Gütern an die Endkäufer dienen. D. ist das Bindeglied zw. Produzenten und Nutzern von Gütern und Dienstleistungen. Die D.-Politik umfasst als Teilbereich der Absatz- oder Marketingpolitik alle Entscheidungen, die die Akquisition von Aufträgen und die Verteilung der verkauften Güter (Vertrieb, Logistik) betreffen. – In der *Volkswirtschaftslehre* die Verteilung von Einkommen und Vermögen auf soziale Schichten, Personengruppen und Personen. **D.-Theorien** formulieren Hypothesen über die Bestimmungsgründe der funktionellen und personellen Verteilung des Volkseinkommens (→Einkommensverteilung).

Distributionalismus *der,* linguist. Forschungsrichtung, die Sprache als ein durch die Distribution sprachl. Zeichen zu definierendes System versteht und damit auch die Wortbedeutung und den Satzsinn zu ermitteln sucht. Der D. baut auf dem →Deskriptivismus auf.

Distributivgesetz, *Mathematik:* eines der Körperaxiome: Sind auf einem →Körper mit den Elementen $a, b, c, \ldots$ 2 Verknüpfungen (z.B. $\cdot$ und $+$, allg. $\circ$ und $*$) definiert und gilt $a \cdot (b + c) = a \cdot b + a \cdot c$ (allg. $a \circ (b * c) = a \circ b * a \circ c$), so heißt die Verknüpfung $\cdot$ ($\circ$) **distributiv** bezüglich der Verknüpfung $+$ ($*$). →Verband

District of Columbia ['dɪstrɪkt əv kə'lʌmbɪə], Abk. **D. C.,** Bundesdistrikt der USA mit der Bundeshauptstadt Washington, 178 km², (1993) 578 400 Ew.; am linken Ufer des unteren Potomac River. – Der D. of C. wurde 1791 als neutrales, zu keinem Bundesstaat gehörendes Territorium geschaffen, das dem Kongress der USA unmittelbar untersteht.

Distrikt [lat.] *der,* **1)** Bezirk, Kreis, Verwaltungseinheit.

2) *Forstwesen:* abgegrenzte Waldfläche.

Disziplin [lat.] *die,* 1) das Einhalten von bestimmten Vorschriften oder Regeln, (Unter-, Ein-)Ordnung; 2) Spezialgebiet, Wissenschaftszweig; 3) Sportart.

Disziplinargerichtsbarkeit, von den Verwaltungsgerichten ausgeübte besondere Gerichtsbarkeit in Angelegenheiten des Disziplinarrechts für Beamte. Sie ist zuständig für die Entscheidungen im förml. Disziplinarverfahren und für die richterl. Nachprüfung der aufgrund der Disziplinarordnungen ergangenen Entscheidungen der Dienstvorgesetzten. Sie kann sämtl. gesetzlich vorgesehenen Disziplinarmaßnahmen verhängen. Die D. über Bundesbeamte wird ausgeübt in erster Instanz durch das Bundesdisziplinar-Ger. in Frankfurt am Main, Rechtsmittel-Ger. ist das Bundesverwaltungs-Ger. (Disziplinarsenate; Sitz Berlin, wird nach Leipzig verlegt). In den Ländern sind i.d.R. die Verwaltungs-Ger. (Disziplinarkammern) erste Instanz und die Oberverwaltungs-Ger. bzw. Verwaltungsgerichtshöfe zweite Instanz. Für die D. über Richter bestehen Dienst-Ger., für Soldaten Wehrdienstgerichte.

Disziplinarrecht, Rechtsvorschriften, die Inhalt und Behandlung von Dienstvergehen der Beamten, Richter und Soldaten regeln. Quellen des bundesrechtlichen D. sind das Bundesbeamten-Ges. (BBG), das Beamtenrechtsrahmen-Ges. (BRRG) sowie die Bundesdisziplinarordnung (BDO), für Landes- und Kommunalbeamte die im Wesentlichen gleichen Landesbeamten-Ges. und Landesdisziplinarordnungen. Für Richter sind das Dt. Richter-Ges. sowie die Landesrichter-Ges. mit den entsprechenden Disziplinarordnungen maßgebend. Zentraler Begriff des D. ist das **Dienstvergehen**; es liegt vor, wenn ein Beamter (auch im Ruhestand) schuldhaft die ihm obliegenden Pflichten verletzt. Ob einzuschreiten, also ein Disziplinarverfahren einzuleiten ist, liegt im pflichtgemäßen Ermessen der Behörde unter Würdigung der Tat, der Persönlichkeit sowie des gesamten dienstl. und außerdienstl. Verhaltens des Betroffenen. **Disziplinarmaßnahmen** nach der BDO sind: Verweis, Geldbuße, Gehaltskürzung, Versetzung in ein Amt derselben Laufbahn mit geringerem Endgrundgehalt, Entfernung aus dem Dienst, Kürzung oder Aberkennung des Ruhegehalts. Gegen die Maßnahmen sind Rechtsmittel möglich, sie unterliegen darüber hinaus der Tilgung (fristengebundene Entfernung aus den Personalakten) und der Begnadigung. – Das D. für Soldaten ist im Soldaten-Ges., in der Wehrbeschwerdeordnung und in der Wehrdisziplinarordnung geregelt. Die Wehrdisziplinarordnung unterscheidet zw. einfachen Disziplinarmaßnahmen (z.B. Ausgangsbeschränkung) und gerichtl. Disziplinarmaßnahmen (z.B. Beförderungsverbot; →Wehrrecht).

In *Österreich* ist das D. für Bundesbeamte im Beamten-Dienstrechts-Ges. vom 27. 6. 1979 vergleichbar geregelt. Disziplinarbehörden sind: Dienstbehörde, Disziplinarkommission, Disziplinaroberkommission. In der *Schweiz* ist das D. Sache aller drei staatl. Ebenen (Bund, Kantone, Gemeinden), im Bund geregelt durch Art. 30ff. des Bundesgesetzes über das Dienstverhältnis der Bundesbeamten vom 30. 6. 1927. Die Überprüfung von Disziplinarmaßnahmen obliegt den Verw.gerichten.

📖 *D. des Bundes u. der Länder, bearb. v.* E. SCHÜTZ. *Loseblatt-Ausg. Bielefeld* ^{3}*1976 ff.* – STILLER, T.: *D. des Bundes u. der Länder. Regensburg 1991.* – SCHNUPP, G.: *Beamten- u. D. Ein Grundriß für Ausbildung u. Praxis anhand der bundes- u. landesrechtl. Vorschriften. Hilden* ^{8}*1994.*

Disziplinarverfahren, Verfahren zur Aufklärung und Ahndung von Dienstvergehen von Beamten, Richtern und Soldaten, das ein Vorermittlungsverfahren und ein förml. D. umfasst. Werden Tatsachen bekannt, die den Verdacht eines Dienstvergehens rechtfertigen, veranlasst der Dienstvorgesetzte die erforderl. Vorermittlungen. Auch der Betroffene selbst kann ein D. gegen sich beantragen, bes. um sich von Verdächtigungen zu befreien. Im Ergebnis kann das D. eingestellt, durch den Dienstvorgesetzten in leichteren Fällen eine Disziplinarmaßnahme ausgesprochen oder durch schriftl. Einleitungsverfügung der Behörde das förml. D. vor dem Disziplinar-Ger. eingeleitet werden. Gleichzeitig kann die Einleitungsbehörde den Beamten vorläufig seines Dienstes entheben. Die Hauptverhandlung ist grundsätzlich nicht öffentlich. (→Disziplinarrecht)

Ditfurth, 1) Hoimar von, Publizist, *Berlin 15. 10. 1921, †Freiburg im Breisgau 1. 11. 1989, Vater von 2); seit 1968 Prof. für Psychiatrie und Neurologie in Heidelberg, trat v.a. als Wissenschaftsjournalist und Sachbuchautor hervor.

Werke: Kinder des Weltalls (1970); Im Anfang war der Wasserstoff (1972); Wir sind nicht nur von dieser Welt (1981); So laßt uns denn ein Apfelbäumchen pflanzen (1985).

Hoimar von Ditfurth

2) Jutta, Politikerin, *Würzburg 29. 9. 1951, Tochter von 1); Journalistin, 1984–89 im Bundesvorstand der Partei Die Grünen, Wortführerin ihres fundamentalist. Flügels, gründete im Dez. 1991 die Partei der »Ökolog. Linken« (Abk. ÖkoLi).

Dithmarschen, 1) histor. Landschaft im westl. Holstein, die sich von der Elbe- bis zur Eidermündung entlang der Nordseeküste erstreckt. Urspr. ein Gau des nordelb. Sachsen, wurde D. von Karl d.Gr. unterworfen und gehörte seit dem 11. Jh. zum Erzbistum Hamburg-Bremen. Es wusste sich eine große Selbstständigkeit zu sichern, sodass es im späten MA. als Bauernfreistaat gelten konnte. Die Geschlechterverbände (Kluften) gaben dem Land bis zum 16. Jh. einen festen Zusammenhalt. Die Eroberungszüge der Dänenkönige, die 1460 Herzöge von Holstein geworden waren (seit 1474 Lehnsherren), scheiterten wiederholt (Schlacht bei Hemmingstedt, 17. 2. 1500); erst 1559 gelang die Unterwerfung (→Holstein).

2) Landkreis in Schlesw.-Holst., 1436 km^2, (1996) 133 400 Ew.; Krst. ist Heide.

Dithyrambos [grch.] *der* (Dithyrambe), altgrch. Kultlied auf Dionysos (seit dem 6. Jh. v. Chr. auch auf andere Götter und Heroen), das musikalisch vorgetragen wurde. In Attika entwickelte sich aus dem D. die Tragödie.

Ditters von Dittersdorf, Karl, urspr. K. Ditters (1773 geadelt), österr. Komponist, *Wien 2. 11. 1739, †Schloss Rothlhotta (bei Neuhof, heute Nové Dvory, Mittelböhm. Gebiet) 24. 10. 1799; gehört mit seinen etwa 40 Opern und Singspielen (»Doktor und Apotheker«, 1786) zu den Begründern der dt. komischen Oper.

Karl Ditters von Dittersdorf (zeitgenössischer Kupferstich)

Ditzenbach, Bad, →Bad Ditzenbach.

Ditzingen: Plastik eines keltischen Kriegers, Sandstein, Höhe 1,5 m (6. Jh. v. Chr.; Stuttgart, Württembergisches Landesmuseum)

Ditzingen, Stadt im Landkreis Ludwigsburg, Große Kreisstadt, Bad.-Württ., im Strohgäu, 23 500 Ew.; metall-, chem. Industrie. – Spätgot. Pfarrkirche. Im Ortsteil Hirschlanden wurde die Großplastik eines kelt. Kriegers gefunden.

Diu, Insel mit der gleichnamigen Festungsstadt vor der S-Spitze der Halbinsel Kathiawar, W-Indien, 38 km^2. – 1535–1961 portugies. Kolonie; bildete 1961 zus. mit Daman und →Goa ein Unionsterritorium, aus dem Goa 1987 als Bundesstaat ausgegliedert wurde. (→Daman und Diu).

Diurese [grch.] *die,* die Harnausscheidung durch die Nieren.

Diuretika [grch.], die →harntreibenden Mittel.

diurnaler Rhythmus [lat. diurnus »täglich«], rhythmisch wechselndes Tag-Nacht-Verhalten bei Lebewesen, z. B. Säurewechsel (→CAM-Pflanzen) oder Stellungswechsel der Blätter bei →Schlafbewegungen.

Diva [lat. »die Göttliche«] *die,* gefeierte Künstlerin (Bühne, Film u. a.).

Divan, →Diwan.

Divergenz [lat.] *die,* **1)** *allg.:* das Auseinandergehen (von Meinungen, Zielen); Ggs.: Konvergenz.

2) *Mathematik:* a) In der Analysis ist eine Folge bzw. Reihe **divergent,** wenn sie keinen →Grenzwert besitzt, andernfalls **konvergent.** b) Operation der Vektoranalysis, die einem Vektorfeld $\boldsymbol{v}(\boldsymbol{r})$ ($\boldsymbol{r}$: Ortsvektor) in einem kartesischen Koordinatensystem das Skalarfeld $\operatorname{div} \boldsymbol{v}(\boldsymbol{r}) = \partial\boldsymbol{v}/\partial\boldsymbol{r} = \partial v_x/\partial x + \partial v_y/\partial y + \partial v_z/\partial z$ zuordnet.

3) *Physik:* das Auseinanderlaufen von Strahlenbündeln (→Linse).

Diversifikation [lat.] *die, Betriebswirtschaft:* Erweiterung des Fertigungs- und/oder Absatzprogramms eines Unternehmens um bisher nicht angebotene Produkte. Bei der horizontalen D. stehen die neuen Produkte auf der bisherigen Produktions- oder Vertriebsstufe und besitzen mit ihr einen sachl. Zusammenhang (z. B. gleiche Zielgruppe, gleiches Material). Bei der vertikalen D. werden Leistungen einer vorgelagerten (Rückwärtsintegration) oder nachgelagerten Produktions- oder Vertriebsstufe (Vorwärtsintegration) neu in das Produktionsprogramm aufgenommen. Die laterale D. umfasst die Angliederung von außerhalb der bisherigen Tätigkeit liegenden Produkten. Sie führt zu Mischkonzernen (Konglomeraten).

Diversität *die* (Artenmannigfaltigkeit), *Biographie:* die Vielfalt von Arten in einem →Biom.

Divertimento [italien.] *das* (Divertissement), *Musik:* seit der 2. Hälfte des 18. Jh. Bez. für ein meist mehrsätziges, suiten- oder sonatenartiges Instrumentalwerk; auch freies Zwischenspiel in der Fuge; in frz. Opern des 17./18. Jh. Ballett- oder Gesangseinlage.

divide et impera! [lat. »teile und herrsche!«], die polit. Maxime, Macht durch Spaltung der Gegner zu gewinnen; wird, ohne Beweis, auf Ludwig XI. von Frankreich zurückgeführt.

Dividend [lat.] *der,* →Division.

Dividende [lat. »das zu Verteilende«] *die,* Anteil eines Gesellschafters am Reingewinn der Gesellschaft (AG, GmbH), ausgedrückt in einem Prozentsatz der Kapitalbeteiligung. Über die Gewinnverwendung (u. a. den Anspruch auf D.) beschließt die Hauptversammlung. **D.-Papiere** sind Wertpapiere (Aktien) mit Anspruch auf Gewinnanteil; Ggs.: festverzinsl. Wertpapiere mit Anspruch auf Zinsvergütung. Der **D.-Schein (D.-Kupon)** berechtigt zum Bezug der Jahres-D.; er ist Zubehör der Beteiligung (Aktie).

Dividivi [indian.-span.] *Pl.,* Gerbmittel, Schoten der südamerikan. **Caesalpinia coriaria,** eines Baumes aus der Familie der Hülsenfrüchtler.

Divina Commedia [italien. »Göttliche Komödie«], das Hauptwerk von →Dante Alighieri.

Divination [lat.] *die,* Ahnung, Voraussage künftiger Ereignisse; Ahnung des Heiligen in den ird. Phänomenen.

Divine Light Mission [di'vaın 'laıt 'mıʃn; engl. »Mission des göttl. Lichts«], 1960 in Indien gegr. Gurubewegung, die sich seit 1970 durch das Wirken des Guru Maharaj Ji (* etwa 1958) auch im Westen ausbreitete. Im Mittelpunkt des meist klösterl. Lebens der Anhänger der D. L. M. steht die Meditation.

Divis [von lat. divisus »geteilt«] *das,* Bindestrich.

Division [lat. »Teilung«] *die,* **1)** *Mathematik:* Grundrechenart, das Teilen **(Dividieren)** einer Zahl a **(Dividend)** durch eine Zahl b **(Divisor,** $b \neq 0$). Das Ergebnis

$$x = a:b = a/b = \frac{a}{b}$$

heißt **Quotient;** Umkehrung der Multiplikation, für die $a = x \cdot b$ gilt.

2) *Militärwesen:* seit Ende des 18. Jh. Truppenverband der mittleren Führungsebene. Die D.-Gliederung wurde von Napoleon I. eingeführt. Die D. ist heute ein Großverband mit General- und Spezial-Stabsabteilungen; sie wird nach der Haupttruppengattung bezeichnet, z. B. Panzergrenadier-, Panzer-, Jäger-, Gebirgs-, Luftlandedivision.

Divisor [lat.] *der* (Teiler), →Division.

Divus [lat. »von göttlicher Natur«], Ehrenname röm. Kaiser, die nach ihrem Tode zur Staatsgottheit erhoben wurden. Als Erster erhielt diesen Titel Cäsar, seit Augustus wurde die Konsekration immer mehr zur Regel.

DIW, Abk. für →**D**eutsches **I**nstitut für **W**irtschaftsforschung.

Diwan (Divan) [pers.] *der,* **1)** Polsterliege.

2) Gedichtsammlung meist eines einzelnen oriental. Dichters; bekannt ist Goethes in Anlehnung an pers. Dichtung entstandener »West-östlicher Divan« (1819).

Dix, Otto, Maler und Grafiker, *Untermhaus (heute zu Gera) 2. 12. 1891, †Singen (Hohentwiel) 25. 7. 1969; der bedeutendste Maler des Verismus in den 1920er-Jahren; 1927–33 Prof. an der Kunstakademie in Dresden, 1934 entlassen und mit Ausstellungsverbot belegt. In seinen Werken prangerte D. Krieg, polit. und soziale Missstände sowie Entwürdigung des Menschen an. Sein schonungsloser bis ins Groteske gehender Detailrealismus, der von großer maler. Vitalität ist, erregte bes. in seinen Kriegsbildern Aufsehen. Später schuf er v. a. Landschaften und religiöse Bilder.

📖 BECK, R.: *O. D. 1891–1969. Zeit, Leben, Werk. Konstanz 1993. – O. D. Gemälde, Aquarelle, Zeichnungen, Graphik, hg. v.* R. BAYER. *Ausst.-Kat. Galerie Bayer, Bietigheim-Bissingen, 1993.*

Dixence, La [- di'sãs] *die,* linker Nebenfluss der Rhone im schweizer. Kt. Wallis mit dem Stausee (2364 m ü. M.) der D.-Kraftwerke, Fassungsvermögen rd. 400 Mio. m³. Die Staumauer **Grande D.** ist eine der höchsten der Erde (284 m).

Dixie (Dixieland), volkstüml. Bez. für die Südstaaten der USA.

Dixielandjazz ['dɪksɪlænd 'dʒæz], um 1890 in den Südstaaten der USA nach dem Vorbild des New-Orleans-Jazz durch Weiße geschaffener Jazzstil.

Diyarbakır [di'jarbakər] (Diarbekr), Prov.-hauptstadt in SO-Anatolien, Türkei, am oberen Tigris, 375 800 Ew.; kath. Erzbischofssitz, Univ.; Textil-, Nahrungsmittel-, Papierind.; Verkehrsknotenpunkt. – 5,5 km lange Stadtmauer mit vier Toren und 78 Wehrtürmen; zahlreiche Moscheen, u. a. Ulu Camii (1091/92). – D. war als **Amida** seit etwa 230 röm. Kolonie, später unter pers. und byzantin. Herrschaft, seit 640 arabisch, kam 1515 an die Osmanen; gilt als Hptst. des türk. Kurdistan.

Djagga [dʒ-], Volk in Tansania, →Chaga.

Djalal od-Din Rumi [dʒ-], bedeutendster Dichter der persisch-islam. Mystik, *Balkh (heute Afghanistan) 30. 9. 1207, †Konya (heute Türkei) 17. 12. 1273; stiftete den Derwischorden der Mewlewije. In seinem Hauptwerk »Mesnewi« steht die Sehnsucht nach der Wiedervereinigung mit Gott im Mittelpunkt.

📖 SCHIMMEL, A.: *Rumi. Ich bin Wind u. du bist Feuer. Leben u. Werk des großen Mystikers. München* ⁸*1995.*

Djebel [dʒ-] (Dschebel, Jebel, Jabal, Gabal, Gebel), arabisch für Berg, Gebirge. Mit D. zusammengesetzte Begriffe suche man unter dem Eigennamen.

Otto Dix: Mittelteil des Triptychons »Großstadt« (1927/28; Essen, Museum Folkwang)

Djellaba [dʒ-, arab.] *die,* nordafrikan. Übergewand aus grobem Wollstoff mit Kapuze.

Djenné [dʒɛ'ne], Marktstadt im Niger-Binnendelta, Mali, etwa 10 000 Einwohner. – Mächtige Moschee im sudanes. Lehmbaustil (1905, Erstbau 13. Jh.). – Um 1250 gegr., war D. lange islam. Kulturzentrum; Überreste des alten D., einer Handelsstadt (um 1400 verlassen); Funde bed. Terrakottaplastiken und Bronzen (11.–14. Jh.; **D.-Stil**). Die vorislam. und islam. Stadt gehören zum UNESCO-Weltkulturerbe.

Djerba [dʒ-], fruchtbare Insel in der Kleinen Syrte, Tunesien; 514 km², 114 100 Ew.; Hauptort: Houmt-Souk; seit der Römerzeit durch einen Damm (6,4 km) mit dem Festland verbunden; bed. Fremdenverkehr, internat. Flughafen.

Djenné: Moschee im sudanesischen Lehmbaustil (1905, Erstbau 13. Jh.)

Djibouti
Fläche: 23 200 km²
Einwohner: (1995) 577 000
Hauptstadt: Djibouti
Verwaltungsgliederung: 4 Distrikte
Amtssprachen: Arabisch und Französisch
Nationalfeiertag: 27. 6.
Währung: 1 Djibouti-Franc (FD) = 100 Centimes (c)
Zeitzone: MEZ +2 Std.

Staatswappen

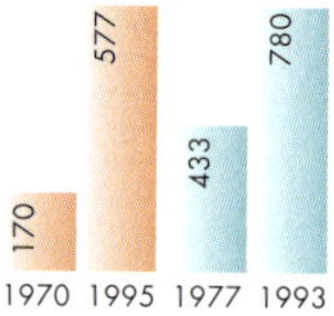

Bevölkerung (in 1000)
Bruttosozialprodukt je Ew. (in US-$)

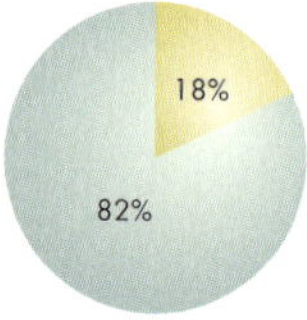

Bevölkerungsverteilung 1993

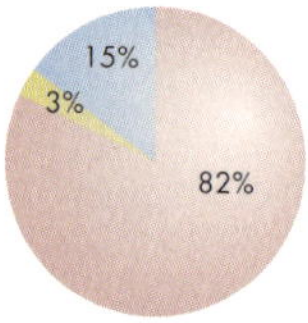

Bruttoinlandsprodukt 1993

Djibouti [dʒi'buti] (Dschibuti, amtl. arab. Djumhurijja Djibuti, amtl. frz. République de D.), Staat in NO-Afrika, am Bab el-Mandeb zw. Rotem Meer und Golf von Aden, grenzt im N an Eritrea, im W und SW an Äthiopien und im SO an Somalia.

Staat und Recht: Durch Volksabstimmung vom 4. 9. 1992 gebilligt, trat am 15. 9. 1992 eine novellierte Verf. in Kraft, die ein Mehrparteiensystem begründete. Die Parteien sind gehalten, ein ethn. Gleichgewicht unter ihren Mitgl. herzustellen. Nach der Verf. ist D. eine präsidiale Rep.; Staatsoberhaupt ist der mit weitgehenden Machtbefugnissen ausgestattete Präs. (für sechs Jahre direkt gewählt); er übt gemeinsam mit dem Kabinett unter Vorsitz des MinPräs. die Exekutivgewalt aus. Die Legislative liegt bei der Nationalversammlung (65 Abg. für fünf Jahre gewählt).

Landesnatur: D. liegt in der Afarsenke (Danakilsenke), eine vorwiegend flache Halbwüste mit Salztonebenen und Salzseen wie dem Lac Abbé und dem Lac Assal (mit 153 m u. M. tiefste Stelle des afrikan. Kontinents). Im N steigen Vulkanberge bis 1775 m ü. M. auf. – Von der Arab. Halbinsel weht ein trocken-heißer, staubhaltiger Wind; die jährl. Niederschläge liegen bei durchschnittlich 130 mm; zw. Mai und Oktober können die Temperaturen bis über 55 °C steigen; die durchschnittl. relative Luftfeuchtigkeit beträgt 74 %.

Bevölkerung: Die vorwiegend (96 %) muslim. Bev. besteht aus zwei ethn. Gruppen, den etwa 35 % Afar (→Danakil) im N und W und den mehr als 50 % Issa sowie anderen Somalstämmen (→Somal) im S; ferner gibt es Europäer (v. a. Franzosen) und Araber. Das Schulwesen ist wenig entwickelt; es besteht keine Schulpflicht; die Analphabetenquote der einheim. Bev. wird auf 84 % geschätzt.

Wirtschaft, Verkehr: Wichtigster Wirtschaftsfaktor ist der Dienstleistungssektor. Die Haupteinnahmen stammen aus dem Transitverkehr der Eisenbahnlinie (erbaut 1897–1915) nach Addis Abeba (Äthiopien) und dem Warenumschlag im internat. Hochseehafen Djibouti. Außerdem ist die Hptst. dank der stabilen Währung ein Bankenzentrum. Nur 2 % der Landesfläche sind für den Anbau geeignet, knapp 11 % dienen als wenig fruchtbares Weideland. Es wird Fischfang betrieben und Meersalz gewonnen.

In der Hauptstadt, in der etwa die Hälfte der Ew. lebt, gibt es einen internat Flughafen.

Geschichte: Das Gebiet des heutigen D. stand seit dem 7. Jh. unter arab., seit dem 16. Jh. unter türk. Herrschaft. Um die Mitte des 19. Jh. geriet es in den frz. Einflussbereich. Durch Zusammenlegung der frz. Erwerbungen Obok (1862) und D. (1892) entstand 1896 die Kolonie **Französisch-Somaliland,** die 1967 als **Afar- und Issa-Territorium** begrenzte Autonomie, 1977 als D. die Unabhängigkeit erhielt. D. wurde Mitgl. der Arab. Liga. Frankreich behielt starken polit. und wirtsch. Einfluss. Nachdem Präs. H. Gouled Aptidon (seit 1977, mehrfach wiedergewählt) D. 1981 auf der Basis des von ihm geführten Rassemblement populaire pour le progrès (RPP) zum Einparteienstaat umgebildet hatte, entwickelte sich eine Widerstandsbewegung, die v. a. von den Afar getragen wurde. Gestützt auf die Widerstandsbewegung Front pour la Restauration de l'Unité et de la Démocratie (Abk. FRUD; gegr. 1991) kam es ab 1991 zum Aufstand der Afar gegen die Regierung, die sich v. a. auf die Issa stützt. Mit dem In-Kraft-Treten einer neuen Verf. (1992) endete das Einparteiensystem. Am 27. 12. 1994 unterzeichneten gemäßigte Kräfte der FRUD und die Regierung ein Friedensabkommen; 1996 wurde die FRUD als legale Partei zugelassen.

📖 WAIS, I.: *Dschibuti. Entwicklungsprobleme u. Perspektiven kleiner Staaten. Ein Fallbeispiel. Osnabrück 1991.* – MATTHIES, V.: *Äthiopien, Eritrea, Somalia, D. Das Horn von Afrika. München ³1997.*

Djibouti [dʒi'buti] (Dschibuti), Hptst. der Rep. Djibouti, am Golf von Aden, 383 000 Ew.; Getränkeind.; bed. Dienstleistungs- und Transitzentrum; Hochseehafen, Endpunkt der Bahnlinie aus Addis Abeba, internat. Flughafen. – 1888 gegründet.

Djibran [dʒ-], christlich-libanes. Schriftsteller, →Djubran.

Djidda: Terminal des von dem amerikanischen Architektenbüro Skidmore, Owings & Merill erbauten Flughafens (1982)

Djidda [dʒ-] (Dschidda, Jidda, Jedda), Hafenstadt in Saudi-Arabien, am Roten Meer, 1,5 Mio. Ew.; Sitz auswärtiger diplomat. Vertretungen; Univ.; Wirtschaftszentrum des Landes mit Erdölraffinerie, Stahl- und Zementwerk; Sitz zahlr. Banken und Versicherungen. Der Überseehafen und der internat. Flughafen (1981 eröffnet) haben größte Bedeutung v. a. für Mekkapilger.

Djihad [dʒ-; arab. »Bemühen«] *der* (Dschihad), im Islam der allumfassende Einsatz für die Sache Gottes (Allahs); beinhaltet für den Muslim die Pflicht, nach seinen Möglichkeiten zur Verbreitung des Islam beizutragen und dessen Herrschaftsgebiet (Dar al-Islam) zu verteidigen oder zu vergrößern; wird in diesem Sinn bes. als heiliger Kampf (auch Krieg) gegen die Gegner des Islam vertanden, wobei der Koran jedoch zw. den Ungläubigen (Polytheisten) und den Empfängern der göttl. Offenbarung (Juden und Christen) unterscheidet; diese dürfen entsprechend im Ggs. zu Ersteren nicht zwangsbekehrt werden.

Djilas ['dʒi-], Milovan, jugoslaw. Politiker und serb. Schriftsteller, * Polja (bei Kolašin, Montenegro) 12. 6. 1911, † Belgrad 20. 4. 1995; ab 1940 Mitgl. des Politbüros der KP, organisierte im 2. Weltkrieg den Partisanenkrieg in Montenegro. Ab 1945 Min. ohne Geschäftsbereich und Sekr. des Politbüros, wurde er 1953 nach Wiedererrichtung Jugoslawiens unter kommunist. Herrschaft (1953) Vizepräs. der Republik. 1954 verlor er wegen seiner Abkehr vom Kommunismus, die v. a. in seinen Schriften »Die neue Klasse« (dt. 1958) und »Gespräche mit Stalin« (dt. 1962) zum Ausdruck kam, alle Ämter und war seitdem fast ununterbrochen inhaftiert. 1966 wurde er begnadigt.

Weitere Werke: Njegoš oder Dichter zwischen Kirche und Staat (Biographie, dt. 1968); Verlorene Schlacht (R., 1970); Der Wolf in der Falle (Erz.en, 1973); Der Krieg der Partisanen. Memoiren (dt. 1978); Tito (Biographie, dt. 1980); Menschenjagd (Erz.en, dt. 1985).

Djinn [dʒ-] *der,* →Dschinn.

Djoser, ägypt. König der 3. Dynastie, regierte um 2609–2590 v. Chr.; ließ durch seinen Baumeister →Imhotep die 1. Pyramidenanlage, die mit Kultbauten versehene Stufenpyramide bei Sakkara, erbauen. Die hier gefundene Statue des Königs ist die älteste lebensgroße altägypt. Steinplastik.

Djubail [dʒ-], Stadt in Saudi-Arabien, →Jubail.

Djubran [dʒ-] (D. Chalil, Djabran, Djibran, Gibran Khalil), christlich-libanes. Schriftsteller und Maler, * Bischarri 6. 12. 1883, † New York 10. 4. 1931; schrieb in arab. und engl. Sprache Prosa- und Versdichtungen, Kurzgeschichten und Essays, in denen er sich gegen Klerikalismus, bürgerl. Gesellschaft und Zivilisation wandte und einen myst. Pantheismus und eine primitivist. Haltung vertrat.

Milovan Djilas

DKFZ, Abk. für →**D**eutsches **K**rebs**f**orschungs**z**entrum.

DKP, Abk. für →**D**eutsche **K**ommunistische **P**artei.

DLG, Abk. für →**D**eutsche **L**andwirtschafts-**G**esellschaft e. V.

DLH, Abk. für →**D**eutsche **L**uft**h**ansa AG.

DLR, Abk. für →**D**eutsches Forschungs- und Managementzentrum für **L**uft- und **R**aumfahrt e. V.

Djoser: Steinskulptur, Ausschnitt (um 2600 v. Chr.; Kairo, Ägyptisches Museum)

Dnjepr: Blick auf den Kachowkaer Stausee bei Saporoschje

DLRG, Abk. für →**D**eutsche **L**ebens-**R**ettungs-**G**esellschaft.

dm, Einheitenzeichen für Dezimeter, 1 dm = 0,1 m.

DM (D-Mark), Abk. für →**D**eutsche **M**ark.

DMA, →direkter Speicherzugriff.

DME, Abk. für engl. **d**istance **m**easuring **e**quipment, in der Luftfahrt verwendetes elektron. Entfernungsmessgerät.

DM-Eröffnungsbilanz, die nach dem Ges. vom 21. 8. 1949 von allen Kaufleuten der Bundesrep. Dtl. bis 30. 6. 1951 aufzustellende Bilanz, die mit der Umstellung von RM auf DM eine Neubewertung der Kapitalverhältnisse ermöglichte. – Die nach dem Ges. über die Eröffnungsbilanz in DM und die Kapitalneufestsetzung i. d. F. v. 29. 3. 1991 von allen Unternehmen der ehem. DDR (Stichtag 1. 7. 1990) aufzustellende Bilanz in DM diente dazu, in Verwirklichung der Währungs- und Wirtschaftsunion durch Neubewertung der Vermögenswerte und Schulden ein realist. Bild über die Situation der Unternehmen zu erhalten.

Dmitri (Demetrius), russ. Fürsten:

1) D. Iwanowitsch Donskoi, Großfürst von Moskau (seit 1359), *12. 10. 1350, †19. 5. 1389; stärkte die Macht Moskaus und besiegte an der Spitze fast aller russ. Fürstentümer 1380 die Tataren auf dem »Schnepfenfeld« (Kulikowo pole) am Don (daher sein Beiname).

2) D. Iwanowitsch, der jüngste Sohn des Zaren Iwan IV., des Schrecklichen, *19. 10. 1582, †Uglitsch (Gebiet Jaroslawl) 15. 5. 1591; kam unter ungeklärten Umständen ums Leben (möglicherweise auf Befehl Boris Godunows ermordet); wurde 1606 von der russ. Kirche heilig gesprochen. Die damals verbreitete Ansicht, ein anderer sei an seiner Stelle gestorben, ermöglichte das Auftreten mehrerer falscher D.: **Pseudodemetrius I.,** angeblich der entlaufene Mönch Grigori Otrepjew, bekämpfte mit poln. Unterstützung Boris Godunow, bestieg 1605 den Thron, rief aber durch seine Vermählung mit der kath. Polin Maria Mniszech einen Aufstand hervor und wurde 1606 ermordet. **Pseudodemetrius II.,** der »Betrüger von Tuschino« (ermordet 1610) und **Pseudodemetrius III.** (1611/12) waren nur Werkzeuge poln. Politiker und russ. Abenteurer. – Das Schicksal des ersten falschen D. behandelten u. a. Schiller (1805) und Hebbel (1863). Die Krisenzeit nach dem Tod D.s bearbeitete A. S. Puschkin in seinem Versdrama »Boris Godunow« (1815); danach Oper (1874) von M. P. Mussorgski.

Dmowski, Roman, poln. Politiker, *Kamionek (bei Warschau) 9. 8. 1864, †Drozdowo (Kr. Łomza) 2. 1. 1939; führend in der nationalen, antisemit. und antideutschen Bewegung in Polen; forderte den Ausgleich mit Russland. Im Aug. 1917 gründete er ein poln. Nationalkomitee, das die Anerkennung der Westmächte erhielt. Als Vertreter Polens auf der Pariser Friedenskonferenz (1919) setzte D. einen Großteil seines weit reichenden Territorialprogramms durch.

DNA, Abk. für engl. **D**eoxyribo**n**ucleic **a**cid, die →**D**esoxyribo**n**uclein**s**äure.

DNA-Analyse, →genetischer Fingerabdruck.

D-Netz, digitales Funktelefonnetz mit den beiden grenzüberschreitenden Mobilfunknetzen **D1** (Betreiber DeTeMobil) und **D2** (Betreiber Mannesmann Mobilfunk GmbH), die nach dem GSM-Standard (→GSM) arbeiten.

Dnjepr *der* (ukrain. Dnipro, weißruss. Dnjapro, in der Antike Borysthenes), drittlängster Fluss Europas, im osteurop. Flachland, 2200 km lang; entspringt am S-Hang der Waldaihöhen (Russland), durchfließt Weißrussland und die Ukraine, mündet in den D.-Bug-Liman des Schwarzen Meeres. In der Ukraine liegt an seinem Lauf eine Kette von Stauseen mit Wasserkraftwerken (D.-Kaskade): Kiew, Kanew, Krementschug, Dnjeprodserschinsk, Dnjepr, Kachowka. Wichtigste Nebenflüsse sind: Beresina, Pripjet, Ingulez von rechts, Sosch, Desna und Samara von links. Auf 1990 km schiffbar, ist der D. mit seinen Nebenflüssen und den Kanälen zum Bugnebenfluss Muchawez (D.-Bug-Kanal), zu Düna und Memel eine wichtige Verkehrslinie. Am Kachowkaer Stausee beginnt ein Kanal zur Krim (Nordkrimkanal).

Dnjeprodserschinsk (ukrain. Dniprodserschynsk, bis 1936 Kamenskoje), Ind.stadt in der Ukraine, am Dnjepr, 287 000 Ew.; bei D. 567 km² großer Dnjeprstausee mit Wasserkraftwerk (350 MW); Eisenhüttenwerk, Maschinen-, Waggonbau.

Dnjepropetrowsk (ukrain. Dnipropetrowsk, bis 1926 Jekaterinoslaw), Hptst. des Gebiets D., Ukraine, beiderseits des Dnjepr, 1,18 Mio. Ew.; Kulturzentrum mit Univ. u. a. Hochschulen; Ind.stadt mit Stahl-, Walz- und Hüttenwerken (Eisenerze von Kriwoi Rog, Kohle vom Donezbecken, Mangan von Nikopol); Maschinenbau, elektrotechn., chem., Reifen-, Baustoff-, Nahrungsmittel-, Textilind.; Flusshafen, Eisenbahnknotenpunkt, Flughafen. – Zahlr. Bauten im Stil des russ. Klassizismus. – 1783 von Potjomkin gegründet.

Dnjestr *der* (ukrain. Dnister, in der Antike Tyras), Fluss in der Ukraine und in Moldawien (hier zwei Wasserkraftwerke und Pumpspeicherwerk), z. T. Grenze zw. beiden, 1352 km lang, entspringt in den Waldkarpaten und mündet mit dem D.-Liman ins Schwarze Meer; auf 500 km schiffbar.

Dnjestr-Region (Transnistrien), Region in der Rep. Moldawien, zw. Dnjestr und der moldawisch-ukrain. Grenze, rd. 6 000 km². Die Mehrheit der etwa 565 000 Ew. sind Russen und Ukrainer, etwa 40 % sind Moldawier. Hptst. ist Tiraspol. Das Gebiet war seit dem 2. Weltkrieg zum industriellen Schwerpunkt der damaligen Moldauischen SSR ausgebaut worden; v. a. von Russen kontrollierte Rüstungsbetriebe bestimmen das Bild.

Geschichte: Auf dem schmalen Gebietsstreifen am östl. Ufer des Dnjestr errichtete die UdSSR 1924 die Moldauische ASSR, die bis 1940 zur Ukraine, dann zur Moldauischen SSR gehörte. Als sich diese Ende August 1991 als Republik Moldawien für unabhängig erklärte (unter Ankündigung einer langfristig vorgesehenen Vereinigung mit Rumänien) und u. a. das Rumänische zur Staatssprache erheben wollte, rief die russ. und ukrain. Bev.-Mehrheit der D.-R. am 2. 9. 1990 in Tiraspol die **Dnjestr-Republik** aus. Anschließende (1991–92) bürgerkriegsähnl. Kämpfe zw. Polizeieinheiten und Milizen der moldaw. Regierung und aufständ. russisch-ukrain. Milizen beendete 1992 die in Tiraspol stationierte russ. 14. Armee unter General A. Lebed. Nach einem Friedensabkommen (1992), das der D.-R. Autonomie gewährt, wurde dort eine Friedenstruppe aus russ. und moldaw. Soldaten stationiert.

DNL, Abk. engl. für **d**ynamic **n**oise **l**imiter, elektron. Rauschunterdrückungssystem bei beliebigen Tonsignalen.

DNS, Abk. für →**D**esoxyribo**n**uclein**s**äure.

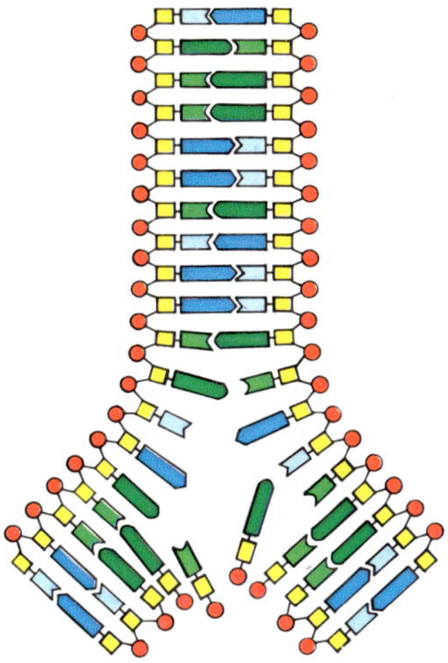

DNS-Replikation: Die bei der semikonservativen Replikation entstehenden Doppelstränge bestehen zur Hälfte aus altem und zur Hälfte aus neuem Material

DNS-Replikation (DNS-Reduplikation), die ident. Verdopplung (Autoreduplikation) der genet. Substanz in lebenden Zellen. Der Verdopplungsmechanismus ist durch die Doppelhelix-Struktur vorgegeben. Die beiden Stränge der DNS trennen sich voneinander, indem die Wasserstoffbrücken zw. den Basenpaaren gelöst werden. Jeder Einzelstrang dient als Matrize für die Synthese des komplementären Strangs. Nach Beendigung der DNS-R. besteht jeder Doppelstrang zur Hälfte aus altem und zur Hälfte aus neuem Material (semikonservative Replikation).

DNVP, Abk. für →**D**eutsch**n**ationale **V**olks**p**artei.

do, die erste der Solmisationssilben (→Solmisation) anstelle des älteren ut. In Italien und Spanien Bez. für den Ton C (in Frankreich meist ut).

Doab [hindustan. »zwei Flüsse«], Bez. für das zw. zwei Strömen gelegene Land, v. a. für das Gebiet zw. Yamuna und Ganges, einer der bestbewässerten und fruchtbarsten Landstriche Indiens.

Döbel (Aitel, Eitel, Dickkopf, Leuciscus cephalus), bis 60 cm langer Karpfenfisch, z. T. räuberisch; beliebter Angelfisch.

Döbel (Länge 60 cm)

Johann Wolfgang Döbereiner

Alfred Döblin: Porträtskizze von Emil Orlik (1926)

Döbeln, 1) Landkreis im RegBez. Leipzig, Sachsen, 424 km² und (1996) 81600 Einwohner.

2) Krst. von 1), in Sachsen, in einer Talweitung der Freiberger Mulde, 25000 Ew.; Maschinenbau, Metall verarbeitende Ind., Möbel-, Süßwaren-, kosmet. Ind.; Bahnknotenpunkt. – Nikolaikirche (14./15. Jh.). – Seit dem 14. Jh. Stadt.

Doberan, Bad, Stadt und Landkreis in Meckl.-Vorp., →Bad Doberan.

Döbereiner, Johann Wolfgang, Chemiker, *Bug (heute zu Berg, Landkr. Hof) 13. 12. 1780, †Jena 24. 3. 1849; Prof. in Jena, wo er das erste chem. Unterrichtslabor einrichtete; untersuchte die katalyt. Eigenschaften des Platins und stellte 1829 die »Triadenregel« als Vorstufe zum Periodensystem der Elemente auf.

Doberlug-Kirchhain, Stadt im Kr. Elbe-Elster, Brandenburg, an der Kleinen Elster, 7900 Ew.; Weißgerbermuseum; Leder-, Möbel-, Baustoffind.; Bahnknotenpunkt. – In **Doberlug** Schloss (2. Hälfte 17. Jh.) und die Ruinen eines Zisterzienserklosters (gegr. um 1165, aufgehoben 1541) mit gut erhaltener roman. Kirche (um 1220). – Entstand 1950 aus Doberlug (1005 Ersterwähnung) und Kirchhain (1234 Ersterwähnung).

Dobermann [nach dem Züchter K. F. L. Dobermann, *1834, †1894], bes. wachsame und mutige Diensthunderasse mit kurzem, glatt anliegendem Haar, schwarz, dunkelbraun oder mit rostroten Flecken; Widerristhöhe: 63–70 cm.

Döblin, Alfred, Schriftsteller, *Stettin 10. 8. 1878, †Emmendingen 26. 6. 1957; Nervenarzt in Berlin, emigrierte 1933 (Frankreich, USA), kehrte 1945 nach Dtl. zurück; seit 1953 wieder in Frankreich. 1910 Mitbegründer der revolutionären expressionist. Zeitschrift »Der Sturm«. Die Entwicklung vom raffenden, bisweilen ekstat. Stil des Expressionismus zur registrierenden neuen Sachlichkeit mit Montagen der Eindrücke moderner Großstadtrealität zeigt sich v.a. in seinem Roman »Berlin Alexanderplatz« (1929). Seine Werke umfassen die myst. Utopia der Innerlichkeit (»Die drei Sprünge des Wang-lun«, R., 1915), Erkenntnis der Ohnmacht des Einzelnen gegenüber Naturgewalten und Kollektivkräften (»Wallenstein«, R., 2 Bde., 1920; »Berge, Meere und Giganten«, 1924; Neufassung »Giganten«, 1932) und die Wendung zum Christentum im Spätwerk; D. schrieb neben Prosa auch Dramen und literaturtheoret. Essays (»Der Bau des epischen Werkes«, 1929).

Ausgabe: Werkausgabe in Einzelbänden, hg. v. W. Muschg u. A. W. Riley, auf zahlr. Bde. ber. (Neuausg. 1987 ff.).

📖 Schröter, K.: *A. D. Reinbek 24.–26. Tsd. 1993.* – Dollinger, R.: *Totalität u. Totalitarismus im Exilwerk D.s. Würzburg 1994.*

Dobermann

Der Züchter dieser Hunderasse, Karl Friedrich Dobermann, übte eine Reihe von Berufen aus, bei denen man Schutz gebrauchen kann: Neben seiner Tätigkeit als Hundefänger seiner Heimatstadt Apolda bei Weimar war er Steuereintreiber, Gerichtsvollzieher und Nachtwächter. Er kreuzte Hütehunde mit Pinschern und Rottweilern, deren Abkömmlinge dann mit Doggen, Deutsch-Kurzhaar und Jagdhunden, um schließlich diese Bastarde mit Greyhounds und Terriern zu paaren. Zu Ehren seines Züchters nannte man den »Gendarmenhund« auch »Dobermannpinscher«.

Dobermann (Widerristhöhe bis 70 cm)

Döbraberg, der höchste Berg des Frankenwaldes, Bayern, 795 m ü. M.

Dobritsch (1949–92 Tolbuchin), Stadt in der Dobrudscha, Bulgarien, 104700 Ew.; Marktzentrum mit Nahrungsmittel-, Textil- und Tabakind., Maschinen- und Gerätebau.

Dobrogea [do'brodʒea], rumän. Name der →Dobrudscha.

Dobroljubow, Nikolai Alexandrowitsch, russ. Kritiker und Publizist, *Nischni Nowgorod 5. 2. 1836, †Sankt Petersburg 29. 11. 1861; forderte wie N. G. Tschernyschewski eine radikal gesellschaftskrit. Literatur; schrieb Aufsätze u.a. über I. A. Gontscharows »Oblomow« und die Dramen A. N. Ostrowskis.

Dobromierz [dɔ'brɔmjɛʃ] (dt. Hohenfriedeberg), Gemeinde in der Wwschaft Wałbrzych (Waldenburg), Polen, 6200 Ew. – Bei Hohenfriedeberg siegte Friedrich d. Gr. über eine zahlenmäßig überlegene österr.-sächs. Armee unter Karl von Lothringen (4. 6. 1745).

Dobrovský [-ski:], Josef, tschech. Slawist, *Gyer met (bei Győr, Ungarn) 17. 8. 1753, †Brünn 6. 1. 1829; Begründer der slaw. Philologie und Theologie; verfasste die erste wiss. Darstellung des Altkirchenslawischen (1822).

Dobrudscha *die* (rumän. Dobrogea), Landschaft auf der Balkanhalbinsel, zw. dem Schwarzen Meer, dem Unterlauf der Donau und ihrem Delta, in Rumänien und Bulgarien. Hauptort ist Constanța in Rumänien. Die D., bis 1880 eine Steppenlandschaft, wurde in fruchtbares Ackerland verwandelt (Getreideanbau, Viehzucht, Weinbau); Fischerei in Strandseen und an der Küste; Aufbereitung von Bodenschätzen (Eisenerz, Pyrit, Steine und Erden); Seebäder an der Schwarzmeerküste. Als Zugang zum Schwarzen Meer ist die D. von großer Bedeutung. Durch den rumän. Teil verläuft seit 1984 der Donau-Schwarzmeer-Kanal.

Seit dem 7. Jh. besiedelten und durchzogen Griechen, Skythen und andere Völker die D., die seit dem 1. Jh. v. Chr. zur röm. Provinz Moesia gehörte. Ende 7. Jh. bis 1018 Mittelpunkt des 1. Bulgar. Reichs, 1018–1186 zu Byzanz; danach im 2. Bulgar. Reich, 1388–95 walachisch, 1417–1878 zum Osman. Reich. 1878 (Berliner Kongress) gewann Rumänien den nördl., nach dem 2. Balkankrieg (1913) auch den südl. Teil, der 1918 (Frieden von Bukarest) wieder zu Bulgarien kam (1919 im Vertrag von Neuilly rückgängig gemacht); die Rückgabe 1940 (Vertrag von Craiova) wurde im Frieden von Paris 1947 bestätigt. – Die **D.-Deutschen** waren nach 1804 (bis 1917) eingewandert, 1923–25 kamen Zweitumsiedler aus Bessarabien; 1940 teilweise Rückumsiedlung nach Deutschland.

Dobson [dɔbsn], William, engl. Maler, getauft London 4. 3. 1611, begraben ebd. 28. 10. 1646; seit 1642 Hofmaler; schuf, von A. van Dyck ausgehend, kraftvoll realist. Porträts.

Dobzhansky [dɔbˈʒɑːnskɪ], Theodosius, amerikan. Biologe russ. Herkunft, *Nemirow (bei Lemberg, Ukraine) 25. 1. 1900, †Davis (Calif.) 18. 12. 1975; veröffentlichte wichtige genet. Untersuchungen an der Taufliege und allgemeine Werke zur biolog. Evolution.

Doce, Rio [ˈriu ˈdosɪ], Fluss in O-Brasilien, rd. 1 000 km lang, entspringt in der Serra do Espinhaço, mündet 100 km nördlich von Vitória in den Atlantik.

Dock [engl.], Anlage in Werften und Häfen zur Trockenlegung von Schiffen für Reinigungs-, Erhaltungs- und Reparaturarbeiten: 1) **Trocken-D.**, ein durch D.-Tore verschließbares, betoniertes Becken. Die D.-Sohle liegt unter dem Wasserspiegel, das eindockende Schiff schwimmt ein, das geschlossene D. wird leergepumpt, das Schiff senkt sich auf die Kielpallen ab und liegt trocken. 2) **Schwimm-D.**, ein vorwiegend für Unterwasserreparaturen und Anstricharbeiten verwendeter hohlwandiger Schwimmkörper; meist u-förmig ausgebildet. Die Boden- und Seitentanks werden beim Absenken des D. geflutet, das Schiff schwimmt ein, das D. wird leergepumpt und hebt sich unter das Schiff. 3) **D.-Schiff**, mobile schiffsähnl. Anlage, deren vorderer Teil den Antrieb beherbergt und deren hinterer Teil als Schwimm-D. ausgebildet ist.

Docke, 1) walzenförmiges Stück, Klotz, Zapfen, z. B. eine kleine gedrehte Säule aus Holz oder Stein; beim Kielklavier: ein Zapfen am hinteren Ende der Taste.

2) ein Bündel, etwas Zusammengedrehtes, z. B. zopfartig zum Strang geformtes Garn, zu Haufen aufgestellte Getreidegarben (Getreidepuppe).

Dockhafen, durch ein Docktor oder eine Schleuse von den wechselnden Außenwasserständen abgetrennter Seehafen, in den Schiffe nur bei ausgespiegelten Wasserständen ein- oder ausfahren können.

Dockingmanöver, das Aneinanderkoppeln (oder Annähern) von zwei Raumfahrzeugen (→Rendezvousmanöver).

Doctorow [ˈdɔktərəʊ] Edgar Laurence, amerikan. Schriftsteller, *New York 6. 1. 1931; verbindet in seinen Romanen postmoderne Techniken mit sozialkrit. und polit. Anliegen; mischt im Stil der »nonfiction novel« histor. Fakten und Figuren mit fiktionalen Elementen in parodist. Manier (»Das Buch Daniel«, R., 1971; »Ragtime«, R., 1975; »Billy Bathgate«, R., 1989).

📖 Morgen, R. von: *Die Romane E. L. D.s im Kontext des postmodernism. Frankfurt am Main u. a. 1993.*

documenta [lat., Pl. von documentum »Dokument«], Ausstellung internat. moderner Kunst, die seit 1955 in Abständen von 4–5 Jahren in Kassel stattfindet und sich das Ziel setzt, die internat. Gegenwartskunst zu dokumentieren und zu interpretieren.

Dodekaeder [grch. dṓdeka »zwölf« und hédra »Fläche«] *das* (Zwölfflächner), von zwölf ebenen Vielecken begrenzter Körper. Das von zwölf gleichseitigen Fünfecken begrenzte **Pentagon-D.** gehört zu den regelmäßigen Körpern.

Dodekanes [grch. »Zwölfinseln«] *der* (Südliche Sporaden), grch. Inselgruppe in der Ägäis, vor der SW-Küste der Türkei; die neben Rhodos 12 größeren (Astypaläa, Chalke, Kalymnos, Karpathos, Kasos, Kos, Leros, Lipsos, Nisyros, Patmos, Syme und Telos) und etwa 40, meist unbewohnten, kleinen Inseln bilden ein Verw.gebiet. Im italienisch-türk. Krieg wurde der D., der unter osman. Herrschaft weitgehende Autonomierechte besaß, zus. mit Rhodos 1912 von Italien besetzt; 1923 formell italienisch, 1947 griechisch.

Dodekaphonie [grch.] *die*, →Zwölftontechnik.

Doderer, Heimito von, österr. Schriftsteller, *Weidlingen (heute zu Wien) 5. 9. 1896, †Wien 23. 12. 1966; schrieb zuerst Lyrik, Erzählungen, kleinere Romane (u. a. »Ein Mord, den jeder begeht«, 1938) verfocht dann eine Theorie der epischen »apperzipierenden« Objektivität. Die Romane »Die Strudlhofstiege« (1951) und »Die Dämonen« (1956) zeigen ein Bild der Gesellschaft

Dock

Dockschiff

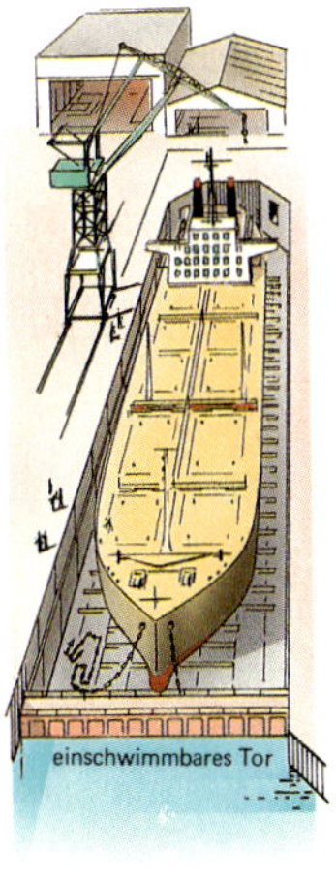

Trockendock

Heimito von Doderer

Wiens im ersten Drittel des 20. Jh.; die Ideologien der Zeit erscheinen als »Zweite Wirklichkeit«, als Verzerrungen. Daran anschließend entstand später der auf vier Teile konzipierte »Roman No 7« (Teil 1 »Die Wasserfälle von Slunj«, 1963, Teil 2 »Der Grenzwald«, Fragment, 1967). Andere Werke neigen mehr zum Grotesken und Absurden (»Die Merowinger oder Die totale Familie«, 1962). D.s Kunsttheorie und Lebensauffassung ist bes. in den Tagebüchern formuliert (»Tangenten«, 1964; »Commentarii«, 1976).

📖 WEBER, D.: *H. v. D. München 1987.*

Heimito von Doderer

»Ein Mord, den jeder begeht«

Unter diesem Titel erschien 1938 ein Roman Doderers. Ein erfolgreicher junger Mann, der den Mörder seiner Schwägerin gefunden zu haben glaubt, muss schließlich erkennen, dass er selbst durch eigenen Leichtsinn mitschuldig an ihrem Tod ist. Dies führt ihn zu der Einsicht, dass er sein Leben nicht wie bisher weiterführen kann. Der Titel wird manchmal zitiert, wenn man ausdrücken will, dass jeder auf irgendeine Weise für das Schicksal seiner Mitmenschen mitverantwortlich ist.

Albert Döderlein

Dọ̈derlein, Albert, Gynäkologe, *Augsburg 5. 7. 1860, †München 10. 12. 1941; untersuchte die Bakterien der Scheide, verbesserte die geburtshilfl. Asepsis und Operationstechnik.

Dodgson [ˈdɔdʒsn], Charles Lutwidge, engl. Schriftsteller, →Carroll, Lewis.

Dodó [duˈdɔ, portugies.] *der,* eine Vogelart, →Dronten.

Dọdoma, Hptst. von Tansania, im Zentrum des Landes, 203 800 Ew.; kath. und anglikan. Bischofssitz, Forschungsinstitute; Handelszentrum und Verkehrsknotenpunkt. Bei D. das größte Weinbaugebiet Ostafrikas. – D. wird seit 1973 zur neuen Hauptstadt entwickelt; die meisten Regierungsstellen sind aber noch in Daressalam.

Dodona

Der Priester weissagte aus dem Rauschen der heiligen Eiche des Zeus, dem Murmeln der Quelle, dem Klingen eines angeschlagenen Bronzekessels und dem Flug und Gurren der heiligen Tauben. Die zahlreichen Weihgeschenke, v. a. Zeusstatuetten und archaische Läuferinnenstatuetten aus Bronze sowie Orakeltäfelchen aus Bronze oder Blei, gehen bis auf die Zeit um 700 v. Chr. zurück. Die erhaltenen Orakeltäfelchen lassen vermuten, dass sich die das Orakel deutenden Priester in der Regel auf eine Bejahung oder Verneinung der vorgelegten Frage beschränkten.
Nach dem archäologischen Befund ging in Dodona ein Orakel der Erdgöttin Gaia voraus. Die bauliche Ausgestaltung der Kultstätte erfolgte erst im 4./3. Jahrhundert v. Chr. Im Jahre 219 v. Chr. wurde das Heiligtum verwüstet und danach wieder aufgebaut; 391 n. Chr. wurde es endgültig zerstört. Das von Pyrrhos, dem König von Epirus, um 300 v. Chr. begonnene Theater wurde 1960–63 restauriert und ist nun jedes Jahr Ort von Festspielen.

Dodọna, altgrch. Heiligtum des Zeus und der hier als seine Gemahlin verehrten Dione, in Epirus, mit einem schon Homer und Hesiod bekannten Orakel. In der ältesten Zeit entnahm man die Schicksalssprüche dem Rauschen der hl. Eiche, später dem einer Quelle oder dem Klingen eines ehernen Kessels. 219 v. Chr. und endgültig 391 n. Chr. wurde die Stätte verwüstet.

Doelenstück [ˈduːlən-; von niederländ. doel »Ziel«] (Schützenstück), →Gruppenbild von Mitgliedern holländ. Schützengilden, bes. im 17. Jh. (F. Hals, Rembrandt).

Doesburg [ˈduːsbyrx], Theo van, eigtl. Christian E. M. Küpper, niederländ. Maler, Architekt und Kunsttheoretiker, *Utrecht 30. 8. 1883, †Davos (Schweiz) 7. 3. 1931; Mitbegründer der Künstlergruppe De →Stijl, prägte 1930 den Begriff »konkrete Kunst«; malte gegenstandslose, sich meist auf rechtwinklige Gitterformen beschränkende Bilder. Seine Theorien beeinflussten das →Bauhaus.

Dọflein, Franz Theodor, Zoologe, *Paris 5. 4. 1873, †Obernigk (heute Oborniki Śląskie) bei Breslau 24. 8. 1924; bearbeitete zusammenfassend die Protozoen; führte eine ökolog. Betrachtungsweise in die Tiergeographie ein.

DOG, Abk. für →**D**eutsche **O**lympische **G**esellschaft.

Doge [ˈdoːʒə, italien. ˈdɔːdʒɛ; von lat. dux »Führer«] *der,* Oberhaupt der ehemaligen Stadtstaaten Venedig (seit 697, seit dem 8. Jh. gewählt) und Genua (seit 1339); 1797 wurde das Amt aufgehoben.

Dọgenpalast [ˈdoːʒən-] (Palazzo Ducale), am Markusplatz in Venedig gelegener Palast des Dogen; nach 1340 begonnen, erhielt der heutige Bau seine wesentl. Gestaltung im 17. Jahrhundert.

Dogge [von engl. dog »Hund«], Bez. für mehrere Hunderassen; meist große, kräftige, glatthaarige Wach-, Schutz- und Begleithunde (z. B. Deutsche Dogge, Bulldogge).

Dọgger *der, Geologie:* mittlere Abteilung des →Jura.

Dọggerbank, zw. Dänemark und der SO-Küste Englands gelegene Sandbank in der zentralen Nordsee, 300 km lang, 100 km breit, geringste Tiefe 13 m; ergiebiges Fischfanggebiet. – In der Seeschlacht auf der D. (24. 1. 1915) unterlagen die dt. Schlachtkreuzer den brit. Gegnern.

Dögling *der* (Nördlicher Entenwal), →Schnabelwale.

Dọgma [grch. »Meinung«, »Verfügung«, »Lehrsatz«] *das,* **1)** *allg.:* Aussage, die den Anspruch der absoluten Gültigkeit, Wahrheit erhebt.

2) *Christentum:* eine geoffenbarte und kirchlich verkündigte christl. Glaubenswahrheit. Nach kath. Auffassung enthalten die in Bekenntnisschriften

Dogenpalast: Der prächtigste Profanbau Venedigs, dessen Bausubstanz aus dem 14. Jh. stammt, erhielt seine wesentliche Gestaltung im 17. Jahrhundert

zusammengefassten D. eine Glaubensverpflichtung, nach evang. Auffassung nur eine Lehrverpflichtung (→ Glaube).

Dogmatik *die,* die Lehre von den Dogmen, die wiss. Darstellung und Auslegung der christl. Glaubenslehre; in der evang. Theologie Hauptgebiet der → systematischen Theologie, die das im Lauf der → Dogmengeschichte erarbeitete Material von den Fragestellungen der Gegenwart her neu interpretiert. Sie unterscheidet sich von der Religionswissenschaft durch ihre Bindung an die → Offenbarung und den christl. Glauben.

📖 *Hb. der D., hg. v.* T. SCHNEIDER, *2 Bde. Düsseldorf 1992.* – MILDENBERGER, F. *u.* ASSEL, H.: *Grundwissen der D. Stuttgart* ^{4}*1995.*

Dogmatismus *der,* die unkrit. Behauptung lehrhafter Sätze mit dem Anspruch auf absolute Geltung. Als Ideologie das Festhalten an Thesen und Lehrmeinungen, ohne konkrete Bedingungen und prakt. Erfahrungen zu berücksichtigen. In der Psychologie ein charakterolog. Merkmal: die Tendenz zu starrem, an überlieferten Meinungen orientiertem, vorurteilshaftem Denken.

Theo van Doesburg: »Kontra-Konstruktion, Privathaus«, Lichtdruck mit Gouache auf Papier (1923; Privatbesitz)

Dogmengeschichte, die Lehre von Entstehung und Entwicklung des christl. Dogmas; sie kann als Teilgebiet der Kirchengeschichte wie als histor. Teil der Dogmatik verstanden werden. Als selbstständige Disziplin ist die D. von der evang. Theologie seit dem 18. Jh. entwickelt worden (A. → Harnack). Die kath. D. setzt im 19. Jh. mit J. A. Möhler und J. H. → Newman ein.

📖 ADAM, A.: *Lb. der D., 2 Bde. Gütersloh* ^{6}*1992.* – LOHSE, L.: *Epochen der D. Münster* ^{8}*1994.*

Dogon: Ahnenfiguren, Holz (Paris, Musée National des Arts Africains et Océaniens)

Dogon, Volk von Hirsebauern östlich des Niger im Grenzgebiet von Burkina Faso und Mali, etwa 225 000 Menschen; bekannt durch ihre hoch stehende Holzschnitzkunst (Masken und Skulpturen) und wegen ihrer Schöpfungsmythologie.

Doha (Ad-Dauha), Hptst. des Scheichtums Katar am Pers. Golf, 339 500 Ew.; Univ., Nationalmuseum; Flughafen; Fischerei. – Moderne Bauelemente wurden mit traditionellen Klimatisierungssystemen (Windtürme) kombiniert.

Peter C. Doherty

Doherty ['dəʊəti], Peter Charles, austral. Immunologe, *Brisbane 15. 10. 1940; seit 1988 am Saint Jude Children's Research Hospital in Memphis (Tenn.) tätig; erhielt 1996 zusammen mit R. Zinkernagel den Nobelpreis für Physiologie oder Medizin für Arbeiten zur körpereigenen Abwehr virusinfizierter Zellen.

Dohle (Corvus monedula), 33 cm großer, geselliger Rabenvogel, schwarz und grau; Höhlenbrüter; ist sehr lernfähig.

Dohle (Größe etwa 33 cm)

Dohm, Hedwig, Philosophin, *Berlin 20. 9. 1831, †ebd. 1. 7. 1919. Bezug nehmend auf J. S. Mills These, dass die Frau den Zweck ihres Daseins in sich selbst habe, suchte D. die tradierten Vorurteile über die »Bestimmung der Frau«, die Polaritätstheorie, wonach Frau und Mann »von Natur aus« völlig verschiedene Wesen sein, die sich gegenseitig ergänzen, als Ideologie und Ausdruck rein egoistischer männl. Interessen zu entlarven: Die Geschlechter, wie sie vorkommen, seien das Produkt der patriarchalen sozialen Verhältnisse.

Werke: Die wiss. Emancipation der Frau (1874, Nachdr. 1977); Der Frauen Natur und Recht. Zur Frauenlage (1876, Nachdr. 1986).

📖 PAILER, G.: *Schreibe, die du bist. Die Gestaltung weibl. »Autorschaft« im erzählerischen Werk H. D.s. Pfaffenweiler 1994.* – BRANDT, H.: *»Die Menschenrechte haben kein Geschlecht«. Die Lebensgeschichte der H. D. Weinheim 11.–13. Tsd.,* ^{3}*1995.*

Dohna, edelfreies Geschlecht, 1156 mit der Burggrafschaft D. bei Pirna belehnt, später in Ost-

Doktorgrade: Die gebräuchlichsten Doktorgrade an wiss. Hochschulen

D., ehrenhalber verliehener D.-Grad der Evang. Theologie (zum Dr. theol.)
Dr. agr. (agranomiae), Landbauwiss., Landwirtschaftswiss.
Dr. disc. pol. (disciplinarum politicarum), Sozialwiss.
Dr. forest. (forestalium), Forstwirtschaft
Dr. h. c. (honoris causa), **Dr. e. h.** (ex honore), Ehrendoktor (Univ.)
Dr.-Ing., Doktor-Ingenieur (auch für Diplom-Mathematiker und Diplom-Physiker möglich)
Dr. iur./jur. (iuris/juris), Rechtswiss.
Dr. iur utr. (iuris utriusque), weltl. und Kirchenrecht
Dr. med. (medicinae), Medizin
Dr. med. dent. (medicinae dentariae), Zahnmedizin
Dr. med. univ. (medicinae universae), ges. Heilkunde (nur Österreich)
Dr. med. vet. (medicinae veterinariae), Tierheilkunde
Dr. oec. (oeconomiae), Verwaltungswiss.
Dr. oec. publ. (oeconomiae publicae), Volkswirtschaft
Dr. oec. troph. (oecotrophologiae), Hauswirtschaft, Ernährungswiss.
Dr. phil. (philosophiae), Philosophie und andere Geisteswiss.
Dr. phil. nat. (philosophiae naturalis), Naturwiss. (soweit innerhalb der philosoph. Fakultät)
Dr. rer. agr. (rerum agrarium), Landbauwiss., Landwirtschaft
Dr. rer. comm. (rerum commercialium), Handelswiss.
Dr. rer. forest. (rerum forestalium), Forstwiss.
Dr. rer. nat. (rerum naturalium), Naturwiss.
Dr. rer. oec. (rerum oeconomicarum), Wirtschaftswiss.
Dr. rer. pol. (rerum politicarum), Staatswiss., Wirtschafts- und Sozialwiss., Volkswirtschaft
Dr. theol. (theologiae), Theologie

preußen ansässig. – Alexander Burggraf und Graf zu D.-Schlobitten, *Finkenstein (Westpr.) 29. 3. 1771, †Königsberg (Pr) 21. 3. 1831; Jurist, einer der preußischen Reformer um Stein und Hardenberg; 1808–10 preuß. Innenmin., gründete 1813 mit Clausewitz die preuß. Landwehr.

Klaus von Dohnanyi

Dohnanyi [do'na:ni], **1)** Hans von, Jurist, *Wien 1. 1. 1902, †(erschossen) KZ Flossenbürg April 1945, Sohn von E. von Dohnányi, Vater von C. von Dohnányi und 2); ab 1933 im Reichsjustizministerium tätig, 1938 zum Reichsgerichtsrat ernannt, hatte sich 1934 der Widerstandsbewegung angeschlossen. Ab 1939 gehörte er zur »Abwehr« unter Admiral W. Canaris. Im März 1943 beteiligte er sich an dem erfolglosen Attentatsversuch H. v. Treskows auf Hitler, einen Monat später wurde er verhaftet und gegen Kriegsende ohne Gerichtsverfahren hingerichtet.

2) Klaus von, Politiker (SPD), *Hamburg 23. 6. 1928, Sohn von 1), Bruder von C. von Dohnányi; Marktforscher, 1972–74 Bundesmin. für Bildung und Forschung, 1976–81 Staatsmin. im Auswärtigen Amt und 1981–88 Präs. des Senats und 1. Bürgermeister von Hamburg.

Christoph von Dohnányi

Dohnányi ['doxna:nji], **1)** Christoph von, Dirigent, *Berlin 8. 9. 1929, Sohn von H. von Dohnanyi; setzt sich bes. für die Musik des 20. Jh. ein; seit 1984 Leiter des Cleveland Orchestra.

2) Ernő (Ernst) von, ungar. Komponist, Dirigent und Pianist, *Preßburg 27. 7. 1877, †New York 9. 2. 1960, Vater von H. von Dohnanyi; schuf (in Nachfolge von Brahms) Bühnen-, Kammer- und Konzertwerke.

Doisy ['dɔɪzɪ], Edward Adelbert, amerikan. Biochemiker, *Hume (Ill.) 13. 11. 1893, †Saint Louis (Mo.) 23. 10. 1986; Prof. in Saint Louis; erforschte insbes. die Struktur der Geschlechtshormone und des Vitamins K. Erhielt 1943 mit H. C. P. Dam den Nobelpreis für Physiologie oder Medizin.

do it yourself ['du: ɪt jɔ:'self, engl., »mach es selbst!«], Schlagwort, das zur (v. a. handwerkl.) Selbsthilfe auffordert.

Doketismus [zu grch. dokeĩn »scheinen«] *der,* die im christl. Altertum, bes. von der Gnosis vertretene Anschauung, dass Gott wegen der Verderbtheit der Materie nur dem Scheine nach in Jesus Mensch geworden, in Wirklichkeit aber immer Gott geblieben sei.

Dokimasie [grch.] *die,* die →Probierkunst.

Dokkum ['dɔkəm], ehem. selbstständige Stadt in der niederländ. Prov. Friesland, etwa 12 300 Ew.; Seehafen, Wallfahrtsort. – Sankt-Bonifatius-Kirche (15. Jh.). – In der Nähe von D. wurde 754 Bonifatius erschlagen. D. ging 1984 in der neu gebildeten Gem. Dongeradeel auf.

Doktor [lat. »Lehrer«], Abk. **Dr.,** akadem. Grad. Die Erlangung des D.-Titels setzt ein im Allg. mindestens achtsemestriges ordentl. Studium von meist einem Hauptfach an einer Hochschule mit Promotionsrecht und die Vorlage einer →Dissertation voraus. Die Verleihung der D.-Würde **(Promotion)** erfolgt durch den Dekan bzw. Fachbereichsleiter nach Annahme der Dissertation durch die Fakultät und nach Bestehen der mündl. Prüfung **(Examen rigorosum).** Das Ergebnis der Prüfung wird nach vier Gradabstufungen beurteilt: rite (»ordnungsgemäß«) = bestanden; cum laude (»mit Lob«) = gut; magna cum laude (»mit großem Lob«) = sehr gut; summa cum laude (»mit höchstem Lob«) = mit Auszeichnung. Der D.-Grad ist in vielen Ländern staatlich geschützt (→Titel); er kann seit dem 19. Jh. auch ehrenhalber (honoris causa) für hervorragende wiss. u. a. schöpferischen Leistungen verliehen werden. Bei erwiesener Unwürdigkeit (z. B. Straffälligkeit) des Trägers kann der D.-Grad durch die verleihende Institution wieder aberkannt werden.

Recht: Der D.-Grad wird in Dtl. wie ein Bestandteil des Namens behandelt (ohne rechtlich Bestandteil zu sein). Er ist durch das »Ges. über die Führung akadem. Grade« vom 7. 6. 1939 geschützt, welches als Landesrecht weiter gilt. Seine unberechtigte Führung wird bestraft.

Geschichtliches: Bis zum Ende des 12. Jh. war D. ohne formelle Verleihung die Bez. für jeden Lehrer. Der Begriff wurde im MA. abwechselnd mit Scholastikus und Magister, gebraucht. Mit dem Aufkommen der Univ. begann die Regelung der

Voraussetzung zur Verleihung des D.-Grades, die zugleich gewöhnlich die Zuerkennung der Lehrbefugnis bewirkte. Als erste Promotionsordnung gilt ein Dekretale Papst Honorius' III. von 1219 für die Univ. Bologna. Seit Ende des 13. Jh. genoss der D. eine Reihe adliger Vorrechte (z. B. bevorzugter Gerichtsstand, gesellschaftl. Ehrenrechte). Seit der Mitte des 18. Jh. trennte sich die Lehrberechtigung (→Habilitation) vom D.-Grad, der heute eine mittlere Stellung zw. den Staatsprüfungen oder Diplomgraden und der Habilitation einnimmt, ohne deren zivilrechtl. Berechtigungen einzuschließen (z. B. Zulassung zum Referendariat).

Doktorfische (Acanthuridae), Familie der Barschartigen mit den Unterfamilien **Halfterfische** (Zanclinae) und **Doktorfische** (Chirurgenfische, Seebader, Acanthurinae); leben in Korallenriffen trop. Meere; beliebte Aquarienfische.

Doktrin [lat.] *die,* **1)** *allg.:* wiss. Lehre; zum Glaubenssatz verhärtete Meinung.

2) *Politik:* die programmatische Festlegung der Grundsätze von Parteien, Staaten oder Machtgruppen (z. B. Monroe-D.), die auch völkerrechtl. Erkenntnisquelle sein kann (z. B. Grundsatz von der →Freiheit der Meere).

Dokument [mlat., zu lat. docere »beweisen«] *das,* Urkunde, amtl. Schriftstück; Beweismittel, Beleg.

Dokumentarfilm (dokumentarischer Film), Film, in dem versucht wird, tatsächl. Geschehen, menschl. Leben, Technik oder Natur wiederzugeben. Im Unterschied zum fiktionalen Spielfilm verwendet der D. fast ausschließlich dokumentar. Aufnahmen und bedient sich techn. Hilfsmittel (u. a. verdeckte Kamera, Zeitlupe/-raffer, Tele-/Makroobjektiv, Modell/Zeichnung). Er konzentriert sich meist auf ein Thema. Seit Beginn der Filmgeschichte Bildungs-, aber auch Propagandamittel, entwickelte sich der D. seit den 20er-Jahren zum künstler., formal anspruchsvollen Film, v. a. in den USA mit R. Flaherty, in Großbritannien mit J. Grierson, in den Niederlanden mit J. Ivens, in der Sowjetunion mit D. Wertow, in den 60er-Jahren in Lateinamerika mit F. Solanes, S. Álvarez. Aus dem Programm der Filmtheater weitgehend verdrängt, kommt der D. zunehmend als Fernseh-D. zur Geltung. Bed. D.-Festivals finden jährlich in Mannheim (seit 1952), Oberhausen (1953), Leipzig (1958), Krakau (1964) und Nyon (1969) statt.

🕮 *Bilderwelten, Weltbilder. D. u. Fernsehen,* hg. v. H.-B. HELLER u. P. ZIMMERMANN. – *Marburg 1990.* – *Deutschlandbilder Ost. D.e der DEFA von der Nachkriegszeit bis zur Wiedervereinigung,* hg. v. P. ZIMMERMANN. *Konstanz 1995.* – *Perspektiven des D.s,* hg. v. M. HATTENDORF. *München 1995.*

Dokumentarliteratur, Sammelbez. für gesellschaftskritisch und politisch orientierte Theaterstücke, Hör- und Fernsehspiele, auch Prosa und Gedichte, die auf Dokumente und Fakten zurückgreifen und fakt. Geschehen nahe bleiben. Vorstufen entwickelten sich bereits in den 1920er-Jahren im →Dokumentartheater, das in Dtl. – beeinflusst vom russ. Revolutionstheater – in E. Piscators Versuch und Konzept eines »dokumentar. Theaters« (1919–31) seinen Höhepunkt erreichte, und in der Reportage, v. a. E. E. Kischs, sowie der Hörspielform »Aufriß« der Berliner Funkstunde, an die nach 1945 das →Feature anknüpfte. Als eigene Gattung etablierte sich die D. jedoch erst in den 60er-Jahren mit Collagen (A. Kluge: »Lebensläufe«, 1962) und in mit Tonband erarbeiteten Werken (z. B. Tonbandprotokolle); Elemente der Tatsachenliteratur überwiegen in T. Capotes Rekonstruktion eines Mordfalles (»Kaltblütig«, 1966). Auch die Arbeiterliteratur beansprucht Authentizität in autobiograph. oder kritisch-reportagehaften Werken, ebenso die sozialkrit. Reportage (G. Wallraff, Erika Runge). In der Satire entwickelte K. Kraus das Mittel des dokumentar. Zitats, das in der neueren polit. Satire vielfach polemisch ausgewertet wird.

🕮 MILLER, N.: *Prolegomena zu einer Poetik der D. München 1982.* – *Zeit läuft. D. vor u. nach der Wende,* hg. v. L. SCHERZER. *Berlin 1990.* – TONN, H.: *Wahre Geschichten. Die amerikanische D. im 20. Jh. Essen 1996.*

Dokumentartheater, Stilrichtung des modernen Theaters, charakterisiert durch Verwendung von dokumentar. Material (Akten, Protokolle, zeitgenöss. Presseberichte, Einblendungen von Filmszenen, Fotos, Tonbändern u. a.). Höhepunkte sind die Inszenierungen E. Piscators Ende der 20er-Jahre und die Dokumentarstücke der 60er-Jahre.

Dokumentation *die,* Aufbereitung von Dokumenten; →Fachinformation.

Dolby-System®, von dem amerikan. Elektrotechniker R. M. Dolby (*1933) erfundenes elektronisches Verfahren zur Rauschunterdrückung (→Rauschunterdrückungssysteme) bei magnet. Tonaufzeichnungen.

Dolcefarniente ['dɔltʃe-, italien.] *das,* süßes Nichtstun.

Dolce stil nuovo ['dɔltʃe-; italien. »süßer neuer Stil«] *der,* eigtl. Dolce stil novo, Richtung der italien. Liebesdichtung in Bologna und der Toskana gegen Ende des 13. Jh. (G. Cavalcanti, Dante); sie löste mit ihrer auf den Adel des Herzens, nicht der Geburt gegründeten Auffassung der Liebe die Minneauffassung der Provenzalen ab.

🕮 FRIEDRICH, H.: *Epochen der italien. Lyrik. Frankfurt am Main 1964.*

Edward A. Doisy

Dolchwespe

Dolchstab

Dolce Vita ['dɔltʃe-; italien. »süßes Leben«] *das* oder *die,* luxuriöses, müßiggänger. Leben (Film »La dolce vita«, 1960, von F. Fellini).

Dolch, kurze, meist zweischneidige Stoßwaffe, seit der Altsteinzeit bekannt, zunächst aus Knochen und Stein, später aus Bronze und Eisen. Seit dem 13. Jh. gehörte der D. zur ritterl. Bewaffnung und war Jagdwaffe. Seit dem Ende des 16. Jh. wurde bes. der Schweizer D. zur Schmuckwaffe. Der D. wird noch heute als Militärwaffe (dekorative Traditionswaffe) getragen.

Dolchstab (Stabdolch), Zeremonialgerät der frühen Bronzezeit, eine dolchförmige, rechtwinklig an einem Schaft befestigte Klinge (wohl keine Waffe); verbreitet v. a. im Bereich der Aunjetitzkultur.

Dolchstoßlegende, die erst nach dem 1. Weltkrieg verbreitete These, dass Teile der dt. Heimatbevölkerung, bes. aber Gruppen der sozialist. Linken oder der Sozialdemokraten insgesamt durch ihre revolutionäre Tätigkeit das »im Felde unbesiegte« dt. Frontheer »von hinten erdolcht« und dadurch den Zusammenbruch Dtl.s verschuldet hätten. Die D. entwickelte sich schon 1919 zur Kampfparole der polit. Rechten. Obwohl bald durch Untersuchungen (Dolchstoßprozess 1925) entkräftet, wurde sie propagandistisch von den Nationalsozialisten gegen die Weimarer Republik und ihre Regierungen gebraucht. In der Forschung gilt die D. als widerlegt.

Dolchstoßlegende: Wahlplakat der Deutschnationalen Volkspartei zur Reichstagswahl im Dezember 1924

Dolchwespen (Scoliidae), bis über 5 cm lange, bunte wespenähnl. Hautflügler, leben als Parasiten in Engerlingen.

Dolci ['doltʃi], Danilo, italien. Sozialreformer und Schriftsteller, *Sesana (heute Sežana, Slowenien; bei Triest) 28. 6. 1924; suchte unter Rückgriff auf das Urchristentum die Lösung sozialer Probleme S-Italiens.

Dolde, offener →Blütenstand; die **Doppel-D.** hat statt Einzelblüten doldige Teilblütenstände **(Döldchen;** z. B. Möhre); die **D.-Rispe** ist eine doldenartig ausgebreitete Rispe (z. B. Holunder), die **D.-Traube** oder **Schirmtraube** eine doldenartig ausgebreitete Traube (z. B. Rainfarn).

Doldenblütige (Umbelliflorae), Ordnungsgruppe der Blütenpflanzen mit meist in Dolden oder Köpfchen angeordneten Blüten; u. a. Araliengewächse, Hartriegelgewächse.

Doldengewächse (Doldenblütler, Apiaceae, Umbelliferae), Familie zweikeimblättriger Pflanzen, vorwiegend auf der nördl. Erdhalbkugel; meist Kräuter mit doldigen Blütenständen und meist gefiederten Blättern; reich an äther. Ölen; viele Gewürzpflanzen, z. B. Dill, Kümmel, sowie Gemüsepflanzen, z. B. Möhre, Sellerie, oder Wiesenpflanzen, z. B. Bärwurz.

Doldenrebe (Scheinrebe, Ampelopsis), strauchige Gatt. der Weinrebengewächse in Amerika und Asien, meist kletternd; auch als Ziersträucher oder Zimmerpflanzen.

Doldinger, Klaus, Jazzmusiker (Tenorsaxophon, Klarinette, Klavier), *Berlin 12. 5. 1936; gründete 1971 die Band »Passport«; schrieb Film- und Fernsehmusiken.

Dole [do:l], Stadt im frz. Dép. Jura, am Doubs und am Rhein-Rhone-Kanal, 27 900 Ew.; Pasteurmuseum, keram., elektron. Ind., Maschinen- und Fahrzeugbau. – In der Altstadt zahlr. Häuser des 15.–18. Jh., Kathedrale Notre-Dame (16. Jh.). – D. wurde im 12. Jh. Hptst. der Franche-Comté und kam mit dieser 1384 zum Herzogtum Burgund.

Dole [dəʊl], Robert (Bob) Joseph, amerikan. Politiker, *Russell (Kans.) 22. 7. 1923; Jurist, Mitgl. der Republikan. Partei, 1953–61 Staatsanwalt, 1969–96 Senator für Kansas, kandidierte 1976 für das Amt des Vizepräs., führte 1985–96 die Republikaner im Senat. Bei den Präsidentschaftswahlen im Nov. 1996 unterlag er als Kandidat seiner Partei dem amtierenden Präs. B. Clinton.

dolendo (dolente) [italien.], *Musik:* klagend, schmerzlich.

Dolerit [zu grch. dolerós »trügerisch«] *der,* ältere Bez. für grobkörnigen Basalt.

Dolet [dɔ'lɛ], Étienne, frz. Buchdrucker und Humanist, *Orléans 3. 8. 1509, † (hingerichtet) Paris 3. 8. 1546; gründete 1538 eine Buchdruckerei in Lyon; edierte, kommentierte und übersetzte

Werke der röm. Antike, schrieb das nach Sachgruppen geordnete Lexikon »Commentarii Linguae Latinae« (2 Bde., 1536 und 1538); polemisierte scharf gegen Erasmus von Rotterdam; wurde der Verbreitung häret. Schriften beschuldigt und zum Tod auf dem Scheiterhaufen verurteilt.

Dolganen, Stamm der Tungusen, in N-Sibirien, im Autonomen Kreis der D. und Nenzen auf der Halbinsel →Taimyr. Die 6900 D. leben als Rentierzüchter, Jäger und Fischer, teilweise nomadisierend.

Dölger, Franz Joseph, kath. Kirchenhistoriker, *Sulzbach a. Main (Landkr. Miltenberg) 18. 10. 1879, †Schweinfurt 17. 10. 1940; untersuchte den Zusammenhang von Antike und Christentum in den ersten christl. Jh.; Mitbegründer des »Reallexikons für Antike und Christentum«.

Dolgoruki (Dolgorukow), russ. Fürstenfamilie, die sich von →Rurik ableitete; wiederholt von ausschlaggebender polit. Bedeutung. Jekaterina Michailowna D. (*1847, †1922) war seit 1880 die morganat. Gattin des russ. Kaisers Alexander II.

Dolichozephalie [grch.] *die* (Langköpfigkeit, Dolichokranie, Langschädeligkeit), →Brachyzephalie.

Doline: Dolinenfeld bei Nancy (Lothringen)

Doline [slaw. »Tal«] *die,* schüssel- oder trichterförmige Hohlform in Karstgebieten (→Karst). **Lösungsdolinen** entstehen durch Auslaugung des Gesteins an der Erdoberfläche infolge versickernden Wassers, **Einsturzdolinen** bilden sich über nachgebrochenen unterird. Hohlräumen.

Dollar [aus dt. »Taler«] *der,* Währungseinheit der USA: 1 D. (US-$) = 100 Cents (c). Auch andere Länder bezeichnen ihre Währung als D., z.B. Australien, Kanada, Neuseeland, Simbabwe, Namibia. (→Währung, ÜBERSICHT) – Der US-D. wurde 1792 als offizielles Zahlungsmittel mit fester Gold- und Silberparität eingeführt (1 US-$ = 24,057 g Silber bzw. 1,604 g Gold). 1900 wurde eine reine Goldwährung geschaffen. Nach vorübergehender Lösung vom Gold wurde der US-D. 1934 auf 0,888 g Gold abgewertet, was einem Preis von 35 US-$ pro Unze Gold für monetäre Zwecke entsprach. Weitere Abwertungen folgten 1971 (auf 0,819 g Gold) und 1973 (auf 0,737 g Gold).

Dollar: Silberdollar der USA von 1880 (Vorder- und Rückseite)

Der US-D. wurde auf der Konferenz von Bretton Woods 1944 zur Leitwährung der westl. Welt erklärt, d.h., alle Mitgliedstaaten des Internat. Währungsfonds hatten grundsätzlich feste Gold- oder D.-Paritäten **(D.-Standard).** An der Frankfurter Devisenbörse wurde der US-D. am 10. 8. 1953 zum ersten Mal notiert (durchschnittl. jährlicher Kassa-Mittelkurs 1953: 4,200 DM für 1 US-$). Die Vorrangstellung des US-D. im Währungsaustausch beruhte auf der hohen Leistungsfähigkeit der amerikan. Wirtschaft und der starken Zahlungsbilanzposition der USA, die bis Mitte der 50er-Jahre von einem D.-Mangel der Schuldnerländer **(D.-Lücke)** begleitet wurde. Als Folge steigender Wettbewerbsfähigkeit, bes. der westeurop. Länder und Japans, sowie erhöhter Auslandsverpflichtungen der USA (wirtsch. und militär. Hilfe) verlor der US-D. jedoch im Laufe der 60er-Jahre an Stärke. Um eine weitere Schwächung des US-D. zu verhindern, wurde im März 1968 die Pflicht, den US-D. in Gold einzulösen, auf Zentralbanken eingeschränkt, was eine Spaltung des Goldpreises zur Folge hatte. Da die Goldabflüsse trotz dieser Maßnahme anhielten, hoben die USA am 15. 8. 1971 die Konvertibilität des US-D. in Gold auf. Im Rahmen einer vorläufigen Neufestsetzung der wichtigsten Währungsparitäten wurde im Dez. 1971 der US-D. schließlich abgewertet. Da seit März 1973 die Wechselkurse der Währungen der großen Ind.länder gegenüber dem US-D. frei schwanken (Floating), ist die Fixierung der Goldparität des US-D. nur noch fiktiv. Im internat. Zahlungsverkehr spielt er aber immer noch eine dominierende Rolle. Der Wechselkurs des US-D. (D.-Kurs) hat bes. an Börsen Leit- und Signalfunktion. Seine Entwicklung wird in engem Zusammenhang mit der Lage der Weltwirtschaft gesehen, v.a. bezogen auf international abgesprochene konjunktur- und währungspolit. Maßnahmen. – Im Außenhandel ist der US-$ die wichtigste Fakturierungswährung: Bei den meisten Außenhandelsgeschäften muss eine Zahlungsverpflichtung in D. beglichen werden **(Dollarklausel).**

Klaus Doldinger

📖 ZISCHKA, A.: *Der D. Glanz u. Elend der Weltwährung. München* [3]*1995.*

Dollard ['dɔləd], John, amerikan. Psychologe, *Mensaha (Wisc.) 29. 8. 1900, †New Haven (Conn.) 8. 10. 1981; arbeitete bes. zur Persönlich-

Dolmen: Posekær Stenhus, Jütland

keitsforschung (Frustrations-Aggressions-Hypothese; → Aggression) und Psychotherapie.

Dolomit 1): Kristalle, Fundort Clausthal-Zellerfeld

Dollardiplomatie (engl. Dollar diplomacy), Schlagwort für die bes. unter Präs. W. H. Taft gegenüber Lateinamerika und O-Asien ausgebildete Politik der USA. Sie verband zur Durchsetzung strateg. Interessen wirtsch. Durchdringung mit diplomat. Mitteln.

Dollart *der,* Meeresbucht an der Emsmündung im dt.-niederländ. Nordseeküstengebiet, gegenüber von Emden, durch mehrere Sturmflutkatastrophen seit dem 14. Jh. (1362 Marcellusflut) entstanden.

Dolle, gabelförmige, drehbare Halterung auf dem **Dollbord** (verstärkter oberer Rand) eines Ruderbootes zum Einlegen des Riemens (Ruder).

Engelbert Dollfuß

Dollfuß, Engelbert, österr. Politiker, *Texing (heute zu Texingtal, Bez. Melk) 4. 10. 1892, † (ermordet) Wien 25. 7. 1934; Mitgl. der Christlichsozialen Partei (CP), 1931–34 Landwirtschaftsmin., von Mai 1932 bis Juli 1934 auch Bundeskanzler und Außenmin.; bekämpfte energisch den Anschluss Österreichs an Dtl.; schlug den sozialdemokrat. Februaraufstand (1934) nieder. Gestützt auf die »Vaterländ. Front« versuchte er einen autoritären, christlich-ständ. Staat aufzubauen (Verf. vom 1. 5. 1934): Beim nat-soz. → Juliputsch von 1934 wurde D. im Bundeskanzleramt erschossen.

Ignaz von Döllinger

Döllinger, Ignaz von, kath. Kirchenhistoriker, *Bamberg 28. 2. 1799, † München 10. 1. 1890; vertrat als Mitgl. der Frankfurter Nationalversammlung (1848/49) die Unabhängigkeit der Kirche vom Staat, trat 1869 gegen das Dogma von der päpstl. Unfehlbarkeit auf. 1871 exkommuniziert, unterstützte er die Altkath. Kirche, ohne ihr beizutreten.

Dolman [türk.] *der,* aus dem alttürk. Leibrock (Doliman) entwickelte reich verschnürte kurze Jacke ohne Schöße, ursprünglich ungar. Nationaltracht, dann Uniformstück der ungar. Husaren.

Dolmen [von breton. taol »Tisch« und maen »Stein«] *der,* aus 4–6 senkrecht aufgestellten Trag- und 1–2 Decksteinen erbaute vorgeschichtl. Grabkammer, häufig unter einem Rund- oder Langhügel; bes. in W- und N-Europa Grabtyp der Megalithkulturen.

Dolmetscher [ungar.] *der,* Sprachkundiger, der die Verständigung zw. Menschen versch. Sprache durch mündl. Übersetzung vermittelt. Vereidigte D. sind im auswärtigen Dienst und bei anderen Behörden tätig. Das D.-Diplom kann an Univ. und FH erworben werden; daneben gibt es von Ind.- und Handelskammern eingerichtete D.-Institute und private D.-Schulen oder Fachlehrgänge an Sprach- und Handelsschulen.

Dolomit [nach dem frz. Mineralogen D. Gratet de Dolomieu, *1750, †1801] *der,* **1)** *Mineralogie:* grauweißes, auch gelbl. oder bräunl. trigonales Mineral der chem. Zusammensetzung $CaMg(CO_3)_2$, äußerlich dem Kalkspat ähnlich; bei 1500 bis 1700 °C zu **Sinter-D.** gebrannt, findet er Verwendung in der Hüttenindustrie

2) *Petrographie:* ein Sedimentgestein, das im Wesentl. aus dem Mineral D. besteht; durch Verdrängung (Metasomatose) von Calcium durch Magnesium aus Kalkstein entstanden **(Dolomitisierung).**

Dolomiten (italien. Dolomiti), Teil der Südl. Kalkalpen, Italien, zw. Pustertal, Eisack, Etsch, Val Sugana und Piave. Die D. gliedern sich in die Grödner, Fassaner, Ampezzaner und Sextener D.; das östl. Randgebiet heißt Cadore. Höchste Erhebung ist die Marmolada (3342 m). Die D. bestehen vorwiegend aus Dolomit und sind durch Verwitterung in Felstürme und -zinnen aufgelöst, bes. im »Rosengarten«. Die Täler sind reich bewaldet. Lebhafter Fremdenverkehr (Zentren sind v. a. Cortina d'Ampezzo, Sexten, San Martino di Castrozza, Sankt Ulrich, Canazei).

Dolomitenstraße, 1915–18 erbaute Straße von Bozen durch das Eggental über den Karerpass ins Fassatal nach Canazei, hier Anschluss an die 1901–09 erbaute Straße durch das Fassatal und über das Pordoijoch nach Cortina d'Ampezzo. Anschlussstrecken führen über das Sellajoch ins Grödner Tal und über den Campdongopass nach Corvara ins Abteital.

Dolus [lat.] *der,* a) *Zivilrecht:* die arglistige Täuschung; b) *Strafrecht:* der Vorsatz; **D. eventualis,** bedinger Vorsatz.

Dom [dõ; zu lat. dominus] *der,* portugies. Titel, entspricht dem span. → Don.

Dom *der,* höchster Gipfel der Mischabelhörner in den Walliser Alpen, Schweiz, 4545 m ü. M.

Dom [von lat. domus »Haus«], **1)** *Baukunst:* Bischofskirche oder auch eine bes. große nichtbischöfl. Kirche mit → Chor für das Chorgebet.

2) *Geologie:* rundl., gewölbter geolog. Körper, z.B. Salzdom.

D.O.M., Abk. für **D**eo **O**ptimo **M**aximo [lat. »Gott, dem Besten und Mächtigsten«], seit der Renaissance häufig Einleitung zu Grabaufschriften, seltener an Altären; eine Umformung der antiken Weiheformel I. O. M. (Iovi Optimo Maximo »Jupiter, dem Besten und Mächtigsten«).

Domenico Veneziano: Madonna mit Kind und Heiligen, Mitteltafel des Marienaltars aus Santa Lucia dei Magnoli in Florenz (zwischen 1442 und 1448; Florenz, Uffizien)

Domagk, Gerhard, Pathologe und Bakteriologe, *Lagow (heute Łagów, bei Sulęcin) 30. 10. 1895, †Burgberg (heute zu Königsfeld im Schwarzwald) 24. 4. 1964; förderte die Chemotherapie, bes. der Tuberkulose, durch Einführung der Sulfonamide; erhielt 1939 den Nobelpreis für Physiologie oder Medizin.

Domäne [frz., aus lat. dominium »Herrschaft«] *die,* **1)** *Landwirtschaft:* land- oder forstwirtschaftlich genutztes Gut in Staatshand. Die D. sind entstanden teils aus ursprüngl. Staatsbesitz, teils aus Privatbesitz der Landesherren. Jedoch bestand bis zum 18. Jh. keine scharfe Scheidung zw. beiden Arten. Nach 1918 fiel das Eigentum der D. i.d.R. an den Staat; die Fürsten wurden abgefunden. 1940 waren von den rd. 2000 D. in Dtl. nur 32 in staatl. Selbstbewirtschaftung. Nach 1945 wurden die D. in der DDR aufgeteilt oder in volkseigene Güter (VEG) umgewandelt; in der Bundesrep. Dtl. unterstehen sie den Landwirtschaftsministerien der Länder; sie werden heute verpachtet oder als Lehr- und Versuchsgüter bewirtschaftet.

2) *Physik:* makroskop. Bereich in einem kristallinen Festkörper, in dem eine vektorielle Stoffgröße überall den gleichen Wert hat, z.B. die Magnetisierung in ferromagnet. Material (→Weiss-Bezirke).

Domat [dɔ'ma], Jean, frz. Jurist, *Clermont (heute zu Clermont-Ferrand) 1625, †Paris 1696; Freund Pascals und Vorkämpfer des Jansenismus. Sein Werk »Les lois civiles dans leur ordre naturel« (5 Bde., 1689–95) wurde eine der wichtigsten Quellen des Code civil.

Domažlice ['dɔmaʒlitsɛ] (dt. Taus), Stadt im Westböhm. Gebiet, Tschech. Rep., 11400 Ew.; Maschinenbau, Holzindustrie. – Die 1260 gegr. Stadt steht unter Denkmalschutz. – Bei D. besiegten die Hussiten 1431 ein Kreuzfahrerheer.

Domenichino [domeni'ki:no], eigtl. Domenico Zampieri, genannt il D., italien. Maler, *Bologna 21. oder 28. 10. 1581, †Neapel 6. 4. 1641; malte Kirchenfresken, Altarbilder und Landschaften mit mytholog. Darstellungen (Jagd der Diana, 1617; Rom, Galleria Borghese).

Gerhard Domagk

Domenico Veneziano, italien. Maler, *Venedig (?) um 1400/1410, †Florenz Mai 1461; 1438 in Perugia, dann in Florenz tätig (mit Piero della Francesca), wo er Bilder von vornehm verhaltener Stimmung und erlesener Farbigkeit malte.

Werke: Madonna mit Kind und Heiligen (zw. 1442 und 1448, Florenz, Uffizien; Teile der Predella in Berlin, Cambridge, Florenz, Washington); Hl. Franziskus und Johannes der Täufer, Fresko (Florenz, Santa Croce).

Hilde Domin

Domesday Book ['du:mzdeɪ 'bʊk; engl. »Buch des Gerichtstags«], das 1085–87 unter Wilhelm dem Eroberer für 34 engl. Grafschaften angelegte Grundbuch. Es enthält ein Verzeichnis des Grundbesitzes sowie die Zahl der Einwohner nach Einkünften und Abgaben.

Domestikation, Umwandlung wild lebender Tier- und Pflanzenarten in Haustiere und Kulturpflanzen durch gezielte Züchtung. Durch C. Darwin wurde allg. bekannt, dass domestizierte Formen von Wildarten abzuleiten sind und sich durch D. eine außerordentliche Wandlungsfähigkeit in

Domenichino: »Jagd der Diana« (nach 1617; Rom, Galleria Borghese)

Dominica

Fläche: 751 km^2
Einwohner: (1995) 71 000
Hauptstadt: Roseau
Amtssprache: Englisch
Nationalfeiertag: 3. 11.
Währung: 1 Ostkaribischer Dollar (EC$) = 100 Cents
Zeitzone: MEZ –5 Std.

Staatswappen

(WD)

Internationales Kfz-Kennzeichen

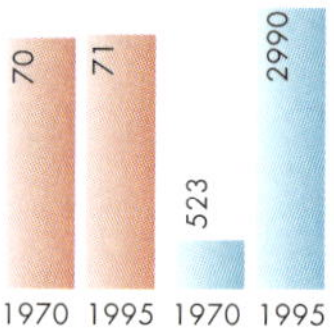

Bevölkerung (in 1000)

Bruttosozialprodukt je Ew. (in US-$)

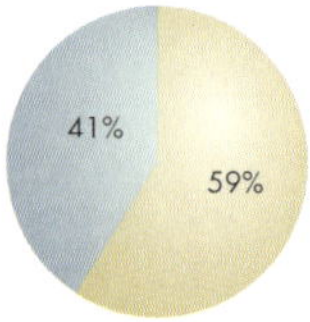

Stadt
Land

Bevölkerungsverteilung 1991

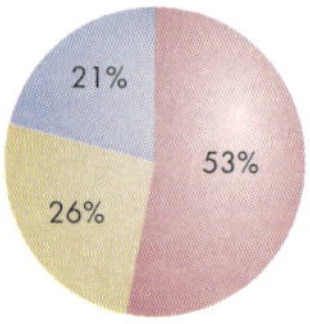

Industrie
Landwirtschaft
Dienstleistung

Bruttoinlandsprodukt 1992

Form und Leistung erzielen lässt. Die ältesten Kulturpflanzen (Einkorn, Gerste, Mais, Reis) sind wahrscheinlich aus Sammelpflanzen entstanden; der Anbau begann vor etwa 10 000 bis 12 000 Jahren in Vorderasien, SO-Asien und im trop. Amerika. Noch in der Altsteinzeit dürften Jägerstämme wandernden Rentierherden gefolgt sein, die sie als Vorstufe der D. nutzten und kontrollierten. Das älteste bisher nachgewiesene echte Haustier ist ein Hund und wird auf etwa 15 000 Jahre geschätzt. Die genet. Grundlagen von D. sind z. T. bekannt.

Domfreiheit, rechtshistorisch das von regulärer Gerichtsbarkeit freie, meist um die Domkirche gelegene städt. Gebiet; Träger der Gerichtsbarkeit war das mit →Immunität ausgestattete Domstift.

Domin, Hilde, eigtl. H. Palm, Schriftstellerin, *Köln 27. 7. 1912; lebte längere Zeit im Exil, kehrte 1954 nach Dtl. zurück; schreibt v. a. Gedichte (»Nur eine Rose als Stütze«, 1959 ; »Rückkehr der Schiffe«, 1962; »Hier«, 1964; »Ich will dich«, 1970), daneben Prosa (u. a. »Aber die Hoffnung« (1982) und Essays; arbeitet auch als Übersetzerin. BILD S. 345

Domina [lat. »Herrin«] *die,* **1)** Kloster- oder Stiftsvorsteherin, Äbtissin.

2) auf Sadismus spezialisierte Prostituierte.

Dominante *die, Musik:* beherrschender Ton. **Ober-D.,** der 5. Ton einer Dur- oder Molltonleiter und der auf ihm errichtete Dreiklang **(Dominantdreiklang). Unter-D., Sub-D.,** der 4. Ton einer Dur- oder Molltonleiter und der auf ihm errichtete Dreiklang **(Subdominantdreiklang).**

Dominantseptakkord, →Septimenakkord.

Dominanz [lat.] *die,* **1)** *Biologie:* hoher Anteil einer Art in einer Pflanzen- oder Tiergesellschaft.

2) *Genetik:* vorherrschende Wirkung eines Gens bei der Merkmalsausprägung.

3) *Psychologie:* Haltung des Überlegenseins und des Herrschenwollens.

Domingo, Plácido, span. Sänger (Tenor), *Madrid 21. 1. 1941; trat v. a. mit Partien in Opern von G. Verdi und G. Puccini hervor; wirkte in Filmen mit (»Othello«, 1985); auch Operndirigent.

Dominica (amtlich engl. Commonwealth of D.), Staat im Bereich der Westind. Inseln, auf der gleichnamigen Insel der Kleinen Antillen.

Staat und Recht: Nach der Verf. von 1978 ist D. eine parlamentar. Rep. mit Mehrparteiensystem im Commonwealth. Staatsoberhaupt und oberster Inhaber der Exekutive ist der Präs.; die Legislative liegt beim Einkammerparlament.

Landesnatur: Die Insel D. ist die zweitgrößte der Windward Islands und liegt zw. Guadeloupe im N und Martinique im S. Die Insel ist vulkan. Ursprungs, höchster Berg ist der Morne Diablotin (1447 m ü. M.); im Innern größtenteils von trop. Regenwald bedeckt und schwer zugänglich (z. T. Nationalpark). – Das Klima ist randtrop. mit jährl. Niederschlägen zw. 1800 mm an der Küste und über 6500 mm im Landesinneren. Die mittleren Monatstemperaturen schwanken zw. 25 °C und 32 °C. Zw. Juni und Oktober treten Hurrikane auf.

Bevölkerung: Die meist kath. Bev. besteht zu zwei Dritteln aus Schwarzen; hinzu kommen Mischlinge und wenige Europäer. Etwa 500 Kariben leben in einem Reservat an der Ostküste. Neben dem Englischen ist eine kreol. Mundart des Französischen weit verbreitet.

Wirtschaft, Verkehr: Wichtigster Wirtschaftszweig ist trotz begrenzter Anbaufläche die Landwirtschaft, die für den Export Bananan, Zitrusfrüchte, Kokospalmen, Vanille u. a. kultiviert. Die schwach entwickelte Industrie verarbeitet v. a. landwirtsch. Produkte. Seit wenigen Jahren spielt auch der Fremdenverkehr eine Rolle. – Das Straßennetz ist wenig entwickelt. Wichtig für den Außenhandel ist der Tiefwasserhafen bei Roseau; internat. Flughafen im NO bei Marigot.

Geschichte: Die von Kariben bewohnte Insel wurde 1493 (an einem Sonntag, daher der Name) von Kolumbus aufgesucht. Die europ. Besiedlung begann im 17. Jh. Im 18. Jh. zw. Frankreich und Großbritannien umstritten, wurde D. zu Beginn des 19. Jh. endgültig britisch. 1967–78 war es Mitgl. der Westind. Assoziierten Staaten; seit 1978 unabhängig. Premiermin. ist seit 1995 Edison James.

Dominikanische Republik

Fläche: 48 442 km^2
Einwohner: (1995) 7,82 Mio.
Hauptstadt: Santo Domingo
Verwaltungsgliederung: 29 Prov., 1 Nationaldistrikt
Amtssprache: Spanisch
Nationalfeiertag: 27. 2.
Währung: 1 Dominikanischer Peso (dom$) = 100 Centavos (cts)
Zeitzone: MEZ – 5 Std.

Dominik, Hans, Schriftsteller, * Zwickau 15. 11. 1872, † Berlin 9. 12. 1945; Ingenieur und Journalist, schrieb Sachbücher zur Technik, nationalist. Kriegsromane, seit 1922 erfolgreich mit Sciencefictionromanen (»Atlantis«, 1925; »Das Erbe der Uraniden«, 1927; »Himmelkraft«, 1937; »Treibstoff SR«, 1940). Autobiographie: »Vom Schraubstock zum Schreibtisch. Lebenserinnerungen«, 1942.

Dominikaner (Predigerorden, lat. Ordo fratrum praedicatorum, Abk. OP; in Frankreich auch Jakobiner), vom hl. Dominikus 1216 in Toulouse gestifteter Mönchsorden. Er erhielt das Recht, überall die Beichte zu hören und zu predigen, wurde 1220 zum Bettelorden erklärt und bes. durch die ihm ab 1232 übertragene Leitung der Inquisition zum einflussreichsten Orden des MA. Im Wettstreit mit den Franziskanern, denen gegenüber sich die D. besonders am Aristotelismus orientierten, erlangten die D. zahlr. Lehrstühle an den Universitäten; bed. Gelehrte und Prediger wie Albertus Magnus, Thomas von Aquin, Eckhart, Tauler, Seuse, Cajetanus gehörten dem Orden an. Im 19. Jh. erneuert, hat der Orden zurzeit etwa 6600 Mitgl. in 681 Niederlassungen. Sitz des Ordensmeisters ist Rom. Ordenskleidung: weißes Gewand mit Skapulier und weißer Kapuze, schwarzer Mantel; Laienbrüder: schwarzes Skapulier, schwarze Kapuze. Ein 1219 gestifteter weibl. Zweig des Ordens, die **Dominikanerinnen,** widmet sich der Jugenderziehung, Krankenpflege und Sozialarbeit. Ordenskleidung: weißes Gewand mit schwarzem Mantel und Schleier.

📖 EGGENSPERGER, T. *u.* ENGEL, U.: *Frauen u. Männer im Dominikanerorden. Geschichte – Spiritualität – aktuelle Projekte. Mainz 1992.*

Dominikanische Republik (amtl. República Dominicana), Staat im Bereich der Westind. Inseln, im O der zu den Großen Antillen gehörenden Insel Hispaniola; grenzt im W an Haiti.

Staat und Recht: Nach der Verf. von 1966 ist die D. R. eine präsidiale Republik. Staatsoberhaupt und oberster Inhaber der Exekutive (Reg.chef) ist der für vier Jahre direkt gewählte Präs.; nach der Verf.änderung von 1994 ist nur eine einmalige Amtszeit möglich. Die Legislative liegt beim Zweikammerparlament, bestehend aus Senat (30 Mitgl.) und Abg.kammer (120 Abg.), dessen Legislaturperiode vier Jahre beträgt. – Einflussreichste Parteien sind die Christlichsoziale Reformpartei (PRSC), die Revolutionäre Dominikan. Partei (PRD) und die Dominikan. Befreiungspartei (PLD).

Landesnatur: Die D. R. umfasst etwa zwei Drittel der Insel → Hispaniola. Das Land ist gegliedert durch mehrere NW-SO-verlaufende Gebirgszüge und Längssenken des Kordillerensystems. In der Cordillera Central liegt die höchste Erhebung der Westindischen Inseln (Pico Duarte, 3175 m ü. M.). Im Süden ist bes. bei Santo Domingo eine Küstenebene vorgelagert. – Das Klima steht unter dem Einfluss des Passat, bestimmt durch den Wechsel einer winterl. Trocken- mit einer sommerl. Regenzeit. Die Gebirgszüge erhalten bis über 2000 mm Niederschlag/Jahr. – Die Vegetation zeigt eine Abfolge von der Trocken- und Dornstrauchvegetation bis zum regen- oder sommergrünen Bergwald sowie Nebelwald.

Bevölkerung: Etwa 70 % der Einwohner sind Mulatten, je 15 % Weiße bzw. Schwarze. Die jährl. Zuwachsrate beträgt 1,9 %; im Hptst.distrikt leben rd. 40 % der Gesamtbevölkerung. Der Anteil der Stadtbev. nimmt sehr rasch zu. Allg. Schulpflicht besteht vom 7. bis 14. Lebensjahr, die jedoch nur teilweise verwirklicht ist. Es gibt fünf Hochschulen, die größte ist die staatl. Univ. in Santo Domingo (gegr. 1538 und damit die älteste Univ. ganz Amerikas). Die Analphabetenquote liegt bei etwa 17 %. Die Bev. ist überwiegend (91 %) katholisch.

Wirtschaft, Verkehr: Wirtsch. Grundlage des zu den Entwicklungsländern mit mittlerem Einkommen zählenden Landes sind Zuckerrohranbau, Bergbau und zunehmend der Tourismus. Auf die Landwirtschaft entfallen 15 % des Bruttoinlandprodukts und 70 % des Exportwerts. Sie nutzt 73 % der Gesamtfläche; die Hälfte der landwirtsch. Fläche ist in den Händen weniger Großgrund-

Staatswappen

DOM

Internationales Kfz-Kennzeichen

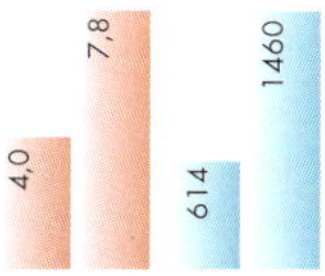

1970 1995 1970 1995
Bevölkerung (in Mio.) Bruttosozialprodukt je Ew. (in US-$)

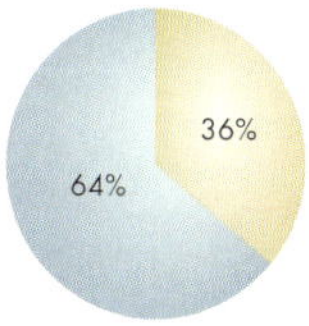

Stadt
Land
Bevölkerungsverteilung 1994

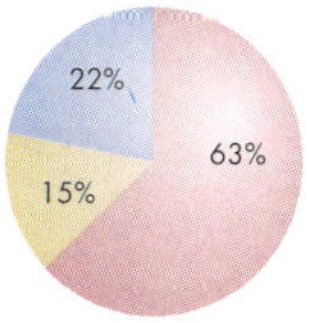

Industrie
Landwirtschaft
Dienstleistung
Bruttoinlandsprodukt 1994

besitzer konzentriert oder in Staatsbesitz. Neben dem Zuckerrohranbau wird die Kaffee-, Kakao-, Bananen-, Tabak- und Sisalerzeugung ausgebaut. Der Bergbau fördert bes. Silber, Gold, Nickel, Eisenerz. – Haupthandelspartner sind die USA, Venezuela und Mexiko. – Der staatlich geförderte Fremdenverkehr bringt steigende Deviseneinnahmen. Die D. R. entwickelt sich innerhalb der Karibik zu einem der wichtigsten Ziele des Massentourismus, bes. für Nordamerikaner und Deutsche. – Die Insel verfügt über ein gut ausgebautes Straßennetz. Die Eisenbahn (staatlich oder private Plantagenbahnen für den Transport von Zuckerrohr und Bananen) dient nur dem Güterverkehr. Wichtigste Häfen sind Santo Domingo, Río Haina und La Romana an der S-Küste und Puerto Plata an der N-Küste. Internat. Flughäfen bei Santo Domingo, in Puerta Plata und Punta Cana.

Geschichte: Die 1492 von Kolumbus aufgesuchte Insel Hispaniola gehörte zunächst insgesamt zum span. Kolonialreich. Ihre indian. Urbevölkerung war im 16. Jh. ausgerottet. Im 17. Jh. geriet sie in ihrem westl. Teil unter frz. Einfluss (→Haiti, Geschichte). 1795 musste Spanien im Frieden von Basel auch den Ostteil an Frankreich abtreten (bis 1808). 1821 erklärte sich dieses Gebiet für unabhängig, 1822 wurde es jedoch von Haiti besetzt und erst 1844 unter J. P. Duarte selbstständige Republik. Die folgenden Jahrzehnte waren bestimmt von polit. Instabilität; 1905 übernahmen die USA die Finanzkontrolle, 1916–24 hielten sie die D. R. besetzt. Mit einem Militärputsch gelangte 1930 R. L. Trujillo an die Macht; bis zu seiner Ermordung (1961) beherrschte er mit seiner Familie Politik und Wirtschaft des Landes. Der Aufbau eines demokrat. Staatswesens wurde danach durch ständige Unruhen behindert, die 1965 in Putsch und Bürgerkrieg mündeten. Nach einer militär. Intervention der USA (zus. mit der OAS), die 1966 die Krise beendete, war der gemäßigtkonservative J. V. Balaguer (PRSC) 1966–78 Präs. 1978–86 stellte die PRD den Präs. (u. a. 1978–82 S.A. Guzmán Fernández), seit 1986–96 erneut die PRSC (Balaguer). In den 90er-Jahren führte die von Weltbank und IMF geforderte Sparpolitik immer wieder zu Protestaktionen der Bevölkerung. Anlässlich massiver Vorwürfe der Wahlfälschung zugunsten Balaguers kam es 1994 zu schweren Unruhen. Als Nachbarland Haitis erhielt die D. R. 1994 bei der Durchsetzung des Waffen- und Treibstoffembargos gegen Haiti sowie bei der Errichtung einer Handelssperre eine bes. Bedeutung. Bei vorgezogenen Präsidentschaftswahlen im Mai 1996 siegte L. Fernandez Reyna (PLD).

📖 Ferguson, J.: *D. R. Zwischen Slums u. Touristendörfern. A. d. Engl. Frankfurt am Main 1993.* – Gewecke, F.: *Der Wille zur Nation. Nationsbildung u. Entwürfe nationaler Identität in der D. R. Frankfurt am Main 1996.*

Dominikus, Stifter des Dominikanerordens, *Caleruega (Prov. Burgos) um 1170, †Bologna 6. 8. 1221; gründete 1215 in Toulouse eine Genossenschaft von Priestern, die, in völliger Armut lebend, sich der Bekehrung der Albigenser (→Katharer) widmen sollten; aus ihr entstand 1216 der sich rasch ausbreitende Orden der →Dominikaner. Heiliger, Tag: 8. 8.

Dominikus: Ausschnitt aus dem Fresko »Verspottung Christi« von Fra Angelico (1436–43; Florenz, Museo di San Marco)

Dominion [dəˈmɪnjən; engl. »Herrschaft«, »Gebiet«] *das,* urspr. im brit. Staatsrecht jede überseeische Besitzung; seit 1907 offizielle Bez. der sich selbst regierenden Staaten innerhalb des →Britischen Reiches und Commonwealth. Für die mit der brit. Krone durch die Mitgliedschaft im →Commonwealth of Nations verbundenen D. kam nach 1945 die Umschreibung »Members of Commonwealth« auf.

Dominium [lat.] *das, röm. Recht:* v. a. Bez. für das nicht beschränkte Herrschaftsrecht an einem Gegenstand oder über ein Gebiet.

Dominium maris Baltici [lat. »Herrschaft über das Baltische Meer«] (Ostseeherrschaft), Schlagwort, das angeblich erstmals 1563 durch König Sigismund II. August von Polen im Kampf gegen die Schweden gebraucht wurde und sich auf die Beherrschung der Ostseeschifffahrtswege bezieht. Von einem D. m. B. kann man bereits im MA. sprechen, zunächst unter den Wikingern, dann in den Kämpfen der späteren Anlieger untereinander (bes. der Hanse und der dänisch beherrschten Kalmarer Union). Das schwed. D. m. B. (seit 1648) zerbrach im Nord. Krieg (1700–21). Die erneute Aufrichtung wurde hinfällig durch die von Dänemark erstrebte und 1773 mit Russland vereinbarte

»Ruhe des Nordens« im Rahmen des europ. Gleichgewichts.

Domino [aus lat. dominus »Herr«], **1)** *der,* urspr. Kapuzenmantel der ital. Geistlichen. Seit dem 18. Jh. schwarzseidener Maskenmantel beim Karneval in Venedig; auch der Maskenträger selbst.

2) *das* (Dominospiel), Legespiel für 2 bis 8 Spieler mit meist 28 rechteckigen D.-Steinen, die in zwei Felder geteilt sind. Jedes Feld trägt 0–6 Punkte (Augen) in allen mögl. Verbindungen. Die Steine werden mit den Feldern mit gleicher Augenzahl aneinander gefügt. Gewinner ist, wer zuerst seine Steine abgesetzt hat.

Dominus [lat.] *der,* Herr, Gebieter. **Dominus vobiscum,** im kath. Gottesdienst der Gruß des Priesters an die Gemeinde, die antwortet: »Et cum spiritu tuo«; heute meist in der dt. Form: »Der Herr sei mit euch!« – »Und mit deinem Geiste.«

Domitian, Titus Flavius Domitianus, röm. Kaiser (81–96 n. Chr.), *Rom 24. 10. 51, †(ermordet) ebd. 18. 9. 96; Sohn des Vespasian, Nachfolger seines Bruders Titus; sorgte für die Ausdehnung des Röm. Reiches (Kämpfe mit den Chatten, 83 n. Chr., und den Dakern) und sicherte es durch die Anlage des Limes. Seine Provinzverwaltung und Rechtspflege galten als vorbildlich, doch im Innern führte er ein gewaltsames Regime (verfolgte die Senatsopposition, Stoiker und Christen). D. wurde Opfer einer Verschwörung.

Domitian
(römische Marmorbüste; 1. Jh. n. Chr.)

Dömitz, Stadt im Landkreis Ludwigslust, Meckl.-Vorp., an der Elbe (Hafen), 2900 Ew.; Elektro-, Holzindustrie. – Erhielt 1259 Stadtrecht. In der im 16. Jh. zu einer starken Festung ausgebauten Burg verbrachte Fritz Reuter (1839/40) den Rest seiner Haft.

Domizil [lat. »Wohnsitz«] *das,* Zahlungsort bei Wechseln.

Domkapitel, *kath. Kirche:* das autonome Kollegium der **Kanoniker, Kapitulare, Dom-** oder **Chorherren** an einer bischöfl. oder erzbischöfl. Kirche, das den Bischof in der Diözesanverwaltung unterstützt und berät, z. T. auch an der Bischofswahl beteiligt ist. **Dignitäre** der D. sind der **Dompropst** und **Domdekan. Domvikare** sind die Kapläne des D. – Die Kapitel der wenigen noch erhaltenen evang. Domstifte sind heute Stiftungen des öffentl. Rechts zur Förderung kulturell-sozialer Aufgaben.

Domleschg *das* (bündnerroman. Tumliasca), der unterste Abschnitt des Hinterrheintales, unterhalb der Via mala, Graubünden, Schweiz.

Domodossola, Stadt im Piemont, Italien, in der Prov. Verbano-Cusio-Ossola, 18 900 Ew.; Textil-, Zementind., in der Nähe Stahlwerk; südl. Ausgangspunkt der Simplonbahn und -straße.

Domostroi [russ. »Hausordnung«] *der,* russ. Sammlung von Anweisungen für eine ideale Lebensführung, wohl nach 1547 von dem Mönch Silvester zusammengestellt.

Domowina [sorb. »Heimat«], nationale Organisation der →Sorben, gegr. 1912 zur Pflege der sorb. Kultur und Sprache, wurde 1937 verboten, 1945 in der Sowjetischen Besatzungszone wieder gegründet. 1991 konstituierte sie sich als Dachverband sorb. Vereinigungen neu und ist seit 1992 Bestandteil der »Stiftung für das sorb. Volk«.

Dompfaff, ein Finkenvogel, der →Gimpel.

Domrémy-la-Pucelle [dɔ̃reˈmi lapyˈsɛl], Wallfahrtsort in Lothringen, im frz. Dép. Vosges, an der Maas, 180 Ew.; Geburtshaus (Museum) der Jeanne d'Arc (»la Pucelle«).

Angelica Domröse

Domröse, Angelica, Schauspielerin, *Berlin 4. 4. 1941; spielte seit 1966 an der Volksbühne Berlin, dann v. a. Film- und Fernsehrollen (»Effi Briest«, 1970; »Die Legende von Paul und Paula«, 1972; »Bis daß der Tod euch scheidet«, 1979; »Die Skorpionfrau«, 1990); ging 1980 mit ihrem Mann, dem Schauspieler H. Thate, in die Bundesrep. Dtl.; Theaterarbeit in Berlin, Hamburg und Stuttgart.

Domschulen (Stiftsschulen), im MA. von Dom- und Stiftskapiteln unter Leitung des Scholasters, eines Kapitulars, unterhalten. Mit den Klosterschulen bildeten sie im 8.–12. Jh. den Mittelpunkt des kirchl. Schulwesens; oft Ausgangspunkte für Univ.bildungen.

Don [italien. und span., von lat. dominus »Herr«] *der,* Höflichkeitstitel, in Spanien und S-Italien allg. dem Vornamen vorangesetzt; urspr. in Italien Ehrentitel für Priester und Adlige. Die Form **Dom** [dɔ̃] ist in Portugal für Adlige gebräuchlich. Die weibl. Formen sind span. **Doña,** italien. **Donna,** portugies. **Dona.**

Don *der* (in der Antike Tanais), Fluss im europ. Russland, 1870 km, entspringt auf der Mittelruss. Platte, mündet mit einem 340 km² großen Delta unterhalb von Rostow am Don in das Asowsche Meer. Im Mittellauf zum →Zimljansker Stausee gestaut und mit der Wolga durch den →Wolga-Don-Schifffahrtskanal verbunden.

Donald Duck [ˈdɔnld ˈdʌk], anthropomorph gestalteter Enterich (im Matrosenanzug) aus der Disney-Produktion, Typ des jähzornigen, kleinbürgerl. Pechvogels. 1934 trat D. D. zum ersten Mal als Figur eines Zeichentrickfilms auf; 1942 wurde die erste lange D.-D.-Geschichte gezeichnet.

Donald Duck

Doñana [doˈɲana] (Coto de D.), mit 73 000 ha größter Nationalpark in Spanien, im Mündungsgebiet des Guadalquivir, mit sehr reicher Vogelwelt (Zwischenstation der Zugvögel nach Afrika); umfasst Buschland, Dünen und Marschland (Marismas); seit 1980 Biosphärenreservat der UNESCO.

Donar [ahd. Form von Donner] (altsächs. Thunar, altnord. Thor, Thorr), neben Wodan (Odin) der bedeutendste german. Gott, aus dem Geschlecht der →Asen. D. war der Herr des Donners; im Blitz sah das Volk den zur Erde geschleuderten Hammer. Durch körperl. Kraft ausgezeichnet, fiel ihm die Aufgabe zu, die Welt der Götter und der Menschen gegen Riesen und Ungeheuer zu verteidigen. D. weihte die Ehen und bewirkte durch seinen Hammer Fruchtbarkeit. Ihm war die Eiche heilig und der Donnerstag (Donarstag) geweiht.

Donatello, eigtl. Donato di Niccolò di Betto Bardi, italien. Bildhauer, *Florenz um 1386, †ebd. 13. 12. 1466; der bahnbrechende Meister der italien. Plastik der Frührenaissance. Sein von der antiken röm. Plastik beeinflusster Stil wurde schulbildend und wirkte auch auf die Malerei. D. schuf mit der Bronzestatue des »David« die erste frei stehende Aktfigur (nach 1427, Florenz, Bargello) und in Padua mit dem Denkmal des «Gattamelata» (1447–53) das erste monumentale Reiterstandbild seit der Antike. In seinen Reliefs (Bronzereliefs am Taufbrunnen des Baptisteriums in Siena, 1423–27) erweist er sich als Meister perspektiv. Raumgestaltung. – Weitere Werke (alle Florenz): Nischenstatuen des hl. Markus und hl. Georg für die Kirche Or San Michele, zw. 1411 und 1415; marmorne Sängertribünen für den Dom in Florenz, 1433–39, Dommuseum; Bronzegruppe Judith mit dem Haupt des Holofernes, um 1455, Palazzo Vecchio; Hl. Maria Magdalena, um 1460, Baptisterium.

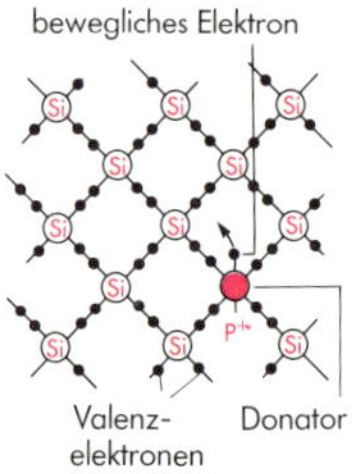

Donator 2): Mit Phosphor dotiertes n-Siliciumkristall (rot ein Phosphorion)

📖 *D.-Studien. Redaktion:* M. CÄMMERER. *München 1989. – Die Skulptur der Renaissance in Italien, bearb. v.* J. POESCHKE *u. a., 2 Bde. München 1990–92.*

Donatio [lat.] *die, röm. Recht:* Schenkung.

Donatisten, 1) die Anhänger des Gegenbischofs Donatus von Karthago (†um 355) in N-Afrika (4.–7. Jh.); sie gründeten eine Sonderkirche, bei der neben ethisch-rigorist. Gesichtspunkten auch nat.

Donau: Flussdurchbruch bei Weltenburg, Niederbayern

Donatello: Detail der Sängertribüne des Doms in Florenz (1433–39; Florenz, Domopera)

Gegensätze und soziale Spannungen eine Rolle spielten. Nach der Lehre der D. war die Wirksamkeit der Sakramente von der Heiligkeit ihres Spenders abhängig, deshalb sei die Bischofsweihe Caecilians ungültig; im Ggs. hierzu entwickelte Augustinus die kath. Sakramentenlehre.

2) im MA. die Schüler an Lateinschulen, die bereits die Grammatik des A. →Donatus benutzten, im Ggs. zu den Leseschülern (Legisten).

Donator [lat. »Spender«] *der,* **1)** *Chemie:* (Donor) Atom oder Molekül, das beim Ablauf einer chem. Reaktion Elektronen, Atome oder Ionen abgibt.

2) *Physik:* eine Störstelle in einem Kristallgitter, die bereits bei therm. Anregung Elektronen aus lokalisierten Zuständen an das Leitungsband des Kristalls abgeben kann und so Elektronenleitung (n-Leitung) ermöglicht; in →Halbleitern meist ein Fremdatom, das mehr Valenzelektronen hat als die Atome des Grundgitters, z. B. Phosphor (fünfwertig) bei der Dotierung von Silicium (vierwertig).

Donatus, Aelius, röm. Grammatiker um 350 n. Chr., Lehrer des hl. Hieronymus, schrieb zwei im MA. viel benutzte lat. Grammatiken. Der »Donatus« gehörte zu den frühesten gedruckten Schriftwerken, jedoch sind nur Bruchstücke der Drucke erhalten **(Donatfragmente).**

Donau (ungar. Duna, slowak., tschech. und russ. Dunaj, serb. Dunav, bulgar. Dunaw, rumän. Dunărea), zweitlängster Fluss Europas (nach der Wolga), 2 850 km (647 km in Dtl., davon 386 km schiffbar), Hauptzufluss des Schwarzen Meeres. Anliegerstaaten der D. sind Dtl., Österreich, die

Slowakei, Ungarn, Serbien, Kroatien, Rumänien, Bulgarien und die Ukraine. Die D. entspringt auf der Ostseite des südl. Schwarzwalds mit den Quellbächen Brigach und Breg, die sich bei Donaueschingen vereinigen. Bei Immendingen verliert sie durch Versickerung im klüftigen Kalk Wasser zur Radolfzeller Aach und damit zum Rhein. Sie durchbricht die Schwäbische Alb und fließt von Sigmaringen an zw. dem Alpenvorland (im S) sowie der Schwäb. und Fränk. Alb und dem Bayer. Wald (im N). Bei Passau verlässt sie Dtl., erreicht bei Krems das Tullner Feld, bei Wien das Wiener Becken und bei Preßburg das Kleine Ungar. Tiefland (Kisalföld). Nach ihrem Durchbruch durch das Ungar. Mittelgebirge durchfließt sie unterhalb von Budapest das Große Ungar. Tiefland (Alföld). Im Eisernen Tor durchbricht sie die Südkarpaten und das Serb. Erzgebirge, anschließend durchfließt sie das rumän. Tiefland (Walachei) in breiter, sumpf- und seenreicher Aue (Balta) am Rand der bulgar. Tafel und der Dobrudscha. Bei Galatz wendet sie sich nach Osten und mündet mit einem 4300 km^2 großen sumpfigen Delta und drei Hauptarmen, dem Kilija-(Chilia-), Sulina- und Sankt-Georgs-Arm, ins Schwarze Meer. Die wichtigsten Nebenflüsse sind von rechts: aus den Alpen Iller, Lech, Isar, Inn, Enns, Drau, Save, aus den Balkangebirgen Morawa, Isker; von links: Altmühl, Naab, Regen, die March aus Mähren, mehrere Karpatenflüsse, v.a. die Theiß mit ihren Zuflüssen, der Alt und kurz vor dem Delta Sereth und Pruth. Ihr Einzugsgebiet umfasst etwa 817000 km^2. Bei Passau ist die D. 200 m, bei Wien 300, bei Budapest 560 und bei Galatz 900 m breit.

Die D. ist eine wichtige Wasserstraße (über 2500 km sind schiffbar); die Verbindung zur Nordsee stellt der →Rhein-Main-Donau-Großschifffahrtsweg her; seit 1984 besteht durch den 64,2 km langen **D.-Schwarzmeer-Kanal** eine direkte Verbindung mit dem rumän. Hafen Constanța.

Geschichte: Im 7. Jh. v. Chr. erschlossen die Griechen den Unterlauf der D., die sie **Ister** nannten. Später bildete der in **Danubius** umbenannte Fluss die Nordgrenze des Röm. Reiches. Völkerrechtlich ist die D. ein internationalisierter Fluss. Die Pariser Konferenz von 1865 betraute die **Europ. D.-Kommission** mit der Regelung und Überwachung des freien Schifffahrtverkehrs. Oberhalb von Galatz wurde die D. der Zuständigkeit der 1921 gegr. **Internat. D.-Kommission** unterstellt (bis 1940). Der heute geltenden **Belgrader D.-Konvention** von 1948 gehören die D.-Anrainerstaaten an, Dtl. nur mit Beobachterstatus.

📖 *Biologie der D., hg. v.* R. KINZELBACH. *Stuttgart u. a. 1994. – Strömungen. Die D. in der Literatur, hg. vom Adalbert-Stifter-Institut des Landes Oberösterreich. Redaktion:* R. PINTAR. *Linz 1994.* – MARGIS, C.: *D. Biographie eines Flusses. A. d. Ital. Neuausg. Wien 1996.*

Donau-Dampfschifffahrts-Gesellschaft (Erste D.-D.-G.), Abk. **DDSG,** bis 1914 größte Binnenschifffahrtsgesellschaft der Erde, gegr. 1829, Sitz: Wien; leistete Pionierarbeit bei der Verkehrserschließung der unteren Donau. Die DDSG wurde 1995 aufgelöst.

Donaueschingen: Das im 18. Jh. erbaute Schloss wurde 1893–96 umgebaut

Donaueschingen, Stadt im Schwarzwald-Baar-Kreis, Bad.-Württ., auf der Hochfläche der Baar, oberhalb des Zusammenflusses von Brigach und Breg, 20700 Ew.; Brauerei, Textil-, Elektro-, feinmechan., Leder- u. a. Industrie. Alljährlich im Herbst finden die **Donaueschinger Musiktage** für zeitgenöss. Tonkunst sowie ein internat. Reitturnier statt. – Residenz der Fürsten von Fürstenberg (Schloss 18./19. Jh.), im Karlsbau Gemäldesammlung Fürstenberg; Hofbibliothek und Archiv mit Handschriftensammlung (darunter der Codex C des Nibelungenliedes und ein Schwabenspiegel von 1287). – 899 ersterwähnt; kam 1488 an die Grafen von Fürstenberg; 1806 badisch; 1810 Stadtrecht.

Donaueschingen Stadtwappen

Donaufürstentümer, Bez. für die Fürstentümer →Moldau und →Walachei.

Donaulachs, →Huchen.

Donaumonarchie, →Österreich-Ungarn.

Donaumoos, seit 1796 trockengelegte Moorniederung im Bereich eines Senkungsgebietes der Riß-Eiszeit südlich der Donau zw. Neuburg a. d. Donau und Ingolstadt, etwa 350 m ü. M.; Kartoffelanbaugebiet.

Donauried, moorige Niederung beiderseits der Donau zw. Ulm und Donauwörth; z. T. entwässert und z. T. von Auenwäldern bedeckt.

Donegal: Bizarre, von der Brandung des Atlantiks gestaltete Felsformen an der Küste

Donau-Ries, Landkreis im RegBez. Schwaben, Bayern; 1275 km², (1996) 127600 Ew.; Krst. ist Donauwörth.

Donauschule (Donaustil), kunsthistor. Begriff, der stilist. Parallelentwicklungen im 1. Drittel des 16. Jh. im bayerisch-österr. Donaugebiet bezeichnet. Kennzeichnend für den zuerst bei L. Cranach d. Ä. (auch bei J. Breu) nachweisbaren Stil der D. ist ihr Sinn für die Landschaft und die märchenhaft-romant. Stimmung ihrer Bilder, in denen sich Natur- und Menschendarstellung zur Einheit verbinden. Hauptvertreter: A. Altdorfer in Regensburg, W. Huber in Passau, Meister der Historia in Wien, H. Leinberger in Landshut, Benedikt Ried in Prag.

Donauschwaben, seit 1922 Bez. für dt. Siedler, auch nichtschwäb. Herkunft, die seit dem 18. Jh. beiderseits der mittleren Donau im heutigen Ungarn, Kroatien, Serbien und Rumänien lebten (→ Banater Schwaben, → Batschka, → Baranya).

Donauwörth, Krst. des Landkreises Donau-Ries, RegBez. Schwaben, Bayern, an der Mündung der Wörnitz in die Donau, 18000 Ew.; pädagog. Stiftung Cassianeum; Metall-, Lebensmittel- u. a. Ind., Puppenherstellung (Käthe Kruse). – Stadtpfarrkirche (1444–67), Benediktinerklosterkirche Heiligkreuz (1717–41), altes Rathaus (13.–17. Jh.). – Als **Weride** 1030 erwähnt, seit 1191 im Besitz der Staufer, wurde 1301 Reichsstadt, als solche meist **Schwäbisch Wörth** gen.; in der Reformationszeit evang., kam 1607 in die Reichsacht und wurde nach der Besetzung durch Bayern (1608) wieder katholisch.

Marion Gräfin Dönhoff

Donawitz, Industrieort in Österreich, Stadtteil von → Leoben.

Donbass, → Donez-Steinkohlenbecken.

Don Bosco, italien. Priester, → Bosco.

Don Carlos, span. Prinzen, → Carlos.

Doncaster [ˈdɔŋkəstə], Stadt in der Metrop. County South Yorkshire, England, 81600 Ew.; Steinkohlenbergbau, Maschinen- und Lokomotivenbau. Austragungsort des Saint-Leger-Pferderennens (seit 1776).

Donegal [ˈdɔnɪgɔ:l] (irisch Dún na nGall), County im NW der Rep. Irland mit reich gegliederter Küste, 4831 km², (1991) 128100 Ew.; Verw.sitz ist Lifford.

Donez [russ. »Kleiner Don«] *der* (Nördl. D., russ. Sewerski D., ukrain. Siwerskyj D.), rechter Nebenfluss des unteren Don, fließt als Steppenfluss mit geringer Wasserführung hauptsächlich in der Ukraine, Quelle und Mündung liegen in Russland; 1053 km (315 km schiffbar).

Donezk (bis 1924 Jusowka, 1924–61 Stalino), Hptst. des Gebiets D. in der Ukraine, im W des Donbass, 1,11 Mio. Ew.; Univ. u. a. Hochschulen; Steinkohlenbergbau, Eisenmetallurgie, Schwermaschinenbau, chem., Nahrungsmittel-, Textilind.; Eisenbahnknotenpunkt, Flughafen.

Donezrücken (Donezplatte), Höhenzug (bis 367 m ü. M.) etwa auf der Grenze zw. Russland und der Ukraine, aus mächtigen Schichten des Karbon aufgebaut, die reiche Steinkohlenlager, auch Steinsalz enthalten.

Donauschule: Wolf Huber, »Flucht nach Ägypten«, (um 1525–30; Berlin, Gemäldegalerie)

Donez-Steinkohlenbecken (russ. Kurzform Donbass), bedeutendstes Kohlenlager in Osteuropa, im SO der Ukraine und in Russland (Gebiet Rostow), rd. 60000 km²; enthält neben Stein- und Braunkohle Erdgas, Steinsalz, Antimon, Quecksilber u. a. Minerale; Schwerind., bes. in Donezk,

Gorlowka, Kadijewka u.a. Städten, entwickelte sich in Verbindung mit der nahe gelegenen Eisenerzlagerstätte von Kriwoi Rog.

Dong, Abk. **D,** Währungseinheit Vietnams (1 D = 10 Hào = 100 Xu).

Dongen ['dɔŋə], Kees van, frz. Maler niederländ. Herkunft, * Delfshaven (heute zu Rotterdam) 26. 1. 1877, † Monte Carlo 28. 5. 1968; begann mit impressionist. Landschaften, entwickelte unter dem Einfluss der → Fauves einen effektvollen Kolorismus, malte weibl. Akte, Motive aus dem Artistenmilieu (z.B. »Der Clown«, 1905) und dekorative Porträts.

Kees van Dongen: »Der Clown«, Ausschnitt (1905; Privatbesitz)

Donges, Juergen B., Wirtschaftswissenschaftler, * Sevilla 24. 10. 1940; befasste sich als Mitarbeiter des Instituts für Weltwirtschaft (1969–89) in Kiel sowie als Prof. in Köln (seit 1989) mit Wachstums- und Strukturpolitik, Außenwirtschafts- und Entwicklungspolitik, Fragen der wirtsch. Integration in Europa sowie der Deregulierung (1988-91 Vors. der »Deregulierungskommission«). D. ist als Berater und Beirat tätig (z.B. im »Kronberger Kreis«) und gehört seit 1992 dem Sachverständigenrat zur Begutachtung der gesamtwirtsch. Entwicklung an.

Don Giovanni [-dʒo'vanni], italien. für → Don Juan.

Dongting Hu (Tungtinghu), einer der größten Süßwasserseen Chinas, im N der Prov. Hunan, bildet ein natürl. Rückstaubecken des Jangtsekiang; durch Schlammablagerungen ging die Wasserfläche von 4000 auf 2800 km² zurück. Der D. H. nimmt die vier Hauptflüsse der Prov. Hunan auf: Xiang Jiang, Zi Shui, Yuan Jiang, Li Shui; Fischzucht.

Dönhoff, Marion Hedda Ilse Gräfin, Publizistin, * Schloss Friedrichstein (bei Löwenhagen, Ostpreußen) 2. 12. 1909; 1968–72 Chefredakteurin, dann Herausgeberin und seit 1978 Mitherausgeberin der Wochenzeitung »Die Zeit«; erhielt 1971 den Friedenspreis des Dt. Buchhandels, schrieb »Weit ist der Weg nach Osten« (1985); »Im Wartesaal der Gesch. Vom Kalten Krieg zur Wiedervereinigung«(1993) u.a.

Dönitz, Karl, Großadmiral (seit 1943), * Grünau (heute zu Berlin) 16. 9. 1891, † Aumühle (Kr. Herzogtum Lauenburg) 24. 12. 1980; seit 1936 Befehlshaber der U-Boote, wurde unter Beibehaltung dieser Funktion im Jan. 1943 Oberbefehlshaber der Kriegsmarine. In der »Atlantikschlacht« (1940–43) setzte er in der Seekriegsführung den konzentrierten Einsatz der U-Boote durch. Von Hitler testamentarisch zu seinem Nachfolger bestimmt, bildete D. am 2. 5. 1945 eine neue Reichsregierung mit Sitz in Flensburg-Mürwick. In seinem Auftrag unterzeichnete das OKW am 7. 5. 1945 die Gesamtkapitulation in Reims, am 8. 5. 1945 in Berlin-Karlshorst. D. wurde am 23. 5. 1945 von den Engländern verhaftet, 1946 in Nürnberg zu zehn Jahren Gefängnis verurteilt, die er in Berlin-Spandau verbüßte. Er schrieb u.a. »10 Jahre und 20 Tage« (1958).

Karl Dönitz

Donizetti, Gaetano, italien. Komponist, * Bergamo 29. 11. 1797, † ebd. 8. 4. 1848; schrieb 74 Opern von leicht ansprechender Melodik, ferner Kirchenmusik, Kammermusik, Lieder.

Werke: Ernste Opern: Lucrezia Borgia (1833); Lucia di Lammermoor (1835). Komische Opern: Der Liebestrank (1832); Die Regimentstochter (1840); Don Pasquale (1843).

Gaetano Donizetti

Donjon [dɔ̃'ʒɔ̃, frz.] *der,* frz. Bez. für Bergfried, befestigter Haupt- und Wohnturm einer Burg.

Don Juan [-xu'an], Gestalt der europ. Dichtung; Frauenverführer, Sinnbild ewig ungestillter sinnl. Leidenschaft. Das Urbild ist Don Juan Tenorio, Held des span. Dramas »Der steinerne Gast« von Tirso de Molina (gedruckt 1630); Komödie von Molière (1665); Novelle von E. T. A. Hoffmann (1813); Epos von Lord Byron (1819–24); »D.J. und Faust«, Trauerspiel von C. D. Grabbe (1829); dramat. Dichtung von Puschkin (1830); weitere dt.sprachige D.-J.-Dichtungen von N. Lenau

Don Juan

Don Juan de Tenorio soll tatsächlich um 1350 im Königreich León, natürlich in Sevilla, gelebt haben und als Sohn eines Admirals in allerlei Liebesaffären verwickelt gewesen sein. Die Volkssage kannte noch einen anderen Don Juan, den Don Juan de Maraña, einen Wüstling, der seine Seele dem Teufel verkaufte. Bei Tirso de Molina, der Don Juan zur literarischen Gestalt mit archetypischen Zügen machte, sind Historisches und Fiktives schon ununterscheidbar verwoben. »El burlador de Sevilla y convidado de piedra« (»Der Spötter von Sevilla und der Steinerne Gast«), ein Schauspiel in drei Akten, wurde 1624 in Madrid von der Compaña Roque de Figueroa uraufgeführt.

(1844), P. Heyse (1883), M. Frisch (1953); weitere ausländ.: Dramen von J. Zorrilla y Moral (1844), G. B. Shaw (»Man and superman«, 1903), M. de Unamuno (1934), H. de Montherlant (1958). Musik: Ballett von C. W. Gluck (1761); musikdramat. Gestaltung in Mozarts »Don Giovanni« (1787); sinfon. Dichtung von R. Strauss (1889).

📖 *D. J. Darstellung u. Deutung, hg. v.* B. WITTMANN. *Darmstadt 1976.* – WATT, I.: *Myths of modern individualism. Faust, Don Quixote, D. J., Robinson Crusoe. Cambridge u. a. 1996.*

Don Juan de Austria [-xu'an- span.], →Juan de Austria.

Donkosaken, →Kosaken.

Donna *die,* italien. Titel, weibl. Form von →Don.

John Donne

Donne [dʌn, dɔn], John, engl. Geistlicher und Dichter, *London 22. 1. (2.?) 1572, †ebd. 31. 3. 1631; Geistlicher, bed. Prediger und Lyriker (→Metaphysical Poets), der in seinen Arbeiten eine breite Skala sinnl. und geistiger Empfindung und religiöser Sehsucht entfaltet.

Donner, ein dem Blitz bei einem Gewitter folgendes rollendes oder krachendes Geräusch. Der D. entsteht durch die explosionsartige Ausdehnung der vom Blitz erhitzten Luft und breitet sich mit der Schallgeschwindigkeit von 330 m/s aus. Zählt man die Anzahl der Sekunden zw. Blitz und D. und teilt sie durch die Zahl 3, so erhält man angenähert die Entfernung des Gewitters in km. – Im germanischen Volksglauben war die Erscheinung des D. aufs engste mit dem Gott Donar verknüpft.

Georg Raphael Donner: Die Traun, Figur vom Brunnen auf dem neuen Markt in Wien (1737–39; Wien, Österreichische Galerie)

Donner, Georg Raphael, österr. Bildhauer, *Eßling (heute zu Wien) 24. 5. 1693, †Wien 15. 2. 1741; schuf Bildwerke, deren harmonisch klarer Stil sich schon dem Klassizismus nähert, in seiner Anmut aber dem Rokoko verbunden bleibt.

Werke: Figuren für das Treppenhaus des Schlosses Mirabell in Salzburg (1726); Gruppe des hl. Martin für den Dom in Preßburg (um 1734); Brunnen auf dem Neuen Markt in Wien (1737–39; Originale ebd., Österr. Galerie).

Donnerkeil, →Belemniten.

Donnersberg, bewaldeter Gebirgsstock aus Porphyr im Nordpfälzer Bergland, 686 m ü. M., mit großer frühgeschichtl. Ringwallanlage.

Donnersbergkreis, Landkreis im RegBez. Rheinhessen-Pfalz, Rheinl.-Pfalz; 646 km², (1996) 76 300 Ew.; Krst. ist Kirchheimbolanden.

Donnersmarck, →Henckel von Donnersmarck.

Donnerstag, der 4. Tag der Woche; in der Antike Zeus oder Jupiter geweiht; ben. nach dem german. Gott Donar.

Donoso, José, chilen. Schriftsteller, *Santiago de Chile 5. 10. 1925, †ebd. 7. 12. 1996; gestaltete vor dem Hintergrund spätfeudalist. Dekadenz eine chaot. Kräften ausgelieferte Welt voller Fantastik und Banalität; Romane: »Ort ohne Grenzen« (1966), »Der obszöne Vogel der Nacht« (1970), »Die Toteninsel« (1986).

Donoso Cortés [-kɔr'tes], Juan María de la Salud, Marqués de Valdegamas, span. Diplomat und Philosoph, *Valle de la Serena (bei Badajoz) 6. 5. 1809, †Paris 3. 5. 1853. Urspr. liberal gesinnt, vertrat er nach 1836/37 eine konservative Gesellschaftslehre und eine an der kath. Hierarchie orientierte Staatsform; sah die Zukunft vom Kampf zw. Katholizismus und Sozialismus bestimmt.

Donostia, bask. Name der span. Stadt →San Sebastián.

Don Quijote [dɔŋ ki'xɔte] (ältere Schreibung Don Quixote, französisiert Don Quichotte), Titelheld des Romans »Der sinnreiche Junker Don Quijote von der Mancha« von M. de Cervantes Saavedra (2 Tle., 1605–15), der, aus niederem Landadel stammend, in der Traumwelt der Ritterromane lebt. Auf seinen Abenteuerfahrten kämpft er u. a. gegen Windmühlen, die er für Riesen hält. Lächerlich und ergreifend zugleich, hält er, ein edler, hoch strebender Geist, der nüchternen Welt zum Trotz an seinen Illusionen fest. Sein treuer Begleiter ist der bäuerl., erdgebundene und schlaue Sancho Pansa. – Sinfon. Dichtung von R. Strauss (1897); Oper von J. Massenet (1910). – **Donquichotterie, Donquichottiade,** eine dem Wesen D. Q.s entsprechende Handlung oder Erzählung.

📖 JACOBS, J.: *D. Q. in der Aufklärung. Bielefeld 1992.* – WATT, I.: *Myths of modern individualism.*

Faust, Don Quixote, Don Juan, Robinson Crusoe. Cambridge u. a. 1996.

Doolittle ['du:lɪtl], Hilda, gen. H. D., amerikan. Lyrikerin, *Bethlehem (Pa.) 10. 9. 1886, †Zürich 27. 9. 1961; Mitglied der Gruppe des Imaginismus; schrieb formstrenge Gedichte in freien, unregelmäßigen Kurzzeilen.

Don Quijote: Gemälde von Honoré Daumier (um 1868; München, Neue Pinakothek)

Doorn, niederländ. Gemeinde in der Prov. Utrecht, 10300 Ew., mit **Huis D.,** dem Wohnsitz (1920–41) Kaiser Wilhelms II.

Doornik, niederländ. Name der belg. Stadt →Tournai.

Dopamin [Kw.] *das* (Hydroxytyramin), biogenes Amin (Catecholamin), biochem. Vorstufe von Noradrenalin und Adrenalin; wirkt im Zentralnervensystem als Neurotransmitter. Beim Parkinsonsyndrom besteht ein D.-Mangel.

Döpfner, Julius, Kardinal (seit 1958), *Hausen (heute zu Bad Kissingen) 26. 8. 1913, †München 24. 7. 1976; seit 1939 Priester, wurde 1948 Bischof von Würzburg, 1957 Bischof von Berlin, 1961 Erzbischof von München und Freising; ab 1965 Vors. der Dt. Bischofskonferenz.

Doping [engl.] *das,* Zuführen von pharmakolog. Substanzen (Anregungs- und Muskelaufbaumittel, Schmerzmittel, Narkotika) zur Steigerung der sportl. Leistung und zur Erzielung von Vorteilen im Wettkampf. D.-Mittel werden durch Harnanalysen festgestellt; im Hochleistungssport werden immer schwieriger nachzuweisende Methoden des D. angewendet, z.B. intravenöse Wiederzuführung von Erythrozytenkonzentrat. Der D.-Nachweis führt zur Disqualifikation des Sportlers. D. stellt eine Gefahr für die Gesundheit dar, da es durch den Abbau von Schutzbarrieren (z.B. Erschöpfungsgefühl) zum Zusammenbruch lebenswichtiger Körperfunktionen kommen kann.

📖 DONIKE, M. *u.* RAUTH, S.: *D.-Kontrollen. Köln* ²*1996.*

Doppel, Wettbewerb v.a. im Tennis, Tischtennis und Badminton, bei dem zwei Spieler eine Spielpartei bilden.

Doppelachse, beim Kfz zwei Achsen, deren Mittenabstand 1-2 m beträgt. Die D. ist ein Mittel zur Verringerung der Achslast.

Doppeladler, →Adler.

Doppelanastigmat *der,* fotograf. Objektiv, das durch symmetr. Anordnung der Vorder- und Hinterlinsen gegenüber dem →Anastigmaten zusätzlich Koma und Verzeichnungen (→Abbildungsfehler) beseitigt.

Doppelaxt, Kultaxt und/oder Waffe mit zwei symmetr., Rücken an Rücken angeordneten Schneiden; verbreitet in vorgeschichtl. Kulturen bes. des Vorderen Orients und auf Kreta.

Doppel-b, *Musik:* →bb.

Doppelbecher, ein vom 14. bis ins frühe 17. Jh. beliebtes, meist silbernes Trinkgefäß aus zwei einander zugekehrten Schalen, deren obere den Deckel der unteren bildet.

Doppelbesteuerung, die mehrfache Besteuerung desselben Steuersubjekts hinsichtlich desselben steuerl. Sachverhalts durch zwei steuerl. Hoheitsträger (Staaten). Von der D. zu unterscheiden ist die steuerl. **Doppelbelastung** aufgrund mehrfacher Besteuerung eines ökonom. Sachverhalts durch ähnl. Steuerarten, z.B. Belastung der Einkommensentstehung durch Einkommensteuer, Gewerbesteuer, Kirchensteuer. Die **internat. D.** kann durch einseitige nat. Maßnahmen oder durch **D.-Abkommen** zw. zwei oder mehreren Staaten vermieden werden. Die dt. Steuer-Ges. gestatten unbeschränkt Steuerpflichtigen, die mit ihren Auslandseinkünften oder Vermögen neben der inländ. Steuer zu einer ihr entsprechenden ausländ. herangezogen werden, die festgesetzte und gezahlte ausländ. Steuer auf die dt. anzurechnen. Die internat. D.-Abkommen wenden zur Vermeidung der D. die beschriebene **Anrechnungsmethode** oder die **Freistellungsmethode** an, bei der dem einzelnen Vertragsstaat diejenigen Teile der steuerl. Bemessungsgrundlage zugewiesen werden, die seiner Volkswirtschaft zuzuordnen sind, wie etwa die Gewinne einer auf seinem Gebiet gelegenen Betriebsstätte. Die D. regelt das das Außensteuergesetz.

Doppelbindung, kovalente chem. Bindung, die durch zwei Elektronenpaare gebildet wird, z.B. bei C=C, C=O, S=O.

Doppelboden, die Bodenkonstruktion eines Schiffs, die zum Schutz gegen Wassereinbruch aus

Hilda Doolittle

Julius Döpfner

Außenboden, Versteifungen und Innenboden gebildet wird. In dem entstehenden Raum befinden sich meist Tanks für Brennstoff, Frisch- und Ballastwasser.

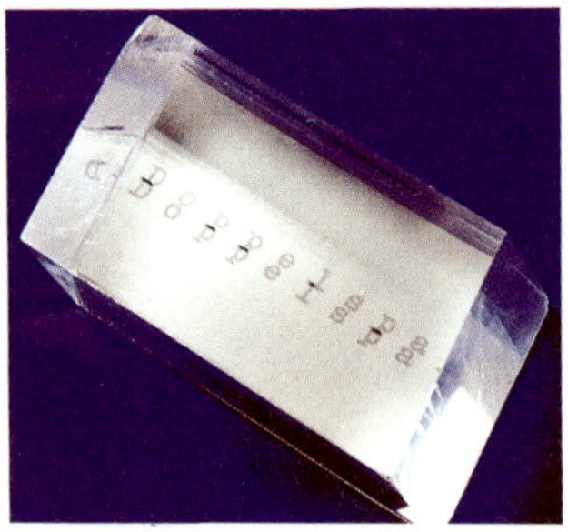

Doppelbrechung: Wegen der Doppelbrechung erscheint bei senkrechter Aufsicht auf den Kalkspatkristall die darunter liegende Schrift doppelt

Doppelbrechung, die Eigenschaft aller optisch anisotropen Kristalle, einen einfallenden Lichtstrahl in zwei senkrecht zueinander linear polarisierte Teilstrahlen aufzuspalten. Bei optisch einachsigen Kristallen (z. B. Kalkspat, Quarz) folgt nur der **ordentliche Strahl** dem normalen Brechungsgesetz, nicht aber der **außerordentliche Strahl.** – Optisch isotrope Körper können durch äußere Einwirkungen doppelbrechend werden, z. B. durch mechan. Spannungen (→Spannungsoptik), durch elektr. (→Kerr-Zelle) oder magnet. Felder (→Magnetooptik) oder durch die innere Reibung strömender Flüssigkeiten.

Doppelbruch, ein Bruch, dessen Zähler und/oder Nenner wieder aus Brüchen bestehen.

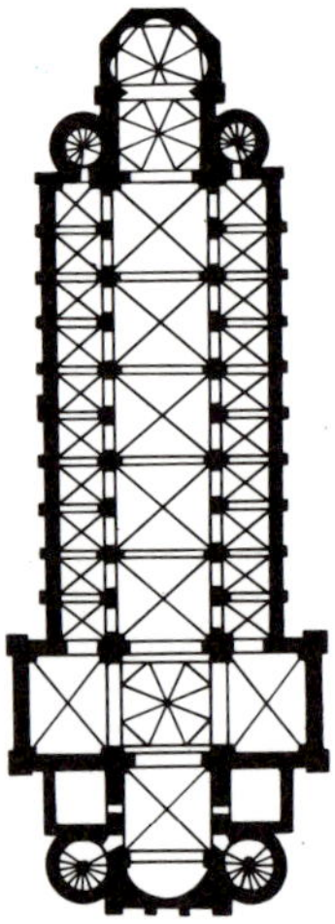

Doppelchoranlage des Wormser Doms im Grundriss

Doppelchoranlage, Kirche mit zwei gegenüberliegenden Chören; nach frühchristl. Vorstufen bes. seit der karoling. Zeit.

Doppeldecker, Flugzeug mit zwei übereinander liegenden Tragflächen; weist eine hohe Festigkeit bei geringem Gewicht, aber auch einen hohen Luftwiderstand auf.

Doppelehe, →Bigamie.

Doppelfehler, *Tennis:* zweiter fehlerhafter Aufschlag unmittelbar nach dem ersten; der Gegner gewinnt dadurch einen Punkt.

Doppelfüßer, Unterklasse der →Tausendfüßer.

Doppelgänger, eine Person, die einer zweiten zum Verwechseln ähnlich sieht. Die Erscheinung des D., als Ausdruck innerer Gespaltenheit, wurde vielfach in der Dichtung behandelt, so von E. T. A. Hoffmann (1822) und Dostojewski (1846); in anderer Weise aufgefasst im Mythos von Amphitryon (Dramen von Molière und Kleist). – Im Volksglauben und im Okkultismus ein durch zeitweilige Trennung vom Körper ermöglichtes Sichtbarwerden der Seele oder des Astralleibes.

Doppelgesellschaft, →Betriebsaufspaltung.

Doppelgewebe, *Textiltechnik:* 1) als Doppelware hergestellte Stoffe, die während des Webvorgangs in zwei Gewebelagen zerschnitten werden, z. B. Doppelsamt, -plüsch; 2) verstärkte Gewebe mit zwei Kettsystemen und einem Schusssystem, z. B. Doppelatlas, oder mit einem Kettsystem und zwei Schusssystemen, z. B. Doppelbarchent.

Doppelgriff, gleichzeitiges Greifen zweier oder mehrerer Töne auf einem Musikinstrument.

Doppelkapelle, *Architektur:* Kapelle mit zwei übereinander liegenden Kulträumen, meist mit je einem Altar.

Doppelkolbenmotor, Zweitaktmotor, bei dem zu einem gemeinsamen Verbrennungsraum zwei Arbeitskolben gehören. Beim U-Motor bewegen sich die Kolben nebeneinander in einem u-förmigen Zylinder, beim Gegenkolbenmotor gegenläufig.

Doppelkopf, ein Kartenspiel, →Schafkopf.

Doppelkreuz, in der Notenschrift ein Versetzungszeichen (×), erhöht einen Ton um zwei Halbtöne (z. B. f zu fisis).

Doppellaut, der →Diphthong.

Doppelpass, *Fußball:* schneller direkter Ballwechsel zw. zwei angreifenden Spielern, um die gegner. Verteidigung zu umspielen.

Doppelpunkt, 1) *Interpunktion:* (Kolon) ein Satzzeichen (ÜBERSICHT Satzzeichen).

2) *Mathematik:* a) als mathemat. Zeichen für die →Division verwendet; b) ein singulärer Punkt (→Singularität).

Doppelresonanzmethode, Verfahren der →Hochfrequenzspektroskopie, bei dem gleichzeitig zwei Resonanzübergänge versch. Frequenz angeregt werden.

Doppelrumpfboot, der →Katamaran.

Doppelsalze, chem. Verbindungen aus formal zwei getrennten einfachen Salzen, die kristallisiert eine einheitl. Verbindung bilden, z. B. Alaun. In wässriger Lösung zerfallen die D. in alle Ionen der Einzelsalze.

Doppelschicht, an der Grenzfläche zweier Phasen auftretende, durch Ladungsverteilung hervorgerufene Schicht entgegengesetzter Flächenladungsdichte, z. B. die **elektr. D.** an der Grenze zw. Metall und Vakuum oder die **elektrochem. D.** zw. Metall und Elektrolytlösung.

Doppelschlag: Notation (oben) und Ausführung (unten) des Themenbeginns der Solovioline aus der Romanze F-Dur für Violine und Orchester op. 50 von Ludwig van Beethoven

Doppelschlag, *Musik:* Verzierung, bei der die Hauptnote durch ihre obere und untere Nebennote umspielt wird.

Doppelschlussmaschine, Gleichstrommotor oder -generator mit einer Reihenschluss- (Erregerwicklung in Reihe mit Ankerwicklung) und einer Nebenschlusswicklung (Erregerwicklung parallel zur Ankerwicklung).

Doppelspat, ein Mineral, →Kalkspat.

Doppelsprung, im Eis- und Rollkunstlauf Sprung ohne Zwischenschritt mit doppelter Umdrehung.

Doppelsterne, zwei Sterne, die scheinbar oder wirklich nahe beieinander stehen. **Optische** oder **scheinbare D.** stehen nur zufällig in gleicher Beobachtungsrichtung und sind in Wirklichkeit weit voneinander getrennt. Die **phys.** oder **wirkl. D.** werden durch die gravitative Wechselwirkung zusammengehalten und führen period. Bewegungen um den gemeinsamen Schwerpunkt aus. Bei den **visuellen D.** sind zwei Einzelsterne sichtbar. Die **spektroskop. D.** stehen so eng, dass sie sich optisch nicht trennen lassen; ihre Bahnbewegung kann aber aus den Veränderungen ihrer Spektrallinien (→Doppler-Effekt) abgeleitet werden. **Photometr. D.** sind →Bedeckungsveränderliche, deren Doppelsterncharakter an dem durch die gegenseitige Bedeckung hervorgerufenen Lichtwechsel (mit photometr. Methoden) erkennbar wird.

doppelte Moral, die Anwendung verschiedener eth. Maßstäbe für die gleichen Handlungen, je nachdem, von wem und in welchem Lebensbereich (z.B. Künstler–Bürger, Mann–Frau, Staatspolitik–Privatleben) oder in welcher Situation sie begangen werden.

doppelte Wahrheit, im MA. von Averroismus, insbes. Siger von Brabant, und Nominalismus vertretene Lehre, wonach Philosophie und Theologie beide Recht haben können, auch wenn ihre Aussagen im Widerspruch zueinander stehen; vom 5. Laterankonzil (1513) verworfen.

doppeltkohlensaure Salze, ältere Bez. für Hydrogencarbonate, die sauren Salze der Kohlensäure.

Doppeltsehen (Diplopie), das Wahrnehmen von zwei Bildern ein und desselben Gegenstandes. **Beidäugiges D. (binokulares D.)** liegt vor, wenn der beobachtete Gegenstand nicht auf korrespondierenden Netzhautstellen beider Augen abgebildet wird, so z.B. bei versch. Stellungsanomalien der Augen, v.a. bei Augenmuskellähmung.

Doppelverhältnis, Quotient zweier Verhältnisse; für vier Punkte A, B, C, D einer Geraden gilt:

$$D(A, B, C, D) = \frac{\overline{AC}}{\overline{BC}} : \frac{\overline{AD}}{\overline{BD}}.$$

Ist $D = -1$, so liegt eine →harmonische Teilung vor.

Doppelversicherung, mehrfache Versicherung desselben Risikos bei versch. Versicherern. Übersteigen bei Schadensversicherungen die Versicherungssummen den Versicherungswert **(Überversicherung),** haften die Versicherer nur bis zur Höhe des Gesamtschadens; die D. ist hier außerdem bei Nachweis betrüger. Absicht nichtig. Bei Leistungsversicherungen (Renten-, Lebensversicherung u.a.) ist die D. zulässig.

Doppelwährung, Währungssystem, bei dem zwei versch. Geldarten nebeneinander mit festgelegtem Wertverhältnis als gesetzl. Zahlungsmittel umlaufen, z.B. Gold- und Silbermünzen **(Bimetallismus)** und/oder zwei auf versch. Währungseinheiten lautende Papiergeldzeichen.

Doppelwendellampe, Glühlampe mit einem doppelt gewendelten (schraubenförmig gedrehten) Faden. Durch die Doppelwendel werden die Wärmeverluste der Lampe und die Lichtausbeute erhöht.

Doppelzentner, Einheitenzeichen **dz,** nichtgesetzl. Einheit der Masse, ersetzt durch Dezitonne (dt), 1 dz = 1 dt = 100 kg.

Döpper *der,* Werkzeug zum Nieten, →Niet.

Christian Doppler

Doppler-Effekt

Wenn eine Schallquelle eine Geschwindigkeit v_q relativ zur Luft hat und einen Ton der Frequenz f_0 aussendet, dann empfängt ein Hörer, der sich mit der Geschwindigkeit v_h bewegt, durch den akustischen Doppler-Effekt die veränderte Frequenz

$$f = f_0 \frac{1 - v_h/v_s}{1 - v_q/v_s}$$

(v_s ist die Schallgeschwindigkeit). Mit etwas Übung kann man aus dem Frequenzunterschied des Motorengeräuschs die Geschwindigkeit eines vorbeifahrenden Autos abschätzen.

Doppler-Effekt, 1842 von dem österr. Physiker C. Doppler (*1803, †1853) beschriebene Veränderung der beobachteten Frequenz bei der Ausbreitung von Wellen (Schall-, Lichtwellen u.a.), wenn sich Quelle und Beobachter relativ zueinander bewegen. Ein Ton erscheint beim Näherkommen der Quelle höher, beim Entfernen tiefer. Ursache dieses **akust. D.-E.** ist, dass den Beobachter bei Annäherung der Quelle pro Zeiteinheit mehr Wellenzüge erreichen, sodass die empfangene Frequenz höher ist als bei unbewegter Quelle; entfernt sich die Quelle, ist es umgekehrt. – In der Astronomie wird der D.-E. bei Lichtwellen **(opt. D.-E.)** benutzt, um die Bewegung der Himmelskörper in Richtung der Gesichtslinie zu messen; sie äußert sich in einer Verschiebung der Spektrallinien in den Spektren der Himmelskörper **(Doppler-Verschiebung),** und zwar zum Violett, wenn sich der Himmelskörper auf den Beobachter zu bewegt; eine →Rotverschiebung tritt auf, wenn sich der Himmelskörper vom Beobachter entfernt (→Hubble-Effekt). In der Spektroskopie wird

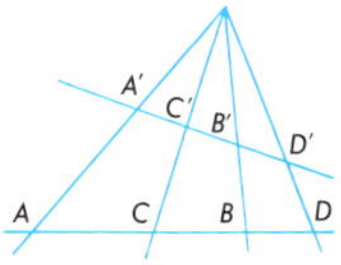

Doppelverhältnis

Dordrecht: Das Bild der von Kanälen durchzogenen Stadt wird beherrscht von der »Grote Kerk« aus dem 13.–15. Jh. mit unvollendetem Turm (1339)

infolge der therm. Bewegung der strahlenden Atome eine auf dem D.-E. beruhende Verbreiterung der Spektrallinien **(Doppler-Verbreiterung)** beobachtet.

Dordrecht Stadtwappen

Doppler-Navigationsverfahren, auf dem →Doppler-Effekt beruhendes Navigationsverfahren für Luftfahrzeuge, das von Bodenstationen unabhängig ist. Vom Luftfahrzeug aus werden mit Richtstrahlantennen schräg nach unten unter bestimmtem Winkel gegeneinander zwei elektromagnet. Strahlenbündel ausgesandt. Aus dem Doppler-Effekt der vom Erdboden reflektierten Wellen können die Übergrundgeschwindigkeiten in Vorausrichtung und querab dazu (Abdrift) bestimmt werden.

Dopsch, Alfons, österr. Historiker, *Lobositz (heute Lovosice) 14. 6. 1868, †Wien 1. 9. 1953; war 1900–38 Prof. in Wien, schrieb u.a. »Wirtschaft und soziale Grundlagen der europ. Kulturentwicklung ...« (2 Bde., 1918–20).

Milo Dor

Dor, Milo, eigtl. Milutin Doroslovac, österr. Schriftsteller serb. Herkunft, *Budapest 7. 3. 1923; schrieb (z.T. mit R. Federmann) in dt. Sprache Zeitromane und -stücke bes. aus dem Erlebnis des Krieges, dann Erinnerungsbilder aus der serb. Heimat; auch Hörspiele.

Dora Baltea *die,* linker Nebenfluss des Po in Italien, 160 km lang, entspringt am Montblanc, durchfließt das Aostatal, mündet bei Crescentino.

Antal Dorati

Dorade [frz.] *die,* Name versch. Fische, v.a. **Echte D.** (Goldbrasse, Sparus auratus), Speisefisch im Mittelmeer und O-Atlantik und **Unechte D.,** die Goldmakrele; bis 1,5 m langer Speisefisch in trop. und gemäßigten Meeren.

Dorado [span.] *das, Astronomie:* das Sternbild →Schwertfisch.

Dorado [span.], →Eldorado.

Dorant *der* (Orant) volkstüml. Bez. für versch. Pflanzen, so Enzian oder Andorn.

Dora Riparia *die,* linker Nebenfluss des Po in Italien, 125 km lang, entspringt in den Cott. Alpen, mündet bei Turin.

Dorati, Antal, amerikan. Dirigent und Komponist ungar. Herkunft, *Budapest 9. 4. 1906, †Gerzensee (bei Thun, Schweiz) 13. 11. 1988; emigrierte 1933 nach Frankreich, ging 1938 über Australien in die USA; setzte sich bes. für Werke zeitgenöss. Komponisten ein.

Dorchester ['dɔ:tʃɪstə], Stadt in S-England, Verw.sitz der Cty. Dorset, 14000 Ew.; Nahrungsmittel- und Textilindustrie. – Abteikirche Saint Peter and Paul im Perpendicular Style mit Glasfenstern aus dem frühen 14. Jahrhundert.

Dordogne [dɔr'dɔɲ], **1)** *die,* rechter Nebenfluss der Garonne in SW-Frankreich, 490 km lang, entspringt als **Dore** 1680 m ü.M. am Puy de Sancy (Mont-Dore), die sich dann mit der **Dogne** vereinigt; durchfließt das Zentralmassiv in tiefen Schluchten.

2) Dép. im SW Frankreichs, umfasst das Périgord, 9060 km^2, (1990) 386600 Ew.; Hptst. ist Périgueux.

Dordrecht (Kurzform Dordt), Stadt in der niederländ. Provinz Südholland, im Rhein-Maas-Delta, 112700 Ew.; Schiffswerften, Stahl- und Flugzeugbau, chem., Metallwaren- und Schokoladenind.; See- und Jachthafen. – Von Kanälen durchzogene Stadt mit Toren und Häusern des 16.–18. Jh.; Grote Kerk (13.–15. Jh., unvollendeter Turm von 1339). – D., um 1138 erstmals urkundlich erwähnt, erhielt 1220 Stadtrecht und war im MA. ein bed. Handelsplatz. Die **Dordrechter Synode** der ref. Kirchen (1618/19) erkannte den Glaubenssatz der →Prädestination an.

Doré, Gustave, frz. Grafiker, Maler und Bildhauer, *Straßburg 6. 1. 1832, †Paris 23. 1. 1883; wurde berühmt mit Holzstichillustrationen zu F. Rabelais' »Gargantua und Pantagruel« (1854), H. de Balzacs »Contes drôlatiques« (1855), G. A. Bürgers »Münchhausen« (1862) u.a.; mit späteren, von Mitarbeitern gestochenen Blättern (u.a. zur Bibel, 1865) näherte er sich dem Symbolismus; bearbeitete auch sozialkrit. Themen.

Ausgabe: G. D., hg. v. G. Brandler (^{2}1990).

Dorer (Dorier), grch. Volksstamm, der, ausgehend vom dalmatinisch-alban. Raum, zunächst die Landschaft Doris in Mittelgriechenland, dann im Verlauf der **dorischen Wanderung** seit etwa 1100 v.Chr. auf der Peloponnes die Argolis, Lakonien, Messenien sowie das Land am Isthmus von Korinth besetzte. Die D. drangen über Sporaden, Kykladen und Kreta bis SW-Kleinasien vor. An der grch. Kolonisation seit dem 8. Jh. v. Chr. waren von den D. v.a. Korinther und Megarer beteiligt. Die Staatsordnung der Spartaner verkörperte am reinsten ihren strengen Stammescharakter.

📖 Bengtson, H.: *Griechische Geschichte. Von den Anfängen bis in die römische Kaiserzeit. München* [8]*1994.*

Dorestad, Handelsplatz des 7.–9. Jh. am Niederrhein, nördlich von Wijk bij Duurstede (Prov. Utrecht, Niederlande), an der Gabelung von Lek und Krummem Rhein; Ausgangspunkt des fränkisch-fries. Handels nach England und N-Europa.

Dorf, ländl. Gruppensiedlung mit urspr. überwiegend bäuerl., heute auch in anderen Wirtschaftszweigen tätiger Bevölkerung.

Das D. ist in seiner Lage und Form abhängig von natürl. Voraussetzungen (Landschaft, Klima, Boden, landwirtsch. Nutzung) und der geschichtl. Entwicklung (Zeit der Gründung, Herkunft der Siedler). Man unterscheidet: mit unregelmäßiger Form **Weiler, Haufen-D.** und **Streusiedlung;** mit runder Form **Rundling, Rundanger-D., Rundweiler** und **Platz-D.;** mit längl. Form **Sackgassen-, Straßen-, Straßenanger-, Zeilen-** und **Reihen-D.** (Marsch-, Moor- und Waldhufen-D.). Der Fluraufteilung nach unterscheidet man D. mit **Gemengelage,** die **Gewann-D.,** und die dt. **Kolonial-D.,** bei denen Hof und zugehöriges Land beisammenliegen. – Die älteren dt. D. waren meist Markgenossenschaften mit eigener Gerichtsbarkeit, den Bauerngerichten. Die Versammlung der D.-Genossen tagte unter Vorsitz des D.-Vorstehers (Bauermeister, Heimburge, Zender, D.-Schulze). In der Neuzeit wurden die D. aus Lebens- und Wirtschaftsgemeinschaften mehr und mehr zu Verwaltungseinheiten. Die herkömmliche soziale Gliederung wurde von der industriellen Entwicklung bes. seit etwa 1900 stark erschüttert, dörfl. Brauchtum durch die Verstädterung eingeengt oder aufgegeben. In ganzen Landstrichen verwandelten sich alte D. in Industrie- und Arbeiter-D.; die Pendelwanderung führte zur Trennung von Wohn- und Arbeitsstätte.

📖 Lienau, C.: *Die Siedlungen des ländl. Raumes. Braunschweig* [2]*1995.*

Dorferneuerung, Begriff der Landesplanung und der Agrarpolitik, umfasst alle Maßnahmen zur wirtsch. und kulturellen Strukturverbesserung ländl. Gemeinden.

📖 *Dorferneuerung. Anregung zum Mitmachen, hg. v.* D. Schoeller, *2 Bde. Innsbruck* [2]*1992.*

Dorfgeschichte, → Bauerndichtung.

Dorfprosa (russ. Derewenskaja prosa), Richtung in der russ. Gegenwartsprosa seit den 50er-Jahren. Thematisch an den ländl. Alltag gebunden, widerspiegelt sie in historisch dimensionierten Konflikten den Zerfall traditioneller Lebensformen und Wertvorstellungen durch Industrialisierung und Urbanisierung; insbes. das Engagement für den Schutz der Umwelt führte zu internat. Beachtung; bed. Vertreter sind F. A. Abramow, W. I. Below, W. P. Rasputin, S. P. Salygin, W. M. Schukschin, W. A. Solouchin.

Dorfroman, → Bauerndichtung.

Dorgelès [dɔrʒəˈlɛs], Roland, eigtl. R. Lécavelé, frz. Schriftsteller, * Amiens 15. 6. 1885, † Paris 18. 3. 1973; schilderte in »Die hölzernen Kreuze« (1919) das Kriegserlebnis des einfachen Soldaten, in späteren Romanen die Bohème am Montmartre.

Andrea Doria: Ausschnitt aus einem Gemälde von Sebastiano del Piombo (1526; Rom, Palazzo Doria)

Doria, Andrea, genues. Staatsmann, * Oneglia (heute zu Imperia) 30. 11. 1466, † Genua 25. 11. 1560; Kondottiere, kämpfte seit 1522 im Dienst König Franz' I. von Frankreich, wechselte 1528 auf die Seite Kaiser Karls V. Als unumschränkter Herrscher in Genua erneuerte er dessen republikan. Verfassung im streng oligarch. Sinn. Als oberster Admiral Kaiser Karls V. kämpfte er erfolgreich gegen die Türken. 1547 unterdrückte er die Verschwörung des Fiesco (→ Fieschi).

Dori|er, grch. Volksstamm, → Dorer.

Doriot [dɔrˈjo], Jacques, frz. Politiker, * Bresles (Dép. Oise) 16. 9. 1898, † Menningen (heute zu

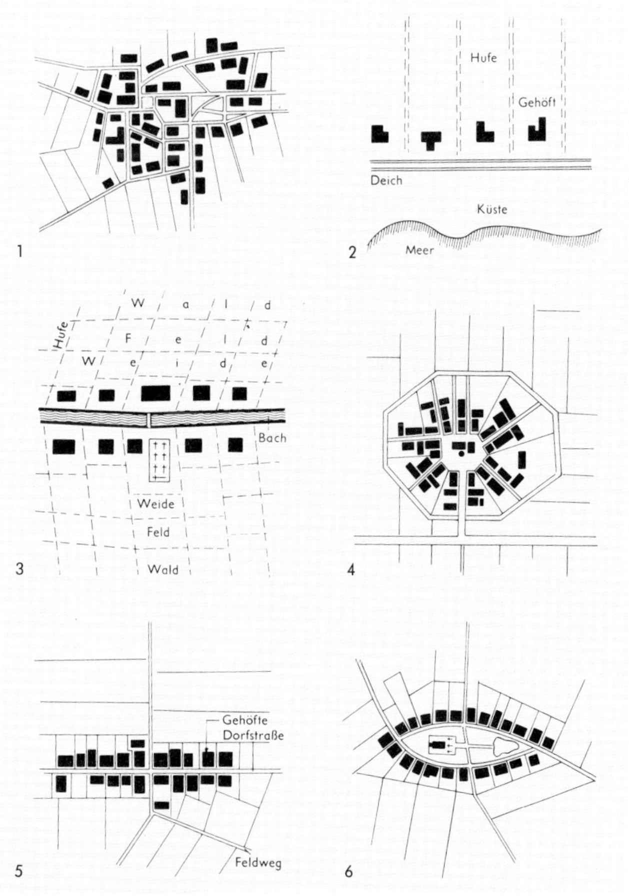

Dorf: 1 Haufendorf; 2 Marschhufendorf; 3 Waldhufendorf; 4 Rundling; 5 Straßendorf; 6 Straßenangerdorf

Meßkirch) 22. 2. 1945; urspr. Mitgl. der KP, dann Führer des rechtsradikalen »Parti Populaire Français«; gründete 1941 die »Légion Tricolore«, mit der er bis 1944 auf dt. Seite an der Ostfront kämpfte.

Dornauszieher: Bronzestatue (1. Jh. v. Chr.; Rom, Konservatorenpalast)

Doris, 1) (Tetrapolis) kleinste Landschaft im antiken Mittelgriechenland, im Quellgebiet des Kephisos.

2) (dorische Hexapolis) der von Dorern besiedelte südlichste Teil der kleinasiat. Westküste mit den vorgelagerten Inseln.

DORIS, Abk. für **Do**ppelspeicher**ri**ng**s**ystem, →Deutsches Elektronen-Synchrotron.

dorischer Baustil, →griechische Kunst, →Säulenordnung.

dorischer Kirchenton, auf dem Grundton d stehende →Kirchentonart.

dorische Wanderung, →Dorer.

Dormagen, Stadt im Kr. Neuss, NRW, am linken Rheinufer, 61 600 Ew.; chem. Ind., Zuckerfabrik, Brauerei. – Zu D. gehört die mittelalterl. Zollfeste →Zons.

Dormanz [frz.] *die, Biologie:* Ruhezustand zum Überdauern von ungünstigen örtl. oder zeitl. Lebensverhältnissen.

Dormitorium [lat.] *das,* Schlafsaal in Klöstern, auch der Teil des Klosters mit den Einzelzellen.

Dorn, 1) *Botanik:* stechendes, starres, holziges Pflanzenorgan, das durch Umwandlung eines Sprosses (z. B. Weißdorn), eines Blattes (z. B. Berberitze) oder einer Wurzel entsteht. (→Stachel)

2) *Technik:* zylindr., meist schwach kegelförmiges Werkzeug zum Aufweiten von Löchern, Ziehen von Rohren **(Zieh-D.),** zur Aufnahme von Werkstücken bei der Bearbeitung **(Drehdorn).**

Dorn, Dieter, Theaterregisseur und Intendant, *Leipzig 31. 10. 1935; ab 1976 an den Münchner Kammerspielen, inszenierte 1991 die Uraufführung von B. Strauß' »Schlußchor« in München; auch Opernregisseur.

Dornach, Hauptort des Bezirks Dorneck im Kt. Solothurn, Schweiz, 5 500 Ew.; Wein- und Obstbau; Metallwerke; Ruine der Burg Dorneck. Sitz der von R. →Steiner 1913 gegr. Anthroposoph. Gesellschaft (Goetheanum).

Dornapfel (Stechapfel), Art der Nachtschattengewächsgattung →Datura.

Dornauszieher, Motiv (bes. in der antiken hellenist. Plastik) eines sitzenden Knaben, der sich einen Dorn aus der Fußsohle zieht; am bekanntesten ein Bronzebildwerk wohl aus dem 1. Jh. v. Chr. (Rom, Konservatorenpalast).

Dörnberg, Wilhelm Kaspar Freiherr von, General und Politiker von Hessen-Kassel, *Hausen (heute zu Oberaula, bei Bad Hersfeld) 14. 4. 1768, †Münster 19. 3. 1850; Offizier in den Befreiungskriegen 1813/15 (u. a. bei Waterloo).

Dornbirn, Stadt in Vorarlberg, Österreich, unterhalb der Rappenlochschlucht, am Austritt der Dornbirner Ach in die Rheinebene, 40 700 Ew.; Mittelpunkt der Textilind. Österreichs mit Fachmesse und Bundestextilschule; Elektro- und Kunststoff verarbeitende Ind., Maschinenbau. – Klassizist. Stadtpfarrkirche mit frei stehendem Glockenturm; Bürgerhäuser (18./19. Jh.) am Marktplatz. – D., 895 erwähnt, wurde 1901 Stadt.

Dornburg/Saale, Stadt im Saale-Holzland-Kreis, Thür., über der Saale, 1 000 Ew. – Auf steilem Muschelkalkfels drei Schlösser: das nördliche »Alte Schloss« (10. und 15. Jh.), das »Mittlere Schloss« (Rokokoschlösschen, 1736–47) und das südliche Renaissanceschloss (1539; jetzt Goethe-Gedenkstätte). – Burg Dornburg, 937 bezeugt, kam 1358 mit der Stadt an die Wettiner.

Dorndreher, Singvogelart aus der Familie der →Würger.

Dornfortsatz, →Wirbelsäule.

Dornburg/Saale: Das 1736–47 erbaute Rokokoschlösschen wird wegen seiner Lage zwischen nördlichem alten Schloss und südlichen Renaissanceschloss »Mittleres Schloss« genannt

Dorngrundel (Steinbeißer), ein Süßwasserfisch, → Schmerlen.

Dornhaie, Familie der → Haie.

Dornier-Gruppe [dɔrn'je:-], Unternehmen der Luft- und Raumfahrtind., Sitz: Friedrichshafen; hervorgegangen aus einer von Claudius Dornier (*1884, †1969) in Friedrichshafen gegründeten Flugzeugwerft. Seit 1985 hält die Daimler-Benz AG die Kapitalmehrheit.

Dorno-Strahlung [nach dem Physiker C. Dorno, *1865, †1942], die UV-B-Strahlung, → Ultraviolett.

Dornrös|chen, verbreitetes Märchenmotiv roman. Ursprungs (14. Jh.): eine Königstocher, die mit allen Schlossbewohnern in einen hundertjährigen Schlaf fällt und von einem Prinzen, der die um das Schloss gewachsene Dornenhecke durchdringt, erlöst wird. Bekannt sind v.a. die Fassungen von C. Perrault und den Brüdern Grimm.

Dortmund: Westfalenpark mit 212 m hohem Fernsehturm

Dornteufel, *Zoologie:* eine Agame, → Moloch.

Doroschenko, Petro, Kosakenhetman, *Tschigirin (Ukraine) 1627, †Jaropoltscha (heute Jaropolez, Gebiet Moskau) 1698; versuchte vergeblich, sich zw. Polen, Russland und Türken zu behaupten; seit 1676 in russ. Diensten.

Dorpat, Stadt in Estland, → Tartu.

Dörpfeld, 1) Friedrich Wilhelm, Pädagoge, *Sellscheid (heute zu Wermelskirchen) 8. 3. 1824, †Ronsdorf (heute zu Wuppertal) 27. 10. 1893, Vater von 2); förderte als Herbartianer den Unterricht in den Realien und war der geistige Führer der evang. Schulgemeindebewegung; setzte sich (ähnlich wie F. A. Diesterweg) für die pädagog., geistige und soziale Hebung des Lehrerstands ein.

Werke: Die freie Schulgemeinde auf dem Boden der freien Kirche (1863); Die drei Grundgebrechen der hergebrachten Schulverfassungen (1869).

2) Wilhelm, Archäologe, *Barmen (heute zu Wuppertal) 26. 12. 1853, †auf Leukas 25. 4. 1940, Sohn von 1); leitete die Ausgrabungen in Olympia, Tiryns, Troja, Pergamon, Athen u.a., Begründer der modernen Grabungsmethoden; verfasste u.a. »Troja und Ilion« (2 Bde., 1902), »Alt-Olympia« (2 Bde., 1935).

Dörrgemüse, das → Trockengemüse.

Dörrie, Doris, Filmregisseurin, *Hannover 26. 5. 1955; drehte u.a. »Mitten ins Herz« (1983), die Filmkomödie »Männer« (1985), »Ich und Er« (1988), »Happy Birthday, Türke« (1991), »Keiner liebt mich« (1994); schreibt auch Prosa.

Dörrobst, das → Trockenobst.

dorsal [lat.], rückenseitig, den Rücken betreffend; Ggs.: ventral.

Dorsch, Käthe, Schauspielerin, *Neumarkt (i.d. OPf.) 29. 12. 1890, †Wien 25. 12. 1957; kam 1919 nach Berlin, spielte seit 1940 am Wiener Burgtheater; gestaltete auch Filmrollen.

Dorsche, die Familie → Schellfische.

Dorset ['dɔ:sɪt], County in England, an der Kanalküste, 2653 km^2, (1991) 645200 Ew.; Verw.sitz ist Dorchester.

Dorst, Tankred, Schriftsteller, *Sonneberg 19. 12. 1925; schreibt zeitkrit. Dramen: »Große Schmährede an der Stadtmauer« (1962), »Toller« (1968), »Merlin« (1981), »Ich, Feuerbach« (1986), »Karlos« (1990). Georg-Büchner-Preis 1990.

Dorsten, Stadt im Kr. Recklinghausen, NRW, an der Lippe und am Wesel-Datteln-Kanal, 80700 Ew.; Jüd. Museum Westfalen; Steinkohlenbergbau, Maschinen- und Drahtfabriken, Glas-, chem., Textil-, Möbel- und Baustoffind., Brauerei; Kanalhafen. – D. erhielt 1251 Stadtrecht.

Dortmund, kreisfreie Stadt im RegBez. Arnsberg, NRW, 597900 Ew.; größte Stadt Westfalens. D. liegt an der oberen Emscher, im östl. Teil des Ruhrgebiets mit Max-Planck-Instituten für System- und Ernährungsphysiologie, Bundesanstalt für Unfallforschung und Arbeitsschutz, Inst. für Spektrochemie und angewandte Spektroskopie, Zeitungsforschungsinstitut, Westfäl. Wirtschaftsarchiv, Sozialakademie, Verwaltungs- und Wirtschaftsakademie, Univ. (1969), FH; Westfalenpark mit Fernsehturm (212 m hoch) und Rosarium, Westfalenstadion, Stadion »Rote Erde«, Pferderennbahn (in Wambel). Eisen- und Stahlwerke, Maschinen- und Brückenbau, elektrotechn. Ind., Steinkohlenbergbau, Brauereien, Druckereien. Zunehmend ist D. auch ein Dienstleistungszentrum mit Technologiezentrum und Produktenbörsen. Die Bedeutung als Handelsstadt wurde durch den Bau des Dortmund-Ems-Kanals mit seinem großen Hafen in D. stark gefördert.

Hauptkirche der Stadt ist die Reinoldikirche (13.–15. Jh., Westturm 1701 vollendet; reiche Innenausstattung), Marienkirche (um 1220, Chor um 1350–60; Marienaltar von Konrad von Soest); Propsteikirche (14./15. Jh.), Petrikirche (14. Jh.; Ant-

Doris Dörrie

Käthe Dorsch

Tankred Dorst

Dortmund
Stadtwappen

Doryphoros: Rekonstruktion einer Bronzestatue des Polyklet (Original um 450 v. Chr.; München, Universität)

werpener Schnitzaltar, um 1520), neue Synagoge (1956). Die Wasserburg »Haus Bodelschwingh« im Stadtteil Bodelschwingh (1302 erstmals erwähnt, stammt v.a. aus dem 16./17. Jh.). An neuen Bauten sind v.a. die Westfalenhalle (1949–52), das Stadttheater (1956–65) und die Spielbank (1982–85) von H. Deilmann in Hohensyburg zu erwähnen.

D. entstand bei einem karoling. Königshof; um 885 als **Throtmanni** erwähnt, seit 1220 Reichsstadt (bis 1803); wurde ein bed. Fernhandelsplatz, Mitgl. der Hanse und (Anfang des 15. Jh.) ein Vorort der westfäl. Feme (Dortmunder Freistuhl); sank seit dem Dreißigjährigen Krieg zur Ackerbürgerstadt herab; kam 1803 zu Nassau, 1809 zum Großherzogtum Berg, 1815 an Preußen; im 19. Jh. großer wirtsch. Aufschwung; 1928 Eingemeindung von Hörde.

📖 *Geschichte der Stadt D., Beiträge v.* G. Luntowski *u. a. Dortmund 1994.*

Dortmund-Ems-Kanal, 269 km lange Wasserstraße, verbindet Dortmund und das Ruhrgebiet mit der Nordsee, seit 1899 in Betrieb. Der Kanal ist für Schiffe bis 1350 t befahrbar und hat 16 Schleusen sowie ein Schiffshebewerk.

Dosis

Man kennt die Wirkung hoher Strahlungsdosen relativ gut. Bei einer Ganzkörperbestrahlung mit γ-Strahlung ist eine Dosis ab etwa 4 Sv in 50% aller Fälle und ab ca. 7 Sv stets tödlich; bei Teilkörperbestrahlungen kann die Dosis sehr viel höher sein. Schwierig zu erforschen sind aber die Wirkungen von Kleinstdosen. Die Qualitätsfaktoren zur Umrechnung einer Energiedosis in eine Äquivalentdosis sind darum nicht unumstritten. – Grenzwert für Personen, die beruflich mit Strahlung umgehen, ist eine Dosis von 0,05 Sv (50 mSv) pro Jahr; für die allgemeine Bevölkerung sind die Grenzwerte etwa 100mal niedriger (0,3 mSv). Je nach geologischer Zusammensetzung des Erdreichs am Wohnort wird diese Dosis durch natürliche Strahlung weit überschritten (z.B. am Katzenbuckel bei Eberbach/Baden: 6,3 mSv/Jahr).

Doryphoros [grch.] *der,* in röm. Marmorkopien überlieferte Bronzestatue eines speertragenden Athleten (Achilleus?), Hauptwerk des Polyklet (um 450 v. Chr.).

Dos [lat.] *die, röm. Recht:* die Mitgift der Ehefrau.

DOS, Abk. für engl. **d**isk **o**perating **s**ystem, Teilbetriebssystem zur Dateiverwaltung auf Magnetplattenspeichern (Diskette, Festplatte); ein Standard ist →MS-DOS.

John Dos Passos

Dosimeter [grch.] *das,* Messgerät zur Bestimmung der Dosis oder Dosisleistung von ionisierender Strahlung, bes. der Strahlenbelastung von Personen durch Röntgenstrahlung oder radioaktive Präparate. **Personen-D.** werden am Körper getragen, **Orts-D.** dienen zur Überwachung von bestimmten Orten. Die gebräuchlichsten Personen-D. sind das luftgefüllte **Füllhalter-D. (Stab-D.),** ein Ionisations-D. in der Größe eines Füllhalters, bei dem je nach der Menge der einfallenden Strahlung durch Ionisation der Luft eine Kondensatorkammer entladen wird, und das **Film-D. (Filmplakette),** das auf der Schwärzung eines fotograf. Films beruht.

📖 Krieger, H. *u.* Petzold, P.: *Strahlenphysik, Dosimetrie u. Strahlenschutz, Bd. 1. Stuttgart* [3]*1992.*

Dosimetrie *die,* Messung der Dosis und der Dosisleistung mithilfe von Dosimetern.

Dosis [grch. »Gabe«] *die,* **1)** *Medizin:* die auf einmal oder in einem bestimmten Zeitraum anzuwendende Arzneimittelmenge oder ionisierende Strahlung.

2) *Physik, Strahlenschutz:* Maß für die einem System zugeführte Menge an ionisierender Strahlung **(Strahlen-D.).** Die **Energie-D.** ist der Quotient aus der auf das Volumenelement eines Materials übertragenen Energie und der in ihm enthaltenen Masse. SI-Einheit ist das →Gray (1 Gy = 1 J/kg); das →Rad ist nicht mehr zugelassen. Die **Ionen-D.** ist der Quotient aus der von der ionisierenden Strahlung in Luft erzeugten Ionenladung (eines Vorzeichens) und der bestrahlten Luftmasse. SI-Einheit ist das Coulomb je Kilogramm (C/kg); alte Einheit war das →Röntgen. Die **Äquivalent-D.** kennzeichnet die biolog. Wirkung ionisierender Strahlung. Sie ist das Produkt aus der gemessenen Energie-D. und einem aus biolog. Messungen abgeschätzten Qualitätsfaktor; er beträgt 1 für Röntgenstrahlen, ca. 5 für langsame Neutronen und 25 für schwere Rückstoßkerne. SI-Einheit ist das →Sievert (1 Sv = 1 J/kg); das →Rem ist nicht mehr zugelassen. Die **D.-Leistung (D.-Rate)** ist die auf eine Zeiteinheit bezogene Dosis.

Dos Passos [dɔs 'pæsəʊs], John Roderigo, amerikan. Schriftsteller, *Chicago (Ill.) 14. 1. 1896, †Baltimore (Md.) 28. 9. 1970; bis 1934 aktiver Kommunist; wurde durch seinen Antikriegsroman »Drei Soldaten« (1921) bekannt. In »Manhattan Transfer« (1925) charakterisiert er Menschen aller Gesellschaftsschichten. Seine Romantrilogie »U. S. A.« (»Der 42. Breitengrad«, 1930; »Neunzehnhundertneunzehn«, 1932; »Die Hochfinanz«, 1936) setzt sich kritisch mit den führenden Schichten der USA auseinander; später Wende zum Konservatismus; Erinnerungen unter dem Titel »Die schönen Zeiten« (1966).

📖 Schiller, M.: *Geschichte als Erinnerung bei J. D. P. Heidelberg 1983.* – Sanders, D.: *J. D. P. A comprehensive bibliography. New York u. a. 1987.*

Dos Santos, José Eduardo, angolan. Politiker, *Luanda 28. 8. 1942; Ingenieur, Mitgl. der marxistisch orientierten Befreiungsbewegung Movimento Popular de Libertação de Angola (MPLA), bekleidete seit der Entlassung Angolas in die Unabhängigkeit (1975) versch. Reg.ämter, wurde nach dem Tod von Präs. A. Neto 1979 Vors. der MPLA und Staatspräsident.

Dosse *die,* rechter Nebenfluss der Havel, entspringt im südl. Endmoränengebiet Mecklenburgs, mündet nahe Vehlgast; 120 km lang; Unterlauf kanalisiert und schiffbar.

Dossi, Dosso, eigtl. Giovanni de' Luteri, italien. Maler, *Ferrara um 1489, †ebd. 26. 7. 1542; Hofmaler der Este; schuf v.a. religiöse und mytholog. Darstellungen in leuchtendem Kolorit von romant. Stimmung sowie vorzügl. Porträts.

Dossier [dɔs'je, frz.] *das,* umfangreichere Akte mit allen zu einer Angelegenheit gehörigen Schriftstücken.

Dost (Origanum), Lippenblütlergattung, die fast nur im Mittelmeergebiet vorkommt; einzige einheim. Art ist der **Gemeine D.** (Wilder Majoran, Origanum vulgare), eine Staude mit Majorangeruch, eiförmigen Blättern und fleischfarbenen Blüten.

Dostal, Nico, österr. Komponist, *Korneuburg 27. 11. 1895, †Salzburg 27. 10. 1981; war bes. erfolgreich mit den Operetten »Clivia« (1933) und »Die ungarische Hochzeit« (1939).

Dostojewski, Fjodor Michailowitsch, russ. Schriftsteller, *Moskau 11. 11. 1821, †Sankt Petersburg 9. 2. 1881; aus verarmter Adelsfamilie (Sohn eines Arztes). Sein Erstlingswerk, der Briefroman »Arme Leute« (1846), hatte großen Erfolg. Wegen Teilnahme an Treffen des utopisch-sozialist. Petraschewski-Kreises wurde D. 1849 zum Tode verurteilt und vor der Hinrichtung zu vier Jahren Verbannung nach Sibirien begnadigt. Die »Aufzeichnungen aus einem Totenhaus« (1860–62) schildern diese Leidenszeit. Erst 1859, nach mehreren Jahren Militärdienst, durfte D. zurückkehren, jetzt überzeugter Christ und radikaler Gegner des atheist. Sozialismus. In dieser Zeit begann er die Reihe seiner großen Romane (»Erniedrigte und Beleidigte«, 1861; »Raskolnikow«, 1866, 1906 u.d. T. »Schuld und Sühne«; »Der Spieler«, 1867; »Der Idiot«, 1868; »Die Dämonen«, 1871/72; »Die Brüder Karamasow«, 1879/80). Die politisch-ideolog. Stellung D.s, sein Panslawismus, seine Volksgläubigkeit und sein religiöser Mystizismus kommen im »Tagebuch eines Schriftstellers« (1873, 1876/77, 1880, 1881) am unmittelbarsten zum Ausdruck. D. schuf sich eine eigene, neuartige Romanform, die seinem neuen Menschen- und Weltbild, das durch tiefe Religiosität, aufopfernde Liebe für die Leidenden und krit. Auseinandersetzung mit selbstherrl. Rationalismus und Individualismus bestimmt wurde, entsprach; die zur Auflösung aller starren Grenzen und zur Aufhebung jeder eindeutigen Interpretation neigende Romantechnik ermöglichte eine bisher unbekannte Dynamik der Handlungsführung und Seelenanalyse. Die kriminalist. Handlungsführung, ihre psycholog. Vertiefung und deren Erhöhung zu einem Kampf metaphys. Mächte oder bewegende Ideen werden in einer Art Schichtung von drei Ebenen miteinander unlösbar verknüpft. In der neueren Kritik und Forschung findet neben den psycholog. Analysen und seinen Ideen v.a. die bahnbrechende Romantechnik Beachtung und Würdigung. Außer Romanen schrieb D. bed. Erzählungen, u.a. »Der Doppelgänger« (1846), »Weiße Nächte« (1848), »Onkelchens Traum« (1859).

Dosso Dossi: »Jupiter, Merkur und die Tugend« (um 1515–18; Wien, Kunsthistorisches Museum)

Fjodor Michailowitsch Dostojewski

Ausgabe: Polnoe sobranie sočinenij, hg. v. V. G. Bazanov u.a., 30 Bde. (1972–90).

📖 Meier-Graefe, J.: *Dostojewskij. Der Dichter. Frankfurt am Main 1988.* – *Jb. der Dostojewskij-Gesellschaft. Bd. 1 ff. Flensburg 1992 ff.* – Lavrin, J.: *F. M. Dostojevskij. A. d. Engl. Reinbek 110.–112. Tsd. 1995.*

Dotation, Zuwendung von Geldmitteln oder Gütern, bes. die Ausstattung von Stiftungen und Anstalten; im Rahmen des →Finanzausgleichs nicht zweckgebundene Zuwendung übergeordne-

Fjodor Dostojewski

»Schuld und Sühne«

Dies ist der deutsche Titel von Fjodor Michailowitsch Dostojewskis Roman, der nach dem russischen Original eigentlich »Verbrechen und Strafe« oder »Übertretung und Zurechtweisung« heißen müsste. Thema des Romans ist ein Mord aus rationalen Gründen, der dennoch den Zusammenbruch des Mörders zur Folge hat. Aus seiner absoluten Isolierung kann er sich nur durch Geständnis und Sühne befreien.

Dotterblume: Sumpfdotterblume (Höhe 15-50 cm)

ter an nachgeordnete öffentl. Körperschaften (z.B. von Ländern an Gemeinden).

Dotierung [zu lat. dotare »ausstatten«] (Dotieren), *Halbleitertechnik:* Einbringung von Fremdatomen in reines Halbleitermaterial (z.B. Germanium und Silicium), etwa durch Diffusion, Ionenimplantation oder Neutronenbestrahlung um Zonen versch. Leitfähigkeit zu erzeugen.

Dotter, *Zoologie:* 1) (Nahrungsdotter) Bau- und Vorratsstoffe des Eies zum Aufbau des Bildungsplasmas und zur Ernährung des Embryos; 2) (Bildungsdotter) das den Embryo hervorbringende Zytoplasma der Eizelle.

Dotterblume (Caltha), Gattung der Hahnenfußgewächse; in Mitteleuropa heimisch ist die auf feuchtem Boden wachsende, giftige **Sumpf-D.** (**Butterblume,** Caltha palustris), eine Staude mit herz- bis nierenförmigen Blättern, die Blüten haben fünf dottergelbe, glänzende Kelchblätter.

Dottersack, Anhangsorgan bei Wirbeltierembryonen, das den Nahrungsdotter umschließt. Bei Plazentatieren ist der D. noch ein stammesgeschichtl. Relikt, jedoch wichtig für die embryonale Blutbildung.

Dottore [italien. »Doktor«], komische Figur der →Commedia dell'Arte, der geschwätzige pedantische Gelehrte (Jurist, Arzt, Philosoph) aus Bologna.

Gerard Dou: »Geflügelhändlerin« (um 1672; London, National Gallery)

Dou [dɔu], Gerard, holländ. Maler, *Leiden 7. 4. 1613, †ebd. 9. 2. 1675; Schüler Rembrandts, schuf in miniaturhafter Arbeitsweise ausgeführte Sittenbilder und Studienköpfe; Begründer der Leidener Feinmalerei.

Douai [du'ɛ], Stadt im frz. Dép. Nord, an der kanalisierten Scarpe, am S-Rand des nordfrz. Kohlereviers, 44200 Ew.; Hochschulen für Verfahrenstechnik und Bergbau; bed. Kohlehandel; Kfz-Montage, Druckereien. – Got. Kirche Notre-Dame (13. Jh. ff.), Rathaus (z.T. 15. Jh.) mit Glockenturm (größtes Glockenspiel Europas), Stadttor (14. Jh.).

Douala [du-] (Duala), Bantuvolk an der Küste Kameruns, etwa 80000 Menschen. Die D. stellten bis zu Anfang des 20. Jh. kunstvolle Schnitzwerke her. Ihre Sprache, das Douala, gehört zu den →Bantusprachen.

Douala [du-] (Duala), Provinz-Hptst. in Kamerun, 30 km vom Atlantik entfernt am schiffbaren Kamerunästuar, mit 1,21 Mio. Ew. die größte Stadt des Landes und wichtigste Hafen-, Ind.- und Handelsstadt; Forschungsinstitute und Lehranstalten; zwei Eisenbahnlinien ins Hinterland; internat. Flughafen. – 1901–16 Hptst. des dt. Schutzgebiets Kamerun, 1940–46 Französisch-Kameruns.

Douane [dwa:n, frz.] *die,* Zoll; Zollamt.

Douaumont [dwo'mɔ̃], im 1. Weltkrieg zerstörtes frz. Dorf im Dép. Meuse, 8 km nordöstlich von Verdun. Das stark befestigte **Fort D.** wurde 1916 schwer umkämpft.

Double [du:bl, frz.] *das, Film:* Person, die beim Film bes. in gefährl. Szenen oder bei Beleuchtungsproben anstelle des Hauptdarstellers auftritt.

Doublé [du'ble:, frz.] *das,* →Dublee.

Doubs [du], **1)** *der,* größter Nebenfluss der Saône, im östl. Frankreich, 430 km lang, entspringt am Fuß des Noirmont im Jura und mündet bei Verdun-sur-le-Doubs.

2) Dép. in O-Frankreich, 5234 km², (1990) 484300 Ew.; Hptst. ist Besançon.

Douglas ['dʌgləs], Hptst. der engl. Insel Man, 20400 Ew.; an der SO-Küste; Fremdenverkehr; Fährverbindung mit Liverpool und Belfast.

Douglas ['dʌgləs], schott. Adelsgeschlecht, seit 1175 nachweisbar. Bed. Vertreter: **1)** Archibald, 6. Earl of Angus, *um 1489, †Tantallon Castle (bei Edinburgh) Jan. 1557; 1514–28 ⚭ mit der Witwe König Jakobs IV., Margaret Tudor; war Vormund ihres Sohnes, König Jakobs V., der ihn 1528 verbannte. – Ballade von T. Fontane (1851; 1853 vertont von C. Loewe).

2) Sir James, gen. der »Schwarze D.«, schott. Heerführer, *1286, †in Andalusien 25. 8. 1330; hatte großen Anteil am schott. Sieg über die Engländer bei Bannockburn 1314; sollte das Herz des schott. Königs Robert I. Bruce zur Bestattung ins Hl. Land bringen, fiel aber in Spanien im Kampf gegen die Mauren.

3) James, 4. Earl of Morton, *um 1516, †Edinburgh 2. 6. 1581; führte die prot. Lords gegen Königin Maria Stuart, deren Heer er 1568 bei Langside schlug. 1572–78 Regent Schottlands; wegen angebl. Mitschuld an der Ermordung Lord Darnleys hingerichtet.

Heinrich Douvermann: »Die Wurzel Jesse«, Ausschnitt aus der Predella des Marienaltars der Pfarrkirche Sankt Nikolai in Kalkar, Holz (1519–22)

Douglas ['dʌgləs], **1)** Donald Wills, amerikan. Ingenieur und Unternehmer, *New York 6. 4. 1892, †Palm Springs (Calif.) 1. 2. 1981; gründete 1921 die **Douglas Aircraft Co. Inc.,** die v.a. Verkehrsflugzeuge baute (u.a. die DC-3 und DC-6). Die Firma fusionierte 1967 mit der McDonnell Co. zur **McDonnell Douglas Aircraft Corp.** Die 1996 angekündigte Fusion mit **Boeing Co.** wurde im Juli 1997 genehmigt.

2) Kirk, amerikan. Filmschauspieler und Produzent, *Amsterdam (N. Y.) 9. 12. 1916, Vater von 3); bed. Filme sind »Reporter des Satans« (1951), »Odysseus« (1954), »Vincent van Gogh« (1956), »Spartacus« (1960), »Stadt ohne Mitleid« (1960), »Dr. Jekyll and Mr. Hyde« (1975), »Der letzte Countdown« (1980).

3) Michael Kirk, amerikan. Filmschauspieler, *New Brunswick (N. J.) 25. 9. 1944, Sohn von 2); wurde internat. bekannt durch den Film »Das China-Syndrom« (1978), dessen Produzent er auch war; weitere Filme: »A Chorus Line« (1985), »Wall Street« (1987), »Der Rosenkrieg« (1989), »Basic Instinct« (1991), »Hallo, Mr. President« (1995).

Douglas-Home ['dʌgləs 'hju:m], Sir (1963–74) Alexander (Alec) Frederick, 14. Earl of Home (1951–63), Baron Home of the Hirsel (seit 1974), brit. konservativer Politiker, *London 2. 7. 1903, †Coldstream (Verw.gebiet Scottish Borders) 9. 10. 1995; war 1955–60 Min. für Commonwealthbeziehungen, 1960–63 und 1970–74 Außenmin., 1963–64 Premiermin.; 1971–73 leitete er die brit. Delegation bei den Verhandlungen über den Beitritt Großbritanniens zur EG.

Douglasie [du-; nach dem brit. Botaniker D. Douglas, *1798, †1834] *die* (Pseudotsuga menziesii, fälschlich Douglastanne), raschwüchsiger, zu den Kieferngewächsen gehörender, bis 100 m hoher Nadelbaum aus dem westl. Nordamerika, mit flachen, weichen Nadeln und hängenden Zapfen; wertvoller Forst- und Parkbaum.

Douglass ['dʌgləs], Frederick, amerikan. Abolitionist, *Tuckahoe (bei Easton, Md.) Februar 1817, †Washington (D. C.) 20. 2. 1895; zunächst Sklave, floh 1838 in den N der USA und wurde durch seine Zeitschrift »North Star« (1847–63, 1870–73), seine Biographie (1845) und durch Vortragsreisen der führende farbige Vorkämpfer für die Sklavenbefreiung.

Doumergue [du'mɛrg], Gaston, frz. Politiker, *Aigues-Vives (Dép. Gard) 1. 8. 1863, †ebd. 18. 6. 1937; Radikalsozialist, war 1913–14 und 1934 Min.-Präs. sowie 1924–31 Staatspräsident.

Dourine [du'rin, frz.] *die,* →Beschälseuche.

Douro ['doru], portugies. Name des →Duero.

Douvermann ['dauvərman], Heinrich, Bildschnitzer, *Dinslaken um 1480, †wohl vor 1544; war in der 1. Hälfte des 16. Jh. am Niederrhein tätig, schuf die Marienaltäre in St. Nikolai in Kalkar (1519 ff.) und in St. Viktor in Xanten (1535/36).

Dover ['dəʊvə], **1)** Hafenstadt in der Cty. Kent, SO-England, am Ärmelkanal, 32 800 Ew.; größter Fährhafen an der Straße von Dover, Hauptpassagierhafen Großbritanniens mit tägl. Verbindungen nach Boulogne-sur-Mer, Calais, Dünkirchen, Ostende, Zeebrugge; Leichtindustrie. Die **Straße von D.** (engl. Strait of D., frz. Pas de Calais) ist zw. D. und Kap Gris Nez nur 32 km breit, bis zu 72 m tief. Die beiderseits von hohen Kreidekliffs gesäumte Meeresstraße zählt zu den am stärksten befahrenen Schifffahrtswegen der Welt. – Die Stadt wird überragt vom mächtigen **Dover Castle** (12.–19. Jh.). – D. war schon in röm. Zeit wichtig für den Verkehr zw. England und dem Kontinent

2) Hptst. des Staates Delaware, USA, 27 600 Ew.; Delaware State College.

Dovifat, Emil, Publizistikwissenschaftler, *Moresnet (bei Eupen) 27. 12. 1890, †Berlin 8. 10. 1969; 1928–61 Prof. in Berlin und Direktor des Dt. Instituts für Zeitungswissenschaft; Mitgründer der CDU und der Freien Univ. Berlin. »Zeitungslehre«, 2 Bde. (1931); gab das »Hb. der Publizistik«, 3 Bde. (1966–69) heraus.

Dovrefjell, Hochfläche im südl. Hochgebirge Norwegens, von einzelnen Kuppen überragt (Snøhetta 2286 m ü. M.); außer der alten Königs- und Pilgerstraße von Østland nach Trondheim führt seit 1921 die Dovrebahn über das Fjell.

Dow Chemical Co. [daʊ 'kemɪkəl 'kʌmpənɪ], einer der größten amerikan. Chemiekonzerne; Sitz: Midland (Mich.); gegr. 1897 durch Fusion, seit 1977 jetziger Name.

Kirk Douglas

Dover 1) Stadtwappen

Alexander Frederick Douglas-Home

Gaston Doumergue

Anthony Dowell

Dowell ['daʊəl], Anthony, brit. Tänzer, *London 16. 2. 1943; wurde 1961 Mitgl. des Royal Ballet (seit 1966 1. Solist, seit 1986 künstler. Direktor).

Dow-Jones-Aktienindex [daʊ 'dʒəʊnz-; nach den amerikan. Wirtschaftsjournalisten Charles Henry Dow (*1851, †1902) und Edward D. Jones (*1856, †1920)], Durchschnitt aus den Schlusskursen von an der New Yorker Börse gehandelten Aktien ausgewählter, umsatzstarker Unternehmen (30 Industrie-, 20 Transport- und 15 Versorgungsunternehmen). Der D.-J.-A. wird von der Firma Dow, Jones & Co. seit 1897 börsentäglich ermittelt und im »Wall Street Journal« veröffentlicht. Der D.-J.-A. gilt als bes. aussagekräftig für Entwicklungstendenzen am US-Aktienmarkt und somit der amerikan. Wirtschaft.

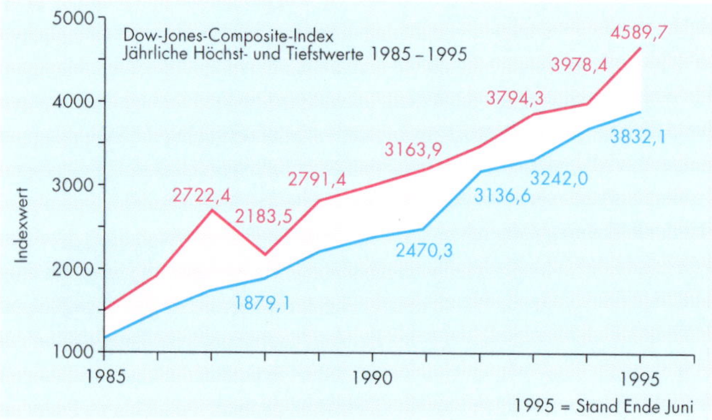

Dow-Jones-Aktienindex: Entwicklung des Dow-Jones-Aktienindex (Composite-Index) 1985-95 mit dem jeweils höchsten und niedrigsten Jahreswert

Dowland ['daʊlənd], John, engl. Komponist und Lautenist, *London (?) 1563, begraben ebd. 20. 2. 1626; bed. Lautenvirtuose seiner Zeit, schrieb u. a. mehrstimmige Gesänge und Lautenmusik.

Down [daʊn], Distrikt in Nordirland, 650 km², (1991) 58 000 Ew.; Verw.sitz ist Downpatrick.

Downing Street ['daʊnɪŋ 'striːt], nach dem engl. Diplomaten Sir G. Downing (*1624, †1684) benannte Straße zw. Whitehall und Saint James' Park in London (Westminster), an der das Schatzamt, das Auswärtige Amt und der offizielle Wohnsitz des Premierministers (»Nr. 10«) liegen.

Arthur Conan Doyle

Downs, The [ðə 'daʊnz], Kreidekalkschichtstufen in S-England, südlich der Themse. Die **North Downs** (im Leith Hill 294 m hoch) stoßen bei Dover an den Ärmelkanal, die **South Downs** (255 m hoch) bei Eastbourne.

Down-Syndrom ['daʊn-; nach dem brit. Arzt J. L. Down, *1828, †1896] (Langdon-Down-Krankheit, Trisomie 21, Mongolismus), angeborene komplexe Entwicklungsstörung, die zumeist auf das dreifache Vorhandensein des Chromosoms 21 (Trisomie) zurückzuführen ist. Symptome der Erkrankung sind u. a. geistige Behinderung aufgrund einer Unterentwicklung des Gehirns, kurzer, runder Kopf, Organmissbildungen (Herz, Nieren), Schrägstellung der Lidachsen und Vierfingerfurche. Die durchschnittl. Häufigkeit liegt bei 1,4 auf 1 000 lebend Geborene. Sie steigt mit dem Alter der Frau (v. a. ab dem 35. Lebensjahr) an. Wesentl. Bedeutung kommt der Früherkennung der Erkrankung durch Amniozentese (→Schwangerschaftsuntersuchungen) und →Chorionbiopsie zu als Grundlage für einen rechtzeitigen Schwangerschaftsabbruch. Das D. erfordert eine sonderpädagog. Förderung, eine Heilung ist nicht möglich.

Doxographen [grch.], antike Schriftsteller, die die Lehren (doxai) der Philosophen zu histor. Überblicken sammelten, z. B. der Peripatetiker Theophrast in den »Physikon doxai« und Diogenes Laërtius in »Leben und Meinungen der großen Philosophen«.

Doxologie [grch.] *die,* Lobpreisung der Herrlichkeit Gottes. Am bekanntesten ist »Ehre sei dem Vater und dem Sohn und dem Hl. Geist«.

Doyen [dwa'jɛ̃; frz., von lat. decanus] *der,* der Sprecher (»Dekan«) eines diplomat. Korps gegenüber dem Gastland; häufig unter den ranghöchsten Diplomaten der am längsten akkreditierte oder der Nuntius.

Doyle [dɔɪl], Sir (seit 1902) Arthur Conan, engl. Schriftsteller, *Edinburgh 22. 5. 1859, †Crowborough (Cty. East Sussex) 7. 7. 1930; schuf die Gestalt des Meisterdetektivs Sherlock Holmes und seines Freundes Dr. Watson (u. a. »Die Abenteuer des Sherlock Holmes«, 1892; »Der Hund von Baskerville«, 1902; »Sherlock Holmes' Rückkehr«, 1905).

📖 *Sherlockiana 1894–1994. Eine Bibliogr. deutschsprachiger Sherlock-Holmes-Veröffentlichungen, hg. v.* M. Ross *u. a. Kempen* ²*1995.*

Dozent [zu lat. docere »lehren«] *der,* nicht präzise abgegrenzte Bez. für haupt- und nebenberuflich Lehrende, v. a. im Hoch- und Fachschulbereich sowie im Rahmen der allg. und berufl. Erwachsenenbildung. **Privat-D.** haben die Lehrbefugnis an wiss. Hochschulen durch eine →Habilitation erworben, aber keine Planstelle für Hochschullehrer inne.

DP, Abk. für →**D**eutsche **P**artei.

D. P. [diː'piː], Abk. für →**D**isplaced **P**ersons.

dpa, Abk. für **D**eutsche **P**resse-**A**gentur GmbH, führende Nachrichtenagentur der Bundesrep. Dtl., Sitz: Hamburg, gegr. 1949. Gesellschafter sind Presseverlage und Rundfunkanstalten. (→Nachrichtenagentur, ÜBERSICHT)

dpi [Abk. für engl. **d**ots **p**er **i**nch »Bildpunkte pro Zoll«], Einheit für das Auflösungsvermögen

Draa: Eine aus Lehm und luftgetrockneten Ziegeln erbaute Kasba im mittleren Teil des Wadis

von Druckern oder Scannern, wobei gilt: 100 dpcm (dots per Zentimeter) = 10 dpmm (dots per Millimeter) = 254 dpi.

dpt (früher dptr), Einheitenzeichen für →Dioptrie.

DR, Abk. für →**D**eutsche **R**eichsbahn.

Dr., Abk. für **1)** →**D**okto**r**.

2) *Münzwesen:* Abk. für Drachme.

d. R., 1) *Arbeitsrecht:* in *Österreich* Abk. für **d**es **R**uhestands.

2) *Militärwesen:* Abk. für **d**er **R**eserve, z. B. Hauptmann d. R.

Draa *der* (Dra, Wadi D., frz. Oued D.), Fluss und Trockental in S-Marokko, etwa 1200 km lang, entsteht am S-Abfall des Hohen Atlas aus mehreren Quellflüssen (Stausee an der Einmündung des Dadès), mündet in den Atlantik; im Unterlauf Wadi mit Oasenwirtschaft.

Drach, Albert, österr. Schriftsteller, * Wien 17. 12. 1902, † Mödling 27. 3. 1995; 1938–47 im frz. Exil; schrieb Romane, Erzählungen und Dramen; erhielt 1988 den Georg-Büchner-Preis.

Drache [von grch. drákōn »Schlange«], **1)** *Astronomie:* (lat. Draco) Sternbild des nördlichen Himmels.

2) *Mythologie:* (Drachen) großes schlangen- oder echsenartiges, meist geflügeltes Fabeltier. Er verkörpert oft das Chaos, die Mächte der Finsternis (babylon. und grch. Mythen, im A. T. →Leviathan), auch Wettererscheinungen, v. a. Sturm und Gewitter (ind. und hethit. Mythen). Im nordgerman. Sagenkreis gilt der D. ebenso als Sinnbild des Bösen (→Midgardschlange) wie in christlichen Legenden (→Georg). Als Schatzhüter bewacht ein D. das Goldene Vlies und den Hort der Nibelungen. In dieser Rolle erscheint er in Volkssage und -märchen Mitteleuropas (als **Lindwurm,** bair.-österr. **Tatzelwurm**). In O-Asien ist der D. ein Glück bringendes Wesen und Sinnbild des männl. Prinzips.

Drachen, meist flächiges (als Kasten-D. auch räuml.) Gebilde aus einem Stabgerüst mit Papier-, Stoff- oder Folienbespannung, durch Schnur oder Seil in einer Lage gehalten, in der bei einer Relativbewegung gegenüber der umgebenden Luft (Wind oder Schleppbewegung) eine aerodynam. Auftriebskraft entsteht, die den D. emporhebt. Verwendet als Spielzeug und Sportgerät, früher als Träger meteorolog. Instrumente.

Albert Drach

Drachenbaum (Dracaena), Gattung der Agavengewächse in trop. und subtrop. Gebieten Afrikas und Australiens. Bäume oder Sträucher mit lanzettl., schopfig stehenden Blättern. Der **D.** (Dracaena draco) der Kanarischen Inseln bildet ein

Drache 2): Ausschnitt aus der »Neun-Drachen-Wand« in Peking, glasierte Ziegel (Mitte des 18. Jh.)

Drachenbaum

an der Luft erhärtendes rotes Harz **(Drachenblut)**; auch Zimmerpflanze.

Drachenfels, steile, 321 m hohe Trachytkuppe des Siebengebirges am Rhein, mit einer vor 1147 erbauten Burg (seit 1642 Ruine); Zahnradbahn zum Gipfel. Der Trachyt, schon von den Römern ausgebeutet, lieferte im 13. und 14. Jh. das Baumaterial für den Kölner Dom.

Drachenfliegen (Deltafliegen), Gleitflug mit motorlosen Fluggeräten (Hängegleiter). Diese bestehen aus einem deltaförmigen, von einem Aluminiumgerüst gehaltenen Tragsegel und einem durch Stahlseile mit den Enden des Quer- und Längsholmes verbundenen Steuertrapez. Der in Gurten hängende Pilot kann durch Bewegungen des Trapezes Anstellwinkel und Seitenlagen des rd. 18–20 kg schweren Fluggerätes variieren.

Drachme 1): Tetradrachme (Vierdrachmenstück) von Athen, Silber, Vorder- und Rückseite (490–430 v. Chr.)

Drachenköpfe (Skorpionsfische, Seeskorpione, Scorpaenidae), artenreiche Fischfamilie der Unterordnung Panzerwangen mit giftigen Stacheln in allen Meeren; z. B. → Rotbarsch, → Meersau und Rotfeuerfische.

Drachenpunkte, die → Knoten der Mondbahn.

Drachenviereck (Rhomboid), konvexes Viereck mit Symmetrieachse und zwei Paar gleich langen Nachbarseiten; spezielle D. sind Rhomben und Quadrate.

Drachenwurz, → Calla.

Drachme [grch. »Handvoll (von Münzen)«] *die,* **1)** *Messwesen:* antikes grch. Massemaß und Währungseinheit von regional unterschiedl. Größe, zumeist 1 D. = 4,36 g; 1 Talent = 6 000 D. Als antike Münze entsprach 1 D. = 6 Obolen.

2) *Münzwesen:* (ngrch. Drachmi, Abk. Dr.) → Währung, ÜBERSICHT.

Draco, lat. Name des Sternbilds → Drache.

Draconiden, periodisch um den 9. Oktober auftretender → Meteorstrom, dessen Ausstrahlungspunkt im Sternbild Drache (Draco) liegt.

Dracula (Drakula), Vampirfigur aus dem Roman »Dracula« (1897) von B. Stoker (danach Gestalt in Horrorfilmen); histor. Gestalten sind die Hospodare der Walachei, Vlad Dracul (* um 1400, † 1447) und Vlad Ţepeş (der »Pfähler«, * um 1430, † 1476/77), die gegen die Türken kämpften.

Draeseke, Felix, Komponist und Musiklehrer, * Coburg 7. 10. 1835, † Dresden 26. 2. 1913; schrieb in einem neuklassizist. Stil Orchesterwerke, weltl. und geistl. Chorwerke sowie Opern.

Dragee [draˈʒe, frz.] *das,* Arzneiform mit einem Überzug aus Zucker u. a.; auch Bez. für Süßigkeiten mit einem Überzug von Zucker, Schokolade o. Ä.

Dräger, Alexander Bernhard, Ingenieur, * Howe (heute zu Hamburg) 14. 6. 1870, † Lübeck 12. 1. 1928; gründete 1902 mit seinem Vater Heinrich D. (* 1847, † 1917) das Drägerwerk in Lübeck; erfand Gasschutz-, Atemschutz- und Taucherapparate, Operationsgeräte, Schweiß- und Schneidbrenner.

Dragodoktrin, von dem argentin. Außenmin. Luis M. Drago (* 1859, † 1921) aufgestellter Grundsatz, nach dem die Eintreibung von Vertragsschulden eines Landes mit Waffengewalt durch den Gläubigerstaat unzulässig ist. Die D. wurde auf der 2. Haager Friedenskonferenz 1907 in abgeschwächter Form als **Drago-Porter-Konvention** Bestandteil des Völkerrechts.

Dragonaden [frz.], die Zwangsmaßnahmen Ludwigs XIV. zur Bekehrung der frz. Protestanten; sie wurden mit doppelter Einquartierung (mit Plünderungsrecht) an Dragonern belegt; danach allg. gewaltsames Vorgehen einer Regierung.

Dragoner [von frz. dragon »Drache«], im 17. Jh. mit Musketen bewaffnete, berittene Infanterie; seit Mitte des 18. Jh. Teil der Kavallerie.

Drachenfliegen

Dragracing [ˈdrægreɪsɪŋ, engl.], *Motorsport:* im K.-o.-System ausgetragene Rennen mit Spezialwagen **(Dragster)** über eine Viertelmeile oder 500 m auf gerader Strecke.

Draguignan [dragiˈɲã], Stadt im Dép. Var (bis 1974 dessen Hptst.), S-Frankreich, in den Provenzal. Alpen, 32900 Ew.; Gerbereien und Lederverarbeitung, Schuhherstellung, Wollspinnereien; Olivenölgewinnung.

Draht, Metallstrang von vorwiegend kreisförmigem Querschnitt, i. Allg. unter 12 mm Durchmesser, jedoch auch von Vierkant-, Halbrund- und sonstigen Querschnitten. D. werden je nach Anwendungszweck aus unterschiedl. Werkstoffen hergestellt, z. B. gibt es Stahl-D. für Federn, Klaviersaiten, D.-Seile oder D.-Geflechte, Messing- und Kupfer-D. für elektr. Leitungen, Aluminium- und Blei-D. für Dichtungen, Silber- und Gold-D. für Filigranarbeiten sowie D. mit einem Kern aus anderem Metall als die Außenschicht. D. wird durch Gießen und Strangpressen, meist aber durch Walzen und Ziehen hergestellt. D. wird als **Walz-D.** aus Blöcken oder vorgewalzten Knüppeln durch Warmwalzen in Kalibern bis zu einer geringsten Dicke von etwa 5 mm hergestellt. Dünnere D. oder D. hoher Oberflächengüte und Genauigkeit werden aus gewalztem oder vorgezogenem D. durch Ziehsteine oder Ziehringe aus Hartmetall oder Diamanten unter Verwendung von Schmiermitteln kaltgezogen.

Dragoner des 7. preußischen Regiments aus dem Jahre 1786, Farblithographie (1866)

Drahtglas, durch Einwalzen von Drahtgewebe oder Drahtgeflecht in Gussglas entstehendes, sehr widerstandsfähiges Sicherheitsglas mit verminderter Splitter- und Schneidwirkung.

Drahthaar, eng anliegendes, raues, kurzes, drahtiges Haar der Hunde, z. B. beim Drahthaarterrier.

Dragracing: Dragster

Draisine 1) von Karl Friedrich Drais (Rekonstruktion; Neckarsulm, Deutsches Zweiradmuseum)

Drahtputzwand (Rabitzwand), leichte Trennwand (mindestens 5 cm dick) aus einem Rundstahl-Drahtgerippe, auf dem Drahtgewebe als Putzträger befestigt ist, und beiderseitigem, fugenlosem Putz; auch in Form einer Zwischendecke verwendet.

Drahtseil, aus wendelförmig zusammengewundenen (verseilten) Drähten bestehendes Seil zur Übertragung von Zugkräften. Je nach Machart sind die Litzen im D. mit einer Drehrichtung entgegengesetzt zu den Einzeldrähten **(Kreuzschlagseil)** oder im gleichen Drehrichtungssinn **(Gleichschlagseil)** gewickelt.

Drahtseilbahn, → Seilbahn.

Drahtwurm, Larve der → Schnellkäfer.

Drahtziegelgewebe, Drahtgeflecht mit Tonkörpern, die an den Kreuzungspunkten aufgepresst und dann gebrannt sind; dient als Putzträger.

Drain [engl. dreɪn, frz. drɛ̃] *der* (Drän), **1)** *Elektronik:* Ausgangselektrode des Feldeffekttransistors (→ Transistor).

2) *Medizin:* Röhrchen aus Gummi, Glas oder Kunststoff, das in Wunden, Fisteln, Hohlräume des Körpers eingelegt wird, um Körperflüssigkeiten (Eiter u. a.) oder -gase abzuleiten.

Drainage [drɛˈnaːʒə, frz.] *die* (Dränage), **1)** *Medizin:* Anwednung eines → Drains.

2) *Landtechnik:* die → Dränung.

Draisine *die,* **1)** von K. F. Drais (* 1785, † 1851) erfundenes zweirädriges Laufrad (1817); Vorläufer des Fahrrads.

2) leichtes Streckenkontrollfahrzeug der Eisenbahn; durch Menschenkraft oder Motor (Gleiskraftwagen) angetrieben.

Drake [dreɪk], Sir (seit 1580) Francis, engl. Admiral und Seeheld, * Crowndale (bei Tavistock, Cty. Devon) um 1540, † vor Portobelo (heute Puerto Bello, Panama) 28. 1. 1596; unternahm als Freibeuter Fahrten nach Westindien und umsegelte die Erde auf Kriegsfahrten gegen die Spanier (1577–80); 1587/88 kämpfte er vor Cádiz und im Ärmelkanal gegen die span. Armada. Nach D.

Francis Drake

heißt die etwa 1000 km breite Meeresstraße zw. Südamerika und den Süd-Shetland-Inseln **D.-Straße.**

Drakensberge (Qathlamba), Gebirge (östl. Teil der Großen Randstufe) im südl. Afrika. Die höchste Erhebung ist der Thabana Ntlenyana (3482 m ü. M.) in Lesotho; hohe Niederschläge; gute Erschließung für den Fremdenverkehr (mehrere Natur- und Wildschutzgebiete). In den D. finden sich viele Höhlen und Abris mit mehr als 20000 Felsbildern (Tiere, Jagd- und Kampfszenen, mytholog. Darstellungen), die wohl alle auf die Buschmänner zurückzuführen sind.

Drakon, athen. Gesetzgeber, nahm um 621 v. Chr. die erste Aufzeichnung des Strafrechts vor (u. a. Unterscheidung zw. vorsätzl. und unbeabsichtigter Tötung, Einschränkung der Blutrache), das durch seine Härte sprichwörtlich wurde **(drakonisch).**

drakonitisch [lat.], auf die Knotenpunkte der Mondbahn, die **Drachenpunkte,** bezogen.

Drakunkulose *die* (Drakontiase), Erkrankung durch den → Medinawurm.

Drall, 1) *Militärwesen:* Drehung eines Geschosses um seine Achse, hervorgerufen durch die Züge bei Feuerwaffen; die D.-Bewegung verhindert ein Überschlagen des Geschosses und stabilisiert die Flugbahn.

2) *Physik:* der → Drehimpuls.

3) *Spinnerei:* erforderl. Drehung der Fasern, um einen Faden zu erzielen.

Dralon® *das,* eine Polyacrylnitrilfaser.

Dram, → Währung, ÜBERSICHT.

DRAM, Abk. für engl. **d**ynamic **r**andom-**a**ccess **m**emory, dynam. Schreib-Lese-Speicher (→ Speicher) einer Datenverarbeitungsanlage.

Drama [grch.], Bez. für alle Spielarten von literar. Werken, die auf szen. Realisierung im Theater hin angelegt sind und sich ihrem Bauprinzip nach mehr an den Zuschauer als an den Leser wenden. Ursprünglich waren im Theater Mimik, Gesang, Chor, Bild (Bühne), Darstellung und gesprochenes Wort verbunden; erst nach der Entstehung der Oper wurden Worttheater und musikal. Theater definitiv getrennt. – Allgemeinstes Kennzeichen des D. ist die unmittelbar im Dialog dargestellte, in Szene gesetzte Handlung, deren Verlauf von der spannungsvollen Entwicklung eines zeitnahen Konflikts bestimmt wird. Die Art und Weise, wie der Konflikt angelegt ist, bestimmt im Wesentlichen den ins Tragische oder ins Komische oder auch ins Absurde und Groteske weisenden Charakter eines Dramas. Dementsprechend werden D. nach dem Ausgang, den sie nehmen, in drei Hauptgattungen eingeteilt: die **Tragödie,** die mit dem Unterliegen des Helden im Konflikt endet, die **Komödie,** die die Verwicklung mit ironisch-satir. oder humorvoller Aufdeckung menschl. Schwächen löst, und das **Schauspiel,** das bei ernster Grundstimmung zu einer positiven Auflösung des Konfliktes führt; eine Sonderform ist die **Tragikomödie.** Neben diese Einteilung nach dem Ausgang des D. treten andere Möglichkeiten der Gliederung, so nach dem Aufbau: **analyt. D.** (wobei die Katastrophe vor Spielbeginn liegt und im Laufe der Handlung enthüllt wird; z. B. bei H. Ibsen) und **Ziel-D.** (das die Katastrophe an das Ende verlegt); ferner nach Ideengehalt, Konfliktursachen oder Stoffwahl. Im modernen D., in dem Konflikte auch häufig am Ende ungelöst bleiben, tritt das Moment der Spannung zurück. Dem heutigen Theater gelten alle Formen als spielbar, auch das eigentlich nicht für Aufführungen bestimmte **Lesedrama.**

Die Lehre von Wesen, Wirkung und Formgesetzen des D. ging von der »Poetik« des Aristoteles mit ihren Aussagen über Wirkstruktur und Bauprinzipien der Tragödie (zentrale Begriffe waren »Mimesis«, später als Nachahmung gedeutet, und »Katharsis«, verstanden als »Reinigung« von Affekten) und der »Ars poetica« des Horaz aus; sie wurde vom frz. Klassizismus in strenger Form ausgeprägt. G. E. Lessing mit seiner »Hamburgischen Dramaturgie« (2 Bde., 1767–69; von hier der Begriff → Dramaturgie für die Poetik des D.), D. Diderot, L.-S. Mercier und der Sturm-und-Drang-Dramatiker J. M. R. Lenz wirkten im Sinn einer Überwindung der klassizist. Verengung. Die dt. Klassik (Schiller) suchte nach neuen Normen, die im 19. Jh. wieder infrage gestellt wurden (F. Grillparzer, F. Hebbel, O. Ludwig). In der späteren Entwicklung überwiegen persönl. Zielsetzungen einzelner

Drama: Titelblatt der Erstausgabe des ersten Bands der »Hamburgischen Dramaturgie« von Gotthold Ephraim Lessing (1767)

Autoren (H. Ibsen, B. Brecht, F. Dürrenmatt u. a.) oder wiss. Analysen.

Das D. baut sich herkömmlich nach spätantikem Muster aus fünf, häufig auch aus drei **Akten** auf, die in Szenen oder Auftritte eingeteilt sind. In neuester Zeit (so B. Brechts ep. Theater) wird oft eine lockere Szenen- und Bilderfolge bevorzugt, andererseits aber auch die Form des **Einakters.** Das von G. Freytag (1863) für die »Technik des D.« aufgestellte pyramidenförmige Schema der »steigenden« und »fallenden« Handlung mit Exposition (Ausgangssituation), erregendem Moment (Konfliktauslösung), Höhepunkt (Peripetie), Katastrophe (Auflösung) ist stets nur bedingt anwendbar gewesen. Die klass. frz. D.-Theorie mit ihrer – bes. von N. Boileau-Despréaux (»L'art poétique«, 1674) – formulierten Forderung nach strengster Einhaltung der **drei Einheiten** Zeit (Ablauf in etwa 24 Stunden), Ort, Handlung konnte sich nur z. T. auf Aristoteles berufen; dieser forderte nur die Einheit der Handlung; die Einheit der Zeit und des Ortes stellte er empirisch im grch. D. fest.

Geschichte: Die Ursprünge des europ. D. liegen in der grch. Antike (Aischylos, Sophokles, Euripides, Komödie: Aristophanes, Menander u. a.). Das röm. D. (Lese-D. von Seneca, Komödien von Plautus und Terenz) ist stark durch das grch. beeinflusst. Das **geistl. D.** des MA. entstand aus der Erweiterung der Liturgie, zumal an hohen Festtagen durch Wechselgesänge und Responsorien, was schließlich zu szen. Darstellung des in lat. Sprache Gesungenen führte. Um die Wende vom 15. zum 16. Jh. führte im europ. Humanismus die Beschäftigung mit der Antike zur allmähl. Entstehung des neuzeitl. Dramas. Seine Vorformen liegen im lat. Humanisten-D. der Renaissance. Beeinflusst von diesem wie vom **Fastnachtsspiel,** entwickelte sich in den religiösen Kämpfen der Reformationszeit das protest. und kath. **Schul-D.** (T. Naogeorgus, P. Rebhun). Ein »goldenes Zeitalter« des D. entstand in Italien, Spanien, England und Frankreich durch den Umbruch vom MA. zu Neuzeit, aus der Spannung von christl. Transzendenz und renaissancehafter Diesseitsbejahung. In Italien bildete sich die an die Antike anknüpfende Renaissancekomödie (L. Aretino, N. Machiavelli, P. Aretino) und -tragödie (G. G. Trissino). Dazu trat im späten 16. Jh. das Schäferspiel (T. Tasso). Das span. D. verband volkstümlich-nat. Elemente mit humanist. (Lope de Vega, P. Calderón de la Barca, Tirso de Molina). Während die geistl. Spiele (Autos sacramentales), bes. Calderóns, kath.-kirchl. Themen behandeln, ist das weltl. D. vom Widerstreit der beiden Hauptwerte Liebe und Ehre beherrscht. Auch die Entwicklung des elisabethan. Theaters in England wird zunächst stark durch volkstüml. Elemente bestimmt, die sich bei C. Marlowe und v. a. W. Shakespeare mit den formalen und inhaltl. Traditionen des europ. Humanismus verbinden. Im Unterschied zum span. und engl. D. hat sich die »haute tragédie« der frz. Klassik, die in P. Corneille und J. Racine gipfelt, von allen volkstüml. Überlieferungen getrennt und im Sinne strenger Zeit- und Raumeinheit (»Regeln«) eine Stilisierung vollzogen. Gleichzeitig erreichte das frz. Lustspiel seinen Höhepunkt in der Charakter- und Typenkomödie Molières, der Elemente der volkstüml. Stegreifkomödie Italiens **(Commedia dell'Arte)** aufnahm. Das dt. D. gelangte bis Lessing über Vorstadien nicht hinaus: im 16. und 17. Jh. die unter dem Einfluss der engl. Komödianten entwickelten **Haupt-** und **Staatsaktionen** sowie das **Jesuiten-D.,** ferner die Tragödien von A. Gryphius und D. C. von Lohenstein.

Die bürgerlich-realist. Wendung des D. wurde in der frz. Rokoko- und Aufklärungskomödie mit der **Comédie larmoyante** vorbereitet (P. C. de Chamblain de Marivaux, P. C. Nivelle de La Chaussée); Werke von D. Diderot und P. A. de Beaumarchais machten das bürgerl. Leben bühnenfähig. In Italien entstanden im 18. Jh. Komödien (C. Goldoni), Märchenspiele (C. Gozzi) und vorromant. Tragödien (V. Alfieri). In England begründete G. Lillo die Gatt. des **bürgerl. Trauerspiels.** In Dtl. schuf Lessing mit »Miss Sara Sampson« (1755) in Anlehnung an G. Lillo den Typus des dt. bürgerl. Trauerspiels, in der »Minna von Barnhelm« (1767) den Typus des realistisch-psycholog. Charakterlustspiels, in »Nathan der Weise« (1779) den Typus des klass. Ideen- und Weltanschauungsdramas. Der Sturm und Drang forderte die Verachtung aller Kunstgesetze (F. M. Klinger, H. L. Wagner), bes. J. M. R. Lenz nahm sowohl in der Szenentechnik wie im realistisch-psycholog. Stil und im gesellschaftskrit. Gehalt spätere Entwicklungen vorweg. Zurückgreifend auf Lessing, auf Racine und Corneille sowie auf die attische Tragödie, schufen Goethe und Schiller das klass. dt. Drama. Den Rahmen dieses aus einer Synthese des grch. und des Shakespearetheaters geformten Modells sprengte Goethe im »Faust« (Tl. I 1808, Tl. II hg. 1832). Die teils ironisch-witzigen, teils märchenhaft-fantast. Versuche der Romantik (L. Tieck, C. Brentano, V. Hugo, A. de Musset) gelangten in Dtl. nur zum spielerisch-geistreichen Experiment oder zu lyrisch-epischem Buchdrama. Schon bei H. von Kleist wirkte eine neue Selbst- und Welterfahrung. Die weitere Entwicklung des D. im 19. Jh. enthüllte die wachsende Bedrohung des Menschen, der immer stärker zum Objekt einer übermächtigen Wirklichkeit wird (G. Büchner, C. D. Grabbe; mehr traditionsgebunden: F. Hebbel, F. Grillparzer). Dem Zeitgeschmack entsprachen die sentimentalen Familien-D. A. W. Ifflands und A. Kotzebues und die spätromant. **Schicksalstragödien** (Z. Werner), während das **Wiener Volksstück** (F. Raimund, J. N. Nestroy), aufbauend auf einer vom Barock sich herleitenden Tradition, elementare Spielformen aufnahm. – An die Stelle des hohen D. trat in der europ. Lit. neben das frz. und angelsächs. **Konversationsstück** (A. Dumas Fils, V. Sardou, E. Scribe) v.a. das sozialkrit., die bürgerl. Moral und Gesellschaftsordnung infrage stellende **Problemstück:** in Russland bei N. W. Gogol, L. N. Tolstoi, A. N. Ostrowski, A. P. Tschechow und M. Gorki; in Norwegen bei H. Ibsen und B. Bjørnson; in England bei O. Wilde und G. B. Shaw; in Schweden bei J. A. Strindberg.

Der Naturalismus machte das D. zur Kopie der streng deterministisch verstandenen Wirklichkeit. Doch gelangte das naturalist. **Milieu-D.** durch G. Hauptmann zu starker Wirkung. Vorbereitet durch Strindberg und F. Wedekind, entwickelte sich schon vor dem 1. Weltkrieg das expressionist. D. in seiner gesellschaftskrit. (C. Sternheim, G. Kaiser, E. Toller) und seiner mystisch-religiösen Richtung (F. Werfel, E. Barlach). Etwa um 1910 setzte eine internat. Bewegung ein, die einerseits die Fixierung des Theaters an literar. Texte und andererseits die Darstellung eines Stücks »natürl.« Welt auf der Bühne (»Illusionismus«) infrage stellte. Gefordert wurde eine »Retheatralisierung des Theaters« (v.a. in Russland: J. B. Wachtangow, A.J. Tairow, W. E. Mejerchold, W. W. Majakowski). In Dtl. verband sich die experimentell-antiillusionist. Bewegung mit linkspolit. Tendenzen (E. Piscator); das D. wurde zum Agitationsinstrument und Lehrstück (B. Brecht).

Nach dem 2. Weltkrieg brachte, ausgehend von Frankreich, das **absurde Theater** (bes. E. Ionesco, der sich auf das Muster L. Pirandellos berief, und der Ire S. Beckett) die Alternative zum **engagierten Theater** (J.-P. Sartre). Neue Formen der sozialkrit. Komödie entwickelten die Schweizer M. Frisch und F. Dürrenmatt. In England folgte auf eine kurze Phase des »poetischen Theaters« (T. S. Eliot, C. Fry; vorher in Spanien F. García Lorca, in Frankreich J. Giraudoux) eine Rückkehr zum Realismus mit aggressiver Haltung gegen die bürgerl. Konventionen (J. Osborne, H. Pinter, A. Wesker). In Amerika, wo E. O'Neill einen symbolist. Realismus begründet hatte (A. Miller, T. Williams, während T. Wilders experimentell-poet. Theater eher in Europa beachtet wurde), durchbrach E. Albee, ebenso wie zur gleichen Zeit E. Bond in England, die Konventionen des D. hin zum Harten, Grausamen. Auf der Linie des **krit. Volksstücks,** die Ö. von Horváth und Marie-Louise Fleißer gewiesen hatten, bewegt sich das österr. und süddt. moderne Dialektstück (W. Bauer, F. X. Kroetz). Anregungen für ein **satirisch-parabol. Theater** gingen von poln. (W. Gombrowicz, S. Mrożek) und tschech. Autoren (P. Kohout, V. Havel) aus. Weitere Tendenzen: **Dokumentartheater** (R. Hochhuth, P. Weiss u.a.), **sprachexperimentelles Theater** (P. Handke).

📖 *Dt. Dramentheorien, hg. v.* R. Grimm, *2 Bde. Wiesbaden* [3]*1980–81.* – *Einführung ins D., Beiträge v.* N. Greiner *u. a., 2 Bde. München 1982.* – Meyer, Reinhart: *Bibliographia dramatica et dramaticorum, auf zahlr. Bde. in mehreren Abteilungen ber. Tübingen 1986 ff.* – Hensel, G.: *Spielplan. Der Schauspielführer von der Antike bis zur Gegenwart, 2 Bde. Neuausg. München 1992.* – Klotz, V.: *Geschlossene u. offene Form im D. München* [13]*1992.* – *Bürgerlichkeit im Umbruch. Studien zum deutschsprachigen D. 1750–1800, hg. v.* H. Koopmann. *Tübingen 1993.* – Hoefert, S.: *Das D. des Naturalismus. Stuttgart u. a.* [4]*1993.* – Asmuth, B.: *Einführung in die Dramenanalyse. Stuttgart u. a.* [4]*1994.* – *D. u. Theater der europ. Avantgarde, hg. v.* F. N. Mennemeier *u.* E. Fischer-Lichte. *Tübingen u. a. 1994.* – Platz-Waury, E.: *D. u. Theater. Eine Einführung. Tübingen* [4]*1994.* – Szondi, P.: *Theorie des modernen D. 1880–1950. Frankfurt am Main* [22]*1996.*

Drama ['ðrama], Hptst. des Verw.gebietes D. in O-Makedonien, Griechenland, 36100 Ew.; orth. Bischofssitz; Zentrum eines Tabakanbaugebietes.

Dramaturgie [grch., zu dramaturgeĩn »dramatisch darstellen«] *die,* **1)** die Lehre von Wesen, Wirkung und Formgesetzen des →Dramas.

2) die Tätigkeit des mit der Bühnenpraxis vertrauten literar. Beraters am Theater. Der **Dramaturg** wirkt v.a. an der Spielplangestaltung mit, berät den Regisseur, die Bühnen- und Kostümbildner.

Drammen, Verw.sitz der Prov. Buskerud in S-Norwegen, an einem Arm des Oslofjords, 52800 Ew.; graf. und elektrotechn. Ind., bed. Holz- und Papierind.; Hafen.

Dränung (Dränage, Drainage), *Landtechnik:* die Entwässerung von Bodenschichten durch Ableitung des Wasserüberschusses im Boden durch Gräben oder unterirdisch verlegte Dränröhren aus Ton oder Kunststoff.

Drapa *die,* in der altnord. Dichtung das kunstvoll gebaute, in drei Teile gegliederte Preislied.

Draper ['dreɪpə], Henry, amerikan. Astronom, *Prince Edward County (Va.) 7. 3. 1837, †New York 20. 11. 1882; Pionier der Fotografie der Himmelskörper und ihrer Spektren, fotografierte als Erster das Sonnenspektrum; erarbeitete den **Henry-Draper-Katalog,** der die Spektralklassen von 225300 Sternen enthält; seine Erweiterung heißt **D.-Extension.**

Draperie [frz., von drap »Tuch«] *die,* kunstvolle Gestaltung eines Faltenwurfs (Fest- und Theater-

Draperie: Jean Goujon, »Quellnymphe«; Hochrelief der »Fontaine des Innocents« in Paris (1548/49; Paris, Louvre)

dekoration); in der bildenden Kunst lange Zeit Lehrfach an den Akademien.

Drašković ['draʃkɔvitɕ], Vuk, serb. Schriftsteller und Politiker, *in der Herzegowina 1946; stellt in seinem Hauptwerk, dem Roman »Nož« (1982), die Feindschaft zw. Serben und Muslimen in Bosnien dar und ruft zur Versöhnung auf; Gründer der »Serb. Erneuerungsbewegung« (serb. Abk.: SPO), die zu einer führenden Kraft der innerserb. Opposition gegen Präs. S. Milošević wurde. 1996 setzte sich D. zus. mit Z. Djindjić an die Spitze einer Protestbewegung. (→Jugoslawien)

Drau *die* (slowen., serb. und kroat. Drava, ungar. Dráva), rechter Nebenfluss der Donau, 749 km lang, entspringt am Toblacher Feld im Pustertal (Südtirol), durchfließt Osttirol und Kärnten; z.T. Grenzfluss zw. Slowenien, Kroatien, Serbien und Ungarn, mündet unterhalb von Osijek; zahlr. Wasserkraftwerke. Das D.-Tal ist eine wichtige Verkehrsleitlinie.

Draufgabe (Angeld, Draufgeld, Handgeld, Arrha), Leistung, die zum Zeichen des Vertragsabschlusses erbracht wird, gilt im Zweifel nicht als Reugeld oder →Zugabe (§§ 336ff. BGB); wird im Zweifel angerechnet und ist bei Vertragsaufhebung zurückzugeben.

Drava, slowen., serb. und kroat. Name des Flusses →Drau.

dravidische Sprachen (drawidische Sprachen), →indische Sprachen.

Drawenen, Gruppe der westslaw. Polaben.

Drawert, Kurt, Schriftsteller, *Hennigsdorf 15. 3. 1956; veröffentlichte 1987 den Gedichtband »Zweite Inventur«, der 1989 erweitert u.d.T. »Privateigentum« erschien. D. beschäftigt sich mit dem Zusammenbruch der DDR und den daran geknüpften Hoffnungen.

Drechseln, spanendes Bearbeiten von Holz u.a. nichtmetall. Werkstoffen zu rotationssymmetr. Körpern; im Ggs. zum Drehen wird das Werkzeug i.d.R. von Hand geführt.

Drees, Willem, niederländ. sozialist. Politiker, *Amsterdam 5. 7. 1886, †Den Haag 14. 5. 1988; 1945–48 Sozialmin. und 1948–58 (mit Unterbrechungen) MinPräs. (u.a. Beitritt der Niederlande zur NATO).

Dregger, Alfred, Politiker (CDU), *Münster 10. 12. 1920; Jurist, 1967–82 Vors. der CDU in Hessen; seit 1972 MdB, 1982–91 Vors. der CDU/CSU-Fraktion im Bundestag.

Dregowitschen, alter ostslaw. Volksstamm in W-Russland an der Beresina, zw. Pripjet und Dwina; ging im 10. Jh. im Kiewer Reich auf.

Drehbank, älterer Name der →Drehmaschine.

Drehbuch, textl. Grundlage zur Gestaltung eines Films oder einer Fernsehproduktion.

Drehbühne, →Bühne.

Dreheiseninstrument (früher Weicheiseninstrument), elektr. Messinstrument für Wechselströme und -spannungen, das auf der Kraftwirkung zw. festen und bewegl. Eisenteilen im Magnetfeld einer fest stehenden Spule beruht; misst exakt den Effektivwert des Wechselstroms.

Drehen, spanendes Fertigungsverfahren zur Herstellung von rotationssymmetr. Innen- und Außenflächen vorgefertigter Teile mit kreisender Schnittbewegung und stetiger Vorschubbewegung des ständig im Eingriff befindl. Werkzeugs. Beim **Außen-D.** wird die äußere, beim **Innen-D.** die innere Form eines Werkstücks erzeugt. Beim **Längs-D. (Lang-D.)** erfolgt die Vorschubbewegung in axialer, beim **Plan-** und **Einstech-D.** in radialer Richtung. Plan-D. ist die Bearbeitung von Stirnflächen, **Abstechen** heißt das Abtrennen von Werkstücken. Das **Kegel-D.** ist eine Abart des Längs-D., bei dem der Meißel eine Längsbewegung ausführt, die um den halben Kegelwinkel zur Achse des Werkstücks geneigt ist. **Form-D.** wird mit Formdrehmeißeln ausgeführt (z.B. Gewindeschneiden). **Nachform- (Kopier-)D.** ist ein spezielles Drehverfahren, bei dem ein Musterstück (Prototyp) als Vorlage dient und »nachgeformt« wird.

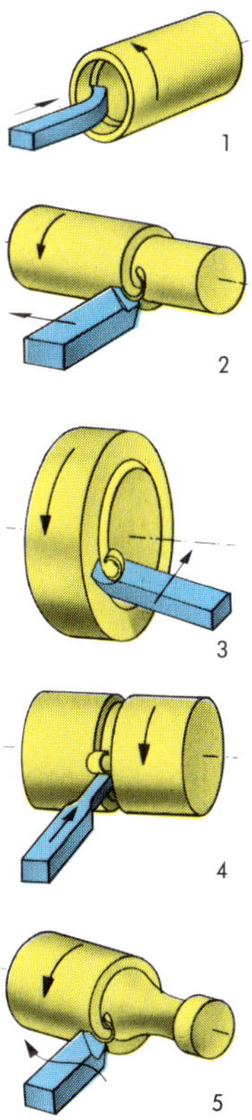

Drehen:
1 Innendrehen;
2 Längsdrehen;
3 Plandrehen;
4 Abstechen;
5 Nachformdrehen

Dreher, alpenländ. Volkstanz im $^3/_4$- oder $^3/_8$-Takt, dem →Ländler ähnlich.

Dreherbindung, in der Weberei Bindungsart, bei der sich zwei oder mehr Kettfäden umschlingen; Anwendung bei Tüll, Gaze, Gardinen.

Drehfeld, rotierendes magnet. Feld in einer elektr. Maschine. Besondere Bedeutung hat das kreisförmige D., das mit konstanter Winkelgeschwindigkeit umläuft. Ein D. entsteht, wenn sich ein Magnet senkrecht zur Feldrichtung um eine Achse dreht oder Wicklungen durch Ströme gleicher Frequenz und Amplitude gespeist werden. Das D. dient der Spannungs- und Drehmomentenerzeugung.

Drehflügler, wenig gebräuchliche Bez. für Flugzeuge mit bewegl. Flügeln, die sich zur Erzeugung von Auftrieb um eine senkrechte Achse drehen, z.B. Hubschrauber, Tragschrauber.

Drehfrucht (Streptocarpus), Zierpflanzengattung in Afrika, auf Madagaskar und den Komoren heimisch, mit fünflappigen Trichterblüten und gedrehten Fruchtkapseln.

Drehfunkfeuer, →Funkfeuer.

Drehgestell, zwei- oder dreiachsiges Fahrgestell für Schienenfahrzeuge, das um einen Drehzapfen in der Mitte schwenkbar ist. D.-Fahrzeuge haben ein besseres Bodenlaufverhalten und ermöglichen hohe Geschwindigkeiten bei besten Führungseigenschaften.

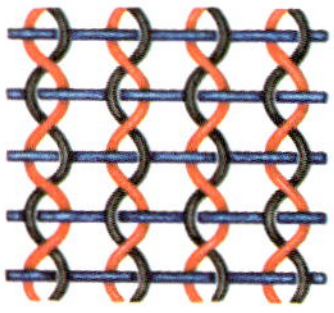
Dreherbindung

Drehherzigkeit, *Botanik:* krankhafte Drehung des Blattkegels von Kohlpflanzen unter Einkrüm-

Drehleier: böhmisches Instrument (18. Jh.; Berlin, Musikinstrumenten-Museum)

Drehimpuls

Ein Beispiel für die Erhaltung des Drehimpulses ist die Pirouette eines Eiskunstläufers: Bei weit ausgestreckten Armen ist das Trägheitsmoment relativ groß. Zieht er die Arme dicht an den Körper, verringert sich das Trägheitsmoment; in gleichem Maße erhöht sich dann die Drehgeschwindigkeit.

mung und Verdickung der Blattstiele; verursacht u. a. durch die **Drehherzmücke.**

Drehimpuls (Drall), in der Mechanik eines Massenpunktes (Masse m), der sich mit der Geschwindigkeit υ bewegt, das Vektorprodukt $\boldsymbol{L} = \boldsymbol{r} \times \boldsymbol{p}$ aus dem Ortsvektor $\boldsymbol{r}$ und dem Impulsvektor $\boldsymbol{p} = m \cdot \upsilon$ **(Bahn-D.).** Für einen um seine feste Achse rotierenden starren Körper ist der D. das Produkt aus Winkelgeschwindigkeit ω und Trägheitsmoment J bezüglich der Drehachse: $\boldsymbol{L} = J \cdot \boldsymbol{\omega}$. In einem abgeschlossenen System ist der D. zeitlich konstant **(Erhaltung des D.).**

Bei der quantenmechan. Beschreibung eines physikal. Systems erhält man dessen **Gesamt-D.** aus den Bahn-D. und Eigen-D. (→Spin) der das System aufbauenden Teilchen.

Drehinversion, *Kristallographie:* eine Symmetrieoperation (→Kristall).

Drehkäfer, Taumelkäfer (→Schwimmkäfer).

Drehkolbenmaschine, eine Rotationskolbenmaschine, bei der sich Kolben und Gehäuse um feste Achsen drehen. Übl. Ausführungen sind **Drehkolbenpumpe** (Rotationspumpe, →Verdrängerpumpe) und **Drehkolbenverdichter** (→Verdichter).

Drehkondensator, durch Drehen stufenlos verstellbarer →Kondensator.

Drehkrankheit (Drehsucht), eine meist tödl. Gehirnerkrankung bei Wirbeltieren, v. a. bei Schafen, durch die bis zu hühnereigroße Blasenfinne (Drehwurm) des Quesenbandwurms verursacht, deren Druck auf das Großhirn Zwangsbewegungen hervorruft.

Drehkristallmethode (Bragg-Methode), von W. und W. L. Bragg entwickeltes Verfahren zur Kristallstrukturanalyse mithilfe von Röntgenstrahlen, die an den Netzebenen eines sich langsam drehenden Kristalls unter bestimmtem Winkel reflektiert und fotografisch festgehalten werden.

Drehleier (Bauernleier, Bettlerleier), volkstüml., seit dem 12. Jh. bekanntes Streichinstrument mit fidel- oder lautenähnl. Korpus, bei dem eine oder zwei durch Tangententasten verkürzbare Melodiesaiten und zwei oder vier Bordunsaiten von einem Scheibenrad gestrichen werden.

Drehmagnetinstrument, Messinstrument für elektr. Gleichströme und -spannungen. Ein drehbar gelagerter Dauermagnet wird im Feld einer stromdurchflossenen Spule ausgelenkt.

Drehmaschine (früher Drehbank), eine Werkzeugmaschine für die spanende Formung rotationssymmetr. Werkstücke und zum Schneiden von Gewinden. Das D.-Bett trägt alle festen und bewegl. Teile. Im Spindelkasten ist die Arbeitsspindel gelagert; sie wird meist mithilfe eines Getriebes für mehrere Drehzahlen angetrieben. Das Werkstück wird in ein Spannfutter oder auf eine Planscheibe, die auf der Arbeitsspindel sitzt, eingespannt oder zw. zwei Spitzen, von denen die eine in der Arbeitsspindel, die andere im verschiebbaren Reitstock sitzt, gelagert. Lange Werkstücke werden durch Lünetten (Setzstücke, Stützlager) gegen Durchbiegen gesichert. Das Bearbeitungswerkzeug, der Drehmeißel (aus Stahl, Hartmetall, Diamant), wird in den auf dem D.-Bett gleitenden Support (Schlitten) eingespannt. Die Vorschubbewegung des Supports wird durch die Zugspindel bewirkt. Die Leitspindel vermittelt den Vorschub beim Gewindeschneiden. Die **Universal-D.** bietet sämtl. grundlegenden Möglichkeiten der Drehbearbeitung. Für kurze Werkstücke mit großen Durchmessern wird die **Plan-D. (Kopf-D.)** eingesetzt. Sehr große, schwere Werkstücke werden auf der **Karussell-D.** bearbeitet. Die **Revolver-D.** trägt in einem drehbaren Revolverkopf mehrere Werkzeuge, die schnell nacheinander zum Eingriff gebracht werden können. Auf **Drehautomaten** können große Stückzahlen gleicher Teile vollautomatisch hergestellt werden (→automatische Werkzeugmaschine), sie werden heute oftmals numerisch gesteuert (→numerische Maschinensteuerung). Selbsttätig arbeitet die **Nachform-D. (Kopier-D.),** bei der ein Fühlstift an der Urform entlanggleitet und die Bewegungen des Werkzeugs steuert.

Drehmoment, Vektorprodukt $\boldsymbol{M} = \boldsymbol{r} \times \boldsymbol{F}$ aus der an einem Massenpunkt P angreifenden Kraft $\boldsymbol{F}$ bezüglich eines festen Punktes o und dem Ortsvektor $r = \overrightarrow{OP}$. Den Betrag des D. berechnet man aus dem Betrag F der Kraft und dem **Kraft-** oder **Hebelarm** (d. h. dem senkrechten Abstand r_0 der Wirkungslinie der Kraft vom Drehpunkt): $M = r_0 \cdot F$ (→Hebel). Das D. ist somit ein Maß für die Drehwirkung, die eine Kraft auf ein drehbares System ausübt. – Im Maschinenbau wird das D. zur Berechnung und als Kenngröße von Antriebselementen (Motoren u. a.) verwendet. SI-Einheit ist das Newtonmeter (Nm).

Drehorgel: Kopie eines um 1800 erbauten Instruments (Berlin, Musikinstrumenten-Museum)

Drehmomentwandler, ein Getriebe, bei dem sich Ein- und Ausgangsdrehmoment umgekehrt proportional zu den Drehzahlen verhalten, z.B. Zahnrad-, Druckmittelgetriebe (oder Kombinationen beider), Reibradgetriebe; u.a. bei Kraftfahrzeugen, Eisenbahn, Werkzeugmaschinen.

Drehmoos (Funaria hygrometrica), Laubmoos mit orangebraunen Sporenkapseln auf bei trockenem Wetter spiralig gedrehten, bei feuchtem Wetter geraden Stielen; u.a. auf Mauern wachsend.

Drehofen (Drehrohrofen), Reaktions- oder Trockenapparat (Durchmesser bis über 4 m, Länge bis 150 m) für rieselfähige Stoffe, die den D. infolge der Schrägstellung kontinuierlich und unter dauernder Umwendung durchwandern; für Braunkohlenschwelung, Schwefelkiesröstung, Brennen von Zement, Pyrolyse von Kunststoffen.

Drehorgel (Leierkasten), trag- oder fahrbare Kleinorgel mit gedackten (auch Zungen-)Pfeifen. Durch eine Kurbel werden gleichzeitig eine Stiftwalze (heute Lochstreifen) bewegt und die Ventile zu den Pfeifen geöffnet.

Drehscheibe, 1) *Eisenbahn:* Gleisvorrichtung für das horizontale Drehen von Schienenfahrzeugen zur Änderung der Fahrtrichtung.

2) *Töpferei:* die →Töpferscheibe.

Drehschwingung, eine →elastische Schwingung.

Drehsinn, die Richtung einer Drehung; in der Mathematik versteht man unter **positivem D.** eine Drehung gegen den Uhrzeigersinn, unter **negativem D.** eine Drehung im Uhrzeigersinn.

Drehspiegel, rotierender Mehrflächenspiegel prismat. Form, der schnell veränderliche opt. Vorgänge besser beobachtbar macht.

Drehspiegelung, *Geometrie:* eine Kongruenzabbildung, bestehend aus einer Drehung um eine Gerade und einer Spiegelung an einer dazu orthogonalen Ebene.

Drehspulinstrument, meistverwendetes Messinstrument für elektrische Gleichströme und -spannungen. Im Feld eines Dauermagneten wird eine drehbar gelagerte Spule mit Weicheisenkern durch den zu messenden Strom gegen die rücktreibende Kraft von Spiralfedern ausgelenkt.

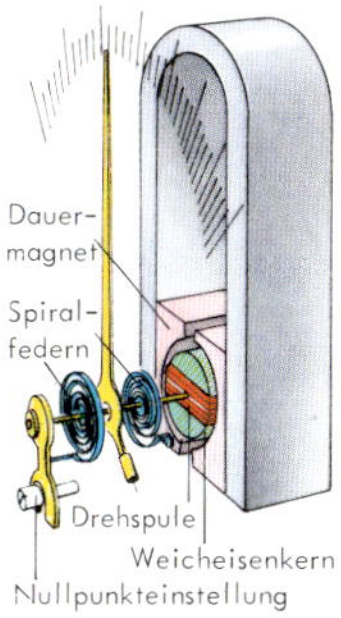

Drehspul-instrument

Drehstab, der →Torsionsstab.

Drehstrom (Dreiphasenstrom), eine Verkettung von drei Wechselströmen gleicher Frequenz und Amplitude, die um 120° phasenverschoben sind. Man erzeugt D., indem in einem System (D.-Generator) von drei räumlich um 120° gegeneinander versetzten Spulen, die in Dreieckschaltung oder in Sternschaltung miteinander verkettet sind, ein Magnetfeld gedreht wird. In den Spulen werden dabei drei gegeneinander phasenverschobene Wechselspannungen induziert. Der Name D. rührt daher, dass ein magnet. →Drehfeld erzeugt wird, wenn drei um 120° gegeneinander versetzte Spulen mit D. gespeist werden. Im Vierleitersystem (mit Sternpunktleiter) stehen dem Verbraucher um den Verkettungsfaktor drei verschiedene Spannungen zur Verfügung (380 V zwischen zwei Außenleitern und 220 V zwischen Außen- und Sternpunktleiter). Die drei Phasen werden mit R, S, T bezeichnet. D. ist das heute meist angewendete System zur Übertragung und Verteilung elektr. Energie.

Drehstrommaschine, elektr. Maschine zur Umwandlung mechan. Leistung in elektr. Dreh-

Drehmaschine: Arbeitsraum und Bedienungsteil eines Drehautomaten; links die Arbeitsspindel mit Dreibackenfutter zur Aufnahme des Werkstücks; in der Mitte zwei Revolverköpfe mit verschiedenen Werkzeugen, die den gleichzeitigen Einsatz von zwei Werkzeugen am Werkstück erlauben; rechts das Dateneingabefeld und ein Kontrollbildschirm der CNC-Steuerung stromleistungen **(Drehstromgenerator)** oder umgekehrt **(Drehstrommotor).**

Drehsucht, die →Drehkrankheit.

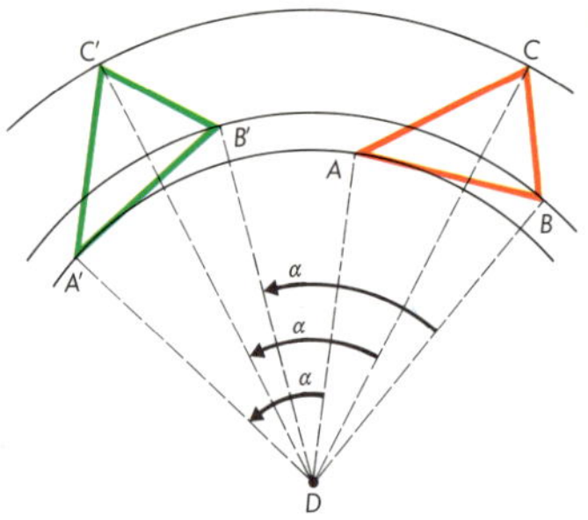

Drehung 1) eines Dreiecks im Punkt *D* um den Winkel α

Drehtransformator, ein Stelltransformator mit stufenloser Spannungseinstellung durch Änderung der induktiven Verkettung zw. der Läufer- und der Ständerwicklung, indem die Lage der Wicklungen zueinander verstellt wird.

Drehung, 1) *Mathematik:* Bewegung in der Ebene, bei der ein Punkt **(Drehzentrum)** fest bleibt, oder Bewegung im Raum, bei der eine Gerade **(Drehachse)** punktweise fest bleibt.

2) *Physik:* →Rotation.

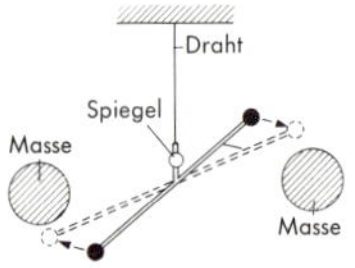

Drehwaage: Prinzip der Cavendish-Drehwaage

Drehwaage (Torsionswaage), Gerät zur Bestimmung sehr kleiner anziehender oder abstoßender Kräfte, die aus der Torsion (Verdrehung) eines elast. Aufhängefadens (Drahtes) bestimmt werden. Bei der **Cavendish-D.** wird ein an einem Faden waagerecht hängender Stab, an dessen Enden zwei Massen befestigt sind, beim Annähern von zwei weiteren Massen durch Massenanziehung aus der Ruhelage gedreht. Mit der **Coulomb-D.,** bei der die Massen durch elektrisch geladene Kugeln **(elektr. D.)** oder Magnetpole **(magnet. D.)** ersetzt sind, lassen sich elektrostat. oder magnetostat. Kräfte messen.

Drehzahl (eigtl. Drehfrequenz, Umdrehungsfrequenz), der Quotient $n = u/t$ aus der Anzahl u der Umdrehungen eines gleichförmig rotierenden Systems und der dazu erforderl. Zeit t; SI-Einheit s^{-1} oder min^{-1}. Zw. der D. und der Winkelgeschwindigkeit ω besteht die Beziehung $\omega = 2\pi \cdot n$. Zur Bestimmung der D. verwendet man **D.-Messer (Tourenzähler). Mechan. D.-Messer** beruhen meist auf dem Prinzip der Fliehkraftpendel, **magnet.** erzeugen induktiv Spannungsimpulse oder Wirbelströme und **elektron. D.-Messer** zählen Impulse, deren Zahl der D. proportional ist.

drei [ahd. t(h)ri] (als Ziffer 3), die kleinste ungerade Primzahl. Eine ganze Zahl ist durch 3 teilbar, wenn ihre Quersumme durch 3 teilbar ist. – Die Drei galt bei vielen Völkern als heiligste Zahl, sie kennzeichnet in Mythos und Religion häufig göttl. Konstellationen (die ägypt. Dreiheit von Osiris, Isis und Horus, die röm. Triade Jupiter – Juno – Minerva, die christl. Dreieinigkeit) und die Einteilung der Welt (Himmel – Erde – Unterwelt). Eine metaphys. Triade kennt die ind. Religionsphilosophie: Sein, Denken, Wonne (Sanskrit: sat, cit, ananda); anthropologisch ist die ind. Dreiheit der Seelenkräfte: das Finstere, das Bewegte, das Seiende (Sanskrit: tamas, rajas, sattvam). – Die Bedeutung der Drei spiegelt sich auch im Volksmärchen (drei Wünsche, drei Brüder) und in Redewendungen (aller guten Dinge sind drei).

Drei-Alpha-Prozess (3α-Prozess), eine Folge von Kernreaktionen, die Helium durch schrittweise Kombination von drei α-Teilchen (Heliumkernen) in Kohlenstoff umwandeln (sog. **Heliumbrennen**). Die Reaktion findet als Phase der →Sternentwicklung oberhalb von 10^8 K statt.

Dreibein, 1) *Mathematik:* System aus drei von einem Punkt ausgehenden Einheitsvektoren, die jeweils eine Achse eines räuml. Koordinatensystems festlegen, speziell eines kartes. bei paarweise aufeinander senkrechten Einheitsvektoren **(orthogonales Dreibein).**

2) (lat. Triquetrum) dem Hakenkreuz verwandtes Symbol mit drei in gleicher Richtung gebogenen menschl. Beinen aus einem Mittelpunkt; schon in vorgeschichtl. Zeit, im Altertum in Mykene, seit dem MA. auch als Wappen, z. B. von der Isle of Man und von Sizilien.

Dreiberg, *Heraldik:* aus drei Wölbungen bestehender Hügel mit erhöhter Mittelwölbung, bes. in schweizer. Familienwappen.

Dreibund, am 20. 5. 1882 abgeschlossenes und bis zum 1. Weltkrieg mehrfach erneuertes geheimes Verteidigungsbündnis zw. dem Dt. Reich, Österreich-Ungarn und Italien; erweiterte den Zweibund und wurde Eckpfeiler des auf den Status quo bedachten Bündnissystems Bismarcks; war gegen Frankreich sowie (unausgesprochen) gegen Russland gerichtet; zerbrach 1914 mit der Neutralitätserklärung Italiens, das schon 1902 einen Geheimvertrag mit Frankreich geschlossen hatte, und dem italien. Kriegseintritt an der Seite der Entente 1915. Der D. leitete die europ. Blockbildung ein, die er hatte verhindern sollen, und verfestigte die Bindung der dt. Außenpolitik an die Donaumonarchie.

dreidimensionaler Film, Abk. **3-D-Film,** →Stereofilm.

Dreieck, 1) *Astronomie:* a) **Nördl. D.** (lat. Triangulum), Sternbild am Nordhimmel. b) **Südl. D.** (lat. Triangulum Australe), Sternbild am Südhimmel.

2) *Mathematik:* eine von drei Punkten und ihren Verbindungslinien gebildete geometr. Figur. Bei **ebenen D.** unterscheidet man **gleichseitige** (drei gleiche Seiten), **gleichschenklige** (zwei gleiche Seiten), **ungleichseitige** D. (alle Seiten versch.), ferner **spitzwinklige** (alle Winkel kleiner als 90°), **rechtwinklige** (ein Winkel 90°) und **stumpfwinklige D.** (ein Winkel größer als 90°). Die Summe der drei Winkel im ebenen D. beträgt 180°; die Fläche eines D. ist gleich dem halben Produkt aus einer Seite und der auf ihr senkrecht stehenden →Höhe. Weitere ausgezeichnete Linien sind die →Mittelsenkrechten, die Winkelhalbierenden und die →Seitenhalbierenden. **Sphär. D. (Kugel-D.)** entstehen, wenn drei Punkte (*A, B, C*) einer Kugeloberfläche durch drei Bögen größter Kugelkreise verbunden werden.

Dreieckschaltung, Schaltungsart für Drehstromverbraucher, bei der das Ende des einen Schaltelements mit dem Anfang des nächsten in Reihe verbunden ist.

Dreiecksmuschel (Dreissena polymorpha), an Steinen und Pfählen oft in Massen fest sitzende Süßwassermuschel.

Dreiecksungleichung, *Mathematik:* In einem Dreieck ist die Summe zweier Seiten immer größer als die dritte; allg. gilt die D. in einem metr. Raum $|a| + |b| \geqq |a + b|$.

Dreifuß: Streit zwischen Herakles und Apollon um den delphischen Dreifuß, Vasenbild des Phintias (zw. 525 und 510 v. Chr.; Tarquinia, Museo Nazionale Tarquinense)

Dreieich, Stadt im Landkreis Offenbach, Hessen, am NW-Rand des Messeler Hügellandes, 39 400 Ew.; 1977 gebildet aus **Dreieichenhain** (Reste der Stadtbefestigung; Ruine der Wasserburg Hain, 11./12. Jh.), **Sprendlingen** (Herstellung von Kosmetik und Bekleidung, Medizintechnik, Elektronik) und drei weiteren Gemeinden.

Dreieinigkeit, die →Trinität.

Dreier, seit dem 16. Jh. geprägte silberne, später kupferne dt. Dreipfennigmünze, v. a. in Nord-Dtl. verbreitet (bis 1873).

Dreierkombination, *Skisport:* alpiner Wettbewerb in den Disziplinen Abfahrtslauf, Slalom und Riesenslalom.

Dreifachbindung, kovalente chem. Bindung, die durch drei Elektronenpaare gebildet wird.

dreifache Kombination, *Pferdesport:* beim Springreiten drei einzeln nacheinander auszuführende Sprünge; als ein Hindernis gewertet.

Dreifaltigkeitssonntag (Trinitatis), der Sonntag nach Pfingsten.

Dreifarbendruck, →Farbendruck.

Dreieck

Der Satz, wonach die Winkelsumme im Dreieck immer 180° beträgt, gilt nur für ebene Dreiecke. In sphärischen Dreiecken ist die Winkelsumme stets größer: Ein Beispiel ist das Dreieck, das der Nordpol und zwei Punkte auf dem Äquator (0° und 90° West) bilden. Der Winkel am Pol beträgt dann 90°. Da aber Längenkreise stets senkrecht auf dem Äquator stehen, betragen auch die Winkel dort 90° – die Winkelsumme liegt also bei 270°!

Dreifelderwirtschaft, Bewirtschaftung einer Flur in dreijährigem Wechsel, früher: Winter-, Sommergetreide, Brache; heute an Stelle der Brache Hackfrüchte oder Futterpflanzen.

Dreifingerregel, *Physik:* →Handregeln.

Dreifuß, im antiken Sprachgebrauch jedes dreibeinige Gerät zum Tragen eines Gefäßes; häufig auch Siegespreis oder Votivgabe.

Dreifuss, Ruth, schweizer. Politikerin, *St. Gallen 9. 1. 1940; Volkswirtschaftlerin, Mitgl. der SPS, 1981–93 Zentralsekretärin des Schweizer. Gewerkschaftsbundes, wurde im März 1993 in den Bundesrat gewählt und leitet dort das Departement des Inneren.

Dreigespann, die →Troika.

dreigestrichen, *Musik:* Bez. für den Tonraum c'''–h''' (dreigestrichene Oktave).

Dreikaiserbund, informelles Bündnisverhältnis zw. dem Dt. Reich, Österreich-Ungarn und Russland, das Bismarck 1872 in Berlin erreichte; 1873 entstand auf dieser Basis ein dt.-russ. Militärabkommen, das ein Konsultativabkommen Russlands mit Österreich-Ungarn ergänzte; 1881 durch das **Dreikaiserbündnis** (Neutralität bei Angriff einer 4. Macht) erneuert; scheiterte durch die Battenbergaffäre 1885–87, was Bismarck zum Rückversicherungsvertrag (1890) veranlasste.

Dreikaiserschlacht, die Schlacht bei →Austerlitz.

Dreikant (körperliche Ecke), *Mathematik:* dreiseitig begrenzte Ecke eines Körpers.

Dreikanter, *Geologie:* durch →Korrasion angeschliffenes Geröll.

Drei-Kelvin-Strahlung (3-K-Strahlung), die →kosmische Hintergrundstrahlung.

Dreiklang, aus drei Tönen in zwei Terzen aufgebauter Akkord. Die tonale Musiklehre unterscheidet den **Dur-D.** (Grundton, große Terz und

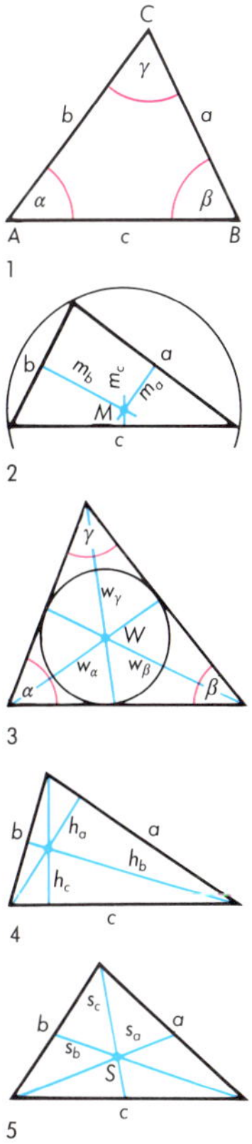

Dreieck 2): 1 Bezeichnung der Ecken, Seiten und Winkel; 2 Mittelsenkrechten (m_a, m_b, m_c) und Mittelpunkt des Umkreises (*M*); 3 Winkelhalbierende (w_α, w_β, w_γ) und Mittelpunkt des Inkreises (*W*); 4 Höhen (h_a, h_b, h_c); 5 Seitenhalbierende (s_a, s_b, s_c) und Schwerpunkt des Dreiecks (*S*)

Dreikönigsschrein des Nikolaus von Verdun im Kölner Dom (um 1181–1230)

Quinte), den **Moll-D.** (Grundton, kleine Terz und Quinte) sowie den **verminderten D.** (Grundton, kleine Terz, verminderte Quinte) und den **übermäßigen D.** (Grundton, große Terz und übermäßige Quinte). Die Versetzung des Grundtons verändert den Charakter des Akkords: Der Sextakkord hat die Terz als Bass, der Quartsextakkord die Quinte. Die Haupt-D. sind: **Tonika-D.,** D. über dem Grundton; **Dominant-D.,** D. über dem 5. Ton, der Dominante; **Subdominant-D.,** D. über dem 4. Ton, der Subdominante.

Dreiklassenwahlrecht, i. w. S. Bezeichnung für ein nach Steuerleistung in drei Klassen abgestuftes Wahlrecht; i. e. S. das 1849 eingeführte Wahlrecht für das preußische Abgeordnetenhaus: Die Urwähler wurden nach der Steuerhöhe in drei Klassen eingeteilt; auf jede Klasse fiel $^1/_3$ der Gesamtsumme der Steuerbeträge; die wenigen Höchstbesteuerten wählten also genauso viele Wahlmänner wie die größere Zahl der mittleren Schichten und die große Masse der gering besteuerten Bürger. Das D., das jahrzehntelang im Mittelpunkt verfassungspolit. Kämpfe stand, wurde 1918 im Zuge der Novemberrevolution beseitigt.

📖 KÜHNE, T.: *D. u. Wahlkultur in Preußen 1867–1914. Landtagswahlen zw. korporativer Tradition u. polit. Massenmarkt. Düsseldorf 1994.*

Drei Könige (Heilige Drei Könige), nach dem N. T. (Mt. 2, 1–12) die drei Weisen, die, dem Stern von Bethlehem folgend, aus dem Morgenland gekommen waren, um dem neu geborenen »König der Juden« zu huldigen; von der Legende zu drei Königen erhoben, deren Namen Kaspar, Melchior und Balthasar im 9. Jh. aufkamen; Schutzheilige der Reisenden (→C+M+B); beliebtes Motiv in der bildenden Kunst und mit vielen Volksbräuchen zum **Dreikönigstag** (6. 1.) verbunden.

Dreikönigsschrein, Reliquienschrein mit den Gebeinen der Hl. Drei Könige im Kölner Dom aus der Werkstatt des Nikolaus von Verdun (um 1181–1230); die Propheten sind eigenhändige Arbeiten des Nikolaus von Verdun.

Drei Sat

Dreikörperproblem, *Physik* und *Astrophysik:* →Mehrkörperproblem.

Dreiliterauto, →Kraftwagen.

Dreimächtepakt, Bündnisvertrag zw. dem Dt. Reich, Italien und Japan (Achsenmächte), abgeschlossen auf zehn Jahre am 27. 9. 1940 in Berlin, sollte insbesondere die USA von einem Kriegseintritt sowohl vom Atlantik als auch vom Pazifik her abhalten. Strateg. Ziel war es, eine »neue Ordnung« zu errichten, in Europa unter der Vorherrschaft Deutschlands und Italiens, im »großasiat. Raum« unter der Vorherrschaft Japans. Dem D. traten bei: 1940 Ungarn, Rumänien und Slowakei, 1941 Bulgarien, Jugoslawien und Kroatien.

Dreimaster, 1) *Mode:* breitkrempiger Männerhut als Spätform des →Dreispitz; in zahlreiche Volkstrachten übernommen.

2) *Schifffahrt:* Segelschiff mit drei Masten: Fock-, Groß- und Besan- (oder Kreuz-)mast.

Dreimeilenzone, →Küstengewässer.

Dreipass, eine aus drei Kreisbögen zusammengesetzte got. Maßwerkfigur.

Dreiperiodensystem, von dem Dänen C. J. Thomsen nach 1830 entwickelte Gliederung der Vorgeschichte in die Abschnitte Stein-, Bronze- und Eisenzeit.

Dreiklassenwahlrecht: Karikatur zum preußischen Dreiklassenwahlrecht (1893)

Dreiphasenstrom, der →Drehstrom.

Dreiruderer, antikes Kriegsschiff, →Triere.

Drei Sat (3sat), gemeinschaftliches Fernsehprogramm des Österr. (ORF) und des Schweizer. Rundfunks (SRG), des ZDF sowie seit Dez. 1993 der ARD.

Dreisatzrechnung (Regeldetri), Schlussrechnung von drei gegebenen Zahlen auf eine vierte; geschlossen wird über die Einheit. Man unterscheidet zwei Arten der D., je nachdem ob die betrachtete Proportion direkt oder indirekt ist; außerdem spricht man vom **erweiterten D.** oder **doppelten D.,** wenn mehr als drei Zahlen vorgegeben sind. – Beispiel einer direkten D.: 5 kg Kartoffeln kosten 6 DM. Wieviel kosten 3 kg? Schlussweise: 1 kg kostet 6/5 DM, 3 kg kosten 3 · 6/5 DM = 3,60 DM.

Drei-Schluchten-Staudamm, geplanter Staudamm im Jangtsekiang, China. Mit den Vorarbeiten zum Bau des größten Staudamms der Erde wurde im Dez. 1994 oberhalb der Stadt Yichang begonnen. Die Talsperre soll 185 m hoch, 2 000 m lang und 300 m dick werden und einen See von etwa 600 km Länge (zw. Sandouping in der Prov. Hubei und Chongqing in der Prov. Sichuan) aufstauen; geplante Kapazität des Wasserkraftwerks: 18 200 MW. Etwa 140 Städte und Dörfer sowie 11 300 ha Ackerland werden überflutet. Erhoffte Vorteile: Vermeidung von Überflutungen im Unterlauf des Jangtsekiangs, Verbesserung der Stromversorgung in Zentralchina, Verbesserung des Gütertransports in der Prov. Sichuan durch Beseitigung der Stromschnellen im Bereich der Drei Schluchten. Noch nicht abzusehen sind die negativen Auswirkungen des auch in China umstrittenen Prestigeobjekts. Ein Bruch der in einem seismisch aktiven Gebiet liegenden Staumauer hätte verheerende Folgen, das Klima könnte sich durch die riesige Wasserfläche verändern, außerdem könnte die mitgeführte Sandfracht des Jangtsekiangs den Stausee bald verstopfen. Eine der schönsten Flusslandschaften Chinas und somit auch Touristenattraktion ginge verloren. Zudem stellt die geplante Zwangsumsiedlung von etwa 1,5 Mio. Menschen eine Verletzung der Menschenrechte dar.

Dreischneuß, *Baukunst:* got. Maßwerkform: drei aneinander geschmiegte → Fischblasen, die einen Kreis ausfüllen.

Dreiser, Theodore, amerikan. Schriftsteller, * Terre Haute (Ind.) 27. 8. 1871, † Hollywood (Calif.) 28. 12. 1945; urspr. Arbeiter, dann Journalist; gilt als Hauptvertreter des naturalistischen Romans in Nordamerika. D. schildert den Untergang menschl. Existenzen im modernen Großstadtleben; die Überzeugung vom bestimmenden Einfluss des Milieus und die Haltung des Mitleids kennzeichnen seine Romane (»Schwester Carrie«, 1900; Trilogie: »Der Finanzier«, 1912, »Der Titan«, 1914, »Der Unentwegte«, 1947; »Eine amerikan. Tragödie«, 1925).

🕮 MÜLLER, KURT: *Identität u. Rolle bei T. D. Eine Untersuchung des Romanwerks unter rollentheoretischem Aspekt. Paderborn u. a. 1991.*

Dreispitz, Männerhut des 18. Jh. mit hochgebogener, an drei Stellen des Hutkopfes befestigter Krempe. Als **Chapeau bas** wurde der flacher und schmaler gewordene D. nach 1750 wegen der gepuderten Frisur meist unter dem Arm getragen. Der D. gehörte auch zur Uniform.

Dreisprung, *Leichtathletik:* Weitsprung aus drei Teilsprüngen: 1. Hüpfer, 2. Schritt, 3. Sprung (engl. Hop, Step, Jump), wobei der Springer die Sprungfolge links-links-rechts oder rechts-rechts-links einzuhalten hat.

Dreißigjähriger Krieg, europ. Religions- und Staatenkonflikt, der aus den konfessionellen Gegensatz im Hl. Röm. Reich dt. Nation und dem Gegensatz zw. Habsburgermonarchie und Ständen entstand und auf dt. Boden 1618–48 ausgetragen wurde. Im Reich standen sich zunächst die schon 1608/09 gegr. konfessionellen Bündnisse (prot. Union, kath. Liga) unter Führung von Kurpfalz bzw. Bayern gegenüber; Vermittlungsversuche des auf Ausgleich bedachten Kaisers Matthias I. scheiterten; es kam zum prot. Aufstand in Böhmen.

Böhmisch-Pfälzischer Krieg (1618–23): Der Böhm. Aufstand (ausgelöst durch den »Prager Fenstersturz« 1618) weitete sich durch die Absetzung Ferdinands II. durch die böhm. Stände (1619) und die Wahlannahme des pfälzischen Kurfürsten Friedrich V. (»Winterkönig«) zum Reichskonflikt aus. Ferdinand warf mit Unterstützung Spaniens und der Liga unter Führung von Herzog Maximilian I. von Bayern Böhmen nieder (Schlacht am Weißen Berg bei Prag, 8. 11. 1620); Feldherr J. T.

Dreipass

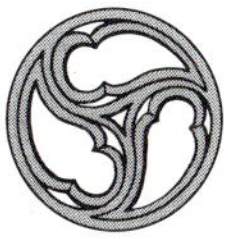

Dreischneuß

Theodore Dreiser

Dreißigjähriger Krieg

Dreißigjähriger Krieg: Der Prager Fenstersturz, dargestellt in einem zeitgenössischen Kupferstich von Matthäus Merian d. Ä., löste 1618 den böhmischen Aufstand und damit den Böhmisch-Pfälzischen Krieg, die erste Phase des Dreißigjährigen Kriegs, aus

von Tilly eroberte die Pfalz und besiegte die Protestanten bei Wimpfen (6. 5. 1622), Höchst (20. 6. 1622) und Stadtlohn (6. 8. 1622). Bayern erhielt die pfälz. Kurwürde (1623). Böhmen wurde gewaltsam rekatholisiert.

Niedersächsisch-Dänischer Krieg (1625–29): Von England und Holland unterstützt, griff der dän. König Christian IV., Herzog von Holstein, 1625 ein, um sich in Nord-Dtl. eine Machtbasis für den Kampf mit Schweden um die Ostseeherrschaft zu schaffen, musste sich aber nach seiner Niederlage bei Lutter am Barenberge (27. 8. 1626) gegen das Heer der Liga unter Tilly und der Besetzung Jütlands im Lübecker Frieden (12. 5. 1629) zur Neutralität verpflichten. Mit einem eigenen kaiserl. Heer schlug A. von Wallenstein den prot. Söldnerführer Graf Ernst II. von Mansfeld an der Dessauer Brücke (25. 4. 1626), besetzte den Ostseeraum von Pommern bis Jütland und belagerte vergeblich Stralsund (1628). Mit dem Restitutionsedikt (6. 3. 1629) schien sich endgültig eine Kräfteverschiebung zugunsten des Katholizismus anzubahnen. Doch die gleichzeitigen zentralist. Bestrebungen des Kaisers forderten auch den Widerstand der kath. Fürsten heraus, die mit frz. Unterstützung auf dem Regensburger Kurfürstentag 1630 die Entlassung Wallensteins durchsetzten.

Schwedischer Krieg (1630–35): Beunruhigt durch die kaiserl. Machtstellung an der Ostsee, griff Gustav II. Adolf von Schweden in den Krieg ein (Landung in Pommern, 4. 7. 1630). Sein Vorstoß nach Süden (Sieg über Tilly bei Breitenfeld, 17. 9. 1631; bei Rain am Lech, 15. 4. 1632) veranlasste den Kaiser zu Wallensteins erneuter Berufung; in der Schlacht bei Lützen (16. 11. 1632) fiel der Schwedenkönig. Sein Kanzler Graf A. Oxenstierna fasste durch den Heilbronner Bund (23. 4. 1633) die süd- und westdeutschen prot. Fürsten auch weiterhin unter schwed. Führung zusammen. Wegen seiner eigenmächtigen Verhandlungen mit den Schweden wurde Wallenstein geächtet, abgesetzt und am 25. 2. 1634 in Eger im kaiserl. Auftrag ermordet. Die Niederlage der Schweden und des Heilbronner Bundes unter Bernhard von Sachsen-Weimar bei Nördlingen (6. 9. 1634) führte zum Frieden von Prag (30. 5. 1635), der neben der Einigung zwischen prot. Ständen und Kaiser auch die Säuberung des Reichs von fremden Truppen vereinbarte.

Schwedisch-Französischer Krieg (1635–48): Frankreich, schon seit 1631 der Geldgeber Schwedens, griff nun in den Kampf ein, um der Übermacht des Hauses Habsburg zu begegnen. In Richelieus Auftrag stellte Bernhard von Weimar ein Heer auf. Doch keiner Seite gelang es, den Krieg militärisch zu entscheiden; Siegen der Franzosen unter Bernhard von Weimar am Oberrhein (Eroberung Breisachs, 17. 12. 1638) und der Schweden unter J. Banér (bei Wittstock, 4. 10. 1636; Vorstoß bis Prag, 1638, und Regensburg, 1641) und L. Torstenson (bei Breitenfeld, 2. 11. 1642, und Jankau in Mähren, 6. 3. 1645) standen Siege der Bayern unter Mercy und Werth über die Franzosen (u.a. bei Tuttlingen, 24. 11. 1643) gegenüber. Der Krieg verlagerte sich nach Süd-Dtl. Die allgemeine Erschöpfung führte nach zahlreichen vergebl. Verhandlungen (seit 1644) am 24. 10. 1648 zum →Westfälischen Frieden. (→deutsche Geschichte)

🕮 SCHORMANN, G.: *Der D. K. Göttingen ²1993. – Dt. Gesch. in Quellen u. Darstellung, Bd. 4: Gegenreformation u. D. K. 1555–1648, hg. v.* B. ROECK. *Stuttgart 1996.* – BURKHARDT, J.: *Der D. K. Lizenzausg. Darmstadt 1997.*

Dreißigster, auf altdt. Recht zurückgehende Verpflichtung des Erben, den Familienangehörigen des Erblassers, die bei dessen Tod seinem Haushalt angehört und Unterhalt bezogen haben, für mindestens 30 Tage weiterhin im selben Umfang Wohnung und Unterhalt zu gewähren (§ 1969 BGB).

Dreistadiengesetz, von A. →Comte entwickelte geschichtsphilosoph. Theorie, wonach die Entwicklung des Individuums wie auch der Wissenschaft und der am Erkenntnisstand ablesbaren Geschichte der Menschheit eine theolog. oder fiktive, danach eine metaphys. oder abstrakte und schließlich die endgültig positive oder wiss. Stufe durchlaufe. Diesen drei Stadien entsprechen jeweils bestimmte politisch-soziale Organisationsformen.

Dreitagefieber, 1) (Malaria tertiana) Form der →Malaria.

2) (Pappatacifieber, Phlebotomusfieber, Sandfliegenfieber) subtrop. und trop. Arbovirenerkrankung, die durch kleine Stechmücken (Phlebotomen) übertragen wird; Inkubationszeit: 7–10 Tage. Die Krankheitserscheinungen bestehen in etwa dreitägigem hohem Fieber, Kopf- und Gliederschmerzen. Der Verlauf ist gutartig, die Behandlung rein symptomatisch.

3) (kritisches D., D.-Exanthem, sechste Krankheit, Exanthema subitum) gutartige Virusinfektion bei Kindern in den ersten drei Lebensjahren mit hohem dreitägigem Fieber und Hautausschlag.

Dreiteilung des Winkels, eine der berühmten Aufgaben der Antike, durch Konstruktion mit Zirkel und Lineal einen beliebigen Winkel in drei gleiche Teile zu teilen. Wie beim →delischen Problem konnte man mithilfe der Galois-Theorie nachweisen, dass das Problem allg. nicht lösbar ist. (→Quadratur des Kreises)

Dreiwegekatalysator, →Katalysator.

Dreizack, 1) *allg.:* gabelartiges (Stange mit drei Zinken) Fanggerät der Fischer, noch heute im östl. Mittelmeer; Attribut Poseidons, Sinnbild der Herrschaft über das Meer.

2) *Botanik:* (Triglochin) Gattung einkeimblättriger, grasähnl. Pflanzen mit grünen Blüten. Der **Strand-D.** (Triglochin maritimum) ist eine Salzpflanze.

dreizehn, als Ziffer **13,** Primzahl, die häufig als Unglückszahl gilt, weil sie auf die heilbringende 12 folgt (Schlusszahl des babylon. Duodezimalsystems). Im A.T. ist die Dreizehn Glückszahl.

🕮 ENDRES, F. C. *u.* SCHIMMEL, A.: *Das Mysterium der Zahl. München ⁹1996.*

Dreizehn alte Orte, →Schweiz, Geschichte.

Drei Zinnen, in Felstürme aufgelöste Gipfelgruppe der Südtiroler Dolomiten, 2857 bis 2999 m ü.M.

Drell (Drillich, Zwillich), sehr dichtes und festes Baumwoll- oder Leinengewebe, meist in Köperbindung; wird für Matratzen, Markisen, Handtücher und Arbeitskleidung verwendet.

Drempel, 1) *Bauwesen:* Kniestock bei Pfettendächern; senkrechter Pfosten auf der eigtl. Balkenlage, der den Dachraum an der Traufe erhöht.

2) *Wasserbau:* der untere Anschlag eines Schleusentores.

Drensteinfurt, Stadt im Kr. Warendorf, NRW, im Münsterland, 13300 Ew.; Holzverarbeitung, Kornbrennerei, Emaillierwerk u.a. Industrie. – Wasserschloss. – D. erhielt 1428 unter dem Namen Wiegbold Stadtrecht.

Drente (niederländ. Drenthe), Provinz im NO der →Niederlande.

Dreschmaschine, Maschine zum Trennen von Körnerfrüchten, Spreu und Stroh durch mechan. Behandlung (Schlagen und anschließendes Sieben) des Dreschgutes (Getreidegarben); Weiterentwicklung zum →Mähdrescher.

Dresden, 1) RegBez. in Sachsen, 7930 km² mit (1996) 1,76 Mio. Ew.; umfasst die Landkreise Bautzen, Kamenz, Löbau-Zittau, Meißen-Radebeul, Niederschlesischer Oberlausitzkreis, Riesa-Großenhain, Sächsische Schweiz und Weißeritzkreis sowie die kreisfreien Städte Dresden, Görlitz und Hoyerswerda.

2) Hptst. des Landes Sachsen, kreisfreie Stadt und Sitz des RegBez. D., 469100 Ew. – D. liegt beiderseits der Elbe in geschützter Beckenlage inmitten der lang gestreckten Elbtalweitung. Es ist Behördensitz, Sitz der Evang.-Luther. Landeskirche Sachsens und Sitz des kath. Bistums D.-Meißen; Verwaltungsgericht; TU, Hochschulen für Musik, bildende Künste und Verkehrswesen, PH, Medizin. Akademie, Forschungszentrum Rossendorf, Inst. für Festkörper- und Werkstoffforschung, Beamtenfachhochschule, Evang. FH; bed. Museen:

Dreizack 2): Stranddreizack (Höhe 15-70 cm)

Dresden 2) Stadtwappen

Dresden 2): Blick vom rechten Elbufer auf die Brühlsche Terrasse (links), den Hausmannsturm des Dresdner Schlosses und die Hofkirche (Mitte) sowie die Semperoper (rechts)

Gemäldegalerie »Alte Meister« (im Semperbau am Zwinger), die Gemäldegalerie »Neue Meister«, die Schätze des Grünen Gewölbes, Skulpturensammlung und Münzkabinett (im Albertinum), die Porzellansammlung (im Zwinger), Histor. Museum (Prunkwaffensammlung; im Semperbau am Zwinger), Kupferstichkabinett, Museum für Kunsthandwerk in Pillnitz, Verkehrsmuseum (im Johanneum), Staatl. Mathematisch-Physikal. Salon (im Zwinger), Dt. Hygiene-Museum; Sächs. Landesbibliothek, Semperoper, mehrere Theater; Philharmonie, Sächs. Staatskapelle D., Kreuzchor; jährlich internat. Musikfestspiele; botan. Garten, Zoo. – D. hat v.a. elektrotechnische, Maschinenbau-, Textil-, Möbel-, Druck- und Nahrungsmittelind.; Verkehrsknotenpunkt, Elbhafen, internat. Flughafen.

Stadtbild: D. galt bis zu dem Luftangriff am 13./14. 2. 1945, dem die Altstadt weitgehend zum Opfer fiel, als eine der schönsten dt. Städte (»Elbflorenz«). Viele histor. Bauwerke wurden inzwischen wieder hergestellt oder sind für den Wiederaufbau vorgesehen, jedoch veränderten Zerstörung und Neuplanung das Stadtbild. Kern der Altstadt auf dem linken Elbufer ist das ehem. Residenzschloss der Wettiner, eine Vierflügelanlage des 16. Jh., später häufig verändert (Rekonstruktion seit 1986). Am Schlossplatz steht die wiederhergestellte kath. Hofkirche (1738 ff.). Südlich vom Schloss befindet sich das Taschenbergpalais (1707–11, 1992–95 Wiederaufbau als Hotel) von M. D. Pöppelmann. An Schloss und Hofkirche schließt nach W der Theaterplatz mit der Altstädter Wache, einem klassizist. Bau (1830–32) nach Entwurf von K. F. Schinkel, und der Semperoper (1. Bau 1838–41, nach Brand 2. Bau 1871–78, 1985 neu eröffnet) an. Die südwestliche Begrenzung des Platzes bildet der für Hoffeste errichtete →Zwinger von Pöppelmann (1711–28). In die einst offene NO-Seite des Zwingers fügte G. Semper 1847–54 die Gemäldegalerie ein (Wiederaufbau bis 1960). Östlich vom Schlossplatz erstreckt sich am Elbufer die Brühlsche Terrasse (Reste der Stadtbefestigung, 16. Jh.; im 18. Jh. zur Gartenanlage ausgebaut, Bauten des 18. Jh. zerstört) mit der Kunstakademie (1890–94, heute Hochschule für bildende Künste), dem Albertinum, der Sekundogenitur (1896/97) und dem Ständehaus anstelle des Palais Brühl (1901–06). Die Frauenkirche von G. Bähr (begonnen 1726, geweiht 1734), der bedeutendste prot. Barockkirchenbau und Wahrzeichen D.s wurde 1945 zerstört. Die Ruine blieb als Mahnmal für die Opfer des Luftangriffs erhalten und wird seit 1994 wieder aufgebaut. Das Johanneum (1586–91 als Stallhof erbaut, mehrfach umgebaut) am Neumarkt ist durch den zum Hof mit 22 Rundbogenarkaden geöffneten Langen Gang mit dem Schloss verbunden. Die Außenseite des Langen Ganges schmückt auf 102 m Länge der »Fürstenzug«, der die Herrscher des Hauses Wettin zeigt (urspr. Sgraffitofries, 1870–76, 1906 auf Kacheln übertragen). Im Umkreis des Altmarkts befinden sich u. a. das Neue Rathaus (1906–12), das frühklassizist. Gewandhaus (1768–79, heute Hotel), die anstelle früherer Kirchenbauten 1764–92 errichtete barocke Kreuzkirche (wieder hergestellt) und etwas entfernter das frühklassizistische Landhaus (1770–76). An die Altstadt schließt sich nach SO der Große Garten an, eine Barockanlage (begonnen 1676) mit frühbarockem Palais (1678–83). – Die Neustadt auf dem rechten Elbufer wurde nach dem Brand Altendresdens von 1685 als einheitl. Barockstadt wieder aufgebaut. Bedeutend ist die Dreikönigskirche (1732–39 nach Plänen von Pöppelmann, Innenausbau von Bähr; 1987–91 rekonstruiert). Das Japan. Palais, 1715 als »Holländ. Palais« begonnen, wurde 1727–35 unter der Oberleitung Pöppelmanns erbaut. Erhalten sind in der Neustadt einige barocke Bürgerhäuser. – In den Außenbezirken befinden sich elbabwärts Schloss Übigau (1724/25; von J. F. Eosander von Göthe), elbaufwärts auf den Loschwitzer Höhen die spätklassizist. Schlösser Albrechtsburg (1850–54) und Villa Stockhausen (nach 1850; von dem Schinkel-Schüler A. Lohse) und das als mittelalterl. Burg angelegte Schloss Eckberg (1859–61), weiter flussaufwärts an der Elbe die Schloss- und Parkanlage →Pillnitz. In Loschwitz Elbbrücke (»Blaues Wunder«), eine Hängefachwerkbrücke von 1891–93. – In Hellerau, seit 1950 Stadtteil von D. (im N), wurde erstmals der Plan einer →Gartenstadt verwirklicht: Der Bebauungsplan (1907/08) sowie die »Dt. Werkstätten« und Reihenhäuser stammen von R. Riemerschmid, weitere Wohnhäuser von H. Muthesius und H. Tessenow, von Letzterem auch das Festspielhaus (1910–12). – Zahlr. Neubauten, u. a. Hotel Bellevue unter Einbeziehung des barocken Kollegiengebäudes (1981–85).

Geschichte: Das Elbtalgebiet erscheint 1004 als sorb. Wohngau Nisan; nach 968 Bestandteil der später sog. Mark Meißen, kam vor 1144 an die wettin. Markgrafen von Meißen, die um 1150 an der Stelle des späteren Schlosses eine Burg errichten ließen. 1206/16 Gründung der Stadt D. (slaw. Drezdzany) südlich der Burg (Magdeburger Stadtrecht 1299 bestätigt); die Stadtbefestigung schloss die Burg und eine ältere Marktsiedlung (sog. **Alt-D.**) ein. Ein zur Stadt entwickeltes früheres sorb. Dorf auf dem rechten Elbufer (**Altendresden**) wurde 1550 eingemeindet. Als Residenz der albertin. Linie der Wettiner (1485–1918) entwickelte sich D. zu einem weltbekannten kulturellen Mittelpunkt; unter Moritz von Sachsen (1541–53) zur Renaissanceresidenz ausgestaltet, unter August II., dem Starken, und August III. rege Bautätigkeit und Stätte eines prunkvollen Hoflebens; schwerer Rückschlag durch den Siebenjährigen Krieg (1756–63). In der Schlacht bei D. (26./27. 8. 1813) siegte Napoleon I. über die Verbündeten. Ab etwa Mitte des 19. Jh. (1839 Eröffnung der ersten dt. Ferneisenbahn Leipzig–D.) Verkehrsknotenpunkt und Ind.zentrum. 1849 bildete der Dresdner Aufstand den Ausgangspunkt der Reichsverfassungskampagne. In der Nacht vom 13./14. 2. 1945 mit (1939) 630 000 Ew. und rd. 500 000 schles. Flüchtlingen Opfer dreier britisch-amerikan. Luftangriffe. 1947–52 und seit 1990 Hptst. Sachsens, 1952–90 Hptst. des gleichnamigen DDR-Bezirks. Herbst 1989 einer der Schauplätze der friedl. Revolution in der DDR. – Im **Frieden von Dresden** (25. 12. 1745), der den 2. Schles. Krieg beendete, erhielt Preußen den Besitz Schlesiens bestätigt, Sachsen musste eine hohe Kriegsentschädigung zahlen und auf schles. Ansprüche verzichten.

Dresden 2): Blick vom Rathausturm auf die zerstörte Altstadt im Frühjahr 1945

📖 *D. Die friedl. Revolution: Oktober 1989 bis März 1990, hg. v.* H. Kromer. *Böblingen 1990.* – Helas, V.: *Architektur in D. 1800–1900. Dresden ³1991.* – Lerm, M.: *Abschied vom alten D. Verluste histor. Bausubstanz nach 1945. Leipzig ²1993.* – Bergander, G.: *D. im Luftkrieg. Vorgesch., Zerstörung, Folgen. Weimar ²1994.* – Löffler, F.: *Das alte D. Gesch. seiner Bauten. Leipzig ¹³1996.*

Dresdner Bank AG, zweitgrößte dt. Universalbank, Sitz: Frankfurt am Main, gegr. 1872 in Dresden; 1931 Übernahme der Darmstädter- und Nationalbank, 1948 dezentralisiert, elf Nachfolgebanken, 1952 zu drei Regionalbanken, 1957 zur D. B. AG wieder vereinigt. Eine ihrer zahlreichen Tochtergesellschaften ist die Dt. Hypothekenbank. Beteiligungen bestehen u. a. an der Heidelberger Zement AG (24 %) und der Brau und Brunnen AG (25,5 %). Hauptaktionär der D. B. ist die Allianz Holding AG (22,3 %). →Banken (Übersicht)

Dresdner Kreuzchor (Kreuzchor, Kruzianer), Knabenchor an der Kreuzschule Dresden, gegr. in der 1. Hälfte des 13. Jh.; wurde unter R. Mauersberger (Kreuzkantor 1930–71) weltbekannt. Kreuzkantor seit 1997 ist Roderich Kreile.

Dresdner Philharmonie, 1870 gegr. Sinfonieorchester, zunächst nach seiner Wirkungsstätte »Gewerbehausorchester« genannt, seit 1915 Dresdner Philharmon. Orchester, seit 1923 D. P.; Chefdirigent (seit 1994) ist Michel Plasson.

Dresdner Staatskapelle, →Sächsische Staatskapelle Dresden.

Drese, Claus Helmut, Regisseur und Operndirektor, *Aachen 25. 12. 1922; übernahm 1975 die Leitung des Zürcher Opernhauses; unter Mitarbeit von N. Harnoncourt und J.P. Ponnelle entstanden bed. Mozart- und Monteverdi-Zyklen. 1986–1991 Direktor der Wiener Staatsoper, danach Präsident des Mozartfestivals in Prag.

Ingeborg Drewitz

Dresen, Adolf, Regisseur, *Eggesin (Kreis Uecker-Randow) 31. 3. 1935; Intendant u.a. in Berlin, München, Frankfurt am Main und am Wiener Burgtheater; auch Opernregie.

Dress [engl.] *der,* Kleidung für einen bestimmten Anlass, z.B. Sportdress.

Dressman [-mæn, engl.] *der,* männl. Entsprechung des Mannequins; männl. Person, die Herrenkleidung vorführt; männl. Fotomodell.

Dressur [frz.] *die,* vom Menschen gesteuerte Lernvorgänge bei Tieren, in deren Verlauf das Tier die vom Dresseur angestrebten Verhaltensweisen annimmt. Die D. findet Anwendung u.a. im →Zirkus und dient sportl. und wirtsch. Zwecken, so werden z.B. Pferde und Hunde für Polizeidienst und Jagd abgerichtet (dressiert).

Dressurreiten, *Pferdesport:* Grundlage der Pferdeausbildung und Reiterei, vom Reiten der Anfänger in einem Reitschulbetrieb über die Dressurprüfungen bis zur Hohen Schule. D. dient der Gymnastizierung des Pferdes, bringt die →Gangarten schwungvoll heraus, übt und verfeinert die Verständigung zw. Pferd und Reiter und strebt eine vorbildl. Haltung von Reiter und Pferd an. Das Pferd lernt, auf Reiterhilfen (Schenkel-, Gewichts-, Zügel-, Kreuzeinwirkung) zu reagieren. Völliger Gehorsam auf diese Hilfen ist Bedingung für vollkommene Beherrschung des Pferdes, wobei lediglich die natürlichen Bewegungen des Pferdes herausgearbeitet werden, ohne die artist. Schaukünste der Zirkusreiterei. D. wird in einem **Dressurviereck** ausgeübt. Es ist olymp. Disziplin, bei der Damen und Herren gemeinsam starten.

Dreyfusaffäre: Alfred Dreyfus (anonymer Holzschnitt; 1896)

Drewenz *die* (poln. Drwęca), Nebenfluss der Weichsel, Polen, 207 km lang, entspringt im südl. Ostpreußen, mündet oberhalb von Thorn.

Drewermann, Eugen, kath. Theologe und Psychotherapeut, *Bergkamen 20. 6. 1940; 1979–91 Dozent für Dogmatik an der Kath. Theolog. Fakultät Paderborn. D. versteht den christl. Glauben als Erlösungslehre und Lebenshilfe und tritt für die Tiefenpsychologie als Erkenntnisweg in der Theologie ein. Aufgrund seiner Kirchenkritik wurde ihm 1991 Lehrverbot, 1992 Verbot der Predigt und der priesterl. Tätigkeit erteilt.

Eugen Drewermann

Werke: Strukturen des Bösen, 3 Bde. (1977–78); Tiefenpsychologie u. Exegese, 2 Bde. (1984–85); Kleriker. Psychogramm eines Ideals (1989); Giordano Bruno oder der Spiegel des Unendlichen (1992).

🕮 FREY, J.: *E. D. u. die bibl. Exegese. Tübingen 1995.*

Drewitz, Ingeborg, Schriftstellerin, *Berlin 10. 1. 1923, †Berlin (West) 26. 11. 1986; schrieb zeitkrit. Stücke, Hörspiele, Prosa (»Oktoberlicht«, R., 1969; »Wer verteidigt Katrin Lambert?«, R., 1974; »Kurz vor 1984«, Essays, 1981; »Eingeschlossen«, R., 1986) bes. über die Jahre der nat.-soz. Herrschaft und die Gegenwart; setzte sich mit der Situation der Frau auseinander.

🕮 *I. D. Materialien zu Werk u. Wirken, unter Mitarb. v.* B. DREWITZ, *hg. v.* T. HÄUSSERMANN. *Stuttgart* ²*1988.*

Drews, Arthur, Philosoph, *Uetersen 1. 11. 1865, †Achern 19. 7. 1935; entwickelte unter dem Einfluss E. von Hartmanns eine monist. (pantheist.) Weltanschauung, die jeglichem Jenseitsglauben widerspricht. Als Anhänger des theolog. Radikalismus bestritt er das geschichtl. Dasein Jesu.

Dreyer, 1) Benedikt, Bildschnitzer, *um 1485, †nach 1555; ab etwa 1515 führender Meister in Lübeck. Seine Holzbildwerke (Antoniusaltar, 1522; Lübeck, St.-Annen-Museum) gehören zu den ausdrucksvollsten Arbeiten der Spätgotik in Lübeck.

2) Carl Theodor, dän. Filmregisseur, *Kopenhagen 3. 2. 1889, †ebd. 20. 3. 1968; errang durch den Stummfilm »La passion de Jeanne d'Arc«, mit Maria Falconetti) Weltgeltung. Weitere Filme: »Vampyr«, 1932; »Tag des Zorns«, 1943; »Gertrud«, 1965.

Dreyfusaffäre, tief greifende innenpolit. Erschütterungen in Frankreich, die aus dem militärgerichtl. Prozess gegen den frz. Hauptmann jüd. Abstammung Alfred Dreyfus (*1859, †1935) entstanden. Dieser wurde wegen angebl. Verrats militär. Geheimnisse an das Dt. Reich 1894 zu lebenslängl. Deportation auf die Teufelsinsel bei Cayenne verurteilt. Die Hintergründe des Prozesses sind in antisemit. Strömungen zu sehen. Seitdem 1898 É. Zola (»J'accuse«) öffentlich für ihn eingetreten war, forderte die Linke, insbes. die Bewegung des Radikalsozialismus mit G. Clemenceau und J. Jaurès, die Wiederaufnahme des Verfahrens; 1899 wurde Dreyfus begnadigt und schließlich 1906 vollständig rehabilitiert. Die D., an der ganz Frankreich leidenschaftlich Anteil nahm, führte zur Polarisierung der polit. Kräfte: Die nationalistisch-klerikalen, antisemit. Rechten sammelten sich u.a. in der →Action Française, die Linken im Bloc républicain, der die Macht 1899 übernahm (Kabinett Waldeck-Rousseau) und v.a. die kath. Kirche bekämpfte (1905 endgültige Trennung von Staat und Kirche). – Die D. wurde literarisch behandelt von R. Martin du Gard.

📖 DUCLERT, V.: *Die Dreyfus-Affäre. A. d. Frz. Berlin 1994.*

Dreyse, Johann Nikolaus von (seit 1864), Waffentechniker, *Sömmerda 20. 11. 1787, †ebd. 9. 12. 1867; konstruierte 1827 das Zündnadelgewehr (→Gewehr).

Dribbling [engl.] *das* (Dribbeln), in Ballspielen »kurzes« Treiben des Balles unter ständiger Beeinflussungsmöglichkeit des Balls durch den Spieler.

Driburg, Bad, →Bad Driburg.

Driesch, Hans Adolf Eduard, Philosoph und Biologe, *Bad Kreuznach 28. 10. 1867, †Leipzig 16. 4. 1941; stellte sich in Ggs. zu seinem Lehrer E. Haeckel und deutete seine Tierversuche im Sinn des antimaterialist. →Vitalismus, an dessen Erneuerung er beteiligt war. D. sah die Lebensvorgänge ganzheitlich durch Entelechie, einen teleologisch wirkenden Ordnungs- und Naturfaktor, bestimmt. Weiterhin propagierte er nachhaltig die Parapsychologie.

Werke: Philosophie des Organischen (1909); Ordnungslehre (1912); Wirklichkeitslehre (1917); Behaviourismus und Vitalismus (1927); Parapsychologie (1932).

Hans Adolf Driesch

Drieu la Rochelle [dri'ø larɔ'ʃɛl], Pierre, frz. Schriftsteller, *Paris 3. 1. 1893, †(Selbstmord) ebd. 16. 3. 1945; schrieb Romane mit innerlich zerrissenen, haltlosen Gestalten: »Das Irrlicht« (1931), »Verträumte Bourgeoisie« (1937), »Die Memoiren des Dirk Raspe« (hg. 1965); auch Essays; ergriff Partei für den frz. Faschismus und kollaborierte mit der dt. Besatzung.

📖 EBEL, M. N.: *P. D. La Rochelle (1893–1945). Rheinfelden [2]1994.*

Drift, 1) *Geographie:* Verschiebung der Kontinente auf der Asthenosphäre.

2) *Meereskunde:* (Trift) oberflächennahe, vom Wind getriebene →Meeresströmung.

3) *Physik:* eine der Wärmebewegung überlagerte, im Mittel gleich gerichtete langsame Bewegung von Teilchen, z. B. in Plasmen unter der Wirkung eines elektr. Feldes.

Drifteis, das →Treibeis.

Drill, *Militärwesen:* straffe Ausbildung, häufig wiederholtes Einüben bestimmter Fertigkeiten.

Drill (Mandrillus leucophaeus), Hundsaffe (Familie Meerkatzenartige) in den Regenwäldern W-Afrikas; Körperlänge bis 85 cm.

Drillich, Gewebe, der →Drell.

Drilling, 1) *Fischfang:* dreischenkeliger Angelhaken zum Raubfischfang.

2) *Waffenkunde:* Jagdgewehr mit drei Läufen, meist zwei Schrotläufe und ein Kugellauf.

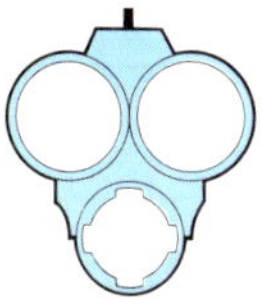

Drilling 2): Querschnitt, oben zwei Schrotläufe, unten Kugellauf

Drillinge, drei gleichzeitig ausgetragene, kurz nacheinander geborene Kinder. D. können ein-, zwei oder dreieiig sein. 0,013% aller Schwangerschaften sind Drillingsschwangerschaften.

Drillmaschine, Universalsämaschine zur Aussaat aller Körnerfrüchte. Mittels mechan. oder pneumat. Dosiervorrichtungen wird das Saatgut in gleichmäßiger Dosierung und Tiefe in den Boden eingebracht.

Drin *der* (alban. Drini), längster Fluss Albaniens, 285 km; Quellflüsse sind der **Weiße D.** aus den Nordalban. Alpen und der **Schwarze D.,** der dem Ohridsee entfließt; mündet in den Dringolf des Adriat. Meer; am Oberlauf Kraftwerke.

Drina *die,* rechter und längster Nebenfluss der Save, entsteht aus den montenegrin. Flüssen Tara und Piva, vom Zusammenfluss an rd. 350 km lang, durchfließt das bosnisch-serb. Gebirgsland nach Norden, mündet westl. von Belgrad; ab Zvornik schiffbar.

Dritte Internationale, →Komintern.

dritte Kraft, eine 1947 von L. Blum, einem führenden Vertreter des demokrat. Sozialismus in Frankreich, gestellte Forderung nach Wiederherstellung einer demokrat. Mitte zw. Gaullismus und Kommunismus; seitdem ein über Frankreich hinaus oft gebrauchtes Schlagwort für ähnl. innenpolit., aber auch außenpolit. Konstellationen (z. B. im internat. Kräftefeld des Ost-West-Konflikts).

Drittelmix *der,* Bez. für den durchschnittl. Kraftstoffverbrauch von Kfz, ermittelt aus drei Werten: dem Verbrauch bei konstant 90 km/h, konstant 120 km/h und einer Stadtfahrt. (→DIN-Verbrauch)

Dritte Republik, Name des frz. Staat zw. 1870 und 1940, nach dem Sturz des Zweiten Kaiserreiches.

Dritter Orden (Terziaren, Tertiarier), im kath. Kirchenrecht Laien, die unter der geistl. Leitung eines Ordens nach einer anerkannten Regel, nicht aber in Klöstern leben, im Unterschied zu den (männl.) Ersten Orden oder den diesen angeschlossenen (weibl.) Zweiten Orden. Der bekannteste und größte D. O. ist der der Franziskaner.

dritter Stand (frz. Tiers État), in der mittelalterl. und frühneuzeitl. Ständeordnung das Bürgertum, das den dritten Platz nach Adel und Geist-

dritter Stand

Der historische Begriff mit der Bedeutung »Bürgertum« neben Adel und Geistlichkeit ist nach dem französischen »le tiers état« gebildet. Besonders verbreitet wurde er wohl durch die vor dem Ausbruch der Französischen Revolution (1789) erschienene einflussreiche Schrift »Qu'est-ce que le Tiers État?« (»Was ist der dritte Stand?«) von Emmanuel-Joseph Sieyès. Darin heißt es: »Qu'est-ce que le Tiers État? Tout. Qu'a-t-il été jusqu'à présent dans l'ordre politique? Rien. Que demande-t-il? A y devenir quelque chose.« (»Was ist der dritte Stand? Alles. Was war er bis heute in der politischen Ordnung? Nichts. Was fordert er? Dort etwas zu werden.«)

dritter Stand: Adel und Klerus erschrecken über die Erhebung des dritten Standes, Karikatur aus der Zeit der Französischen Revolution

lichkeit einnahm. Seit der Frz. Revolution von 1789, an deren Beginn E. Siéyès das bahnbrechende Pamphlet »Was ist der d. S.?« veröffentlichte, erkämpfte sich der d. S. die rechtl. Gleichstellung.

dritter Weg, gesellschaftstheoret. Begriff, unter dem sowohl liberale als auch marxist. Theoretiker bei gegensätzl. Ausgangspositionen neue Gesellschaftsmodelle entwickelt haben.

Die von W. Röpke entwickelte neoliberale Schule (→Neoliberalismus) möchte Wettbewerb und Wirtschaftsfreiheit durch breite Vermögensbildung und marktkonforme Staatseingriffe ergänzen. Marxist. Theoretiker versuchten eine sozialist. Wirtschafts- und Sozialordnung, in der bes. der Privatbesitz an den Produktionsmitteln aufgehoben ist, mit Elementen der polit. Demokratie zu verbinden. Im Zuge dieser theoret. Überlegungen entwickelten sich im 20. Jh. versch. Denkrichtungen, bes. der →Austromarxismus, der →Neomarxismus und der →Eurokommunismus. Innerhalb der führenden kommunist. Parteien des früheren Ostblocks entstanden in Auseinandersetzung mit der in der UdSSR bes. seit der Herrschaft Stalins praktizierten bürokratisch-diktator. Herrschaftsordnung Reformideen (→Reformkommunismus).

In Anlehnung an die kulturellen Traditionen ihres Landes suchen zahlreiche Staaten der »Dritten Welt« in der Gestaltung ihrer Gesellschaftsordnung einen d. W. zw. marktwirtsch. und sozialist. Modellen zu gehen.

🕮 *Eurokommunismus, ein d. W. für Europa?, hg. v.* H. Richter *u.* G. Trautmann. *Hamburg 1979.* – Wehner, B.: *Der lange Abschied vom Sozialismus. Grundriß einer neuen Wirtschafts- u. Sozialordnung. Frankfurt am Main 1990.*

Drittes Programm, *Fernsehen:* Fernsehprogramme der ARD-Landesanstalten für ihre jeweiligen regionalen Sendegebiete; u.a. Schul-, Bildungs- und Informationsprogramme.

Drittes Reich, zuerst in der chiliast. Geschichtsphilosophie (→Chiliasmus) des Joachim von Floris erscheinender Gedanke, dass nach dem Zeitalter des Vaters und des Sohnes ein drittes, die Erlösung abschließendes Zeitalter des Hl. Geistes folge; von Lessing, Schelling, Ibsen u.a. vielfach variiert. – In den ersten Jahrzehnten des 20. Jh. spielte der Begriff in Deutschland im Bereich konservativ-antidemokrat. Denkmodelle eine Rolle, bes. bei A. Moeller van den Bruck: In seinem Buch »Das Dritte Reich« (1923) verstand dieser unter dem D. R. ein Reich, das dem Heiligen Röm. Reich und dem von O. v. Bismarck gegründeten Reich folge. Der Nationalsozialismus übernahm zeitweise den propagandistisch wirksamen Namen, im 2. Weltkrieg aber von Hitler als Bezeichnung für den nat.-soz. Staat verboten.

Drittes Rom, zentraler geschichtstheolog. Begriff der russ. Reichsideologie, wonach Moskau (nach Konstantinopel und Rom) das D. R. und damit Erbe, Zentrum und legitimer Träger der christl. Reichsidee ist.

Dritte Welt, die Gesamtheit der wirtschaftlich und sozial unterentwickelten Staaten Afrikas, Asiens und Lateinamerikas (→Entwicklungsländer), ursprünglich jene Staaten, die sich im →Kalten Krieg zu einer Politik der Bündnisfreiheit (→Nonalignment) zwischen den Militärblöcken der westl. (pluralistisch-demokrat.) und der östl. (kommunist.) Staatenwelt (d. h. der bei der Wortprägung einbezogenen »ersten« und »zweiten« Welt) bekannten. Die Länder der D. W. traten erstmals 1955 auf der Bandungkonferenz unter der Bez. »dritte Kraft« hervor. 1961 organisierten sie sich als Bewegung der →blockfreien Staaten und gewannen international stärkeres Gewicht. Mit dem Zusammenbruch der kommunist. Staatenwelt in Ostmittel-, Südost- und Osteuropa (seit 1989) verlor die Bez. D. W. ihren ursprüngl. Sinngehalt.

🕮 *Hb. der D. W., hg. v.* D. Nohlen *u.* F. Nuscheler, *8 Bde. Bonn* ^{3}*1993–95.*

Dritte-Welt-Läden, i. d. R. ehrenamtlich betriebene Einzelhandelsgeschäfte, in denen Produkte aus Entwicklungsländern verkauft werden. Die Läden kaufen die Waren meist von der Gesellschaft zur Förderung der Partnerschaft mit der Dritten Welt m. b. H. (GEPA) oder direkt von Selbsthilfegruppen in Entwicklungsländern. Durch Ausschaltung des Zwischenhandels kommt ein hoher Teil der Verkaufserlöse den Produzenten oder Entwicklungsprojekten zugute. In der letzten Zeit nennen sich viele D.-W.-L. **Weltladen** oder **Eine-Welt-Laden.** (→fairer Handel)

Drittschuldner, bei der Pfändung in eine Forderung oder ein anderes Vermögensrecht der Schuldner des Vollstreckungsschuldners (z.B. der Arbeitgeber als Schuldner des Arbeitslohns bei der Pfändung des Arbeitslohnes).

Drittwiderspruchsklage (Interventionsklage, Widerspruchsklage), eine Klage, mit der geltend gemacht wird, dass der Beklagte (Gläubiger) durch die von ihm gegen seinen Schuldner betriebene Zwangsvollstreckung (Pfändung von Sachen) in die Rechte des Klägers (meist: Eigentum an den gepfändeten Sachen) eingegriffen habe (§771 ZPO). Ziel ist, dass die Zwangsvollstreckung für unzulässig erklärt wird.

Drive [draɪv, engl.] *der,* **1)** *Musik:* im Jazz: treibender Rhythmus, erzielt durch verfrühten Toneinsatz; auch Element der Rockmusik.

2) *Sport:* im Golf, Polo und Tennis Treibschlag.

Drive-in... [draɪv 'ɪn-], Bez. für Einrichtungen, die der Kunde im Auto sitzend erreichen kann, z.B. D.-in-Restaurant.

DRK, Abk. für **D**eutsches **R**otes **K**reuz (→Rotes Kreuz).

Drobeta-Turnu Severin (bis 1972 Turnu Severin), Hptst. des Bezirks Mehedinți, in Rumänien, an der Donau unterhalb des Eisernen Tores, 118400 Ew.; Werft, Maschinenind., Holzverarbeitung; Donauhafen. – Reste röm. Bauten.

Droese, Felix, Holzschneider, Objektkünstler und Zeichner, *Singen (Hohentwiel) 19. 2. 1950; Beuys-Schüler; thematisiert in seinen Werken (Schattenrisse, Assemblagen, Installationen) das eigene polit. Engagement und die Ausbeutung der Natur durch die Menschen.

Drogen [frz.], Präparate pflanzl., tier. und mineral. Ursprungs, die als Heilmittel, Stimulanzien oder Gewürze Verwendung finden; heute oft ungenau im Sinne von engl. drug (»Arzneimittel«) oder aber im Sinne von Rausch- oder Sucht-D. verwendet. (→Designerdrogen, →Rauschgifte)

Drogenabhängigkeit, →Rauschgifte.

Drogerie *die,* Spezialgeschäft des Einzelhandels, das v.a. kosmet., chemisch-pharmazeut. und Naturkosterzeugnisse anbietet.

Drogheda ['drɔədə] (irisch Droichead Átha), Hafenstadt im NO der Rep. Irland, am Boyne, 24100 Ew.; Textil-, Elektronik-, Metallind.; Brauerei und Zementwerke. – Im MA. war D. ein kirchl. Zentrum; 1649 von O. Cromwell zerstört; 8 km nördl. von D. **Monasterboice** (Klostersiedlung mit Bauresten vom 5.–12. Jh.).

Drogist *der,* Verkaufsberuf mit dreijähriger Ausbildung.

Drogobytsch (ukrain. Drohobytsch), Stadt in der Ukraine, am N-Hang der Waldkarpaten, 76000 Ew.; Erdöl-, Erdgas und Kalisalzgewinnung. Erdölraffinerie, chem., Metall verarbeitende, Nahrungsmittelindustrie.

Felix Droese: »Glasschiff« (1983; Bonn, Kunstmuseum)

Droguett [dro'ɣɛt], Carlos, chilen. Schriftsteller, *Santiago de Chile 15. 10. 1912, †Bern 30. 7. 1996; gestaltete, ausgehend von menschl. Grenzsituationen, vor dem Hintergrund der polit. und sozialen Probleme Chiles Romane (u.a. »Eloy«, 1960) und Erzählungen.

Drohne 1) *Militärwesen:* unbemannter Flugkörper mit Eigenantrieb, der fern- oder programmgesteuert wird. D. dienen zur Simulation von Luftzielen, zur Aufklärung und Zielortung oder zur Zielbekämpfung.

2) *Zoologie:* (Drohn) die männl. →Biene.

Drohnenschlacht, Aushungern und Entfernen der Drohnen aus dem Bienenvolk durch die Arbeitsbienen im Spätsommer.

Drohung, die Ankündigung eines Übels (Nachteils), das bestimmt und geeignet ist, die Willensfreiheit des Bedrohten zu beschränken und dessen Entschließung zu beeinflussen. Ein durch D. zustande gekommener Vertrag ist innerhalb eines Jahres ab Ende der Zwangslage anfechtbar (§124 BGB). Im Strafrecht ist die D. Tatbestandsmerkmal der verschiedensten Delikte (z.B. Nötigung, Erpressung, Raub, Vergewaltigung). Als selbstständige Straftat ist sie bei der Bedrohung eines anderen (§241 StGB) oder des öffentl. Friedens (§126 StGB) durch Androhung von Verbrechen strafbar. Ähnl. Regelungen im Zivil- und Strafrecht *Österreichs* und der *Schweiz.*

Drolerie [frz.] *die,* das Scherzhafte betonende Darstellung von Tier, Fabelwesen oder Mensch in mittelalterl. Handschriften, in der Bauplastik und Schnitzkunst.

Drôme [dro:m], **1)** *die,* linker Nebenfluss der Rhone, Frankreich, 110 km lang, kommt aus den **D.-Alpen,** mündet unterhalb von Valence.

2) Dép. in SO-Frankreich, 6530 km², (1990) 414000 Ew.; Hptst. ist Valence.

Dromedar [grch. »Lauftier«] *das,* einhöckeriges →Kamel.

Dronten (Drontevögel, Raphidae), im 17. und 18. Jh. ausgerottete Familie flugunfähiger, plumper Vögel von Schwanengröße auf Inseln östlich von Madagaskar. Die **Dronte** (Raphus cucullatus), auch **Dodó** genannt, lebte auf der Insel Mauritius.

Dronten: Dodó (Größe etwa 80 cm)

Drop-in [engl.] *der, Datenverarbeitung:* Magnetbandfehler durch zusätzliche Signale, die z. B. bei Magnetschichtschäden entstehen.

Drop-out [-aʊt, engl.] *der,* **1)** *Audio-Video-Technik:* kurzzeitiger Aussetzer oder Amplitudenabfall bei magnet. Aufzeichnung im Tonbandgerät.

2) *Datenverarbeitung:* Signalausfall, durch den gespeicherte Zeichen verloren gehen.

Drosera [grch.], Pflanzengattung, →Sonnentau.

Drosometer [grch.] *das, Meteorologie:* der Taumesser; er misst das Gewicht der als Tau abgesetzten Flüssigkeit.

Drosophila [grch.], Gattung der →Taufliegen.

Drossel [zu ahd. drozza »Kehle«], **1)** *Elektrotechnik:* →Drosselspule.

2) *Zoologie:* →Drosseln.

Drosselklappe, bewegl. Klappe in einer Rohrleitung zur Verengung des Querschnittes und somit zur Regelung der durchfließenden Menge von Flüssigkeiten, Dampf oder Gasgemischen.

Drosseln (Turdidae), weltweit verbreitete Familie der Singvögel; meist Zugvögel. Zu den D. zählen u. a. →Amsel, Nachtigall, Sprosser, Sing-D. Weitere bekannte Arten sind z. B. Mistel-D., Wacholder-D., Rot-D., Steinrötel, Blaumerle.

Drosselspule (Drossel), elektr. Spule mit hohem induktiven Widerstand zur Begrenzung von Wechselströmen.

Drosselvenen (Jugularvenen), von Kopf und Hals zur oberen Hohlvene ziehende Venen.

Drost [niederdt. »Truchsess«], seit dem späteren MA. bes. in Nord-Dtl. Verwalter einer Drostei (VerwBez.). **Landdroste,** 1822–85 die Präsidenten der hannoverschen RegBez. **(Landdrosteien).**

Annette von Droste-Hülshoff (Ausschnitt aus einem Gemälde; 1838)

Droste-Hülshoff, Annette (Anna Elisabeth) Freiin von, Dichterin, *Schloss Hülshoff (bei Münster) 10. 1. 1797, †Meersburg 24. 5. 1848; lebte im Münsterland erst auf der Wasserburg Hülshoff, seit 1826 im Rüschhaus bei Nienberge, seit 1846 auf der Meersburg bei ihrem Schwager, dem Germanisten J. von Laßberg. Eine unerfüllte Liebe verband sie mit dem Schriftsteller Levin Schücking. Ihr Werk umfasst Balladen (»Der Knabe im Moor«), Versepen und v. a. die Novelle »Die Judenbuche« (1842); Gedichte erschienen 1838 und 1844, darunter »Mondesaufgang«, »Im Grase«, »Durchwachte Nacht«. Ihre frühen religiösen Jugendgedichte (»Das geistliche Jahr«) und das Romanfragment »Bei uns zu Lande auf dem Lande« wurden erst nach ihrem Tode herausgegeben. Hohe Sensibilität, realist. Beobachtung des scheinbar Bedeutungslosen, die Erfahrung der Bedrohtheit menschl. Daseins durch Naturgewalten verbinden sie mit den anderen großen Dichtern (A. Stifter, E. Mörike) ihrer Epoche. Ihre Sprache vereint Sachlichkeit mit der Kunst, Stimmungen zu vergegenwärtigen.

Ausgaben: Sämtl. Werke, hg. v. B. PLACHTA u. W. WOESLER, 2 Bde. (1994); Werke in einem Bd., hg. v. C. HESELHAUS Neuausg. (1995).

📖 BERGLAR, P.: *A. v. D.-H. Reinbek 70.–73. Tsd. 1992.* – GÖDDEN, G.: *A. v. D.-H. Leben u. Werk. Eine Dichterchronik. Bern u. a. 1994.* – KRAFT, H.: *A. v. D.-H. Reinbek 11.–14. Tsd. 1996.*

Dróttkvætt [altnord. »Hofton«] *das,* beliebtestes Versmaß der Skaldendichtung, aus acht sechssilbigen Zeilen mit Stab- und Silbenreim.

Drottningholm [»Königininsel«], Sommerschloss der schwed. Könige auf der Insel Lovö im Mälarsee, westlich von Stockholm, von N. Tessin (Vater und Sohn) 1662–1700 erbaut; um 1750 erweitert und im Rokokostil umgestaltet; im Park das Lustschloss »China« (1763–68), Theater (1764–66, mit Theatermuseum), Bronzefiguren von A. de Vries. D. wurde von der UNESCO zum Weltkulturerbe erklärt.

Droysen, Johann Gustav, Historiker und Politiker, *Treptow an der Rega (heute Trzebiatów, Wwschaft Szczecin) 6. 7. 1808, †Berlin 19. 6. 1884; war Prof. in Berlin, Kiel und Jena; beteiligte sich 1848 an der dt. Bewegung in Schlesw.-Holst. und gehörte als einer der Führer der erbkaiserl. Partei der Frankfurter Nationalversammlung von 1848/49 an. Nach 1850 wurde D. Begründer der preußisch-kleindt. Geschichtsschreibung. Sein Werk (u. a. »Gesch. des Hellenismus«, 2 Bde., 1836–43; »Gesch. der preuß. Politik«, 14 Bde., 1855–86; »Grundriß der Historik«, 1868), beeinflusste stark die dt. Historiographie.

📖 WAGNER, CHR.: *Die Entwicklung J. G. D.s als Althistoriker. Bonn 1991.*

DRP, Abk. für →Deutsche Reichspartei.

Drubbel (Eschdorf), kleine lockere Gruppensiedlung von wenigen Höfen; entstand in vorwiegend weidewirtschaftlich genutzten Gebieten NW-Deutschlands westlich der Weser.

Druck, 1) *Druckwesen:* Druckvorgang (→Buchdruck, →Druckverfahren).

2) *Physik:* Formelzeichen p, der Quotient aus dem Betrag einer senkrecht auf eine Fläche wirkenden Kraft F und der Größe A dieser Fläche: $p = F/A$. Gesetzl. Einheiten des D. sind die SI-Einheit Pascal (Pa) und das Bar (bar), weitere D.-Einheiten →Einheiten (Übersicht). Der **hydrostat. D.** ist der in einer ruhenden Flüssigkeit oder in einem ruhenden Gas herrschende Druck (→Hydrostatik). In Strömungen unterscheidet man **Gesamt-D., stat. D.** und **Stau-D.** (→Bernoulli-Gleichung). Die zur D.-Messung verwendeten Geräte bezeichnet man allg. als →Manometer. Geräte zur Messung des →Luftdrucks nennt man →Barometer, Messgeräte für sehr niedrige D. Vakuummeter. – **Osmot. D.,** →Osmose.

Druckanzug, Schutzanzug für Test- und Militärpiloten, durch den auf den Körper des Trägers ein Druck ausgeübt werden kann, der eine sichere Funktion von Atmung und Kreislauf gewährleistet, z.B. in großen Höhen unter vermindertem atmosphär. Druck. (→Raumanzug)

Druckbehälter, unter einem inneren Überdruck stehender Behälter, der z.B. in der chem. Ind. als Vorrats- oder Reaktionsbehälter Verwendung findet. Für D. gibt es besondere Abnahme- und Sicherheitsvorschriften.

Drücken, Umformverfahren zur Herstellung rotationssymmetrischer metall. Hohlkörper aus Blechscheiben, die auf der **Drückmaschine** mit einem Drückwerkzeug gegen das Druckfutter (Modell der Innenform) gedrückt und mit diesem in Drehung versetzt werden. Der Drückstab legt das Blech an das Druckfutter an.

Drucker, 1) Ausbildungsberuf mit dreijähriger Ausbildungsdauer, speziell für Hoch-, Flach- oder Tiefdruck, Siebdruck oder Reprographie.

2) *Datenverarbeitung:* (engl. Printer) Ausgabegerät von Datenverarbeitungsanlagen, das die zum Druck aufbereiteten Daten in Klarschrift auf Papier darstellt. Die gängigsten D.-Typen sind: D., die mit festen Drucktypen arbeiten (z.B. Typenrad-D.), **Matrix-D.,** die die Zeichen aus einzelnen Punkten mittels Drahtstiften (z.B. Nadel-D.) oder feinster Farbstrahltröpfchen (z.B. Tintenstrahl-D.) zusammensetzen, und **Laser-D.,** bei dem ein programmgesteuerter Laserstrahl die Zeichen auf eine Spezialfolie »schreibt«. Nach steigender Druckgeschwindigkeit unterscheidet man Serien- (Zeichen-), Parallel- (Zeilen-) und Seiten-D., je nachdem ob in einem Arbeitsgang Zeichen, Zeilen oder Seiten gedruckt werden.

Drottningholm: Die von Nicodemus Tessin (Vater und Sohn) 1662–1700 erbaute Schlossanlage wurde um 1750 erweitert und im Rokokostil umgestaltet

Drückerfische (Balistidae), artenreiche Familie hochrückiger Knochenfische, Bewohner trop. Meere. Die stark verknöcherten Schuppen bilden z.T. Knochenplatten, die Zähne sind kräftig und der vorderste Stachelstrahl der ersten Rückenflosse kann durch einen Einrastmechanismus nach oben fest verankert werden. Im Mittelmeer kommt der **Schweins-D.** (Balistes capriscus) vor; als Aquarienfisch eignet sich der **Picassofisch** (Rhineacanthus aculeatus).

Drückerfische: Picassofisch

Druckerzeichen (Verlegerzeichen, Signet), bildhaftes Zeichen, mit dem der Buchdrucker oder Verleger ein von ihm veröffentlichtes Werk kennzeichnet; früher am Schluss eines Druckwerks, dann auch auf dem Titelblatt.

Druckfarben, in Bindemitteln verschiedener Viskosität meist fein verteilte Farbpigmente (manchmal auch gelöste Farbstoffe) aller Farbtöne einschließlich Weiß und Schwarz; sie werden, abgestimmt auf die verschiedenen Druckverfahren, direkt oder indirekt auf Druckformen aufgebracht und von dort auf den Bedruckstoff übertragen.

Druckfestigkeit, →Druckversuch.

Druckerzeichen: Fust & Schöffer, Mainz (1457–1502)

Druckform, ein als Werkzeug ausgeführter Druckbildspeicher (Druckträger), von dem die Druckfarbe direkt oder indirekt auf den Bedruckstoff übertragen wird. Die aus einem Teil bestehende D. nennt man **Druckplatte,** die mittels Unterlagen auf Schrifthöhe (etwa 23,567 mm) gebrachten, urspr. nicht schrifthohen Hochdruckplatten **Druckstock.**

Druckguss, Verfahren zur Herstellung von Gussteilen durch Einspritzen von flüssigem Metall unter hohem Druck in Stahlformen.

Druckkabine, druckdicht abgeschlossener und meist klimatisierbarer Fluggast- und/oder Besatzungsraum von Flugzeugen, in dem der Druck durch einen Verdichter gegenüber dem Außendruck erhöht und auf einem Wert gehalten wird, der dem Luftdruck in einer Flughöhe von etwa 2500 m entspricht.

Druckleitung, Leitung, in der Flüssigkeiten oder Gase durch Überdruck transportiert werden.

Druckluft (früher Pressluft), verdichtete Luft als Energieträger mit vielfältigen Anwendungen, z. B. Antrieb von Druckluftwerkzeugen, für Sandstrahlgebläse, Spritzpistolen, pneumat. Förderung, D.-Steuerungen, D.-Motoren oder D.-Lokomotiven. D. wird in Verdichtern (z. B. Hubkolben-, Schrauben- oder Turboverdichtern) erzeugt, oftmals in mehreren Druckstufen. Der Druck liegt meist zw. 8 und 200 bar.

📖 *D.-Hb., hg. v.* E. Ruppelt. *Essen* [3]*1996.*

Druckluftgründung, ein Schachtgründungsverfahren (→ Gründung), bei dem eine unter Wasser befindl., unten offene Arbeitskammer (Caisson) aus Stahlbeton durch Überdruck wasserfrei gehalten und durch Abgraben der Sohle bis auf den tragfähigen Baugrund abgesenkt wird.

Druckluftkrankheit (Druckfallkrankheit, Dekompressionskrankheit, Caissonkrankheit, Taucherkrankheit), akute Krankheitserscheinungen, die durch zu schnelle Verminderung des umgebenden Drucks (Dekompression) in Wasser und Luft auftreten. Durch plötzliches Freiwerden von Stickstoff, der unter erhöhtem Druck verstärkt gelöst ist, kommt es zur Bildung von Gasblasen und zu Gasembolien in Blut und Geweben, die Gelenkschmerzen, Lähmungen, lebensbedrohliche Atemlähmungen u. a. hervorrufen können. D. tritt auf bei Tauchern, die aus großen Tiefen aufsteigen, ohne die vorgeschriebenen Dekompressionspausen einzuhalten, bei Arbeitern, die zu rasch aus Caissons oder ähnl. unter Überdruck stehenden Kammern ausgeschleust werden, und bei Fliegern, die ohne Druckausgleichsgerät schnell in große Höhen aufsteigen.

Druckluftwerkzeuge, handgeführte Bearbeitungs- und Montagegeräte (z. B. Druckluftbohrmaschinen, Drucklufttrammen) mit Druckluft als Energieträger zur Erzeugung mechan. Leistung. Sie werden teilweise aus Gründen der Verfügbarkeit (Baustellen, Unterwasserarbeiten) oder der Sicherheit (Explosionsgefahr z. B. im Bergbau) oder sonstigen, meist wirtsch. Gesichtspunkten (einfacher Aufbau der Antriebe) der elektr. Energie vorgezogen.

Druckmaschine, Maschine zur Herstellung von Druckerzeugnissen. Wesentliche Baugruppen der D. sind Druckwerk (z. B. Druckformzylinder und Druckzylinder), Farbwerk sowie Vorrichtungen zur Zu- und Ausführung des Bedruckstoffes (z. B. Bogenanleger). Man unterscheidet nach → Druckverfahren (z. B. Tief-, Hoch-, Flachdruck) und Arbeits- oder Druckprinzip. Es gibt **Tiegel-D.** (Fläche gegen Fläche), **Flachformzylinder-D.** (Zylinder gegen Fläche) und **Rotations-D.** (Zylinder gegen Zylinder), die sich v. a. für hohe Auflagen eignen (z. B. Zeitungsdruck). Beim indirekt arbeitenden Offset-Rotations-D. wird das Druckbild von der Druckform über einen gummituchbespannten Zylinder auf den Bedruckstoff übertragen. Bei Rollenrotations-D. läuft eine »endlose« Papierbahn durch die D., die erst nach dem Drucken zerschnitten wird, bei Bogenrotations-D. werden fertig geschnittene Bögen der D. zugeführt.

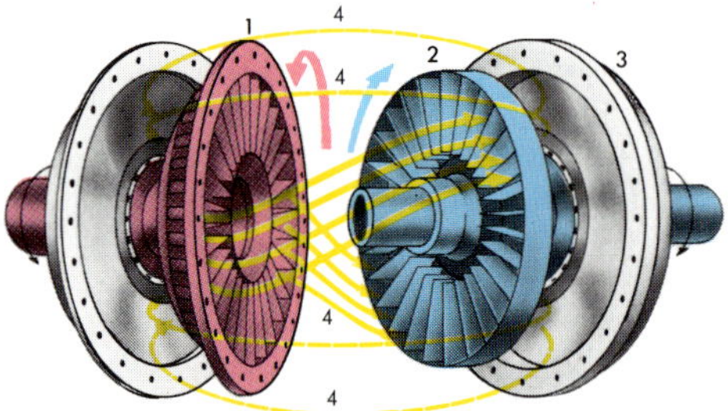

Druckmittelgetriebe: Hydrodynamisches Getriebe; die leistungsübertragende Flüssigkeit (z. B. Öl) zirkuliert zwischen Pumpenrad 1 und Turbinenrad 2, 3 Gehäuse, 4 Ölstrom

Druckmittelgetriebe, Getriebe, bei denen nur auf Druck beanspruchbare Stoffe (meist Gase oder Flüssigkeiten) die Bewegung vom Antrieb auf den Abtrieb einer Maschine übertragen. Bei **pneumat. Getrieben** wirken unter Druck stehende Gase oder Luft auf Kolben als Antriebsglieder. **Flüssigkeitsgetriebe** sind entweder **hydrostat. D.,** bei denen die Energie wegen der Inkompressibilität der Flüssigkeiten als reine Verdrängungsarbeit übertragen wird, oder **hydrodynam. D.** (Strömungsgetriebe, Föttinger-Getriebe), die die kinet. Energie der Flüssigkeit nutzen. Um gute Wirkungsgrade zu erreichen, werden dazu eine Kreiselpumpe (gekoppelt mit der Antriebswelle) und eine Turbine (gekoppelt mit der Abtriebswelle) mit zwischengeschalteten Leitapparaten zu einem möglichst kurzen Kreislauf in einer Einheit zusammengefasst (hydrodynam. Wandler), bes. für automat. Getriebe.

Druckpapier, in Rollen oder zu Bogen geschnittenes Papier, das in Druckmaschinen verarbeitet wird. Die Rotationsmaschinen verarbeiten das Papier oft in Rollenform. Für Zeitungen wird meist das zu 90% aus Holzschliff bestehende **Zeitungs-D.** verwendet, für Bücher, die dünn ausfallen sollen, das sehr dichte **Dünndruckpapier,** für Illustrationsdruck das bes. ausgerüstete **Kunstdruckpapier** mit glatter Oberfläche, **Dickdruck-** oder **Federleichtpapier** ist voluminös, daraus hergestellte Druckwerke scheinen bes. umfangreich.

Druckplatte, →Druckform.

Druckpunkt, 1) *Flugwesen:* der Angriffspunkt der Luftkräfte an einem Tragflügel, meist abhängig vom Anstellwinkel.

2) *Waffentechnik:* bei Handfeuerwaffen die Stellung, in die der Abzug vor dem Auslösen des Schusses zunächst zurückgezogen wird, fühlbar durch einen kleinen Widerstand.

Drucksache, →Infopost.

Druckschrift, 1) *allg.:* die gedruckte (im Unterschied zur geschriebenen) Schrift.

2) *Buchdruck:* →Schriften.

3) *Urheber-* und *Presserecht:* früher jedes im herkömml. Druckverfahren vervielfältigte Schriftwerk. Heute sind **Druckwerke** nach den Landespresse-Ges. alle durch Buchdruckerpressen oder einem sonstigen Massenvervielfältigungsverfahren hergestellten und zur Verbreitung bestimmten Schriften und bildl. Darstellungen, aber auch besprochene Tonträger.

Druckstock, →Druckform.

Druckverband, *Medizin:* →Verband.

Druckverfahren, Arbeitsweisen und -methoden zur Vervielfältigung zweidimensionaler Vorlagen. Bei älteren D. wird die Druckfarbe von einer Druckform auf den Bedruckstoff durch eine Druckmaschine übertragen; neuere D. nutzen digitale Drucksysteme. Die erstgenannten D. gliedern sich in die Fertigungsphasen Druckformenherstellung und Fortdruck. Nach der Eigenart der Druckform werden vier verschiedene Druckverfahren unterschieden. **Hochdruck:** Alle druckenden Stellen stehen erhaben in einer Ebene, werden eingefärbt und geben die Druckfarbe an den Bedruckstoff ab. Im Buchdruck besteht die Druckform aus Drucktypen und/oder Maschinensatzzeilen, Stereos und Galvanos; beim indirekten Hochdruck (Lettersetdruck) aus einer meist geätzten, rund gebogenen Metallplatte (Wickelplatte); beim Flexodruck (Flexographie, veraltet Anilin-, Anilingummi-, Gummidruck) aus flexiblem Gummi oder Kunststoff, gedruckt wird hierbei mit dünnflüssiger, spirituslösl. Druckfarbe. **Flachdruck:** Druckende und nicht druckende Druckformenstellen liegen praktisch in einer Ebene. Die Druckform ist chemisch so behandelt, dass sie nur an den druckenden Stellen Farbe annimmt; alle angeführten Flach-D. außer Zink-, Stein- und Lichtdruck sind indirekte D. Im Steindruck (Lithographie) besteht die Druckform aus einem plan geschliffenen Stein aus Solnhofener Kalkschiefer; beim Zinkdruck aus einer fein gekörnten Zinkplatte; beim Offsetdruck und Blechdruck (zum Bedrucken von Blechtafeln) aus einer Mehrmetallplatte oder aus einer gekörnten Zink-, Aluminium-, selten Kunststoffplatte; beim Lichtdruck aus einer mit Chromgelatine beschichteten Glasplatte, die druckenden Stellen sind vertieft, wegen der notwendigen chem. Behandlung der Druckplatte wird der Lichtdruck den Flach-D. zugeordnet. **Tiefdruck:** In die vertieft liegenden druckenden Stellen wird dünnflüssige Farbe eingebracht und die Oberfläche der Druckform durch →Rakel wieder gereinigt, worauf der Abdruck erfolgt (Rakeltiefdruck [Raster-Kupfertiefdruck], Linientiefdruck, Stahlstichdruck u.a.). **Durchdruck** (Sieb-, Schablonen-, Filmdruck, Serigraphie, Silkscreen): Die Druckfarbe wird durch eine Schablone (z.B. aus Papier), die auf der siebartigen Bespannung (z.B. aus Chemieseide) eines Druckrahmens befestigt ist, durch Rakel auf den Bedruckstoff gedrückt.

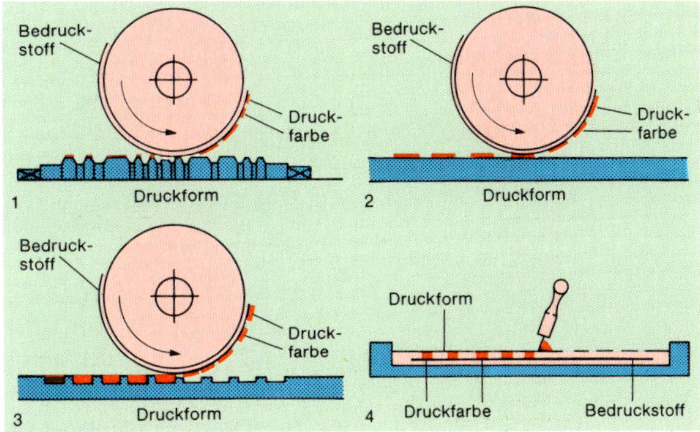

Druckverfahren: 1 Hochdruck, 2 Flachdruck, 3 Tiefdruck, 4 Durchdruck

Der Einsatz der elektron. Datenverarbeitung hat zu erhebl. Veränderungen in der Druckvorstufe (Druckformenherstellung) geführt. Bei dem System **Computer-to-film** werden die digital vorliegenden Text- und Bilddaten im Computer zu kompletten Druckbogen zusammengestellt, im RIP (Abk. für Raster image processor) gerastert und anschließend der Film belichtet und entwickelt. Plattenkopie und -entwicklung erfolgen auf konventionellem Weg. Bei dem System **Computer-to-plate** enden die digitalen Arbeitsschritte erst bei der Belichtung der Druckplatte außerhalb der Druckmaschine. Es gibt auch bereits Verfahren für Flachdruck, bei denen die Druckplatte direkt in der Druckmaschine bebildert wird.

📖 STIEBNER, E. D. *u. a.: Drucktechnik heute. Ein Leitfaden. München* ²*1994.*

Druckversuch, Werkstoffprüfverfahren für spröde Stoffe (Gusseisen, Beton) und druckbeanspruchte Lagerwerkstoffe. Zylindr. oder würfelförmige Körper werden in einer Druckpresse bis zum Auftreten von Rissen (Bruch) belastet; die dabei erreichte, auf den urspr. Querschnitt bezogene Höchstlast ist die **Druckfestigkeit.**

Druckwasserreaktor, Abk. **DWR,** ein →Kernreaktor.

Druckwelle, die Ausbreitung einer Druck- oder Dichteänderung in Gasen, z. B. ein **Verdichtungsstoß,** wie er bei Explosionen oder der Bewegung von Geschossen, schneller Flugzeuge oder Flugkörper auftritt (→Mach-Kegel, →Schallmauer). Dabei pflanzt sich die **Stoßfront** wie eine bewegte Wand hochkomprimierter Luft mit Überschallgeschwindigkeit fort. Hinter der Stoßfront nimmt der Überdruck wesentlich langsamer wieder ab und kann sogar in eine Unterdruckphase übergehen. Während vor der Stoßfront das Gas in Ruhe ist, wird es hinter ihr heftig mitgerissen und kann an Hindernissen zu einem beträchtl. Windstaudruck führen. Gleichzeitig wird in der Stoßfront das Gas intensiv aufgeheizt.

Maurice Druon

Druiden

Plinius der Ältere geht in seiner »Naturgeschichte« (16, 45) auf die Druiden und den Opferkult der Kelten ein:

»Hier dürfen wir auch nicht die religiöse Ehrfurcht übergehen, die die Gallier für die Mistel hegen. Die Druiden – so nennen sie ihre Zauberer – halten nämlich nichts heiliger als die Mistel und den Baum, auf dem sie wächst, sofern es ein Eichbaum ist. Aber auch so pflegen sie ihre Eichenhaine und vollziehen kein Opfer ohne den Laubschmuck dieser Bäume, so dass sie – so erklären es die Griechen – ihren Namen »Druiden« von den Eichen (griechisch »drys«) erhalten zu haben scheinen. (...) Sie nennen die Mistel in ihrer Sprache die »Allesheilende«. Wenn sie nach ihrem Brauch Opfer und Mahl gerichtet haben, führen sie zwei weiße Stiere herbei, deren Hörner sie zuerst bekränzen. Dann besteigt ein mit weißem Gewand bekleideter Priester den Baum und schneidet mit einer goldenen Sichel die Mistelpflanze ab, die in einem weißen Tuch aufgefangen wird. Daraufhin opfern sie die Stiere und beten, dass der Gott die Gabe glückbringend machen möge für diejenigen, denen er sie gesandt habe.«

Druckwindkessel, geschlossener Behälter in Druckleitungen mit Luftpolster zum Ausgleich von Druckschwankungen, das bei Kolbenpumpen dazu dient, die Förderung gleichmäßig zu gestalten; bei Kreiselpumpen und Verdichteranlagen als Speicher.

Drude, *Volksglauben:* weibl. Nachtgeist, der im Schlaf Beklemmungsängste hervorrufen, Kinder und Haustiere schädigen und bösen Zauber treiben kann; als Schutzmittel gelten D.-Fuß und Stein, Hufeisen, Besen.

Drude, Paul, Physiker, *Braunschweig 12. 7. 1863, †(Freitod) Berlin 5. 7. 1906; erforschte den Zusammenhang zwischen elektr. Leitfähigkeit von Substanzen und deren Absorption von elektromagnet. Wellen; formulierte eine Theorie der elektr. und der Wärmeleitfähigkeit.

Drudenfuß, schon in der Antike gebrauchtes mystisch-mag. Zeichen, in einem Zug gezeichneter Fünfstern (→Pentagramm); galt im Volksglauben bis in heutige Zeit als Schutz gegen Druden und war an Kinderwiegen, Ehebetten und als Krankheitsabwehrzeichen auf Votivbildern üblich.

Drugstore ['drʌgstɔː; engl. »Drogerie«] *der,* in den USA ein Gemischtwarengeschäft, oft mit Imbissecke und Apotheke.

Druiden [kelt.], die Priesterkaste der kelt. Völker in Britannien und Gallien. Die D. bewahrten die religiöse Geheimlehre, übten die Wahrsagekunst und Traumdeutung aus, waren Heil- und Sternkundige, zugleich Richter und erzogen die Söhne des Adels. In röm. Zeit wurde der mit Menschenopfern verbundene Kult der D. verboten. In Irland gingen die D. im Zuge der Christianisierung im 4. Jh. im Mönchstum auf.

Druidenorden, eine 1781 in England gegr. freimaurerähnl. Organisation; seit 1872 auch in Dtl., 1908 Internat. Weltloge.

Drumlin [engl. 'drʌmlɪn] *der,* 200 m bis über 2 km langer Hügel von ellipt. Grundriss und Walfischrückenform in ehem. Vereisungsgebieten, besteht aus Grundmoräne, Schottern oder älterem Untergrund. D. wurden bei Gletschervorstößen durch Erosion oder Ablagerung in Richtung des fließenden Eises geformt.

Drums [drʌmz; engl. »Trommeln«], in Jazz, Rock- und Popmusik Bez. für das Schlagzeug, meist bestehend aus großer und kleiner Trommel, Tomtoms, versch. Becken sowie Holzblock, die vom **Drummer** mit Schlägeln oder dem Jazzbesen gespielt werden.

Drumstick ['drʌmstɪk, engl.] *der,* trommelschlägelähnliches Anhängsel an Zellkernen der weißen Blutkörperchen bei Frauen, Bestimmungsmerkmal für die Geschlechtsdiagnose (→Geschlechtsbestimmung). Der D. entspricht dem →Barr-Körperchen anderer Körperzellen.

Druon [dry'ɔ̃], Maurice, frz. Schriftsteller, *Paris 23. 4. 1918; schrieb naturalist. Romane (Trilogie »Das Ende der Menschen«: »Die großen Familien«, auch u. d. T. »Wer goldene Ketten trägt«, 1948, »Der Sturz der Leiber«, 1950, »Rendez-vous in der Hölle«, 1951), später v. a. histor. Romane, so die Serie »Die unseligen Könige« (7 Bde., 1955–77).

Druschina [russ. »Genossenschaft«] *die*, Gefolgschaft der Fürsten im mittelalterl. Russland, bes. im Kiewer Reich; bestand im 9./10. Jh. noch vorwiegend aus Warägern. Die Gefolgsleute **(Bojaren)** waren persönlich frei und bildeten den Rat des Fürsten, mit dem sie sich Tribut, Beute und Gewinn aus dem Fernhandel teilten. Aus ihnen ging der russ. Landadel hervor.

Druse, 1) *Medizin:* Körnchen strahlenförmiger Pilzfäden bei Strahlenpilzkrankheit.

2) *Petrologie:* rundl. oder ovaler Hohlraum im Gestein, dessen Wände von kristallisierten Mineralen bedeckt sind. Die D.-Bildung ist eine Form der Sekretion.

3) *Tiermedizin:* (Coryza contagiosa equorum) durch Streptokokken verursachte akute Infektionskrankheit der Pferde, die mit eitriger Entzündung der oberen Atemwege und Abszessen in den zugehörigen Lymphknoten verläuft. Bei der durch den Deckakt übertragenen D. bilden sich Eiterungen an den Geschlechtsorganen.

Drusenkopf

Drusen, Angehörige einer aus dem schiit. Islam hervorgegangenen Sekte in Syrien, Libanon und Israel, rd. 180 000 Anhänger. In ihren Gebieten bilden sie gesonderte Gruppen. Der Name D. geht zurück auf ad-Darasi, einen Begründer der Verehrung des Fatimidenherrschers Al Hakim (996 bis 1021). Die D. haben eine feudal-patriarchal. Verfassung. Um die Mitte des 19. Jh. beteiligten sich die D. an den syrisch-libanes. Christenmassakern, 1925/26 am Aufstand gegen die frz. Mandatsherrschaft. Im innerlibanes. Konflikt seit 1975/76 spielen die D.-Milizen eine wichtige Rolle.

📖 Abu-Izzeddin, N. M.: *The Druzes. A new study of their history, faith and society.* Leiden ^{2}1993.

Drüsen, 1) (lat. Glandulae) bei *Mensch* und *Tieren* Organe, die ein Sekret (Absonderung) bilden und durch einen Ausführungsgang nach außen abscheiden (D. mit äußerer Sekretion, **exokrine D.**) oder in die Blutbahn (Lymphbahn) abgeben (D. mit innerer Sekretion, **endokrine D., Hormon-D.**). Eine D. mit Ausführungsgang ist ein zur Oberfläche hin offenes Hohlgebilde, dessen Wand das Sekret bildet. Einfachste D. sind Becherzellen, die schleimige oder körnige Stoffe abgeben (**einzellige D.,** z. B. in der Darmschleimhaut). Bei **mehrzelligen D.** unterscheidet man nach ihrem Bau **schlauchförmige (tubulöse) D.,** bei denen alle Zellen an der Sekretion beteiligt sind (z. B. Schweiß-D.), **beerenförmige (azinöse) D.** (z. B. Bauchspeicheldrüse), bei denen die Sekretbildung nur in den beerenartig aufgetriebenen Endstücken der blind endenden D.-Kanäle stattfindet, und **bläschenförmige (alveoläre) D.,** deren Endstücke blasenartig erweitert und bei exokrinen D. meist von kontraktilen Zellen umsponnen sind, die dem Auspressen des Sekretes dienen. Daneben existieren Mischformen (z. B. tubulo-alveoläre D., Tränen-D.). Nach Art ihres Sekrets können Schleim absondernde **(muköse)** und stärker eiweißhaltiges **(seröses)** Sekret abscheidende D. unterschieden werden; nach der Sekretionsweise unterscheidet man **merokrine D.** mit kontinuierlich sezernierender Zelle, holokrine D., bei denen jede Zelle nur einmal sezerniert und dann abgestoßen wird (z. B. Talg-D.), und **apokrine D.** (z. B. Milch-D.), bei denen der obere Abschnitt der Zelle als Sekret abgestoßen wird.

2) bei *Pflanzen* lokale Ausscheidungsgewebe; nach Form und Anordnung der Zellen unterscheidet man D.-Flecken, -Köpfchen, -Haare, -Schuppen; nach Sekretart u. a. Schleim-, Öl-, Harz- und Salz-D. sowie Nektarien (zur Insektenanlockung).

Drüsenfieber (pfeiffersches D.), die infektiöse →Mononukleose.

Drüsengeschwulst, das →Adenom.

Drusenkopf (Conolophus), Gattung Pflanzen fressender, bis 1,25 m langer Leguane mit nur zwei Arten auf den Galápagosinseln.

Drusus, Nero Claudius D. Germanicus, röm. Feldherr, Bruder des Kaisers Tiberius, *14. 1. 38 v. Chr., †Sept. 9 v. Chr.; drang als Statthalter der gallischen Provinzen im Kampf mit den Germanen (12–9 v. Chr.) bis zur Elbe vor. Auf dem Rückmarsch starb er nach einem Sturz vom Pferd. Seine Söhne waren Germanicus und der spätere Kaiser Claudius.

Drwęca ['drvɛntsa], poln. Name der →Drewenz.

dry [draɪ; engl. »trocken«], trocken, herb; von zuckerarmen Getränken gesagt (Wein, Schaumwein, Likör).

Dryaden [grch., von drȳs »Eiche«], *grch. Mythos:* die Baumnymphen; wenn der Baum, auf dem sie leben, verdorrt oder gefällt wird, sterben sie; sie können sich aber auch auf einen anderen Baum retten.

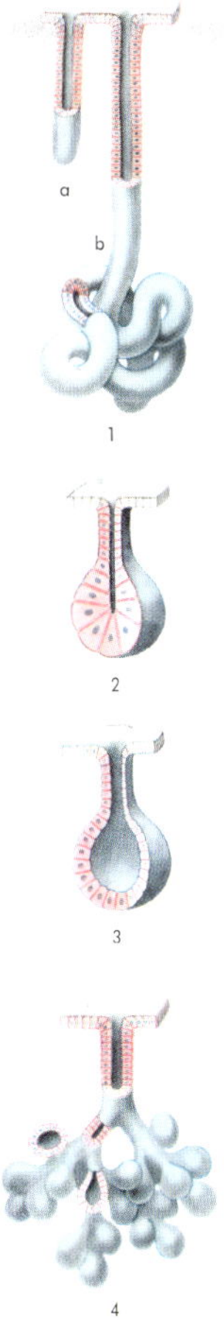

Drüsen 1): Darstellung der Drüsenformen (die Sekret absondernden Endstücke und Teile der Ausführgänge sind geöffnet): 1 tubulöse Drüse, a kurze, gerade Form, b Knäueldrüse; 2 azinöse Drüse mit spaltförmiger Lichtung; 3 alveoläre Drüse; 4 tubulo-alveoläre Drüse, eine Mischform aus tubulöser und alveolärer Drüse

Dryas [grch.], die Pflanzengattung →Silberwurz.

Dryaszeit, Bez. für drei späteiszeitl. Zeitabschnitte, die durch kaltes Klima und Tundrenvegetation gekennzeichnet sind; häufiges Vorkommen von Birke und →Silberwurz.

John Dryden (zeitgenössischer Stich)

Dryden ['draɪdn], John, engl. Dichter und Kritiker, *Aldwincle (Cty. Northamptonshire) 9. 8. 1631, †London 1. 5. 1700; wurde 1668 »Poet laureate« und 1670 königl. Historiograph; betätigte sich in fast allen Dichtungsgattungen, versuchte die engl. Bühnendichtung dem »heroischen« frz. Schauspiel zu nähern. Mit seinen Lustspielen bahnte er der Sittenkomödie (»comedy of manners«) den Weg. Er schrieb ferner Gesellschaftsgedichte, Elegien, Oden und polit. Satiren. Bedeutsam für die engl. Prosa sind die Vor- und Nachreden zu seinen Dramen.

📖 *J. D. u. Shakespeare. Die Entstehung eines Klassikers, bearb. v.* C. Bimberg. *Dortmund 1995.*

Dryfarming ['draɪfɑ:mɪŋ, engl.] *das,* →Trockenfeldbau.

Drygalski, Erich von, Geograph, *Königsberg (heute Kaliningrad) 9. 2. 1865, †München 10. 1. 1949; Ozean- und Polarforscher; leitete 1901–03 die erste dt. Antarktisexpedition, die das Kaiser-Wilhelm-II.-Land entdeckte; gab »Die Dt. Südpolarexpedition 1901–03« (20 Bde. und 2 Atlanten; 1905–31) heraus.

Dryopithecinae [grch. »Baumaffen«] (Dryopithezinen), Gruppe ausgestorbener Menschenaffen, die vor etwa 30–5 Mio. Jahren von Afrika bis SO-Asien und in Mitteleuropa verbreitet war. Die Funde der Gattung **Dryopithecus** weisen auf der Kaufläche der unteren Backenzähne typ. Merkmale auf **(Dryopithecusmuster),** die auch bei rezenten Menschenaffen und dem Menschen noch vorhanden sind. Die D. werden deshalb als Vorfahren der heutigen Menschenaffen und auch des Menschen angesehen.

Dryopteris [grch.], die Pflanzengattung →Wurmfarn.

Dsaudschikau, Stadt in Russland, →Wladikawkas.

DSB, Abk. für →**D**eutscher **S**port**b**und.

Dschagatai (Dschaghatai, Tschagatai, Tschaghatai), Mongolenkhan, †1241; zweiter Sohn Dschingis Khans, erhielt nach dessen Tod 1227 u. a. O- und W-Turkestan. Seine Nachkommen hielten sich in O-Turkestan bis ins 16. Jahrhundert.

Dschagga, Bantuvolk in Tansania, →Chaga.

Dschainismus [dʒ-] [zu Sanskrit Dschaina »Anhänger des Dschina (Sieger)«] (Jainismus, Jinismus), ind. Religion, deren Entstehungszeit mit der des Buddhismus zusammenfällt; ihr Verkünder war Wardhamana († um 447 v. Chr.), mit dem Ehrentitel Dschina ausgezeichnet. Nach der Lehre der **Dschaina (Jaina)** wird die Welt von keinem Gott, sondern von kosm. und sittl. Gesetzen regiert; in ihr irren die mit materiellen Leibern umkleideten ewigen Seelen entsprechend ihren guten und bösen Taten als vergängl. Götter, Menschen, Tiere oder Höllenwesen umher. Sittliches Handeln, Askese und Meditation führen zur Läuterung in unzähligen Wiedergeburten und, wenn alle Materie aus der Seele geschwunden ist, zur Erlösung. Die Dschaina haben eine umfangreiche Predigtliteratur in der Prakritsprache, Legendendichtungen in Sanskrit und eine hohe Kunst hervorgebracht (→indische Kunst). Ihre Zahl beträgt heute etwa 3,7 Millionen.

📖 Glasenapp, H. von: *Der Jainismus. Berlin 1925. Nachdr. Hildesheim u. a. ²1984. – Durch Entsagung zum Heil. Eine Anthologie aus der Literatur der Jaina, ausgewählt, aus dem Prakrit u. Sanskrit übers. u. eingeleitet v.* A. Mette. *Zürich 1991.* – Zimmer, H.: *Philosophie u. Religion Indiens. A. d. Engl. Neuausg. Frankfurt am Main ⁸1994.*

Dschambul (kasach. Schambyl, bis 1936 Aulije-Ata), Gebietshauptstadt in Kasachstan, am Talas, am W-Fuß des Kirgis. Alatau, 312 300 Ew.; Hochschulen, Superphosphatwerk, Textil-, Nahrungsmittelindustrie; an der Turkestan-Sibir. Eisenbahn.

Dschat, arische Stammeskaste, →Jat.

Dschebel, →Djebel.

Dschibuti, →Djibouti.

D-Schicht, Schicht der →Ionosphäre.

Dschidda, Stadt in Saudi-Arabien, →Djidda.

Dschihad, →Djihad.

Dschingis Khan: Ausschnitt aus einer chinesischen Seidenmalerei aus der Yuan-Zeit mit Dschingis Khan auf der Falkenjagd

Dschingis Khan [mongol. wohl »ozeangleicher Herrscher«, »Weltherrscher«] (Tschinggis Chan, Činggis Qa'an), eigtl. Temüdschin, Begründer des mongol. Weltreichs, *am Onon um 1155, 1162 oder 1167, †vor Ninghsia (heute Yinchuan) 18.(?) 8. 1227; Sohn eines kleinen Stammesfürsten, 1206 mit dem Titel D. K. zum Herrscher der Völker und Stämme der Mongolei erhoben; unterwarf anschließend die Uiguren, Tanguten und Karluken. Seine Reiterheere eroberten 1211–15 N-China mit Peking, 1219 Korea, 1221 Charism (Choresm) und schlugen die Russen 1223 an der Kalka. D. K. gründete 1220 die Hptst. →Karakorum; er hinterließ ein mächtiges Reich, das sich vom Chines. Meer bis an die Grenzen Europas erstreckte und unter seinen Söhnen Dschagatai, Ögädäi, Tului sowie seinem Enkel →Batu Khan aufgeteilt wurde.

📖 *Geheime Geschichte der Mongolen. Herkunft, Leben u. Aufstieg Činggis Qans, hg. v.* M. TAUBE. *Leipzig u. a. 1989.* – *D. K. Vom Chinesischen Meer an die Pforten Europas, hg. v.* H. LEICHT. *Neuausg. Darmstadt 1995.* – NEUMANN-HODITZ, R.: *D. K. Reinbek 12.–13. Tsd. 1995.*

Dschinn (Djinn) *der,* im vorislam. Arabien ein Wüstengeist; im Koran und in Volkserzählungen (»Tausendundeine Nacht«) ein Teufel, Dämon oder böser Geist.

Dschinnah, Mohammed Ali, →Jinnah.

Dschugaschwili, Familienname von J. W. →Stalin.

Dschungel [Sanskrit-engl.] *der,* selten *das,* urspr. der gras- und schilfreiche Buschwald des subtrop. Indien, i. w. S. Bez. für unpassierbaren tropischen Sumpf- oder Regenwald.

Dschunke [malaiisch] *die,* chines. Segelschiff auf Flüssen und auf See mit Mattensegeln und Decksaufbauten; Tragfähigkeit bis 500 t.

Dserschinsk (bis 1929 Rastjapino), Stadt im Gebiet Nischegorod, an der Oka, Russland, 286 700 Ew.; bed. Chemieind.; Hafen.

Dserschinski, Felix Edmundowitsch, sowjet. Politiker, *Gut Dscherschinowo (bei Oschmjany, Gebiet Grodno, Weißrussland) 11. 9. 1877, †Moskau 20. 7. 1926; entstammte dem poln. Adel, seit 1906 Bolschewik; leitete 1917–22 die →Tscheka, 1922–26 die →GPU.

DSU, Abk. für →**D**eutsche **S**oziale **U**nion.

Dsungarei, Landschaft im N der autonomen Region Sinkiang, China, ein vorwiegend aus Sandwüste, an den Rändern aus Salzsteppe bestehendes Becken, das im NO vom Mongol. Altai, im W vom Dsungar. Alatau und dem Tarbagataigebirge (dazwischen die Dsungar. Pforte), im S vom Tienschan abgeschlossen wird. Bewässerungsfeldbau in den Oasen an den Gebirgsrändern; Erdölförderung in Karamay; Bergbau auf Kohle, Nichteisenmetalle (Gold), Eisenerz.

Dsungaren, Bund von vier westmongol. Stämmen (Dürbeten, Torguten, Oloten, Chosuten), Anfang des 15. Jh. entstanden (Oiratenbund). Von den 1616 nach der Wolga ausgewanderten und 1771 unter chines. Schutz größtenteils im Iligebiet angesiedelten Torguten verblieb ein Teil an der Wolga, der unter der Bez. Kalmücken (»die Zurückgebliebenen«) bekannt ist.

dt, Einheitenzeichen für Dezitonne, 1 dt = $^1/_{10}$ t = 100 kg.

DTD, Abk. für engl. **D**ocument **T**ype **D**efinition (Dokumenttypdefinition), Vorschrift zur Festlegung der Struktur von SGML-Dokumenten (→SGML).

Dschunke

DTL, Abk. für **D**ioden-**T**ransistor-**L**ogik, Schaltkreis aus Transistoren und Dioden, Anwendung: digitale Schaltungen.

Dtn., Abk. für →**Deut**ero**n**omium (A. T.).

DTSB, Abk. für →**D**eutscher **T**urn- und **S**port**b**und der DDR.

Dual *der, Grammatik:* ein →Numerus zur Bez. der Zweizahl, im Unterschied zu Singular und Plural, bes. im Sanskrit, Altgrch., Altkirchenslaw., Gotischen. Noch lebendig ist der D. z. B. im Sorbischen und Slowenischen; im Dt. nur noch in bairisch »es« (ihr beide) und »enk« (euch beiden) erhalten (→Trial).

Duala, Stadt in Kamerun, →Douala.

duales System, →berufliche Bildung.

Duales System Deutschland GmbH, Abk. **DSD,** *Umweltschutz:* Träger des vom Handel und von der Verpackungsindustrie neben der öffentl. Abfallentsorgung aufgebauten zweiten Entsorgungssystems **(Duales System)** für Verkaufsverpackungen. Gesetzliche Grundlage ist die Verpa-

Dschunke

Im 15. Jahrhundert übertrafen die chinesischen Dschunken alles, was das Abendland an Schiffen zustande brachte. Europäische Schiffe, zum Beispiel das Segelschiff Vasco da Gamas, hatten eine maximale Tragkaft von 100 Tonnen. Die chinesischen Hochseedschunken konnten dagegen schon mehr als 1000 Tonnen transportieren. Sie hatten einen flachen Boden, und ihre zahlreichen Masten waren geneigt und standen an Bug und Heck gegeneinander versetzt, sodass sich die Segel nicht gegenseitig den Wind wegnahmen. Die ausbalancierten Luggersegel (viereckig) waren mit Bambusstreben versteift, weshalb man sie bequem wie Jalousien streichen, setzen oder reffen konnte.

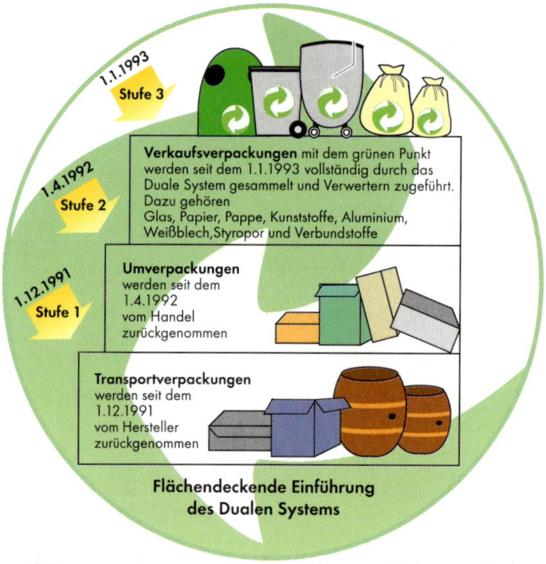

Duales System Deutschland GmbH

ckungs-VO vom 12. 6. 1991, die die Hersteller und Vertreiber von Verkaufsverpackungen zu einer flächendeckenden Entsorgung beim Endverbraucher verpflichtet, wenn der Handel eine generelle Rücknahmeverpflichtung vermeiden möchte.

Die DSD vergibt nach Vorlage einer Verwertungsgarantie der Verpackungshersteller Lizenzen gegen Entgelte, die nach Verpackungsart und -größe gestaffelt sind. Verpackungen mit solchen Lizenzen sind am **grünen Punkt** erkennbar. Die Unternehmen geben die dadurch entstandenen Kosten an die Verbraucher weiter. In den meisten Städten und Gemeinden werden Verpackungsmaterialien mit dem grünen Punkt in »gelben Tonnen« oder »gelben Säcken« gesammelt. Die DSD holt die sortierten Abfälle ab und leitet sie an die Entsorgungsunternehmen weiter, die nach Art und Reinheitsgrad der Abfälle pro abgenommener Tonne einen Zuschuss der DSD erhalten.

📖 *Abfallverminderung. Duale Abfallwirtschaft u. Kompostierung von Bioabfällen, hg. v.* K. J. THOMÉ-KOZMIENSKY. *Berlin 1992.* – BÜNEMANN, A. *u.* RACHUT, G.: *Der grüne Punkt. Eine Versuchung der Wirtschaft. Karlsruhe 1993.* – KURSAWA-STUCKE, H.-J. *u. a.: Der Grüne Punkt u. die Recycling-Lüge. Abfallwirtschaft in der Krise. München 1994.* – EMSLANDER, T.: *Das duale Entsorgungssystem für Verpackungsabfall. Ein effizientes Regulierungsinstrument? Wiesbaden 1995.*

Dual-in-line-Gehäuse ['dju:əl ɪn 'laɪn -, engl.], Kw. **DIL-Gehäuse,** Kunststoffgehäuse zur Aufnahme →integrierter Schaltungen mit Anschlüssen, die dem Rastermaß von Leiterplatten angepasst sind.

Dualismus [zu lat. duo »zwei«] *der,* **1)** *allg.:* Zweiheit; Gegensätzlichkeit; Zweiheitslehre; prinzipiell auf allen Gebieten und auf sehr versch. Ebenen vertreten; im Ggs. zum Einheitsprinzip (→Monismus) einerseits, zum →Pluralismus andererseits.

2) *Philosophie:* die Annahme, dass alles Seiende auf zwei (und nur zwei) ursprüngl., nicht auseinander herzuleitende Prinzipien gegründet sei; z. B. Gott–Welt, Geist–Stoff, Leib–Seele.

3) *Physik:* (Welle-Teilchen-D.) die experimentell vielfach nachgewiesene Tatsache, dass sich alle Materie, d. h. sowohl elektromagnet. Wellen (insbesondere Licht) als auch Korpuskeln, je nach den Versuchsbedingungen wie Wellen oder Teilchen verhält. Die in der klass. Physik einander ausschließenden Bilder der Welle und des Teilchens sind nach der Quantenmechanik beide nur begrenzt und deshalb widerspruchsfrei anwendbar (→Komplementarität, →Materiewellen).

4) *Religionsgeschichte:* die Anschauung, dass zwei voneinander unabhängige und einander entgegengesetzte letzte Prinzipien die Welt begründen und gestalten. Die ostasiat. Religion etwa kennt die Polarität des →Yin und Yang, der Orphismus und die Gnosis den Leib-Seele-Dualismus. Der zur Gnosis gehörende Manichäismus betont den Ggs. von Licht und Finsternis. Ein doppelter D. findet sich im Parsismus: Geist und Materie wie Gut und Böse stehen zueinander im Ggs. Die ind. Samkhya-Philosophie unterscheidet Materie (prakriti) und Geist (puruschá). Im Christentum sind die Antithesen Gott–Welt, Fleisch–Geist, Gesetz–Gnade nur scheinbar und werden durch die Erwählung Israels durch Gott im A. T. und die in Jesus anbrechende Gottesherrschaft im N. T. aufgehoben. In der Gnosis, ebenso wie bei Marcion und später im Manichäismus, ist der D. eine grundlegende Voraussetzung; diese Bewegungen wurden von der Kirche immer wieder verurteilt.

5) *Staatslehre:* das koordinierte Nebeneinander zweier Machtfaktoren (Institutionen) in einer polit. Einheit, bes. im Staat, so die Teilung der →Souveränität zw. Ständevertretung (»Land«) und Fürst (»Herrschaft«) im →Ständestaat oder das Gegeneinander von Parlament (»Gesellschaft«) und Krone (»Staat«) in der konstitutionellen Monarchie. D. nannte man auch die Polarität zw. Österreich und Preußen im Dt. Bund (1815–66) und die 1867 geschaffene Zweiteilung der Österreichisch-Ungar. Monarchie.

Dualität *die, Mathematik:* die wechselseitige Zuordnung je zweier Begriffe, bei deren Vertauschung im Satzgefüge richtige Sätze wieder in richtige Sätze übergehen. Duale Begriffe sind z. B. in der projektiven Geometrie der Ebene »Punkt« und »Gerade«.

Dualsystem (dyadisches System), →Zahlensystem (Stellenwertsystem) zur Basis 2. Jede Zahl lässt sich darin durch eine Folge von nur zwei Symbolen (meist 0 und 1) als **Dualzahl** (binäre Zahl) ausdrücken; z. B. hat die Zahl 77 im D. die Darstellung 1001101, sie wird folgendermaßen ins Dezimalsystem übersetzt:

$$1 \cdot 2^6 + 0 \cdot 2^5 + 0 \cdot 2^4 + 1 \cdot 2^3 + 1 \cdot 2^2 + 0 \cdot 2^1 + 1 \cdot 2^0 = 64 + 0 + 0 + 8 + 4 + 1 + 0 = 77.$$

Das D. ist die Basis digitaler Datenverarbeitungsanlagen, da sich die Symbole 0 und 1 in die elektr. Signale »aus« und »ein« umsetzen lassen.

Duarte, José Napoleón, salvadorian. Politiker, *San Salvador 23. 11. 1925, † ebd. 23. 2. 1990; Mitbegründer (1960) des »Partido Demócrata Cristiano« (PDC), setzte als Staatspräsident (1980–82 und 1984–89), gestützt auf Wirtschafts- und Militärhilfe aus den USA und Wirtschaftshilfe aus Europa gesellschaftl. Reformen in Gang.

José Napoleón Duarte

Dubai, 1) Emirat an der südl. Küste des Pers. Golfs, →Vereinigte Arabische Emirate.

2) Hptst. des Emirats D. und wichtigster Hafen der Vereinigten Arab. Emirate, an einer tiefen Meereseinbuchtung am Pers. Golf, 265 700 Ew.; Handelszentrum, Gold- und Diamantenumschlagplatz; internat. Flughafen.

Dubarry [dyba'ri] (Du Barry), Marie Jeanne, geborene Bécu, *Vaucouleurs (bei Toul) 19. 8. 1743, † (hingerichtet) Paris 8. 12. 1793; urspr. Modistin, wurde 1769 Geliebte Ludwigs XV.; wegen Konspiration mit Emigranten guillotiniert.

Dubček [-tʃɛk], Alexander, tschechoslowak. Politiker, *Uhrovec (bei Trenčín) 27. 11. 1921, † Prag 7. 11. 1992; Slowake, 1958–70 Mitgl. des ZK der KPČ, 1963–68 1. Sekretär der slowak. KP, war als 1. Sekretär der KPČ (ab 4. 1. 1968) Mitinitiator, Träger und Symbolfigur des »Prager Frühlings«. Nach dem Einmarsch von Truppen des Warschauer Pakts (21. 8. 1968) isoliert, 1969 als 1. Sekretär abgesetzt, bis 1970 aus allen Ämtern gedrängt und aus der Partei ausgeschlossen, wurde er nach der »sanften« Revolution im Nov. 1989 rehabilitiert, ins Bundesparlament aufgenommen und zu dessen Präs. (28. 12. 1989) gewählt. Er schloss sich in der Slowakei zunächst der »Öffentlichkeit gegen Gewalt« (VPN), 1992 der Sozialdemokrat. Partei der Slowakei (SDSS) an und wurde deren Vorsitzender. Nach den Wahlen vom Juni 1992 musste er sein Amt als Präs. des Bundesparlaments abgeben.

Alexander Dubček

Dübel, Verbindungselemente zur Sicherung der Lage eines Bauteils. D. werden in vorgefertigte oder gebohrte Löcher eingeschoben oder in das Material eingepresst und verbinden die Teile durch Reibung, Verkeilung oder Erstarrung eines Bindemittels. Zur festen Verankerung von Schrauben oder Nägeln in einer Wand oder Decke dienen meist **Press-D.** aus elast. Kunststoff oder **Spreiz-D.** mit Metallhülse und Füllung oder mit widerhakenartigen Kunststoff-Spreizklauen. D. für Schreinerarbeiten sind meist mit Längsrillen versehene Hartholzzylinder.

Du Bellay [dybɛ'lɛ], Joachim, frz. Dichter, *Liré (Dép. Maine-et-Loire) um 1522, † Paris 1. 1. 1560; neben P. de Ronsard der bedeutendste Vertreter der →Pléiade, deren Manifest »Défense et illustration de la langue française« (1549) er verfasste.

Dübener Heide, bewaldetes, hügeliges Gebiet in Sachsen und Sa.-Anh., zw. Mulde und Elbe, südlich von Wittenberg; bis 191 m ü. M.; am W-Rand Braunkohlentagebau. Im S liegt das Moorheilbad **Bad Düben** (8 700 Ew.).

Dubhe [arab. »(Rücken des) Bären«], Stern 2. Größe, α im Sternbild Großer Bär.

Dublee [frz.] *das* (Doublé), mit Edelmetall plattiertes unedles Metall, bes. mit Gold überzogene Kupferlegierung für Schmuckwaren u. a.

Dublett [frz.] *das, Physik:* ein →Multiplett mit zwei Komponenten.

Dublette [frz.] *die,* zweimal vorhandener Gegenstand, Doppelstück, z. B. in Samml., Texten.

Dublin ['dʌblɪn] (irisch Baile Átha Cliath), **1)** County im O der Rep. Irland, an der mittleren Ostküste Irlands, 922 km², (1991) 1,024 Mio. Einwohner.

2) Hptst. der Rep. Irland und Verw.sitz von 1), an der Mündung des Liffey in die D. Bay der Irischen See, 502 000 Ew. D. ist Kultur-, Ind.-, Handelszentrum und Haupthafen des Landes; Sitz eines kath. und eines anglikan. Erzbischofs. In D. bestehen drei wiss. Akademien (Irish Academy of Letters, Royal Hibernian Academy of Arts, Royal Irish Academy), zwei Univ. (Trinity College und National University of Ireland), Colleges und Forschungseinrichungen, Goethe-Inst., Bibliothek des Trinity College mit wertvoller Bücher- und Handschriftensamml., Nationalbibliothek, -museum, -galerie, städt. Museum, Galerie für moderne Kunst, zoolog. Garten. Die vielseitige Ind. erzeugt

Dublin
Stadtwappen

Dublin 2): Das am Liffey gelegene Custom House (Zollamt) wurde von James Gandon 1781–92 im georgianischen Stil erbaut

Dubrovnik: Die von Festungsmauern umgebene Altstadt wurde im serbisch-kroatischen Krieg 1991/92 stark zerstört

bes. Verbrauchsgüter, Nahrungs- und Genussmittel (Zigaretten, Bier u.a.); internat. Flughafen. – Das Stadtbild wurde in D.s Blütezeit, dem 18. Jh., geprägt von breit angelegten Straßen, Parks, Wohnhäusern und öffentl. Gebäuden im georgian. Stil: Altes Parlament, Leinster House (heutiges Parlament), Mansion House (Residenz des Lord Mayor), City Hall, Custom House (Zollamt), Four Courts (Oberster Gerichtshof), Trinity College u.a. Der heutige Bau der Christ Church Cathedral (1038 gegr.) ist von 1870 bis 1878, die frühgot. Saint Patrick's Cathedral wurde im 19. Jh. restauriert, Saint Michan's Church stammt aus dem 17., Saint Mary's Church aus dem Anfang des 18. Jh. – Im 9. Jh. errichteten Wikinger auf dem S-Ufer des Liffey eine befestigte Siedlung (an deren Stelle entstand im 13. Jh. die normann. Burg), die seit dem 10. Jh. Zentrum des Wikinger-Königreiches D. war. 1170–72 von den Anglonormannen erobert, wurde D. als erste ir. Stadt der engl. Krone unterstellt und Ausgangspunkt für die Eroberung der Insel (→ Irland. Geschichte).

W. E. B. Du Bois

📖 *D. Ein literarisches Porträt. Frankfurt 1996.*

Dublone [span. »Doppelstück«] *die,* seit 1537 bis ins 19. Jh. geprägte span. Goldmünze = 2 Escudos = 1 Pistole zu 6,766 g Goldgehalt.

Dubna, Stadt in Russland, nördlich von Moskau, an der Wolga, 70 000 Ew.; russ. Kernforschungszentrum. – 1956 gegründet.

Dubnium [nach dem Forschungszentrum in Dubna], Symbol **Db** (früher auch Hahnium oder Nielsbohrium), künstlich hergestelltes chem. Element, ein Transuran mit der Kernladungszahl 105. 1967 erzeugten sowjet. Forscher in Dubna die Isotope $^{260}105$ und $^{261}105$, 1970 stellten A. Ghiorso und Mitarbeiter in Berkeley das Isotop $^{260}105$, 1971 die Isotope $^{261}105$ und $^{262}105$ (Halbwertszeit 34 s) her.

Dubois [dy'bwa], Eugène, niederländ. Anatom und Militärarzt, *Eisden (Prov. Limburg) 28. 1. 1858, †Halen (Prov. Limburg) 16. 12. 1940; entdeckte 1890/91 bei Trinil (Java) Reste des ersten Pithecanthropus; wesentl. Beiträge zur Anthropologie.

Du Bois [du:'bɔɪs], William Edward Burghardt (W. E. B.), amerikan.-ghanaischer Schriftsteller und Politiker, *Great Barrington (Mass.) 23. 2. 1868, †Accra (Ghana) 27. 8. 1963; lehrte 1897–1910 Geschichte und Wirtschaftswissenschaften in Atlanta; 1909 Gründungsmitglied der »National Association for the Advancement of Colored People« (NAACP), organisierte die Kongresse der →panafrikanischen Bewegung; schrieb »The black flame« (1957–61, R.-Trilogie) sowie Essays über Rassenfragen.

Du Bois-Reymond [dybwarɛ'mɔ̃], Emil, Physiologe, *Berlin 7. 11. 1818, †ebd. 26. 12. 1896; begründete die Elektrophysiologie mit grundlegenden Untersuchungen über bioelektr. Erscheinungen im Muskel- und Nervensystem. Er erklärte die Natur rein mechanistisch.

Dubrovnik (italien. Ragusa), Stadt und Seebad in Kroatien, an der süddalmatin. Küste, auf einer mit dem Festland verbundenen Felseninsel, am Fuß des Sergiusberges (412 m ü.M., Seilbahn). D. ist mit der 2 km nordwestlich gelegenen Ind.- und Hafenstadt Gruž und der dicht bebauten Halbinsel Lapad verwachsen. 49 700 Ew.; bed. Fremdenverkehr. Handelshafen und Bahnhof an der Bucht von Gruž; Flughafen. – Aus dem 15. Jh., in dem die Stadt als »Königin der Adria« Nebenbuhlerin Venedigs war, sind gewaltige Stadtmauern, Türme, Bastionen, Rektorenpalast, Klöster, Dom u.a. erhalten. Die Altstadt wurde von der UNESCO zum Weltkulturerbe erklärt. Vor D. liegt die kleine Insel Lokrum mit subtrop. Naturpark. – Im 7. Jh. von Flüchtlingen aus dem 20 km entfernten Epidaurus als **Ragusium** gegr.; die Stadtrep. stand 1205–1358 unter venezian., 1358 bis 1526 unter kroatisch-ungar., 1526–1806 unter osman. Oberhoheit. 1806–14 frz. besetzt; 1815 zu Österreich, 1919 zum späteren

Jean Dubuffet: »Campagne heureuse« (1944; Paris, Musée National d'Art Moderne)

Jugoslawien. Im serbisch-kroat. Krieg 1991/92 stark zerstört.

Dubuffet [dyby'fɛ], Jean, frz. Maler, *Le Havre 31. 7. 1901, †Paris 12. 5. 1985; orientierte sich bei seinen in plast. Malgründe aus Sand, Erde, Kalk u. a. gemalten oder geritzten Bildern, in seinen Collagen und Zeichnungen an der spontanen Kunst von Kindern und Geisteskranken; fertigte auch z. T. begehbare Skulpturen und »Architekturen« aus Kunststoff.

Duby [dy'bi], Georges Michel Claude, frz. Historiker, *Paris 7. 10. 1919, †Aix-en-Provence 3. 12. 1996; Prof. seit 1950, seit 1970 am Collège de France, seit 1987 Mitgl. der Académie française; international anerkannter Verfasser von Beiträgen zur mittelalterl. Sozial- und Kulturgeschichte.

Duc [dyk; frz., von lat. dux »Führer«] *der,* höchster frz. Adelstitel, Herzog; weibl. Form **Duchesse.**

Duca [zu lat. dux »Führer«] *der,* italien. Adelstitel, Herzog; weibl. Form **Duchessa.**

Du Cange [dy'kãʒ], Charles Du Fresne, Seigneur (Sieur), frz. Gelehrter, *Amiens 18. 12. 1610, †Paris 23. 10. 1688; Mediävist und Byzantinist. Seine mittellat. und mittelgrch. Lexika sind noch heute Standardwerke.

Duccio: Fußwaschung, Ausschnitt aus dem Maestà-Altar (1308–11; Siena, Museo dell'Opera del Duomo)

Duccio ['duttʃo], eigtl. D. di Buoninsegna, italien. Maler, *Siena um 1255, †ebd. vor dem 3. 8. 1319; der erste überragende Meister der sienesischen Malerei; Gemälde von blühender Farbigkeit, die noch byzantinisch streng, doch von zarter Empfindung erfüllt sind. Sein Hauptwerk ist das Altarbild für den Hochaltar (Maestà-Altar) des Doms zu Siena (1308–11; ebd. Dommuseum).

📖 *D. di Buoninsegna, bearb. v.* C. JANNELLA. *A. d. Italien. Florenz u. a. 1991.*

Duce ['du:tʃe; italien. »Führer«] (D. del fascismo), Herrschaftstitel →Mussolinis.

Duchamp [dy'ʃã], Marcel, frz. Künstler, *Blainville-Crevon (bei Rouen) 28. 7. 1887, †Neuilly-sur-Seine 2. 10. 1968; Bruder von R. D.-Villon, Halbbruder von J. Villon; begann als Maler mit kubist. Kompositionen. Ab 1913 stellte er handelsübliche Gebrauchsgegenstände (»ready-mades«) wie Kunstwerke aus u. a. das »Fahrrad-Rad« (1913). D. gab der Dadabewegung, dem Surrealismus, Nouveau Réalisme, der Pop-Art und Conceptart wesentl. Impulse.

📖 MINK, J. M.: *M. D. 1887–1968. Kunst als Gegenkunst. A. d. Frz. Köln 1994.*

Duchamp-Villon [dyʃãvi'jɔ̃], Raymond, frz. Bildhauer, *Damville (Dép. Eure) 5. 11. 1878, †Cannes 7. 10. 1918; Bruder von M. Duchamp und J. Villon; erzeugte mit seinen kubist. Skulpturen Spannung durch das Spiel konkaver und konvexer Formen.

Duchcov ['duxtsɔf] (dt. Dux), Stadt im Nordböhm. Gebiet, Tschech. Rep., am Fuß des Erzgebirges, 11 000 Ew.; Maschinenbau, Glasind.; der Braunkohlentagebau machte eine teilweise Verlegung des Ortes notwendig. – Auf Schloss Dux wirkte 1785 bis zu seinem Tode G. G. Casanova als Bibliothekar.

Duchesnea [dy'ʃɛnea], Gattung der Rosengewächse; die **Indische Scheinerdbeere** (D. indica), mit erdbeerähnl. Früchten und lang gestielten gelben Blüten ist Zierpflanze.

Duchess ['dʌtʃɪs] *die,* engl. Adelstitel, →Duke.

Duchessa [du'kɛsa] *die,* italien. Adelstitel; →Duca.

Duchesse [dy'ʃɛs] *die,* frz. Adelstitel, →Duc.

Duchesse [dy'ʃɛs] *die,* schweres glänzendes Gewebe.

Duchoborzen [russ. »Geisteskämpfer«], im 18. Jh. in S-Russland gegründete Religionsgemeinschaft. Die D. lehnen Kult und Dogmen der russ.-orth. Kirche und jegl. äußere Autorität ab, haben eine strenge christl. Ethik; nach Verfolgungen 1888/89 größtenteils nach Kanada ausgewandert.

Ducht, Sitzbank in einem offenen Boot, gleichzeitig dessen Querversteifung.

Ducker (Schafantilopen, Cephalophinae), Unterfamilie der Hornträger mit 15 hasen- bis rehgroßen Arten in Afrika; auf der Stirn mit kräftigem Haarschopf.

Duclos [dy'klo], Jacques, frz. Politiker, *Louey (Dép. Hautes-Pyrénées) 2. 10. 1896, †Paris 25. 4. 1975; 1931–64 Sekretär des Politbüros der KP, war im 2. Weltkrieg führend in der Widerstandsbewegung tätig. 1946–58 leitete er die KP-Fraktion in der Nationalversammlung, ab 1959 die KP-Fraktion im Senat. 1969 kandidierte er für das Amt des Staatspräsidenten.

Ductus [lat.] *der, Anatomie:* Gang, Kanal, z. B. **D. choledochus,** der Gallengang.

Georges Duby

Marcel Duchamp: »Fahrrad-Rad« (1913)

Du Deffand [dydɛ'fã], Marie Anne Marquise, *Schloss Chamrond (bei Mâcon) 25. 12. 1697, †Paris 23. 9. 1780. In ihrem literar. Salon verkehrten Voltaire, Montesquieu, Horace Walpole u. a. Ihr Briefwechsel ist kulturhistorisch wichtig.

Düdelingen (frz. Dudelange), Stadt in S-Luxemburg, 14700 Ew.; Hüttenwerk, Walzwerk, Haushaltswaren-, Stahlbauind.; Fernsehsender.

Dudelsack (Sackpfeife, engl. bagpipe), volkstüml. Blasinstrument, bestehend aus einem ledernen Windsack mit einer Spielpfeife und 1–3 Bordunpfeifen. Der Windsack wird über ein kurzes Anblasrohr mit Luft gefüllt und vom Spieler mit dem Arm gegen den Oberkörper gepresst, wodurch die gespeicherte Luft in die Pfeifen gelangt. Zu der auf der Spielpfeife gespielten Melodie erklingen ununterbrochen die auf Grundton und Quinte gestimmten Bordunpfeifen. D. sind typ. Hirteninstrumente (Ausnahme →Musette). Von Schottland (Nationalinstrument) fand der D. Eingang in die Militärmusik Großbritanniens.

Konrad Duden

Duden, 1) Anne, Schriftstellerin, *Oldenburg (Oldenburg) 1. 1. 1942; setzt sich in Erzählungen und Gedichten mit Gewalt, Körperlichkeit und der nat.-soz. Vergangenheit auseinander.

2) Konrad, Philologe, *Gut Bossigt bei Wesel 3. 1. 1829, †Sonnenberg (heute zu Wiesbaden) 1. 8. 1911; Gymnasiallehrer und -direktor, wirkte mit seinem »Vollständigen orthographischen Wörterbuch der deutschen Sprache« (1880) wegweisend für eine einheitl. dt. →Rechtschreibung.

Duderstadt, Stadt im Landkreis Göttingen, Ndsachs., im Unteren Eichsfeld, 23400 Ew.; Textil-, Metall und Kunststoff verarbeitende Industrie. – Altertümliches Stadtbild mit Befestigungen (Westertor 1424), Rathaus (älteste Teile 13. Jh.), Propsteikirche St. Cyriakus (13. und 14. Jh.), Pfarrkirche St. Servatius (15. Jh.). – 907 erstmals erwähnt, erhielt 1247 Stadtrecht. Bis 1802 gehörte D. mit dem Eichsfeld zum Hochstift Mainz und kam 1816 an Hannover.

Duderstadt: Das Rathaus, dessen älteste Teile aus dem 13. Jh. stammen, wurde im 15./16. Jh. erweitert

Dudinka, Hptst. des autonomen Kreises Taimyr in der Region Krasnojarsk der Russ. Föderation, in N-Sibirien, 32300 Ew.; Seehafen am unteren Jenissei, Umschlagplatz für die Stadt →Norilsk.

Dudinzew, Wladimir Dmitrijewitsch, russ. Schriftsteller, *Kupjansk (bei Charkow) 29. 7. 1918; bekannt v. a. durch seinen Roman »Der Mensch lebt nicht vom Brot allein« (1956), eines der ersten Werke der »Tauwetter«-Periode nach Stalins Tod.

Dudley ['dʌdlɪ], Stadt in der engl. Metrop. Cty. West Midlands, westlich von Birmingham, 187200 Ew.; Maschinenbau, Metall verarbeitende und Bekleidungsindustrie. Früher Zentrum des Steinkohlenbergbaus im Black Country.

Dudweiler, seit 1974 Stadtteil von Saarbrücken.

Duecento [due'tʃɛnto; italien. »200«, Abk. für die Jahreszahl 1200] *das* (Dugento), Bez. für das 13. Jh. in Italien, u. a. im Sinne eines kunsthistor. Stilbegriffs.

Duell [mlat.] *das,* der →Zweikampf.

Duero *der* (portugies. Douro), Fluss auf der Iberischen Halbinsel, 895 km lang, entspringt im Iber. Randgebirge, durchfließt die Nordmeseta und das nordportugies. Bergland, mündet unterhalb von Porto in den Atlant. Ozean, bildet auf 122 km Länge die Grenze zw. Spanien und Portugal; im Unterlauf schiffbar; zahlr. Stauseen.

Duett [italien.] *das,* Musikstück für zwei Singstimmen und Instrumentalbegleitung.

Dufay [dyfa'i], Guillaume, frankofläm. Komponist, *um 1400, †Cambrai 27. 11. 1474; fasste in seinen Messen, Motetten und Chansons die frz., italien. und engl. Musik seiner Zeit zusammen und schuf dadurch die Grundlage für die Wandlung des Satzes über die »Niederländer« zur A-cappella-Musik Palestrinas.

Raoul Dufy: »Regatta in Deauville« (1938)

Dufflecoat ['dafəlko:t, engl.] *der,* kurzer sportl. Mantel mit Knebelverschluss, oft mit Kapuze.

Dufour [dy'fu:r], Guillaume Henri, schweizer. General, *Konstanz 15. 9. 1787, †Les Contamines (bei Genf) 14. 7. 1875; schuf als Leiter der schweizer. Landesvermessung 1832–64 die »Topograph. Karte der Schweiz« (**D.-Karte,** 1:100 000, 25 Blatt), die für Gebirgskarten bahnbrechend wurde. 1847 führte er den Oberbefehl gegen die Sonderbundskantone. 1857 vermittelte er den Verzicht Preußens auf Neuenburg.

Dufourspitze [dy'fu:r-; nach G. H. Dufour], höchster Gipfel (4634 m ü. M.) des Monte Rosa, in den Walliser Alpen, höchster Gipfel der Schweiz.

Duftdrüsen, Drüsen bei Menschen und Tieren, die Duftstoffe absondern; dienen bei Tieren u. a. der Verteidigung und Abschreckung von Feinden (z. B. Stinkdrüsen beim Stinktier), der Revierabgrenzung, der Orientierung im Raum (z. B. durch Absetzen von Duftmarken), der innerartl. Verständigung (z. B. Stockgeruch bei Bienen) oder der Anlockung des anderen Geschlechts.

Duftstoffe, flüchtige Substanzen, die in sehr kleinen Mengen von Organismen aus →Duftdrüsen abgegeben werden und bei Individuen der selben Art oder anderen Arten Reaktionen auslösen. D. dienen der Kommunikation.

Du Fu (Tu Fu), chines. Dichter, *Duling (bei Xi'an, Prov. Shaanxi) 704, †Leiyang (Prov. Hunan) 770; Hofpoet, Zensor und Kommissar im Ministerium für öffentl. Arbeiten; führte aber überwiegend ein Wanderleben in großer Armut. Neben Li Taibai gilt er als bedeutendster chines. Lyriker.

Dufy [dy'fi], Raoul, frz. Maler, *Le Havre 3. 6. 1877, †Forcalquier (Dép. Alpes-de-Haute-Provence) 23. 3. 1953; schloss sich zunächst den Fauves an, nahm Anregungen von P. Cézanne und G. Braque auf; gelangte zu einem heiter-dekorativen Stil.

du Gard [dy'ga:r], Roger Martin, frz. Schriftsteller, →Martin du Gard, Roger.

Dugento [du'dʒɛnto, italien.] *das,* →Duecento.

Dụgong [malaiisch dujong] *der,* Gattung der →Seekühe.

Duhamel [dya'mɛl], Georges, frz. Schriftsteller, *Paris 30. 6. 1884, †Valmondois (Dép. Val-d'Oise) 13. 4. 1966; schildert in traditioneller, am Roman des 19. Jh. geschulter Erzählweise das Leben des zeitgenöss. frz. Bürgertums: »Leben und Abenteuer Salavins« (5 Bde., 1920–32), »Die Chronik der Familie Pasquier« (10 Bde., 1933–45).

Georges Duhamel

📖 *G. D. et l'idée de civilisation, hg. v.* A. LAFAY. *Paris 1995.*

Dụ̈hring, Karl Eugen, Philosoph, Nationalökonom, *Berlin 12. 1. 1833, †Potsdam 21. 9. 1921; vertrat einen gemäßigten Materialismus. Er bekämpfte alle Jenseitsreligionen, bes. das Judentum und das Christentum; diese und auch der Marxismus seien Hemmnisse auf dem Weg zu einer wirklich freien Gesellschaft.

Duisberg ['dy:s-], Friedrich Carl, Chemiker und Industrieller, *Barmen (heute zu Wuppertal) 29. 9. 1861, †Leverkusen 19. 3. 1935; Mitbegründer der IG-Farbenindustrie AG (1925), seitdem Vors. von Aufsichts- und Verwaltungsrat; erwarb sich große Verdienste bei der Entwicklung neuer Farbstoffe, förderte die Kontakte zw. Wiss. und chem. Industrie. – Die **Carl-Duisberg-Gesellschaft e. V.,** gegr. Köln 1949, fördert (mit staatl. Unterstützung) den Auslandsaustausch von Nachwuchskräften der Wirtschaft.

📖 BECKE-GOEHRING, M.: *Freunde in der Zeit des Aufbruchs der Chemie. Der Briefwechsel zwischen Theodor Curtius u. C. D. Berlin u. a. 1990.*

Duisburg ['dy:s-], kreisfreie Stadt im RegBez. Düsseldorf, NRW, am rechten Rheinufer beiderseits der Mündung der Ruhr, von der hier der Rhein-Herne-Kanal abzweigt, 533 900 Ew. – D. ist Sitz der Verbände der dt. und europ. Binnenschifffahrt, der Schifferbörse sowie einer Versuchsanstalt für Binnenschiffbau. Wilhelm-Lehmbruck-Museum, Niederrhein. Museum, Binnenschifffahrtsmuseum, Zoo (mit Delphinarium); Univ. (Gesamthochschule D.), Verwaltungs- und Wirtschaftsakademie, Fraunhofer-Inst., Musikhochschule, Schweißtechn. Versuchsanstalt. Im S das Erholungsgebiet Sechs-Seen-Platte mit dem Sportpark Wedau. Der Rhein-Ruhr-Hafen D. ist die größte Binnenhafenanlage der Erde; Zollfreihafen; Hütten- und Walzwerke, Eisen und Stahl verarbeitende, Erdöl-, chem., Schiffbau-, Papier- und Nahrungsmittelind.; Steinkohle wird nur noch im nördl. Stadtbezirk Walsum gefördert. – Nach der

Duisburg
Stadtwappen

Duisburg

In Duisburg erreicht der Rhein, der meistbefahrene Strom der Erde, seine größte Verkehrsdichte. 150 Mio. t Güter passieren jährlich die Stelle zwischen Ruhrort und Homburg, wo die Verkehrsströme vom Rhein, vom Rhein-Herne-Kanal und der bis Mülheim schiffbaren Ruhr sowie aus den Ruhrorter Häfen aufeinander treffen. Das hängt natürlich mit der Bedeutung des Hafens zusammen. Duisburg ist aber nicht nur der umschlagstärkste Binnenhafen der Erde, sondern ist auch zu Lande wichtiges Verkehrskreuz zwischen Ost-West- und Nord-Süd-Verkehr, sowohl im Eisenbahn- wie im Autobahnnetz. Das wird augenfällig in dem gigantischen Verkehrsknoten, wo drei sich kreuzende Autobahnen (»Spaghettiknoten«) zusätzlich von einem Geflecht von Eisenbahnschienen durchwoben sind. Eine einzigartige, intensiv genutzte Verkehrslandschaft! Die Duisburger hätten sich das nicht träumen lassen, als sie im Mittelalter die Verlagerung des Rheins (durch ein Hochwasser) weit weg von ihrer Altstadt beklagten. Der dadurch eingeleitete Niedergang der Stadt sollte erst mit der Industrialisierung im 19. Jahrhundert enden.

Renato Dulbecco

John F. Dulles

Zerstörung der Altstadt 1944/45 wurde die Salvatorkirche (1415) wieder hergestellt; spätgot. Dreigiebelhaus (16. Jh.), Stadtmauer (12. Jh.), Schloss Heltorf der Grafen Spee.

D., eine fränk. Königspfalz **(Dispargum),** war im 11.–13. Jh. Reichsmünzstätte, wurde 1129 Reichsstadt, kam 1290 an das Herzogtum Kleve und mit diesem 1614 an Brandenburg. 1655–1818 bestand in D. die klevische Landesuniversität. Nach der Industrialisierung im 19. Jh. wurden 1905 Ruhrort und Meiderich, 1929 Hamborn, 1975 Walsum und auf der linken Rheinseite Rheinhausen und Homberg eingemeindet.

🕮 RODEN, G. VON: *Geschichte der Stadt D.,* *2 Bde. Duisburg 1970–74.*

Duisenberg ['dœjzənbɛrx], Willem (Wim) Frederik, niederländ. Wirtschaftswissenschaftler, Bankmanager und Finanzpolitiker, *Heerenven (Prov. Friesland) 9. 7. 1935; ab 1970 Prof. für Makroökonomik in Amsterdam, 1973–78 Finanz-Min. und seit 1982 Präs. der Niederländ. Zentralbank; wurde 1997 Präs. des Europ. Währungsinstituts; seit 1. 7. 1998 Präs. der Europ. Zentralbank.

Dukas [dy'ka], Paul, frz. Komponist und Musikkritiker, *Paris 1. 10. 1865, †ebd. 17. 5. 1935; Vertreter des musikal. Impressionismus; bekanntestes Werk ist die sinfon. Dichtung »Der Zauberlehrling« (1897; nach Goethe).

Dukaten [lat.], seit dem Spät-MA. bis in das 19./20. Jh. verbreitete europ. Goldmünze, urspr. in Venedig geprägt; seit 1559 dt. Reichsmünze.

Dukatenfalter (Feuerfalter, Heodes virgaureae), Tagschmetterling der Familie Bläulinge in Eurasien; mit oberseits rotgold glänzenden, schwarz gesäumten Flügeln bei den Männchen.

Dukatengold, das reinste verarbeitete Gold (23,5–23,66 Karat).

Duisburg: Rhein-Ruhr-Hafen

Duke [dju:k, engl.] *der,* der höchste engl. Adelstitel, dem Herzog entsprechend; weibl. Form **Duchess.**

Dukaten der Freien Reichsstadt Augsburg von 1705 (Vorder- und Rückseite)

Düker [von niederländ. duiker »Taucher«] *der,* Kreuzungsbauwerk, mit dem ein Gerinne oder eine Rohrleitung als Druckleitung unter einem Hindernis (z. B. Bauwerk, Fluss, Kanal) hindurchgeführt wird.

Dukatenfalter (Spannweite 3,5 cm)

Duklapass (poln. Przełęcz Dukielska, slowak. Dukelský priesmyk), wichtiger Karpatenübergang (502 m ü. M.) zw. Polen und der Slowakei, südlich des poln. Ortes Dukla (Wwschaft Krosno).

Dulbecco [engl. dʌl'bekəʊ], Renato, amerikan. Biologe italien. Herkunft, *Catanzaro (Kalabrien) 22. 2. 1914; erhielt für Entdeckungen auf dem Gebiet der Interaktion des Tumorvirus mit der Erbmasse der Zelle 1975 (mit D. Baltimor und H. M. Temin) den Nobelpreis für Physiologie oder Medizin.

Dulichius, Philipp, Komponist, *Chemnitz 18. 12. 1562, †Stettin 24. 3. 1631; schrieb, anknüpfend an die →Venezianische Schule, Chorwerke, bes. kirchl. Musik.

Dulles ['dʌləs], **1)** Allen Welsh, amerikan. Politiker, *Watertown (N. Y.) 7. 4. 1893, †Washington (D. C.) 29. 1. 1969, Bruder von 2); leitete im 2. Weltkrieg den amerikan. Nachrichtendienst von Bern aus; 1953–61 Direktor der →CIA.

2) John Foster, amerikan. Politiker, *Washington (D. C.) 25. 2. 1888, †ebd. 24. 5. 1959, Bruder von 1); Rechtsanwalt, Mitgl. der Republikan. Partei, 1945–50 UN-Delegierter, handelte 1951 den Friedensvertrag mit Japan aus. Als Außenminister (1953–59) trat er für eine Politik der Stärke gegenüber dem Ostblock ein (Strategie des »roll back«, des »Zurückdrängens« des Kommunismus). Die Politik der Bündnislosigkeit (»Nonalignment«)

zahlreicher Staaten der sich bildenden Dritten Welt lehnte er ab.

Dülmen, Stadt im Kreis Coesfeld, NRW, im westl. Münsterland, 44 700 Ew.; landwirtsch. Forschungsanstalt; Textil- und Möbelind., Maschinen- und Apparatebau; großes Wildpferdgehege im Merfelder Bruch. – D., 889 erwähnt, seit 1311 Stadt, gehörte früher zum Hochstift Münster, 1803 kam es an die Herzöge von Croy.

Dülmener, halbwilde Pferderasse aus dem letzten dt. Wildgestüt im Merfelder Bruch bei Dülmen; 1,35 m schulterhohe Ponys.

Dulong [dy'lɔ̃], Pierre Louis, frz. Physiker und Chemiker, *Rouen 12. 2. 1785, †Paris 19. 7. 1838; stellte mit A. T. Petit (*1791, †1820) 1819 die →Dulong-Petit-Regel auf.

Dulong-Petit-Regel [dy'lɔ̃ pə'ti-], Näherungsregel, wonach die spezif. Wärme je Atom für alle festen Elemente unabhängig von der absoluten Temperatur $3R$ (R = universelle Gaskonstante) beträgt, was einer molaren Wärmekapazität von ca. $25\ \mathrm{J\,mol^{-1}K^{-1}}$ entspricht. Die D.-P.-R. lässt sich aus der kinet. Theorie der Wärme ableiten.

Duluth [də'lu:θ], Hafenstadt in Minnesota, USA, am W-Ende des Oberen Sees; 85 900 Ew.; Zweig der University of Minnesota; einer der wichtigsten Binnenhäfen der USA; Großmühlen, Eisen- und Stahlwerk, Erdölraffinerien. – J. J. Astor errichtete hier 1817 eine Pelzhandelsstation.

Duma [zu altslaw. dumati »denken«] *die,* russ. Bez. für beratende Versammlung:

1) **Bojaren-D.,** hervorgegangen aus der älteren Druschina (»Gefolgschaft«), bestand aus den Spitzen der Verwaltung und einflussreichen Adelsfamilien. Vom 12. bis 15. Jh. bildete die D. in den südl. Fürstentümern den organisator. Rahmen für den starken polit. Einfluss der →Bojaren. Im N blieb sie vorwiegend beratende Körperschaft. Peter d. Gr. löste sie 1711 auf.

2) **Stadt-D.,** nach der russ. Städteordnung von 1870 die Stadtverordnetenversammlung.

3) **Reichs-D.,** 1905–17 die russ. Volksvertretung, trat erstmals am 10. 5. 1906 zusammen, wegen ihrer radikalen Haltung am 22. 7. aufgelöst; die 2. D. tagte vom 5. 3. bis 17. 6. 1907; die 3. (nach einem die besitzenden Klassen bevorzugenden Wahlgesetz gewählt) vom 14. 11. 1907 bis 22. 6. 1912. Aus der 4. D. (1912–17) ging die →Provisorische Regierung hervor.

Dumas [dy'ma], **1)** Alexandre der Ältere (D. père), eigtl. A. Davy de la Pailleterie, frz. Schriftsteller, *Villers-Cotterêts (Dép. Aisne) 24. 7. 1802, †Puys (bei Dieppe) 5. 12. 1870, Vater von 2); produktiv und erfolgreich, verfasste er, z. T. mithilfe anderer, mehr als 300 Romane und Dramen, die in freier Bearbeitung Episoden der frz. Gesch. darstellen; im 20. Jh. einer der am meisten gelesenen (und verfilmten) frz. Autoren. Die bekanntesten Romane sind: »Die drei Musketiere« (8 Bde., 1844), »Königin Margot« (1845), »Der Graf von Monte Christo« (18 Bde., 1845/46), »Das Halsband der Königin« (11 Bde., 1848–50).

Alexandre Dumas d. Ä.

📖 Hohmann, M.: *Erkenntnis u. Verführung. Erzählstrategien u. erzählte Geschichte im Romanwerk A. D.' Essen 1992.*

2) Alexandre der Jüngere (D. fils), frz. Schriftsteller, *Paris 28. 7. 1824, †Marly-le-Roi (Dép. Yvelines) 27. 11. 1895, Sohn von 1); verfasste Romane in romant. Geschmack, die er z. T. dramatisierte (u. a. »Die Kameliendame«, 1848, Vorlage für Verdis Oper »La Traviata«). Er gilt als Schöpfer des neuzeitl. Gesellschaftsstücks (»Die Halbwelt«, 1855; »Liebling der Frauen«, 1864).

Alexandre Dumas d. J.

3) Roland, frz. Politiker, *Limoges 23. 8. 1922; Rechtsanwalt, Mitgl. der Sozialist. Partei (PS), 1983–84 Europamin., 1984–85 und 1988–93 Außenminister. Vor dem Hintergrund der starken weltpolit. Veränderungen seit 1989 machte er die deutsch-frz. Zusammenarbeit zur Grundlage seiner Außenpolitik. Im Febr. 1995 ernannte ihn Präs. F. Mitterrand zum Präs. des Verfassungsgerichts.

du Maurier [dju:'mɔ:rɪeɪ], Dame (seit 1969) Daphne, engl. Schriftstellerin, *London 13. 5. 1907, †Par (Cty. Cornwall) 19. 4. 1989; gab in ihren Romanen psycholog. Charakterstudien (»Gasthaus Jamaica«, 1936; »Rebecca«, 1938; »Meine Cousine Rachel«, 1951; »Das Geheimnis des Falken«, 1965).

Daphne du Maurier

📖 Forster, M.: *D. du M. Ein Leben. A. d. Engl. Zürich u. a. 1994.*

Dumbarton [dʌm'bɑ:tn], Hafenstadt in Schottland, nahe der Mündung des Leven in den Clyde, Zentrum der Local Authority West Dunbartonshire, 23 200 Ew.; Maschinenbau; Whiskybrennerei.

Dumbarton Oaks [dʌm'bɑ:tn 'əʊks], Landsitz bei Washington (D. C.), USA; hier wurden in den Konferenzen der USA und Großbritanniens mit der UdSSR (21. 8. bis 28. 9. 1944) und China (29. 9. bis 7. 10. 1944) die Grundlagen für die UN geschaffen.

Dummy: Kunststoffpuppen beim Crashtest eines Kraftfahrzeuges

Dumdụmgeschoss [nach der Munitionsfabrik in Dum Dum bei Kalkutta], Stahlmantelgeschoss mit freigelegtem Bleikern; zerspringt beim Auftreffen, verursacht dadurch schwere Verwundungen; nach der →Haager Landkriegsordnung verboten.

Dumfries [dʌm'friːs], Zentrum der schott. Local Authority D. and Galloway, 30 600 Ew.; Textil-, Schuh-, chem. Ind., Maschinenbau.

Dumfries and Galloway [dʌm'friːsənd'gæləwe], Local Authority im äußersten S Schottlands, 6 439 km^2, (1993) 147 900 Einwohner.

Dụmka [slaw.] *die,* balladenartiges Volkslied der Ukrainer.

Dụ̈mmer *der,* von Niedermooren umgebener See im westl. Ndsachs., nördlich des Wiehengebirges, von der Hunte durchflossen, 16 km^2; Natur- und Landschaftsschutzgebiet sowie Freizeit- und Erholungsgebiet; im ehem. Uferbereich Funde zahlr. mittel- und jungsteinzeitl. Siedlungsreste.

Dummy ['dʌmɪ, engl.] *der,* lebensgroße Versuchspuppe beim →Crashtest, deren mechanische Eigenschaften, Belastbarkeit und Gewichtsverteilung dem menschl. Körper weitgehend entsprechen. BILD S. 403

Dumont [dy'mɔ̃], Louise, Schauspielerin und Theaterleiterin, *Köln 22. 2. 1862, †Düsseldorf 16. 5. 1932; 1896–1902 (am Dt. Theater, bes. Ibsen-Rollen) in Berlin. Mit ihrem Mann Gustav Lindemann (*1872, †1960) gründete sie 1905 das Düsseldorfer Schauspielhaus, das sie bis zu ihrem Tod leitete.

DuMont [dy'mɔ̃], aus Belgien stammende rhein. Buchhändler- und Buchdruckerfamilie. Sie geht zurück auf Maria Johann Nikolaus DuM. (*1743, †1816), ab 1794 Bürgermeister von Köln. Sein Sohn Marcus Theodor DuM. (*1784, †1831), ⚭ mit Katharina Schauberg, kaufte 1808 die den schaubergschen Erben gehörige Druckerei nebst der Kölnischen Zeitung und gründete 1818 die **M. DuMont Schaubergsche Verlagsbuchhandlung;** 1894 verkauft. 1956 gründete das Stammhaus M. DuMont Schauberg erneut einen Buchverlag.

Dumont d'Urville [dymɔ̃dyr'vil], Jules Sébastien César, frz. Admiral, *Condé-sur-Noireau (Dép. Calvados) 23. 5. 1790, †Meudon 8. 5. 1842; leitete zwei wiss. Erdumseglungen (1826–29 und 1837–40); erkundete Mikronesien und entdeckte Louis-Philippe- und Adélieland in der Antarktis.

Faye Dunaway

Dụmpalme [arab.-frz.] (Hyphaene), Fächerpalmengattung der Savannengebiete von Afrika bis Indien (Höhe 12–15 m); das Fruchtfleisch der kugeligen Steinfrüchte ist essbar.

Dumping ['dʌmpɪŋ; engl. to dump »hinwerfen«, »verschleudern«] *das,* **1)** *Umweltschutz:* das unerlaubte Einbringen fester oder flüssiger Abfälle ins Meer.

2) *Wirtschaft:* Außenhandelsstrategie, bei der die Exportpreise unter den vergleichbaren Inlandspreisen liegen. D. dient dem Vordringen in ausländ. Märkte, der Gewinnung von Marktanteilen und der Ausschaltung ausländ. Konkurrenz. D.-Praktiken können durch staatl. Exportsubventionen, Ausfuhrprämien, Zins- und Frachtsubventionen u. a. begünstigt werden. Kein D. im Sinne des GATT stellen das **Sozial-D.** dar (günstigere Herstellungskosten durch niedrigere Löhne und geringe soziale Belastung der Wirtschaft) und das **Valuta-D.** (Absatzvorteil, da die inländ. Erzeugerkosten zunächst hinter einer Währungsentwertung zurückbleiben). D. beeinflusst ebenso wie Schutzzölle die internat. Arbeitsteilung. Durch D. eingeleitete Exportoffensiven können mit Gegenzöllen (Anti-D.-Zölle) neutralisiert werden.

📖 VAN BAEL, I. *u.* BELLIS, J.-F.: *Anti-dumping and other trade protection laws of the EC. Bicester* ^{3}*1996.*

Dụ̈n *der,* Muschelkalkhöhenzug im Eichsfeld, NW-Thüringen, bis 520 m ü. M., westl. Fortsetzung der Hainleite.

Duna ['dunɔ], ungar. Name der →Donau.

Dụ̈na *die* (Westl. Dwina, russ. Sapadnaja Dwina, lett. Daugava), Fluss in Osteuropa, 1 020 km, entspringt auf den Waldaihöhen (Russland), fließt durch den N Weißrusslands und durch Lettland, mündet in die Rigaer Bucht. Im Unterlauf z. T. schiffbar; Wasserkraftwerke.

Dụ̈naburg, Stadt in Lettland, →Daugavpils.

Dụnaj [russ. du'nai], slowak., tschech. und russ. Name der →Donau.

Dunạjec [-ts] *der,* rechter Nebenfluss der Weichsel, Polen, 251 km, entspringt in der Hohen Tatra, durchbricht die Kalkberge der Pieninen.

Dunant [dy'nã], Henri (Henry), schweizer. Philanthrop, *Genf 8. 5. 1828, †Heiden (Kt. Appenzell-Ausserrhoden) 30. 10. 1910. Auf seine Initiative wurde 1863 in Genf das »Rote Kreuz« gegr., er veranlasste die Einberufung der internat. Konferenz, die 1864 die »Genfer Konvention« schloss. D. erhielt 1901 mit F. Passy den Friedensnobelpreis.

Dunărea ['dunərea], rumän. Name der →Donau.

Dunaújváros ['dunɔuːjvaːroʃ] (1951–61 Sztálinváros), Ind.stadt an der Donau südlich von Budapest, Ungarn, 62 000 Ew.; Hochschule für Metallurgie; Schwer-, Textil-, Papierind.; Donauhafen. – Von 1950–56 als sozialist. Musterstadt erbaut.

Dụnav, serb. und kroat. Name der →Donau.

Dụnaw, bulgar. Name der →Donau.

Dunaway ['dʌnəweɪ], Faye, amerikan. Filmschauspielerin, *Bascom (Fla.) 14. 1. 1941; wandlungsfähige Charakterdarstellerin in den Filmen »Bonnie und Clyde« (1966), »Chinatown« (1974),

»Network« (1976), »Brennendes Geheimnis« (1988), sowie in Fernsehfilmen.

Dunbar [dʌnˈbɑː], **1)** Paul Laurence, afroamerikan. Schriftsteller, *Dayton (Ohio) 27. 6. 1872, †ebd. 9. 2. 1906; schrieb oft im Dialekt balladenhafte Gedichte, die die Volkskultur der Afroamerikaner nachzeichnen; Romane, Erzählungen.

2) William, schott. Dichter, Franziskaner, *um 1465, †vor 1530 (?); lyrisch-satir. Dichtungen, die sich durch scharfe Beobachtung und Sprachgewalt auszeichnen.

Dunbartonshire [dʌnˈbɑːtnʃɪə], Name zweier Local Authorities in Schottland, östlich des inneren Clyde: **East D.**, 172 km², 110200 Ew.; **West D.**, 162 km², 97800 Ew., Zentrum →Dumbarton.

Isadora Duncan (um 1900)

Duncan [ˈdʌŋkən], Isadora, amerikan. Tänzerin, *San Francisco 26. 5. 1877, †(Autounfall) Nizza 14. 9. 1927; verbreitete durch Solotanz, Vorträge und Schulgründung ihre Idee, eine harmon. Körperschönheit im klassisch-grch. Sinne aus der natürl. Gesetzmäßigkeit des Körpers zu entwickeln; gründete mit ihrer Schwester Elisabeth D. (*1874, †1948) 1904 in Berlin die D.-Schule (heute in München). (→Tanz)

Duncker, 1) Franz, Buchhändler und liberaler Politiker, *Berlin 4. 6. 1822, †ebd. 18. 6. 1888; Mitbegründer der Dt. Fortschrittspartei und (mit M. Hirsch) der Hirsch-Dunckerschen Gewerkvereine.

2) Max, Historiker und Politiker, *Berlin 15. 10. 1811, †Ansbach 21. 7. 1886; war 1848–52 führendes Mitgl. der Frankfurter Nationalversammlung und der preuß. 2. Kammer (altliberal), 1867–74 Direktor der preuß. Staatsarchive.

Dundalk [dʌnˈdɔːk] (irisch Dún Dealgan), Verw.sitz der Cty. Louth in der Rep. Irland, 26600 Ew.; Hafenstadt an der Irischen See; Elektronik-, Metall-, Leichtindustrie.

Dundee [dʌnˈdiː], Stadt in O-Schottland, am Firth of Tay, als Local Authority D. City (65 km²) 153700 Ew.; kath. und anglikan. Erzbischofssitz; Bildungs- und Kulturzentrum mit Univ. u. a. Hochschulen; Textil-, Uhren-, elektrotechn. Ind., Maschinenbau; Hafen, Dienstleistungszentrum für die Erdölförderung in der Nordsee. – Die drei Stadtkirchen Saint Mary, Old Saint Paul und Saint Clement befinden sich unter einem Dach, überragt von dem 74 m hohen Saint-Mary-Turm (15. Jh.). – Im 19. Jh. Zentrum der Juteverarbeitung.

Dunedin [dʌˈniːdɪn], Stadt im S der Südinsel Neuseelands, an der fjordartigen Otagobucht, 109500 Ew.; Univ. (1869 gegr.), botan. Garten; Düngemittelind., Verarbeitung und Ausfuhr von Agrarprodukten; Fischereihafen (bildet mit Port Chalmers den Port of Otago).

Dünen, durch Wind gebildete Sandanhäufungen, die meist aus reinem Quarzsand bestehen und Höhen von 200 m erreichen können. Man unterscheidet nach dem Standort **Strand-** oder **Küsten-D.** und **Binnen-D.** sowie nach dem Bewegungsgrad **ortsfeste D.** und **Wanderdünen.** Als Anfangsform einer D. entsteht stets ein Zungenhügel, der durch weitere Sandablagerungen zur D. wird. – Im feuchtgemäßigten Klima werden die Anfangsformen der Küsten-D. schon nahe am Strand durch Vegetation an der Bewegung gehindert. Sie verwachsen zu wallartigen **Vor-D.**, die etwa senkrecht zur Hauptwindrichtung und parallel zum Strand mehrere Wälle bilden können. Durch Bepflanzung und Verbauung wird eine Wanderung dieser D. eingeschränkt. In vegetationsarmen kalten oder warmen Trockengebieten bilden sich Binnen-D., an deren Ausgangsformen der transportierte Sand seitlich abgelenkt wird. Dadurch wandern die Ränder schneller als das Zentrum; es entstehen leeseitig geöffnete **Sichel-D.** oder **Barchane.** BILDER S. 406

Dunfermline [dʌnˈfəːmlɪn], Stadt in O-Schottland, nahe dem Firth of Forth, in der Local Authority Fife, 51100 Ew.; Textilind., Maschinenbau. – Abteikirche (12. Jh.) mit Grabstätten schott. Herrscher.

Dunganen, in Usbekistan und Kasachstan Name der →Hui.

Dungau (Gäuboden), Beckenlandschaft in O-Bayern, zu beiden Seiten der Donau unterhalb von Regensburg; auf fruchtbaren Lössböden Anbau von Getreide und Zuckerrüben; Marktzentrum ist Straubing.

Dünen

1

2

| **1** Sanddünen in der algerischen Sahara | **2** Barchane in der Küstenwüste von Peru

Düngemittel (Dünger), Substanzen oder Stoffgemische, die dem Boden zugeführt werden, um den Gehalt an Nährstoffen zu erhöhen und die Erträge des Bodens zu steigern. Die wichtigsten Pflanzennährstoffe sind Verbindungen des Stickstoffs (z.B. Ammoniumsalze, Nitrate und die sog. Amiddünger wie Harnstoff und Kalkstickstoff), des Phosphors (Phosphate), des Kaliums (Kaliumsalze) und des Calciums (Kalk). – Früher verwendete man nur **Natur-D.** wie Mist, Kompost, Torf, die zwar die Nährstoffe nur in geringen Mengen enthalten, aber die wie die →Gründüngung wichtig für die Humusbildung sind. Später kamen Guano, Knochenmehl, Natursalpeter u.a. mit hohem Gehalt an Pflanzennährstoffen hinzu. Heute werden die Pflanzennährstoffe als sog. **synthet. D.** (Kunst-D., mineral. D.) in großen Mengen industriell hergestellt; sie kommen meist gemischt (Misch-D.) in den Handel. **Voll-** und **Spezial-D.** enthalten darüber hinaus noch Verbindungen der für den Pflanzenwuchs notwendigen Spurenelemente, z.B. Magnesium, Eisen, Kupfer. Mit der Ausweitung naturgemäßer Produktionsweisen in Land- und Gartenbau steigt die Verwendung von **organ. Handels-D.** wie Torf, Rindensubstrat, Biertreber, Blut- und Knochenmehl, die häufig aufbereitete oder unbearbeitete (Abfall-)Produkte der entsprechenden Industrien sind. Sie dienen auch als Humuslieferanten. Die Intensivlandwirtschaft mit zu großen D.-Gaben kann zu Schäden im Ökosystem führen (→Eutrophierung). – Der Verbrauch von anorgan. Handels-D. in Dtl. im Wirtschaftsjahr 1994/95 betrug für Stickstoff (N) 112,6 kg, für Phosphat (P_2O_5) 28,4 kg, für Kali (K_2O) 42,1 kg und für Kalk (CaO) 101,8 kg je ha landwirtschaftlich genutzter Fläche.

Dungkäfer: Aphodius fimetarius (Größe 5–8 mm)

📖 *Das Düngemittelrecht, bearb. v.* G. KLUGE *u.* G. EMBERT. *Neuausg. Münster-Hiltrup 1992.* – FINCK, A.: *Dünger u. Düngung. Grundlagen u. Anleitung zur Düngung der Kulturpflanzen. Weinheim* [2]*1992.* – AMBERGER, A.: *Pflanzenernährung. Ökolog. u. physiolog. Grundlagen, Dynamik u. Stoffwechsel der Nährelemente. Stuttgart* [4]*1996.*

Dungeness [dʌndʒɪˈnes], flaches Kap an der engl. Südostküste, mit Leuchtturm und Vogelwarte; Kernkraftwerk.

Dungfliegen (Sphaeroceridae), Familie kleiner, z.T. flugunfähiger, aber sprungtüchtiger Fliegen; rd. 250 Arten, die v.a. von organ. Abfällen leben.

Dungkäfer (Aphodiinae), Unterfamilie der Blatthornkäfer mit über 1000 Arten; meist kleine Tiere, die u.a. in Exkrementen, faulenden Pflanzen, manchmal in Ameisennestern leben.

Dunham [ˈdʌnəm], Katherine, amerikan. Tänzerin, Choreographin und Ballettdirektorin, *Chi-

Dunhuang: Apsaras (geflügelte Gottheiten), Wandmalerei aus der Grotte 290, Nördliche Zhou-Dynastie (556–581)

cago (Ill.) 22. 6. 1912; erforschte die Tänze der Karibik und verwertete sie in ihren Choreographien. D. trat auch als Regisseurin von Musicals, Revuen und Opern hervor.

Dunhuang (Tunhuang), Oasenstadt in der chines. Provinz Gansu, an der alten Seidenstraße zw. der Wüste Gobi und dem Hochland von Tibet, 80 000 Ew. – Nahebei liegen die größten und ältesten buddhistischen Höhlentempelanlagen Chinas (»Grotten der Tausend Buddhas«) mit bed. Wandmalereien (5.–13. Jh.), auch Fundort von Skulpturen, Rollbildern, Zeichnungen und Handschriften.

Dunit *der,* Varietät des →Peridotits.

Dunkeladaptation, Anpassung des Auges vom Tag- zum Nachtsehen; beruht auf der Änderung der Lichtempfindlichkeit der Sehzellen, beim menschl. Auge Steigerung auf das 1500- bis 8000fache.

Dunkelentladung, elektr. →Gasentladung bei sehr niedrigen Stromstärken und ohne merkliche Lichtemission.

Dunkelfeldbeleuchtung, indirekte Beleuchtung beim Mikroskopieren. Das Bild wird durch am Objekt gebeugte Lichtstrahlen erzeugt; das Objekt erscheint hell auf dunklem Untergrund, die Objektstrukturen treten deutlicher hervor.

Dunkelkammer, der völlig verdunkelte oder nur von einem fotografisch kaum wirksamen Licht beleuchtete Raum für das Arbeiten mit lichtempfindl. Material.

Dunkelmännerbriefe (Epistolae obscurorum virorum), Titel einer Sammlung fingierter lat. Briefe (in zwei Teilen, 1515 und 1516) von scholast. Gelehrten, tatsächlich jedoch geschrieben von Humanisten als Satire auf die erstarrte spätmittelalterl. Wissenschaft, bes. der Kölner Theologen. Titel in Anlehnung an die »Clarorum virorum epistolae« (Briefe berühmter Männer, Briefwechsel des Humanisten Reuchlin, 1. Teil 1514); 1517 erschien eine 2. Sammlung von Ulrich von Hutten. Die D. wirken als beispielhafte literar. Satire bis heute nach.

Dunkelwolken (Dunkelnebel), große Ansammlungen →interstellarer Materie, die das Sternlicht mehr oder weniger stark absorbieren. D. hoher Dichte sind die Globulen.

Dünkirchen (frz. Dunkerque, niederländ. Duinkerken), Hafenstadt in N-Frankreich, Dép. Nord, im fläm. Sprachgebiet nahe der belgischen Grenze, 71 100 Ew.; Kunstmuseum (mit Skulpturenpark). D. gehört zu den wichtigsten Häfen (Containerverkehr) Frankreichs. Mit der Schifffahrt ist die Ind. eng verbunden: Werften, Stahlwerke, Erdölraffinerie, Zementind., Juteverarbeitung, Seifensiedereien. Autofähre nach Dover. – Spätgot. Kirche Saint-Éloi (15./16. Jh.), Belfried von 1440. – Im 2. Weltkrieg schloss die dt. Wehrmacht 1940 bei D. die britisch-frz. Nordarmee ein, doch

Katherine Dunham (um 1940)

gelang es dieser, unter Verlust der gesamten Ausrüstung fast alle Truppen nach Großbritannien zu evakuieren. – Der **Vertrag von D.,** am 4. 3. 1947 zw. Großbritannien und Frankreich auf 50 Jahre abgeschlossen, sollte beide Staaten gegen die Nichterfüllung dt. Verpflichtungen und etwaige krieger. Absichten Dtl.s sichern; er wurde Vorbild des →Brüsseler Vertrags (1948).

dunkle Materie, nicht sichtbarer Teil der Materie im Universum, auf deren Existenz v. a. durch ihre Gravitationswirkung geschlossen wird, z. B. bei den galakt. →Halos. Mindestens 90 % der Materie bestehen aus d. M., die nichtbaryon. Ursprungs ist. Ihr Nachweis gehört zu den noch ungelösten Fragen der Astrophysik und Kosmologie.

Dún Laoghaire [dən'lɪərɪ] (bis 1921 Kingstown), Stadt in der Rep. Irland, im südl. Vorortbereich von Dublin, 55 500 Ew.; Hafen und Seebad.

Dünkirchen
Stadtwappen

Dünndarm, Teil des →Darms.

dünne Schichten, *Physik:* Körper, deren Dicke so gering ist (µm- bzw. nm-Bereich), dass ihr physikal. Verhalten (z. B. elektr. Leitfähigkeit) stark von dem einer gleichartigen massiven Probe abweicht. Sie werden praktisch durch Kathodenzerstäubung oder Aufdampfen auf einen Träger hergestellt. Anwendung u. a. in der Optik zur Reflexionsminderung (Wärmedämmung, Schutz empfindl. Gläser), auf CDs, in der Mikroelektronik.

Dünnfilmtechnik (Dünnschichttechnik), Verfahren zur Herstellung elektronischer Schaltungen durch Aufdampfen von Bauelementen (meist Widerstände, Kondensatoren) als Schicht von 10 bis 1 000 nm auf ein isolierendes Substrat.

Dünnsäure, verdünnte wässrige Abfallschwefelsäure (ca. 20 %), die etwa 1 % organ. Verunreinigungen enthält. D. fällt bei der Herstellung organ. Zwischenprodukte und von Farbstoffen an.

Dünnschichtchromatographie, chromatograph. Verfahren (→Chromatographie), bei dem die Substanz an Sorbentien (Kieselgel u. a.) getrennt wird, die als dünne Schicht auf einem geeigneten Träger aufgebracht sind. Die D. erlaubt die Analyse äußerst geringer Substanzmengen und ist sehr schnell; Anwendung z. B. in Chemie, Diagnostik, Kriminaltechnik.

Dünnschliff, 0,02–0,03 mm dünn geschliffenes Plättchen aus Mineral, Gestein oder biolog. Material für mikroskop. Untersuchungen in durchfallendem Licht.

Dünnschliff: Dunit in monochromatischem, nicht polarisiertem (oben) und polarisiertem Licht

Dunois [dy'nwa], Jean Graf von, gen. Bastard von Orléans, *1403, †24. 11. 1468; illegitimer Sohn Herzog Ludwigs von Orléans, verteidigte 1429 Orléans gegen die Engländer, bis es durch Jeanne d'Arc entsetzt wurde. 1449/50 eroberte er die Normandie, 1451 den größten Teil der Guyenne von den Engländern zurück.

Dunsany [dʌn'seɪnɪ], Edward, Lord, irischer Schriftsteller, →Plunkett.

Duns Scotus, Johannes, scholast. Theologe und Philosoph, *Duns (Scottish Borders) um 1266, †Köln 8. 11. 1308; lehrte in Paris, Oxford, Köln; bedeutendster Denker der jüngeren Franziskanerschule, scharfsinniger Kritiker des Thomismus und des Averroismus. Grundsätzlich von Augustinus her denkend, schränkte D. S. das philosoph. Wissen um Gott ein: Wahrheiten über Gott sind nur durch den Glauben zu gewinnen. Gegenüber dem Intellekt sei der Wille vorrangig, weil uns die Liebe tiefer mit Gott vereine als das Erkennen. Gegenüber der Überbewertung des Allgemeinen bei Platon, Aristoteles und Thomas von Aquin betont D. S. die Bedeutung des Individuellen. So wird in seiner Lehre ein Hauptanliegen der neuzeitl. Philosophie, der Individualismus, bereits als Problem dargestellt.

📖 RICHTER, V.: *Studien zum literar. Werk von J. D. S. München 1988.*

Dunst, Trübung der Atmosphäre durch Staub, Pollen, Salzkriställchen oder Wassertröpfchen. Eine **D.-Glocke** kann sich als Ansammlung von D. mit Abgasen über Ballungsgebieten bilden, bes. bei Inversionswetterlagen. (→Smog)

Dunstable ['dʌnstəbl], John, engl. Komponist, *um 1390, †London 24. 12. 1453; verband engl. Klanglichkeit mit frz. polyphoner Setzweise und beeinflusste damit die zeitgenöss. europ. Musik; schrieb v. a. Messen und Motetten.

Dünsten, Garen von Lebensmitteln in einem geschlossenen Gefäß im eigenen Saft, eventuell unter Hinzufügen von wenig Fett oder/und Wasser.

Johannes Duns Scotus

Dünung, ein Seegang, der nicht mehr unter dem Einfluss des erzeugenden Windfeldes steht.

duo... [lat., italien.], zwei...

Duo [italien.] *das,* Musikstück für zwei Instrumente oder zwei Singstimmen.

Duodenalgeschwür, →Zwölffingerdarmgeschwür.

Duodenoskopie [lat.-grch.] *die,* direkte Betrachtung des Zwölffingerdarms mit einem Spezialendoskop (Duodenoskop); dient z. B. zur Feststellung von Geschwüren oder Polypen.

Duodenum [lat.] *das,* der Zwölffingerdarm (→Darm).

Duodezimalsystem, ein Zahlensystem mit der Grundzahl 12 (statt 10 wie beim Dezimalsystem). Das D. wurde bereits in Babylon benutzt und wird noch bei Kreisteilungen (Uhren, Winkel) und bei engl. Maß- und Gewichtssystemen verwendet.

François Duquesnoy: Der heilige Andreas (1629–40; Rom, Peterskirche)

Duodezime [lat.] *die, Musik:* das Intervall von 12 diaton. Tonstufen (Oktave und Quinte).

Duodezstaat, Zwergstaat, iron. Bezeichnung für die dt. Kleinstaaten des 18. Jh. unter ihren **Duodezfürsten.**

Duole [italien.] *die, Musik:* eine Folge von zwei Noten, die für drei Noten gleicher Gestalt bei gleicher Zeitdauer eintreten.

Duoschaltung, Parallelschaltung von je einer Leuchtstoffröhre mit induktivem und einer mit kapazitivem Vorschaltgerät zur Verringerung der Welligkeit des Lichtstroms (kein Flimmern).

Duplikat [lat.] *das,* Doppelstück, Abschrift, zweite Ausfertigung einer Urkunde.

Duplizität [lat.] *die,* Zweimaligkeit, bes. zufälliges Doppelgeschehen.

Du Pont de Nemours & Company, E. I. ['iː 'aɪ 'djuːpɔnt dənə'mʊə ænd 'kʌmpənɪ], größter amerikan. Chemiekonzern, Sitz Wilmington (Del.), gegr. 1802 von E. I. Du Pont de Nemours (*1771, †1834). Neben der Erzeugung von Chemiefasern (1938 Erfindung des Nylons), Kunststoffen, Agro- und Ind.chemikalien auch Erdölförderung und -verarbeitung.

Düppel (dän. Dybbel), Dorf auf der Halbinsel Sundeved in Sønderjylland (Nordschleswig), Dänemark; gehörte 1864–1920 zu Deutschland. Die zur Verteidigung des Alsensunds von den Dänen angelegten **Düppeler Schanzen** (3 km lang) wurden in den Deutsch-Dän. Kriegen (1848–50 und 1864) umkämpft und am 18. 4. 1864 von preuß. Truppen eingenommen; heute Nationalpark.

Dupré [dy'pre], **1)** Jules, frz. Landschaftsmaler, *Nantes 5. 4. 1811, †L'Isle-Adam (Dép. Val-d'Oise) 6. 10. 1889; gehörte der Schule von →Barbizon an.

2) Marcel, frz. Organist, *Rouen 3. 5. 1886, †Meudon 30. 5. 1971; bed. Improvisator und Bach-Interpret; schrieb zahlr. Werke für Orgel, auch Klavier- und Vokalmusik sowie Unterrichtswerke.

Duquesnoy [dykɛ'nwa], François, gen. Il Fiammingo, fläm. Bildhauer, *Brüssel 12. 1. 1597, †Livorno 12. 7. 1643; Schüler seines Vaters Jérôme D. (*vor 1570, †1641), des Schöpfers des »Manneken-Pis« in Brüssel; lebte seit 1618 in Rom. D. vertritt in seinen Monumentalwerken (hl. Andreas in der Peterskirche, Rom, 1629–40 u. a.) eine klassizist. Richtung des Barock.

Dur [von lat. durus »hart«] *das,* das »männliche« der beiden in der tonalen Musik üblichen Tongeschlechter. Ggs.: →Moll. Die **D.-Tonleiter** ist durch je einen Halbtonschritt zw. dem 3. und 4. sowie dem 7. und 8. Ton, vom Grundton aus gerechnet, bestimmt, der **D.-Dreiklang** entsprechend durch die große Terz. (→Tonart)

Dura-Europos, Ruinenstätte in SO-Syrien, am oberen Euphrat, beim heutigen Ort As-Salihija, gegr. von Seleukos Nikator um 300 v. Chr., als Festung des Seleukidenreiches ausgebaut, zerstört 256 n. Chr. Ausgrabungen 1922–36 erbrachten kunst- und religionsgeschichtlich wichtiges Material (z. B. eine Synagoge, die entgegen dem jüd. Bilderverbot Fresken nach dem A. T. enthält).

Duraluminium, aushärtbare Aluminiumlegierung mit Kupfer, Magnesium, Mangan; Verwendung im Flugzeugbau.

Dura mater [lat.] *die* (Dura, harte Hirnhaut), Gehirn und Rückenmark umgebende derbe, bindegewebige Haut.

Durance [dy'rɑ̃s] *die,* linker Nebenfluss der Rhone, 305 km, entspringt am Mont Genèvre in den Cott. Alpen, mündet bei Avignon. Die Talsperre **Serre-Ponçon** staut die obere D. zu einem der größten Stauseen Europas.

Durandart, Schwert Rolands, →Durendal.

Durango, 1) Staat im N von →Mexiko.

2) (amtl. Victoria de D.), Hptst. von 1), 1925 m ü. M. in einem Hochtal der Sierra Madre Occidental, 413 800 Ew.; Univ.; Erzbischofssitz; Bergbauzentrum mit Stahlwerk, Textil-, Glas- und Nahrungsmittelind.; nördlich von D. der fast ganz aus Eisenerz bestehende **Cerro del Mercado.**

Durante (Ser D.), italien. Dichter des 13. Jh.; als Schöpfer von »Il fiore« überliefert; die neuere Forschung sieht in D. auch den jugendl. (?) Dante.

Marguerite Duras

Duras [dy'ra], Marguerite, frz. Schriftstellerin, *Gia Dinh (Vietnam) 4. 4. 1914, †Paris 3. 3. 1996; lebte seit 1932 in Frankreich; vielseitige schriftsteller. und publizist. Arbeit, auch für Film und Fernsehen; wurde berühmt mit dem Drehbuch zu »Hiroshima, mon amour« (1959); das erzähler. Werk ist vom →Nouveau Roman beeinflusst, seine Hauptthemen sind die Unmöglichkeit der Liebe und der Tod: »Zerstören, sagt sie« (R., 1969); die späteren Romane tragen z. T. autobiograph. Züge: »Der Liebhaber« (1984), »Der Liebhaber aus Nordchina« (1991). Schrieb auch Dramen, u. a. »La musica« (1965). Filmregisseurin (u. a. »India song«, 1975; »Les enfants«, 1984).

Dura-Europos: Durchzug der Israeliten durch das Rote Meer (oben) und der verlassene Tempel (unten), Ausschnitt aus den Westwandfresken der Synagoge (3. Jh.; Damaskus, Nationalmuseum)

📖 KOLESCH, D. *u.* LEHNERT, G.: *M. D. München 1996.* – LEBELLEY, F.: *M. D. Ein Leben. A. d. Frz. Frankfurt am Main 1996.*

Durativ [lat.] *der,* Aktionsart des Verbs, die die Dauer eines Seins oder Geschehens ausdrückt (z. B. schlafen).

Durazzo, italien. Name für →Durrës.

Durban ['də:bən], größte Stadt der Prov. Kwa Zulu/Natal und bedeutendster Hafen der Rep. Südafrika, an der Natal Bay des Ind. Ozeans, 715 600 Ew. (als Agglomeration 1,14 Mio. Ew.), davon sind etwa die Hälfte Inder; Univ. und Colleges, botan. Garten, Aquarium (mit Delfinarium), Museen; Docks, Schiffbau, vielseitige Ind., Erdölraffinerie; internat. Flughafen. Viel besuchtes Seebad mit 8 km langem Sandstrand. – D. wurde 1824 als **Port Natal** gegr. und ist seit 1854 Stadt.

Durbridge ['də:brɪdʒ], Francis (Henry), engl. Schriftsteller, *Hull 23. 11. 1912, †London 11. 4. 1998; Verfasser konventioneller, häufig für das Fernsehen bearbeiteter Kriminalromane, darunter »Paul Temple jagt Rex« (1948), »Das Halstuch« (1960) und »Der Hehler« (1986).

Durchblutungsstörungen, Mangeldurchblutung von Geweben oder Organen. D. können durch organisch bedingte Einengungen, Verschlüsse von Arterien (entzündl. Gefäßwandverengungen, Arteriosklerose, Thrombose, Embolie) oder funktionelle Arterienverschlüsse (Gefäßkrämpfe der Fingerarterien infolge Kälteeinwirkung oder psych. Erregung) entstehen.

📖 DIENER, H.-C.: *Klinik u. Therapie zerebraler D. Weinheim u. a. ²1993.*

durchbrochene Arbeit, Kompositionstechnik, bei der die Motive einer Melodielinie nacheinander auf mehrere (Instrumental-)Stimmen verteilt sind, bes. charakteristisch für den Instrumentalsatz der Wiener Klassik.

Durchbruchblutung, Blutung aus der Gebärmutter, durch zu geringe Zufuhr von Östrogenen und Gestagenen während einer Hormonbehandlung (z. B. mit Ovulationshemmern).

Durchbruchspannung, die bei Überschreiten einer zulässigen Feldstärke den Isolierstoff z. T. zerstörende Spannung.

Durchfall (Diarrhö), *Medizin:* häufige Entleerung breiigen oder flüssigen, je nach Ursache auch mit Schleim, Eiter und Blut vermengten, meist vermehrten Stuhls. Der Flüssigkeitsverlust kann zu Austrocknung (Dehydration), Elektrolytverlust und Krämpfen führen. Die Ursachen sind sehr vielfältig: ernährungsbedingt, allergisch, infektiös (Bakterien, Viren, Protozoen), toxisch (durch Gifte), hormonell, medikamentös, enzymatisch, psychisch. Schwere **D.-Krankheiten** sind: Cholera, Typhus, Salmonelleninfektionen, Ruhr, Darmtuberkulose u. a. – *Behandlung:* Bettruhe, Nahrungskarenz, schwarzer Tee, medizin. Kohle, Diät, Wärme auf den Bauch, Arzneimittel (Antibiotika) je nach Ursache.

Der D. der Säuglinge **(Säuglingsdyspepsie)** ist Hauptsymptom der akuten Ernährungsstörung und in leichter Form die häufigste Darmerkrankung des Säuglingsalters; verursacht meist durch Infektionen des Verdauungskanals, aber auch durch allg. (z. B. Lungenentzündung) und örtl. (z. B. Mittelohrentzündung) Infekte. Kennzeichen sind Unruhe, verminderte Nahrungsaufnahme, Fieber, dünnflüssiger hellgelber oder grüner Stuhl. Wenn der D. nicht behoben wird, kann es schon in wenigen Stunden durch Wasser- und Elektrolytverarmung mit den Anzeichen welker Haut, Pulsbeschleunigung und Bluteindickung zu einem lebensbedrohl. Zustand kommen. – *Behandlung:* Diät (mit Traubenzucker gesüßter Tee, Schleimsuppen und Vitamine) und medikamentös durch Chemotherapeutika.

Durchfluss, Stoffmenge (Flüssigkeiten, Gase oder Schüttgut), die je Zeiteinheit einen bestimmten Querschnitt (normal zu den Stromlinien) durchfließt, gemessen in Masse/Zeit oder Volumen/Zeit.

Durchflutung, die Summe aller elektr. Ströme, die eine Fläche durchfließen:

$$\Theta = \int_A j_n \, \mathrm{d}A$$

(j_n – Stromdichte $\boldsymbol{j}$ bezüglich des Normalenvektors $\boldsymbol{n}$ eines Flächenelements dA). Die über eine geschlossene, einen oder mehrere Stromleiter umschließende Kurve berechnete magnet. Umlaufspannung $\oint \boldsymbol{H} \mathrm{d}\boldsymbol{s}$ ($\boldsymbol{H}$ – magnet. Feldstärke, d$\boldsymbol{s}$ – Wegelement) ist gleich der D. **(D.-Gesetz, ampèresches Verkettungsgesetz).** Bei der Berechnung des Magnetfeldes einer stromdurchflossenen geraden Spule (Stromstärke I, Länge l, Windungszahl n) nach dem D.-Gesetz ($H = nI/l$) heißt die D. $\Theta = nI$ veraltet auch **Amperewindungszahl.**

Durchforstung, *Forstwirtschaft:* Ausholzung schlecht geformter oder unterdrückter Stämme zugunsten der Bestandserziehung.

Durchführung, 1) *Elektrotechnik:* Isolierkörper (meist aus Porzellan) zur Hindurchführung einer elektr. Leitung durch die Wand eines Gebäudes oder Gerätes.

2) *Musik:* die Verarbeitung eines oder mehrerer Themen einer Komposition, bes. in der Fuge und in der Sonate.

Durchgang, *Astronomie:* 1) das Überschreiten des Meridians durch ein Gestirn (→Kulmination); 2) der Vorübergang der Planeten Merkur und Venus vor der Sonnenscheibe. Venus-D. sind sehr selten (viermal in 243 Jahren), der nächste findet im Jahre 2004 statt. Merkur-D. treten alle 3 bis 13 Jahre ein, der nächste 1999.

Durchgangsarzt (kurz D-Arzt), speziell zugelassener Unfallchirurg oder Orthopäde, bei dem nach Vorschrift der gesetzl. Unfallversicherung Verletzte bei Arbeitsunfällen vorgestellt werden müssen, für die die gesetzl. Unfallversicherung leistungspflichtig ist **(D.-Verfahren).**

Durchgangsinstrument (Passageinstrument), astronom. Instrument zur Zeitbestimmung durch Beobachtung der Meridiandurchgänge von Sternen; als um eine feste Ost-West-Achse drehbares Fernrohr 1689 vom Dänen Ole Römer erfunden.

Durchgangswiderstand, der elektr. Widerstand im Inneren von Isolierstoffen.

Durchgriff, bei Elektronenröhren mit Steuergittern ein Maß für den Einfluss der Anoden- auf die Steuerspannung.

Durchlaucht, Titel und Anrede für Fürsten.

durchlaufende Posten, Einnahmen eines Betriebes, die in gleicher Höhe an einen Dritten weitergegeben werden müssen.

Durchlauferhitzer, →Heißwasserbereiter.

Durchleuchtung, eine Form der →Röntgenuntersuchung.

Durchlüftungsgewebe, Zellgewebe, das bei höheren Pflanzen dem Gasaustausch der Innengewebe mit der Atmosphäre durch Poren dient, z.B. durch die Spaltöffnungen der Blattunterseite.

Durchmesser, Formelzeichen *d,* häufig verwendetes symbol. Zeichen Ø. I.e.S. jede durch den Mittelpunkt eines Kreises oder einer Kugel verlaufende gerade Verbindungsstrecke zweier Punkte der Kreislinie bzw. der Kugeloberfläche; i.w.S. Geraden, auf denen alle Mittelpunkte einer parallelen Sehnenschar eines Kegelschnitts liegen.

Durchmusterung, umfassender Sternkatalog, dessen Angaben zu Ort, Helligkeiten oder Spektralklasse auf Schätzungen beruhen. Beispiele sind die Bonner D. oder die Córdoba-Durchmusterung.

Durchsatz, Stoffmenge, die in einer bestimmten Zeit eine Maschine, Rohrleitung, Düse oder Anlage durchläuft; in der Informatik auch die Anzahl der bearbeiteten Aufträge.

Durchschlag, plötzl. unerwünschter Stromdurchgang durch die Isolierung von Geräten und Leitungen. Bei einem D. entlang der Oberfläche eines Isolators spricht man von einem **Überschlag.**

Durchschläger (Durchtreiber), Werkzeug zum Lochen von Blechen, glühenden dickeren Werkstücken (Schmiedetechnik), auch von Leder oder ähnl. Werkstoffen. Der D. wird mit einem Hammer durch das Werkstück getrieben.

Durchschlagfestigkeit, Maß für das Isoliervermögen von elektr. Isolierstoffen, angegeben in kV/cm.

Durchschlagsröhre, meist senkrechter, röhren- oder trichterförmiger vulkanischer Schlot mit meist rundl. Durchmesser, durch explosionsartigen Gasausbruch (z.T. auch mit Grundwasser oder Wasserdampf) entstanden und mit Tuffbrekzien und Nebengesteinsbrocken, z.T. auch mit vulkan. Festgestein erfüllt. D. sitzen tekton. Schwächezonen der Erdkruste (Spalten, Gänge) auf und stehen letztlich mit dem Erdmantel in Verbindung. Das an die Erdoberfläche ausgeworfene Material ist manchmal ringwallartig um den Schlotausgang aufgehäuft. Einen Sonderfall bilden die →Maare und die Pipes, diamantführende Kimberlitschlote (→Kimberlit).

Durchschnitt, 1) *Mengenlehre:* Der D. zweier Mengen A und B (Symbol $D = A \cap B$) ist die Menge der Elemente, die sowohl Element von A als auch von B sind.

2) *Statistik:* typischer oder repräsentativer Wert, meist der arithmet. →Mittelwert.

Durchschreibpapier, dünnes Papier mit farbabgebender Schicht (Kohlepapier), oft als **Selbst-D.** mit in der Papiermasse eingeschlossenen winzigen Farbbläschen, die bei Druck zerplatzen.

Durchschuss, *Buchdruck:* im Handsatz Blindmaterial zum Herstellen bzw. Vergrößern der Zeilenzwischenräume; auch der Zwischenraum selbst.

Durchstart, *Luftfahrt:* der Abbruch eines Landevorgangs, wobei die Triebwerke auf vollen Schub gebracht werden und das Flugzeug wieder an Höhe gewinnt.

Durchsuchung, *Strafverfahren:* das Durchsuchen von Wohnungen **(Haus-D.),** Personen oder Sachen durch die Polizei zur Ergreifung eines einer Straftat Verdächtigen oder zum Auffinden von Beweismitteln (→Beschlagnahme). Zuständig für die Anordnung der D. ist der Richter, bei Gefahr im Verzug die Staatsanwaltschaft und deren Hilfsbeamte (§§ 102–110 StPo). Man unterscheidet die D. bei Verdächtigen und die D. bei Nichtverdächtigen, im letzteren Falle sind die Zulässigkeitsvoraussetzungen ebenso verschärft wie bei nächtl. Haus-D. Bes. strenge Regeln gelten zum Schutz von Presseunternehmen. D.-Ermächtigungen enthalten ferner die ZPO, die Polizei-Ges. und die Wehr-Ges. – Im Wesentlichen übereinstimmend sind die *österr.* StPO (§§ 139–142) und das *schweizer.* Ges. über die Bundesstrafrechtspflege (§§ 67–71).

Durchsuchungsrecht, *Seekriegsrecht:* die Befugnis eines Krieg führenden, neutrale Handelsschiffe durch Kriegsschiffe auf hoher See anzuhalten, v.a. um ihre Ladung auf Banngut (Konterbande) zu durchsuchen.

Durchschläger

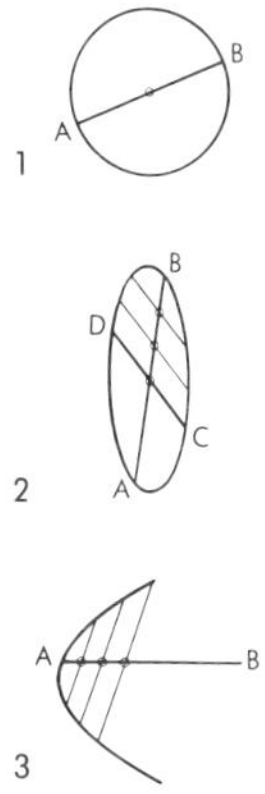

Durchmesser: 1 Durchmesser AB eines Kreises, 2 konjugierte Durchmesser AB und CD einer Ellipse (jeder Durchmesser halbiert die zu dem anderen parallelen Sehnen), 3 Durchmesser AB einer Parabel (Verbindung der Mittelpunkte einer Schar beliebiger paralleler Sehnen)

Durchwachsung, *Biologie:* 1) Blütenmissbildung, bei der die Achse nicht mit der Blüte endet, sondern darüber hinaus in eine neue Blüte oder einen Laubspross fortwächst; 2) das Auswachsen der Kartoffelknolle durch Ausläufer zu kettenförmig angeordneten kleinen Knollen (»Kindelbildung«).

Durchzugsrecht, das vertragliche Recht des Durchzugs fremder Streitkräfte durch das Gebiet eines Staates. Im Krieg ist den Neutralen die Gestattung des Durchzugs untersagt, bis auf den Transport von Verwundeten. Mitgl.staaten der UNO sind auf Anforderung des Sicherheitsrats verpflichtet, das D. für eine militär. Aktion der UNO zu gewähren.

Dürckheim, Karlfried Graf, eigtl. K. Graf D.-Montmartin, Psychotherapeut, *München 24. 10. 1896, †Todtmoos 28. 12. 1988; entwickelte eine existenzialpsycholog., christlich-myst. und zenbuddhist. Elemente einschließende Lehre und (»initiatische«) Therapie.

Werke: Japan und die Kultur der Stille (1950); Meditieren – wozu und wie (1976); Der Weg, die Wahrheit, das Leben (1981); Von der Erfahrung der Transzendenz (1984).

📖 WEHR, G.: *K. Graf D. Leben im Zeichen der Wandlung. Neuausg. Freiburg im Breisgau 1996.*

Düren, 1) Kreis im RegBez. Köln, NRW, 941 km², (1996) 259 100 Einwohner.

2) Krst. von 1), in NRW, an der mittleren Rur, 90 300 Ew.; Ind.stadt mit Papier-, Tuch-, Teppich-, Glas-, Zucker-, chem., Kunststoffind., Maschinen-, Apparate- und Automobilbau. – D., aus einer karoling. Königspfalz entstanden, 748 erstmals erwähnt, kam 1246 an die Grafschaft (das spätere Herzogtum) Jülich, 1614 an Frankreich, 1815 an Preußen. 1944/45 wurde die Altstadt zerstört.

Durendal [frz. dyrã'dal] (dt. Durandart, Durandarte, italien. Durindana), im altfrz. Rolandslied das wunderkräftige Schwert des Helden Roland.

Albrecht Dürer

Während seines zweiten Aufenthaltes in Venedig malte Dürer 1506 das »Rosenkranzfest«, das hundert Jahre später von Kaiser Rudolf II. gekauft wurde. Dieser war so besorgt um das Meisterwerk, dass er das fast zwei Meter lange Bild in Teppiche wickeln und mit Regenleinwand umhüllen ließ. In dieser Verpackung wurde es auf Stangen von Venedig in die Kaiserresidenz nach Prag getragen, wo es noch heute in der Nationalgalerie zu bewundern ist.

Dürer, Albrecht, Maler, Grafiker, Kunsttheoretiker, *Nürnberg 21. 5. 1471, †ebd. 6. 4. 1528; gilt als künstler. Repräsentant seiner Epoche, die ihre Wurzeln noch im spätmittelalterl. Handwerkertum hatte, die aber den geistigen Neuerungen, insbesondere den humanist. Strömungen der Reformation offen gegenüber standen. Aus Italien brachte D. das Selbstverständnis des Renaissancekünstlers mit und setzte die theoret. Erkenntnisse seiner Zeit in seinem Werk um. – 1485/86 erlernte D. das Goldschmiedehandwerk in der Werkstatt seines Vaters Albrecht D. d. Ä. (*1427, †1502), war Schüler M. Wolgemuts, dann Aufenthalt am Oberrhein, 1494/95 in Venedig (Landschaftsaquarelle). 1498 erschienen 15 Holzschnitte zur Apokalypse, 1504 der Kupferstich »Adam und Eva«, der ein erstes Ergebnis seiner Beschäftigung mit der Proportionslehre ist. 1501–10 entstand der Holzschnittzyklus »Marienleben«, 1496–98 und 1510 die »Große Passion«, 1509–11 die »Kleine Passion«, 1508–12 die »Kupferstichpassion«. Ab 1509 Ratsherr in Nürnberg, ab 1512 für Kaiser Maximilian tätig: Zeichnungen für Holzschnitte der »Ehrenpforte« und des »Großen Triumphwagens« sowie farbige Randfederzeichnungen zum Gebetbuch des Kaisers. Die humanistisch geprägten großen Kupferstiche »Ritter, Tod und Teufel« (1513), »Hl. Hieronymus« (1514) und »Melancolia« (1514) zählen zu seinen bedeutendsten Leistungen. Als Maler schuf D. Andachtsbilder und Altäre, u. a. den sog. Dresdner Altar (um 1496 ; Dresden, Gemäldegalerie), den Paumgartner-Altar (zw. 1498/1504; München, Alte Pinakothek), die »Anbetung der Könige« (1504; Florenz, Uffizien), »Rosenkranzfest« (1506; Prag, Nationalgalerie), »Allerheiligenbild« (1511; Wien, Kunsthistor. Museum), »Hl. Hieronymus« (1521; Lissabon, Museu de Arte Antigua). D. hat wesentl. Anteil an der Bildnismalerei; das Persönlichkeitsbewusstsein der Renaissance drückt sich in seinen Selbstbildnissen aus (1493, Paris, Louvre; 1498, Madrid, Prado; 1500, München, Alte Pinakothek). Während bzw. nach seiner 2. Venedigreise (1505–07) entstanden »Junge Venezianerin« (1505; Wien, Kunsthistor. Museum), »Michael Wolgemut« (1516; Nürnberg, German. Nationalmuseum), »Hieronymus Holzschuher« und »Jakob Muffel« (beide 1526; Berlin, Gemäldegalerie). 1526 vermachte D. seiner Vaterstadt u. a. die sog. »Vier Apostel« (München, Alte Pinakothek). Aus seiner Spätzeit stammen freie Entwürfe, so einer Kreuzigung und eines Holzschnitts des Abendmahls (1523). – D. verfasste zahlr. Schriften, u. a. »Underweysung der Messung mit dem Zirkel und Richtscheyt in Linien, Ebenen und ganzen Körpern« (1525); »Etliche Unterricht zur Befestigung der Stett, Schloß und Flecken« (1527); »Vier Bücher von menschlicher Proportion« (1528); »Tagebuch der Reise in die Niederlande, Familienchronik. Reime, Briefe an Pirkheimer aus Venedig« (1506).

📖 PANOFSKY, E.: *Das Leben u. die Kunst A. D.s. A. d. Engl. München 1977.* – ANZELEWSKY, F.: *A. D. Werk u. Wirkung. Stuttgart 1980.* – WÖLFFLIN,

Albrecht Dürer

| 1

| 2

| 3

| **1** Die vier Apostel; von links: Johannes, Petrus, Markus, Paulus (1526; München, Alte Pinakothek) | **2** Die Dreifaltigkeit (Holzschnitt, 1511; Berlin, Kupferstichkabinett)

| **3** Selbstbildnis mit der Binde, Ausschnitt (um 1492; Erlangen, Graphische Sammlung der Universitätsbibliothek Erlangen-Nürnberg)

H.: *Die Kunst A. D.s. München ^{9}1984.* – STRIEDER, P.: *D. Königstein im Taunus ^{2}1989.* – HUTCHINSON, J. C.: *A. D. Eine Biographie. A. d. Engl. Frankfurt am Main u. a. 1994.* – ULLMANN, E.: *A. D. Selbstbildnisse u. autobiograph. Schriften als Zeugnisse der Entwicklung seiner Persönlichkeit. Berlin 1994.* – KUTSCHBACH, D.: *A. D. Die Altäre. Stuttgart u. a. 1995.*

Du̱rga [Sanskrit »die schwer Zugängliche«] (auch Kali, Parvati, Devi), im Hinduismus als »Große Mutter« verehrte Hauptgöttin; Gattin des Shiva. Ihr Kult ist von z. T. sexuell geprägten Riten begleitet und durch Darbringung blutiger Tieropfer, früher auch Menschenopfer, gekennzeichnet.

📖 KINSLEY, D.: *Ind. Göttinnen. Weibl. Gottheiten im Hinduismus. A. d. Amerikan. Frankfurt am Main 1990.*

Du̱rgapur, Stadt im Bundesstaat West Bengal, Indien, 416 000 Ew., am Damodar; großes Stahlwerk, Kraftwerke.

Durham ['dʌrəm], John George Lambton, Earl of (seit 1833), brit. Politiker, *London 12. 4. 1792, †Cowes (Isle of Wight) 28. 7. 1840; wurde 1838 Generalgouverneur von Kanada und ebnete durch Befürwortung der Selbstverwaltung der Kolonien dem Commonwealth-Gedanken den Weg.

Durham ['dʌrəm], **1)** County in NO-England, 2 436 km^2, (1993) 607 500 Einwohner.

2) Stadt und Verw.sitz von 1), am Wear, 26 400 Ew.; Univ., Herstellung von Orgeln und elektrotechn. Zubehör, Kugellagerfabrik. – Kathedrale (1093 bis Ende 13. Jh.; bed. Bauwerk normannisch-roman. Architektur) und Burg (1072) wurden von der UNESCO zum Weltkulturerbe erklärt. BILD S. 414

Du̱rianbaum [malaiisch] (Durio zibethinus), Art der Wollbaumgewächse; bis 40 m hoher Baum mit waagerecht abstehenden Ästen. Die kopfgroßen, stacheligen, gelbbraunen Früchte haben zahlr. Samen mit wohlschmeckendem, aber übel riechendem Samenmantel **(Stinkfrüchte).** Der D. wird u. a. in Thailand und Malaysia angepflanzt.

Tilla Durieux

Durieux [dy'rjø], Tilla, eigtl. Ottilie Godefroy, Schauspielerin, *Wien 18. 8. 1880, †Berlin 21. 2. 1971; wirkte u. a. unter der Regie von M. Reinhardt in Rollen von Wilde, Wedekind, Shaw und Ibsen; 1934–52 im Exil; stiftete 1967 den D.-Schmuck für außergewöhnl. Leistungen einer Schauspielerin.

Émile Durkheim

Durkheim [dyr'kɛm], Émile, frz. Soziologe, *Épinal 15. 4. 1858, †Paris 15. 11. 1917; Prof. u. a. an der Sorbonne (seit 1902). Er deutete die Gesellschaft als vom »Kollektivbewusstsein« bestimmt,

Hans-Peter Dürr

Lawrence Durrell

das, obgleich von den Individuen erzeugt, auf diese einen überindividuellen sozialen Zwang durch seine normativen Verpflichtungen und Sanktionen ausübe (Gruppenmoral). Mit seinem Werk »Die Regeln der soziologischen Methode« (1895) entwickelte er die Soziologie als empir. Wissenschaft.

Weitere Werke: Über die Teilung der sozialen Arbeit (1893); Die elementaren Formen des religiösen Lebens (1912).

🕮 LUKES, S.: *É. D. His life and work. A historical and critical study. Neuausg. Harmondsworth 1992.* – VALJAVEC, F.: *É. D. Voraussetzungen u. Wirkungen, auf mehrere Bde. ber. München 1995.*

Durlach, seit 1938 Stadtteil von → Karlsruhe.

Durmitor *der,* höchster Gebirgsstock in Montenegro (Jugoslawien), im Bobotov kuk 2522 m ü. M.; seit 1957 Nationalpark (320 km²; UNESCO-Welterbe).

Dürnstein, Stadt in Niederösterreich, in der Wachau, am linken Ufer der Donau, 1030 Ew.; Weinbau; starker Ausflugsverkehr. – Ehem. Augustinerchorherrenstift (gegr. 1410) und Pfarrkirche wurden 1721–25 barockisiert. – Im 12. Jh. Anlage der Stadt und der Burg (heute Ruine); dort wurde 1192/93 der engl. König Richard Löwenherz gefangen gehalten. Seit 1491 Stadtrecht.

Duroplaste (Duromere), → Kunststoffe.

Dürr, 1) Hans-Peter, Physiker, * Stuttgart 7. 10. 1929; seit 1971 Direktor des Max-Planck-Inst. für Physik in München. Forschungen zur Elementarteilchenphysik; alternativer Nobelpreis 1987 für

Durham 2): Chormittelschiff der Kathedrale (1093 bis Ende 13. Jh., ausgebaut 15. Jh.)

Dürnstein: Hofseite des ehemaligen, 1410 gegründeten Augustinerchorherrenstifts

sein Engagement in der Friedensbewegung sowie seine Forschungen zum friedl. Einsatz von Hochtechnologien.

2) Ludwig, Luftschiffbauer, * Stuttgart 4. 6. 1878, † Friedrichshafen 1. 1. 1956; trat 1898 als Techniker in den Dienst des Grafen Zeppelin und wirkte beim Bau des ersten Luftschiffes mit; leitete seit 1904 den Bau aller weiteren Zeppelin-Luftschiffe, wobei er die Grundlagen für den Leichtbau schuf.

Durra [arab.] *die* (Durrha, Sorghum bicolor), Art der Sorghumhirse, für die menschl. Ernährung in den Tropen und Subtropen sehr wichtige, kleinfrüchtige Getreideart.

Durrell ['dʌrəl], Lawrence, engl. Schriftsteller, * Darjeeling (Indien) 27. 2. 1912, † Sommières (Dép. Gard) 7. 11. 1990; in sprachlich virtuosen Romanen (»Alexandria-Quartett« 1957–60; »Monsieur oder Der Fürst der Finsternis«, 1974; »Quix, or the ripper's tale«, 1985) Meister der Menschenschilderung; wurde auch als Lyriker (»Collected poems 1931–1974«, 1980) sowie als Verf. von Essays, Versdramen und Reiseberichten bekannt.

🕮 ROBINSON, J.: *L. D. Between love and death, between East and West. Worcestershire 1994.* – *L. D. Comprehending the whole, hg. v.* J. R. RAPER *u. a. Columbia, Miss., 1995.*

Dürrenberg, Bad, → Bad Dürrenberg.

Dürrenmatt, Friedrich, schweizer. Dramatiker und Erzähler, * Konolfingen (bei Bern) 5. 1. 1921, † Neuenburg 14. 12. 1990; bevorzugte die Komödie als »die einzig mögl. dramat. Form, heute das Tragische auszusagen« (»Romulus der Große«, Uraufführung 1949, Neufassung 1958; »Die Ehe des Herrn Mississippi«, 1954 und 1957; »Der Besuch der alten Dame«, 1956; »Frank V.«, 1960; »Die Physiker«, 1962; »Der Meteor«, 1966; »Der Mitmacher«, 1973; »Achteloo«, 1983); er vergegenwärtigte mit Ironie und Satire alle erstarrten Konventionen eines selbstgefälligen Kleinbürgertums. D.s Interesse galt dem mutigen Menschen, den er in

Gegensatz zur heroischen Heldengestalt sieht. Seine Helden sind ohne Illusionen über die Veränderbarkeit der Welt oder erfahren dies im Handeln oder im Rückzug aus ihr und bestehen sie durch Nichtverzweifeln, Nichtresignieren, Erkennen. Die Nichtberechenbarkeit der Welt ist auch ein Thema seiner Erzählungen und »Kriminalromane« (»Der Richter und sein Henker«, R., 1952; »Der Verdacht«, R., 1953; »Justiz«; R., 1985; »Durcheinandertal«, R., 1989). D. schrieb auch Hörspiele, die häufig zu Vorlagen seiner Dramen wurden, er veröffentlichte weiterhin »Theater – Schriften und Reden« (2 Bde., 1966–72). Im »Turmbau zu Babel« (1990) setzte er sich mit seinem Werk auseinander.

📖 Burkard, M.: *D. u. das Absurde. Gestalt u. Wandlung des Labyrinthischen in seinem Werk. Bern 1991.* – Tantow, L.: *F. D. Moralist u. Komödiant. München 1992.* – Knapp, G. P.: *F. D. Stuttgart u. a. ²1993.* – Goertz, H.: *F. D. Reinbek 1996.*

Durrës ['durrəs] (italien. Durazzo), Bezirksstadt, Seebad und wichtigster Hafen Albaniens, 85 400 Ew.; Werften, Maschinenbau, Tabakverarbeitung; südlich von D. Badestrand. – D., das altgrch. **Epidamnos** und röm. **Dyrrhachium,** war im Altertum Überfahrtsort von und nach Italien sowie Ausgangspunkt der **Via Egnatia** nach Saloniki und Byzanz; seit 1392 venezianisch, 1501–1912 türkisch.

Du Ry: Das von Simon Louis Du Ry 1769–76 erbaute Museum Fridericianum in Kassel

Dürrheim, Bad, → Bad Dürrheim.

Dur-Scharrukin, assyr. Stadt, → Chorsabad.

Durst, Empfindung, die mit dem Verlangen verbunden ist, Flüssigkeit in den Körper aufzunehmen. D. tritt normalerweise dann auf, wenn durch Wasserverluste (z. B. Schwitzen, Durchfall) oder durch Erhöhung des osmot. Drucks des Blutes (z. B. reichl. Kochsalzaufnahme) die Sekretion der Speichel- und Mundschleimhautdrüsen nachlässt und der Mund- und Rachenraum trocken wird. Das den Wasserbedarf des Körpers kontrollierende Zentrum ist das D.-Zentrum im Hypothalamus. Der tägl. Wasserbedarf des Menschen beträgt etwa 2 l, den er in Form von Flüssigkeit oder mit der aufgenommenen Nahrung decken kann. Schwerer D. (mit Wasserverlusten von 5–12 % des Körpergewichts) erzeugt bei gestörtem Allgemeinbefinden und quälendem Trinkbedürfnis u. a. Schleimhautrötungen und Hitzegefühl im Bereich von Augen, Nase, Mund und Rachen, D.-Fieber, dann Versagen der Schweiß- und Harnsekretion.

Du Ry [dy'ri], frz. Baumeisterfamilie, als Hugenotten nach den Niederlanden und Hessen ausgewandert. Paul (* 1640, † 1714), im Dienst des hess. Landgrafen, baute in Kassel die Karlskirche und war am Bau der Orangerie beteiligt; sein Enkel Simon Louis (* 1726, † 1799) wurde in Kassel Hofbaumeister, schuf ebd. in barockem Klassizismus die neue Stadtanlage, das Museum Fridericianum sowie Teile von Schloss Wilhelmshöhe.

Duschan (serb. Dušan), serb. Zar, → Stephan.

Duschanbe (1929–61 Stalinabad), Hptst. von Tadschikistan, im Gissartal, 595 000 Ew.; Univ., mehrere Hochschulen, Akademie der Wiss., Planetarium; Baumwoll-, Nahrungsmittel-, Maschinenbau-, Schuhindustrie; Verkehrsknotenpunkt, internat. Flughafen.

Dusche [frz.] (Brause), Wasseranwendung zur Körperreinigung, auch zur Heilbehandlung. Das Wasser wird in feinen Strahlen oder zerstäubt, auch dampfförmig, auf den Körper geleitet. Kurze kalte oder wechselwarme D. (2–3 Sekunden) wirken anregend und kreislauffördernd. Lauwarme D. (28–36°) wirken beruhigend.

Duse, Eleonora, italien. Schauspielerin, * Vigevano (Prov. Pavia) 3. 10. 1858, † Pittsburgh (Pa.) 21. 4. 1924; erste Erfolge in Italien, seit 1892 auch im Ausland; eine der größten Charakterdarstellerinnen ihrer Zeit in Rollen von Dumas, Ibsen, Maeterlinck und ihres Freunds D'Annunzio.

📖 Maurer, D.: *E. D. Reinbek 1988.* – *E. D. (1859–1924). Ein Leben für die Kunst, hg. v.* F. W. Nielsen. *Freiburg im Breisgau ³1994.*

Düse, Verengung eines Strömungskanals zur praktisch verlustlosen Umwandlung von Druckenergie (potenzieller Energie) eines hindurchströmenden Fluids in Bewegungsenergie (kinet. Energie), d. h. das Fluid wird beschleunigt. Bei Gasen werden D. verwendet, die sich erst verengen und anschließend wieder erweitern **(Laval-D.).** Im engsten Querschnitt kann Schallgeschwindigkeit erreicht werden. D. werden verwendet zur Erzeugung kompakter Flüssigkeits-, Dampf- oder Gasstrahlen (z. B. in Wasser- oder Dampfturbinen, Strahltriebwerken, Mundstücken von Feuerlöschgeräten), zur Verteilung durchströmender Produkte in einer bestimmten Form, meist als feine Tröpfchen (Zerstäubung, z. B. in Diesel- und Einspritz-Ottomotoren, Brennern für Ölfeuerungen, Spritzpistolen), zum Mischen von Flüssigkeiten in

Friedrich Dürrenmatt

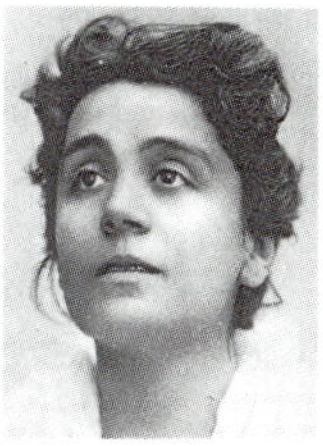

Eleonora Duse

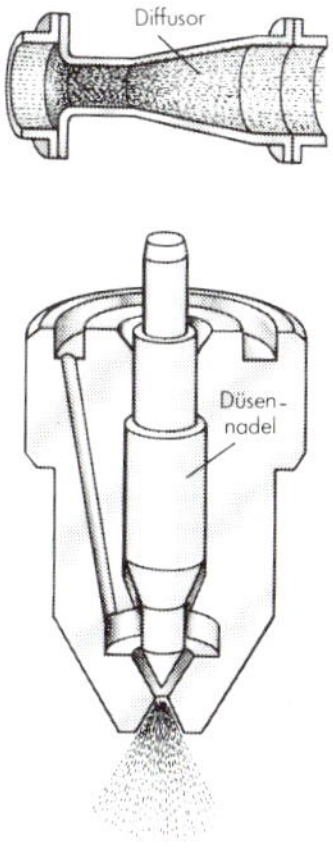

Düse: Lavaldüse (oben) und Einspritzdüse

geschlossenen Leitungen (z.B. Strahlapparate), zum Messen des Durchflusses in geschlossenen Leitungen **(Venturi-D.)** oder zur Herstellung von Chemiefasern (Spinndüse).

Düsenantrieb (Düsentriebwerk), umgangssprachl. Bez. für →Strahltriebwerk.

Düsenflugzeug, umgangssprachliche Bez. für Flugzeug mit →Strahltriebwerk.

Dụssek, Johann Ladislaus, böhm. Pianist und Komponist, *Čáslav (Mittelböhm. Gebiet) 12. 2. 1760, †Saint-Germain-en-Laye 20. 3. 1812; frühromant. Kompositionen, bes. Klaviermusik.

Dụsseldorf, 1) RegBez. in NRW, 5289 km^2, (1996) 5,287 Mio. Ew.; besteht aus den Kreisen Kleve, Mettmann, Neuss, Viersen und Wesel sowie den kreisfreien Städten D., Duisburg, Essen, Krefeld, Mönchengladbach, Mülheim an der Ruhr, Oberhausen, Remscheid, Solingen, Wuppertal.

📖 *Staat u. Wirtschaft an Rhein u. Ruhr. 1816–1991. 175 Jahre Regierungsbezirk D., hg. v.* H. Hoebink. *Essen 1992.*

Düsseldorf 2)
Stadtwappen

2) Hptst. des Landes NRW und des RegBez. D., kreisfreie Stadt, am Rhein zw. Köln und Duisburg gelegen, 570800 Ew.; Sitz der Rheinisch-Westfäl. Börse und wichtiger Verbände und Organisationen von Wirtschaft und Technik, Kongress- und Ausstellungsstadt. Zahlr. Behörden, u.a. Landesreg., Landtag, Regierungspräs., Oberfinanzdirektion, OLG; Univ., Staatl. Kunstakademie, Hochschule für Musik, europ. Wirtschaftshochschule, FH, Verw.- und Wirtschaftsakademie, Max-Planck-Institut für Eisenforschung, Werkkunstschule; naturwiss. Museen, Kunst-, Goethemuseum, Kunstsammlung NRW, Landesbibliothek, Opernhaus, Schauspielhaus u.a. Theater, z.B. das »Kom[m]ödchen«; Ausstellungsgelände. D. nimmt im rheinisch-westfäl. Industriegebiet auch durch seine günstige Verkehrslage eine hervorragende Stellung ein: Rheinhafen, Flughafen, U-Bahn. Ind.standort für Maschinen- und Fahrzeugbau, Stahl- und Eisenind., elektrotechn., chem., Papier-, Glasind.; Druckereien und Verlage, Brauereien; internat. Großhandel (Eisen, Stahl und Röhren, Damenoberbekleidung).

Rudi Dutschke

Großzügige Park- und Stadtanlagen des Klassizismus bestimmen das Stadtbild, berühmt u.a. die Königsallee (»Kö«). Die Altstadt (v.a. 17.–19. Jh.), im 2. Weltkrieg stark zerstört, wurde wieder aufgebaut: got. Stiftskirche St. Lambertus (1288–1394), St.-Andreas-Pfarrkirche (17. Jh.), spätgot. Altes Rathaus (1570–73); am Hofgarten Schloss Jägerhof (1752–63; heute Goethe-Museum). Die moderne Architektur begann mit dem Bau des Kaufhauses Tietz (heute Kaufhof, 1907–09), dem Mannesmann-Haus (1911–12), dem Stumm-Haus (1922) u.a. Nach 1945 entstanden u.a. das Thyssen-Hochhaus (1957–60; »Dreischeibenhaus«), das Schauspielhaus (1965–69) und der Neubau für die Kunstsamml. NRW (1979–86). In der parallel zum Rhein gelegenen Parkanlage u.a. das Kunstmuseum und der Kuppelbau des ehem. Planetariums, heute Tonhalle. Im Rheinpark Bilk der 234,20 m hohe Fernsehturm sowie der neue Landtag (1988). – D. fiel um 1190 an die Grafen von Berg und erhielt 1288 Stadtrecht. Seit Ende 15. Jh. berg. Residenz, fiel mit Jülich-Berg 1614 an Pfalz-Neuburg und war bis 1716 Haupt- und Residenzstadt (Blüte seit 1679 unter Kurfürst Johann Wilhelm II.); 1801–06 bayrisch. 1806 wurde D. Hptst. des napoleon. Großherzogtums Berg, 1815 kam es an Preußen. 1909 wurden Gerresheim (romanisch-got. Stiftskirche), 1929 →Kaiserswerth und Benrath (Rokokoschloss; Museum) eingemeindet. Seit 1946 Landeshptst. von NRW.

Gottlieb Duttweiler

📖 Schürmann, S.: *D. Eine moderne Landeshauptstadt mit 700jähriger Geschichte u. Kultur. Köln ^{2}1989. – D. Geschichte von den Ursprüngen bis ins 20. Jh., hg. v.* H. Weidenhaupt, *4 Bde. Düsseldorf ^{2}1990.*

Dụsseldorfer Tabẹlle, vom Oberlandesgericht Düsseldorf zur einfacheren Berechnung von gesetzl. Unterhaltsansprüchen ausgearbeitete, alle zwei Jahre überarbeitete Tabelle. Obgleich in der Gerichtspraxis von großer Bedeutung, besitzt die D. T. keine Rechtsverbindlichkeit.

Duszniki Zdroj [duʃˈniki ˈzdruj] (dt. Bad Reinerz), Stadt in der poln. Wwschaft Wałbrzych (Waldenburg), im Glatzer Bergland in Niederschlesien, 550 m ü.M., 6200 Ew.; Kurort (Eisenquellen); elektrotechn., Glasind.; Papiermühle (1605; heute Papiermuseum).

Dutilleux [dytiˈjø], Henri, frz. Komponist, *Angers 22. 1. 1916; schuf Ballette (»Le loup«, 1953; »Summer's End«, 1981), zwei Sinfonien u.a. Orchesterwerke, Kammer- und Klaviermusik.

Dụtschke, Rudolf (Rudi), Studentenführer, *Schönefeld (heute zur Gem. Nuthe-Urstromtal, Landkr. Teltow-Fläming) 7. 3. 1940, †Århus 24. 12. 1979; 1961–68 Student an der FU Berlin, Mitgl. des Sozialist. Dt. Studentenbundes (SDS), organisierte als Agitator der APO student. Protestaktionen und forderte die auf Veränderung drängenden Kräfte auf, mit »einem Marsch durch die Institutionen« das »repressive System« der Bundesrep. Dtl. allmählich abzubauen. 1968 wurde er bei einem Attentat schwer verletzt; er starb an dessen Spätfolgen.

📖 Chaussy, U.: *Die drei Leben des R. D. Eine Biographie. Berlin 1993.* – Dutschke, G.: *Wir hatten ein barbarisches, schönes Leben. R. D. Eine Biographie. Köln 1996.*

Dụttweiler, Gottlieb, schweizer. Unternehmer und Sozialpolitiker, *Zürich 15. 8. 1888, †ebd. 8. 6. 1962; baute (ab 1925) aus sozialen Gründen ein neues Verkaufssystem (→Migros-Genossenschafts-Bund) auf. 1935–40 und 1943–49 war D. Abg. des von ihm gegr. »Landesrings der Unabhängigen« im Nationalrat.

Dutyfreeshops ['dju:tɪfri:ʃɔp, engl.] *der* (Taxfreeshops), Läden, bes. auf Flughäfen, Fähren, im Hafenbereich, in denen Waren ohne Belastung durch Verbrauchsteuern, Zölle und andere Abgaben von Reisenden auf internat. Routen gekauft werden können.

Dutzend [von lat. duodecim »zwölf«], Abk. **Dtzd.**, altes Zählmaß, 1 Dtzd. = 12 Stück.

Duun [du:n], Olav, norweg. Schriftsteller, *Fosnes (Nord-Trøndelag) 21. 11. 1876, †Holmestrand (Vestfold) 13. 9. 1939; Bauernsohn, Volksschullehrer, schilderte nord. Natur und norweg. Bauern, bes. in seiner 400 Jahre umgreifenden Familiengeschichte »Die Juwikinger« (1918–23).

Duvalier [dyval'je], **1)** François, haitian. Politiker, *Port-au-Prince 14. 4. 1907, †ebd. 21. 4. 1971, Vater von 2); Arzt, 1957 zum Präs. gewählt; herrschte, gestützt auf eine Privatarmee, die »Tontons Macoute«, unumschränkt und machte sich 1964 zum Präs. auf Lebenszeit. Das Regime D.s trug starke Züge einer persönl. Willkürherrschaft.

2) Jean-Claude, haitian. Politiker, *Port-au-Prince 3. 7. 1951, Sohn von 1); vom Vater zum Nachfolger im Präsidentenamt ernannt, musste nach schweren Unruhen 1986 Haiti verlassen.

Duve [dy:v], Christian René de, belg. Biochemiker, *Thames Ditton (Cty. Surrey) 2. 10. 1917; entdeckte die Lysosomen und die Peroxysomen. 1974 erhielt er hierfür mit A. Claude und G. E. Palade den Nobelpreis für Physiologie oder Medizin.

Duverger [dyvɛr'ʒe], Maurice, frz. Soziologe, *Angoulême 5. 6. 1917; wurde 1946 Prof. in Bordeaux, 1949 in Paris; unternahm rechtssoziolog. und politikwiss. Untersuchungen (z.B. zur Parteienforschung).

Du Vergier de Hauranne [dyvɛr'ʒjedəɔ'ran], Jean, auch Saint-Cyran, Pseudonym Petrus Aurelius, frz. Theologe, *Bayonne 1581, †Paris 11. 10. 1643; seit 1621 Abt von Saint-Cyran, 1638–43 von Richelieu gefangen gesetzt; nahm wesentl. Einfluss auf die Entwicklung seines Freundes Jansenius und schloss sich 1620 dem Jansenismus an.

Duvetine [dyf'ti:n, frz.] *der,* Samtimitation (→Samt).

Duvivier [dyvi'vje], Julien, frz. Filmregisseur, *Lille 8. 10. 1896, †Paris 29. 10. 1967; urspr. Bühnenschauspieler, seit 1924 beim Film, führte Regie u.a. in »Spiel der Erinnerung« (1937), »Unter dem Himmel von Paris« (1951), Filme um »Don Camillo und Peppone« (1952–53).

Dux, tschech. Stadt, →Duchcov.

Dux [lat. »Führer«] *der,* **1)** *Geschichte:* in der spätröm. Kaiserzeit der Befehlshaber eines Heeresteils, seit Diokletian der militär. Oberbefehlshaber einer Prov.; im MA. lat. Bez. für den Herzog.

2) *Musik:* Thema der Fuge in der Grundform.

DVA, Abk. für **D**eutsche **V**erlags**a**nstalt, Stuttgart.

Dvaita [altind. »Zweiheit«], die Lehre der ind. Vedanta-Philosophie, dass die Wirklichkeit in eine seelisch-geistige und eine materielle gespalten sei; bes. im 13. Jh. von Madhva und Nimbarka vertreten. – Ggs.: →Advaita.

DVD [Abk. für engl. **d**igital **v**ideo **d**isc], Disc zum Speichern von Filmen. Durch ein- oder zweifache Beschichtung und ein- oder zweiseitige Beschreibung sind derzeit 4,7 Gigabit Speicherkapazität möglich, sie soll auf 10 Gigabit erhöht werden. Zum Ablesen sind spezielle, kurzwellige Laser-Abtastsysteme (z.B. blau-lila Halbleiterlaser) nötig.

Dvořák ['dvɔrʒa:k], **1)** Antonín, tschech. Komponist, *Nelahozeves (bei Prag) 8. 9. 1841, †Prag 1. 5. 1904; einer der bedeutendsten tschech. Komponisten des 19. Jahrhunderts. Seine Musik, von urwüchsiger Lebendigkeit und melod. Fülle, wurzelt tief in der tschech. Folklore.

Werke: Orchesterwerke: 9 Sinfonien, darunter die neunte (gedruckt als Nr. 5) in e-Moll »Aus der Neuen Welt« (1893), Ouvertüren, sinfonische Dichtungen, Slawische Rhapsodien und Tänze; Violoncellokonzert h-Moll. – Kammermusik: 14 Streichquartette, 3 Streichquintette und 1 Streichsextett, 3 Klaviertrios, 2 Klavierquartette, Klavierquintett; Klavierwerke, Lieder, darunter Zigeunerlieder, bibl. Gesänge. – Opern: Rusalka (1900) u.a. Chorwerke (Stabat Mater, Messe, Requiem, Tedeum).

📖 HONOLKA, K.: *A. D. Reinbek 36.–38. Tsd. 1994.*

2) Max, Kunsthistoriker, *Raudnitz (heute Roudnice nad Labem, Nordböhm. Gebiet) 24. 6. 1874, †Schloss Grusbach bei Znaim 8. 2. 1921; Prof. in Wien; bedeutend durch seine geistesgeschichtl. Betrachtung der Kunst (»Kunstgeschichte als Geistesgeschichte«, 1924).

DVP, Abk. für →**D**eutsche **V**olks**p**artei.

dw, Abk. für →**D**ead**w**eight.

dwars, *Schifffahrt:* querab, rechtwinkelig zur Schiffslängsachse.

Dwina *die,* **1) Nördliche D.,** russ. **Sewernaja D.,** Fluss im N des europ. Teils von Russland, entsteht durch Zusammenfluss von Suchona und Jug, von hier 744 km lang, mündet bei Archangelsk in die **D.-Bucht** des Weißen Meeres; schiffbar. Trotz langer Eisbedeckung (160–180 Tage) hat die D. große Bedeutung für den Holztransport nach Archangelsk. Das D.-Kanalsystem (136 km) verbindet die Wolga mit der Suchona.

2) Westliche D., Zufluss der Rigaer Bucht, →Düna.

Dwinger, Edwin Erich, Schriftsteller, *Kiel 23. 4. 1898, †Gmund 17. 12. 1981; schrieb mit natio-

Christian de Duve

Antonín Dvořák

nalist. Tendenz über seine Erlebnisse im 1. Weltkrieg (»Die Armee hinter Stacheldraht«, 1929).

DWR, Abk. für **D**ruck**w**asser**r**eaktor, ein →Kernreaktor.

Dy, chem. Symbol für das Element →Dysprosium.

Dy [schwed. »Braunschlamm«] *der,* aus Pflanzenresten und v.a. aus ausgeflocktem Humus gebildetes Sediment in sauren, nährstoffarmen Seen.

dyadisches System [zu grch. dyás »Zweiheit«] (Dyadik), das →Dualsystem.

Dyba, Johannes, kath. Theologe, *Berlin 15. 9. 1929; seit 1983 Bischof von Fulda.

Dyck [dɛjk], Sir (seit 1632) Anthonis van, fläm. Maler, *Antwerpen 22. 3. 1599, †London 9. 12.

Anthonis van Dyck: »König Karl I. mit Reitknecht und Page« (um 1635; Paris, Louvre)

1641; Schüler und Mitarbeiter von Rubens, dann in England und Italien tätig, wo er vor allem die Werke Tizians, Giorgiones und Veroneses studierte und in Genua Porträts des Stadtadels malte, seit 1632 Hofmaler Karls I. von England. Seine von Rubens ausgehenden, mit lebhaftem Temperament gemalten religiösen Bilder zeigen zugespitzte Formen und brauntonige, venezianisch satte Farben. Weicher Gefühlsausdruck geht allmählich zu gedämpfter Pathetik religiöser Empfindsamkeit über. Der ausgewogene Stil seiner scharf beobachteten Porträts wandelte sich in England zu verfeinerter Vornehmheit, aristokrat. Haltung und verklingenden Farbandeutungen.

Werke: Gefangennahme Christi (um 1623–27; Madrid, Prado); Susanna im Bade (um 1623–27; München, Alte Pinakothek); Kardinal Bentivoglio (um 1623; Florenz, Palazzo Pitti); Gruppenporträt der engl. Königsfamilie (1637; Schloss Windsor); Martyrium des Hl. Sebastian (um 1616–18; Paris, Louvre). »Ikonographie«, 100 radierte Porträts berühmter Zeitgenossen nach D.s Vorlagen (um 1630, 1. vollständige Ausgabe 1645).

Bob Dylan

📖 Larsen, E.: *The paintings of Anthony van Dyck, 2 Bde. Freren 1988.* – Billeter, F.: *Zur künstler. Auseinandersetzung innerhalb des Rubenskreises. Eine Untersuchung am Beispiel früher Historienbilder Jacob Jordaens' u. A. V. D.s. Frankfurt am Main u. a. 1993.*

Dyfed ['davɪd], ehem. Cty. in SW-Wales, heute geteilt in die VerwBez. Ceredigion, Carmarthenshire und Pembrokeshire.

Dylan ['dɪlən], Bob, eigtl. Robert Zimmermann, amerikan. Folksonginterpret und -komponist, *Duluth (Minn.) 24. 5. 1941; schloss sich der Bürgerrechtsbewegung an; war bed. für die Entwicklung des Protestsongs Anfang der 60er-Jahre wie für den Folk- und Countryrock seit 1964/65.

📖 Williams, P.: *Like a Rolling Stone. Die Musik von B. D. 1960–1973. A. d. Amerikan. Heidelberg 1994.*

Dylewska Góra [di'lɛfska 'gura], poln. Name für →Kernsdorfer Höhe.

Dyn [grch.] *das,* Einheitenzeichen **dyn,** nichtgesetzliche Einheit der Kraft im CGS-System; $1\,\mathrm{dyn} = 1\,\mathrm{g} \cdot \mathrm{cm/s^2} = 10^{-5}\,\mathrm{N}$.

Dynamik [grch.] *die,* **1)** *allg.:* Triebkraft, auf Veränderung gerichtete Kraft.

2) *Elektroakustik:* Verhältnis zw. der größten und der kleinsten Amplitude elektr. oder akust. Signale, meist in Dezibel (dB) angegeben.

3) *Musik:* Differenzierung der Tonstärke, ausgehend von den extremen Tönen eines Instruments, die den dynam. Bereich begrenzen.

4) *Physik:* Lehre von der Bewegung (Zustandsänderung) physikal. Systeme unter dem Einfluss innerer oder äußerer Kräfte bzw. Wechselwirkungen; i.e.S. der Teil der Mechanik, der die Änderung des Bewegungszustandes von Körpern durch Kräfte behandelt, im Ggs. zur Statik und Kinematik. Grundlage ist das 2. →newtonsche Axiom.

dynamischer Druck, →Staudruck.

Dynamit [grch.] *das,* Bez. für vorwiegend aus Nitroglycerin bestehende Sprengstoffgemische, z.B. das von A. Nobel 1867 erfundene **Gur-D.** (75% Nitroglycerin, 25% Kieselgur). D. wurden v.a. durch →Ammon-Gelite ersetzt.

Dynamit Nobel AG, →Metallgesellschaft AG.

Dynamo [auch dy-] *der,* selbsterregender Gleichstrom-Generator (→Generator), z.B. Fahrraddynamo.

Dynamometer [grch.] *das,* **1)** *Elektrotechnik:* (Elektro-D.) →elektrodynamisches Instrument.

2) *Messtechnik:* Gerät, bei dem die elast. Verformung eines Messfühlers (z. B. Feder, Torsionsstab, Dehnungsmessstreifen) zur Bestimmung von Kräften oder Drehmomenten dient. Das **Brems-D.** greift direkt am Umfang einer Scheibe an und misst das von einer laufenden Maschine abgegebene Drehmoment über eine Reibungsbremse.

Dynamotheorie, Theorie zur Erklärung des Auftretens von Magnetfeldern in Erde, Planeten, Sternen sowie im interstellaren Raum mittels magnetohydrodynam. Vorstellungen entsprechend dem Verhalten eines selbsterregenden Dynamos.

Dynast [grch. »Fürst«, »Herrscher«] *der,* allg. Bez. für den regierenden Angehörigen einer Dynastie.

Dynastie *die,* Herrscherfamilie, Fürstenhaus, das durch Erbfolge über mehrere Generationen den Landesherrn stellt.

Dynode [grch.] *die* (Prallelektrode), spezielle Elektrode in einem →Sekundärelektronenvervielfacher.

Dyopol [grch. dýo »zwei«] *das,* Marktform, bei der nur zwei Anbieter auftreten (bei zwei Nachfragern: **Dyopson,** bei je zwei Anbietern und Nachfragern: **bilaterales D.**). Infolge der gegenseitigen Abhängigkeit der beiden Dyopolisten ist die Preisbildung bes. schwierig.

dys... [grch.], miss..., übel...

Dysarthrie [grch.] *die,* Störung der Sprachartikulation infolge Schädigung des Nervensystems.

Dysenterie [grch.] *die,* →Ruhr.

Dyshidrose [grch.] *die, Medizin:* 1) Störung der Schweißabsonderung; 2) bläschenförmiger Ausschlag an Händen und Füßen.

Dyskinesie [grch.] *die, Medizin:* Funktionsstörung des Bewegungsablaufs v. a. bei Hohlorganen; z. B. D. der Gallenblase, erschwerter Gallenabfluss, häufig bei vegetativer Dystonie.

Dysmelie [grch.] *die,* Gliedmaßenmissbildung, die während der Embryonalentwicklung entsteht (→Embryopathie, →Phokomelie, →Thalidomid).

Dysmenorrhö [grch.] *die,* Schmerzhaftigkeit der →Menstruation.

Dysodil [grch.] *das,* die →Blätterkohle.

Dyspepsie [grch.] *die,* →Verdauungsstörung. D. bei Säuglingen, →Durchfall.

Dysphagie [grch.] *die,* Behinderung des Schluckvorgangs; Anzeichen bei Speiseröhrenerkrankungen.

Dysphasie [grch.] *die,* hirnorganisch bedingte Sprachstörung.

Dysphonie [grch.] *die,* Stimmstörung; Symptom der D. ist eine heisere, raue, unreine oder belegte Stimme.

Dysplasie [grch.] *die,* Fehlbildung eines Gewebes oder Organs mit ungenügender Differenzierung.

Dyspnoe [grch.] *die,* die →Atemnot.

Dysprosium [grch.] *das,* **Dy,** metall. Element aus der Gruppe der →Lanthanoide. Ordnungszahl 66, rel. Atommasse 166,50, Dichte 8,559 g/cm³, Schmelzpunkt 1407 °C, Siedepunkt ca. 2600 °C. – Das silberglänzende D. tritt drei- und vierwertig auf, die entsprechenden Verbindungen sind schwach gelb bis grünlich bzw. tief orangegelb gefärbt. Es wird im Reaktorbau und für magnet. Werkstoffe verwendet.

Dynastie

Die älteste noch bestehende Dynastie ist die der japanischen Kaiser. Am 11. Februar 660 v. Chr. soll der sagenhafte Jimmu Tenno, Abkömmling der Sonnengöttin Ametarasu, den japanischen Thron bestiegen haben. Er ist der Ahnherr der heute noch bestehenden Dynastie. Allerdings musste der Tenno auf Verlangen der Amerikaner am 1. Januar 1946 offiziell die Göttlichkeit der Person des Kaisers verneinen.

Dysteleologie [grch.] *die,* von E. Haeckel begründete Lehre von der Unzweckmäßigkeit bzw. Ziellosigkeit stammesgeschichtlicher Entwicklungsvorgänge, ersichtlich an bestimmten Formen (z. B. Wurmfortsatz am Blinddarm), und Verhaltensweisen, die nicht mit der →Teleologie vereinbar erscheinen.

Dystonie [grch.] *die,* Störung des normalen Spannungszustandes der Muskeln und Gefäße. Wird D. durch Fehlregulationen des vegetativen Nervensystems und seiner Steuerungszentren im Zwischenhirn ausgelöst, spricht man von →vegetativer Dystonie.

Dystrophie [grch.] *die, Medizin:* Ernährungsstörung (→Hungerkrankheiten). Die **D. beim Säugling** ist eine mit unzureichender Gewichts- und Größenzunahme verbundene Entwicklungsstörung. Ursachen sind Nahrungsmangel, Fehlernährung (→Mehlnährschaden, →Milchnährschaden), häufige Durchfälle, Infektionen.

dz, Einheitenzeichen für →**D**oppel**z**entner.

Džamonja [dʒ...], Dušan, makedon. Bildhauer, *Strumica 31. 1. 1928; schuf große Eisen- und Steinplastiken sowie Skulpturen, bei denen ein Holzkern von Nagelstrukturen ummantelt ist.

Dzierżoniów [dʒɛrˈʒɔnjuf] (dt. Reichenbach im Eulengebirge), Stadt in der polnischen Wwschaft Wałbrzych (Waldenburg), in Niederschlesien, 37 900 Ew.; elektrotechn., Textilind., Maschinenbau. – Wurde 1250 als Stadt gegründet.

D-Zug (Schnellzug), Reisezug mit Durchgangswagen (D) und wenig Aufenthalten. Seit 1988 werden D. im innerdeutschen Verkehr zunehmend durch Interregio- oder Intercityzüge, im internationalen durch Eurocityzüge ersetzt. D. werden v. a. noch als Nachtzüge eingesetzt.

E

Altsemitisch Altgriechisch Römische Kapitalschrift Unziale und karoling. Minuskel

Antonio dos Santos Ramalho Eanes

e, E, 1) Vokal (→Laut); der 5. Buchstabe des dt. Alphabets, entstanden aus dem grch. →Epsilon.

2) *Formelzeichen:* *E* für die Energie, ***E*** für die elektrische Feldstärke; *e* für die →Elementarladung.

3) *Mathematik:* **e,** Symbol für die transzendente **e**ulersche Zahl e = 2,71828..., die sich u. a. als Grenzwert der Folge $(1+1/n)^n$ mit $n \to \infty$ darstellen lässt. e ist die Basis der Exponentialfunktion und der natürl. Logarithmen.

4) *Münzwesen:* Kennbuchstabe auf dt. Münzen für die Münzstätte Dresden (1872–87) bzw. Muldenhütten (Hilbersdorf, Kr. Freiberg, Sachsen; 1887–1953), auf preuß. Münzen (1751–1809) für Königsberg, auf österr. Münzen (1781–1868) für Karlsburg (heute Alba Iulia), auf frz. für Tours.

5) *Musik:* **E,** der dritte Ton der C-Dur-Tonleiter; **e,** Zeichen. für **e**-Moll; **E,** Zeichen für **E**-Dur.

6) *Physik:* **e,** Symbol für das →Elektron (e^-) und das →Positron (e^+).

7) *Vorsatzzeichen:* **E** für →**Ex**a.

Druckschriftvarianten des Buchstabens **E**

4 012345 003154

EAN-System: Artikelnummer und Strichcode

E 605®, Handelsname für das Insektizid →Parathion.

Ea, babylonisch-assyr. Gott des unterird. Süßwasserozeans (Apsu), Gott der Weisheit und des Rates, der Magie und der Kunstfertigkeit. Hauptkultstätte war Eridu im südl. Babylonien. Ihm entspricht der Gott **Enki** der Sumerer.

E/A, *Datenverarbeitung:* Abk. für **E**ingabe/**A**usgabe.

Eagle [i:gl; engl. »Adler«, nach dem Münzbild] *der,* Hauptgoldmünze der USA, Zehndollarstück (1792–1933).

Eanes [ɪ'anɪʃ], Antonio dos Santos Ramalho E., portugies. General und Politiker, *Alcains (bei Castelo Branco) 25. 1. 1935; unterstützte die Revolution vom 25. 4. 1974. Als Generalstabschef (1976–81) führte er die Entpolitisierung der Streitkräfte durch, als Staatspräs. (1976–86) suchte er die demokrat. Impulse der Revolution zu bewahren.

EAN-System, Abk. für **E**uropäische **A**rtikel-**N**ummerierung, 1977 eingeführtes, in allen Bereichen der Konsumgüterindustrie verwendbares internat. System zur Kennzeichnung von Erzeugnissen. Es besteht aus einer 13-stelligen Zahl in OCRB-Schrift **(EAN-Nummer).** Zur Produktkennzeichnung wird die EAN-Nummer im **EAN-Strichcode** verschlüsselt, der von Scannern maschinell gelesen werden kann. Er dient der automat. Erfassung der Verkaufsdaten an den modernen Computerkassen des Einzelhandels. Das EAN-S. dient v. a. der Rationalisierung der Warenwirtschaft im Handel (→Warenwirtschaftssystem) und der Artikelidentifikation im elektron. Geschäftsverkehr und auf Belegen.

Earl [ə:l; engl., aus altnord. jarl »Krieger«] *der,* engl. Grafentitel. Die weibl. Form ist **Countess.**

Early English ['ə:lɪ 'ɪŋglɪʃ] *das,* erste Phase der engl. Gotik, setzte mit dem Bau der Kathedralen von Canterbury (1175), Wells (um 1180) und Lincoln (1192) ein. BILD →Lincoln

EAROM [i'rɔm; Abk. für engl. **e**lectrically **a**lterable **r**ead **o**nly **m**emory] *der,* elektrisch veränderbarer Festwertspeicher, der mit elektr. Impulsen verändert und gelöscht werden kann.

East Anglia ['i:st 'æŋglɪə, engl.] (Ostanglien), histor. Landschaft in O-England. zw. Themse und Wash; traditioneller Mittelpunkt ist Norwich. E. A. war seit dem 5. Jh. Siedlungsgebiet der →Angelsachsen und bildete eines der sieben angelsächs. Königreiche.

East Ayrshire ['i:st 'eəʃɪə], Local Authority im SW von Schottland, 1252 km², (1993) 123800 Ew., Zentrum ist Kilmarnock.

Eastbourne ['i:stbɔ:n], Stadt an der engl. Kanalküste, in der Cty. East Sussex, 77600 Ew.; bekanntes Seebad.

East Dunbartonshire ['i:st dʌn'bɑ:tnʃɪə], Local Authority in Schottland, nördl. von Glasgow, 172 km², (1993) 110200 Ew.; Verw.sitz ist Kirkintilloch.

East Kilbride ['i:st 'kɪlbraɪd], Stadt (New Town) in der schott. Local Authority South Lanarkshire, südlich von Glasgow, 69900 Ew.; staatl. Maschinenbauversuchsanstalt, Flugzeugmotorenbau. – 1947 zur Entlastung Glasgows gegründet.

East London ['i:st 'lʌndən], Hafenstadt in der Prov. Ost-Kap, Rep. Südafrika, am Buffalo River kurz vor seiner Einmündung in den Ind. Ozean, 102300 Ew.; Kfz-Montagewerk, Textil-, Nahrungsmittelind.; Flughafen.

East Lothian ['i:st 'ləʊðɪən], Local Authority in SO-Schottland, südl. des Firth of Forth, 678 km², (1993) 85600 Ew.; Verw.sitz ist Haddington.

Eastman ['i:stmən], George, amerikan. Erfinder und Industrieller, *Waterville (N.Y.) 12. 7. 1854, †(Selbstmord) Rochester (N.Y.) 14. 3. 1932; nahm 1884 zus. mit W. C. Walker die Fabrikation von Rollfilmen auf und entwickelte 1888 den Kodak-Fotoapparat. Die von ihm gegr. Eastman Kodak Company, Rochester (N.Y.), wurde größtes Fotounternehmen der Welt.

East Renfrewshire ['i:st 'renfru:ʃɪə], Local Authority in Schottland, südl. von Glasgow, 173 km², (1993) 86800 Ew.; Verw.sitz ist Giffnock.

East River ['i:st 'rɪvə], Wasserstraße im Stadtgebiet von New York, an der O-Seite der Insel Manhattan; 26 km lang; verbindet den Long Island Sound mit der Upper Bay, von Brücken überspannt und untertunnelt.

East Sussex ['i:st 'sʌsɪks], Cty. in SO-England, 1795 km², (1991) 671000 Ew.; Verw.sitz ist Lewes.

Eastwood ['i:stwʊd], Clint, amerikan. Filmschauspieler, -regisseur, -produzent, *San Francisco (Calif.) 31. 5. 1930; stieg als Darsteller in Italowestern (»Für eine Handvoll Dollar«, 1964) und Filmen von D. Siegel (»Flucht von Alcatraz«, 1979) zum internat. Star auf (»Der namenlose Reiter«, 1985; »Erbarmungslos«, 1992; »Perfect World«, 1993; »Brücken über den Fluss«, 1995; »Absolute Power«, 1997).

Eat-Art ['i:t 'ɑ:t; von engl. to eat »essen« und art »Kunst«], ironisch gemeinte Kunstrichtung, die D. → Spoerri Ende der 1960er-Jahre begründete. In bewusster Umkehrung der Wertvorstellung von Kunst stellte er einerseits Kunstobjekte aus Lebkuchenteig her und bot andererseits eingefärbte Speisen zum Verzehr an.

Eau de Cologne [o:dəko'lɔnjə, frz.] *das* (Kölnischwasser), erfrischendes, alkoholisch-wässriges Duftwasser mit 2–4% ätherischen Ölen der Zitrusgruppe (Bergamotte, Zitrone, Lavendel, Neroli, Pomeranze u. a.) und mindestens 70 Vol.-% Alkoholgehalt. Die Konzentration von **Eau de Toilette** und **Eau de Parfum** liegt höher (4–7 bzw. 7–10%.

Eau de Vie [o:'dwi:; frz. »Lebenswasser«] *das,* Branntwein.

Eban, Abba Solomon, israel. Politiker, *Kapstadt 2. 2. 1915; Mitgl. der Mapai, 1948–59 ständiger Vertreter Israels bei der UNO, 1960–63 Erziehungsmin., 1963–66 stellv. MinPräs., 1966–74 Außenmin.; forderte angesichts vergebl. Friedensbemühungen auf internat. Ebene direkte Verhandlungen zw. Israel und seinen arab. Nachbarstaaten zur Lösung des Nahostkonfliktes.

Ebbe, das Fallen des Meeresspiegels von einem Hochwasser bis zum folgenden Niedrigwasser (→ Gezeiten).

Ebbinghaus, 1) Hermann, Psychologe, *Barmen (heute zu Wuppertal) 24. 1. 1850, †Halle (Saale) 26. 2. 1909, Vater von 2); förderte bes. die experimentelle Erforschung von Aufmerksamkeit und Gedächtnis. Beim **E.-Test** zur Prüfung der verbalen Intelligenz ist ein lückenhafter Text sinnvoll zu ergänzen **(Lückentest).**

2) Julius, Philosoph, *Berlin 9. 11. 1885, †Marburg 16. 6. 1981, Sohn von 1); Arbeiten zur Philosophie Kants, zur Staats- und Rechtsphilosophie. E. sah den Staat als Gemeinschaft mit dem alleinigen Zweck der Rechtsverwirklichung und der Verhinderung der Proletarisierung seiner Bürger.

Ebenbürtigkeit, rechtsgeschichtlich die gleichwertige Abkunft von Personen als Voraussetzung der Standes- und Rechtsgleichheit, begrifflich im MA erstmals im Sachsenspiegel erfasst; bedeutsam im Eherecht mit Blick auf das Erb- und Lehnsrecht der Kinder. Während die privatrechtl. Bedeutung der E. abnahm, spielte sie im Privatfürstenrecht bis ins 20. Jh. (Weimarer Reichs-Verfassung) eine Rolle.

Ebene, 1) *Geographie:* Teil der Erdoberfläche mit fehlenden oder kaum wahrnehmbaren Höhenunterschieden. Bei einer schwachen Reliefierung spricht man von Flachland oder Hochland. Je nach Höhenlage unterscheidet man **Tief-E.** (bis etwa 200 m ü. M.) und **Hoch-E.** (bis über 4000 m ü. M., etwa in Tibet).

2) *Geometrie:* Figur der Krümmung Null. Eine E. lässt sich eindeutig festlegen a) durch drei nicht auf einer Geraden liegende Punkte, b) durch eine Gerade und einen außerhalb von ihr liegenden Punkt, c) durch zwei einander schneidende Geraden, d) durch zwei parallele Geraden.

3) *Physik:* → geneigte Ebene.

George Eastman

Abba Solomon Eban

Clint Eastwood

Eberbach 2): Das zweischiffige Möchsdormitorium mit Kreuzrippengewölbe (um 1270 bis um 1350) im ehemaligen Zisterzienserkloster

Ebenholz, braunes bis tiefschwarzes Kernholz versch. Arten der bes. in Afrika und Ostindien einheim. Gattung Diospyros aus der Familie →Ebenholzgewächse. E. wird für Intarsien, Musikinstrumente und Kunstdrechslerarbeiten verwendet.

Eberhard I., im Bart (Kupferstich, um 1700)

Ebenholzgewächse (Ebenaceae), Pflanzenfamilie mit rd. 450 trop. und subtrop. baumförmigen Holzgewächsen, die z. T. →Ebenholz liefern.

Ebenist [frz.] *der,* Kunstschreiner, benannt nach dem bei Intarsien verwendeten Ebenholz; bekannt wurde bes. A. B. →Boulle.

Ebensee, Marktgemeinde im Salzkammergut, OÖ, an der Mündung der Traun in den Traunsee, 430 m ü. M., 9 000 Ew.; Sudhütte, Ammoniak- und Sodafabrik, Textilind.; Fremdenverkehr; Seilschwebebahn auf den Feuerkogel (1594 m ü. M.) im Höllengebirge, Gaßltropfsteinhöhle.

Ebenstrauß (Doldenrispe), rispiger Blütenstand, bei dem alle Einzelblüten eine Ebene bilden.

Eber, geschlechtsreifes männl. Schwein.

Eberbach, 1) Stadt im Rhein-Neckar-Kr., Bad.-Württ., am Neckar, 15 700 Ew.; Elektro- und pharmazeut. Ind., Maschinenbau, Drahtwerke; Kurbetrieb (Heilquelle). – Maler. Altstadt mit Fachwerkhäusern. – E., um 1230 zur Stadt erhoben, wurde 1330 pfalzgräflich und kam 1806 an Baden.

2) ehem. Zisterzienserkloster im Rheingau (heute zu Eltville am Rhein), 1135 gegr., 1803 säkularisiert; seit dem MA. bed. Weinbau- und Weinhandelsunternehmen, heute hess. Staatsweingut. Monumentale roman. Basilika (1145–86); Klostergebäude (12.–14. Jh.), barockes Refektorium.

Hartwig Ebersbach: »Kaspar« (1985; Privatbesitz)

Eberesche (Sorbus), Gattung der Rosengewächse, Holzpflanzen der nördlichen gemäßigten Zone. Die **E.** (**Vogelbeerbaum,** Sorbus aucuparia), ist ein Waldbaum Europas und Westasiens mit unpaarig gefiederten Blättern, Doldenrispen, gelbweißen Blüten und scharlachroten, beerenartigen Früchten; der aus dem Mittelmeergebiet in Mitteleuropa eingebürgerte **Speierling** (Sorbus domestica) hat rötlich weiße Blüten und pflaumengroße, gelbe, rotbäckige Früchte; der europ. Waldbaum **Echte Mehlbeere** (Sorbus aria) hat weißfilzige Blätter, weiße Blüten und orangegelbe Früchte; die in Europa, Nordafrika und Asien vorkommende **Elsbeere** (Sorbus torminalis) hat ahornähnl. Blätter und lederbraune Früchte; die **Zwergmehlbeere** (Sorbus chamaemespilus), ein Strauch in europ. Gebirgen, hat hellrosafarbene Blüten und orangerote Früchte. Die baumförmigen Arten liefern gutes Schnitz- und Tischlerholz.

Eberhard, württemberg. Fürsten: **1) E. I.,** der Erlauchte, Graf (seit 1279), *13. 3. 1265, †5. 6. 1325; widersetzte sich dem Versuch der Habsburger, das Herzogtum Schwaben wiederherzustellen und das im Interregnum usurpierte Reichsgut zurückzugewinnen. 1323 bestätigte König Ludwig d. Bayer seinen Besitz. Unter ihm begann Württemberg ein einheitl. Territorium zu werden.

2) E. II., der Greiner [»Zänker«], auch der Rauschebart, Graf (seit 1344), *1315, †15. 3. 1392, Enkel von 1); bemühte sich, sein Territorium abzurunden und gegen die Städte zu sichern. Am 23. 8. 1388 besiegte er den →Schwäbischen Städtebund bei Döffingen (darüber Ballade von L. Uhland).

3) E. I., im Bart, als Graf E. V., als Herzog (seit 1495) E. I., *Urach (heute Bad Urach) 11. 12. 1445, †Tübingen 24. 2. 1496; gründete 1477 die Univ. Tübingen und sicherte durch den Münzinger Vertrag 1482 die Unteilbarkeit des Landes; genoss hohes Ansehen im Reich.

Ebermannstadt, Stadt im Landkreis Forchheim, Oberfranken, Bayern, im Wiesenttal in der Fränk. Schweiz, 6 600 Ew.; Elektro- und Metall verarbeitende Industrie. – 1323 zur Stadt erhoben.

Ebern, Stadt im Landkreis Haßberge, Unterfranken, Bayern, an den östl. Ausläufern der Haßberge, 7 500 Ew.; Kugellagerfabrik. – Fachwerkrathaus (1604). – 1230 als Stadt im Besitz des Bistums Würzburg.

Eberesche (von links): Blüten- und Fruchtstand des Vogelbeerbaums

Ebern: Fachwerkrathaus (1604)

Ebernburg, Burg in der Mündung Bad Münster am Stein-E., Rheinl.-Pf., oberhalb der Alsenz in die Nahe, Anfang des 16. Jh. im Besitz Franz von Sickingens, als »Herberge der Gerechtigkeit« Zufluchtsort für U. v. Hutten, P. Melanchthon u. a. Anhänger der Reformation.

Eberraute (Zitronenkraut, Artemisia abrotanum), Beifußart aus dem Mittelmeergebiet; bis 1 m hohe, nach Zitronen duftende Staude mit kleinen, gelbl. Blütenköpfchen in schmaler Rispe; Gewürz- und Heilpflanze.

Ebersbach, Hartwig, Maler und Grafiker, *Lichtentanne (bei Zwickau) 17. 5. 1940; entwickelte eine stark expressiv-dynam. Malerei, die zunehmend eine am Informel geschulte Spontaneität auszeichnet; auch Rauminstallationen und multimediale Spektakel.

Ebersberg, 1) Landkreis im RegBez. Oberbayern, 549 km², (1996) 110 200 Einwohner.

2) Krst. von 1) in Bayern, 558 m ü. M. am O-Rand der Münchner Ebene, 10 400 Ew.; opt. Industrie. – Ehem. Klosterkirche (13. Jh., mehrfach umgebaut), Rathaus (spätgotisch, um 1529). – E. entstand um ein 934 gegr. Chorherrenstift.

Ebersmünster (amtl. frz. Ebersmunster), Ort bei Schlettstadt im Unterelsass, Dép. Bas-Rhin, Frankreich, 518 Ew. – Ehem. Benediktinerabtei (im 7. Jh. gegr.) mit bed. Barockkirche von P. Thumb, Orgel von A. Silbermann.

Eberswalde (früher E.-Finow), Krst. des Landkreises Barnim, Brandenburg, am Finowkanal, 49 000 Ew.; FH, landwirtsch. Forschungsinstitute, forstbotan. Garten; Kranbau, Walzwerk, Gießereien, Apparatebau, Papierindustrie. – Frühgot. Pfarrkirche, spätgot. Georgskirche. – E. entstand 1970 durch Zusammenlegung der Städte Eberswalde (vor 1276 gegr., um 1300 Stadtrecht) und Finow. – In Finow wurde 1913 einer der bedeutendsten Goldschätze Dtl.s aus der jüngeren Bronzezeit gefunden: verzierte Trinkschalen, Schmuck sowie Goldbarren (1945 in Berlin verloren gegangen).

Ebert, 1) Albert, Maler und Grafiker, *Halle (Saale) 26. 4. 1906, †ebd. 21. 8. 1976; Autodidakt, wurde bes. durch seine meist kleinformatigen, koloristisch reichen Ölbilder bekannt, die Alltägliches poetisch-fantasievoll schildern. BILD S. 424

2) Carl, amerikan. Theaterintendant dt. Herkunft, *Berlin 20. 2. 1887, †Santa Monica (Calif.) 14. 5. 1980; leitete 1931–33 und 1954–61 die Städt. Oper Berlin, begründete 1934 in der Emigration die Festspiele in Glyndebourne.

Carl Ebert

3) Friedrich, Politiker, *Heidelberg 4. 2. 1871, †Berlin 28. 2. 1925; Sattler, dann Redakteur, seit 1912 MdR, 1913–19 Vors. der SPD. Am 9. 11. 1918 wurde E. Reichskanzler, am 11. 11. übernahm er die Leitung des Rats der Volksbeauftragten; am 11. 2. 1919 von der Weimarer Nationalversammlung zum vorläufigen Reichspräs. gewählt. 1922 verlängerte der Reichstag unter Verzicht auf die unmittelbare Volkswahl die Amtszeit bis 30. 6. 1925. E. war ein kluger Vermittler zw. den parteipolit. Gegensätzen und übte sein Amt überparteilich und neutral aus.

Friedrich Ebert

📖 *F. E. u. seine Zeit. Bilanz u. Perspektiven der Forschung, hg. v.* R. KÖNIG *u. a. München ²1991.* – MÜNCH, R. A.: *Von Heidelberg nach Berlin. F. E. 1871–1905. München 1991.* – WITT, P.-C.: *F. E. Parteiführer, Reichskanzler, Volksbeauftragter, Reichspräsident. Bonn ³1992.*

Ebert-Groener-Pakt, Vereinbarung zw. der polit. Führung des Dt. Reiches (F. Ebert) und seiner militär. Führung (General W. Groener) über die Bewahrung der inneren Ordnung in Dtl., abgeschlossen am 10. 11. 1918.

Eberwurz (Carlina), Gattung der Korbblütler mit etwa 20 Arten in Europa und Vorderasien, Blü-

Eberswalde

Der Goldfund von Eberswalde gehört zu den größten und bedeutendsten Entdeckungen der Bronzezeit in Mitteleuropa. Bei Ausschachtungsarbeiten zu einem Wohnhaus stießen Arbeiter am 16. Mai 1913 in 1 m Tiefe auf ein bauchiges Tongefäß, das acht goldene Schalen enthielt, in denen sich wiederum 73 weitere Goldgegenstände fanden: Hals- und Armringe, Barren und Drähte. Vermutlich handelt es sich bei dem 2,5 kg schweren, aus dem 10./9. Jahrhundert stammenden Hortfund um das Depot eines Händlers. – Der nach seiner Bergung im Berliner Museum für Vor- und Frühgeschichte eingelagerte Fund verschwand zusammen mit dem Priamosschatz im Zuge der Kriegswirren 1945 spurlos und galt seitdem jahrzehntelang als verschollen. Erst vor kurzem wurde bekannt, dass er sich im Moskauer Puschkin-Museum befindet; man bemüht sich seitdem um die Rückführung nach Deutschland.

Albert Ebert: »Kinderfest im Kleingartenverein« (1959; Halle, Staatliche Galerie Moritzburg)

tenstand mit strahlenförmig ausgebreiteten, trockenhäutigen, silbrig weißen inneren Hüllblättern bei der **Großen E.** (**Silberdistel, Wetterdistel,** Carlina acaulis) und gelben Hüllblättern bei der **Kleinen E.** (**Golddistel,** Carlina vulgaris).

Eberwurz: Silberdistel (Höhe 15–30 cm)

Ebioniten [hebr. »die Armen«] (Nazoräer), judenchristl. (d.h. die Bedeutung des alttestamentl. Gesetzes betonende) Sekte, die auf die Urgemeinde zurückgeht. Die E. hielten sich bes. im Ostjordanland vom 2. bis ins 4. Jh. und hatten noch auf die Entstehung des Islams Einfluss; Jesus war für sie der wahre Prophet (→Messias), nicht Gottessohn; sie verwarfen die Autorität des Paulus.

EBM, Abk. für **E**isen-, **B**lech- und **M**etallwarenindustrie, →Metallwarenindustrie.

Ebner, Ferdinand, Philosoph, *Wiener Neustadt 31. 1. 1882, †Gablitz (bei Wien) 17. 10. 1931. Seine an der Ich-Du-Beziehung orientierte Philosophie (→dialogische Philosophie) nahm den christl. Existenzialismus G. Marcels vorweg.

Ebner-Eschenbach, Marie Freifrau Ebner von Eschenbach, geb. Gräfin Dubsky, Schriftstellerin, *Schloss Zdislawitz (bei Kroměříž, Südmähr. Gebiet) 13. 9. 1830, †Wien 12. 3. 1916; schuf nach lyr. und dramat. Versuchen Erzählprosa: formal dem Realismus zugehörig, von sozialem Verantwortungsgefühl bei aristokratischer Grundhaltung (»Božena«, 1876; »Dorf- und Schloßgeschichten«, 2 Bde., 1887/88; »Lotti, die Uhrmacherin«, 1889; »Unsühnbar«, 2 Bde., 1890); schrieb außerdem »Aphorismen« (1890) und autobiograph. Werke (»Meine Kinderjahre«, 1906).

Marie von Ebner-Eschenbach

Ebola-Virus [nach dem Fluss Ebola im N der Demokrat. Rep. Kongo], zur Familie der Fadenviren gehörendes RNA-Virus; wahrscheinlich in trop. Regenwäldern beheimatet. Bisher wurden drei Stämme mit extrem hoher Ansteckungsfähigkeit unterschieden, von denen zwei für Menschen pathogen sind. Sie lösen die E.-V.-Krankheit aus, ein epidemisch-hämorrhag. Fieber, das in 50 bis 90% der Fälle tödlich verläuft. Akute Krankheitserscheinungen sind hohes Fieber, Durchfall, Erbrechen, Blutungen v.a. an den Schleimhäuten des Verdauungstraktes, Leberzellnekrose; die Behandlung erfolgt mit dem Virostatikum Ribavirin.

Éboli, Ana de Mendoza y de la Cerda, Fürstin von, *Cifuentes (bei Guadalajara) 29. 6. 1540, †Pastrana (bei Guadalajara) 2. 2. 1592. Politisch ehrgeizig, wurde É. infolge ihrer Indiskretionen und Intrigen 1579 vom span. Hofe verbannt. Ihre Liebschaften mit Philipp II. und dessen Sekretär Antonio Pérez sind historisch nicht verbürgt; in Schillers Drama »Don Carlos« frei gestaltet.

Ebrach, Markt im Landkreis Bamberg, Oberfranken, Bayern, 325 m ü. M., im Steigerwald, 2000 Ew.; Fremdenverkehr; Zisterzienserkloster (1127 bis 1803, seit 1851 Strafanstalt) mit frühgot. Kirche (Innenausstattung Ende des 18. Jh.) und Gebäuden von J. L. Dientzenhofer und B. Neumann.

Ebro *der* (katalan. Ebre, lat. Iberus), Fluss in NO-Spanien, 910 km lang, Einzugsgebiet: 83500 km². Der E. entspringt im Kantabrischen Gebirge und empfängt im E.-Becken seine Hauptnebenflüsse Jalón, Guadalope, Aragón, Gállego, Segre; durchschneidet das Katalon. Bergland. Bei Amposta beginnt das aus Flugsand und Sumpf bestehende Delta; wenig schiffbar.

Ebstorfer Weltkarte, größte und bedeutendste Erddarstellung des MA. Die farbige Radkarte wurde im 13. Jh. entworfen; urspr. im Besitz des Klosters Ebstorf bei Uelzen, seit 1835 im Staatsarchiv in Hannover, dort 1943 durch Bombenan-

Ebrach: Westfassade der frühgotischen Klosterkirche (um 1280) mit reich gegliedertem Portal und einer Fensterrose in quadratischen Blendrahmen

Ecce-Homo: Darstellung aus dem Passionszyklus von Martin Schongauer, Kupferstich (um 1480; Berlin, Staatliche Museen, Kupferstichkabinett)

griff vernichtet; bestand aus 30 Pergamentblättern mit Jerusalem als Mittelpunkt; Faksimiledrucke im Kloster Ebstorf und in Lüneburg (Museum für das Fürstentum Lüneburg).

Ebullioskopie [lat.-grch.] *die,* Verfahren zur Bestimmung der Molekülmassen von gelösten, nichtflüchtigen Stoffen aus der Erhöhung des Siedepunktes der Lösung im Vergleich zum reinen Lösungsmittel. (→Kryoskopie)

Eburonen, kelt. Stamm der Belgen an Maas und Rhein, zeitweise unter german. Botmäßigkeit. Die E. unter Ambiorix und Catuvolcus wurden 51 v. Chr. von Cäsar vernichtet.

EBWE, Abk. für **E**uropäische **B**ank für **W**iederaufbau und **E**ntwicklung, →Osteuropabank.

ec, Abk. für →**E**uro**c**heque.

EC, Abk. für **E**uro**c**ity (→Intercityzüge).

ECA, Abk. für engl. **E**conomic **C**ommission for **A**frica, regionale Wirtschaftskommission des Wirtschafts- und Sozialrats der Vereinten Nationen, gegr. 1958, Sitz: Addis Abeba.

Eça de Queirós [ˈɛsa ðə kaiˈrɔʃ], José Maria, portugies. Schriftsteller, *Póvoa de Varzim (Distr. Porto) 25. 11. 1845, †Paris 16. 8. 1900; bed. Erzähler des portugies. Realismus: »Das Verbrechen des Paters Amaro« (R., 1876), »Vetter Basilio« (R., 1878), »Der Mandarin« (Erz., 1880), »Die Reliquie« (R., 1887), »Stadt und Gebirg« (R., hg. 1901).

José Maria Eça de Queirós (Holzschnitt)

Ecarté [frz.] *das,* frz. Kartenspiel mit 32 Blättern der Pikettkarte für zwei Spieler. Jeder Spieler erhält fünf Karten, die 11. Karte bestimmt die Trumpffarbe; vom verdeckten Rest können für eine gleiche Zahl weggelegter (»ecartierter«) Karten neue genommen werden. Gewonnen hat, wer zuerst fünf Zählpunkte besitzt.

Eccard, Johannes, Komponist, *Mühlhausen/Thüringen 1553, †Berlin 1611; bed. Meister des prot. Kirchenlieds; komponierte etwa 250 geistl. und weltl. mehrstimmige Gesänge.

Ecce-Homo [ˈɛktsə-; lat. ecce homo »siehe, (welch) ein Mensch«, Worte des Pilatus (in der Vulgata), mit denen er den gegeißelten, dornengekrönten Jesus dem Volke vorstellt (Joh. 19,5)] *das, Kunst:* die Darstellung dieser Szene seit dem Spät-MA. (H. Bosch, M. Schongauer, A. Dürer u. a.).

Eccles [eklz], Sir John Carew, austral. Physiologe, *Melbourne 27. 1. 1903, †Locarno 2. 5. 1997; Prof. in Canberra, Chicago und Buffalo (N. Y.); erforschte Gehirn- und Rückenmarkfunktionen und erkannte die Bedeutung der Ionenströme für die Erregungsübertragung an den Synapsen; Studien zum Bewusstsein (mit K. Popper) »Das Ich und sein Gehirn« (1982). Mit A. L. Hodgkin und A. F. Huxley erhielt er 1963 den Nobelpreis für Physiologie oder Medizin.

John Carew Eccles

Ecclesia [lat. »Versammlung«] *die* (grch. Ekklesia), Gemeinde, Kirche; urspr. gesetzmäßig berufene Versammlung freier Bürger in den grch. Stadtstaaten, seit der Septuaginta auch religiöse Versammlung; i. w. S. die Gemeinschaft der Christen; von Paulus als E. Christi näher bestimmt. – **E. und Synagoge** (Kirche und Synagoge), personifizierte Sinnbilder für das N. T. und das A. T.; im MA. oft als Begleitfiguren der Kreuzigung dargestellt, auch als Figurenpaar an Kirchenportalen (Reims, Straßburg, Bamberg). E. wird als Siegerin mit Krone, Kreuzesfahne und Kelch, Synagoge als

Ecclesia und Synagoge: Plastiken am Querhausportal des Straßburger Münsters (nach 1230; heute Straßburg, Frauenhausmuseum)

Besiegte, der die Gesetzestafeln entgleiten, mit gebrochener Lanze und verbundenen Augen dargestellt.

Ecdyson [grch.] *das,* Häutungs- und Metamorphosenhormon der Insekten, ein Steroid.

ECE, Abk. für engl. **E**conomic **C**ommission for **E**urope, regionale Wirtschaftskommission der Vereinten Nationen, gegr. 1947; Sitz: Genf.

José Echegaray y Eizaguirre

Ecevit [ɛdʒɛ'vit], Bülent, türk. Politiker, *Istanbul 28. 5. 1925; Journalist, 1966–71 Gen.-Sekr., ab 1972 Vors. der (1981 aufgelösten) Republikan. Volkspartei. In scharfer Auseinandersetzung mit dem kemalist. Flügel um I. Inönü setzte er in seiner Partei einen sozialdemokrat. Kurs durch. 1974 und 1978–79 war er MinPräs. Nach dem Militärputsch von 1980 mehrmals wegen unerlaubter polit. Betätigung in Haft, seit 1987 Vorsitzender der Demokrat. Linkspartei.

Echappement [eʃap'mã, frz.] *das,* →Hemmung und Unruhschwingsystem bei Uhren.

Echegaray y Eizaguirre [etʃeɣa'rai i ɛiθa'ɣirre], José, span. Dramatiker, *Madrid 19. 4. 1832, †ebd. 14. oder 16. 9. 1916; mehrfach Minister; schrieb, beeinflusst u.a. von A. Dumas d.Ä., H. Ibsen und H. Sudermann, über 60 bühnenwirksame, aber wirklichkeitsfremde →Mantel- und Degenstücke oder gesellschaftskrit. Thesenstücke: »Wahnsinn oder Heiligkeit« (1877), »Der große Galeotto« (1881). Erhielt (gemeinsam mit F. Mistral) 1904 den Nobelpreis für Literatur.

Echeverie [ɛtʃe-; nach dem mexikan. Pflanzenzeichner A. Echeverría, 19. Jh.] (Echeveria), Gattung der Dickblattgewächse mit über 150 Arten im trop. Amerika; sukkulente, stammlose Stauden oder kurzstämmige Sträucher mit spiralig angeordneten Blättern in Rosetten; Blüten in Blütenständen; Zierpflanzen.

Echidna, *grch. Mythos:* uraltes Ungeheuer, Schlange mit dem Kopf eines schönen Mädchens. Mutter u.a. des Höllenhundes →Kerberos, der →Hydra und der Chimaira (→Chimäre).

Echinodermata (Echinodermen), die →Stachelhäuter.

Echinoidea (Echinoiden), die →Seeigel.

Echinokokken, Gattung der →Bandwürmer mit den auch für den Menschen gefährl. Arten Echinococcus granulosus (Blasenwurm oder Hundebandwurm) und Echinococcus multilocularis (Fuchsbandwurm). Die Eier dieser kleinen, weniggliedrigen Bandwürmer werden mit dem Kot der befallenen Tiere ausgeschieden. Gelangen sie, z.B. mit verunreinigter Nahrung, in den Darm eines Zwischenwirts, so wandern die darin befindl. Hakenlarven auf dem Blutweg meist in die Leber (auch in die Lunge, zu 2–4% in das Zentralnervensystem), wo sie sich zu der für jede der beiden Parasitenarten kennzeichnenden Finnenform entwickeln. Die durch den Finnenbefall verursachte **Echinokokkose (Echinokokkenkrankheit, Blasenwurmkrankheit)** führt zu einer Zystenbildung im Gewebe. Symptome der Erkrankung sind abhängig von der Lokalisation im Körper und von der Zystengröße. Durch Platzen der Zysten kommt es zur sekundären Echinokokkose mit Tochteransiedlungen und schweren allerg. Erscheinungen. – *Behandlung:* Teilweise ist eine operative Entfernung der Zysten möglich.

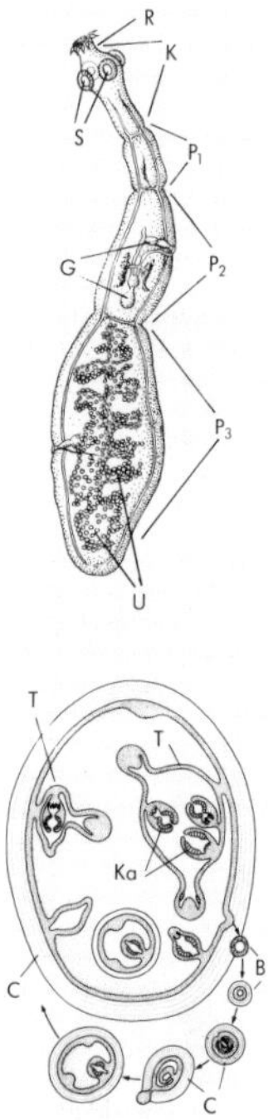

Echinokokken: Oben Echinococcus granulosus (Hundebandwurm); unten Finnenblase (Echinokokkenblase); B abgeschnürte Brutkapsel, die zur neuen Mutterblase wird, C Kutikula; G zwittriger Geschlechtsapparat, K Kopf (Skolex), Ka Bandwurmkopfanlagen (wachsen im Endwirt nach Umstülpung zu geschlechtsreifen Bandwürmern heran), P_1, P_2, P_3 Körperglieder (Proglottiden), R Rostellum (mit Hakenkranz), S Saugnäpfe, T (durch Sprossung entstandene) Tochterblasen, U Uterus mit Hakenlarven (noch in Eihüllen)

Echinus [grch. »Igel«] *der, Baukunst:* beim dorischen Kapitell der wulstartige Teil zw. Säulenschaft und Deckplatte.

Echnaton, ägypt. König, →Amenophis IV.

Echo, *grch. Mythos:* eine Bergnymphe, die durch ihr Geschwätz Hera ablenkt, während ihr Gatte Zeus seinen Liebesabenteuern nachgeht. Durch die Bestrafung Heras kann sie weder von selbst reden, noch, wenn ein anderer redet, schweigen: Sie kann nur noch die letzten Worte der Rede anderer wiederholen.

Echo [grch.], **1)** *Nachrichtentechnik:* durch Reflexion der elektromagnet. Wellen auf dem Übertragungsweg verursachte, dem akust. E. vergleichbare Erscheinung; beim Funkverkehr durch Umwege in der Ausbreitung hervorgerufene Interferenzen und z.B. Mehrfachbilder beim Fernsehen.

2) *Physik:* allg. eine durch Reflexion zum Ursprungsort zurückkehrende Welle; speziell eine Schallreflexion **(Widerhall).** Für ein E. eines kurzen Geräuschs muss das reflektierende Hindernis mindestens 33 m entfernt sein. Schnell aufeinander folgende E. verschmelzen zum **Nachhall.**

Echoenzephalographie, Untersuchungsmethode, die einen Überblick über krankhafte Vorgänge im Schädelinnenraum gestattet. Dazu wird Ultraschall gezielt auf Teile des Schädels gerichtet und dessen Reflexion in Form einer Kurve **(Echoenzephalogramm)** elektronisch dargestellt. Die E. hat seit Einführung der →Computertomographie an Bedeutung verloren.

Echograph [grch.] *der,* Schreibgerät des →Echolots zur Aufnahme eines **Echogramms.** E. bezeichnet auch die gesamte Echolotanlage, mit Sender, Empfänger und Aufzeichnungsvorrichtung.

Echokardiographie (Ultraschallkardiographie, Abk. UKG), Methode der Herzdiagnostik mit Anwendung von Ultraschallimpulsen zur Untersuchung des Herzens; ermöglicht u.a. den Nachweis von Herzklappenfehlern und angeborenen Herzfehlern sowie die Beurteilung der Herzmuskelfunktion.

Echolalie [grch.] *die,* das automat. und sinnlose Nachsprechen als Stadium der frühkindl. Sprachentwicklung oder als psychopatholog. Symptom (v.a. bei chron. Schizophrenie).

Echolot, Gerät zur Entfernungsmessung mithilfe reflektierter Schallimpulse (Schall, Explosion, Ultraschallimpulse). Aus der Zeit zw. Senden und Empfangen des Signals (Laufzeit) und der Schallgeschwindigkeit im jeweiligen Medium wird die Entfernung bestimmt. Im Wasser dient meist das Ultraschall-E. zum Messen der Wassertiefe, zum Anpeilen von Wracks, Fischschwärmen (Fischlupe) usw. Daneben werden E. zur Lagerstättenexploration mit Hilfe von Explosionsdruckwellen verwendet. Das E. wurde 1913 von A. Behm erfunden.

Echo|ori|entierung (Echolotung, Echoortung, Echopeilung), **1)** *Schifffahrt:* →Sonar.

2) *Zoologie:* Orientierung mancher Tiere durch selbst ausgesandte Laute, die von den Gegenständen ihrer Umgebung zurückgeworfen werden. So senden Fledermäuse, einige Fliegende Hunde, Delphine, Spitzmäuse und einzelne Höhlen bewohnende Vögel Schallsignale aus und bestimmen aus dem zurückkehrenden Echo die eigene Lage im Verhältnis zu Hindernissen im Raum. Die Fledermäuse, deren Ortungssystem bes. gut untersucht ist, senden Peiltöne im Ultraschallbereich aus; Stärke, Tonhöhe (Dopplereffekt), Zeitabstand und Richtung des Echos vermitteln ihnen ein räuml. »Bild« (»Bildhören«). Sie erkennen im Flug z.B. Drahthindernisse von 15 mm Stärke. Der E. sind bei landbewohnenden Tieren im Vergleich zu wasserlebenden enge Grenzen gesetzt, da die Schallgeschwindigkeit im Medium Luft erheblich geringer und die Schalldämpfung sehr viel stärker ist als im Wasser. Daher besitzen v.a. einige Walarten und Delphine die leistungsfähigsten Ortungssysteme.

ECHO-Viren [Kw. für engl. **e**nteric **c**ytopathogenic **h**uman **o**rphan (viruses)], Sammelbez. für eine Gruppe von Enteroviren, die u.a. abakterielle Meningitis, Erkrankungen der Atmungsorgane und Dünndarmentzündung hervorrufen.

Echsen (Sauria), Unterordnung der Schuppenkriechtiere mit etwa 3000 Arten, gekennzeichnet durch höcker- oder schuppenförmige Hornbedeckung, meist langen Schwanz, bewegl. Augenlider und locker in die Kieferknochen eingefügte Zähne. Die vier Gliedmaßen können mehr oder minder vollständig ausgebildet sein, aber auch fehlen. Der Schwanz kann bei manchen Arten bei Gefahr abgeworfen und später regeneriert werden. Zu den E. gehören u.a. Eidechsen, Geckos, Agamen, Leguane, Schleichen und Warane.

Echterdingen, Teil von →Leinfelden-Echterdingen.

Echternach, Kantonshptst. in Luxemburg, an der Sauer (Grenze zu Dtl.), 4200 Ew.; Parfüm-, chem. Ind., Herstellung von Ind.robotern. – Wallfahrtsort, bekannt durch die alljährl. **Echternacher Springprozession** am Pfingstdienstag zum Grab des hl. Willibrord, des Begründers (698) der Benediktinerabtei. – Die Abtei E. entwickelte sich in karoling. und otton. (8.–11. Jh.) Zeit zu einem Mittelpunkt der Schreibkunst und Buchmalerei, die unter Abt Humbert ihre höchste Blüte erlangte.

Echter von Mespelbrunn, Julius, →Julius, Fürsten.

Echtzeitverfahren (Realzeitverfahren), Betriebsart eines Computers, bei der alle anfallenden Aufgaben sofort bearbeitet werden, z.B. Prozessrechner mit Messwerterfassungssystem. Wichtig ist v.a. die Einhaltung der geforderten kurzen Antwortzeiten. Ggs.: →Stapelverarbeitung

Écija ['eθixa], Stadt in Andalusien, S-Spanien, Prov. Sevilla, 34600 Ew.; Bewässerungskulturen im Umland. – Maler. Stadtbild, arab. Alcázar und Stadtmauer, gotische und Barockkirchen, Barockpaläste.

Eck, Johannes, eigtl. Maier aus Eck (Egg), kath. Theologe, *Egg a.d. Günz (bei Memmingen) 13. 11. 1486, †Ingolstadt 10. 2. 1543; Prof. in Ingolstadt, theolog. Hauptgegner der Reformation; veranlasste die Leipziger Disputation 1519 mit M. Luther. E. nahm an den Religionsgesprächen von Hagenau (1540), Worms (1541) und Regensburg (1541) teil.

Eckart (der getreue E.), Gestalt der dt. Heldensage, in der niederdt. Tradition Erzieher der im Breisgau ansässigen Harlungen, deren Tod er rächt. In späteren Überlieferungen symbol. Rater- und Mahnergestalt: Im Nibelungenlied bewacht er Rüdigers Mark, in der Tannhäusersage den Venusberg; spätere dichterische Bearbeitungen des E.-Stoffes bei Goethe, L. Tieck, L. Uhland.

Eckehart, 1) Mönche in St. Gallen, →Ekkehart.

2) dt. Mystiker, →Eckhart.

Ecken Ausfahrt (Eckenlied), mhd. Gedicht, um die Mitte des 13. Jh., das erzählt, wie der ruhmgierige Riese **Ecke** und sein Bruder Fasolt im Kampf gegen Dietrich von Bern fallen.

Eckener, Hugo, Luftschiffpionier, *Flensburg 10. 8. 1868, †Friedrichshafen 14. 8. 1954; seit 1908 im Luftschiffbau tätig, führte mit Luftschiffen 1924 die erste Atlantiküberquerung nach Nordamerika (LZ 126), 1929 eine Weltfahrt, 1931 eine Nordpolfahrt (beides LZ 127) und 1936/37 fahrplanmäßige Fahrten nach Nordamerika aus (LZ 129).

Ecker, 1) Eichen- (Eichel) oder Rotbuchenfrucht (Buch-E.).

2) dt. Spielkartenfarbe, →Eichel.

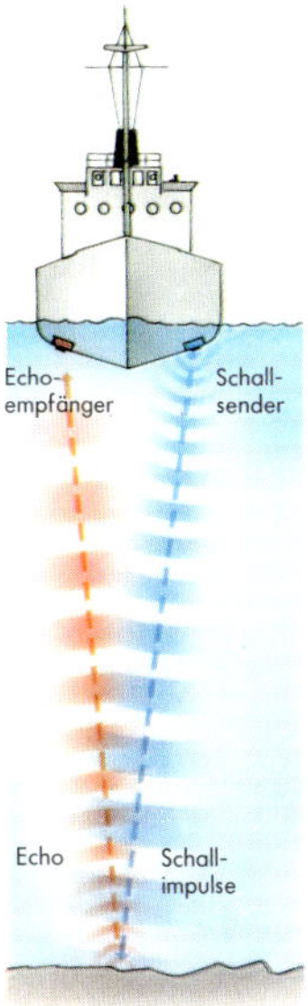

Echolot
zur Wassertiefenmessung

Johannes Eck
(Kupferstich, um 1570)

Hugo Eckener

Johann Peter Eckermann (Zeichnung, um 1830)

Fritz Eckhardt

Umberto Eco

Ẹckermann, Johann Peter, Schriftsteller, *Winsen (Luhe) 21. 9. 1792, †Weimar 3. 12. 1854; Vertrauter und literar. Sekretär Goethes; bekannt wurden v.a. die »Gespräche mit Goethe in den letzten Jahren seines Lebens« (3 Tle., 1836–48), die aus seinem persönl. Umgang mit Goethe entstanden sind. Nach Goethes Tod besorgte E. die Herausgabe des Nachlasses.

Eckernfọ̈rde, Stadt im Landkreis Rendsburg-E., Schlesw.-Holst., zwischen **Eckernförder Bucht** und Windebyer Noor, 23 000 Ew.; Ostseebad; Fischereibetriebe, Marinegarnison und Hafen; Jagdwaffenfabrik, Apparatebau, Wärmetechnik, feinmechan. und opt. Industrie. – Spätgot. Nikolaikirche (15. Jh.) aus Backstein. – Eine Burg E. wird 1197 erwähnt.

Ẹckersberg, Christoffer Wilhelm, dän. Maler, *Båkrog (bei Apenrade) 2. 1. 1783, †Kopenhagen 22. 7. 1853; in Paris Schüler von J.-L. David; prägte für lange Zeit die dän. Malerei; Landschaften und Seestücke, bed. Porträts.

Eckflügler (Nymphalinae), Gattung der Tagschmetterlinge, mit vorstehender Zacke am Hinterflügel, oberseits meist bunt gefleckt, z.B. Admiral, Kleiner und Großer Fuchs, Tagpfauenauge.

Ẹckhardt, Fritz, österr. Schauspieler und Schriftsteller, *Linz 30. 11. 1907, †Klosterneuburg 31. 12. 1995; spielte an versch. Bühnen, in Wien im Kabarett »Der liebe Augustin« (1945 Neugründung); 1928 Berufsverbot; wirkte in zahlr. TV-Serien; auch Drehbuchautor.

Ẹckhart (Meister E., Eckehart), Scholastiker und Mystiker, *Hochheim (bei Gotha) um 1260, †Avignon vor dem 30. 4. 1328; wurde 1302 in Paris Magister (daher Meister E.); als Dominikaner in höheren Ordensstellungen tätig; Lehrer in Paris, Straßburg und Köln. Durch seine mystisch-allegor. Predigten wurde er berühmt. Ziel seiner spekulativen Mystik, in der er von Augustinus, Pseudo-Dionysius (→Dionysius Areopagita), Albert dem Großen u.a. beeinflusst wurde, ist die Einswerdung des Seelengrundes mit Gott (Unio mystica). In seinem Bestreben, den Vorgang dieser Einigung und die geheimnisvolle schöpfer. Kraft der unsterbl. Seele (»Seelenfünklein«) in Worte zu fassen, wagte E. sehr kühne Wendungen und fand neue Wortbildungen. Die kirchl. Dogmen traten dabei zurück. Er geriet in den Verdacht der Häresie, insbes. des Pantheismus. Zwei Jahre nach seinem Tod erfolgte die Verurteilung von 28 Sätzen seiner Lehre durch päpstl. Bulle. – E. übte starken Einfluss auf Nikolaus von Kues, J. Böhme, Angelus Silesius und den dt. Idealismus aus.

Christoffer Wilhelm Eckersberg: »Blick durch drei Arkaden des Kolosseums« (1815; Kopenhagen, Statens Museum for Kunst)

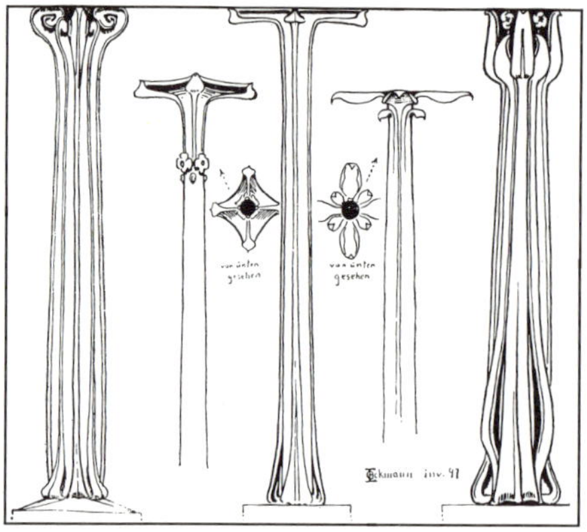

Otto Eckmann: Entwürfe für architektonische Stützen, Tuschzeichnung (1897)

📖 RUH, K.: *Meister Eckhart. Theologe, Prediger, Mystiker. München* ²*1989.* – WEHR, G.: *Meister Eckhart. Reinbek 12.–14. Tsd. 1994.* – FLASCH, K.: *Das philosoph. Denken im Mittelalter. Von Augustin zu Machiavelli. Neuausg. Stuttgart 1995.*

Ẹckmann, Otto, Maler und Kunstgewerbler, *Hamburg 19. 11. 1865, †Badenweiler 11. 6. 1902; bed. Vertreter des Jugendstils; Mitarbeiter der Zeitschriften »Pan« und »Jugend«, für die er Titel und Ornamente zeichnete, schuf für K. →Klingspor die **E.-Schrift;** auch Entwürfe für Möbel, Textilien und Innendekorationen.

Eckstine ['ekstaɪn], Billy, eigtl. William Clarence E., amerikan. Jazzmusiker (Gesang, Trompete, Posaune) und Bandleader, *Pittsburgh (Pa.) 8. 7. 1914, †ebd. 8. 3. 1993; war 1944–47 mit seiner Band ein Hauptvertreter des →Bebop.

Eckzins (Spareckzins), Zinssatz für Spareinlagen mit gesetzl. Kündigungsfrist; gilt als Leitzins.

ECL [Abk. für engl. **e**mitter **c**oupled **l**ogic], sehr schnell arbeitende elektron. Schaltkreisfamilie der Digitaltechnik auf Basis von Bipolartransistoren.

Eclair [e'klɛːr, frz.] *das,* mit Creme oder Schlagsahne gefülltes Gebäck.

Ẹco, Umberto, italien. Semiotiker, Kunstphilosoph und Schriftsteller, *Alessandria 5. 1. 1932;

Ecuador

Fläche: 270 696 km^2
Einwohner: (1995) 11,46 Mio.
Hauptstadt: Quito
Verwaltungsgliederung: 21 Provinzen
Amtssprache: Spanisch
Nationalfeiertag: 10. 8.
Währung: 1 Sucre (S/.) = 100 Centavos (Ctvs)
Zeitzone: MEZ – 6 Std.

Prof. in Florenz, Mailand und (seit 1971) Bologna; verfasste zahlr. Studien zur mittelalterl. Ästhetik und Geistesgeschichte, zur Semiotik sowie zu den Ausdrucksformen der Massenkultur und -kommunikation. In der Essaysammlung »Das offene Kunstwerk« (1962) entwickelte er seine Theorie des Kunstwerks, das durch Polysemie (seinen mehrdeutigen Zeichencharakter) und Offenheit für unendlich viele Lesarten durch die Rezipienten charakterisiert ist. Bekannt wurde v. a. sein mit den Strukturen der Detektivgeschichte spielender Roman »Der Name der Rose« (1980), der die Welt des 14. Jh. als Gleichnis aktueller Verwirrung entwirft; ferner: »Das Foucaultsche Pendel« (R., 1988), »Die Suche nach der vollkommenen Sprache« (1993), »Die Insel des vorigen Tages« (R., 1994).

Ausgabe: Über Gott u. die Welt. Essays u. Glossen, übers. v. B. Kroeber (Neuausg. ^{4}1994).

📖 Mersch, D.: *U. E. zur Einführung. Hamburg 1993.*

École de Paris [e'kɔl dəpa'ri, frz.], Gruppe lose miteinander verbundener Maler versch. Nationalität, die nach dem Ende des 2. Weltkrieges bis etwa 1960 in Paris tätig waren. Ihr Schwerpunkt lag auf der abstrakten Malerei, bes. der →informellen Kunst. – Die Bez. É. de P. wird z. T. auch auf alle seit etwa 1905 in Paris lebenden und mit den Pariser Künstlerzirkeln verbundenen in- und ausländ. Künstler bezogen.

Economist, The [ðɪ ɪ'kɔnəmɪst], 1843 gegr. Londoner Wirtschaftszeitschrift, erscheint wöchentlich samstags.

ECOSOC, Abk. für engl. **Eco**nomic and **Soc**ial Council, der Wirtschafts- und Sozialrat der Vereinten Nationen.

Écossaise [ekɔ'sɛːz; frz. »die Schottische«] *die* (Ekossaise), alter schott. Rundtanz zum Dudelsack im Dreiertakt, nach 1700 in Frankreich Gesellschaftstanz in geradem Takt; war in Dtl. v. a. 1800–30 populär.

ECOWAS, Abk. für engl. **E**conomic **Commu**nity of **W**est **A**frican **S**tates, →Wirtschaftsgemeinschaft Westafrikanischer Staaten.

Ecraseleder [frz.], farbiges, glattes, pflanzlich gegerbtes Ziegenleder.

Écrins, Barre des [bardeze'krɛ̃], Gipfel des Pelvoux-Massivs in den Frz. Alpen, 4102 m ü. M.; der Naturpark **Écrins** in den Dép. Isère und Hautes-Alpes ist mit 91 800 ha der größte Frankreichs.

ECS, Abk. für engl. **E**uropean **C**ommunication **S**atellite, europ. Nachrichtensatellitensystem, bestehend aus den 1983–88 stationierten Nachrichtensatelliten ECS-1 bis 5 (ECS-3 ging 1985 verloren). Jeder Satellit kann gleichzeitig 12 600 Ferngespräche innerhalb Europas vermitteln und zugleich zwei Farbfernsehprogramme ausstrahlen.

Ecstasy ['ekstəsɪ; engl. »Ekstase«] *das,* synthetisch hergestellte Droge aus der Gruppe der Amphetamine, die zu euphor. Gefühlsstimmungen führen, aber auch Depressionen sowie Herzrasen, Muskelkrämpfe und einen gefährl. Wasserverlust des Körpers hervorrufen kann.

Écu [e'ky; frz., von lat. scutum »Schild«] *der,* frz. Münze, nach ihrem Gepräge, dem königl. Wappenschild, benannt.

ECU [e'ky], Abk. für engl. **E**uropean **C**urrency **U**nit, →Europäisches Währungssystem.

Ecuador (Ekuador, amtl. span. República del E.), Staat im NW Südamerikas, beiderseits des Äquators; grenzt im W an den Pazifik, im N an Kolumbien, im O und S an Peru; zu E. gehören die →Galápagosinseln; ein Gebiet von 174 565 km^2 im S der Region Oriente ist zw. E. und Peru strittig.

Staat und Recht: Nach der Verf. von 1978 ist E. eine präsidiale Republik. Staatsoberhaupt und oberster Inhaber der Exekutive (Reg.chef) ist der für fünf Jahre direkt gewählte Präs. (einmalige Amtsperiode). Die Legislative liegt beim Repräsentantenhaus (77 Abg., für vier Jahre gewählt). Einflussreichste Parteien sind die Partei der Republikan. Einheit (PUR), die Sozial-Christl. Partei (PSC), die Roldosist. Partei E.s (PRE), die Demokrat. Linke (ID) und die Sozialist. Partei E.s (PSE).

Landesnatur: E. gliedert sich in drei Landschaftszonen. Im W entlang der Küste des Pazifik

Staatswappen

EC

Internationales Kfz-Kennzeichen

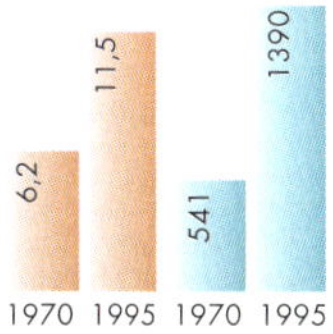

Bevölkerung (in Mio.) — Bruttosozialprodukt je Ew. (in US-$)

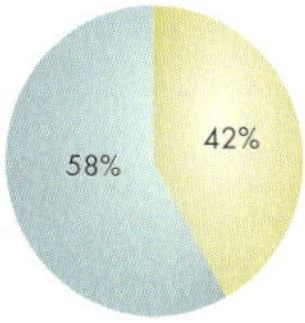

Bevölkerungsverteilung 1994

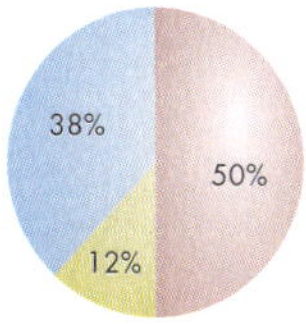

Bruttoinlandsprodukt 1994

Ecuador: Landwirtschaftliche Anbauflächen bei San Miguel Boliva, im Hintergrund der Chimborazo

mit dem Golf von Guayaquil erstreckt sich ein 50–160 km breites Tiefland (Costa), das von einem Küstengebirge (bis 700 m ü. M.) durchzogen wird, mit im N feuchtheißem, im S trockenem Klima. Das Zentrum des Landes bildet die Andenregion (Sierra), zwei Parallelketten von 3000 bis 6000 m Höhe mit z. T. tätigen Vulkanen (Chimborazo 6310 m ü. M., Cotopaxi 5897 m ü. M.). Zw. den beiden Kordilleren ist das Hochland durch quer laufende Bergzüge in einzelne, etwa 2600 m hoch gelegene Becken, die Hauptsiedlungsräume des Landes geteilt. Bei kühlgemäßigtem Klima gibt es eine bis zu neun Monaten dauernde Trockenzeit. Die Hänge der Ostkordillere fallen nach O steil zum östl. Tiefland (Oriente) im Stromgebiet des Amazonas ab, das mit trop. Regenwald bedeckt und noch kaum erschlossen ist.

Bevölkerung: Die größten Bev.gruppen (je rd. 40%) sind die Mestizen und die Indianer. Die Indianer der Sierra sprechen meist Ketschua oder Chibcha. Schwarze und Mulatten (je rd. 5%) leben zum größten Teil im Küstentiefland. Die Weißen (10%) leben überwiegend in den Städten und bilden die Oberschicht. Die durchschnittliche Bev.wachstumsrate von 2,4% ist eine der höchsten Lateinamerikas, die Bev.dichte die höchste Südamerikas. In Städten (größte Städte sind Quito, Guayaquil und Cuenca) leben fast 60% der Einwohner. – Die allg. Schulpflicht vom 6. bis 14. Lebensjahr ist nur z. T. verwirklicht. Es gibt 34 Hochschulen, darunter elf Universitäten. Die Analphabetenquote beträgt rd. 13%. – 93% der Bev. sind katholisch.

Wirtschaft, Verkehr: Die traditionell agrarisch geprägte Wirtschaftsstruktur änderte sich grundlegend durch den starken Ausbau der Erdölproduktion und des -exports in den 70er- und 80er-Jahren. Erdöl wird seit 1917 auf der Halbinsel Santa Elena, seit 1972 im N des Oriente gefördert; der Transport erfolgt durch eine transandine Pipeline (504 km lang, 1987 durch ein schweres Erdbeben stark zerstört) zur Küste bei Esmeraldas (Erdölraffinerie). Die Vorkommen an Gold sowie Eisen- und Kupfererz sollen verstärkt abgebaut werden. Zweitwichtigster Wirtschaftszweig ist die Landwirtschaft, die rd. 25% der Staatsfläche nutzt. Auf Plantagen im Küstenland (Costa) werden Bananen, Kaffee, Kakao und Zuckerrohr für den Export angebaut; im Hochland für den Eigenbedarf Getreide, Kartoffeln, Gemüse; ferner Rinder-, Schaf- und Schweinezucht. Die Regenwälder im östl. Tiefland (Oriente) werden noch wenig genutzt. Reiche Fischgründe liegen im Bereich des Humboldtstroms und um die Galápagosinseln (200-Seemeilen-Grenze); wichtig für den Export ist die Krabbenzucht. Das produzierende Gewerbe trägt 24% zum Bruttoinlandprodukt bei. Die Industrialisierung, bisher v. a. durch Kapital- und Rohstoffmangel, unzureichende Infrastruktur und ungenügende Kaufkraft erschwert, wird stark gefördert, v. a. der Ausbau der chem. Ind. und der Metallerzeugung. Die Erdölexporte führten in den letzten Jahren zu einer aktiven Handelsbilanz. Ausfuhr: Erdöl (rd. 50%), Bananen (16%; 1971: 42%); Einfuhr: bes. Rohstoffe, Maschinen und Fahrzeuge. Haupthandelspartner sind die USA.

Wichtigster Verkehrsträger ist das gut ausgebaute Straßennetz mit einer Gesamtlänge von 43700 km, davon entfallen 1392 km auf die von N nach S durch die Sierra verlaufende Carretera Panamericana. Bis 1995 waren noch 956 km Eisenbahnen in Betrieb, wegen Unrentabilität wurde der Schienenverkehr eingestellt. Größter Seehafen ist Guayaquil, Bananenexporthafen Puerto Bolívar, Erdölexporthafen El Balao. Internat. Flughäfen gibt es in Guayaquil und Quito.

Geschichte: Vor der span. Eroberung (1533/34) war E., in der Küstenebene besiedelt seit etwa 3000 v. Chr., Teil des Reiches der →Inka; seit 1563 gehörte es zum Vizekönigreich Peru, seit 1739 zu Neugranada. Der Kampf um die Unabhängigkeit von Spanien begann 1809; mit dem Sieg General Sucres 1822 am Vulkan Pichincha wurde E. Teil Groß-Kolumbiens, von dem es sich 1830 trennte. Es folgte eine Zeit polit. Instabilität; Machtkämpfe zw. Liberalen und Konservativen endeten mit der Diktatur G. García Morenos (1861–75), der ein modernes Staatswesen schuf. Die Unruhen flammten jedoch nach seiner Ermordung 1875 wieder auf, bis sich 1895 die Liberalen durchsetzten. E. Alfaro (Präs. 1895–1901, 1906–11, ermordet 1912) modernisierte den Staat v. a. durch Zurückdrängen der kath. Kirche, die Wirtschaft wurde durch den Kakaoanbau und -export bestimmt. Unter Präs. I. Ayoro (1925–31) wurde 1931 der langjährige Grenzstreit mit Kolumbien beigelegt. Mit der Weltwirtschaftskrise und dem Rückgang des Kakaoexports setzten die polit. Unruhen wieder ein. Nach einem Grenzkrieg mit Peru verlor E. 1942 im »Protokoll von Rio de Janeiro« (1960 von E. einseitig für nichtig erklärt) bedeutende Gebiete im Amazonastiefland.

Beherrschender Politiker der folgenden Jahrzehnte war J. M. Velasco Ibarra (Präs. 1934–35, 1944–47, 1952–56, 1960–61, 1968–72, fünfmal durch Putsch gestürzt). Er konnte mit der Abkehr seines Landes von der einseitigen wirtsch. Abhängigkeit vom Kakaoexport und der Ausweitung des Außenhandels auf anderen trop. Produkte sowie mit größeren Staatseinnahmen aus einem verstärkten Erdölexport einige Reformprojekte durchführen. Es gelang ihm jedoch auf Dauer nicht, die Lebensbedingungen v. a. der Land-Bev. grundlegend zu verbessern. 1972 übernahm eine reformer., am Vorbild der damaligen Militärjunta in Peru orientierte Offiziersgruppe die Macht. Das starke Bev.wachstum und die Strukturprobleme auf dem Agrarsektor verhinderten jedoch weiterhin einen dauerhaften sozialen Ausgleich.

Nachdem 1978 durch ein Referendum eine neue Verf. angenommen worden war, ging die Macht 1979 wieder an eine gewählte Regierung über. Mit unterschiedl. politischen Akzenten versuchten die Regierungen, u. a. unter den Präs. J. Roldós Aguilera (1979–81, nationalistisch-populistisch), L. Febres Cordero (1984–88, christlich-sozial), R. Borja Cevallos (1988–92, sozialdemokratisch) und S. Durán Ballén (1992–96, neoliberal) gesellschaftpolit. Reformen durchzuführen. Der bei den Präsidentenwahlen von 1996 überraschend an die Macht gelangte und an das nationalistisch-populist. Programm des früheren Präs. Aguilera anknüpfende A. J. Bucaram Ortiz wurde Anfang Februar 1997 – vor dem Hintergrund einer rigiden Sparpolitik – vom Parlament wegen »Unfähigkeit« abgesetzt. Die Präsidentenwahlen von 1998 gewann der Christdemokrat J. Mahuad nach Stichwahl.

Seitdem in dem beiderseits umstrittenen Grenzgebiet zw. E. und Peru Erdölvorkommen vermutet werden, kam es zu einem bewaffneten Konflikt zw. beiden Staaten (1995) und zur Einrichtung einer entmilitarisierten Zone.

📖 WESTPHAL, W.: *Unter den Schwingen des Kondor. Das Reich der Inka gestern u. heute. Neuausg. Frankfurt am Main u. a. 1989.* – FRANK, E.: *E. mit Galápagos-Inseln. Buchschlag [5]1990, Nachdr. 1993.* – LANGER, M.: *Geldpolitik u. Finanzsystem in Entwicklungsländern. Theoret. u. empir. Untersuchungen am Beispiel E.s. Münster u. a. 1993.*

ecuadorianische Literatur, →lateinamerikanische Literaturen.

Ed., Abk. für lat. **ed**itio, →Edition, **ed.** für **ed**idit, (hat) herausgegeben, **edd.** für **ed**id**erunt**, (haben) herausgegeben.

EDA-Komplexe, Kw. für **E**lektronen-**D**onator-**A**kzeptor-Komplexe, →Charge-Transfer-Komplexe.

Edam-Volendam, Stadt in der Prov. Nordholland, Niederlande, am Ijsselmeer, 24 800 Ew.; aus E. stammt der vollfette, meist kugelförmige und mit einer roten Wachsschicht überzogene **Edamer Käse;** Maschinen- und Metallwarenind., Fischverarbeitung; Fremdenverkehr. Das Fischerdorf **Volendam** ist bekannt für die hier getragenen Trachten.

edaphisch [grch.], bodenbedingt, auf den Boden und dessen ökologisch wirksame Faktoren bezogen.

Edaphon [zu grch. édaphos »Erdboden«] *das,* Gesamtheit der Organismen des Erdbodens.

Edda, Name zweier Werke der altisländ. Literatur, die jüngere Prosa- oder Snorra-E. und die ältere Lieder- oder Sæmundar-E. Den Namen E. führte urspr. nur die jüngere E., die ältere erhielt ihn erst im 17. Jh. durch isländ. Gelehrte.

Die **Snorra-Edda,** verfasst von Snorri Sturluson zw. 1220 und 1230, erhalten in Handschriften aus dem 13. und 14. Jh., ist ein Lehrbuch für junge Skalden über die dichter. Ausdrücke, die Umschreibungen (Kenningar, →Kenning) und die versch. Versarten. Sie beginnt mit einer Darstellung der nord. Mythologie, der Gylfaginning (König Gylfis Täuschung) in dialog. Form; es folgen die Skáldskaparmál (Sprache der Dichtkunst), reich an Zitaten aus der Skaldendichtung des 9.–12. Jh.; den Schluss bildet das Háttatal (Aufzählung der Versarten), ein Lobgedicht Snorri Sturlusons auf den norweg. König Håkon und den Jarl Skuli.

Die **Lieder-Edda,** früher dem Sæmundr Sigfússon zugeschrieben, einem isländ. Gelehrten des

Arthur Stanley Eddington

Mary Eddy

11./12. Jh., ist in einer Handschrift aus dem 13. Jh. erhalten. Sie ist eine Sammlung von etwa 30 Liedern aus Mythologie und Heldensage, die in der überlieferten Form hauptsächlich aus der Wikingerzeit (8.–11. Jh.) stammen. Die Götterlieder umfassen Visionsdichtung (→Völuspá), Götterschwänke, dialog. Wissensdichtung und Spruchdichtung (Hávamál). Die Heldenlieder zeigen z. T. Spuren dt. Vorlagen (z. B. das »Alte Atlilied«, die Sigurd- und Gudrunlieder aus dem Nibelungenstoff). Im Unterschied zur kunstvollen Skaldendichtung sind die E.-Lieder in volkstüml. Sprache geschrieben.

📖 JÓNAS KRISTJÁNSSON: *E.s u. Sagas. Die mittelalterl. Literatur Islands. Hamburg 1994.*

Eddington ['edɪŋtən], Sir (seit 1930) Arthur Stanley, brit. Astronom und Physiker, *Kendal (Cty. Cumbria) 18. 12. 1882, †Cambridge 22. 11. 1944; begründete die Erforschung des inneren Aufbaus der Sterne, stellte die Pulsationstheorie der →Cepheiden auf, bestätigte während einer Sonnenfinsternis 1919 die von A. Einstein vorhergesagte →Lichtablenkung im Gravitationsfeld und entdeckte die Beziehung zw. den Massen der Fixsterne und ihren Leuchtkräften.

Edda: Doppelseite der Lieder-Edda in einer isländischen Handschrift aus dem 17. Jh. mit einer Illustration (links Walhall, die Totenhalle der gefallenen Krieger, rechts die Midgardschlange) des Odinlieds (Kopenhagen, Det Arnamagnæanske Institut)

Eddy, Mary, geb. Baker, amerikan. Laientheologin, *Bow (N. H.) 16. 7. 1821, †Boston 3. 12. 1910; Gründerin der →Christian Science.

Ede, 1) Industriegemeinde in der Prov. Gelderland, Niederlande, 97 200 Ew.; Kunstfaserproduktion, Möbel-, Getränke-, Verpackungsindustrie.

2) Stadt in SW-Nigeria, im Yorubaland, 284 900 Ew.; Bahnstation, Handel mit Kakao, Palmöl u. a.

EDEKA Handelsgruppe, genossenschaftlich orientierte Einkaufsorganisation des Lebensmitteleinzelhandels; gegr. 1907 in Leipzig; Sitz: Hamburg. Zum Verbundsystem der E. H. (bestehend aus über 9 000 Einzelhändlern mit rd. 11 000 Läden, die in regionalen Genossenschaften zusammengeschlossen sind) gehören als Waren- und Dienstleistungszentrale die **EDEKA Zentrale AG,** Hamburg, als zentrales Kreditinst. die EDEKA Bank AG, als Prüfungsverband der EDEKA Verband kaufmänn. Genossenschaften e. V. Verbundene Unternehmen sind u. a. Gedelfi und Nanz.

Edelfalter, Familie der Tagfalter, →Ritterfalter.

Edelfäule, Zersetzung reifer Weinbeeren durch den Grauschimmelpilz (Botrytis cinerea) bei feuchtwarmem Herbstwetter. Die rosinenähnl. Beeren liefern natursüße Weine, z. B. Beerenauslesen.

Edelfreie (Edelinge), bei german. Völkern eine durch edle Abkunft und höheres Ansehen ausgezeichnete Schicht innerhalb des Standes der →Freien, im Ggs. zu den →Ministerialen. Aus ihr entwickelten sich im 11./12. Jh. die **freien Herren,** die mit Gerichtshoheit ausgestatteten Grundherren (→Adel).

Edelgase, die Elemente Helium, Neon, Argon, Krypton, Xenon und das radioaktive Radon, die im Periodensystem der Elemente die achte (nullte) Hauptgruppe bilden. Die E. sind einatomige, farb- und geruchlose Gase; wegen der bes. abgeschlossenen Elektronenanordnung ihrer Atome **(E.-Konfiguration)** sind die E. sehr reaktionsträge (inert) und bilden nur unter extremen Bedingungen chem. Verbindungen. E. kommen zu rd. 1% in der atmosphär. Luft vor. Zus. mit Mineralwässern und aus Erdgasquellen treten oft Gase mit größerem Gehalt an Argon und Helium aus. Verwendung in der Beleuchtungs-, Tieftemperatur- und Kerntechnik (Helium) sowie in der Medizin.

Edelhirsch, →Hirsche.

Edelkastani|e (Echte Kastanie, Castanea sativa), Buchengewächs in W-Asien, kultiviert und eingebürgert in S-Europa und N-Afrika, seit der Römerzeit auch in wärmeren Gebieten Dtl.s; sommergrüner, bis über 1 000 Jahre alt und über 20 m

Edelsteine (Auswahl)*)

Elemente
Diamant: durchsichtig; farblos, auch gelb, bräunlich, grau u. a. gefärbt

Sulfide
Pyrit (Inkastein): undurchsichtig; messinggelb, graugelb

Oxide
Rubin (Korundvarietät): durchsichtig, durchscheinend, undurchsichtig; hell- bis dunkelrot
Saphir (Korundvarietät): durchsichtig, undurchsichtig; blau, farblos, rosa, gelb, grün, violett
Blutstein (Hämatitvarietät): undurchsichtig; schwarz, schwarzgrau, braunrot
Chrysoberyll: durchsichtig; goldgelb, grüngelb, bräunlich; **Varietäten**:
  Alexandrit: durchsichtig; grün (bei Kunstlicht rot)
  Cymophan: durchscheinend; gelb, grünlich; mit silberweißer Lichtlinie
Spinell (Edelspinell): durchsichtig; rot, rosa, violett, gelb, orange, blau

Quarz, phanerokristalline Varietäten:
Amethyst: durchsichtig; violett, blassrotviolett
Bergkristall: durchsichtig; farblos
Citrin: durchsichtig; hellgelb bis goldbraun
Prasiolith: durchsichtig; lauchgrün
Rauchquarz (Morion): durchsichtig; braun bis schwarz, rauchgrau
Rosenquarz: durchsichtig, durchscheinend; kräftig rosa, blassrosa

Quarz mit Einlagerungen:
Aventurin: durchscheinend, undurchsichtig; grün, goldbraun, schillernd
Falkenauge: undurchsichtig; blaugrau, blaugrün; mit seidigem Schimmer
Tigerauge: undurchsichtig; goldgelb, goldbraun; mit seidigem Schimmer

Quarz, kryptokristalline Varietäten:
Achat: durchscheinend, undurchsichtig; in zahlreichen Farbvarianten; gestreift
Baumstein: durchscheinend, undurchsichtig; weißlich grau; mit baumartiger Zeichnung
Chalcedon: durchscheinend, undurchsichtig; bläulich, weißgrau
Chrysopras: durchscheinend, undurchsichtig; grün
Heliotrop (Blutjaspis): undurchsichtig; dunkelgrün, mit roten Punkten
Jaspis: undurchsichtig; alle Farbtöne; meist streifig oder gefleckt
Karneol: durchscheinend, undurchsichtig; fleisch- bis braunrot
Moosachat: durchscheinend, undurchsichtig; farblos, mit grünen Einlagerungen
Onyx: undurchsichtig; schwarzweiß gebändert
Sarder: durchscheinend, undurchsichtig; dunkelbraunrot

Quarz, amorphe Varietäten:
Gemeiner Opal: durchsichtig bis undurchsichtig; weißbläulich und perlmutterglänzend
Edelopal: durchsichtig bis undurchsichtig; weiß, grau, bläulich, orange (weißer Opal) bis tiefblau, orange, rot, grün (schwarzer Opal), mit intensivem Farbenspiel
Feueropal: durchscheinend; feuerrot, bernsteinfarben

Carbonate
Rhodochrosit (Manganspat): undurchsichtig bis durchsichtig; rosenrot bis weiß, gestreift
Azurit (Kupferlasur): durchsichtig bis undurchsichtig; tiefblau
Malachit: undurchsichtig; hell-, smaragd-, schwarzgrün; gebändert

Phosphate
Lazulith (Blauspat): undurchsichtig; intensiv blau, z. T. gefleckt
Türkis (Kallait): undurchsichtig; himmelblau, blaugrün, apfelgrün; meist mit braunen oder schwarzen Flecken

Silikate
1. Inselsilikate:
Olivin (Peridot, Chrysolith): durchsichtig; gelbgrün, olivgrün
Granat:
  Almandin: durchsichtig, durchscheinend; rot bis leicht violett
  Demantoid: durchsichtig; smaragdgrün bis gelblich grün
  Grossular: durchsichtig, durchscheinend; grün, gelblich, kupferbraun
  Pyrop: durchsichtig, durchscheinend; rot, leicht bräunlich
  Spessartin: durchsichtig, durchscheinend; orange bis rotbraun
  Uwarowit: durchsichtig, durchscheinend; smaragdgrün
Zirkon: durchsichtig; farblos, auch in fast allen Farben
Andalusit: durchsichtig; gelblich grün bis grün
Topas (Edeltopas): durchsichtig; farblos, gelb, grünlich, hellblau, rosenrot

2. Gruppensilikate:
Tansanit (Zoisitvarietät): durchsichtig; saphirblau, amethystviolett
Thulit (Zoisitvarietät): undurchsichtig; rot, rosa; fein gesprenkelt
Vesuvian: durchsichtig, durchscheinend; olivgrün, gelbbraun

3. Ringsilikate:
Beryll:
  Aquamarin: durchsichtig bis undurchsichtig; hellblau, blaugrün
  Goldberyll: durchsichtig, durchscheinend; zitronengelb bis goldgelb
  Heliodor: durchsichtig; hellgelbgrün
  Smaragd: durchsichtig bis undurchsichtig; smaragdgrün, gelblich- bis dunkelgrün
  Goshenit: durchsichtig; farblos
  Morganit: durchsichtig; rosa bis violett
  Worobieffit: durchsichtig; rosa
Turmalin: durchsichtig bis undurchsichtig; farblos und in vielen Farben, meist mehrfarbig
Dioptas: durchsichtig; smaragdgrün

4. Kettensilikate:
Diopsid: durchsichtig, durchscheinend; smaragdgrün
Hiddenit (Spodumenvarietät): durchsichtig; gelbgrün, grüngelb, smaragdgrün
Kunzit (Spodumenvarietät): durchsichtig; rosaviolett, hellviolett
Jadeit (›Jade‹): undurchsichtig, durchscheinend; grün, auch weiß, rötlich gelb, braun, violett bis schwärzlich
Nephrit (›Jade‹): undurchsichtig; grün, auch weiß, grau, gelblich, rötlich braun; oft fleckig
Rhodonit: undurchsichtig bis durchsichtig; dunkel- bis fleischrot; schwarze Einlagerungen

5. Blattsilikate:
Steatit (Talkvarietät): undurchsichtig; weiß, grau, gelb, rötlich, braun
Serpentin: undurchsichtig; grün, grau
Meerschaum (Sepiolith): undurchsichtig; weiß, auch gelblich, grau, rötlich

6. Gerüstsilikate:
Mondstein (Adular): durchsichtig bis durchscheinend; farblos, gelb mit bläul. Schimmer
Amazonit: undurchsichtig; grün, bläulichgrün
Aventurinfeldspat: undurchsichtig; rötlich bis gelblich, rotbraun schillernd
Labradorit: undurchsichtig; dunkelgrau mit buntem Farbenspiel
Sodalith: undurchsichtig, durchscheinend; blau, grau; z. T. weiß geädert
Lapislazuli (Lasurit): undurchsichtig; intensiv blau, z. T. gefleckt

*) Weitere Angaben unter dem jeweiligen Stichwort.

hoch werdender Baum; Nussfrüchte **(Esskastanien** oder **Maroni)** mit stachliger Fruchthülle; erste Fruchterträge nach 20 Jahren.

Edelkoralle, →Korallen.

Edelman ['eɪdlmæn], Gerald Maurice, amerikan. Biochemiker, *New York 1. 7. 1929; seit 1960 Prof. an der Rockefeller University in New York; klärte 1969 die vollständige Struktur eines Immun-

Gerald M. Edelman

globulins auf; hierfür erhielt er 1972 mit R. R. Porter den Nobelpreis für Physiologie oder Medizin.

Edelmann, urspr. Angehöriger des freien Adels (→Edelfreie), später jeder Ritter.

Edelmetalle, chemisch sehr beständige Metalle (speziell gegen Sauerstoff und Säuren), zu denen Silber, Gold, Quecksilber und die Platinmetalle zählen; bes. für Schmuck und techn. Zwecke geeignet.

Edelreis, im Obst- und Weinbau ein zur →Veredelung dienendes Zweigstück.

Edelstahl, mit Stahlveredelungsmitteln wie Chrom oder Mangan legierter rostfreier Stahl mit nur geringem Gehalt an Phosphor, Schwefel u.a. unerwünschten Begleitelementen und Schlackeneinschlüssen.

Edelsteine, Sammelbez. für zur Herstellung von Schmuck oder auch kunstgewerbl. Gegenständen verwendete, durch schönes Aussehen, meist auch durch Härte und Seltenheit hervorstechende nichtmetall. Materialien. E. sind überwiegend natürlich vorkommende, heute z. T. auch synthetisch hergestellte Minerale (von den etwa 2500 bekannten Mineralen der Erdkruste etwa 70). Die zu Schmuckzwecken verwendeten Minerale wurden früher meist in die Gruppe der bes. klaren, harten, z. T. auch sehr seltenen E. (i. e. S.) und die der vielfach undurchsichtigen, nicht so widerstandsfähigen und weniger wertvollen **Halb-E.** unterteilt. Da sich diese Gruppen jedoch nicht klar gegeneinander abgrenzen lassen, fasst man sie heute meist alle unter dem Begriff E. oder **Schmucksteine** zusammen. Gewichtseinheit ist das Karat (0,2 g). Zu den wertvollsten E. zählen der →Diamant, Varietäten des →Berylls, →Korunds und →Chrysoberylls sowie der Opal. E. kommen in Gesteinen und Erzen vor und werden in Tagebauen und Steinbrüchen sowie aus Seifen gewonnen. – Durchsichtige E. werden zur Entfaltung der Lichtwirkung facettiert geschliffen (→Brillant), durchscheinende und undurchsichtige meist gewölbt (gemugelt, Cabochon) oder sind als flache Siegelsteine gravierfähig. Das Schleifen umfasst Klopfen und/oder Sägen, Ebauchieren (Grobschleifen) und Facettieren (Polieren). – **Synthet. E.** (Synthesen) sind kristalline Substanzen, die ganz oder teilweise durch Kristallzüchtung hergestellt wurden, deren chem. Zusammensetzung, Feinstruktur und physikal. Eigenschaften mit den natürl. E. identisch sind. In wirtsch. bedeutenden Mengen hergestellt werden Korunde (Rubin, Saphir), Spinelle und Smaragd. – **Imitationen** gleichen nur äußerlich natürl. E.; sie bestehen vorwiegend aus gefärbten Gläsern, aber auch aus keram. Massen und Kunstharzen. Synthesen und Imitationen müssen im Handel eindeutig als solche gekennzeichnet sein. Die wirtsch. bedeutendsten E.-Lagerstätten befinden sich in Australien, Brasilien, Birma, Madagaskar, Namibia, in der Rep. Südafrika, in Simbabwe, Sri Lanka, Thailand, Jakutien (Russ. Föderation) und in der Demokrat. Rep. Kongo. Haupthandelsplätze für Roh-E. sind London, New York und Idar-Oberstein. Besondere Aufgabe der **E.-Kunde (Gemmologie)** ist die Erarbeitung von Methoden zur Unterscheidung natürl. E. von Synthesen und Imitationen; dazu werden z. B. Goniometer, Polarisationsmikroskope und Röntgenapparate eingesetzt.

Geschichte: In der Antike kamen E. v. a. aus dem Orient, seit der Entdeckung Amerikas auch aus Süd- und Mittelamerika; im 19. Jh. sind bes. in Brasilien, Russland, Afrika und in Australien neue Fundstätten erschlossen worden. Das Schleifen von E. war im Altertum kaum verbreitet; es entwickelte sich im Spät-MA. aus dem Mugeln. Hoch entwickelt war seit röm. Zeit die Steinschneidekunst. Aus frühen Ansätzen im 5. Jh. erreichte die Schmuckverwendung von E. im MA. einen Höhepunkt in Werken kirchl. Kunst und den Insignien der Herrscher. Seit dem 16. Jh. wurden E. als profaner Schmuck verwendet. In dieser Zeit entwickelte sich der Brillantschliff.

📖 CHUDOBA, K. F. *u.* GÜBELIN, E. J.: *Edelsteinkundl. Handbuch. Bonn* [3]*1974. – E. u. Schmucksteine. Alle Edel- u. Schmucksteine der Welt, bearb. v.* W. SCHUMANN. *Neuausg. München u. a. 1995. – GU-Naturführer E. u. Schmucksteine. bearb. v.* R. HOCHLEITNER. *München* [2]*1995.*

Edeltanne, ein Nadelbaum, →Tanne.

Edelweiß (Leontopodium), Korbblütlergattung mit etwa 40 Arten in Gebieten Asiens und Europas; weiß- oder grauhaarige Kleinstauden oder Halbsträucher mit meist trugdoldig gehäuften Blütenkörbchen. Das europ. **Leontopodium alpinum** mit strahlig abstehenden, weißfilzigen Hochblättern wächst in den Alpen ab 1700 m Höhe; steht unter Naturschutz.

Eden (Garten E.), im A. T. das →Paradies.

Robert Anthony Eden

Eden [i:dn], Sir (seit 1954) Robert Anthony, Earl of Avon (seit 1961), brit. Politiker, *Windlestone (Cty. Durham) 12. 6. 1897, †Alvediston (Cty. Wiltshire) 14. 1. 1977; 1923–57 konservativer Abg. im Unterhaus, 1935–38 Außenmin., trat von diesem Amt aus Protest gegen die von Premiermin. A. N. Chamberlain verfolgte Beschwichtigungspolitik (»Appeasement«) gegenüber Hitler und Mussolini zurück. Bei Ausbruch des 2. Weltkrieges wurde er 1939 als Staatssekretär für die Dominions in die Regierung zurückberufen. In der nach dem Rücktritt Chamberlains gebildeten Koalitionsregierung unter Premiermin. W. Churchill war er 1940 Kriegsmin. und 1940–45 Außenminister.

1951–55 wieder Außenmin., strebte er eine enge, auch militär. Zusammenarbeit der westeurop. Staaten an. Auf den Viermächtekonferenzen von

Berlin (1954) und Genf (1955) legte E. Pläne zur Wiedervereinigung Dtl.s und zur Entspannung in Europa vor **(E.-Pläne).** Nach dem Scheitern der Europ. Verteidigungsgemeinschaft (EVG) 1954 hatte er – vor dem Hintergrund des Ost-West-Konfliktes – wesentl. Anteil am Ausbau des westl. Verteidigungssystems im Rahmen der Pariser Verträge. Er beteiligte sich maßgeblich an der Gründung der SEATO. Ab 1955 Premiermin., sah sich E. bereits 1957 infolge der scharfen nat. und internat. Kritik an der britisch-frz. Intervention am Sueskanal (1956) zum Rücktritt gezwungen.

Ẹdenkoben, Stadt im Landkreis Südl. Weinstraße, Rheinl.-Pf., 6400 Ew.; Weinbaugemeinde und Luftkurort an der Haardt; Metallwarenindustrie; Sanatorium. – Schloss Ludwigshöhe wurde 1845–52 als klassizist. Landsitz Ludwigs I. von Bayern erbaut. – E. wurde 1818 zur Stadt erhoben.

Edentạten [lat.], Säugetierordnung, →Zahnarme.

Ẹder *die,* linker Nebenfluss der Fulda, 135 km lang, entspringt am 676 m hohen **E.-Kopf** im Rothaargebirge, mündet südöstlich von Baunatal. Die **Edertalsperre** staut die E. bei Waldeck zum **Edersee,** Fassungsvermögen 202 Mio. m³.

Edẹssa, 1) Hptst. des grch. Verw.gebietes (Nomos) Pella in W-Makedonien, auf einer Sinterterrasse, über deren Rand 70 m hohe Wasserfälle stürzen, 16600 Ew.; Marktort; orth. Bischofssitz.

2) antike Stadt in Mesopotamien, heute die türk. Stadt →Şanlıurfa.

Ẹdfu, Stadt in Oberägypten, →Idfu.

Edgeworth ['edʒwɔ:θ], Francis Ysidro, brit. Volkswirtschaftler, *Edgeworthstown (heute Mostrim, Cty. Longford, Irland) 8. 2. 1845, †Oxford 13. 2. 1926; Prof. in Oxford. In seinen preistheoret. Analysen verwendete er erstmals Indifferenzkurven; Wegbereiter der mathemat. Wirtschaftstheorie in Großbritannien.

Edịkt [lat.] *das,* obrigkeitl. Bekanntmachung; im röm. Recht Verordnungen des Magistrats, bes. der Prätoren, über die Grundsätze der Rechtsanwendung in ihrer Amtszeit; später auch Erlasse der Kaiser. In der Neuzeit einzelne Anordungen der frz. Könige, z.B. **E. von Nantes** (→Hugenotten).

Edinburgh ['edɪnbərə], Hptst. von Schottland, am S-Ufer des Firth of Forth, entspricht der Local Authority **City of E.** (262 km²), 441600 Ew.; kultureller und wirtsch. Mittelpunkt Schottlands, Sitz der höchsten Behörden, eines Bischofs der schott. Hochkirche und eines kath. Erzbischofs. E. hat Univ. (seit 1583), TU, FH, Akademie, Museen, Galerien, Bibliotheken; botan. und zoolog. Garten; pharmazeutisch-chem., elektron. Ind., graf. Gewerbe, Papierherstellung, Schiff-, Maschinenbau, Brauereien; Banken-, Versicherungs- und Geschäftszentrum; Hochseehafen Leith, internat. Flughafen. Seit 1947 finden jährl. die E. Musik- und Theaterfestspiele statt. – Die Altstadt wird überragt von der auf 130 m hohem Fels gelegenen Burg aus dem 11. Jh. (heute Museum); auf dem Markt die Kathedrale Saint Giles (1385 zerstört, 1387–1500 Neubau) mit 49 m hohem Glockenturm (1495), im O-Teil der Stadt der um 1500 errichtete Holyrood Palace, die königl. Residenz, 1650 zerstört, 1671–79 wieder aufgebaut. Die georgian. Neustadt wird durch planmäßige Straßenanlagen und Häuser in klassizist. Stil geprägt (u.a. Royal Exchange, 1753–60; Register House, 1774; Univ., 1789); bed. Kirchen wie Saint Andrew's (1785) und Saint John's (1816). – E. entstand unterhalb des mindestens seit dem 6. Jh. befestigten Castle Rock, auf dem im 11. Jh. eine Burg als Sitz der schott. Könige errichtet wurde; unter Jakob III. (1460–88) offiziell zur Hptst. erhoben.

Edinburgh: Die im 11. Jh. erbaute, mehrmals zerstörte Burg erhielt ihr heutiges Aussehen im 16. Jh.; aus dem 19. Jh. stammen zahlreiche mittelalterliche Rekonstruktionen

Edinburgh Stadtwappen

Edịrne (früher Adrianopel), Hptst. der Prov. E. im europ. Teil der Türkei, an der Grenze zu Griechenland und nahe der Grenze zu Bulgarien, 102300 Ew.; Univ.; Textil-, Teppich-, Leder-, Rosenölindustrie. – Die Stadt hat oriental. Gepräge mit bed. Moscheen, darunter drei große Sultansmoscheen. Ein Höhepunkt osman. Baukunst ist die von Sinan 1568–74 erbaute Selimiye mit ihren vier über 80 m hohen Minaretten. – E., von Kaiser Hadrian gegr. (Hadrianopolis), war in byzantin. Zeit eine der wichtigsten Städte Thrakiens, wurde 1361 von Murad I. erobert und war 1365–1453 Sitz der osman. Sultane. BILD S. 437

Edison ['edɪsn], Thomas Alva, amerikan. Elektrotechniker, *Milan (Oh.) 11. 2. 1847, †West Orange (N.J.) 18. 10. 1931. E. leistete auf den verschiedensten Gebieten der Technik Pionierarbeit und meldete mehr als 1000 Patente an. Dazu gehören u.a. 1877 das Kohlekörnermikrofon, 1878 der Phonograph (Vorläufer des Grammophons), 1879 die Kohlefadenglühlampe (erste brauchbare Glühlampe), 1881 die Verbundmaschine (Dampfmaschine mit elektr. Generator) und 1891 der Kinetograph (Filmaufnahmegerät). Seine Entdeckung der →Glühemission war die Voraussetzung für die Entwicklung der Elektronenröhre.

📖 SCHREIER, W. *u.* SCHREIER, H.: *T. A. E. Leipzig* [4]*1987.*

Thomas A. Edison

Edition [lat.] *die,* Abk. **Ed.,** *Buchwesen:* Ausgabe, Herausgabe, insbesondere wiss. und textkrit. Werke. (→Textkritik)

Editor [lat.] *der,* **1)** ['e:di-, e'di:-], *Buchwesen:* Herausgeber (von Büchern oder Musikalien).

2) ['edɪtə; engl.], *Informatik:* als Komponente des Betriebssystems eines Computers Programm zur Erstellung bzw. Bearbeitung von Texten (einschließlich Programmen) und Grafiken.

Edler (E. von, Edler Herr), Rangklasse zw. dem Freiherrn und dem untitulierten Adel.

Edmonton ['edməntən], Hptst. der Prov. Alberta, Kanada, am North Saskatchewan River, 574000 Ew.; kath. Erzbischofssitz, zwei Univ., Planetarium, zoolog. Garten; Zentrum bed. Erdöl- und Erdgasfelder, petrochem. und Eisen verarbeitende Ind., Maschinenbau, Nahrungs- und Genussmittelind.; Verkehrs- und Versorgungszentrum; Flughafen. – 1807 als Handelsstation gegründet.

Thomas Alva Edison

Auch wenn er sich selbst gern als den findigen Handwerker alten Schlages sah, so verkörpert Edison doch gerade das Ende dieser Epoche. Denn mit ihm bekommt das Erfinden eine neue Qualität: Als er 1876 sein Laboratorium Menlo Park in Orange (New Jersey) gründete, schuf er den Prototyp des Entwicklungslabors, wie es noch heute die Industrie dominiert. Technische Neuerungen entstehen dort in der gezielten Suche von Wissenschaftlern und nicht in besonderem handwerklichem Gespür; Expertengruppen und Spezialistentum haben das Ruder übernommen.

Welcher Erfolg diesem zielgerichteten Erfinden beschieden sein kann, dokumentiert Edisons eigene Bilanz: Von den mehr als tausend Patenten, die er angemeldet hat, sind die meisten auf diese Zusammenarbeit zurückzuführen. Aber auch dieses System garantiert noch keinen Erfolg, denn es beinhaltet doch die Möglichkeit von Irrwegen. So entbehrt es nicht einer gewissen Ironie, dass Edison gerade seine größte wissenschaftliche Entdeckung nicht in eine technische Erfindung umsetzte, nämlich die Glühemission. Er überließ es anderen, diesen Effekt in der Elektronenröhre auszunutzen und damit das Tor zum Informationszeitalter aufzustoßen.

Edo (Bini), Bevölkerungsgruppe im Nigerdelta, Nigeria, etwa 1 Mio. Menschen mit versch. Stammesgruppen; Staatsvolk des alten Reichs Benin.

Edo (Yedo), bis 1868 Name der japan. Hptst. →Tokio.

Edom, Hochland östlich des Wadi al-Araba (Senke zw. dem Toten Meer und dem Roten Meer), seit dem 13. Jh. v. Chr. Gebiet der aramäischen **Edomiter,** die als Verwandte Israels betrachtet werden, da Esau als ihr Stammvater gilt. Eher als Israel kam E. zu einer festen staatl. Gliederung. Unter David und Salomon war E. ein Vasallenstaat. Im 5. Jh. v. Chr. wurden die Edomiter von den Nabatäern verdrängt und wanderten nach Westen (Idumäa) ab; um 126 v. Chr. wurden sie durch Zwangsbeschneidung der jüdischen Kultgemeinde eingegliedert.

Edschmid, Kasimir, urspr. Eduard Schmid, Schriftsteller, *Darmstadt 5. 10. 1890, †Vulpera (Kt. Graubünden) 31. 8. 1966; begann als expressionist. Erzähler (»Die sechs Mündungen«, Erz., 1915; »Das rasende Leben«, Erz., 1916; »Die achatnen Kugeln«, R., 1920) und Programmatiker; schilderte in Romanen und Reisebüchern vergangene und gegenwärtige Kulturen; schrieb den Büchner-Roman »Wenn es Rosen sind, werden sie blühen« (1950).

Eduard (engl. Edward), Herrscher:

England/Großbritannien: **1) E. der Bekenner,** angelsächs. König (1042–66), *Islip (bei Oxford) um 1005, †Westminster (heute zu London) 5. 1. 1066; von normann. Günstlingen beeinflusster Herrscher; 1161 heilig gesprochen, Tag: 13. 10.

2) E. I., König (1272–1307), *Westminster (heute zu London) 17. 6. 1239, †Burgh by Sands (bei Carlisle) 7. 7. 1307, Vater von 3); aus dem Hause Plantagenet, besiegte als Thronfolger 1265 die aufständ. Barone bei Evesham; unterwarf 1282/83 Wales, dann vorübergehend auch Schottland. 1303 begründete er durch die Verbindung seines Sohnes E. II. mit Isabella, Tochter Philipps IV. von Frankreich, die engl. Ansprüche auf den frz. Thron (→Hundertjähriger Krieg).

3) E. II., König (1307–27), *Caernarvon Castle (Wales) 25. 4. 1284, †(ermordet) Berkeley Castle (bei Gloucester) 21. 9. 1327, Sohn von 2), Vater von 4); unterlag den Schotten 1314 bei Bannockburn, wurde von seiner Frau Isabella von Frankreich gestürzt.

4) E. III., König (1327–77), *Windsor 13. 11. 1312, †Sheen Palace (heute zu Richmond upon Thamse, London) 21. 6. 1377, Sohn von 3); begann wegen seiner Erbansprüche auf die frz. Krone 1339 den Hundertjährigen Krieg, siegte 1346 bei Crécy, musste aber fast allen Gewinn des Friedens von Brétigny (1360) später wieder preisgeben. Seine Taten und seine Liebe zur Gräfin von Salisbury (später Gattin seines Sohnes Eduard, Prinz von Wales, des »Schwarzen Prinzen«) wurden oft literarisch behandelt.

5) E. IV., König (1461–83), aus dem Hause York, *Rouen 28. 4. 1442, †Westminster (heute zu Lon-

Edirne: Die Selimiye-Moschee mit ihren vier über 80 m hohen Minaretten wurde 1568–74 von dem osmanischen Architekten Sinan erbaut

don) 9. 4. 1483, Vater von 6); setzte sich in den Rosenkriegen gegen Heinrich VI. aus dem Haus Lancaster durch, den er besiegte und ermorden ließ; drängte die Macht des Parlaments zurück.

6) E. V., König (1483), *Westminster (heute zu London) 2. 11. 1470, †London im Aug. 1483, Sohn von 5); wurde von seinem Onkel Richard, Herzog von Gloucester (seit 1483 Richard III.), für unehelich erklärt, zus. mit seinem Bruder Richard im Tower gefangen gehalten und dort mit diesem ermordet.

7) E. VI., König (1547–53), *Hampton Court (heute zu London) 12. 10. 1537, †Greenwich (heute zu London) 6. 7. 1553; Sohn Heinrichs VIII. und der Jane Seymour. Unter E. wurde die Reformation durchgeführt. Mit ihm erlosch das Haus Tudor im Mannesstamm.

8) E. VII., König von Großbritannien und Irland, Kaiser von Indien (1901–10), *London 9. 11. 1841, †ebd. 6. 5. 1910; ältester Sohn der Königin Viktoria und des Prinzgemahls Albert von Sachsen-Coburg-Gotha; begünstigte die Entstehung der britisch-frz. Entente von 1904.

9) E. VIII., König von Großbritannien und Nordirland (1936), *White Lodge (heute zu London) 23. 6. 1894, †Paris 28. 5. 1972, Enkel von 8); bestieg am 20. 1. 1936 den Thron, dankte jedoch am 11. 12. 1936 wieder ab, da sich Regierung und anglikan. Kirche gegen seine Heirat mit der geschiedenen Amerikanerin Wallis Warfield-Simpson wandten. Seit der Eheschließung (1937) lebte er als **Herzog von Windsor** im Ausland. – Schrieb »Eines Königs Geschichte« (1951).

Eduard (engl. Edward), Prinz von Wales, *Woodstock (bei Oxford) 15. 6. 1330, †Westminster (heute zu London) 8. 6. 1376; Sohn Eduards III., nach seiner Rüstung der »Schwarze Prinz« gen., besiegte 1356 den frz. König Johann II. bei Maupertuis (bei Poitiers) und nahm ihn gefangen, erhielt 1362 Aquitanien als fast unabhängiges Herzogtum, von wo er als Kranker 1371 vertrieben wurde.

Eduardsee, See in Afrika, →Rutanzigesee.

EDV, Abk. für **e**lektronische →**D**aten**v**erarbeitung.

Edwards ['edwədz], Jonathan, amerikanischer Theologe und Indianermissionar, *East Windsor (Conn.) 5. 10. 1703, †Princeton (N. J.) 22. 3. 1758. Seine Bußpredigten lösten eine Erweckungsbewegung (Great Awakening) im kirchl. Leben Amerikas aus. Er folgte der Psychologie J. Lockes und dem Idealismus und bildete den Kalvinismus fort, indem er den Determinismus mit der persönl. moral. Verantwortlichkeit verband.

Edwards-Syndrom ['edwədz-; nach dem brit. Genetiker J. H. Edwards, *1928] (Trisomie-18), auf dem überzähligen Vorhandensein des Chromosoms 18 beruhende schwere körperliche und geistige Entwicklungsstörung, die bei etwa einer von 5000 Geburten auftritt. Es besteht meist nur eine Lebenserwartung von einigen Tagen bis Monaten.

EEG, Abk. für →**E**lektro**e**nzephalo**g**ramm.

Efate [ɛ'fa:ti] (frz. Vaté), Insel des Staates Vanuatu (Neue Hebriden), im SW-Pazifik, 915 km²; auf E. liegt die Hptst. Vila.

Efe, ein Stamm der →Pygmäen.

Efendi (Effendi) [türk. »Herr«] *der,* urspr. türk. Ehrentitel; seit dem 13./14. Jh. allg. Anrede für die gebildeten Stände; 1934 durch →Bei ersetzt.

Eferding, Bezirkshauptort in Oberösterreich, westlich von Linz, 3200 Ew.; Mittelpunkt des fruchtbaren Eferdinger Beckens beiderseits der Donau. – Spätgot. Kirche (15. Jh.), Starhembergsches Schloss (13.–16. Jh.).

Efeu (Hedera), Gattung der Araliengewächse. In Europa und Vorderasien in Wäldern, bes. auf kalkreichem Boden, heimisch ist der **Gemeine E.** (Hedera helix), ein kriechender oder bis 30 m hoch kletternder Strauch mit Haftwurzeln, ledrigen, immergrünen Blättern, Dolden gelbgrüner Blüten und erbsengroßen, blauschwarzen Beeren. Zahlr. Kulturformen sind Zimmerpflanzen.

Effekt [lat.] *der, Physik:* urspr. die Leistung; heute Bez. für besondere physikal. Phänomene.

Effekten [lat.], Wertpapiere, die Anteils- und Forderungsrechte beurkunden und Gegenstand des Handels sind (Aktien, Kuxe, Obligationen, Pfandbriefe u. a.). Das **E.-Geschäft** der Banken umfasst die Emission und den An- und Verkauf von E. für eigene und fremde Rechnung, ferner die Beleihung (Lombard- und Reportgeschäft) sowie die Aufbewahrung (Depotgeschäft) und Verwaltung von E. (Einlösung von Zins- und Gewinn-

Kasimir Edschmid

Eduard VIII., König von Großbritannien und Nordirland

Efeu: Gemeines Efeu, Jugendtrieb (oben) und fruchtender Alterstrieb scheinen). Der **E.-Markt** erstreckt sich auf amtl. Handel, Freiverkehr und außerbörsl. Handel.

Effektensubstitution, Ersetzung eines Wertpapiers durch ein anderes; bes. Holdinggesellschaften finanzieren den Erwerb von Effekten anderer Unternehmen durch die Ausgabe eigener Anteilscheine.

effektive Verzinsung, Realverzinsung einer Kapitalanlage (→Rendite).

Effektivgeschäft, Geschäft mit Waren oder Wertpapieren, bei dem im Unterschied zum →Differenzgeschäft und →Termingeschäft die Lieferung sofort bei Geschäftsabschluss oder innerhalb einer festgelegten Frist erfolgt.

Effektivität *die, Völkerrecht:* Grundsatz, wonach die Wirksamkeit und Dauerhaftigkeit einer von den betroffenen Staaten hingenommenen tatsächl. Situation (z.B. Verlauf einer Grenze, Festlegung einer Fischereizone, Entstehung eines neuen Staates, Etablierung einer illegal zur Macht gelangten Reg.) selbstständige rechtl. Bedeutung besitzt, d.h. ohne oder gegen geltende Rechtsnormen rechtl. Verbindlichkeit erlangt. So ist z.B. die E. einer durch Bürgerkrieg entstandenen Reg. Voraussetzung für die →Anerkennung durch andere Staaten.

Effektivlohn, der tatsächlich an den Arbeitnehmer gezahlte (Brutto-)Lohn im Unterschied zum Tariflohn.

Effektivwert, 1) *Physik:* die Quadratwurzel aus dem quadrat. Mittelwert einer zeitlich periodisch veränderl. Größe während einer Periode, bes. in der Wechselstromtechnik von Bedeutung. Für den E. A_{eff} der Größe $A(t) = A_0 \sin(\omega t + \varphi)$ gilt:

$$A_{eff} = A_0/\sqrt{2}$$

2) *Wirtschaft:* tatsächl. Wert eines Wertpapiers zu einem bestimmten Zeitpunkt (i.d.R. Börsenkurs abzüglich Spesen und Steuern); Ggs.: Nennwert.

Effektkohlen, Bogenlampenelektroden, die eine größere Lichtausbeute im Kohlebogenlicht ermöglichen, oft auch zus. mit einem Farbeneffekt. In eine Bohrung der Elektrode sind Metallsalze gepresst, die in der Hitze verdampfen und leuchten.

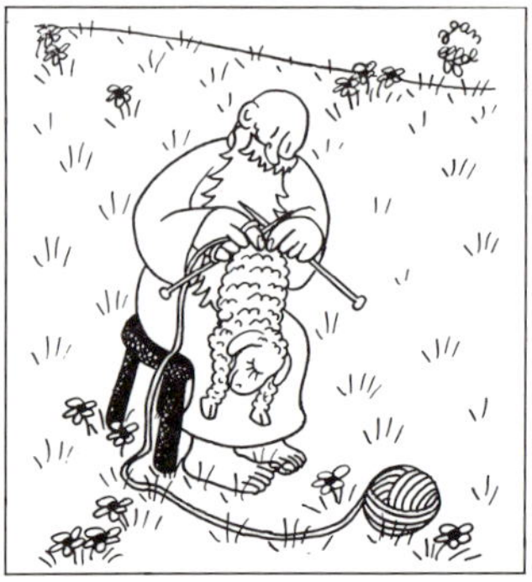

Jean Effel: Das Lamm, Federzeichnung aus »Die Erschaffung der Welt« (1951)

Effektor [lat.] *der,* **1)** *Biochemie:* als Aktivator oder Inhibitor wirkende Substanz bei Enzymreaktionen.

2) *Neurophysiologie:* Nerv, der einen Reiz vom Zentralnervensystem zum Erfolgsorgan (z.B. Muskel) weiterleitet und dort eine Reaktion auslöst; auch Bezeichnung für das den Reiz beantwortende Organ.

Effel, Jean, eigtl. François Lejeune, frz. Zeichner und Karikaturist, *Paris 12. 2. 1908, †ebd. 16. 10. 1982; widmete sich als Zeichner humorvoll v.a. bibl. und mytholog. Thematik; auch polit. Karikaturen.

Effelsberg, Ortsteil von Bad Münstereifel, NRW. Bei E. steht das weltgrößte Radioteleskop mit vollbeweglichem Parabolspiegel (Durchmesser 100 m) des Max-Planck-Instituts für Radioastronomie, Bonn.

Effelsberg: Der 100-m-Parabolspiegel des Max-Planck-Instituts für Radioastronomie in Bonn

Effet [ɛˈfɛː; frz. »Wirkung«] *der,* selten *das, Ballsportarten:* die dem Ball verliehene besondere Drehung (Drall), die seine Flugbahn beeinflusst.

Effloreszenzen (Hautblüten), kleinste Einzelgebilde, aus denen ein Hautausschlag besteht, z.B. Bläschen, Knötchen, Pustel, Fleck, Kruste, Schuppe, Abschürfung oder Geschwür; Größe, Form, Farbe, Sitz und Verteilung der E. sind wichtig für die dermatolog. Diagnose.

Effner, Joseph, Baumeister, Innendekorateur und Gartenarchitekt, getauft Dachau 4. 2. 1687,

†München 23. 2. 1745; ausgebildet in Paris, 1715–30 bayer. Hofbaumeister, leitete den Ausbau von Park und Schloss Nymphenburg (1716), Pagodenburg (1716–19) und Schloss Schleißheim (seit 1719). E. war beteiligt an der Gestaltung der »Reichen Zimmer« der Münchener Residenz. BILD →Nymphenburg

Effusivgesteine, die →Vulkanite.

EFTA, Abk. für **E**uropean **F**ree **T**rade **A**ssociation, →Europäische Freihandelsassoziation.

eG (e. G.), Abk. für **e**ingetragene **G**enossenschaft.

EG, Abk. für →**E**uropäische **G**emeinschaften.

Égalité [frz. »Gleichheit«] *die,* Schlagwort der Frz. Revolution, →Liberté, Egalité, Fraternité.

Egas Moniz ['ɛɣaʃ mu'niʃ], António, →Moniz-Egas.

EGB, Abk. für →**E**uropäischer **G**ewerkschafts**b**und.

Egbert [engl. 'egbɔ:t], König von Wessex (seit 802), †839; lebte zeitweise als Flüchtling am Hofe Karls d. Gr., besiegte in der Schlacht von Ellandun (825) den König von Mercia und begründete die Vorherrschaft von Wessex über die angelsächs. Teilreiche.

Egbert von Trier, *um 950, †Trier 8./9. 993; Erzbischof von Trier (977), Kanzler Kaiser Ottos II.; kämpfte gegen innerkirchl. Missstände seiner Zeit und ließ die materiellen Schäden der Normanneneinfälle in seinem Erzbistum beseitigen. E. von T. förderte die Künste und ließ den Codex Egberti anfertigen, eines der wertvollsten Zeugnisse otton. Buchmalerei. BILD S. 440

Egel (Hirudinea), hoch entwickelte, borstenlose Ringelwürmer mit stets 33 Segmenten, Mundsaugnapf und bauchseits gelegener Haftscheibe am Körperende; ernähren sich räuberisch von anderen Wassertieren oder saugen Blut an Wirbeltieren. Zu den E. gehören: Kiefer-E. (darunter →Blutegel), Rüssel-E. (darunter →Fischegel) und Schlundegel. **Egelkrankheit, Egelseuche,** die Leberegelkrankheit (→Leberegel).

Egell, Paul, Bildhauer, Stuckateur und Grafiker, *Mannheim 9. 4. 1691, †ebd. 11. 1. 1752; bedeutender Meister des dt. Barock an der Wende zum Rokoko. Nach Gesellenjahren bei B. Permoser 1712–17 in Dresden wurde E. 1721 kurpfälz. Hofbildhauer in Mannheim (Stuckarbeiten im Schloss, zerstört; Ausstattung der Jesuitenkirche, 1749–52); einzigartig sind seine fein ausgeführten Elfenbeinarbeiten.

Egeln, Stadt im Landkreis Aschersleben-Staßfurt, Sa.-Anh., an der Bode, am S-Rand der Börde, 4600 Ew.; Fahrzeugbau, Elektrogeräteherstellung, Reifenwerk; Museum für Vor- und Frühgeschichte. – Kirche des ehem. Zisterzienserinnenklosters (1732–34). – Erhielt 1251 Stadtrecht.

Egelschnecken (Limacidae), Familie großer Nacktschnecken; Fraßschädlinge in Pflanzungen und Gärten, z. B. die Arten der Gattung **Ackerschnecken** (Deroceros).

Eger, 1) *die* (tschech. Ohře), linker Nebenfluss der Elbe in NW-Böhmen, 291 km lang, entspringt im Fichtelgebirge (Dtl.) und mündet bei Theresienstadt.

2) (tschech. Cheb), Stadt im Westböhm. Gebiet, Tschech. Rep., an der Eger, Hauptort des histor. **Egerlandes,** 31400 Ew.; bed. Verkehrsknotenpunkt; Maschinen-, Textil- und chem. Industrie. – Die Stadt hat ein altes Gepräge (Marktplatz, 1956 restauriert), Kaiserburg (1742 zerstört; z. T. rekonstruiert, mit Doppelkapelle), Stadthaus, in dem Wallenstein ermordet wurde (Museum), Rathaus (18. Jh.), got. Hallenkirche St. Nikolaus und Elisabeth (1230–70, mit älteren Teilen), 1742 barockisiert; Klara-Kirche von C. Dientzenhofer (1708–11). Im ehem. Franziskanerkloster und einem Komplex mittelalterl. (»Stöckl«) und frühneuzeitl. Häuser das histor. Stadtmuseum. – Bei der als Mittelpunkt des Egerlandes (bis 1945 fast rein dt. besiedelt) errichteten Burg (1125; Mitte des 12. Jh. Kaiserpfalz) entstand die Siedlung, die 1242 Stadtrechte erhielt und 1277 Reichsstadt wurde. 1322 verpfändete Kaiser Ludwig IV., der Bayer, E. an Böhmen (1806 rechtlich neu fixiert).

3) ['ɛgɛr] (dt. Erlau), Bezirks-Hptst. in N-Ungarn, im südwestl. Vorland des Bükkgebirges, 63800 Ew.; kath. Erzbischofssitz; elektrotechn., Maschinen-, Tabak-, Möbelind.; Thermalquellen; in der Umgebung Weinbau (»Erlauer Stierblut«). – Nach der Türkenzeit (1596–1687) Neubau der

Paul Egell: »Der heilige Aloysius« (um 1735–40; Mannheim, Reiß-Museum)

Egbert von Trier: Illustration aus dem Codex Egberti, »Christus und der Hauptmann von Kapernaum« (um 980; Trier, Stadtbibliothek)

Stadt im Barockstil (Minoritenkirche, 1758–73; Bischofspalast, 1758); neoklassizistische Kathedrale (1831–46).

Egeria, röm. Quell- und Geburtsgöttin, Gattin des Königs Numa Pompilius von Rom.

Egerling, anderer Name für den Pilz (und die Pilzgattung) Champignon.

Werner Egk

Egge, landwirtsch. Gerät zur Bodenbearbeitung und Unkrautbekämpfung, bes. zum Zerkrümeln der oberen Bodenschicht.

Egge *die* (Eggegebirge), Teil des westlichen Weserberglands, NRW, bewaldetes, 50 km langes Schichtkammgebirge (Sandsteine aus der Kreidezeit) als südl. Fortsetzung des Teutoburger Waldes mit starkem Ost- und flachem Westabfall; im Velmerstot 468 m ü. M.

Eggebrecht, Axel, Schriftsteller und Publizist, *Leipzig 10. 1. 1899, †Hamburg 14. 7. 1991; schrieb Drehbücher (u. a. »Bel ami«, 1939), Essays, Hör- und Fernsehspiele sowie den Roman »Volk ans Gewehr!« (1959).

Eggenfelden, Stadt im Landkreis Rottal-Inn, Niederbayern, 415 m ü. M., an der Rott, 12 500 Ew.; Holzverarbeitung, Textil- und Nahrungsmittelindustrie. – Spätgot. Pfarrkirche (15. Jh.).

Lamoraal Graf von Egmont (Kupferstich, Ende 16. Jh.)

Egger-Lienz, Albin, österr. Maler, *Stribach (heute zu Dölsach, Bez. Lienz) 29. 1. 1868, †Rentsch (heute zu Bozen) 4. 11. 1926; entwickelte unter dem Eindruck der Werke F. Hodlers in Kriegs- und Bauernbildern einen zum Monumentalen neigenden Stil; auch Porträts, Landschaften und Stillleben.

Eggjum ['ɛjjum] (Eggja), Hof in SW-Norwegen. Hier wurde 1917 eine Steinplatte **(E.-Stein)** mit langer Runeninschrift (192 Zeichen, um 700 n. Chr.) gefunden.

Egill, sagenhafter Meisterschütze, Bruder Wielands. Nach der altnord. Thidrekssaga musste E. einen Apfel vom Kopf seines Sohnes schießen. Dieses Motiv erscheint auch in der Sage von Wilhelm Tell.

Egill Skallagrimsson, einer der bedeutendsten isländ. Skalden, etwa 910–990 n. Chr. Sein abenteuerreiches Leben schildert die **Egilssaga** (13. Jh.).

Egisheim (frz. Eguisheim), Weinbaugemeinde im Oberelsass, Dép. Haut-Rhin, Frankreich, südlich von Colmar, 1 500 Ew.; Fremdenverkehr. – In der Ortsmitte die Burg, eine stauf. Pfalz mit achteckigem Grundriss (in der Frz. Revolution abgebrochen), mit der neuroman. Leokapelle; im Verlauf der Stadtmauer eng aneinander gebaute Traufenhäuser (16. und 17. Jh.).

Egk, Werner, Komponist, *Auchsesheim (heute zu Donauwörth) 17. 5. 1901, †Inning a. Ammersee 10. 7. 1983. Seine Kompositionen zeigen eine an I. Strawinsky geschulte Harmonik und Instrumentation, rhythm. Kraft, Sinn für Volkstümlichkeit und Humor.

Werke: Opern: Peer Gynt (1938); Die Zaubergeige (1942); Columbus (1942); Irische Legende (1955); Der Revisor (1957); Die Verlobung in San Domingo (1963); 17 Tage und 4 Minuten (1966). Ballette: Joan von Zarissa (1940); Abraxas (1948); Die chinesische Nachtigall (1953); Casanova in London (1969). Orchesterwerke, Kantaten.

Albin Egger-Lienz: »Der Totentanz von Anno Neun« (1906–08; Wien, Österreichische Galerie)

EGKS, Abk. für →**E**uropäische **G**emeinschaft für **K**ohle und **S**tahl.

Egmont (Egmond), Lamoraal Graf von, Fürst von Gavere, niederländ. Staatsmann, *Schloss La Hamaide (Hennegau) 18. 11. 1522, †Brüssel 5. 6. 1568; seit 1559 Statthalter von Flandern und Artois. Mit Wilhelm von Oranien und Graf Hoorn trat er an die Spitze der Adelsopposition gegen die span. Verwaltung der Niederlande. Obwohl am Aufstand (1566) nicht beteiligt, ließ Alba ihn verhaften (1567) und mit Hoorn hinrichten. Trauerspiel von Goethe (1788; ungeschichtlich), dazu Bühnenmusik von Beethoven (1810).

Egmont, Mount [maʊnt -] (Maori-Name Taranaki), Berg auf der Nordinsel Neuseelands, 2518 m ü. M., ein erloschener, schneegekrönter, fast vollkommen symmetrisch geformter Vulkankegel; liegt im **Mount-Egmont-Nationalpark** (320 km²); Wintersport.

Egoismus [zu lat. ego »ich«] *der* (Eigenliebe, Ichliebe), die Gesamtheit der Antriebe und Strebungen, die von der eigenen Person ausgehen und diese in den Mittelpunkt stellen. Biologisch beruht der E. auf dem Selbsterhaltungstrieb. Er wird ethisch vom Wert des Lebens gefordert, da er der Erkenntnis und Verwirklichung eigener Persönlichkeitswerte dient. Ethisch verwerflich wird er, wenn er sich im Geltungs- und Machtstreben zur reinen Selbstsucht steigert. Ggs.: → Altruismus.

Egolzwiler Kultur, älteste neolith. Kulturgruppe der Zentralschweiz (um 3000 v. Chr.), benannt nach den Fundstellen am ehem. Wauwiler See (heute Wauwiler Moos) bei Egolzwil (nordwestl. von Sursee, Kt. Luzern); auf Pfahlrosten stehende Holzhäuser.

Égoutteur [egu'tør, frz.] *der,* Vorpresswalze (Siebwalze) einer Papiermaschine, die dazu dient, die noch plast. Papierbahn zu verdichten, Unebenheiten auszugleichen und evtl. das Wasserzeichen einzuprägen.

Egozentrik [zu lat. ego »ich« und centrum »Mittelpunkt«] *die* (Ichbezogenheit), Haltung, die alle Erfahrungen auf das eigene Ich hin ordnet. Sie ist im Unterschied zum Egoismus nicht auf das Handeln, sondern auf die Auffassung und Verarbeitung des Erlebten ausgerichtet. Entwicklungspsychologisch ist die E. typisch für die Erlebnisweise und Sprache des Kleinkindes.

EGR [Abk. für engl. **e**mission **g**as **r**ecirculation »Abgasrückführung«], gezielte Abgasrückführung vom Auspuff zum Saugrohr eines Verbrennungsmotors, um schädl. Abgasbestandteile und die Verbrennungshöchsttemperatur zu vermindern.

EG-Recht, → Europarecht.

Egrenieren [frz.] (Entkernen), das Abtrennen der Baumwollfasern von den Samenkernen.

Ehard, Johann (Hans), Politiker (CSU), * Bamberg 10. 11. 1887, † München 18. 10. 1980; Jurist, 1949–54 CSU-Vors., 1946–54 und 1960–62 MinPräs., 1954–60 Landtagspräs., 1962–66 Justizmin. in Bayern.

Ehe [ahd. ewe »Gesetz«], im dt. Recht die durch die Rechtsordnung anerkannte Verbindung eines Mannes und einer Frau zu dauernder Lebensgemeinschaft. Die Ordnung der E. ist von den sittl. und religiösen Grundlagen abhängig, auf denen die einzelnen Gesellschaften beruhen. Infolge ihrer gesellschaftl. Bedeutung steht die E. unter öffentl. Rechtsschutz, mindestens aber unter der Obhut der gesellschaftl. Sitte. Ihre religiösen und rechtl. Bindungen kommen in feierl. Formen der E.-Schließung zum Ausdruck.

Mount Egmont

Die v. a. durch das Christentum geprägte E.- und Familienauffassung wurde seit der Aufklärung und dem Liberalismus, der Ausformung des bürgerl. Rechtsstaates und unter dem Einfluss der Romantik mehr und mehr zu einer individuell begründeten Lebens- und Liebesgemeinschaft. In neuerer Zeit wurde die E. in den Industrieländern in ihrer traditionellen, familienzentrierten und institutionalisierten Form infrage gestellt, was sich auch in einem Anstieg der E.-Scheidungsrate ausdrückt. Wesentl. Aspekte waren die Auflösung patriarchal. Strukturen, die Individualisierung der Beziehung durch eine stärkere Betonung des partnerschaftl. Gedankens **(Liebes-** und **Gatten-E.),** die Lockerung des traditionellen Rollenschemas, bes. Berufstätigkeit der Frau, Kooperation bei häusl. Aufgaben, Umkehrung der früheren Rollenverteilung (»Hausmann«). Teilweise werden nicht institutionalisierte Beziehungen **(eheähnl. Gemeinschaften)** vorgezogen, da in ihrer freien Verantwortung v. a. eine größere Chance individueller Entfaltung gesehen wird.

Johann Ehard

Bei den Naturvölkern und teilweise im Islam gibt es neben der Ein-E. **(Monogamie)** die Mehr-E. **(Polygamie),** als Verbindung eines Mannes mit mehreren Frauen **(Polygynie)** oder seltener einer Frau mit mehreren Männern **(Polyandrie).** Dabei ist zuweilen noch Haupt-E. von Neben-E. zu trennen. Eine völlige Freiheit von ehel. Bindungen **(Promiskuität)** hat man nirgends feststellen können. Streng beachtet werden jeweils die Sitten, nach denen die E. nur innerhalb des Stammes oder der Sippe **(Endogamie)** oder nur außerhalb der eigenen Verwandtschafts- oder Totemgruppe **(Exogamie)** geschlossen werden darf. – Über die E. im Recht und die Stellung der Kirche →Eherecht, ferner →eheliches Güterrecht, →Ehescheidung.

📖 GODOY, J.: *Die Entwicklung von E. u. Familie in Europa. A. d. Engl. Neuausg. Frankfurt am Main 1989.* – KLEIN, T.: *Verhaltensstandards in der E.: Kontinuität u. Wandel. Eine Analyse von Anstandsbüchern der Jahre 1834 bis 1987. Hamburg 1993.* – LÉVI-STRAUSS, C.: *Die elementaren Strukturen der Verwandtschaft. A. d. Frz. TB-Ausg. Frankfurt am Main 1993.* – GRUBER, H.-G.: *Christl. E. in moderner Gesellschaft. Entwicklung – Chancen – Perspektiven. Freiburg im Breisgau u. a. [2]1995.* – *E. u. Familie in Krisensituationen, hg. v.* F. W. BUSCH *u.* R. NAVE-HERZ. *Oldenburg 1996.*

eheähnliche Gemeinschaft, das meist auf Dauer angelegte Zusammenleben von Mann und Frau ohne formelle Eheschließung. Nach der Rechtsprechung kennzeichnet die e. G. die familienähnl. innere Bindung der Partner, also über die Wohn- und Wirtschaftsgemeinschaft hinaus die gemeinsame Planung und Gestaltung der Lebensführung. In der Vergangenheit oftmals als »wilde Ehe«, »Konkubinat« rechtlich und gesellschaftlich diskreditiert, ist die e. G. zu einer weit verbreiteten Erscheinung geworden, in der sich auch gewandelte gesellschaftl. Verhältnisse widerspiegeln. In Dtl. haben e. G. nicht dieselben rechtl. Wirkungen wie die Ehe. Es entstehen keine Unterhalts-, Versorgungsausgleichs- oder gesetzl. Erbansprüche, aus ihr entstammende Kinder sind nichtehelich (wobei gemeinsame elterliche Sorge möglich ist). Grundsätzlich gilt, dass Gegenstände (z. B. Hausrat) demjenigen gehören, der sie eingebracht oder erworben hat. Sozialrechtlich dürfen Partner einer e. G. allerdings nicht besser gestellt werden als Eheleute. Die Verbesserung der rechtl. Stellung der e. G. wird, auch zugunsten gleichgeschlechtl. Gemeinschaften, diskutiert.

📖 MÜNCH, E. M. VON: *Zusammenleben ohne Trauschein. München [5]1993.*

Eheberatung, biolog., hygienische, eth., soziale und familienrechtl. Hilfe für die individuelle Vorbereitung auf die Ehe und deren Führung (Familienberatung) bei der Ärzte, Juristen, Sozialarbeiter und Psychologen zusammenarbeiten. Kurz vor dem 1. Weltkrieg entstanden **Eheberatungsstellen,** später solche der Arbeitsgemeinschaft für Jugend- und Eheberatung (Detmold, gegr. 1948) und v. a. der großen Kirchen: Kath. Zentralinstitut für Ehe- und Familienfragen e. V. (Köln 1952) und Ev. Konferenz für Familien- und Lebensberatung e. V. (Berlin 1959). Die konfessionell und politisch neutrale →Pro Familia unterhält Beratungsstellen in fast allen Bundesländern.

Ehebruch, außerehel. Geschlechtsverkehr eines Ehegatten. Nach dt. (seit 1969) und schweizer. (seit 1989) Recht ist E. nicht mehr strafbar, während in *Österreich* (§ 194 StGB) unter bestimmten Voraussetzungen Strafbarkeit gegeben ist.

Ehec-Bakterien, zu den Kolibakterien (**e**nter**h**ämorrhagische **E**scherichia **c**oli) gehörende, weltweit verbreitete Krankheitserreger, die seit 1995 in Dtl. vermehrt zu Infektionen mit Todesfolge geführt haben. Das Zellgift löst bei Erwachsenen oft nur leichte Magenschmerzen aus; bei Kindern und Säuglingen kann eine Infektion dagegen ein hämolytisch-urämisches Syndrom (HUS) hervorrufen, bei dem es zu Ödembildungen, Nierenversagen und Schäden an Herzmuskel und Blutgefäßen im Gehirn kommt. E. werden über Rohmilch, unzureichend gegartes Rindfleisch oder durch Schmierinfektion übertragen.

Ehefähigkeitszeugnis, das von Ausländern bei der Eheschließung geforderte Zeugnis einer Behörde ihres Heimatlandes, dass ein in den Gesetzen des Heimatlandes begründetes Ehehindernis nicht besteht (§ 10 Ehegesetz).

Ehegattenbesteuerung, Besteuerungsverfahren der Einkommen von Ehegatten: 1) Bei **getrennter Veranlagung** werden beide Partner wie Alleinstehende besteuert. 2) bei **einfacher Zusammenveranlagung** wird die Summe der Einkommen beider Ehepartner dem allg. Steuertarif unterworfen, d. h., die Partner werden wie ein Steuerpflichtiger behandelt. Diese Form führt bei einer Doppelverdienerehe aufgrund der Steuerprogression zur Benachteiligung gegenüber Unverheirateten. 3) Bei **Zusammenveranlagung mit Splitting** wird die Summe der Einkommen durch 2 geteilt und der für diesen Betrag ermittelte Steuertarif mit 2 multipliziert (Vorteil hinsichtlich der Auswirkung der Progression). In Dtl. wurde durch das Bundesverfassungsgericht am 17. 1. 1957 die Zusammenveranlagung der Ehegatten (§ 26 EStG) wegen der Benachteiligung der Familien, in denen beide Ehegatten verdienen, für verfassungswidrig erklärt. Seitdem können Ehegatten, sofern sie unbeschränkt steuerpflichtig sind und nicht dauernd getrennt leben, zw. getrennter Veranlagung und Splitting wählen.

In *Östereich* ist seit 1972 die getrennte Veranlagung die Form der Ehegattenbesteuerung. Hat nur ein Ehepartner Einkünfte, wird ein zusätzl. Absetzbetrag gewährt. Im *Schweizer* Steuerrecht gilt die einfache Zusammenveranlagung, progressionsmindernd wirken Freibeträge.

Ehegattenerbrecht, →Erbfolge.

eheliches Güterrecht, die Regelung der vermögensrechtl. Wirkungen der Ehe. Falls die Ehegatten keinen →Ehevertrag abgeschlossen haben, gilt als **gesetzl. Güterstand** seit dem 1. 7. 1958 (In-Kraft-Treten des Gleichberechtigungs-Ges.) die **Zugewinngemeinschaft** (§§1363ff. BGB): Für das in die Ehe eingebrachte Gut gilt der Grundsatz, dass das Vermögen des Mannes und das der Frau getrennt bleiben. Jeder Ehegatte kann sein Vermögen selbstständig verwalten und nutzen. Bei Verfügungen über das ganze Vermögen eines Ehegatten oder bei Verfügungen über Gegenstände des ehel. Haushalts ist jedoch die Zustimmung des anderen Ehegatten erforderlich. Der Vermögenserwerb während der Ehe (Zugewinn) bleibt gleichfalls Eigentum des erwerbenden Ehegatten, jedoch hat jeder Ehegatte bei Aufhebung der Zugewinngemeinschaft (bes. bei Scheidung der Ehe, bei Abschluss eines das e. G. ändernden Ehevertrags) einen Anspruch auf Teilung des Zugewinns zu gleichen Teilen. Bei Tod eines Ehegatten wird der Zugewinn pauschal durch Erhöhung des gesetzl. Erbteils des überlebenden Ehegatten um $^1/_4$ der Erbschaft ausgeglichen (→Erbfolge), auch wenn im einzelnen Fall kein Zugewinn erzielt wurde. Wird der überlebende Ehegatte nicht Erbe, z.B. bei Ausschlagung der Erbschaft, so kann er aber den Ausgleich des Zugewinns verlangen.

Als vertragsmäßige Güterstände sind seit 1. 7. 1958 nur die **Gütertrennung,** bei der die güterrechtl. Verhältnisse der Ehegatten durch die Eheschließung nicht berührt werden (im BGB nicht näher geregelt), und die **Gütergemeinschaft** (§§1415ff. BGB) möglich. Bei der Gütergemeinschaft wird das gesamte gegenwärtige und zukünftige Vermögen der Ehegatten gemeinschaftl. Vermögen (Gesamtgut). Dieses kann durch den Mann, durch die Frau oder gemeinschaftlich verwaltet werden. Daneben kann jeder Ehegatte Sondergut (durch Rechtsgeschäft nicht übertragbare Gegenstände, z.B. unpfändbare Unterhaltsansprüche) und Vorbehaltsgut (vertraglich oder sonstwie dem Gesamtgut entzogene Gegenstände) besitzen. Diese Abweichungen vom gesetzl. e. G. können zum Schutz des Rechtsverkehrs in das öffentlich zugängl., beim Amts-Ger. geführte **Güterrechtsregister** eingetragen werden. – Seit der Wiedervereinigung (3. 10. 1990) gelten auch in den neuen Bundesländern für Ehegatten, die bis zu diesem Zeitpunkt im gesetzl. Güterstand der Eigentums- und Vermögensgemeinschaft des Familiengesetzbuches der DDR gelebt und nichts anderes vereinbart haben, die Vorschriften über den gesetzl. Güterstand der Zugewinngemeinschaft. Jeder Ehegatte konnte jedoch bis zum Ablauf von zwei Jahren nach dem Beitritt gegenüber dem Kreis-Ger. erklären, dass für die Ehe der Güterstand der Eigentums- und Vermögensgemeinschaft weiter gelten soll (während der Ehe aus Arbeitseinkünften erworbene Sachen gehören beiden Ehegatten; Alleineigentum: vor der Ehe erworbene Sachen, Geschenke und durch Erbschaft zugefallene Sachen).

In *Österreich* gilt als gesetzl. Güterstand die Gütertrennung, andere Güterstände können jedoch vereinbart werden; bei Scheidung werden nach Ges. vom 15. 6. 1978 das ehel. Gebrauchsvermögen und die ehel. Ersparnisse aufgeteilt. In der *Schweiz* gilt seit 1. 1. 1988 die **Errungenschaftsbeteiligung** als neuer gesetzl. Güterstand. Das Eigentum der Ehegatten bleibt getrennt; bei Auflösung des Güterstandes wird Gewinnausgleich und Ausgleich von bestimmten Wertsteigerungen vorgenommen. Durch Ehevertrag können Gütergemeinschaft oder -trennung vereinbart werden.

📖 Jerschke, H.-U.: *Mein u. Dein in der Ehe. Die Regelung von Vermögensfragen zw. Eheleuten.* München ⁷1994.

Ehelichkeit, ehel. Abstammung. Ein Kind ist nach der gesetzl., widerlegbaren Vermutung ehelich, wenn es nach der Eheschließung geboren, vor Beendigung der Ehe empfangen worden ist und der Mann innerhalb der Empfängniszeit (302.–181. Tag vor der Geburt) der Frau beigewohnt hat. Das Kind gilt nicht als ehelich, wenn es den Umständen nach offenbar unmöglich ist, dass die Frau es vom Ehemann empfangen hat. Die E. kann v.a. vom Ehemann und vom Kind angefochten werden (§§1591ff. BGB). Ähnl. Regelungen bestehen in *Österreich* (§§138, 156ff. ABGB) und in der *Schweiz* (Art. 252ff. ZGB). →Legitimation

Ehelichkeitserklärung, →Legitimation.

Ehelosigkeit, der freiwillige oder erzwungene Verzicht auf die Ehe; über den kirchenrechtl. Begriff →Zölibat.

Ehemündigkeit, →Eherecht.

Eheprozess, frühere Bez. für →Ehesachen.

Eheschließungen und Ehescheidungen (1950–1996)

Jahr	Bundesrep. Dtl.[1]		Schweiz		Österreich	
	Eheschließungen	Ehescheidungen	Eheschließungen	Ehescheidungen	Eheschließungen	Ehescheidungen
1950	516282	75268	37108	4241	64621	10534
1960	500354	44391	41574	4656	58508	8011
1970	444510	76520	46693	6405	52773	10356
1980	362408	96222	35721	10910	46435	13327
1990	516388	122869	46603	13183	45212	16282
1993	442605	156646	43257	15053	45014	16299
1996	427091	169425[2]	40649	16172	42298	18079

[1] ab 1990 einschließlich der neuen Bundesländer. – [2] für 1995.

Eherecht, staatl. und kirchl. Rechtsbestimmungen über die Ehe.

Staatliches E.: Eine gültige Ehe kann nur vor einem Standesbeamten bei gleichzeitiger persönl. Anwesenheit der Ehewilligen geschlossen werden (obligator. Zivilehe); die Eheschließung soll vor zwei Zeugen stattfinden; die kirchl. Trauung hat keine bürgerlich-rechtl. Wirkung und darf erst nach der standesamtl. erfolgen. Aus einem →Verlöbnis kann nicht auf Eingehung der Ehe geklagt werden. Die Ehemündigkeit als Voraussetzung zum Eingehen einer Ehe beginnt mit Eintritt der Volljährigkeit. Hiervon kann das Vormundschaftsgericht Befreiung erteilen, wenn ein Partner das 16. Lebensjahr vollendet hat und sein zukünftiger Ehegatte volljährig ist. Minderjährige bedürfen zur Eheschließung der Einwilligung ihres gesetzl. Vertreters. Geschäftsunfähige können keine Ehe eingehen. Der Eheschließung soll ein →Aufgebot vorangehen.

Eheverbote (Ehehindernisse) sind: 1) Verwandtschaft von in gerader Linie Verwandten oder zw. voll- oder halbbürtigen Geschwistern; 2) Schwägerschaft in gerader Linie (Befreiung möglich); 3) Bestehen einer anderen Ehe (Verbot der Doppelehe); 4) Verwandtschaft oder Schwägerschaft wie unter 1) und 2) wegen einer Adoption (bei Verstoß gegen das Eheverbot Aufhebung des Adoptionsverhältnisses, §1766 BGB); 5) Nichtablauf der Wartezeit für eine Frau (zehn Monate nach Beendigung ihrer früheren Ehe, Befreiung möglich); 6) Fehlen des vormundschaftsgerichtl. Zeugnisses über die vermögensrechtl. Auseinandersetzung mit den Kindern aus früheren Ehen; 7) Fehlen des →Ehefähigkeitszeugnisses für Ausländer (Befreiung möglich).

Nichtig ist eine Ehe: 1) bei Verletzung wesentl. Formerfordernisse; 2) bei Geschäftsunfähigkeit, Bewusstlosigkeit oder vorübergehender Störung der Geistestätigkeit eines Ehegatten zur Zeit der Eheschließung; 3) bei Vorliegen trennender Ehehindernisse (Doppelehe, Verwandtschaft, Schwägerschaft). Neben der Nichtigkeit, bei der die Ehe durch gerichtl. Urteil rückwirkend für nichtig erklärt wird, kennt das Ehe-Ges. die **Aufhebung** der Ehe. Aufhebungsgründe sind: mangelnde Einwilligung des gesetzl. Vertreters bei Minderjährigen; Irrtum über die Eheschließung oder die Person des Ehegatten; Irrtum über persönl. Eigenschaften des Ehegatten; arglistige Täuschung durch den anderen; Abschluss der Ehe unter Einwirkung einer Drohung. Auch bei Rückkehr eines fälschlich für tot erklärten Ehegatten kann der wieder verheiratete Ehegatte die Aufhebung der neuen Ehe beantragen. Über die **Auflösung** einer gescheiterten Ehe →Ehescheidung.

Wirkungen der Ehe (§§1353 ff. BGB): Die Ehegatten sind einander zur ehel. Lebensgemeinschaft verpflichtet. Sie führen einen gemeinsamen Familiennamen (einen der Geburtsnamen) oder einen Doppelnamen; jeder Ehegatte kann auch seinen Geburtsnamen behalten (→Name). Die Ehegatten sind verpflichtet, durch ihre Arbeit und mit ihrem Vermögen die Familie angemessen zu unterhalten. Die Haushaltsführung wird in gegenseitigem Einvernehmen geregelt. Ist sie einem Ehegatten allein überlassen, erfüllt er durch diese Tätigkeit die Verpflichtung, zum Unterhalt der Familie beizutragen. Jeder Ehegatte ist berechtigt, Geschäfte zur Deckung des Lebensbedarfs der Familie mit Wirkung auch für den anderen Ehegatten zu erledigen (die Berechtigung kann beschränkt werden). Über die vermögensrechtl. Beziehungen der Ehegatten →eheliches Güterrecht.

Rechtsquellen des E. sind das GG (Art. 6: Garantie des Rechtsinstituts der Ehe in ihrer überkommenen Form), das Ehe-Ges. vom 20. 2. 1946 und das BGB. Nach einem Entwurf der Bundes-Reg. soll das Ehe-Ges. aufgehoben und seine Regelungen in veränderter Form in das BGB eingearbeitet werden; dabei soll die zehnmonatige Wartezeit für eine Frau entfallen und die Eheschließung mit Ausländern erleichtert werden.

In *Österreich* wurde 1938 das dt. E. eingeführt und nach 1945 mit versch. Änderungen beibehalten sowie durch Neuregelungen ergänzt. Die Ehemündigkeit beginnt beim Mann mit Vollendung des 19., bei der Frau des 16. Lebensjahres. Familienname kann der Name des Mannes oder der der Frau sein, bei fehlender Vereinbarung wird der Name des Mannes Familienname. Die Ehepartner sind gleichberechtigt. Die Regelung des E. der *Schweiz* ist im Wesentlichen mit der des BGB vergleichbar. Grundsätzlich sind Männer mit Vollendung des 20., Frauen des 18. Lebensjahres ehefähig, in Ausnahmefällen Männer mit Vollendung des 18., Frauen des 17. Lebensjahres. Familienname ist grundsätzlich der Name des Mannes, die Frau kann ihren Geburtsnamen voranstellen. Seit der Teilrevision des E. (in Kraft seit 1. 1. 1988) wird das Leitbild einer partnerschaftl. Ehe angestrebt.

Kirchliches E., *kath. Kirche:* Dogmatisch versteht die kath. Theologie die Ehe als eine mit der Schöpfungsordnung gegebene »Ordnung von Anfang an«. Theologisch ist sie Sakrament, das sich die (getauften) Eheleute gegenseitig spenden, rechtlich ein Vertrag, den sie in beiderseitiger Willensübereinstimmung eingehen. Das dogmatische Grundverständnis führte zur Entwicklung des kirchl. E. und hat zur Folge, dass eine nach kath. Kirchenrecht gültige und vollzogene Ehe zw. Getauften sakramentalen Charakter hat und nur durch den Tod auflösbar ist. Ehen zw. Ungetauften oder zw. einem Getauften und einem Nichtgetauften können in bestimmten Fällen getrennt werden. Das kirchl. E. der kath. Kirche ist im Codex Iuris Canonici zusammengefasst. – Zur gültigen Eheschließung ist gefordert, dass der Ehekonsens bei beiden Partnern nicht nur tatsächlich vorhanden ist, sondern auch in der rechtlich vorgeschriebenen Form kundgetan wird und dass die Partner rechtlich ehefähig sind. Fehlt eines dieser Elemente, ist die Eheschließung ungültig. Die Ehefähigkeit wird durch die Ehehindernisse näher bestimmt. Dadurch kann das Recht auf Ehe eingeschränkt sein (z.B. Blutsverwandtschaft in manchen Graden, →geistliche Verwandtschaft, Ordensgelübde). Die kanon. Eheschließungsform besteht in der Erklärung des Ehekonsenses vor einem bevollmächtigten kirchl. Amtsträger und zwei Zeugen. Zu ihrer Einhaltung sind alle Katholiken verpflichtet, auch wenn sie einen Nichtkatholiken heiraten (Formpflicht); doch kann in diesem Fall Dispens gewährt werden. Gefordert aber bleibt, dass der Ehekonsens in einer öffentl. Form erklärt wird, z.B. in standesamtl. oder religiöser Form. Zum Schutz der Ehe hat die kath. Kirche eine geordnete Ehegerichtsbarkeit aufgebaut.

Evang. Kirchen: Die evang. Kirchen haben kein eigenes kirchl. E. entwickelt. Die bibl. Eheverkündigung bildet die Grundlage des evang. Eheverständnisses. Die Ehe kommt durch Eheschließung nach der staatl. Rechtsordnung zustande. Die kirchl. Trauung ist Proklamation der Ehe vor der christl. Gemeinde und geistl. Zuspruch an die Eheleute für ein durch christl. Grundsätze geprägtes gemeinsames Leben.

📖 Sebott, R.: *Das neue kirchl. E. Frankfurt am Main* [2]*1990*. – Münch, E. M. von: *Ehe- u. Familienrecht von A–Z. München* [13]*1996*.

ehernes Lohngesetz, auf D. Ricardo zurückgehende Lohntheorie von F. Lassalle: Der Arbeitslohn könne nur kurzfristig vom Existenzminimum abweichen; höhere Löhne zögen höhere Geburtenzahlen und damit steigendes Arbeitsangebot nach sich, sodass die Löhne wieder fallen. Sinke der Lohn unter das Existenzminimum, führe eine Verminderung des Arbeitsangebots zu seinem Wiederanstieg.

Ehesachen, zivilprozessuale Verfahren auf Ehescheidung und die damit zusammenhängenden Folgesachen (z.B. elterl. Sorgerecht, Unterhaltspflicht, Zugewinnausgleich), auf Ehenichtigkeit, Eheaufhebung, Feststellung des Bestehens oder Nichtbestehens einer Ehe, Herstellung der ehel. Lebensgemeinschaft (§§606ff. ZPO).

Ehescheidung, die rechtl. Auflösung einer Ehe. Eine Ehe kann nur durch gerichtl. Urteil auf Antrag eines oder beider Ehegatten geschieden werden (§1564 BGB).

Das E.-Recht wurde in der Bundesrep. Dtl. zum 1. 7. 1977 durch Ges. entsprechend dem Zerrüttungsprinzip neu gestaltet. Danach kann die Ehe geschieden werden, wenn sie gescheitert ist, d.h., wenn die Lebensgemeinschaft nicht mehr besteht und nicht erwartet werden kann, dass die Ehegatten sie wieder herstellen. Das Scheitern der Ehe wird **unwiderlegbar** vermutet, 1) wenn die Ehegatten seit einem Jahr getrennt leben und die Scheidung übereinstimmend beantragen; 2) wenn die Ehegatten seit drei Jahren getrennt leben (ein weiteres Zusammenleben, das dem Versuch der Versöhnung dienen soll, unterbricht oder hemmt die Trennungsfristen nicht). In diesem Fall kann auch gegen den Willen eines Ehegatten geschieden werden. Zum Vollzug der Trennung genügt auch eine völlige Trennung der Lebensbereiche in der bisherigen Wohnung. Eines Nachweises des Scheiterns der Ehe im Einzelnen bedarf es nur, wenn diese Vermutungen nicht greifen, d.h., die Ehe kann unabhängig von diesen Fristen geschieden werden, wenn ihre Fortsetzung aus Gründen, die in der Person des anderen Gatten liegen, unzumutbar ist.

Einschränkend gilt (Härteklausel des §1568 BGB): Die Ehe soll nicht geschieden werden, wenn und solange die Aufrechterhaltung der Ehe im Interesse der aus ihr hervorgegangenen minderjährigen Kinder ausnahmsweise notwendig ist oder wenn und solange die Scheidung für den Antragsgegner aufgrund außergewöhnl. Umstände eine so schwere Härte darstellen würde, dass die Aufrechterhaltung der Ehe auch unter Berücksichtigung der Belange des Antragstellers ausnahmsweise geboten erscheint. Dies kann bei schwerer Identitätskrise des Kindes, schwerer Krankheit oder Alleinlassen zu einer Zeit besonderer Schicksalsschläge der Fall sein.

Durch die E. entfallen die allg. Wirkungen der Ehe ebenso wie Erb- und Pflichtteilsrechte (diese z.T. schon mit Stellung des Scheidungsantrages §1933 BGB). Erhalten bleiben Ehenamen (§1355 BGB) und in gewissen Grenzen der **Unterhaltsanspruch.** Grundsätzlich hat jeder Ehegatte nach der E. für sich selbst zu sorgen. Kann ein geschiedener Ehegatte dies nicht, so hat er einen Unterhaltsanspruch, der Leistungsfähigkeit des Verpflichteten voraussetzt. Wann dies der Fall ist, regelt das Ges. im Einzelnen (§§1570ff. BGB, für die neuen Bundesländer Art. 234, §5 EGBGB), z.B., wenn von dem geschiedenen Ehegatten wegen Alters, Krankheit, Vorhandenseins pflege- oder erziehungsbedürftiger Kinder oder wegen notwendiger eigener Ausbildung, Fortbildung oder Umschulung eine Erwerbstätigkeit nicht oder noch nicht erwartet werden kann oder wenn der Gatte sich nach der E. nur unzureichend in das Arbeitsleben wiedereingliedern kann, schließlich wenn aus schwerwiegenden sonstigen Gründen eine Erwerbstätigkeit nicht erwartet werden kann und Versagen des Unterhalts grob unbillig wäre (§1576 BGB). Umgekehrt kann der Unterhaltsanspruch bei grober Unbilligkeit ausgeschlossen werden, z.B. wenn die Ehe nur von kurzer Dauer war oder der Berechtigte seine Bedürftigkeit mutwillig herbeigeführt hat (§1579 BGB). Das Maß des Unterhalts bestimmt sich nach den ehel. Lebensverhältnissen und umfasst den ganzen Lebensbedarf, auch Kosten einer angemessenen Krankenversicherung sowie einer Schul- und Berufsausbildung (§1578 BGB).

Nach der E. wird unabhängig vom Güterstand ein **Versorgungsausgleich** (§§1587ff. BGB, für die neuen Bundesländer Art. 234, §6 EGBGB) durchgeführt. Es wird verglichen, welche Anwartschaften oder Aussichten auf eine Versorgung wegen Alters, Berufs- oder Erwerbsunfähigkeit jeder Ehegatte während der Ehezeit erworben hat; übersteigen die Anwartschaften des einen Ehegatten diejenigen des anderen, so erhält der mit den geringeren Anwartschaften einen Ausgleichsanspruch auf die Hälfte des Überschusses. Die Parteien können den Versorgungsausgleich durch Ehevertrag (§1408 BGB) ausschließen. Das Familiengericht bestimmt, wem das →elterliche Sorgerecht über gemeinsame minderjährige Kinder nach der E. zustehen soll; es soll von einem gemeinsamen Vorschlag der Eltern nur abweichen, wenn es das Wohl des Kindes erfordert. – Der in der Ehe angefallene Zugewinn ist auszugleichen (→eheliches Güterrecht). Können sich die geschiedenen Eheleute nicht auf die Verteilung des Hausrates einigen, muss das Gericht darüber entscheiden; es gilt die Hausrat-VO vom 21. 10. 1944.

In *Österreich* gelten im Wesentlichen ähnliche Grundsätze (§§ 47 ff. Ehe-Ges.) Als Scheidungsgrund ist das Zerrüttungsprinzip in den Vordergrund getreten, jedoch kann die E. auch auf Verschulden der Partner gestützt werden. Die Trennungsfrist für einvernehml. E. beträgt ein halbes Jahr. Zwar besteht auch eine Härteklausel, doch kann nach sechsjähriger Trennung in jedem Falle die E. durchgesetzt werden. In der *Schweiz* kann das Gericht, falls Aussicht auf Wiedervereinigung der Ehegatten besteht, die Trennung der Ehe aussprechen, was den Ehegatten eine erhöhte Unabhängigkeit verschafft, die Ehe aber fortbestehen lässt. Scheidungsgründe sind z. B. Ehebruch, Misshandlung oder Verlassen. Nur der schuldlos geschiedene Ehegatte hat Unterhaltsansprüche.

📖 MÜNCH, E. M. VON: *Die Scheidung nach neuem Recht. München [9]1996.*

Ehestandsliteratur, literar. Werke in Vers und Prosa (im Gefolge lat. geistl. Traktate), die u. a. von den Aufgaben und Pflichten der Ehe handeln (gelegentlich mit satir. Unterton). Bes. im 15. und 16. Jh. beliebt; u. a. das 1472 entstandene »Ehebüchlein« des Domherrn Albrecht von Eyb und »Das Philosophische Ehzuchtbüchlein« (1578) von J. Fischart.

Ehevermittlung (Heiratsvermittlung), die gewerbsmäßige Vermittlung von Ehemöglichkeiten. Eine versprochene Vergütung für die E. **(Ehemäklerlohn)** kann nicht eingeklagt, das Geleistete (z. B. ein Vorschuss) jedoch auch nicht zurückgefordert werden (§656 BGB). Deshalb wird bei der entgeltl. E. meist ein Vorschuss verlangt. Ähnlich ist es in der *Schweiz* (Art. 416 OR); in *Österreich* ist ein entgeltlicher E.-Vertrag nichtig (§879 ABGB).

Ehevertrag, Vertrag, durch den Ehegatten oder Verlobte ihre güterrechtl. Verhältnisse abweichend vom gesetzl. Güterstand regeln (→eheliches Güterrecht); der E. kann z. B. im Verzicht auf den Versorgungsausgleich auch Vereinbarungen für eine etwaige →Ehescheidung enthalten; ferner kann er mit einem Erbvertrag verbunden werden. Der E. muss bei gleichzeitiger Anwesenheit beider Teile vor einem Notar geschlossen werden. Er wirkt gegenüber Dritten nur, wenn er im Güterrechtsregister eingetragen oder dem Dritten bekannt ist (§§1408ff. BGB). – Ähnlich ist es in *Österreich,* wo güterrechtl. Vereinbarungen während der Ehe **Ehepakte** genannt werden (§1217 ABGB), und in der *Schweiz* (Art. 179ff. ZGB).

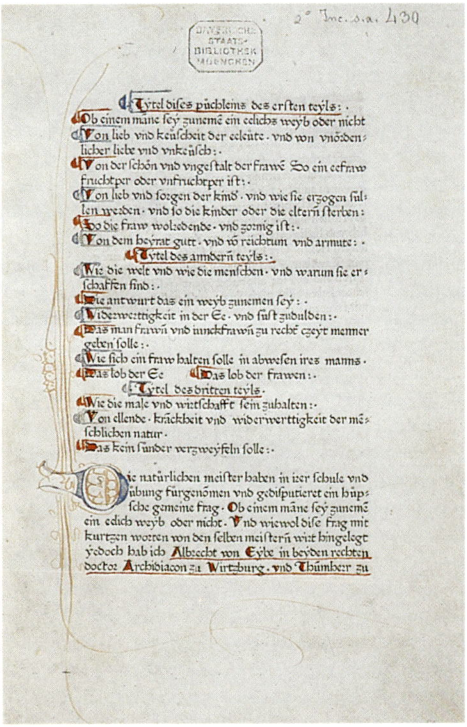

Ehestandsliteratur: Erste Seite des 1472 verfassten »Ehebüchleins« von Albrecht von Eyb

Ehewappen (Allianzwappen), aus den beiden Wappen der Ehepartner gebildete Wappenkombination; besteht i. d. R. aus zwei leicht schräg nach innen geneigt nebeneinander gestellten Wappenschilden oder aus zwei in einem gemeinsamen (gespaltenen) Schild vereinigten Wappen.

EHF [Abk. für engl. **e**xtremely **h**igh **f**requency »extrem hohe Frequenz«], internationale Bez. für den Frequenzbereich von 30 bis 300 GHz bei elektr. Wellen (Millimeterwellen).

Ehingen (Donau), Stadt (Große Kreisstadt) im Alb-Donau-Kreis, Bad.-Württ., 515 m ü. M. am S-Rand der Schwäb. Alb, 24700 Ew.; Kranbau, Kunststoffverarbeitung, Textil-, feinmechan. Industrie. – Got. St.-Blasius-Pfarrkirche, spätgot. Liebfrauenkirche (beide barock umgestaltet), barocke Konviktskirche; Ritterhaus (1692), Ständehaus (1749). – 1230 von den schwäb. Grafen von Berg zur Stadt erhoben, seit 1343 bei Habsburg, kam 1805 an Württemberg.

Ehinger, Heinrich, Kaufmann, *Konstanz, †1537 (?); führend im süddt. Fernhandel mit Spanien (bes. in Saragossa); beteiligte sich 1528–30 an der Kolonisation der Welser in Venezuela.

Ehlers, Hermann, Politiker (CDU), *Berlin 1. 10. 1904, †Oldenburg (Oldenburg) 29. 10. 1954; in der Zeit des Nationalsozialismus Mitgl. der Bekennenden Kirche, war 1949–54 MdB und 1950–54 Bundestagspräsident.

Ehmcke, Fritz Helmuth, Buchkünstler und Grafiker, *Hohensalza (heute Inowrocław) 16. 10. 1878, †Widdersberg (heute zu Herrsching a. Ammersee) 3. 2. 1965; gründete 1914 die »Rupprecht-Presse« in München, die nur Druckschriften E.s verwendete (**E.-Fraktur, E.-Antiqua** u. a.).

Ehmke, Horst, Politiker (SPD), *Danzig 4. 2. 1927; Jurist, seit 1963 Prof. für öffentl. Recht in Freiburg i. Br., seit 1969 MdB; 1969 Bundesjustizmin., 1969–72 Min. im Bundeskanzleramt, 1972–74 Bundesmin. für Forschung und Technologie sowie für das Post- und Fernmeldewesen. Im Bundestag trat er als Sprecher der SPD-Fraktion v. a. in Fragen der Außen- und Sicherheitspolitik hervor.

Ehre, 1) die einer Person aufgrund ihres Menschseins und der damit verbundenen Würde von Natur aus zukommende, durch Worte und Handlungen bekundete Achtung; 2) innere, auf der Selbstachtung beruhende Haltung (sittliche Würde, Verantwortung); 3) das Ansehen, das einer Person aufgrund ihrer Stellung in der Gesellschaft (Alter, Abstammung, Rang, Beruf) zugebilligt wird. – Die Ansichten darüber, was mit der E. verträglich oder durch sie gefordert sei, wechseln innerhalb bestimmter Grenzen nach Völkern und Zeitaltern. Konflikte der E. mit anderen hohen Gütern, z. B. der Liebe, bildeten zu allen Zeiten ein Hauptthema der epischen und dramat. Dichtung.

Rechtlich ist die **bürgerl. E.** das Maß an Achtung, das jedem unbescholtenen Menschen zukommt. Sie ist Ausfluss der in Art. 1 GG garantierten Unantastbarkeit der Menschenwürde, außerdem strafrechtlich geschützt (→Beleidigung). Bei schuldhafter Verletzung der E. besteht ein zivilrechtl. Anspruch auf Schadensersatz und Unterlassung (§§ 823, 824, 826 BGB).

Ehewappen von Kronprinz Christian von Dänemark und Prinzessin Magdalena Sybille von Sachsen auf einer Medaille von 1635; das Wappen des Mannes steht stets heraldisch vorn, das heißt vom Betrachter aus gesehen links

Ehrenamt, öffentl. Amt, für dessen Erfüllung kein Entgelt, sondern nur Ersatz der Auslagen gewährt wird. Die E. sind teils solche, die übernommen werden müssen (Schöffe), teils solche, die freiwillig übernommen werden (Gemeindeämter).

Hermann Ehlers

ehrenamtliche Richter (früher Laienrichter), Personen, die neben den Berufsrichtern, unabhängig wie diese und gleichberechtigt mit ihnen, die rechtsprechende Gewalt ausüben. Sie stehen nicht im öffentlich-rechtl. Dienstverhältnis zum Staat und bedürfen keiner jurist. Berufsausbildung. E. R. erhalten keine Vergütung, sondern nur Entschädigung für Zeitversäumnis und Unkosten. In der Zivilgerichtsbarkeit wirken sie mit in der Kammer für Handelssachen und in Landwirtschaftssachen, in der Strafgerichtsbarkeit als Schöffen im Schöffen- und Schwurgericht; ferner als Beisitzer in der Arbeits-, Sozial-, Verwaltungs- und Finanzgerichtsbarkeit.

Horst Ehmke

Ehrenbezeigung (Ehrenerweisung), Ausdruck besonderer Hochachtung und Verehrung bei offiziellen und feierl. öffentl. Anlässen oder gegenüber Staatsoberhäuptern u. a. Persönlichkeiten, bes. durch Salutschießen oder militär. Ehrenformationen; auch zur Ehrung von Toten.

Ehrenbreitstein, rechtsrhein. Stadtteil (seit 1938) von Koblenz, überragt von der alten **Festung E.;** sie gehörte als Burg seit dem 11. Jh. dem Erzbistum Trier, wurde 1801 von den Franzosen gesprengt, 1815–32 durch Preußen zu einer der stärksten Rheinfestungen ausgebaut. Nach dem

Ehrenbreitstein: Blick auf die über dem Rhein gelegene Festungsanlage aus der ersten Hälfte des 19. Jahrhunderts

Ehrenzeichen der Bundeswehr: Ehrenkreuz in Gold

Ehrenzeichen für Verdienste um die Republik Österreich

Versailler Vertrag wurden die Vorwerke geschleift; heute Archiv, Museum und Jugendherberge.

Ehrenburg (Erenburg), Ilja Grigorjewitsch, russ. Schriftsteller, *Kiew 27. 1. 1891, †Moskau 31. 8. 1967; floh als Revolutionär 1908 nach Paris. Seit 1940 wieder in der UdSSR, schrieb er propagandist. Romane, Schauspiele, Novellen (»Der Fall von Paris«, 1941; »Der Sturm«, 1948). Als Kriegsberichterstatter im 2. Weltkrieg rief er zu einer fanat. Deutschfeindlichkeit auf. Durch seinen krit. Roman »Tauwetter« (1954, zweiteilige Neufassung 1956) leitete er die gleichnamige Periode der polit. und kulturpolit. Liberalisierung nach Stalins Tod ein. – *Weiteres Werk:* Das Schwarzbuch. Der Genozid an den sowjet. Juden, hg. v. I. E. u. W. GROSSMAN. Dt. hg. v. A. LUSTIGER (5.–6. Tsd. 1995).

📖 EHRENBURG, IRINA: *So habe ich gelebt. Erinnerungen aus dem 20. Jh., hg. u. übers. v.* A. LEETZ. *Berlin 1995.*

Ehrenbürger, Ehrentitel von Personen, die wegen persönl. Verdienste oder weil sie sich um eine Gemeinde verdient gemacht haben, mit der Ehrenbürgerschaft ausgezeichnet wurden **(E.-Recht).**

Ehrendoktor, Abk. **Dr. h.c.,** ehrenhalber, ohne Promotion verliehener Doktortitel.

Ehreneintritt (Intervention), *Recht:* das Eintreten eines Dritten für einen Wechsel, wenn der Bezogene ihn nicht annimmt oder nicht bezahlt. Die Annahme eines solchen Wechsels durch den Notadressaten wird **Ehrenannahme (Ehrenakzept),** die Einlösung **Ehrenzahlung** genannt (Art. 55 ff. Wechselgesetz).

Ehrenfriedersdorf, Stadt im Kr. Annaberg, Sachsen, im Erzgebirge, am Fuß der Greifensteine (Granitfelsen, bis 732 m ü. M.), 5 800 Ew.; Bergbau- und Greifensteinmuseum, Freilichtbühne; Kleingewerbe der Metallwarenindustrie. – Stadtkirche St. Nicolai (14./15. Jh.) mit Schnitzaltar (von H. Witten 1507 begonnen). – Vom 13. Jh. bis 1990 Zinn- und Wolframerzbergbau.

Ehrengericht, → Berufsgerichte.

Ehrenhof (frz. Cour d'Honneur), der Empfangshof barocker Schlossbauten vor dem Hauptportal; gerahmt vom fürstl. Wohntrakt (Corps de Logis) und seinen Flügelbauten (Communs); in der Front geschlossen durch Mauern mit Wachhäusern und/oder Gitter.

Ehrenlegion (frz. Légion d'honneur), höchster frz. Orden, gestiftet 1802; Ordensgrade: Ritter, Offiziere, Kommandeure, Großoffiziere, Großkreuze.

Ehrenpatenschaft, die vom Staatsoberhaupt bei Familien mit einwandfreiem Ruf übernommene Patenschaft (in Dtl. für das 7. Kind).

Ehrenpreis (Veronica), Gattung der Braunwurzgewächse v. a. auf der Nordhalbkugel, meist Kräuter mit gegenständigen Blättern und überwiegend blauen Blüten in Trauben. Einheimisch sind etwa 35 Arten, u. a. **Gamander-E.** (Männertreu, Veronica chamaedrys) mit blauen Blüten auf Wiesen und der **Echte E.** (Veronica officinalis) mit hellvioletten Blüten auf Heiden und in Wäldern.

Ehrenrechte (bürgerliche E.), alle Rechte, die einem Staatsbürger zustehen. Ihre Aberkennung ist seit dem 1. Strafrechtsreform-Ges. vom 25. 6. 1969 nicht mehr möglich. Wer jedoch wegen eines Verbrechens zu Freiheitsstrafe von mindestens einem Jahr verurteilt wird, verliert kraft Gesetzes für fünf Jahre die Fähigkeit, öffentl. Ämter zu bekleiden und Rechte aus öffentl. Wahlen zu erlangen; in besonderen Fällen kann auch das aktive Wahlrecht aberkannt werden, wenn es gesetzlich (z. B. § 129 a StGB) vorgesehen ist (§§ 45 ff. StGB). – Das *österr.* und *schweizer.* Strafrecht kennen keine generelle Aberkennung der E. mehr.

Ehrenwort, feierl. Versprechen einer Leistung oder Unterlassung unter Berufung auf die Ehre; rechtlich bedeutungslos.

Ehrenpreis: Echter Ehrenpreis (Höhe 10–20 cm)

Ehrenzeichen, alle sichtbar zu tragenden Auszeichnungen, die nicht ausdrücklich →Orden genannt werden; 1980 wurde vom Bundespräs. das **E. der Bundeswehr** gestiftet; in Österreich gibt es seit 1955 das **E. für Verdienste um die Republik Österreich.**

Ehrfurcht, 1) die seel. Fähigkeit, Vollkommenes, Erhabenes und Wert empfinden zu können; 2) höchste Wertschätzung, gesteigerte Achtung vor der sittl. Würde einer Persönlichkeit, eines Gesetzes, eines Gottes (E. vor Gott und den Menschen), des Lebens.

Ehrgeiz, Streben nach Anerkennung, indem andere durch Ehre, Geltung, Macht und Ruhm übertroffen werden. Übersteigerter E., der andere in den Schatten zu drängen oder Leistungen vorzutäuschen sucht, ist sittlich fragwürdig.

Ehrhardt, Hermann, Seeoffizier, *Diersburg (heute zu Hohberg, Ortenaukreis) 29. 11. 1881, †Brunn am Walde (bei Krems an der Donau) 27. 9. 1971; bildete Anfang 1919 die **Brigade E.,** mit der er die kommunist. Räteherrschaft in Braunschweig und München bekämpfte und 1920 am Kapp-Putsch teilnahm. Er gründete die rechtsradikale »Organisation Consul«.

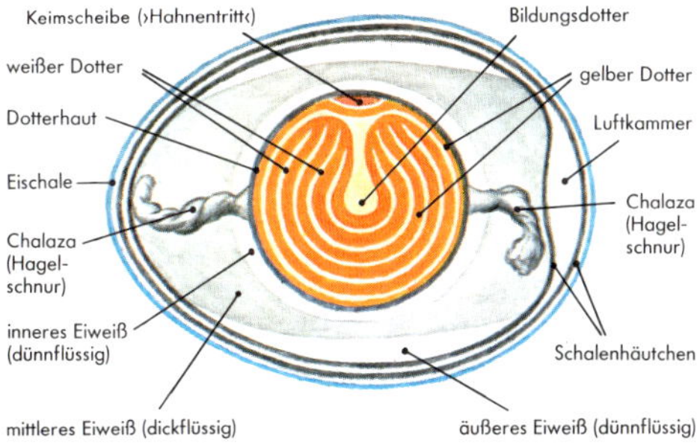

Ei: Schematischer Längsschnitt durch ein Hühnerei

Ehringsdorf, südl. Stadtteil von Weimar, mit Travertinsteinbruch im Ilmtal; Fundort von Fossilien, altsteinzeitl. Feuerstellen und Steinwerkzeugen sowie menschl. Skelettresten von Präneandertalern.

Ehrlich, Paul, Serologe, *Strehlen (heute Strzelin) 14. 3. 1854, †Bad Homburg v.d. Höhe 20. 8. 1915; führte neue diagnost. Verfahren bes. zur Anfärbung von Blut und Gewebeschnitten ein und begründete die experimentelle Chemotherapie; 1909 entwickelte er das Syphilismittel Salvarsan (mit S. Hata). E. erhielt 1908 mit I. Metschnikow den Nobelpreis für Physiologie oder Medizin.

Ehrlosigkeit, im MA. die Minderung in der Rechtsstellung, z.B. durch nichtehel. Abstammung, einen bestimmten Beruf, die Art der Lebensführung oder Verurteilung zu entehrenden Leibesstrafen (an »Haut und Haar«).

Ehrenhof des Versailler Schlosses, Kupferstich (um 1740)

Ehrwald, Gemeinde im Bezirk Reutte, Tirol, im Becken von Lermoos, rd. 1000 m ü.M., 2300 Ew.; als Ausgangspunkt der österr. Zugspitz-Seilbahn bed. Fremdenverkehrsort.

Ei (Eizelle, Ovum), unbewegliche weibl. Geschlechtszelle von Mensch, Tier und Pflanze; meist wesentlich größer als die männl. Geschlechtszelle (Samenzelle), z.B. beim Menschen 0,12–0,2 mm, beim Haushuhn etwa 3 cm, beim Strauß über 10 cm, bei Saugwürmern 0,012–0,017 mm im Durchmesser. Die Bildung des E. erfolgt meist in bes. differenzierten Geschlechtsorganen, bei mehrzelligen Pflanzen u.a. in Samenanlagen, bei mehrzelligen Tieren in Eierstöcken.

Der Aufbau tier. Eier ist sehr einheitlich. Unter der von der Eizelle selbst gebildeten Eihaut (Dotterhaut) befindet sich das Eiplasma (Bildungsplasma, Ooplasma) mit dem relativ großen Eikern. Die im Eiplasma gespeicherten Reservestoffe (u.a. Proteine, Lipoproteide, Fette, Glykogen) werden in ihrer Gesamtheit als Dotter bezeichnet. Nach der Menge des Dotters im Eiplasma unterscheidet man **oligolezithale Eier** (sehr dotterarm; bei Säugetieren) und **mesolezithale Eier** (weniger dotterarm; bei Lurchen, Lungenfischen). Eier mit großer Dottermenge werden als **polylezithale Eier** bezeichnet. Bei gleichmäßiger Verteilung des Dotters spricht man von **isolezithalen Eiern** (z.B.

Paul Ehrlich

Ei

Je höher der Brutpflegeaufwand einer Tierart und je höher ihre Überlebenschancen desto niedriger ist in der Regel die Zahl der produzierten Eier. So legen einige Frösche im Frühjahr bis zu 12 000 Eier ins Wasser ab und kümmern sich danach nicht mehr um ihre Nachkommen. Die Schüsselrücken-Laubfrösche legen dagegen nur 24 Eier, die sie aber in einer ringförmigen Falte des Rückens tragen und so während ihrer Entwicklung vor Feinden schützten.

Ei: Straußenei mit Reliefschnitzerei (um 1750; Erlangen, Zoologisches Museum im 1. Zoologischen Institut der Universität)

Eibisch 1): Echter Eibisch (Höhe bis 1,5 m)

bei Säugetieren). Die nach der Befruchtung durch eine männl. Geschlechtszelle oder durch Wirksamwerden anderer Entwicklungsreize (z.B. bei der Jungfernzeugung) beginnende Eifurchung wird anfangs äußerst stark durch Menge und Verteilung des im Ei befindlichen Dotters beeinflusst. Im Zellkern des Eies ist die gesamte, für die Ausbildung des Organismus notwendige Information gespeichert. Einzelne Eibezirke sind für die Bildung bestimmter Körperabschnitte des späteren Organismus mehr oder weniger ausgeprägt determiniert. Das Ei wird oft von mehreren **Eihüllen** umgeben, die Hafteinrichtungen (bei Insekten) besitzen oder hornartig (bei Haien und Rochen), gallertig (Wasserschnecken, Lurche) oder äußerst fest (→Dauereier) sind. Auch das Eiklar (Eiweiß) der Vogeleier mit Hagelschnüren und die Kalkschale sind Eihüllen.

Im allg. Sprachgebrauch wird als Ei das befruchtete oder unbefruchtet abgelegte **Hühnerei** bezeichnet; es besteht wie jedes Vogelei aus der von der Dotterhaut begrenzten Eizelle mit Dottersubstanz sowie den tertiären Eihüllen: Eiklar, Schalenhäutchen, Kalkschale; wichtiges Nahrungsmittel, das sich aus durchschnittlich 74% Wasser, 13% Proteinen, 11% Fett, 0,7% Kohlenhydraten und 1% Mineralstoffen zusammensetzt und zahlr. Vitamine enthält. Von dem durchschnittlich 50–60 g schweren Hühnerei beträgt der Schalenanteil etwa 10% (davon sind über 90% Kalk). Das durch Laktoflavin leicht grünlich gelbe Eiklar macht etwa 58% des Hühnereis aus, der Dotter etwa 32%.

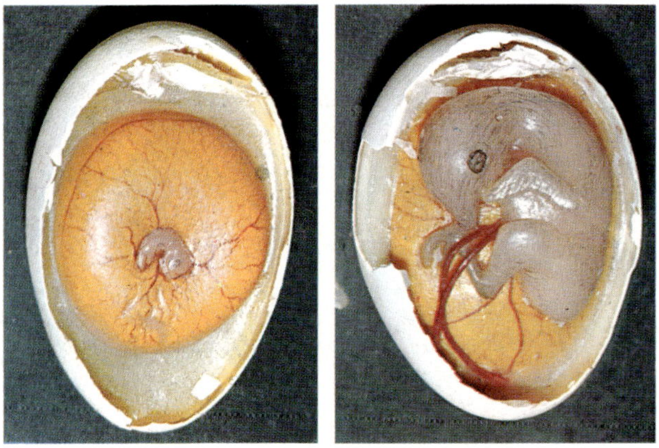

Ei (von links): Fünf Tage und fünfzehn Tage bebrütetes Hühnerei

Im *Brauchtum* und *Volksglauben* vieler Völker gilt das Ei als Sinnbild der Fruchtbarkeit, der Auferstehung, als Urgrund der Welt (Weltei). Es wird als Opfer und Orakel verwendet. Im Frühjahr werden ihm Wunderkräfte zugeschrieben, so den Antlass- und Karfreitagseiern, bes. aber dem Osterei. Im Frühjahr sind vielerorts Eierspiele Brauch, das Eierrollen, -lesen, -klauben oder -laufen.

EIA, Abk. für →**E**nzym**i**mmuno**a**ssay.

Eibe (Taxus baccata), Nadelholzart der Familie Eibengewächse (Taxaceae), in Europa, im Orient und in Nordafrika heimisch; ein immergrüner Strauch oder bis 20 m hoher Baum mit rötlich brauner Rinde, flachen Nadeln und zweihäusigen Blüten. Die männl. Blüten bilden kugelige Köpfchen, die weibl. bestehen aus einer einzigen aufrechten Samenanlage, um die sich im Reifestadium ein roter, sehr süßer ungiftiger Samenmantel **(Arillus)** hüllt. Die Jungtriebe, Nadeln und Samen enthalten das giftige Alkaloid **Taxin.** Das harte, elastische, politurfähige Holz wird zu Kunsttischlerarbeiten verwendet.

Eibenstock, Stadt im Kr. Aue-Schwarzenberg, Sachsen, im westl. Erzgebirge, 6400 Ew.; Buntstickerei, Metallwarenind.; nördlich der Stadt die Talsperre E. (74,7 Mio. m^3) der Zwickauer →Mulde. – Im 14. Jh. beginnender Zinnerzbergbau; im 16. Jh. entwickelte sich E. zur Bergstadt.

Eibisch, 1) (Althaea) zu den Malvengewächsen gehörende Gattung dicht behaarter Kräuter und Sträucher; als Arzneipflanze an feuchten, bes. salzhaltigen Orten der **Echte E.** (Althaea officinalis) mit rosafarbenen oder weißen Blüten.

2) (Hibiscus) Gattung der Malvengewächse mit über 200 meist trop. Arten; Kräuter, Sträucher oder Bäume mit trichterartigen großen, meist in den Blattachseln stehenden Blüten; als Zimmerpflanze der **Chines. Rosen-E.** (Hibiscus rosasinensis) in versch. Farben.

Eibl-Eibesfeldt, Irenäus, österr. Verhaltensforscher, *Wien 15. 6. 1928; seit 1970 Prof. in München; Leiter der Arbeitsgruppe Humanethologie im Max-Planck-Institut für Verhaltensphysiologie in Seewiesen bei Starnberg. E.-E. untersucht bes.

Eibe: Zweige mit Früchten

die Formen inner- und zwischenartlicher Kommunikation bei Mensch und Tier.

Eibsee, See am Nordfuß der Zugspitze, Bayer. Alpen, 973 m ü.M., 1,8 km^2 groß, bis 32 m tief, mit sieben kleinen Inseln; durch eiszeitl. Bergsturz entstanden.

Eich, Günter, Schriftsteller, *Lebus 1. 2. 1907, †Salzburg 20. 12. 1972; ⚭ mit Ilse →Aichinger; begann mit Natur- und Erlebnisgedichten. Exemplarisch für die frühe Nachkriegsliteratur sind seine Gedichte in »Abgelegene Gehöfte« (1948) und die Kurzgeschichte »Züge im Nebel« (1947); richtungweisend für das literar. Hörspiel der 50er- und 60er-Jahre wurde »Träume« (1951); in weiteren Hörspielen (»Die Mädchen von Viterbo«, 1953; »Die Brandung vor Setúbal«, 1957), spröden Gedichten (»Botschaften des Regens«, 1955; »Zu den Akten«, 1964 ; »Anlässe und Steingärten«, 1966) und witzigen, hintersinnig-iron. Prosaskizzen (»Maulwürfe«, 1968; »Ein Tibeter in meinem Büro«, 1970) werden Natur und Sprache zunehmend skeptisch betrachtet und vielschichtig chiffriert.

Eichberg, Richard, Regisseur und Filmproduzent, *Berlin 27. 10. 1888, †München 8. 5. 1952; Pionier des dt. Unterhaltungs- und Abenteuerfilms, u. a. »Der Greifer« (1930), »Der Kurier des Zaren« (1936), »Der Tiger von Eschnapur« und »Das ind. Grabmal« (beide 1938).

Eichbosonen, *Physik:* →Eichfelder 2).

Eiche (Quercus), Gattung der Buchengewächse, z.T. über 700 Jahre alt werdende Bäume mit gesägten bis gelappten Blättern. Die männl. Blüten sitzen in hängenden Kätzchen, die weibl. einzeln oder gebüschelt. Jede weibl. Blüte ist von einem später becherförmigen Fruchtbecher (Cupula) umgeben; die Frucht nennt man →Eichel. In Mitteleuropa sind heimisch: die **Stiel-** oder **Sommereiche** (Quercus robur), die **Trauben-** oder **Wintereiche** (Quercus petraea). Von den südeurop. Eichenarten liefern die beiden **Korkeichen** (Quercus suber und Quercus occidentalis) den Kork; die **Steineiche** (Quercus ilex) ist eine Charakterpflanze der Macchie. – Das harte, mittelschwere Eichenholz verwendet man bes. für Fässer, Parkettfußböden und Furniere. Aus der Rinde (Lohrinde) wurden früher Gerbmittel gewonnen. Schädlinge sind u.a. die Raupen der Frostspanner, des Grünen Eichenwicklers, die Larven des Eichenbocks und versch. Prachtkäfer sowie der Eichenmehltaupilz. – In der *Volkskunde* ist die E. das Sinnbild der Freiheit und Kraft. Bei vielen indogerman. Völkern, bes. den Germanen ist sie der am meisten verehrte Baum (Donarkult).

Irenäus Eibl-Eibesfeldt

Eichel, 1) *Anatomie:* (Glans) vorderes verdicktes Ende des männl. Gliedes (→Penis) und des weibl. →Kitzlers.

2) *Botanik:* (Ecker) die einsamige, runde bis eiförmige, stärke- und gerbsäurereiche Nussfrucht der Eiche, die an ihrer Basis von einem napf- bis becherförmigen, beschuppten oder filzig behaarten Fruchtbecher (Cupula) umschlossen wird, aus dem sie nach der Reife herausfällt. E werden als Futtermittel für Schweine **(E.-Mast)** in einigen Ländern bis heute verwendet.

Günter Eich

3) *Kartenspiel:* (Ecker) Farbe der dt. Spielkarte, entspricht dem Kreuz der frz. Spielkarte.

Eichel, Hans, Politiker (SPD), *Kassel 24. 12. 1941; Lehrer, 1969–72 stellv. Jusovorsitzender; 1975–91 Oberbürgermeister von Kassel, wurde 1991 MinPräs. von Hessen.

Hans Eichel

Eichelentzündung, die →Balanitis.

Eichelhäher (Garrulus glandarius), europäisch-nordasiat. Rabenvogel, etwa 35 cm lang, rötlich grau, mit blau, schwarz und weiß gebänderten Oberflügeldeckfedern und aufrichtbarer gestreifter Haube; ist in Mischwäldern verbreitet; frisst Insekten, Kleintiere, auch Jungvögel und Eier sowie Früchte und Samen. Seine Stimme ist sehr wandlungsfähig.

Eichelhäher (links) und **Eichel 2)**

Eicheltripper, die →Balanitis.

Eichelwürmer (Enteropneusta), Klasse der Kragentiere, regenwurmförmige Meerestiere der Gezeitenzone mit bewimpertem Körper, gegliedert in Eichel, Kragen und Rumpf.

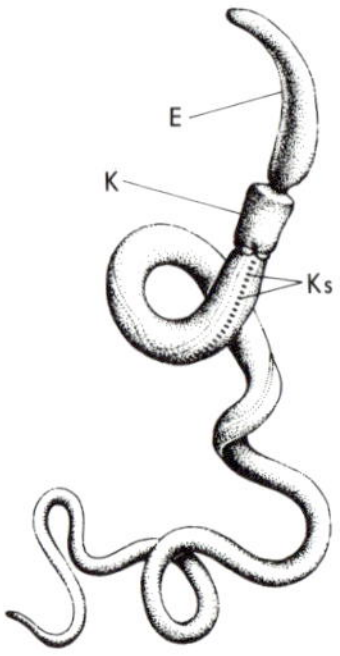

Eichelwürmer: E Eichel, K Kragen, Ks Kiemenspalte

Eichen [mhd. ichen »abmessen«, zu lat. aequus »gleich«], Überprüfung und Abstimmung der Messgenauigkeit und -sicherheit von Messgeräten, die für den gesamten amtl. und geschäftl. Verkehr, das Verkehrswesen sowie die Herstellung und Prüfung von Arzneimitteln eingesetzt werden, mit den amtl. Normalen. Grundlage ist das Eich-Ges. i.d. F.v. 22. 2. 1985, das auch die **Eichpflicht** verankert, d.h. die Pflicht, alle für den Geschäftsverkehr bed. Messgeräte zu eichen. Dazu muss ein Messgerät eichfähig sein, d.h., seine Bauart muss richtige Messergebnisse und eine ausreichende Messbeständigkeit erwarten lassen. Messwerte müssen in gesetzl. Einheiten angezeigt werden. Die geeichten Gegenstände werden durch **Eichstriche** oder **Eichstempel** gekennzeichnet. Die oberste Fachbehörde für das E. ist die Physikalisch-Techn. Bundesanstalt.

Eichenbock (Heldbock), Art der →Bockkäfer.

Joseph von Eichendorff (Zeichnung von Franz Kugler)

Eichendorff, Joseph Freiherr von, Dichter, *Schloss Lubowitz (bei Racibórz) 10. 3. 1788, †Neisse (heute Nysa) 26. 11. 1857; studierte Jura, ging 1807 nach Heidelberg, 1810 zum Abschluss seiner jurist. Studien nach Wien. E. nahm an den Befreiungskriegen teil, trat 1816 in den preuß. Staatsdienst, 1844 pensioniert; 1846 Aufenthalt in Wien, 1855 ließ er sich in Neisse nieder. Seine Gedichte sind neben denen C. Brentanos und E. Mörikes ein Höhepunkt dt. Romantik (»Gedichte«, erste selbstständige Sammlung 1837). Durch ihre oft volksliedhafte Schlichtheit, in der Bilder aus der Natur zum Ausdruck für Seelisches werden, schwingen dunkle Untertöne, jedoch wird auch die religiöse Vorstellung einer allumfassenden Weltharmonie, die die Natur als ein Symbol des Göttlichen begreift, spürbar. Als Erzähler bevorzugte E. lose Szenen- und Bilderfolgen mit typisch romant. Motiven (»Ahnung und Gegenwart«, R., 1815; »Das Marmorbild«, Nov., 1819; »Aus dem Leben eines Taugenichts«, Nov., 1826; »Das Schloß Dürande«, Nov., 1834; »Die Glücksritter«, Nov., 1841). Daneben entstanden Märchenspiele, Versepen sowie literarhistor. Studien (»Gesch. der poet. Literatur Dtl.s«, 2 Bde., 1857).

Ausgaben: Werke, hg. v. W. FRÜHWALD u.a., 6 Bde. (1985–93); Werke. In einem Bd., hg. v. W. RASCH (Neuausg. 1995).

📖 *J. v. E. Leben u. Werk in Texten u. Bildern, hg. v.* W. FRÜHWALD *u.* F. HEIDUK. *Frankfurt am Main 1988.* – STÖCKLEIN, P.: *J. v. E. Reinbek 73.–75. Tsd. 1993.*

Joseph von Eichendorff: Illustration zur Novelle »Aus dem Leben eines Taugenichts«, Federlithographie des zeitgenössischen Malers und Grafikers Adolf Schroedter

Eichengallwespen, →Gallwespen.

Eichenspinner, Bez. für zwei versch. Schmetterlinge: die Gluckenart **Lasiocampa quercus** sowie der **Japan. Augenspinner** (Antheraea yamamai), der die Tussahseide liefert.

Eichfelder, 1) *Astronomie:* (engl. Selected Areas) ausgewählte, regelmäßig am Himmel verteilte Felder, in denen alle Sterne nach Helligkeit, Bewegung u.a. hochgenau bestimmt wurden; Grundlage für die Stellarstatistik.

2) *Physik:* physikal. Felder, die lokale Symmetrietransformationen (sog. **Eichtransformationen**) gestatten und deren als **Eichbosonen** bezeichnete Feldquanten Wechselwirkungen zw. Elementarteilchen vermitteln, z.B. das elektromagnet. Feld mit den Photonen als Eichbosonen. Beispiele für die **Eichfeldtheorien (Eichtheorien)** sind die Theorien der elektroschwachen und der starken Wechselwirkung.

Eichhase (Höhe bis 30 cm)

Eichhase (Ästiger Porling, Polypilus umbellatus), graubrauner, an Baumstümpfen von Eichen und Buchen lebender Pilz (Porling); jung essbar.

Eichhorn, Karl Friedrich, Rechtsgelehrter, *Jena 20. 11. 1781, †Köln 4. 7. 1854; wurde durch seine »Dt. Staats- und Rechtsgeschichte« (4 Bde., 1808–23) einer der Begründer der histor. Schule im dt. Recht.

Eichhörnchen (Sciurus), Gattung der Familie der Hörnchen, verbreitet über Europa, Sibirien bis zum nördl. Japan und China. Das **Eurasiat. E.** (Sciurus vulgaris) ist in Wäldern und Parklandschaften heimisch. E. sind gute Kletterer und

Springer, wobei der buschige Schwanz als Steuer dient; das Fell ist i.d.R. rotbraum, aber auch schwarzbraun oder grau. E. bewohnen ein selbst gebautes, kugelförmiges Nest **(Kobel)** oder Vogelnester und Baumhöhlen. Hauptfeinde: Marder und Greifvögel. – E.-Felle aus Sibirien und Kanada werden als **Feh** (Fehrücken) naturell oder gefärbt zu Mänteln und Besatz verarbeitet.

Eichhornia *die,* die → Wasserhyazinthe.

Eichmann, Karl Adolf, SS-Obersturmbannführer, Kaufmann, *Solingen 19. 3. 1906, † (hingerichtet) Ramle (Israel) 1. 6. 1962; übernahm im Okt. 1939 die Leitung des »Judenreferates« im Reichssicherheitshauptamt. Im Zuge der sog. »Endlösung« organisierte er die Transporte jüd. Menschen in die Vernichtungslager. 1945 entkam er nach Argentinien. 1960 vom israel. Geheimdienst nach Israel entführt, wurde er dort in einem Prozess in Jerusalem am 15. 12. 1961 u.a. wegen Verbrechens gegen das jüd. Volk und wegen Kriegsverbrechen zum Tode verurteilt.

📖 *Das E.-Protokoll. Tonband-Aufzeichnungen der israel. Verhöre, hg. v.* J. VON LANG. *Neuausg. Wien 1991.* – ARENDT, H.: *E. in Jerusalem. A.d. Amerikan. Neuausg. München u.a. 19.–25. Tsd. 1995.* – SAFRIAN, H.: *E. u. seine Gehilfen. Tb.-Ausg. Frankfurt am Main 1995.*

Eichrodt, Ludwig, Pseud. Rudolf Rodt, Schriftsteller, *Durlach (heute zu Karlsruhe) 2. 2. 1827, † Lahr/Schwarzwald 2. 2. 1892. Seinen »Gedichten des schwäb. Schullehrers Gottlieb Biedermaier und seines Freundes Horatius Treuherz« verdankt der Zeitstil seinen Namen (→ Biedermeier).

Eichsfeld, 1) das nordwestl. Randgebiet des Thüringer Beckens, durch Wipper und Leine in zwei Landschaften geschieden. Das **Obere E.** (im S) ist eine etwa 450 m hohe, mit Laubwald bestandene Muschelkalkfläche, im Höhenzug Dün bis 520 m ü.M., mit dem Hauptort Heilbad Heiligenstadt. Das **Untere E.** (im N) ist eine Buntsandsteintafel mit Zeugenbergen aus Muschelkalk, in den Ohmbergen bis 535 m ü.M., mit gutem Ackerland: Die Umgebung des Hauptortes Duderstadt heißt **Goldene Mark.**

2) Landkreis in Thüringen, 940 km², (1996) 117 300 Ew.; Verw.sitz: Heilbad Heiligenstadt.

Eichstätt, 1) Landkreis im RegBez. Oberbayern, 1214 km², (1996) 112 800 Einwohner.

2) Krst. von 1), in Bayern, im Tal der Altmühl, 12 600 Ew.; Bischofssitz (seit 745), Kath. Universität; Jura-Museum (paläontolog. Sammlung) und Ur- und Frühgeschichtl. Museum in der Willibaldsburg; Fremdenverkehr. – Das Stadtbild ist geprägt durch den als Baumaterial verwendeten weißen Kalk und den Solnhofener Plattenkalk. E. ist eine barocke geistliche Fürstenresidenz mit zahlreichen Repräsentativbauten. Gotischer Dom

Eichhörnchen: Eurasiatisches Eichhörnchen (Kopf-Rumpf-Länge bis 25 cm; Schwanzlänge bis 20 cm)

(14./15. Jh.) mit barocker Fassade; ehem. fürstbischöfl. Residenz (17. Jh.; heute Amtsgericht) mit Treppenhaus (1767). – Spätröm. Siedlung; um 740 Klostergründung; ab 1305 bischöfl. Stadtherrschaft in der im 11. Jh. entstandenen Siedlung; fiel 1805/06 an Bayern.

3) Bistum E., gegr. 745 von Bonifatius und Mainz unterstellt. Das Territorium des Hochstifts E. (seit dem 14. Jh. reichsunmittelbar) wurde 1803/06 bayerisch; kam 1821 zur Kirchenprovinz Bamberg.

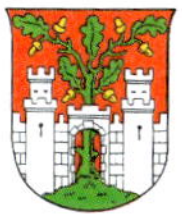

Eichstätt 2) Stadtwappen

Eid, feierl. Bekräftigung einer Aussage. Rechtlich ist der E. eine auf behördl. oder gerichtl. Anordnung in bestimmter Form abgegebene verbindl. Erklärung, die die Versicherung enthält, dass entweder eine Aussage der Wahrheit entspricht **(assertor. E., Nach-E.:** Zeugen-E. vor Gericht) oder dass der E.-Leistende seine in Verf. und Ges. begründeten Pflichten erfüllen wird **(promissor. E., Vor-E.:** Verfassungs-E., Dienst-E.). Im Prozessrecht dient der E. der Bekräftigung der Aussage des Zeugen, des Sachverständigen oder der im Zivilprozess vernommenen Partei. Im Strafprozess wird der Angeklagte nicht vereidigt. Bei Zeugen

Eichstätt 2): Das 1156 gegründete, ehemalige Augustinerchorherrenstift Rebdorf wurde im 18. Jh. klassizistisch umgebaut und erweitert

Eidechsen: Smaragdeidechse (oben) und Zauneidechse

kann das Gericht von einer Vereidigung absehen, z.B. beim durch die Straftat Verletzten und dessen Angehörigen, bei Verzicht der Prozessbeteiligten. Die Vereidigung geschieht nach Hinweis auf die Bedeutung des E. **(Eidesbelehrung).** Der Richter spricht gegenüber dem Schwurpflichtigen die gesetzlich unterschiedlich geregelte Eidesnorm und der Schwurpflichtige antwortet unter Erhebung der rechten Hand mit der **Eidesformel:** »Ich schwöre es« (freigestellt: »so wahr mir Gott helfe«). Der wissentlich oder fahrlässig falsche E. ist als Meineid oder fahrlässiger Falscheid unter Strafe gestellt (→Falscheid). – Das *österr.* Recht ist dem dt. Recht ähnlich. In der *Schweiz* ist der E. in kantonalen Prozessordnungen vorgesehen.

Eidechse (lat. Lacerta), Sternbild am nördl. Himmel.

Eidechsen (Lacertidae), Familie schlanker Echsen mit langem Schwanz, vier langzehigen Füßen und schlängelnder Fortbewegung; Bewohner trockener Gegenden der Alten Welt; Kleintier- und Pflanzenfresser. In Mitteleuropa sind z.B. heimisch die bis 25 cm lange, als Weibchen bräunl., als Männchen grünl. **Zauneidechse** (Lacerta agilis), die bis 40 cm lange, leuchtend grüne, an der Kehle blaue **Smaragdeidechse** (Lacerta viridis), die in Mitteleuropa lebend gebärende, in SW-Europa Eier legende **Waldeidechse** (Lacerta vivipara). Ihr Schwanz bricht leicht ab, wächst aber nach.

Eidechsenwurz (Sauromatum), Gattung der Aronstabgewächse im trop. Asien und Afrika; einige Arten entwickeln sich aus frei liegender Knolle (Wunderknolle) als Trockenblüher (ohne Wasser- und Erdversorgung).

Eider *die,* Grenzfluss zw. den Landesteilen Schleswig und Holstein, entspringt südlich von Kiel und mündet bei Tönning mit einem 5 km breiten Trichter in die Nordsee; 188 km lang, ab Rendsburg schiffbar; im Mündungstrichter der **E.-Damm** mit Schifffahrtsschleuse und Sperrwerk. Ein Teil des Flusses wird oberhalb von Rendsburg vom Nord-Ostsee-Kanal aufgenommen, in Rendsburg wird er zum **E.-Hafen** aufgestaut; eine weitere Verbindung zum Nord-Ostsee-Kanal besteht vom Unterlauf der E. über den Geiselaukanal.

Eider: Eidersperrwerk; Durchflussbreite 200 m

Eiderente: Männchen

Eiderente: Weibchen

Eiderdänen, die 1848–69 in Dänemark herrschende nationalliberale Partei, die die Eingliederung Schleswigs bis zur Eider forderte und die Aufhebung der schleswig-holstein. Realunion betrieb.

Eiderenten (Somateria), Gattung gänsegroßer Meeresenten, bes. an nord. Küsten; als Männchen v.a. schwarz und weiß, als Weibchen schwärzlich braun. Das Nest wird mit den eigenen Daunen **(Eiderdaunen)** gepolstert. – Die Daunen werden als hochwertige Bettfüllung verwendet.

Eiderstedt, 340 km² große Halbinsel an der W-Küste von Schlesw.-Holst., zw. Eidermündung und dem nordfries. Wattenmeer (Hever). Die fruchtbaren Marschböden sicherten den Bauern einen Wohlstand, der in den »Haubarg« genannten prachtvollen Bauernhäusern sichtbar wird.

Eidesfähigkeit, →Eidesmündigkeit.

Eideshelfer, im alten dt. Recht meist die Sippengenossen, die die Glaubwürdigkeit der schwurpflichtigen Partei beschworen.

Eidesmündigkeit, die altersbedingte Fähigkeit zur Eidesleistung vor Gericht; in Dtl. und der Schweiz mit Vollendung des 16., in Österreich des 14. Lebensjahres.

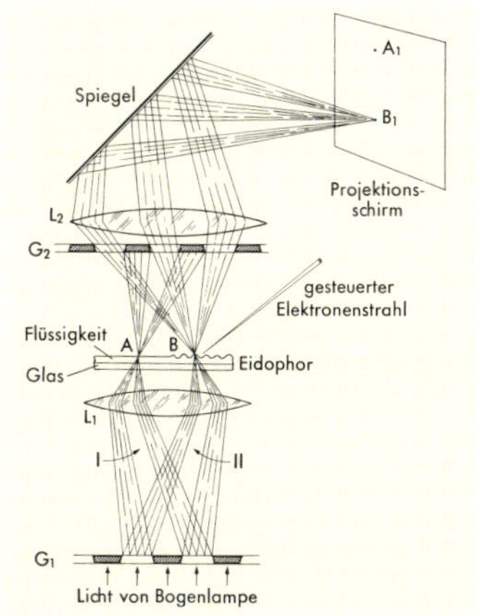

Eidophorverfahren: Schema der Eidophorprojektion; G_1 und G_2 Gitterbalken, L_1 und L_2 Linsen, I Strahlengang I, keine Projektion des Punktes A auf dem Projektionsschirm bei glatter Oberfläche des Eidophors, II Strahlengang II, Projektion des Punktes B auf dem Projektionsschirm bei deformierter Oberfläche des Eidophors, wobei die Intensität von der Stärke der Deformation abhängt

eidesstattliche Versicherung (Versicherung an Eides statt), Mittel der Glaubhaftmachung tatsächl. Behauptungen oder zur Beteuerung der Richtigkeit von Erklärungen; sie stellt eine schwächere Bekräftigung als der Eid dar. Im Prozess unterliegt sie der freien Beweiswürdigung. Sie ist vom Recht entweder vorgeschrieben oder zugelassen, z.B. im *Zivilrecht* nach §259 BGB die Verpflichtung eines Rechenschaftspflichtigen, seinen Bericht ggf. im Rahmen einer e.V., auch vor dem Amtsgericht, zu erfüllen. Im *Zivilprozessrecht* hat sie begrifflich den früheren Offenbarungseid (§807 ZPO) verdrängt, den ein im Zwangsvollstreckungsverfahren nicht befriedigter Gläubiger gegen seinen Schuldner beantragen kann, um diesen zur Offenlegung seines Vermögens und unentgeltl. Vermögensverfügungen zu zwingen. Besondere Bedeutung hat die e.V. bei der Eröffnung eines Verfahrens im einstweiligen Rechtsschutz. – Auf wissentlich oder fahrlässig falsche e.V. stehen Freiheits- oder Geldstrafe (§§156, 163 StGB).

Eidetik [zu grch. eĩdos »Aussehen«, »Wesen«] *die,* **1)** *Philosophie:* Lehre vom Wesen und der Wesens- und Ideenschau; in der Phänomenologie E. Husserls die Lehre von objektiven Sinneinheiten logisch-idealer Art.

2) *Psychologie:* Lehre von den subjektiven Anschauungsbildern: physisch wahrgenommene Bilder bei Fehlen des Reizgegenstandes (svw. »fotograf. Gedächtnis«). Die Fähigkeit zu solchen Anschauungsbildern ist bei Kindern und Jugendlichen häufig, kommt aber auch bei Erwachsenen **(Eidetiker)** vor.

Eidgenossenschaft, 1) kultischer oder polit. Schwurbund, v.a. städt. Bürger in Süd-Dtl. (seit 11./12. Jh.).

2) Schweizerische E., →Schweiz.

Eidgenössische Technische Hochschule Zürich, Abk. **ETHZ,** gegr. 1854, von der schweizer. Eidgenossenschaft geführt; Unterrichtssprache dt., rd. 10 000 Studenten.

Eidophorverfahren [grch. »Bildträger«], Verfahren zur Wiedergabe (Projektion) von Fernsehbildern auf einer großen Bildwand. Beim E. trifft ein modulierter Elektronenstrahl auf die Oberfläche einer mit einer zähen Flüssigkeit (Öl, geschmolzenes Paraffin) beschichteten Glasplatte **(Eidophors),** die wellenförmig deformiert wird. Diese Deformation dient der Steuerung einer Fremdlichtquelle mittels einer Schlierenoptik.

Eidos [grch. »Bild«] *das, Philosophie:* Grundgestalt, das gemeinsame Wesen der verschiedenen Dinge desselben Artbereichs; bei Platon das eigentlich Wirkliche, das Urbild (→Idee), an dem als seinem Seinsgrund das Ding teilhat und durch das es erkennbar ist; bei E. Husserl die vom Faktum (Tatsache) unterschiedene objektive Sinneinheit.

Eidsvoll [ˈɛjdsvɔl] (früher Eidsvold), Gemeinde in der norweg. Prov. Akershus, 15 300 Ew.; Holzverarbeitung und elektrotechn. Industrie. Im 6 km entfernten ehem. Gut E. wurde am 16. 2. 1814 die Unabhängigkeit Norwegens ausgerufen und am 17. 5. 1814 die Verf. beschlossen.

Eierfrucht (Eierpflanze), die →Aubergine.

Eierlikör, Likör aus mindestens 20 Vol.-% Alkohol, frischem Eigelb (mindestens 240 g/l) und Zucker.

Eiermann, Egon, Architekt, *Neuendorf (bei Berlin) 29. 9. 1904, †Baden-Baden 19. 7. 1970; 1947–70 Prof. an der TH Karlsruhe. E. baute Kirchen sowie Industrie- und Verwaltungsgebäude

Egon Eiermann

Egon Eiermann: Olivetti-Verwaltungs- und Ausbildungszentrum in Frankfurt am Main (1969–72)

(Kaiser-Wilhelm-Gedächtnis-Kirche in Berlin, 1957–63; Abgeordnetenhochhaus in Bonn 1966–69; Olivetti-Verwaltungs- und Ausbildungszentrum Frankfurt am Main, 1966–72).

Eierschlangen (Dasypeltinae), Unterfamilie der Nattern mit je einer Gattung in Afrika und Indien. Sie ernähren sich von Eiern, die sie im Ganzen verschlingen.

Eierschlange (Länge 75 cm)

Eierschwamm, ein Speisepilz, der →Pfifferling.

Eierstab, eine Zierleiste in der antiken Baukunst (→Kymation); der E. besteht aus abwechselnd eiförmigen und pfeilspitzenartigen Gebilden, die unten, manchmal auch oben, durch einen Perlstab abgeschlossen werden.

Eierstock (Ovarium), weibl. Keimdrüse der vielzelligen Tiere und des Menschen, in der sich die weibl. Geschlechtszellen (Eizellen, Eier) entwickeln. – Mensch und Säugetiere haben paarige E., die beim Menschen im kleinen Becken rechts und links neben der Gebärmutter liegen, vom Bauchfell gehalten werden und durch das E.-Band mit der Gebärmutter verbunden sind. Bei der geschlechtsreifen Frau haben sie etwa Größe und Form einer Mandel. Jeder E. besteht aus dem Mark und der 1–2 mm dicken Rinde. In dieser entstehen mit Flüssigkeit gefüllte (1,5 mm große) Bläschen, die **Graaf-Follikel.** Die Flüssigkeit wird von den Wandzellen des Follikels abgesondert. In dieser Wand liegt das Ei, das im reifen Zustand einen Durchmesser von etwa 0,2 mm hat. Die Zahl der in beiden E. angelegten Eier beträgt bereits zur Zeit der Geburt etwa 400 000; davon kommen nur etwa 400 zur vollen Reife. I. d. R. alle vier Wochen, zw. zwei Menstruationen, platzt ein Follikel **(Follikelsprung, Eisprung, Ovulation);** das frei gewordene Ei wird von den trichterförmigen Enden (Fimbrien) des Eileiters aufgenommen und von diesem in die Gebärmutter befördert. Der entleerte Follikel wandelt sich zu einer Hormondrüse, dem **Gelbkörper (Corpus luteum).** Tritt keine Schwangerschaft ein, so zerfällt der Gelbkörper bei der nächsten Menstruation und wird zu einem weißlich narbigen Körper; bei erfolgter Empfängnis bleibt er bis zur 10.–12. Schwangerschaftswoche in Funktion. Die E.- oder Ovarialhormone, deren Produktion von übergeordneten Zentren wie Hypothalamus und Hirnanhangdrüse gesteuert wird, regeln v. a. die period. Veränderungen der Gebärmutterschleimhaut. Der E. erfüllt somit zwei versch. Funktionen: einmal die generative mit dem Hervorbringen befruchtungsfähiger Eier, zum anderen die innersekretor. (vegetative) Tätigkeit (Bildung von Follikel- und Gelbkörperhormon, →Geschlechtshormone).

Eierstockentzündung (Oophoritis), Entzündung eines oder beider Eierstöcke, meist in Verbindung mit →Eileiterentzündung.

Eierstockkrebs (Ovarialkarzinom), bösartige Geschwulst eines Eierstocks, die in jedem Alter auftreten kann und sofortige Operation mit eventueller Nachbestrahlung erforderlich macht.

Eierstockschwangerschaft, eine →Extrauteringravidität.

Eierstockzyste (Ovarialzyste), gutartige Geschwulst eines Eierstocks, die mit Flüssigkeit angefüllt ist, sehr groß werden kann und meist operativer Entfernung bedarf.

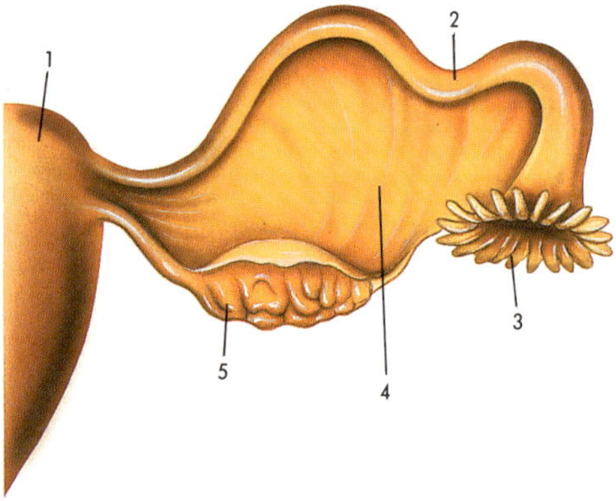

Eierstock: 1 Gebärmutterkörper, 2 Eileiter, 3 Fransentrichter des Eileiters, 4 Eierstockgekröse, 5 Eierstock

Eifel *die,* der linksrhein. Teil des Rhein. Schiefergebirges zw. Mosel und Kölner Bucht, setzt sich nach W fort in den Ardennen. Das wellige, waldreiche Hochland (400–600 m ü. M.) wird von einzelnen flachen Bergrücken härteren Gesteins **(Hohes Venn, Schnee-Eifel** oder **Schneifel, Kondelwald)** durchzogen. Die südl. und östl. Randlandschaften sind durch tief eingeschnittene Täler charakterisiert; die Hauptflüsse zur Mosel sind Kyll, Lieser, Alf und Elz, zum Rhein Ahr, Brohl und Nette. Teile der E. werden durch tertiären und quartären Vulkanismus geprägt: →Maare, Basaltkuppen (Hohe Acht 747 m ü. M.), Tuff- und Schlackenkegel. Wirtsch. Bedeutung haben neben den Basalten und Phonolithen der Trass und Bimsstein, ferner die postvulkan. Mineralwasservorkommen (Säuerling) für die Gewinnung von Kohlensäure und Sprudel in Bad Bertrich, Daun, Gerolstein, Sinzig, Bad Neuenahr-Ahrweiler (Apollinaris). Auf den Höhen herrscht ein raues, niederschlagsreiches Klima; der Ackerbau ist wenig ergiebig. Im NW wird fast ausschließlich Milchwirtschaft betrieben. Im Ahrtal gibt es Weinbau (v. a. Rotweine). Auch die Forstwirtschaft ist von Bedeutung. Ziele für den Fremdenverkehr sind: Freilichtmuseum in Kommern, →Laacher See, →Maifeld, die Dauner Maare, die Rennstrecke →Nürburgring.

📖 *E., hg. v.* A. Hanle. *Mannheim u. a. 1990.* – Meyer, Wilhelm: *Geologie der E. Stuttgart [3]1994.*

Eifersucht, qualvoll erlebtes Gefühl vermeintl. oder tatsächl. Liebesentzugs; leidenschaftl. Streben nach Alleinbesitz der emotionalen Zuwendungen einer Bezugsperson.

Eifersuchtswahn, wahnhafte Überzeugung, betrogen zu werden, meist bezogen auf den Partner. E. wird von nicht nachlassendem Misstrauen, von ständigen Verdächtigungen u. a. begleitet.

Eiffel [ɛˈfɛl], Alexandre Gustave, frz. Ingenieur, * Dijon 15. 12. 1832, † Paris 28. 12. 1923; konstruierte zahlr. Brücken und die Hallen der Pariser Weltausstellung von 1878 sowie 1885–89 den 300,51 m (mit Antenne 320,8 m) hohen **Eiffelturm,** ein Wahrzeichen von Paris.

Eigelsteine [aus mlat. agulia »Nadel«, »Spitze«], Pfeilergrabmäler der provinzialröm. Kunst, u. a. in Mainz, Köln, Igel bei Trier (Igeler Säule). Bild S. 458

Alexandre Gustave Eiffel konstruierte den 300,5 m hohen Eiffelturm für die Pariser Weltausstellung von 1889 (Baubeginn 1885)

Eigen, Manfred, Chemiker, * Bochum 9. 5. 1927; Direktor am Max-Planck-Institut für biophysikal. Chemie in Göttingen; wichtige Arbeiten zum Ablauf extrem schneller chem. und biochem. Reaktionen (dafür 1967 Nobelpreis für Chemie mit R. G. W. Norrish und G. Porter); veröffentlichte 1971 ein physikalisch-chem. Modell der Entstehung des Lebens.

Manfred Eigen

Eigenbesitzer, derjenige, der eine Sache mit der Vorstellung besitzt, sie gehöre ihm (ob zu Recht, ist gleichgültig); § 872 BGB. (→Ersitzung)

Eifel: Von den landwirtschaftlich genutzten Tälern und Senken der östlichen Hocheifel heben sich die zum Teil aus vulkanischem Gestein aufgebauten Kuppen und Rücken ab, die meist bewaldet und vielfach noch von Heidevegetation bedeckt sind

Eigelsteine: Grabmal des Lucius Poblicius (1. Hälfte des 1. Jh.; Köln, Römisch-Germanisches Museum)

Eigenbetrieb, öffentlich-rechtl. Unternehmen der Gemeinden ohne eigene Rechtspersönlichkeit. Es wird wie ein Privatunternehmen mit Gewinnabsicht geführt (z. B. Versorgungs- und Verkehrsbetriebe), jedoch mit größerer Selbstständigkeit als ein reiner Regiebetrieb. (→öffentliche Unternehmen)

Eigenbewegung, die auf der Bewegung der Sterne relativ zueinander und relativ zur Sonne beruhende sehr geringe, scheinbare Ortsveränderung der Fixsterne an der Himmelssphäre. Die größte E. hat mit 10,27 Bogensekunden pro Jahr Barnards Pfeilstern.

Eigenblut-Retransfusion, das →Blutdoping.

Eigendrehimpuls, *Physik:* der →Spin.

Eigenfinanzierung, →Finanzierung.

Eigenfrequenz, *Physik:* →Eigenschwingung.

Eigenfunktion, *Mathematik:* →Eigenwertproblem.

Eigengeschäft (Eigenhandel), ein Handelsgeschäft in eigenem Namen für eigene Rechnung; Ggs.: Kommissionsgeschäft.

Eigenheim, vom Eigentümer bewohnte Wohnung (Ein-, Zweifamilienhaus, Eigentumswohnung). Im europ. Vergleich ist die E.-Quote in Dtl. (rd. 40%, mit deutlichen regionalen Unterschieden, bes. zw. West- und Ost-Dtl.; in der Schweiz rd. 35%) niedrig. Ein Hauptgrund sind hohe Boden- und Herstellungskosten, deren Steigerungsraten in der Vergangenheit die der allgemeinen Lebenshaltung wesentlich übertrafen. Fachleute werten die gesetzl. Bauvorschriften als mitverantwortlich für die Höhe der Baukosten. Die staatl. **E.-Förderung** verfolgt das Ziel, möglichst breite Bev.schichten zu Wohnungseigentum zu verhelfen. Grundlage ist der oft geänderte § 10 e EStG, der seit dem 1. 1. 1996 eine einheitl., auf acht Jahre befristete Zulage von jährlich 2500 DM (bei Altbauten) bzw. 5000 DM (bei Neubauten) vorsieht. Daneben kann →Baukindergeld in Anspruch genommen werden.

Eigenkapital, Differenz zw. den Aktiva (Bruttobilanzvermögen) und dem Fremdkapital eines Unternehmens. Es wird bei Kapitalgesellschaften aufgegliedert in Nennkapital (Grund-, Stammkapital) und Rücklagen (gesetzliche und freie). Das E. trägt das Verlustrisiko und übernimmt damit gegenüber dem Fremdkapital eine auf seine Höhe beschränkte Haftungsfunktion (Risiko- oder Haftungskapital). Die E.-Geber haben keinen Anspruch auf eine feste Verzinsung und Tilgung, sondern auf die erwirtschafteten Gewinne (z. B. Dividende). Zur Beurteilung von Ertragskraft und Kreditwürdigkeit von Unternehmen dienen die **E.-Quote** (der Anteil des E. an der Bilanzsumme) und die **E.-Rentabilität** (Jahresüberschuss zu E.).

Eigenkapitalhilfeprogramm, die Gewährung langfristiger, zinsgünstiger staatl. Darlehen seit 1979 (mit Unterbrechungen), über die Dt. Ausgleichsbank zur Förderung von Existenzgründungen. Ein E. für Ost-Dtl. führt die Kreditanstalt für Wiederaufbau durch.

Eigenkirche (lat. ecclesia propria), im MA. die auf privatem Grund und Boden stehende Kirche, über die der Grundherr bestimmte Rechte hatte, v. a. das Recht der Ein- und Absetzung der Geistlichen (Investitur). Die E. hat ihre Wurzeln in der röm. Latifundienkirche und im german. Eigentempelwesen. Im 11. Jh. führte das Rechtssystem der E. zw. Königtum und Papsttum zum →Investiturstreit.

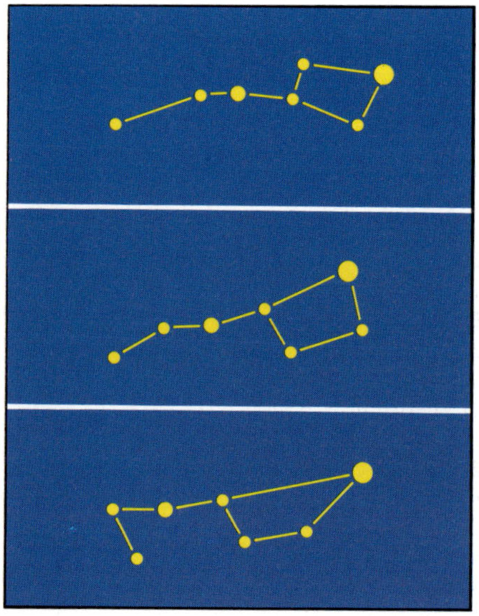

Eigenbewegung (von oben): Ortsveränderung der Sterne im Großen Wagen vor 100 000 Jahren, heute und voraussichtlich in 100 000 Jahren

Eigenleitung, elektr. Leitungsvorgang in einem (undotierten) →Halbleiter, hervorgerufen durch therm. Anregung. Durch Übergang von Elektronen aus dem Valenz- ins Leitungsband werden paarweise quasifreie Elektronen und Defektelektronen gebildet.

Eigenlenkung (Selbstlenkung), Verfahren zur Beeinflussung der Bewegung von Fahrzeugen, bes. von Flugkörpern, durch eine an Bord befindl. Lenkanlage. Ihre hohe Störfestigkeit ist v.a. für militär. Anwendungen von Bedeutung. Ortsfeste Zielpunkte können mithilfe der →Trägheitsnavigation angesteuert werden, durch die sich der momentane Standort errechnen lässt, woraus die Lenkbefehle abgeleitet werden (autonomes Lenkverfahren). Zu ortsveränderl. (bewegten) Zielen kann ein Lenkobjekt durch versch. →Zielsuchverfahren geführt werden. Sie dienen fast ausschließlich zur Führung militär. →Lenkflugkörper.

Eigenlenkverhalten, Fahrverhalten eines Fahrzeugs bei Kurvenfahrt, abhängig von Konstruktion, Lage des Schwerpunktes, Radaufhängung und Federung sowie Seitenführungseigenschaften der Reifen. Ist der Schräglaufwinkel an den Hinterrädern größer als an den Vorderrädern, weist das Fahrzeug ein **übersteuerndes E.** auf. Größere Schräglaufwinkel der Vorderachse kennzeichnen das **untersteuernde E.,** gleiche Schräglaufwinkel vorn und hinten das **neutrale E.** Übersteuernde (kurvenwillige) Fahrzeuge erfordern bei steigender Kurvengeschwindigkeit ein Zurücknehmen des Lenkeinschlags (Gegenlenken), untersteuernde (kurvenunwillige) Fahrzeuge müssen dagegen durch zunehmenden Lenkeinschlag in der Bahn gehalten werden.

eigenmächtige Abwesenheit, das eigenmächtige Fernbleiben oder Entfernen von der Truppe, von der militär. Dienststelle oder vom Zivildienst; wird, wenn sie länger als drei volle Kalendertage dauert, mit Freiheitsstrafe bis zu drei Jahren bestraft (§15 Wehrstraf-Ges., §52 Zivildienst-Gesetz).

Eigenname, Name für ein Einzelwesen oder -ding. (→Name)

Eigennutz, das menschl. Streben nach eigenem Vorteil, das die Antriebskraft des Wirtschaftslebens bildet (B. de Mandeville). Diese Vorstellung übernahm A. Smith in die Volkswirtschaftslehre.

Eigenschaft, Merkmal oder Besonderheit einer Sache. Unterschieden werden **wesentliche** (substanzielle) **E.,** Attribute, und **zufällige** (akzidentelle) **E.** In der Psychologie werden unter E. Verhaltensdispositionen verstanden, die sich im Lauf der individuellen Entwicklung in Wechselwirkung zw. Anlage und Umwelt ausprägen.

Eigenschaftswort, das →Adjektiv.

Eigenschwingung, *Physik:* jede freie Schwingung eines einmalig angeregten schwingungsfähigen Systems (z.B. Pendel, elektr. Schwingkreis). Die E. ist stets eine gedämpfte Schwingung mit einer charakterist. Frequenz, der **Eigenfrequenz;** die Anzahl der E. des Systems entspricht der Zahl seiner Freiheitsgrade. Durch äußeren Anstoß werden i. Allg. mehrere E. gleichzeitig angeregt, nämlich eine Grundschwingung bestimmter Frequenz und deren Oberschwingungen. (→Resonanz)

Eigentum, das umfassende Recht (Besitz-, Verfügungs- und Nutzungsrecht), über Gebäude, Grund und Boden (unbewegl. Sachen) und sonstige Habe (bewegl. Sachen, Rechte u.a.) innerhalb der Grenzen der Rechtsordnung nach freiem Belieben zu bestimmen. Hierzu steht im Ggs. die bloß tatsächliche Sachherrschaft (→Besitz).

In Dtl. ist das E. als Freiheitsrecht des Einzelnen grundrechtlich geschützt (Art. 14 GG, E.-Garantie). Zugleich unterliegt es der Sozialbindung, d.h., es hat verpflichtenden Charakter, sein Gebrauch soll auch dem Wohle der Allgemeinheit dienen. In der modernen Sozialordnung sind viele E.-Begrenzungen wirksam, z.B. im Mietrecht, im Städtebau, in der Wirtschaft in Form der Mitbestimmungsrechte. Der Übergang von der rechtlich zulässigen E.-Begrenzung zur entschädigungspflichtigen E.-Entziehung (→Enteignung) ist fließend; besonders geregelt ist der E.-Verlust durch →Sozialisierung, →Einziehung im Straf- und Verwaltungsverfahren sowie →Verwirkung. – In *Österreich* (Art. 5 Staatsgrund-Ges.) und in der *Schweiz* (Art. 23 Bundes-Verf.) ist das E. ähnlich wie in Dtl. gewährleistet.

Im Privatrecht (§§903–1011 BGB) wird E. auf unterschiedl. Weise erworben: Man unterscheidet den abgeleiteten (derivativen) E.-Erwerb durch E.-Übertragung als den Regelfall, den urspüngl. (originären) E.-Erwerb (bes. durch Aneignung herrenloser Sachen, Fund, Ersitzung, Verarbeitung), durch Gesamtrechtsnachfolge (bes. in der Erbfolge) und kraft staatl. Aktes (z.B. in der Zwangsversteigerung). Das E. genießt einen besonderen Rechtsschutz; es bestehen Ansprüche auf Herausgabe gegenüber jedem unrechtmäßigen Besitzer, auf Unterlassung gegenüber Störungen u.a., auf Schadensersatz bei schädigenden Beeinträchtigungen. Das E. an einem Grundstück wird eingeschränkt durch das →Nachbarrecht. Der rechtsgeschäftl. E.-Erwerb erfordert bei Grundstücken außer dem Verpflichtungsgeschäft die →Auflassung und die Eintragung in das Grundbuch, bei bewegl. Sachen die Einigung über den E.-Übergang und die Übergabe der Sache. Die Übergabe kann u.a. durch Abtretung eines Herausgabeanspruchs ersetzt werden, wenn die Sache im Besitz eines Dritten ist.

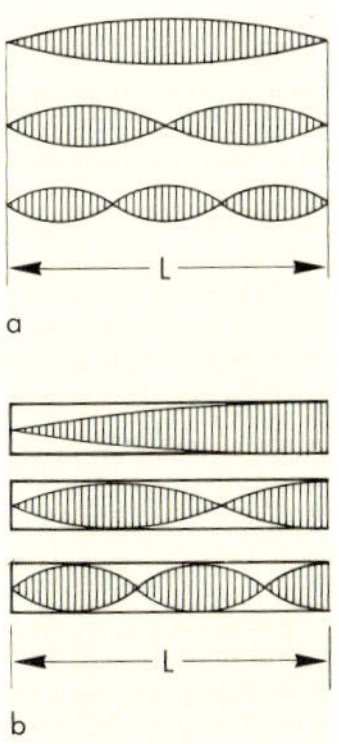

Eigenschwingung: Die Grundschwingung und die beiden ersten Oberschwingungen einer eingespannten Saite (a) und einer einseitig offenen Pfeife (b); L Saiten-, Pfeifenlänge

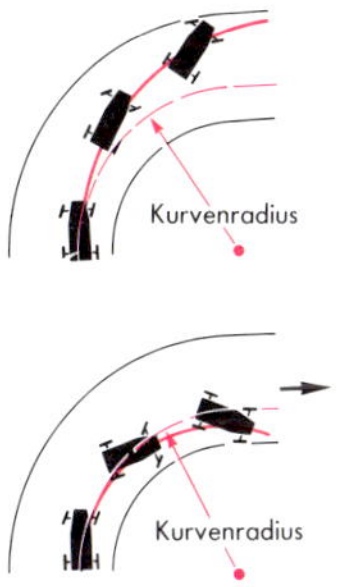

Eigenlenkverhalten: Untersteuerndes Verhalten (oben), übersteuerndes Verhalten

Eiger: Nordwand

Als E.-Formen kennt das BGB das Allein-E. sowie das gemeinsame E. als Mit-E. und gesamthänder. E. Sonderformen sind z.B. das Wohnungs- und das Treuhand-E. Beim **Mit-E. (Bruchteils-E.)** kann jeder Eigentümer über seinen Anteil verfügen und jederzeit Teilung verlangen; die Verwaltung steht allen gemeinsam zu. Beim **Gesamthands-E.** (Gesamthandsgemeinschaft, Gemeinschaft zur gesamten Hand), das im Gesellschaftsrecht, bei der ehel. Gütergemeinschaft und der Erbengemeinschaft vorkommt, sind die Einzelfälle versch. gestaltet, jedoch können grundsätzlich die Gesamthänder nur gemeinsam über die Sache verfügen. Zum Sicherungs-E. →Sicherungsübereignung. – Diese Grundsätze gelten im Wesentlichen auch für das in öffentl. Besitz stehende E., das wie Privat-E. behandelt wird; ein selbstständiges Institut »öffentl. E.« gibt es in Dtl. nicht.

Die Regelungen in *Österreich* (§§ 353 ff. ABGB) und der *Schweiz* (Art. 641 ff. ZGB) sind ähnlich.

In den neuen Bundesländern finden seit dem 3. 10. 1990 grundsätzlich die Vorschriften des BGB Anwendung. Das vom Grundstück unabhängige E. an Gebäuden, Baulichkeiten, Anlagen, Anpflanzungen gemäß § 296 ZGB der DDR bleibt erhalten (Art. 231 § 5, Art. 233 § 2 EGBGB). Das ehem. Volks-E. wurde u.a. nach den Bestimmungen des fortgeltenden Treuhand-Ges. der DDR (→Treuhandanstalt), des Einigungsvertrages und des Vermögens-Ges. behandelt.

Über geistiges E. →Urheberrecht.

Völkerrecht: Vermögenswerte eines Ausländers und die damit verbundenen Rechte unterliegen der Rechtsordnung des Gebietsstaates, sofern durch völkerrechtl. Verträge keine weitergehenden Sicherheiten vereinbart wurden. Ausländ. Eigentum darf nur aus Gründen des Gemeinwohls in nicht diskriminierender Weise und nur gegen Entschädigung entzogen werden. Entschädigungslose Enteignung gilt nach, allerdings umstrittenen, Völkergewohnheitsrecht als völkerrechtswidrige →Konfiskation. – Im Falle eines bewaffneten Konflikts gelten für das E. feindl. Ausländer Regeln des →Kriegsrechts bzw. des →Seekriegsrechts.

📖 Brocker, M.: *Arbeit u. E. Der Paradigmenwechsel in der neuzeitl. Eigentumstheorie. Darmstadt 1992.* – Milczewski, C. von: *Der grundrechtl. Schutz des E. im Europ. Gemeinschaftsrecht. Frankfurt am Main u. a. 1994.* – Heinsohn, G. u. Steiger, O.: *E., Zins u. Geld. Ungelöste Rätsel der Wirtschaftswissenschaft. Reinbek 1996.*

Eigentumspolitik, Gesamtheit der wirtschafts- und sozialpolit. Maßnahmen, mit denen versucht wird, eine gegebene Eigentumsstruktur und die sozioökonom. Prozesse, in denen neues Eigentum gebildet wird, zu beeinflussen und die Eigentumsordnung durch Erlass von Gesetzen zu ändern. I.w.S. die Ausgestaltung der Eigentumsrechte; i.e.S. alle Maßnahmen, die auf die Änderung der bestehenden Eigentumsordnung gerichtet sind. Insofern unterscheidet sich die E. von der Vermögenspolitik, die die Bildung und Umverteilung von Vermögen im Rahmen der bestehenden Eigentumsordnung beeinflussen will. Maßnahmen der E. sind u.a. Sozialisierung und Bodenreform.

Eigentumsrechte (englisch Property-Rights), *Volkswirtschaftslehre:* Handlungs- oder Verfügungsrechte des Einzelnen, die sich auf die Nutzung knapper Güter und seines Arbeitsvermögens (Human Capital) beziehen. Arbeitsteilung und Gütertausch (marktl. Transaktionen) werden erst durch die Gestaltung der rechtl. und sozialen Handlungsbedingungen in Form von E. möglich, die in ihrer Gesamtheit die Eigentumsordnung bilden.

Eigentumsvorbehalt, *Recht:* die beim Verkauf einer bewegl. Sache getroffene Vereinbarung, dass die verkaufte Sache (z.B. eine Maschine) bis zur vollständigen Zahlung des Kaufpreises Eigentum des Verkäufers bleiben soll. Der E. gibt dem Verkäufer also ein Sicherungsmittel, während der Käufer die Sache bereits nutzen kann. Bis zum Eintritt der Bedingung bleibt der Verkäufer Dritten gegenüber Eigentümer mit allen Rechten (wichtig z.B. bei Konkurs des Käufers), im Verzugsfall kann er notfalls die Sache zurückverlangen. Wird der Kaufpreis gezahlt, erlischt der E. automatisch.

Eigentumswohnung, →Wohnungseigentum.

Eigenverbrauch, Entnahmen aus einem Betrieb durch den Unternehmer für betriebsfremde Zwecke (z.B. für den Familienhaushalt); der E. unterliegt der Umsatzsteuer.

Eigenwertproblem, *Mathematik:* allg. die Fragestellung nach den nichttrivialen Lösungen $x \neq 0$ einer Gleichung $Lx = \lambda x$ **(Eigenwertgleichung),** in der L i. Allg. ein linearer Operator in einem linearen Raum mit den Elementen x ist. Die Werte λ, für die solche Lösungen existieren, heißen **Eigenwerte,** die Lösungen x **Eigenfunktionen** oder **-vektoren**; Anwendung in der Physik (z.B. Fourier-Analyse).

Eigenzeit, *Relativitätstheorie:* die in einem mitbewegten Bezugssystem ablaufende Zeit, d.h. die von einer mit einem bewegten Körper mitgeführten Uhr gemessene Zeit.

Eiger *der,* vergletscherter Kalkgipfel der Finsteraarhorngruppe im Berner Oberland, südlich von Grindelwald, 3970 m ü.M. Die fast 1800 m hohe, steile E.-Nordwand (Einstieg in 2220 m Höhe) ist die berühmteste Kletterwand der Alpen (Erstdurchsteigung 1938).

Eignungsuntersuchung, Anwendung von Testverfahren zur Feststellung der Eignung für eine bestimmte Aufgabe. Medizinische, psycholog. und pädagog. Tests werden durch Interviews, Verhaltensbeobachtungen, Handschriftbegutachtung (Graphologie) und Lebenslaufanalysen ergänzt. E. gibt es im Schulwesen, für die Berufsberatung und bei der Einstellung von Arbeitskräften, bei den Streitkräften (Wehrpsychologie) und in der Raumfahrt.

Eihäute, die den Embryo sackartig umgebenden Hüllen (→Mutterkuchen).

Eijkman ['ɛjkman], Christiaan, niederländischer Hygieniker, *Nijkerk (Prov. Gelderland) 11. 8. 1858, †Utrecht 5. 11. 1930; fand u.a. ein Verfahren zur Bestimmung des Gehalts an Kolibakterien im Wasser und erkannte die Beriberi als Avitaminose. Damit legte er den Grundstein für die Vitaminforschung. E. erhielt 1929 mit Sir F. G. Hopkins den Nobelpreis für Physiologie oder Medizin.

Eike (E. von Repgow, E. von Repgau, E. von Repegouw), Rechtskundiger aus Reppichau bei Dessau, um *1180, †nach 1233; verfasste den →Sachsenspiegel, vielleicht auch die »Sächs. Weltchronik«.

📖 LIEBERWIRTH, R.: *E. von Repchow u. der Sachsenspiegel. Berlin 1982.*

Eileiter (Ovidukt), Kanal, der aus den Eierstöcken abgegebene Eier aufnimmt und nach außen bzw. in die Gebärmutter leitet. Beim Menschen ist der E. **(Tuba uterina)** ein paariges, röhrenförmiges, muskulöses Organ, das sich mit seiner trichterförmigen Öffnung über den Eierstock legt und das reife Ei aufnimmt. Durch Zusammenziehung der E.-Muskulatur und Flimmerhaare wird das Ei in die Gebärmutter befördert. Beim Menschen findet die Befruchtung im E. statt.

Eileiterentzündung (Salpingitis), Entzündung eines oder beider Eileiter, die meist als **Adnexitis** zus. mit einer Eierstockentzündung vorkommt oder als Komplikation zu einer Entzündung von Eierstock und Bauchfell führt. Ursache sind Bakterien, die bes. häufig nach einer Geburt oder Fehlgeburt durch Scheide und Gebärmutter aufsteigen, seltener auf dem Blut- oder Lymphweg oder vom Darm her in die Eileiter gelangen. Die E. äußert sich in Fieber und Schmerzen und kann als Spätfolge zu einer Verklebung der Eileiter, damit zu Unfruchtbarkeit und schmerzhaften Verwachsungen führen. – *Behandlung:* Breitbandantibiotika, Glucocorticoide.

Eileiterschwangerschaft (Tubenschwangerschaft), eine Form der →Extrauteringravidität.

Eileithyia, Göttin der Geburt, wohl vorgrch. Ursprungs, im grch. Mythos als Tochter von Hera und Zeus angesehen.

Eilenburg, Stadt im Kr. Delitzsch, Sachsen, an der Mulde, 19600 Ew.; Baumaschinenwerk, Papier-, Kunststoff-, Süßwarenindustrie. – Renaissancerathaus, Stadtkirche St. Andreas und Nikolai (15. Jh.), spätgot. Marienkirche. – Erhielt im 13. Jh. Stadtrecht; kam 1402 an Meißen, 1815 an Preußen.

Eilhart von Oberg (Eilhart von Oberge), mhd. Dichter aus braunschweig. Ministerialengeschlecht; dichtete um 1170 das Liebesepos »Tristrant«, die erste dt. Bearbeitung der urspr. keltischen Tristansage.

Eilsen, Bad, →Bad Eilsen.

Eilzustellung, besondere Art der Postzustellung für Briefe, Postkarten und Blindensendungen auf Verlangen des Absenders gegen Eilzustellgebühr durch besondere Boten **(Eilzusteller)** von 6 bis 22 Uhr. Nachts wird nur in von der Post festgelegten Orten zugestellt.

Eimert, Herbert, Komponist und Musiktheoretiker, *Bad Kreuznach 8. 4. 1897, †Düsseldorf 15. 12. 1972; einer der frühesten Vertreter der Zwölftonmusik in Dtl. und einer der Wegbereiter der elektron. Musik.

Einakter, Schauspiel in einem Akt; kürzeres Bühnenwerk ohne Szenenwechsel.

Einantwortung, *österr. Recht:* die Übertragung der Erbschaft in den rechtl. Besitz des Erben durch das Gericht (§ 797 ABGB).

Einäscherung, →Feuerbestattung.

Einaudi [eɪ'na:ʊdi], Luigi, italien. Politiker, *Carrù (Prov. Cuneo) 24. 3. 1874, †Rom 30. 10. 1961; Finanzwissenschaftler, 1945–48 Präs. der Bank von Italien, 1947–48 stellv. MinPräs. und Budgetminister, 1948–55 Staatspräsident.

Einbalsamieren, ein schon im 3. Jt. v. Chr. geübtes Verfahren, Leichname zum Schutz vor Verwesung (→Mumie) mit Konservierungsstoffen (Natron, Asphalt, Harze) zu behandeln. Seit Ende des 18. Jh. werden Öle und Chemikalien injiziert.

Einband, buchbinder. Produkt (Buch) aus Buchdecke und -block. Die E.-Form ergibt sich aus Herstellung und charakterist. Aussehen. Die E.-Art hängt vom verwendeten Material (Papp-, Gewebe-, Leder-E. u.a.) ab, von der Art der Herstel-

Christiaan Eijkman

Luigi Einaudi

Einbeck: Fachwerkhäuser des 16. und 17. Jahrhunderts

lung (z.B. frz. Art Franzband), von der Konstruktion der Buchdecke und dem Verwendungszweck.

Einbaum, aus einem einzigen Baumstamm durch Aushöhlen oder Ausbrennen gefertigtes Boot, z.T. von beträchtl. Ausmaß (in Äquatorialafrika für bis zu 70 Personen); bei vielen Völkern in Gebrauch.

Einbeck, Stadt im Landkreis Northeim, Ndsachs., an der Ilme, 29 500 Ew.; traditionelle Brauwirtschaft (Einbecker Bier, Bierversand seit 1351 belegt), Fahrradfabrik, Tapeten-, Teppich-, Papier- und Küchenmöbelind., Metallverarbeitung; Saatzucht. – Die maler. Altstadt mit noch teilweise erhaltenen Befestigungswerken bildet ein geschlossenes Fachwerkensemble; got. St.-Alexandri-Stiftskirche (1275–1506), Marktkirche St. Jacobi (Ende 13. Jh.), Rathaus (1550), Fachwerkhäuser aus dem 16. und 17. Jh. – E. entstand im 12. Jh.; um 1200 entwickelte sich neben der Alt- die Neustadt (Vereinigung 1252); 1279 erhielt E. Stadtrecht.

Einbeere (Paris), asiatisch-europ. Gattung der Liliengewächse. Die mitteleurop. **Vierblättrige E.** (Paris quadrifolia) ist eine giftige Staude schattiger Laubwälder mit meist vier quirlständigen Blättern, gelblich grüner Blüte und blauschwarzer, bis kirschgroßer Beere.

Einbildungskraft, seit G. W. Leibniz, C. Wolff und I. Kant übliche Bez. für die Fähigkeit zur Gruppierung der Sinneswahrnehmungen und das Anschauung und Verstand verbindende Vermögen, sich einen Gegenstand auch ohne dessen Gegenwart vorzustellen. (→ Fantasie)

Einblattdrucke, *Buchherstellung:* einseitig bedruckte Blätter. E. traten schon zu Beginn des Buchdrucks auf (Türkenablässe, Fehdebriefe, Pestblätter, Wunderberichte, Zeitgedichte) und waren z.T. Vorstufe der Zeitungen. Bed. Künstler haben bes. im 16. Jh. Holzschnitte für E. geschaffen (A. Dürer, H. Baldung, L. Cranach).

Einblendung, allmähl. Einfügen einer Bild- oder Toninformation in eine andere.

Einbruch, gewaltsames Eindringen in verschlossene Räume, meist als **E.-Diebstahl** (→ Diebstahl).

Einbruchdiebstahlversicherung, Sachversicherung gegen Schäden durch Entwendung von versicherten Sachen mittels Einbruch aus einem Gebäude oder aus Räumen. Einfacher Diebstahl ist durch die E. nicht abgedeckt; dazu bedarf es einer eigenen **Diebstahlversicherung,** z.B. der Fahrradversicherung. Für einfachen Diebstahl haften auch die Autokasko-, Garderoben-, Tier- und Transportversicherung. I.d.R. ist die E. in der Hausratversicherung abgedeckt.

Einbruchsicherung, Sicherung gegen Einbruch mithilfe besonderer Schutzvorrichtungen. Zu den **mechan. E.** gehören Schlösser und Verriegelungen, Gitter, Tresore, baul. Vorkehrungen u.a. **Elektr. E.** sind Alarmeinrichtungen. **Opt. E.** dienen zur Sicherung großer Räume: Gebündeltes Licht wird durch den Raum geleitet und von einem Photodetektor aufgefangen; eine Unterbrechung des Lichtstrahls löst den Alarm aus.

Einbürgerung (Naturalisierung), der staatsrechtl. Hoheitsakt, durch den einem Ausländer die Staatsangehörigkeit verliehen wird. Voraussetzungen sind in Dtl.: Niederlassung im Inland, eigene Wohnung oder Unterkommen am Niederlassungsort, unbeschränkte Geschäftsfähigkeit, Unbescholtenheit, Gewähr für Lebensunterhalt. Die E. liegt i.d.R. im Ermessen der Behörde. Einen »Regelanspruch auf E.« haben aber junge Ausländer der sog. ersten und zweiten Generation im Alter zw. 16 und 23 Jahren (auch wenn sie ihre bisherige Staatsangehörigkeit beibehalten), ferner Ausländer mit 15-jährigem rechtmäßigem Aufenthalt,

Einbaum: Herstellung des Bootskörpers durch Ausbrennen

Einbeere: Vierblättrige Einbeere (Höhe 10-40 cm)

ihre Ehegatten und Kinder, wenn sie ihre alte Staatsangehörigkeit aufgeben, für sich sorgen können und straffrei sind. Für die E. von ausländ. Ehegatten dt. Staatsangehöriger bestehen erleichterte Bedingungen. In *Österreich* erfordert die E. bei Erwachsenen u.a. einen mindestens 10-jährigen Aufenthalt, in der *Schweiz* ist die E. nach 12-jährigem Aufenthalt des Beantragenden möglich (beim anderen Ehegatten mindestens fünf Jahre).

Eindampfen (Abdampfen), *Chemie:* das Erhitzen von Lösungen, um das Lösungsmittel vom gelösten Stoff zu trennen. **Einengen** oder **Konzentrieren** heißt das teilweise E. des Lösungsmittels.

eindeutig, *Mathematik, Logik:* Zuordnung zw. einer Menge A und einer Menge B, wenn jedem Element $x \in A$ genau ein Element $y \in B$ **(rechts-e.)** bzw. jedem $y \in B$ genau ein $x \in A$ zugeordnet wird **(links-e.);** ist die Zuordnung rechts-e., heißt sie **Abbildung,** ist sie sowohl rechts- als auch links-e., heißt sie **umkehrbar e., eineindeutig** oder **bijektiv.**

Eindhoven ['ɛjntho:və], Industriestadt in der niederländ. Prov. Nordbrabant, an der Dommel, 195300 Ew.; TH, Akademie für Ind.design, internat. Inst. für technolog. Studien; Großbetriebe der elektrotechn. und Kfz-Ind., Druck-, Textil-, Stahlbau- u.a. Industrie; internat. Flughafen. – E. erhielt 1232 Stadtrecht; im 2. Weltkrieg stark zerstört.

Einebnung, *Geomorphologie:* das Ergebnis der Abtragung.

eineiig, aus einer befruchteten Eizelle entstanden (eineiige Zwillinge).

eineindeutig (bijektiv), umkehrbar →eindeutig.

Einem, Gottfried von, österr. Komponist, * Bern 24. 1. 1918, † Oberdürnbach (Gem. Maissach, Bez. Hollabrunn) 12. 7. 1996; Vertreter einer gemäßigten Moderne; komponierte Opern: »Dantons Tod« (1947), »Der Prozeß« (1953), »Jesu Hochzeit« (1980), »Tulifant« (1990), Ballette, Chor-, Orchester- und Kammermusik, Lieder. – 1995 erschien seine Autobiographie »Ich hab' unendlich viel erlebt«.

Gottfried von Einem

📖 LEZAK, K.: *Das Opernschaffen G. v. E.s. Wien 1990.*

Einengen, *Chemie:* das →Eindampfen.

Einer, *Sport:* kleinstes Ruderboot, von Skulls angetrieben; auch einsitziges Kanu.

Eine-Welt-Laden, neuere Bez. für →Dritte-Welt-Laden.

Einfallen, *Geologie:* Neigung von Gesteinsschichten, →Streichen und Fallen.

Einfallslot (Einfallswinkel), *Optik:* →Reflexion.

Einfalt, menschl. Grundhaltung, die in der christl. Tugendlehre der Aufrichtigkeit, Wahrhaftigkeit und Uneigennützigkeit verwandt ist.

Einfangprozesse, Kernreaktionen, bei denen ein Teilchen (Neutron, Proton, α-Teilchen, Elektron) von einem Atomkern eingefangen (absorbiert) wird. Dabei entsteht ein angeregter Kernzustand, der durch Aussendung von γ-Strahlung oder Zerfall in einen Endzustand übergeht. Ggs.: →Kernphotoeffekt. Die Wahrscheinlichkeit für einen E. hängt von den reagierenden Teilchen, deren Energie und dem absorbierenden Kern ab und wird durch den energieabhängigen →Wirkungsquerschnitt (auch **Einfangquerschnitt**) beschrieben. Wichtig sind z.B. **Neutroneneinfang** (im Kernreaktor) und **Elektroneneinfang** von freien

Eindhoven Stadtwappen

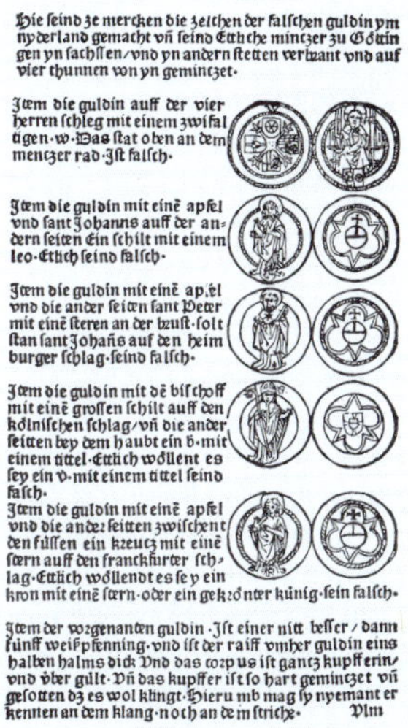

Hie seind ze mercken die zeichen der falschen guldin ym nyderland gemacht vñ seind Etliche minczer zu Göttin gen yn sachssen/vnd yn andern stetten verbrant vnd auf vier thunnen von yn geminczet.

Item die guldin auff der vier herren schleg mit einem zwifal tigen.w.Das stat oben an dem menczer rad.Jst falsch.

Item die guldin mit einẽ apfel vnd sant Johanns auff der andern seiten Ein schilt mit einem leo.Etlich seind falsch.

Item die guldin mit einẽ apfel vnd die ander seiten sant Peter mit einẽ steren an der brust.solt stan sant Johañs auf den heimburger schlag.seind falsch.

Item die guldin mit dẽ bischoff mit einẽ grossen schilt auff den kölnischen schlag/vñ die ander seitten bey dem haubt ein b.mit einem tittel.Etlich wöllent es sey ein v.mit einem tittel seind fasch.

Item die guldin mit einẽ apfel vnd die ander seitten zwischent den füssen ein kreucz mit einẽ stern auff den franckfurter schlag.Etlich wöllendt es sey ein kron mit einẽ stern.oder ein gekrönter künig.sein falsch.

Item der vorgenanten guldin.Jst einer nitt besser/dann fünff weißpfenning.vnd ist der raiff vmher guldin eins halben halms dick Vnd das corpus ist gantz kupfferin/vnd über gult.Vñ das kupffer ist so hart geminczet vñ gesotten dz es wol klingt.Hierumb mag sy nyemant erkennen an dem klang.noch an dem striche. Vlm

Einblattdrucke: Warnung vor gefälschten Goldgulden, gedruckt 1482 in Ulm von Günther Zainer

Elektronen oder von Elektronen aus den inneren Schalen der Atomhülle **(K-Einfang).**

Einflussgebiet (Einflusssphäre), *Völkerrecht:* nominell selbstständiges Gebiet, das jedoch unter dem wirtsch. und polit. Einfluss eines fremden Staates steht. Vor 1914 wurden E. häufig vertraglich abgegrenzt (China, Persien, Nordafrika).

Einfriertemperatur (Glasübergangstemperatur, Glastemperatur), für hochpolymere Stoffe kennzeichnender Temperaturbereich, bei dem sie aus dem weichen, unter Umständen elast. in den glasartig starren Zustand übergehen. Die E. bestimmt den prakt. Einsatzbereich von Kunststoffen bei der Verarbeitungs- und Gebrauchstemperatur. →Weichmacher können die E. erniedrigen.

Einfühlung, das Sich-Hineinversetzen in die Lage oder Seelenstimmung einer anderen Person; war als Methode der verstehenden Erschließung bes. in der »verstehenden Psychologie« von Bedeutung.

Einfuhr, →Import.

Einführungsgesetz, Gesetz, das i.d.R. ergänzende Bestimmungen zur Rechtsüberleitung bei umfassender Neuregelung großer Rechtsgebiete trifft, aber auch selbstständige Normen enthalten kann (z.B. E. zum BGB).

Eingericht: Glasflasche mit Kruzifix und den »Arma Christi«, Schweiz (19. Jh.; Basel, Schweizerisches Museum für Volkskunde)

Eingabe, 1) *Informatik:* (Input) →Eingabegerät. **2)** *Recht:* schriftl. Gesuch (an Behörden), →Petition.

Eingabegerät, an einen Computer angeschlossenes Gerät zur Eingabe von Daten und Programmen mittels maschinell lesbarer Datenträger (z.B. CD-ROM), manueller Eingabe (z.B. Tastatur) sowie automat. Datenerfassung bei Prozessrechnern.

Eingang vorbehalten, Abk. **E.v.,** Klausel im Bankgeschäft zum Rückgängigmachen von Gutschriften, falls der Gegenwert hereingenommener Schecks, Wechsel u.a. nicht eingeht.

Eingemeindung, Eingliederung einer Gemeinde in eine andere oder Auflösung mehrerer Gemeinden und Bildung einer neuen Gemeinde aufgrund der Einigung der beteiligten Gemeinden (E.-Vertrag) oder durch Landesgesetz. Wird nur die Grenze gegenüber einer fortbestehenden Gemeinde verschoben, handelt es sich um eine **Umgemeindung.** E. und Umgemeindungen sind in den Gemeindeordnungen der Länder geregelt (→Verwaltungsreform). E. sind nur zum öffentl. Wohl zulässig.

Ein-Gen-ein-Enzym-Hypothese, mit Einschränkungen bestätigte Hypothese, nach der jedes Enzym von einem einzigen Gen kodiert wird. Die wichtigste Einschränkung ist, dass man aufgrund der Tatsache, dass Enzyme oft aus mehreren nichtident. Untereinheiten (Polypeptidketten) aufgebaut sind, genauer von der **Ein-Gen-ein-Polypeptid-Hypothese** sprechen müsste (ein Gen kodiert eine einzige Polypeptidkette). Aber auch dann bestehen Einschränkungen, so bei Polypeptiden (z.B. Insulin), deren aktive Form erst durch Spaltung einer längeren ribosomal gebildeten Polypeptidkette (Proinsulin) entsteht; hier gilt die Hypothese streng genommen nur für den Weg vom Insulingen zum Proinsulin. – Die Hypothese wurde 1940/41 von G. W. Beadle und E. W. Tatum nach Untersuchungen von mutierten Wildformen des Schimmelpilzes Neurospora crassa aufgestellt.

Eingericht (Eingerichts, Geduldflasche), eine Bastelarbeit in einer Glasflasche: Kleine Holzschnitzereien werden durch den Flaschenhals eingeführt und im Bauch der Flasche zusammengebaut oder – im Falle einer zusammenlegbaren Gesamtkonstruktion – durch (eingearbeitete) Fäden aufgeklappt; bekanntestes Beispiel ist das Buddelship. Einfache E., Erzeugnisse der Heimindustrie, sind seit dem 16. Jh. bekannt: im Allgäu, in Oberammergau und im Böhmerwald wurden religiöse Motive (Kreuz, Passionsszenen und Altaraufbauten) bevorzugt, in Sachsen Bergwerksminiaturen.

eingeschlechtig (diklin, getrenntgeschlechtig), *Botanik:* →Blüte.

eingestrichen, *Musik:* die Oktave vom eingestrichenen c (c') bis h (h').

Eingeweide (Viscera), zusammenfassende Bez. für innere Organe, v.a. der Wirbeltiere (einschl. Mensch); nach der Lage sind Kopf-, Hals-, Brust-, Bauch- und Becken-E. zu unterscheiden.

Eingeweidebruch (Bruch, Hernie), Hervortreten von Eingeweiden durch eine Lücke der Bauchwand **(Bruchpforte)** in eine Ausstülpung des Bauchfells **(Bruchsack).** Benennung nach der Bruchpforte: Nabel-, Leisten-, Schenkel- (Lücke für die Oberschenkelgefäße), Zwerchfell-, Narbenbruch. Hodenbruch ist die volkstüml. Bez. für einen in den Hodensack reichenden →Leistenbruch. **Einklemmung** (Inkarzeration) des Bruchinhaltes erfordert baldige Operation.

Eingeweidefische: Fierasfer (Länge etwa 20 cm)

Eingeweidefische (Ophidioidei), eine Unterordnung der Dorschartigen Fische, lang gestreckt, mit kleinen kehlständigen Bauchflossen; allen Flossen fehlen Stachelstrahlen. Es gibt drei Familien: die **Brotuliden** (Brotulidae), darunter Tiefseebewohner und blinde Höhlenfische; die **Bartmännchen** (Ophidiidae) mit Bauchflossen auf dem Kinn (»Bart«) und die durchsichtig hellen **Nadelfische** oder E. (Carapidae oder Fierasferidae), die z.B. im Darm von Seesternen, in Manteltieren und Muscheln leben. Im Mittelmeer lebt der etwa 20 cm lange **Fierasfer.**

Eingeweidenervensystem, das →vegetative Nervensystem.

Eingeweidesenkung (Enteroptose), Verlagerung der bewegl. Bauchorgane (wie Magen oder Nieren) nach unten, z.B. bei Erschlaffung der Bauchdecken nach mehrfachen Geburten oder Abmagerung mit Schwund der natürl. Fettpolster.

Eingliederungshilfe für Arbeitslose, finanzielle Leistungen (Darlehen oder Zuschuss) des Arbeitsamtes an Arbeitgeber, die schwer vermittelbare Arbeitssuchende einstellen (§54 Arbeitsförderungsgesetz).

Eingliederungshilfe für Behinderte, Unterstützungsleistungen, die dem Zweck dienen, Behinderungen zu beseitigen, zu bessern oder deren Folgen zu mildern sowie von denen abzuwenden, die von einer Behinderung bedroht sind. E. f. B. sind in medizin. und berufsfördernde Leistungen, in Leistungen zur allgemeinen sozialen Eingliederung und in ergänzende Leistungen gegliedert. Träger der Leistungen sind die Institutionen der Sozialversicherung, der Sozialhilfe, der Versorgung sowie die Bundesanstalt für Arbeit; geregelt v.a. im Sozialgesetzbuch VI, Bundessozialhilfe-Ges., Bundesversorgungs-Ges., Arbeitsförderungsgesetz).

Einhard (Eginhard), fränk. Geschichtsschreiber und Gelehrter, *in Mainfranken um 770, †Seligenstadt 14. 3. 840; Vertrauter und Berater Karls d. Gr.; ließ die Basilika in Steinbach (heute zu Michelstadt) erbauen und gründete 828 Kloster Seligenstadt; Abt mehrerer Klöster; schrieb die an Suetons Kaiserviten orientierte erste Herrscherbiographie des MA. »Vita Caroli magni« (um 835, eine Biographie Karls d. Gr.).

Ausgabe: Vita Karoli Magni. Das Lateinisch/dt. Leben Karls des Großen, übers., Anm. u. Nachw. v. E. S. Firchow (Neudr. 1994).

Einhaus, eine Form des →Bauernhauses.

einhäusig, *Botanik:* männl. und weibl. Blüten befinden sich auf derselben Pflanze.

Einheit, **1)** *allg.:* untrennbar Zusammengehöriges, geschlossene Ganzheit, gleich bleibendes Element einer Mehrheit.

2) *Mathematik:* das →Einselement einer Gruppe.

3) *Militärwesen:* Truppenverband (Kompanie, Regiment u.a.).

4) *Philosophie:* bei G. W. Leibniz die Monaden, unteilbare seel. Wirkeinheiten, als letzte Bestandteile der Wirklichkeit; im Vitalismus die Ganzheit (Entelechie) des Lebendigen, die von Beginn an alle Teile eines Organismus vollständig bestimmt. Als »Einheit in der Mannigfaltigkeit« bildet die E. ein wichtiges Prinzip in der Ästhetik.

Einheiten (früher Maßeinheiten), aus der Menge gleichartiger Größen ausgewählte und i.d.R. internat. vereinbarte Vergleichsgrößen (→SI-Einheiten), die einen festen, jeweils durch ein genau vorgeschriebenes Mess- oder Eichverfahren jederzeit reproduzierbaren Betrag haben. Normalerweise werden nur die →Basiseinheiten eines Maßsystems festgelegt, aus denen sich die übrigen E. über Definitionsgleichungen (abgeleitete E.) oder durch Vervielfachung, gekennzeichnet durch Vorzeichen, ergeben.

Einheitengesetz (Kurzbez. für Gesetz über Einheiten im Messwesen der Bundesrep. Dtl. i.d. F.v. 22. 2. 1985), Gesetz, durch das die →SI-Einheiten mit ihren →Vorsätzen für dezimale Vielfache und Teile als gesetzl. Einheiten eingeführt sind. Weiterhin sind 50 Einheiten mit besonderen Namen gesetzlich zugelassen, z.B. dezimale Vielfa-

Einhard: Stahlstich von Jean Alexandre Allais (1. Hälfte des 19. Jh.)

che oder Teile von SI-Einheiten wie Liter, Tonne, Bar, Hertz und Grad Celsius. Hierzu gehören auch Einheiten, die nicht vom SI her definiert sind: die Zeiteinheiten Minute, Stunde und Tag, die Winkeleinheiten Vollwinkel, Grad und Gon sowie die atomaren Einheiten Elektronenvolt und (vereinheitlichte) atomare Masseneinheit. Außerdem werden als gesetzl. abgeleitete Einheiten mit eingeschränktem Anwendungsbereich genannt: die Dioptrie für den Brechwert opt. Systeme, das Ar und das Hektar zur Flächenangabe von Grundstücken, das metr. Karat zur Angabe der Masse von Edelsteinen und das Tex zur Angabe der längenbezogenen Masse von textilen Fasern und Garnen.

Gesetzlich festgelegt sind Einheitennamen und →Einheitenzeichen. Sie sind im geschäftl. und amtl. Verkehr anzuwenden.

Durch das E. wurden gleiche Einheiten für Größen gleicher Art in allen Wissensgebieten (Ausnahme: Atomphysik) eingeführt, z. B. für die Kraft das Newton, für Arbeit, Energie und Wärme das Joule und für Leistung und Wärmestrom das Watt. Da die Stunde eine gesetzl. Einheit ist, bleibt neben dem Joule auch weiterhin die Kilowattstunde gesetzl. Einheit. Die EG hat das Internat. Einheitensystem durch die Richtlinie über die Einheiten im Messwesen vom 20. 12. 1979 für alle Mitgl.staaten verbindlich vorgeschrieben und daneben nur wenige andere Einheiten zugelassen, die bis zum 31. 12. 1999 ebenfalls umgestellt werden sollen.

Einheitensystem (früher Maßsystem), ein System von Einheiten, in dem für jede Größenart genau eine Einheit vorhanden ist, z. B. für die Größenart Länge im →Internationalen Einheitensystem (SI) das Meter. Daher gehören z. B. Zentimeter und Millimeter diesem System nicht an. Ein E. heißt **kohärent,** wenn die Einheiten des Systems ausschließlich durch Einheitengleichungen miteinander verbunden sind, in denen kein von »1« abweichender Zahlenfaktor vorkommt, z. B.: $1\ N = 1\ kg \cdot 1\ m/s^2$ oder $1\ N \cdot 1\ m = 1\ J$. Dagegen ist z. B. die Pferdestärke, $1\ PS = 75\ kp \cdot m/s$, eine **nichtkohärente** Einheit der Leistung des techn. Maßsystems.

Einheitenzeichen, Buchstaben oder Buchstabengruppen, die anstelle der Namen von Einheiten stehen, z. B. m für Meter.

Einheitliche Europäische Akte, das am 28. 2. 1986 von den Außenmin. der Mitgl.staaten der EG unterzeichnete Vertragswerk zur Änderung der Gründungsverträge von EGKS, EWG und EURATOM (seit 1. 7. 1987 in Kraft). Die E. E. A. enthält wesentl. Bestimmungen über Grundlagen und Politik der Gemeinschaft und über Verfahren und Praktiken, die den europ. Einigungsprozess mit dem Ziel fördern sollten, die EG in eine →Europäische Union umzuwandeln.

Einheitliches UN-Kaufrecht, →CISG.

Einheitsgewerkschaft, parteipolitisch und weltanschaulich unabhängige, nach dem Industrieverbandsprinzip organisierte Gewerkschaft, im Unterschied zur Richtungsgewerkschaft.

Einheitskreis, Kreis mit dem Radius der Längeneinheit 1.

Einheitsmietvertrag, →Miete.

Einheitspreis, in Kostenvoranschlägen der Bauwirtschaft vertraglich vereinbarter Preis für eine Maßeinheit (z. B. für $1\ m^3$ Mauerwerk bestimmter Ausführung).

Einheitsschule, der einheitl. Aufbau des Schulsystems eines Landes. Zuerst von J. A. Comenius gefordert, wurde die E. bes. von der Aufklärung und der dt. Schulreformbewegung hauptsächlich in Form einer gemeinsamen Grundschule und einer weiterführenden Schulbildung ohne Rücksicht auf Konfession, Stand und Vermögen der Eltern angestrebt. 1920 wurde die vierjährige Grundschule eingeführt. In der Folgezeit trat der Gedanke der E. in seiner durch das 19. Jh. geprägten Form hinter der Forderung nach einem differenzierten Schulsystem mit höchstmögl. Durchlässigkeit der Bildungswege zurück und wurde im Konzept der →Gesamtschule neu gefasst.

Auswahl angloamerikanischer Einheiten

Größenart	Einheiten-zeichen	Einheiten-benennung	Umrechnung in metr. Einheiten
Länge	in, ″	inch	0,0254 m
	ft	foot	0,3048 m
	yd	yard	0,9144 m
	mi	statute mile	1 609,344 m
	n mile	nautical mile	1 853,181 m
	INM	international nautical mile	1 852 m
Fläche	sq in, in^2	square inch	6,4516 cm^2
	sq ft, ft^2	square foot	0,092903 m^2
	sq yd, yd^2	square yard	0,083612 m^2
	acre	acre	4 046,856 m^2
	$mile^2$	square mile	2,58999 km^2
Volumen	cu in, in^3	cubic inch	16,387064 cm^3
	cu ft, ft^3	cubic foot	28,316847 dm^3
	cu yd, yd^3	cubic yard	0,76455486 dm^3
	fl.oz	fluid ounce (GB)*)	28,413 cm^3
		liquid ounce (US)	29,5735 cm^3
	gal	gallon (GB)*)	4,54609 dm^3
		gallon (US)	3,78543 dm^3
	bu, bus	bushel (GB)*)	36,3687 dm^3
		bushel (US)	35,2993 dm^3
		register ton	2,8316847 m^3
	barrel	barrel	163,5645 dm^3
	ptr. bbl	petroleum barrel	158,758 dm^3
Masse	lb	pound	0,45359243 kg
	oz	ounce	28,349527 g
	oz ap	apothecaries ounce	31,103481 g
	tn	long ton	1 016,0470 kg
	sh tn	short ton	907,18486 kg
Kraft	pdl	poundal	0,138255 N
	lbf	pound-force	4,4482216 N
Wärmeenergie	Btu	British thermal unit	1 055,06 J
Leistung	hp	horsepower	745,6998716 W

*) auch in den anderen Ländern des Commonwealth of Nations gültig.

Einheiten der wichtigsten physikalischen Größen (Auswahl)

Größenart	Einheitenzeichen	Einheitenbenennung	Beziehung zu anderen Einheiten
Raum			
Länge, Weglänge, Radius	m	Meter	–
	fm	Femtometer	1 fm = 10^{-15} m
	*Å	Ångström	1 Å = 10^{-10} m = 0,1 nm
	nm	Nanometer	1 nm = 10^{-9} m
	µm	Mikrometer	1 µm = 10^{-6} m
	mm	Millimeter	1 mm = 10^{-3} m
	cm	Zentimeter	1 cm = 10^{-2} m
	dm	Dezimeter	1 dm = 10^{-1} m
	km	Kilometer	1 km = 10^{3} m
	*sm	internat. Seemeile	1 sm = 1,852 km
	*AE, AU	astronomische Einheit	1 AE = 1 AU = 149,597870 · 10^{9} m
	*Lj	Lichtjahr	1 Lj = 9,460528 · 10^{15} m
	*pc	Parsec	1 pc = 30,856776 · 10^{15} m
Fläche	m^2	Quadratmeter	1 m^2 = 1 m · 1 m
	a	Ar	1 a = 100 m^2
	ha	Hektar	1 ha = 100 a = 10^4 m^2
	km^2	Quadratkilometer	1 km^2 = 10^6 m^2 = 100 ha
Volumen, Rauminhalt	m^3	Kubikmeter	1 m^3 = 1 m · 1 m · 1 m
	l, L	Liter	1 l = 1 L = 1 dm^3
	ml	Milliliter	1 ml = 10^{-3} l = 1 cm^3
	hl	Hektoliter	1 hl = 100 l = 0,1 m^3
Zeit			
Zeit, Dauer	s	Sekunde	–
	min	Minute	1 min = 60 s
	h	Stunde	1 h = 60 min = 3,6 ks
	d	Tag	1 d = 24 h = 86,4 ks
	a	bürgerl. Jahr	1 a = 365 d
Frequenz	Hz	Hertz	1 Hz = 1 s^{-1}
Mechanik			
Masse	kg	Kilogramm	–
	g	Gramm	1 g = 10^{-3} kg
	mg	Milligramm	1 mg = 10^{-3} g
	*Kt	metr. Karat	1 Kt = 0,2 g
	*Ztr	Zentner	1 Ztr = 50 kg
	*dz	Doppelzentner	1 dz = 100 kg
	t	Tonne	1 t = 1 Mg = 10^3 kg
	*dt	Dezitonne	1 dt = 100 kg
	Mt	Megatonne	1 Mt = 10^6 t = 10^9 kg
Kraft	N	Newton	1 N = 1 kg · m · s^{-2}
	*dyn	Dyn	1 dyn = 1 g · cm/s^2 = 10^{-5} N
Druck, mechan. Spannung	Pa	Pascal	1 Pa = 1 N/m^2 = 1 kg · m^{-1} · s^{-2}
	MPa	Megapascal	1 MPa = 1 N/mm^2 = 10 bar
	bar	Bar	1 bar = 10^6 dyn/cm^2 = 10^5 Pa = 0,1 MPa
	*atm	physikal. Atmosphäre	1 atm = 1,01325 bar
	*at	techn. Atmosphäre	1 at = 1 kp/cm^2 = 0,980665 bar
	*mWS	Meter Wassersäule	1 mWS = 9,81 kPa = 98,1 mbar
	*mm Hg	Millimeter Quecksilbersäule	1 mm/Hg = 1 Torr
	*Torr	Torr	1 Torr = 1,33322 mbar
Energie	J	Joule	1 J = 1 Nm = 1 Ws = 1 kg · m^2 · s^{-2}
Arbeit	kWh	Kilowattstunde	1 kWh = 3600 kWs = 3,6 MJ
	*erg	Erg	1 erg = 1 dyn · cm = 10^{-7} J
	eV	Elektronvolt	1 eV = 1,6021773 · 10^{-19} J
	*t SKE	Tonne Steinkohleneinheiten	1 t SKE = 29,3076 GJ = 8,141 MWh
Leistung	W	Watt	1 W = 1 J/s = 1 kg · m^2 · s^{-3}
	*PS	Pferdestärke	1 PS = 75 kp · m/s = 0,73549875 kW
Elektrizität und Magnetismus			
elektr. Stromstärke	A	Ampere	–
Elektrizitätsmenge, elektr. Ladung	C	Coulomb	1 C = 1 As
elektr. Spannung	V	Volt	1 V = 1 J/C = 1 W/A = 1 kg · m^2 · s^{-3} · A^{-1}
elektr. Widerstand	Ω	Ohm	1 Ω = 1 V/A = 1 W/A^2 = 1 kg · m^2 · s^{-3} · A^{-2}
elektr. Leitwert	S	Siemens	1 S = 1 Ω^{-1} = 1 A/V = 1 kg^{-1} · m^{-2} · s^4 · A^2
elektr. Kapazität	F	Farad	1 F = 1 C/V = 1 s/Ω = 1 kg^{-1} · m^{-2} · s^4 · A^2
magnet. Fluss	Wb	Weber	1 Wb = 1 V · s = 1 J/A = 1 kg · m^2 · s^{-2} · A^{-1}
magnet. Flussdichte	T	Tesla	1 T = 1 Wb/m^2 = 1 kg · s^{-2} · A^{-1}
Induktivität	H	Henry	1 H = 1 Wb/A = 1 Ω · s
Ionisierende Strahlung			
Aktivität	Bq	Becquerel	1 Bq = 1 s^{-1}
	*Ci	Curie	1 Ci = 3,7 · 10^{10} Bq
Energiedosis	Gy	Gray	1 Gy = 1 J/kg = 1 m^2 · s^{-2}
	*rd	Rad	1 rd = 10^{-2} Gy
Äquivalentdosis	Sv	Sievert	1 Sv = 1 J/kg = 1 m^2 · s^{-2}
	*rem	Rem	1 rem = 10^{-2} J/kg
Ionendosis, Exposition	C/kg	Coulomb durch Kilogramm	–
	*R	Röntgen	1 R = 258 · 10^{-6} C/kg
Lichttechnik			
Lichtstärke	cd	Candela	–
Leuchtdichte	cd/m^2	Candela durch Quadratmeter	–
	*sb	Stilb	1 sb = 100 cd/m^2 = 1 cd/cm^2
	*asb	Apostilb	1 asb = $\frac{1}{\pi}$ cd/m^2
Lichtstrom	lm	Lumen	1 lm = 1 cd · sr
Beleuchtungsstärke	lx	Lux	1 lx = 1 lm/m^2
Lichtmenge	lm · s	Lumensekunde	–

Einheiten außerhalb des Internationalen Einheitensystems (SI) sind mit * gekennzeichnet.

Einheitsstaat (Zentralstaat), Staat mit einheitl. Gesetzgebung, Verwaltung und Rechtspflege, im Unterschied zum →Bundesstaat und Staatenbund. Die öffentl. Gewalt ist entweder bei Zentralbehörden zusammengefasst (**zentralisierter E.**, →Zentralismus) oder z. T. Selbstverwaltungskörperschaften übertragen, die der Aufsicht der Zentralbehörden unterstehen **(dezentralisierter E.)**.

Einhorn 2): Bildteppich aus der Serie »Die Dame mit dem Einhorn« (Brüssel, Ende des 15. Jh.; Paris, Musée de Cluny)

Die Idee des E. entstand im Gefolge der Frz. Revolution von 1789. In der Ausformung des republikan. Staatsgedankens wurde – v. a. in den roman. Ländern – der Staat als Ausdruck des Willens der Gesamtheit der Bürger zu einer unteilbaren Einheit. Der Gedanke des E. begünstigte des Öfteren die Entstehung autoritär-plebiszitärer Herrschaftsformen (z. B. die Herrschaft Napoleons I. und Napoleons III.). Die radikalste Ausformung eines E. war die Identifizierung von »Führerwillen« und »Volkswillen« im nat.-soz. Herrschaftssystem. Staaten mit marxistisch-leninist. Orientierung – seien sie auch laut Verf. bundesstaatlich organisiert – zeigen infolge ihrer Ausrichtung am →demokratischen Zentralismus einheitsstaatl. Züge.

Einheitsstrafe, →Strafe.

Einheitsversicherung, Absicherung gegen mehrere Gefahren (z. B. sämtl. Transport- und Bearbeitungsgefahren) in einem einheitl. Versicherungsvertrag.

Einheitswert, einheitl. Steuerwert zur Feststellung der Besteuerungsgrundlage bei der Vermögen-, Erbschaft-, Grund- und Gewerbekapitalsteuer (soweit erhoben). E. werden nach den Maßstäben des Bewertungs-Ges. für Grundbesitz, für gewerbl. Betriebe und für Mineralgewinnungsrechte in bestimmten Zeitabständen allg. ermittelt. Die vom Verkehrswert stark abweichende und die Eigentümer insoweit begünstigende Bewertung von Grundbesitz nach E. im Rahmen der Vermögen- und Erbschaftsteuer wurde vom Bundesverfassungsgericht 1995 als unvereinbar mit dem Gleichheitssatz verworfen. Durch das Jahressteuer-Ges. 1997 wurde zur Ermittlung der E. beschlossen: Bei unbebauten Grundstücken werden die Bodenrichtwerte der Gutachterausschüsse zugrunde gelegt, abzüglich eines pauschalen Abschlags von 30 % für wertmindernde Umstände; für bebaute Grundstücke gilt ein Ertragswertverfahren am Maßstab der zwölffachen Jahresnettokaltmiete im Durchschnitt der letzten drei Jahre, wobei Altersminderungen mit 1 % für jedes Jahr des Gebäudealters, höchstens aber 50 %, berücksichtigt werden. Fachleute schätzen, dass die neuen E. etwa 50 % der Verkehrswerte erreichen. – Sonderbestimmungen gelten für Land- und forstwirtsch. und Betriebsvermögen sowie für Grundvermögen in den neuen Bundesländern.

📖 *Die Einheitsbewertung in der Bundesrep. Dtl. Mängel u. Alternativen, hg. vom Bundesminister der Finanzen. Bonn 1989. – Künftige Einheitsbewertung u. Neugestaltung der Vermögen- u. Erbschaftsteuer, bearb. v.* H. G. Christoffel. *Köln 1996.*

Einheitszeit, für alle Orte eines Gebietes gültige →Zeit.

Einherier [altnord. »Alleinkämpfer«], in der altnord. Mythologie die im Kampf gefallenen Helden, die nach ihrem Tod Walhall bewohnen.

Einhorn, 1) *Astronomie:* (Monoceros) Sternbild der Äquatorzone.

2) ein *Fabelwesen* von Pferdegestalt mit geradem Horn in der Stirnmitte, im MA. bes. durch den →Physiologus bekannt; in frühchristl. Zeit als Sinnbild gewaltiger Kraft auf Christus bezogen; später Sinnbild der Keuschheit, Attribut der Jungfrau Maria.

Einhornfische, die →Nashornfische.

Einhufer, die →Pferde.

einhüllende Kurve (Enveloppe), Kurve, die jede Kurve einer anderen Kurvenschar oder Geradenschar mindestens einmal berührt.

Einigung, auf eine dingl. Rechtsänderung gerichteter Vertrag, bei der Übertragung von Grundstückseigentum **Auflassung** genannt. Er enthält das zur Übertragung, Belastung oder inhaltl. Abänderung eines dingl. Rechts erforderl. Willenselement, das zus. mit der Übergabe (bei bewegl. Sachen) oder der Eintragung ins Grundbuch (bei Grundstücken) als Vollziehungselement die dingl. Rechtsänderung bewirkt.

Einigungsämter, in Österreich Behörden zur Beilegung arbeitsrechtl. Streitigkeiten (Betriebsverf. und Kündigungsschutz); seit 1. 1. 1987 sind jedoch Arbeits- und Sozial-Ger. zuständig.

Einigungsstellen, 1) *Arbeitsrecht:* nach Betriebsverfassungs-Ges. (§ 76) zur Beilegung von Meinungsverschiedenheiten zw. Arbeitgeber und Betriebsrat im Bereich der betriebl. Mitbestimmung bei Bedarf einzurichtende Stelle, besetzt mit einem unparteiischen Vors. und Beisitzern beider Seiten in gleicher Zahl..

2) *Wettbewerbsrecht:* Schlichtungsstellen der Industrie- und Handelskammern zur gütl. Beilegung von Wettbewerbsstreitigkeiten.

Einigungsvertrag, Vertrag zw. der Bundesrep. Dtl. und der DDR über die Herstellung der Einheit Dtl.s vom 31. 8. 1990, nach dem die DDR gemäß Art. 23 GG der Bundesrep. Dtl. beigetreten ist. In Kapitel I werden Brandenburg, Mecklenburg-Vorpommern, Sachsen, Sachsen-Anhalt und Thüringen als neue Bundesländer aufgeführt und die Neubildung des Landes Berlin bestimmt. Art. 2 benennt Berlin als Hauptstadt Deutschlands. Kapitel II legt die Änderungen des GG fest und regelt die Finanzverfassung für das neue Bundesgebiet. Art. 7 Abs. 5 bestimmt die Verwendung des Fonds »Dt. Einheit«. Kapitel III und IV beschäftigen sich mit der Rechtsangleichung und den völkerrechtl. Verträgen. Kapitel V regelt den Übergang der öffentl. Verwaltung und Rechtspflege und legt u. a. fest, dass für die Rehabilitierung der Opfer des SED-Regimes eine gesetzl. Grundlage zu schaffen ist. Kapitel VI widmet sich dem öffentl. Vermögen und den Schulden und legt fest, dass die von der DDR zu diesem Zweck gegründete Treuhandanstalt die ehem. volkseigenen Betriebe privatisiert. Kapitel VII bestimmt, dass die Sozialgesetzgebung angeglichen wird. Kapitel VIII regelt die Verhältnisse bei Rundfunk und Fernsehen, die Anerkennung von Berufsabschlüssen, die begrenzte Weiterführung von Forschungseinrichtungen und das Sportwesen. Kapitel IX enthält die Übergangs- und Schlussbestimmungen. In drei Anlagen werden nähere Bestimmungen zu einzelnen Art. des E. getroffen. Anlage III ist eine Erklärung der beiden dt. Reg. zur Regelung offener Vermögensfragen und legt u. a. fest, dass Enteignungen auf dem Gebiet der DDR zw. 1945 und 1949 nicht mehr rückgängig zu machen sind.

📖 *E. Textausg. mit Einführung, bearb. v.* E. Bülow. *Regensburg 1990. – Erläuterungen zum E. Baden-Baden 1990. – Der Vertrag zur dt. Einheit. Ausgewählte Texte, erläutert v.* G. Bannas *u. a. Mit einer Chronik »Stationen der dt. Nachkriegsgeschichte von 1949 bis 1990«, zusammengestellt v.* E. Fuhr. *Frankfurt am Main u. a. 1990. – Der E.: Vertrag zw. der Bundesrep. Deutschland u. der Dt. Demokrat. Rep. über die Herstellung der Einheit Deutschlands. Der vollständige Text mit allen Ausführungsbestimmungen u. Erläuterungen. München ³1991.*

einjährig (annuell), Pflanzen von einjähriger Lebensdauer.

Einkammersystem, die Staatsform, in der die gesetzgebende Körperschaft aus einer Kammer besteht. (→Zweikammersystem)

Einkaufsgenossenschaften, Genossenschaften zum gemeinsamen (preisgünstigen) Einkauf von Waren, v. a. im landwirtsch. (Bezugsgenossenschaften) und gewerbl. Bereich. E. entwickeln sich zunehmend zu **Full-Service-Kooperationen,** d. h. überregional agierenden Zentralorganisationen mit breit gefächertem Dienstleistungsangebot.

Einkaufszentrum (engl. Shoppingcenter), einheitlich geplante und errichtete Anlage mit rechtlich selbstständigen Einzelhandels- und Dienstleistungsbetrieben. Typisch sind einheitl. Verwaltung, auf das Einzugsgebiet abgestimmte Anbieter, verkehrsgünstige Lage und umfassendes Parkplatzangebot.

Einkeimblättrige (Monokotyledonen, Monocotyledoneae), Gruppe der Bedecktsamer unter den Blütenpflanzen, deren Keimling nur ein einziges Keimblatt hat, im Ggs. zu den →Zweikeimblättrigen. Die Blüten sind meist aus dreizähligen Blütenorgankreisen aufgebaut, die Blattnerven laufen parallel. E. sind u. a. Liliengewächse, Gräser, Orchideen und Palmen.

Einklang (Unisono), Zusammenklang zweier oder mehrerer Töne im Intervall der Prime oder der Oktave.

Einkommen, alle Geldbeträge oder Naturalleistungen, die natürl. oder jurist. Personen in einem bestimmten Zeitraum aufgrund ihrer Stellung im Prozess der volkswirtsch. Wertschöpfung oder ihrer Stellung im gesellschaftl. Gefüge zufließen. Durch Arbeitsleistung wird E. in Form von Lohn, Gehalt oder Dienstbezügen erzielt (E. aus unselbstständiger Tätigkeit **[Arbeits-E.]**). Für die Ausübung einer selbstständigen Tätigkeit (einschließlich E. der freien Berufe und E. aus Vermietungen) erhält ein Wirtschaftssubjekt E. aus Unternehmertätigkeit **(Gewinn-E.).** Arbeits- und Gewinn-E. werden auch als **Erwerbs-E.** (E. aus Erwerbstätigkeit) bezeichnet. Aus dem Besitz von Forderungen (Sparguthaben, Aktien, Obligationen u. a. Beteiligungen) fließen einem Wirtschaftssubjekt E. aus Vermögen zu **(Besitz-E.** oder **fundiertes E.).** Nach anderen Gesichtspunkten unterscheidet man: **Kontrakt-E.,** die nach Höhe und Fälligkeit durch vertragl. Vereinbarung im Voraus festliegen (Löhne, Gehälter, Mieten, Pachten, Zinsen), und **Residual-E.** als Differenz zw. Erlösen und Kosten (Gewinn i. e. S.). E., die aus direkten oder indirekten Beteiligungen am Wirtschaftsprozess entstehen, sind **originäre E.** oder **Faktor-E.** (Vergütung für die Leistungen der Produktionsfaktoren). **Abgeleitete E.** erhalten Wirtschaftssubjekte ohne ökonom. Gegenleistung; man nennt sie auch **Übertragungs-** oder **Transfer-E.** (Sozialrenten, Pensionen, Unterstützungszahlungen). Das **Nominal-E.** ist der in Geld angegebene Wert des E. zu laufenden Preisen; berücksichtigt man Änderungen des Preisniveaus, ergibt sich daraus das **Real-E.,** d.h. das E. zu konstanten Preisen. **Brutto-E.** ist die Gesamtsumme der zugeflossenen E. Das **Netto-E.** ergibt sich in der mikroökonom. Analyse, wenn man Steuern und Sozialabgaben abzieht, und in der makroökonom. Betrachtung nach Abzug der Abschreibungen. Weiter wird zw. dem E. eines Wirtschaftssubjekts **(Individual-E.** oder **Haushalts-E.)** und dem E. der Gesamtwirtschaft, dem **Volks-E.** (→Sozialprodukt), unterschieden. – Zur steuerrechtl. Definition des E. →Einkommensteuer, →Körperschaftsteuer.

Die Diskussion um den E.-Begriff beginnt mit den Physiokraten und den Nationalökonomen der engl. Klassik. Für sie ist das E. bestimmt durch die Produktionsfaktoren (Arbeit, Kapital, Boden), mit denen sich die Wirtschaftseinheiten am Produktionsprozess beteiligen. Der finanzwissenschaftl. E.-Begriff ist umfassender als der ökonom., da alle Einkünfte erfasst werden sollen, die die Leistungsfähigkeit einer Wirtschaftseinheit erhöhen. Die enge, urspr. vorherrschende **Quellentheorie,** nach der nur solche Einkünfte zum E. zählen, die aus regelmäßigen Quellen fließen, nicht aber außerordentl. und einmalige Zuflüsse, ist 1920 der **Reinvermögenszugangstheorie** gewichen.

📖 *Aufgaben u. Probleme der Einkommensstatistik. Erstellung, Nutzung, Interpretation, hg. v.* U.-P. REICH, *Beiträge v.* G. KOPSCH *u.a. Göttingen 1988. – Lebenslagen im Wandel: Zur Einkommensdynamik in Deutschland seit 1984, hg. v.* U. RENDTEL *u.* G. WAGNER. *Frankfurt am Main u.a. 1991. – »Alle Menschen sind vor dem Gesetz gleich«. Widersprüche in gesetzl. Regelungen des Existenzminimums, hg. vom* DT. CARITASVERBAND, *Redaktion:* E.-M. DENNEBAUM *u.a. Freiburg im Breisgau 1992.*

Einkommenspolitik, i. e. S. die Gesamtheit aller staatl. Maßnahmen, die darauf gerichtet sind, durch eine Beeinflussung der Faktorpreise (Lohnsätze, Renditen, Kapitalkostensatz) und damit der Einkommensentstehung zur wirtsch. Stabilität beizutragen (Stabilitätspolitik); i. w. S. auch alle wirtschafts- und sozialpolit. Maßnahmen, die auf eine Verbesserung der Einkommensverteilung sowie auf eine Förderung der Vermögensbildung gerichtet sind. **Imperative E.** greift mit nichtmarktkonformen Eingriffen in den Preis- und Lohnbildungsprozess ein (z. B. durch Lohn- und Preisstopps), **indikative E.** umfasst das Aufstellen von Lohn- und Preisleitlinien, Indexierung von Löhnen und Preisen, Appelle seitens der Wirtschaftspolitiker (»moral suasion«) u. a. Maßnahmen. **Kooperative E.** setzt auf freiwillige einkommenspolit. Zusammenarbeit der sozialen Gruppen (z. B. die konzertierte Aktion). Ein wichtiger analytischer Ausgangspunkt der E. ist die →Lohn-Preis-Spirale.

Einkommensteuer, Steuer auf das steuerpflichtige Einkommen natürl. Personen. Nach dem Einkommensteuer-Ges. (EStG) i. d. F. vom 7. 9. 1990 (mit späteren Änderungen) sind in Dtl.

Funktionelle Einkommensverteilung in Deutschland[1]

Jahr	Einkommen aus unselbstständiger Arbeit[2]	Einkommen aus Unternehmertätigkeit und Vermögen[2]	Vermögenseinkommen der privaten Haushalte	Lohnquote	Gewinnquote
	in Mrd. DM			in %	
1960	144,4	95,7	5,6	60,1	39,9
1970	360,6	169,8	23,4	68,0	32,0
1975	593,6	207,0	41,1	74,1	25,9
1980	863,9	275,7	73,0	75,8	24,2
1985	1026,4	380,4	109,4	73,0	27,0
1990	1317,1	575,1	152,4	69,6	30,4
1991	1611,8	615,1	181,2	72,4	27,6
1995	1875,7	744,3	214,9	71,6	28,4
1996	1895,2	771,4	222,7	71,1	28,9

[1] ab 1991 einschließlich neue Bundesländer. – [2] Die Summe der Einkommen aus unselbstständiger Arbeit sowie aus Unternehmertätigkeit und Vermögen ergibt das Volkseinkommen.

alle Personen, die ihren Wohnsitz oder gewöhnl. Aufenthalt im Inland haben, unbeschränkt mit in- und ausländ. Einkommen steuerpflichtig, gebietsfremde natürl. Personen nur beschränkt mit ihren inländ. Einkünften; jurist. Personen (z.B. Kapitalgesellschaften) unterliegen der Körperschaftsteuer. Als Zeitabschnitt für die Berechnung der Einkünfte gilt das Kalenderjahr, bei Landwirten und Gewerbetreibenden das Wirtschaftsjahr.

Der E. sind nur die Einkünfte aus den sieben Einkunftsarten unterworfen, nämlich den sog. »Gewinneinkünften« aus Land- und Forstwirtschaft, Gewerbebetrieb sowie selbstständiger Arbeit und den sog. »Überschusseinkünften» aus nichtselbstständiger Arbeit, Kapitalvermögen, Vermietung und Verpachtung sowie sonstigen Einkünften nach § 22 EStG. Die Summe aus Gewinnen und Überschüssen nach Abzug der Verluste ergibt die **Summe der Einkünfte,** die, vermindert um den →Altersentlastungsbetrag und den Freibetrag für Land- und Forstwirte, als **Gesamtbetrag der Einkünfte** erscheint. Von diesem wird, nach Abzug der →Sonderausgaben und der außergewöhnlichen Belastungen (z.B. Krankheitskosten, Unterstützung bedürftiger Angehöriger), das **Einkommen** ermittelt. Dies wiederum wird um den Kinderfreibetrag (→Kinderlastenausgleich) und den →Haushaltsfreibetrag vermindert, sodass man das **zu versteuernde Einkommen** als Bemessungsgrundlage für die tarifl. E. nach der Grundtabelle erhält (für Eheleute →Ehegattenbesteuerung).

Aufgrund der Entscheidung des Bundesverfassungsgerichts vom 25. 9. 1992 muss das Existenzminimum steuerfrei bleiben. E.-rechtlich wurden daraufhin 12095/24191 DM (ledig/verheiratet) für 1996 (12365/24731 DM ab 1997, 13067/26135 DM ab 1999) als steuerfreier Grundfreibetrag festgelegt. Oberhalb dieses Grundfreibetrages beginnt der Steuersatz für das zu versteuernde Einkommen mit 25,9%, der bis zum Betrag von etwa 55700/111400 DM progressiv flacher, darüber hinaus steiler ansteigt und bei ca. 120000/240000 DM den Höchststeuersatz von 53% erreicht. Im gewerbl. Bereich wurde der Höchststeuersatz 1994 von 53% auf 47% gesenkt.

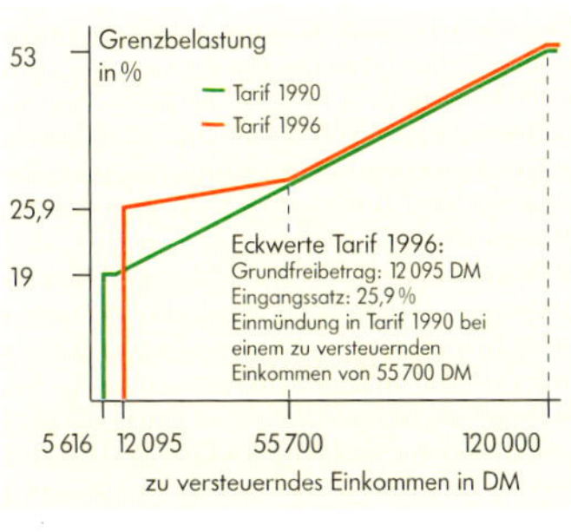

Einkommensteuer: Grafische Darstellung der Einkommensteuertarife 1990 und 1996 (Regierungsentwurf)

Auf die durch E.-Bescheid vom Finanzamt festgesetzte E. werden einbehaltene →Lohnsteuer, →Kapitalertragsteuer u.Ä. angerechnet und danach eventuell die vierteljährlich zu entrichtenden Vorauszahlungen zur E. errechnet. Lohnsteuerpflichtige werden nur zur E. veranlagt, wenn z.B. neben dem Arbeitseinkommen Einkünfte von mehr als 800 DM erzielt werden (§ 46 EStG).

Geplant ist, im Zuge einer E.-Reform die Steuersätze deutlich zu senken (auf höchstens 39%) und es durch Wegfall von unterschiedl. Abschreibungsmöglichkeiten durchschaubarer zu gestalten. Das Aufkommen aus E. betrug 1994 25,5 Mrd. DM (Lohnsteuer 266,5 Mrd. DM, Kapitalertragssteuer 31,5 Mrd. DM).

Durchschnittlich verfügbares Einkommen in Deutschland[1] (in DM je Monat)

	Durchschnittseinkommen 1980		Durchschnittseinkommen 1994	
	je Haushalt	je Haushaltsmitglied	je Haushalt	je Haushaltsmitglied
Selbstständige[2]	7292	2345	16477	6184
Beamte	4150	1407	6471	2370
Angestellte	3567	1346	5455	2341
Arbeiter	3000	977	4447	1623
Pensionäre	3083	1903	4920	3018
Rentner	2167	1305	3548	2150
Arbeitslose	1883	756	2636	1182
Sozialhilfeempfänger	1317	596	2279	1017

[1] Angaben für die alten Bundesländer. – [2] ohne selbstständige Landwirte.

In *Österreich* gilt seit 1. 1. 1989 ein reformiertes Ges. zur E. und Körperschaftsteuer. Der Eingangssteuersatz für Einkommen bis zu 50000 öS ist von 21% auf 10%, der Spitzensteuersatz ab 700000 öS (bis dahin 1,5 Mio. öS) von 62% auf 50% gesenkt worden. In der *Schweiz* erheben der Bund mit Steuersätzen zw. 1,1% und 13,2%, Kantone und Gemeinden progressive Einkommensteuern.

📖 BIERGANS, E.: *E. Systemat. Darstellung u. Kommentar. München u.a. ⁶1992.* – HANSEN, R.: *Die prakt. Konsequenzen des Methodenstreits. Eine Aufarbeitung der Einkommensbesteuerung. Berlin 1996.*

Einkommensverteilung, die Aufteilung des Volkseinkommens entweder auf die Produktionsfaktoren Arbeit, Kapital und Boden, wobei das Einkommen aus unselbstständiger Arbeit (Lohn, Gehalt) oder aus Unternehmertätigkeit (Gewinn) bzw. Vermögen (Zins, Rente) zufließt **(funktionelle E.),** oder auf die Personen bzw. Personengruppen (private Haushalte), die Eigentümer der Produktionsfaktoren sind, ohne Rücksicht auf die Quelle des Einkommens **(personelle E.).**

Eine eindeutige Unterscheidung zw. funktioneller und personeller E. ist mitunter schwierig, weil eine Person aus mehr als einem Produktionsfaktor Einkommen beziehen kann **(Quervertei-**

lung). Außerdem sind die aus der Einkommensteuerstatistik zu entnehmenden Angaben über Einkommen aus Unternehmertätigkeit und Vermögen wegen der Beeinflussbarkeit der Gewinnhöhe, Variationen der Abschreibungen usw. nur bedingt zuverlässig. Wenn man solche Ungenauigkeit vernachlässigt, kann man sagen, dass die funktionelle E. in den beiden E.-Quoten, der Lohnquote (Anteil der Einkommen aus unselbstständiger Arbeit am Volkseinkommen) und der Gewinnquote (Anteil der Einkommen aus Unternehmertätigkeit und Vermögen am Volkseinkommen), zum Ausdruck kommt. Weitere Merkmale, nach denen eine E. vorgenommen werden kann, sind z. B. Wirtschaftsbereiche (sektorale E.), Regionen (regionale E.) und Generationen (intertemporale E.). Die internat. E. meint die Verteilung des Weltsozialprodukts auf versch. Länder oder Ländergruppen.

Die E. als grundlegender Bestimmungsfaktor für Armut und Reichtum ist ein Kernproblem der Volkswirtschaftslehre und Grundlage vielfältiger wirtschafts- und sozialpolit. Fragestellungen. Mit der volkswirtsch. Erklärung der E. befasst sich die **Distributionstheorie** oder **Verteilungstheorie**. Hierbei wird zw. ökonom. (»Markt«-)Theorien und Machttheorien unterschieden. Nach den Machttheorien wird die E. nicht durch ökonom. Gesetzmäßigkeiten, sondern primär durch außerökonom. Macht der versch. gesellschaftl. Gruppen bestimmt. Vorherrschende wirtschaftswiss. Ansicht ist jedoch, dass prinzipiell die wirtsch. Gesetzmäßigkeiten die E. bestimmen, wobei außerökonom. Machteinflüsse von manchen Ökonomen allerdings nicht ausgeschlossen werden. Die Klassiker der Wirtschaftstheorie wie z. B. D. Ricardo und K. Marx betrachteten die E. als ein Markt- und Preisproblem, gelangten aber zu keiner einheitl. Theorie. Nach Ricardo ist der natürl. Arbeitslohn gleich den Reproduktionskosten der Arbeit (Existenzminimum des Lohnes). Daran anknüpfend geht K. Marx von der Existenz einer besitzlosen Arbeiter- und einer besitzenden Kapitalistenklasse (Mehrwerttheorie) aus. Die Kapitalisten verfügen über das konstante Kapital (die produzierten Produktionsmittel) und kombinieren es mit dem variablen Kapital, d. h. der Arbeit. Die marxsche E. gehört zu den Klassen- und Monopolgradtheorien, die den Profit entweder als Abzug vom natürl. Lohn oder als Aufschlag auf den natürl. Preis zu erklären suchen. Andere Lösungsvorschläge bietet die von J. H. von Thünen und John Bates Clark (*1847, †1938) entwickelte Grenzproduktivitätstheorie der E. an. Die neuere Theorie der E. ist durch eine Reihe unterschiedlicher Forschungsansätze gekennzeichnet: die soziolog. Richtung in Frankreich, die Monopolgradtheorien (Michał Kalecki, *1899, †1970, Erich Preiser, *1900, †1967), die kreislauftheoretischen Ansätze (N. Kaldor) sowie Versuche, versch. Ansätze miteinander zu verbinden. Für die personelle E. sieht M. Friedman die höhere Risikobereitschaft der Selbstständigen bzw. Unternehmer als Ursache für deren gegenüber abhängig Beschäftigten höheres Einkommen.

📖 RAMSER, H. J.: *Verteilungstheorie. Berlin u. a. 1987.* – KÜLP, B.: *Verteilung. Theorie u. Politik. Stuttgart u. a. ³1994.* – HÜBINGER, W.: *Prekärer Wohlstand. Neue Befunde zu Armut u. sozialer Ungleichheit. Freiburg im Breisgau 1996.* – ZIMMERMANN, H.: *Wohlfahrtsstaat zw. Wachstum u. Verteilung. Zu einem grundlegenden Konflikt in Hocheinkommensländern. München 1996.*

Einkorn (Triticum monococcum), Weizenart mit meist einkörnigen Ährchen, in Vorderasien, Armenien und auf der Balkanhalbinsel.

Einkristall, Kristall, dessen atomare Bausteine ein einziges homogenes Kristallgitter bilden, im Ggs. zu polykristallinen Aggregaten; Verwendung v. a. in der Halbleitertechnologie und Mikroelektronik.

Einkünfte, → Einkommensteuer.

Einlagen, 1) *Bankwesen:* Geldbeträge, die die Wirtschaftssubjekte den Banken i. d. R. gegen Zinsen zur Verfügung stellen **(Depositen).** Kurzfristige E. **(Sicht-E.)** dienen dem Zahlungsverkehr, werden niedrig oder nicht verzinst und als Buch- oder Giralgeld bezeichnet; mittel- und langfristige E. sind vorübergehende Geldanlagen, die nicht dem Zahlungsverkehr dienen **(Termin-E.).** Sie werden befristet festgelegt oder mit vereinbarter Kündigungsfrist geführt. **Spar-E.** sind nicht befristete, nicht dem Zahlungsverkehr dienende Geldanlagen.

2) *Recht:* in Geld oder sonstigen Vermögenswerten bestehender Beitrag eines Gesellschafters (Aktionär, Genosse) zur Ausstattung der Gesellschaft mit Kapital; wird Teil des Gesellschaftsvermögens.

Einlagerungsverbindungen (interstitielle Verbindungen), nichtstöchiometr. chem. Verbindungen, bei denen kleinere Atome auf Zwischengitterplätzen oder in Lücken des Kristallgitters eingelagert werden, z. B. Fe_3C.

Einlassung, im *Zivilprozess* die auf Abweisung der Klage zielende Stellungnahme des Beklagten zur Sache in der mündl. Verhandlung. Die E. ist von der (prozessvorbereitenden) Klageerwiderung zu unterscheiden. Lässt sich der Beklagte auf die Sache ein, kann er bestimmte prozessuale Handlungen nicht mehr vornehmen (z. B. die Unzuständigkeit des Gerichts rügen).

Einlassungsfrist, Mindestfrist zw. Zustellung der Klageschrift und mündl. Verhandlung, die der Vorbereitung des Beklagten auf die Verhandlung dient. Die E. beträgt grundsätzlich zwei Wochen, sie kann jedoch in bestimmten Fällen auf Antrag abgekürzt werden.

Einlauf, 1) *Medizin:* (Darmspülung, Klistier, Klysma) das Einbringen von Flüssigkeit in den Mastdarm und Anregung der Darmentleerung.

2) *Sport:* das Überqueren der Ziellinie in Geschwindigkeitswettbewerben, auch die Reihenfolge im Ziel.

Einlaufen, 1) *Maschinenbau:* Beseitigung der Rauigkeiten neu gefertigter Gleitelemente (Lager, Kolben) während des Laufs (möglichst ohne Volllast), bis ihre Gleitflächen einwandfrei aufeinander laufen.

2) *Textilwesen:* das Schrumpfen von Textilien bei Feuchtigkeitseinwirkung.

Einlegearbeit, Flächenverzierung durch Einlagen aus andersfarbigem gleichem oder ähnl. Material in Holz (→Intarsien), Stein (→Pietra dura), Metall (→Tauschierung), Leder (→Lederarbeiten).

Einlesen, die Eingabe von Daten in den Speicher eines Computers.

Einliegerwohnung, abgeschlossene oder nicht abgeschlossene zweite Wohnung von untergeordneter Bedeutung im Eigenheim (§ 11 Zweites Wohnungsbau-Ges. i. d. F. v. 14. 8. 1990).

Einmaleins, Zusammenstellung aller Produkte von je zwei natürl. Zahlen unter 10 **(kleines E.)** oder unter 20 **(großes Einmaleins).**

Einmanngesellschaft, Kapitalgesellschaft, deren Anteile in einer Hand vereinigt sind; meist GmbH.

Einnahmen, 1) *Rechnungswesen:* Zahlungseingänge (bar, per Scheck, Überweisung), die ein Wirtschaftssubjekt von anderen erhält.

2) *Steuerrecht:* alle geldwerten Güter (auch sog. geldwerte Vorteile, z. B. berufsbedingte Rabatte), die dem Steuerpflichtigen bei den »Überschusseinkünften« aus nichtselbstständiger Arbeit, Kapitalvermögen, Verpachtung, Vermietung und sonstigen Einkünften (→Einkommensteuer) zufließen.

Einnistung, →Nidation.

Einödhof, einzeln gelegener Bauernhof mit Einödflur (Blockflur). Die Siedlungsart entstand durch →Vereinödung.

Einparteiensystem, ein polit. System, meist eine Diktatur, das nur eine Partei als Zentrum der polit. Willensbildung anerkennt. (→Partei)

Einpeitscher (engl. Whip), im brit. Unterhaus der von einer Partei gewählte Abg., der u. a. bei wichtigen Abstimmungen für die Anwesenheit der Mitgl. seiner Fraktion sorgt.

Einpflanzung, *Biologie, Medizin:* →Implantation.

Einphasenstrom, von einem Wechselstromgenerator erzeugter oder vom Dreiphasenstrom abgeleiteter Wechselstrom, ohne Berücksichtigung der beiden anderen Phasen.

Einräumungssatz, andere Bez. für den →Konzessivsatz (ÜBERSICHT Syntax).

Einrede, *Zivilrecht:* das Geltendmachen von Umständen, die ein Recht zur Verweigerung einer geschuldeten Leistung geben. Die E. ist rechtshemmend **(dilatorisch),** wenn sie dem erhobenen Anspruch nur zeitweilig entgegensteht (z. B. Stundung), oder rechtsausschließend **(peremptorisch),** wenn sie die Durchsetzung des Anspruchs für dauernd ausschließt (z. B. Verjährung). E. sind im Prozess nur zu berücksichtigen, wenn der Berechtigte sich auf sie beruft.

Eins, das →Einselement.

Einsatzgruppen, Sonderkommandos unter Leitung der SS im 2. Weltkrieg. Sie hatten den Befehl, im Hinterland der besetzten Ostgebiete die kommunist. Führungsschicht (→Kommissarbefehl), Partisanen, Juden und Roma zu ermorden. Vorformen der E. kamen bereits beim Anschluss Österreichs ans nat.-soz. Dtl. (1938), bei der Annexion der Tschechoslowakei (1938/39) sowie beim Angriff auf Polen (1939) zum Einsatz; zu Beginn des Überfalls auf die UdSSR 1941 als »E. der Sicherheitspolizei und des SD« neu gebildet. Die Zahl der von ihnen Ermordeten schätzt man auf ca. 2 Mio. Im Rahmen der Nürnberger Prozesse wurden die Verantwortlichen verurteilt.

📖 *Anatomie des SS-Staates, Beiträge v.* H. BUCHHEIM *u. a. Neuausg. München* [6]*1994.* – OGORRECK, R.: *Die E. u. die »Genesis der Endlösung«. Berlin 1996.*

Einsatzhärten, →Härten.

Einsäuerung, →Gärfutter.

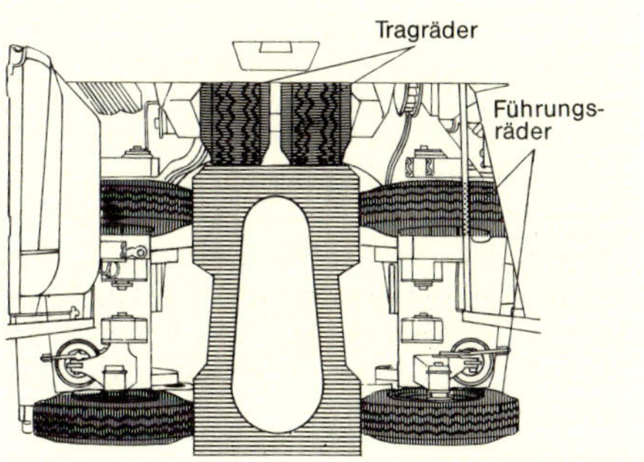

Einschienenbahn: Anordnung der Trag- und Führungsräder bei der ALWEG-Bahn

Einschienenbahn, spurgeführte Eisenbahn mit nur einer Fahrschiene zum Tragen und Führen der Fahrzeuge. Entweder hängt das Fahrzeug unter dem Tragbalken und wird durch Laufwerke auf der Schiene angetrieben (**Hängebahn,** umgangssprachlich: Schwebebahn, z. B. in Wuppertal seit

Einschienenbahn (von links): Hängebahn in Wuppertal; Sattelbahn im Vergnügungspark »Epcot Center« bei Orlando (Florida)

1901), oder das Fahrzeug sitzt sattelförmig auf einem Tragbalken mit Schiene, läuft auf den Triebrädern und hat seitl. Führungsräder **(Sattelbahn).** Zu ihnen zählt die **ALWEG-Bahn** (nach dem schwed. Industriellen Axel Lenhart Wenner-Gren). (→Magnetschwebebahn)

Einschießen, *Waffentechnik:* das Einrichten einer Waffe auf ein Ziel. Dazu werden mehrere Einzelschüsse auf einen Punkt abgefeuert, die Treffpunktlage beobachtet und die Einstellung von Kimme und Korn, bzw. bei Geschützen Seitenrichtung und Rohrerhöhung, entsprechend korrigiert.

Einschlafen der Glieder, *Medizin:* →Parästhesie.

Einschlag, 1) *Forstwesen:* die Menge der gefällten Bäume.

2) *Gartenbau:* vorläufiges Einpflanzen von Gehölzen und Stauden in dichten Reihen, um die Wurzeln vor Frost und Austrocknen zu schützen.

Einschließung, früher Form einer nicht entehrenden Freiheitsstrafe von einem Tag bis zu 15 Jahren, 1970 aufgehoben. In der *Schweiz* Freiheitsstrafe von einem Tag bis zu einem Jahr für jugendl. Rechtsbrecher.

Einschluss, 1) *Petrologie:* in ein Mineral oder ein Gestein eingeschlossener andersartiger Bestandteil (Gasblasen, Flüssigkeiten oder feste Substanzen).

2) *Werkstoffkunde:* unerwünschter, meist nichtmetall. Stoff in metall. Werkstoffen, der bei der Herstellung oder Verarbeitung (z. B. Gießen) in den Werkstoff gelangt. E. können das Festigkeitsverhalten von Bauteilen beeinträchtigen.

Einsprengling: Olivin- und Augiteinsprenglinge in der glasigen Grundmasse des basaltähnlichen Ergussgesteins Limburgit; oben in natürlichem, darunter in polarisiertem Licht

Einschlusskörperchen, *Zytologie:* lichtmikroskopisch sichtbare Teilchen, die bei vielen virusbedingten Krankheiten im Zellleib und/oder Zellkern gebildet werden; sie bestehen aus zellulären Reaktionsprodukten und Viren.

Einschlussverbindungen, *Chemie:* Verbindungen, bei denen eine Wirtskomponente (z. B. Zeolithe) in Hohlräumen ihres Kristallgitters eine Gastkomponente aufnimmt. Sind die Hohlräume käfigartig, spricht man von **Clathraten** (z. B. Edelgase in Eiskristallen).

Einschmelzung, *Medizin:* Form des Gewebsuntergangs (Nekrose) durch zersetzende Enzyme, v. a. bei Infektionen durch Bakterien **(eitrige E.)** oder Mykobakterien **(käsige E.)** bei Tuberkulose. Eine abgekapselte, eitrige E. heißt **Abszess.**

Einschnitt, das Ausschachten des Bodens für einen Verkehrsweg, der z. T. oder ganz unter der Geländeoberfläche liegt.

Einschreiben, Bez. der Dt. Post AG für eine besondere Versendungsform für Briefe, Postkarten und Blindensendungen gegen ein zusätzl. Entgelt. Der Absender erhält einen Einlieferungsschein, die Auslieferung erfolgt gegen Empfangsbestätigung.

Einschreibung, die →Immatrikulation.

Einschub, mechan. Konstruktionseinheit mit geschlossenem oder offenem Gehäuse zum Einsetzen oder Einbauen in eine größere Einheit, z. B. im Geräte- und Anlagenbau.

Einschuss, *Börsenwesen:* 1) Geldbetrag, den der Kunde seiner Bank zahlen muss, wenn er sie beauftragt, für ihn Effekten zu kaufen, ohne sofort den vollen Kaufpreis bereitstellen zu können; 2) bei Termingeschäften übl. Anzahlung, die bei Abschluss eines Terminkontrakts zu entrichten ist, um die Erfüllung sicherzustellen (i. d. R. 2–7 % des Kontraktvolumens).

Eins|element (Eins, neutrales Element), Element einer algebraischen Struktur, das bei Verknüpfung mit jedem Element a dieser Struktur wieder a ergibt; bei Gruppen auch als **Einheit** bezeichnet; im Ring der ganzen Zahlen ist die 1 das E. bezüglich der Multiplikation ($a \cdot 1 = a$), das E. bezüglich der Addition ist die 0 ($a + 0 = a$).

Einsicht, Erkenntnis eines Problemzusammenhangs, bes. wenn sie durch unmittelbare Anschauung oder unmittelbares Verstehen eines Sachverhaltes aus dessen Struktur gewonnen ist.

Einsiedeln, Wallfahrtsort im Kanton Schwyz, Schweiz, 882 bis 902 m ü.M., in einem Hochtal beim Sihlsee (Staukraftwerk), 10 000 Ew.; graf., Holz verarbeitende und elektromechan. Industrie. – Die Benediktinerabtei **Maria Einsiedeln** wurde 934 über der Zelle des 861 ermordeten Einsiedlers Meinrad gegründet; die Äbte wurden 1274 Reichsfürsten. Das Kloster in seiner jetzigen Gestalt ist 1704–18 im Barockstil nach Plänen von K. Moosbrugger erbaut worden, die Klosterkirche (1719–35) besteht aus drei Zentralräumen mit Stuckaturen und Malereien, die u.a. von den Brüdern Asam stammen, mehreren Kapellen, darunter die 1815–17 umgestaltete Gnadenkapelle; Bibliothek mit Handschriftensammlung.

Einsiedler (Anachoret, Eremit, Klausner), Asket oder Mönch, der nicht in einer Klostergemeinschaft, sondern in der Einsamkeit für sich allein lebt.

Einsiedlerkrebse (Paguroidea), Überfamilie der Zehnfüßigen Krebse (Decapoda), die meist leere Schneckengehäuse bewohnen; ihr weichhäutiger Hinterleib steckt im Schalenhohlraum. Häufig ist das Gehäuse mit einem Kieselschwamm überzogen. Manche E. leben in Symbiose mit Seeanemonen, die an den Mahlzeiten der Aas fressenden Krebse teilnehmen und diese durch ihre nesselnden Tentakel vor Angreifern schützen. Der wachsende E. überträgt »seine« Seeanemone auf ein größeres Gehäuse. In der Nordsee lebt der **Bernhardskrebs** (Eremit, Pagurus bernardus), im Pazifik der bis 30 cm lange **Palmendieb** (Beutelkrebs, Diebskrabbe, Birgus latro), der neben Aas und Landkrabben auch Palmenfrüchte verzehrt; er atmet durch lungenartig entwickelte Kiemen.

Einsiedlerorden, nichtoffizielle Bez. für Orden, die entweder aus Einsiedlervereinigungen hervorgegangen sind und später klösterl. Gemeinschaft aufgenommen haben (wie die Augustinereremiten) oder deren Mitgl. in einzelnen Klausen innerhalb eines Klosters wohnen, wie die Kartäuser und Kamaldulenser. Außerdem gab es seit dem MA. zahlr. Einsiedlervereinigungen von Laienbrüdern, in Dtl. die Freisinger Eremiten-Kongregation (1686–1804); sie lebte als Verbrüderung der Eremiten vom Dritten Orden des hl. Franziskus 1843 wieder auf.

Einsitzer, *Flugsport:* Motor- oder Segelflugzeug für nur einen Insassen (den Piloten); auch einsitziger Rennschlitten im Schlittensport.

Einsprache, schweizer. Bez. für einen Rechtsbehelf gegen eine verwaltungsbehördl. Verfügung. Die E. kann nur ergriffen werden, wenn ein Gesetz dies ausdrücklich vorsieht. Im Ggs. zum Beschwerdeverfahren entscheidet die verfügende Behörde und nicht eine übergeordnete Instanz über die Einsprache.

Einsiedlerkrebse: Palmendieb (Länge bis 30 cm)

Einsprengling, größerer Einzelkristall in dichter oder feinkörniger Grundmasse von magmat. Gesteinen.

Einspritzdüse, Vorrichtung an Ottomotoren mit Benzineinspritzung und an Dieselmotoren, die dazu dient, den von einer Pumpe (z.B. →Einspritzpumpe) unter Druck geförderten Kraftstoff einzuspritzen bzw. zu zerstäuben. Bei Ottomotoren erfolgt dies meist in der Ansaugleitung (→Benzineinspritzung), bei Dieselmotoren direkt im Brennraum. Die meisten E. haben eine federbelastete Düsennadel, die bei Förderbeginn durch den Flüssigkeitsdruck (Dieselmotoren) oder durch elektromechan. Steuerung (Ottomotoren) angehoben wird und die Einspritzöffnung freigibt.

Einsiedeln: Die Gnadenkapelle in der Klosterkirche

Einsiedeln: Kloster (1704–18) und Klosterkirche (1719–35) wurden nach Plänen von Kaspar Moosbrugger erbaut

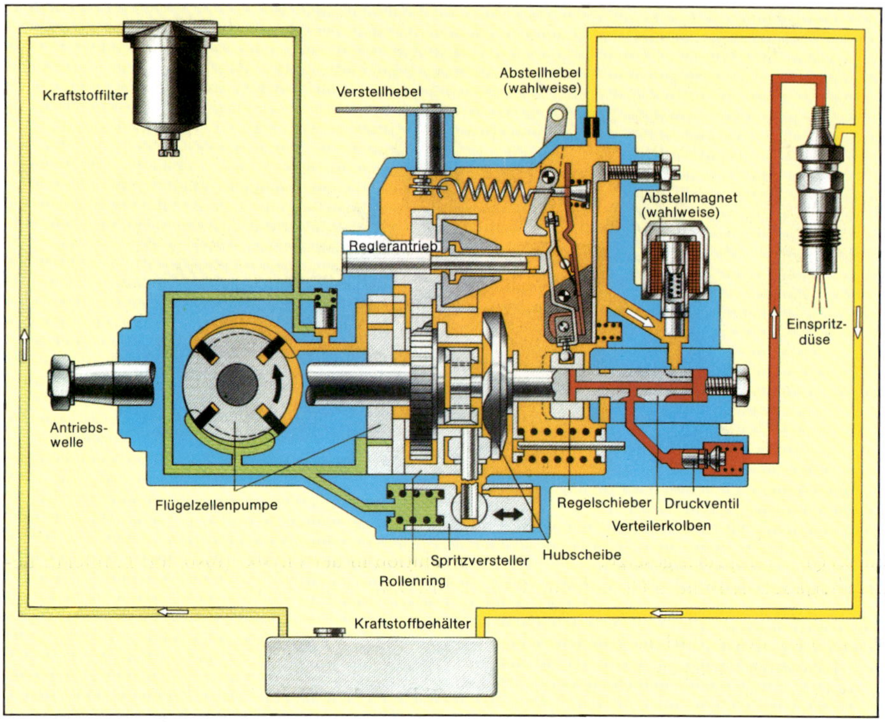

Einspritzpumpe: Funktionsprinzip einer Dieseleinspritzpumpe mit Verteilereinspritzpumpe

Einspritzmotor, Ottomotor, bei dem die Herstellung eines zündfähigen Kraftstoff-Luft-Gemisches nicht durch einen Vergaser, sondern durch →Benzineinspritzung erfolgt.

Einspritzpumpe, Bestandteil der Einspritzanlage von Diesel- und Ottomotoren mit mechan. Benzineinspritzung. Die E. dient zur Förderung des von einer besonderen Kraftstoffpumpe gelieferten Kraftstoffs zur Einspritzdüse sowie zur Dosierung der Kraftstoffmenge entsprechend der Motorbelastung und der geforderten Drehzahl. Zum Niederdruckteil gehören Kraftstoffbehälter, -filter, Förderpumpe (z.B. Flügelzellenpumpe) und die Kraftstoffzuleitungen. Im Hochdruckteil wird der zum Einspritzen benötigte Kraftstoffdruck erzeugt. Der Kraftstoff wird hierbei über das Druckventil zur Einspritzdüse gefördert. Nach der Bauart unterscheidet man Verteilerpumpen (bei denen ein zentraler Kolben [Verteilerkolben], der über eine Hubscheibe angetrieben wird, die Druckerzeugung und Verteilung auf die einzelnen Zylinder übernimmt; ein Regelschieber dosiert die Einspritzmenge), Reihenpumpen (mehrere Pumpenelemente entsprechend der Anzahl der Zylinder) und Pumpe-Düse-Systeme für kleine, schnelle Direkteinspritzmotoren.

Einspritzung, *Medizin:* →Injektion.

Einspruch, fristgebundener Rechtsbehelf, der auf Änderung einer ergangenen gerichtl. oder anderen Entscheidung zielt und zunächst zur Nachprüfung der Entscheidung oder Maßnahme durch die Stelle führt, gegen die sich der E. richtet. Der E. ist v.a. gegeben: 1) im Zivilprozess gegen Versäumnisurteile und Vollstreckungsbescheide; 2) im Strafprozess gegen Strafbefehle; 3) im Bußgeldverfahren gegen den Bußgeldbescheid; 4) im Steuer-

Albert Einstein

Am 24.08.1921 wurde am Telegrafenberg bei Potsdam anlässlich des Deutschen Astronomentages der Einsteinturm eingeweiht. Der von Erich Mendelsohn im Stil des Expressionismus entworfene, 14 m hohe Turmbau wurde zur Aufnahme von Laboratorien und eines Observatoriums errichtet. Einstein und seinen Mitarbeitern sollte damit die Möglichkeit gegeben werden, die Relativitätstheorie, insbesondere die Rotverschiebung von Spektrallinien im Schwerefeld der Erde, experimentell zu überprüfen. Die Ausrüstung wurde von den Jenaer Firmen Zeiss und Schott zum Selbstkostenpreis zur Verfügung gestellt. – Einstein selbst mochte dieses Monument jedoch nicht, wegen seines konservativen Geschmacks in künstlerischen Dingen und vielleicht auch wegen der von Mendelsohn beabsichtigten deutlichen Anspielung an die Aufbauten eines U-Boots. Die von Einstein vorhergesagte Rotverschiebung konnte mit dem im Turm für diesen Zweck installierten Spezialteleskop allerdings nicht bestätigt werden. Der eindeutige Nachweis gelang erst fünf Jahre nach seinem Tod in den USA.

Albert Einstein: Porträtfoto (um 1950) und sein Arbeitsplatz im Institute for Advanced Study in Princeton

recht gegen Bescheide der Finanzbehörden. Im Verfassungsrecht →Einspruchsgesetze.

Einspruchsgesetze, Bundes-Ges., die im Ggs. zu den sog. Zustimmungs-Ges. nicht der Zustimmung des Bundesrates bedürfen, gegen die dieser jedoch Einspruch einlegen kann (→Gesetzgebungsverfahren).

Einstand, das Gleichziehen im Punktstand beim Tennis (»40 beide«).

Einstandspreis, Einkaufspreis zuzüglich aller direkt zurechenbaren Beschaffungskosten (Fracht, Versicherung, Zoll u.a.) abzüglich gewährter Nachlässe (Rabatt, Skonto).

Einstein, 1) Albert, Physiker, *Ulm 14. 3. 1879, †Princeton (N.J.) 18. 4. 1955, Vetter von 2); Prof. in Zürich und Prag, 1914–33 Leiter des Kaiser-Wilhelm-Instituts für Physik in Berlin, seitdem Prof. in Princeton. E. entwickelte um 1905 die spezielle, 1915 die allg. →Relativitätstheorie, die die moderne Physik auf neue Grundlagen stellten; 1905 formulierte er eine Theorie der brownschen Bewegung, 1907 eine Theorie der spezif. Wärme fester Körper. Seine Erklärung des äußeren Photoeffekts (1905, 1921 Nobelpreis für Physik) mithilfe der Lichtquantenhypothese trug zur Anerkennung der Quantentheorie bei, obwohl E. die statist. Interpretation der Quantenmechanik nie akzeptierte. Die Arbeiten E.s nach dem 1. Weltkrieg galten der allg. Relativitätstheorie, insbesondere einer Theorie der →Gravitation und einer einheitl. →Feldtheorie. Mit einem Brief an Präs. Roosevelt (1939) gab E., ein überzeugter Pazifist, aus Furcht vor einer dt. Aggression zus. mit anderen den Anstoß zum Bau der Atombombe; nach 1945 setzte er sich nachhaltig für den Abbau von Kernwaffen ein.

Werke: Die Grundlage der allg. Relativitätstheorie (1916); Über die spezielle und allgemeine Relativitätstheorie (1917); Mein Weltbild (1934); Die Evolution in der Physik (1950, mit L. Infeld); Lebenserinnerungen (1952).

📖 PAIS, A.: *»Raffiniert ist der Herrgott ...«. A. E. A.d. Engl. Braunschweig u.a. 1986.* – KANITSCHEIDER, B.: *Das Weltbild A. E.s. München 1988.* – HIGHFIELD, R. *u.* CARTER, P.: *Die geheimen Leben des A. E. Eine Biographie. A.d. Engl. Berlin 1994.* – FÖLSING, A.: *A. E. Eine Biographie. Tb.-Ausg. Frankfurt am Main 1995.* – HERMANN, A.: *E. Der Weltweise u. sein Jh. München ²1995.* – WICKERT, J.: *A. E. Reinbek 106.–108. Tsd. 1995.*

2) Alfred, Musikforscher und Musikkritiker, *München 30. 12. 1880, †El Cerrito (Calif.) 13. 2. 1952, Vetter von 1); emigrierte 1933, lebte ab 1939 in den USA; Verfasser histor. und biograph. Werke, auch Herausgeber (Köchelverzeichnis, »Riemann Musiklexikon«).

3) Carl, Kunsthistoriker und Schriftsteller, *Neuwied 26. 4. 1885, †(Selbstmord) bei Pau (Frankreich) 5. 7. 1940. Sein grotesker Roman »Be-

Albert Einstein

Nachruf Niels Bohrs in der »New York Times« vom 19. April 1955:

»Durch Albert Einsteins Werk hat sich der Horizont der Menschheit unendlich erweitert, und gleichzeitig hat unser Bild vom Universum eine Geschlossenheit und Harmonie erreicht, von der man bisher nur träumen konnte. – Einsteins große Begabung war keineswegs auf die Wissenschaft beschränkt. Dadurch, dass er unsere elementarsten und natürlichsten Denkgewohnheiten aufdeckte, die bisher unbeachtet geblieben waren, machte er allen Menschen Mut, die in jeder nationalen Kultur tief verwurzelten Vorurteile und Selbstgefälligkeiten aufzuspüren und zu bekämpfen.«

Carl Einstein

buquin« (1912) wirkte auf den Dadaismus. E. war ein Kenner der expressionist. und afrikan. Kunst; er verfasste auch einflussreiche kunsthistor. Arbeiten, u. a. »Negerplastik« (1915).

Einstein-de-Haas-Effekt, 1915 von Albert Einstein und dem niederländ. Physiker W. J. de Haas (*1878, †1960) nachgewiesener →gyromagnetischer Effekt, bei dem ein frei aufgehängter Eisenstab durch plötzl. Magnetisierung in Rotation versetzt wird.

Einsteinium [nach Albert Einstein] *das,* Symbol **Es,** nur künstlich herstellbares radioaktives chem. Element aus der Reihe der →Transurane. Ordnungszahl 99, über 10 Isotope mit Massenzahlen von 243 bis 256. Die längste Halbwertszeit von 276 Tagen besitzt der α-Strahler ^{254}Es. E. wurde 1952 in den Reaktionsprodukten der ersten Wasserstoffbombe entdeckt; chemisch ähnelt es den dreiwertigen →Actinoiden.

einsteinsches Gesetz [nach Albert Einstein], **1)** e. G. über die →Äquivalenz von Masse und Energie.

2) Beziehung zw. der Frequenz f einer elektromagnet. Welle (z. B. Licht) und der Energie W der zugeordneten Teilchen (Photonen) $W = h \cdot f$ (h = plancksches Wirkungsquantum).

Einstellung, 1) *Arbeitsrecht:* die arbeitsvertragl. Begründung eines Arbeits- oder Ausbildungsverhältnisses.

Einstellung 2): Bildausschnitte: 1 Detail-, 2 Groß- und 3 Nahaufnahme, 4 amerikanische Einstellung, 5 Halbnahaufnahme, 6 Halbtotale, 7 Totale

2) *Fernsehen, Film:* Phasenbildfolge bei der Dreharbeit, bestimmt durch die Optik und die Entfernung der Kamera von der aufgenommenen Szene. Die sieben gebräuchl. E. sind **Totale, Halbtotale, Amerikanisch, Halbnah-, Nah-, Groß-** und **Detailaufnahme.** Die Übergänge von einer E. zur nächsten erfolgen durch Überblendung oder Schnitt.

3) *Prozessrecht:* die Beendigung eines Verfahrens i. d. R. ohne Urteil. Die strafprozessuale E. steht im Ermittlungsverfahren der Staatsanwaltschaft zu, wenn die Ermittlungen keinen genügenden Anlass zur Erhebung der öffentl. Anklage gegeben haben. Möglich ist ferner die E. des Verfahrens bei geringer Schuld, verknüpft mit Auflagen und Weisungen (§§ 153a StPO). Nach Eröffnung des Hauptverfahrens ist die gerichtl. E. auszusprechen, wenn ein →Verfahrenshindernis besteht (§§ 206a, b, 260 Abs. 3 StPO).

4) *Psychologie, Soziologie:* durch frühere Erfahrungen und kulturelle, milieubedingte, erzieher. Einflüsse herausgebildete verinnerlichte Haltung gegenüber allen sozialen, psych., kognitiven, normativen u. a. Phänomenen, die auf das Verhalten und Handeln einwirkt.

Einstrahlung, *Meteorologie:* die der Erde von der Sonne zugeführte →Strahlung.

Einsturzbeben, *Geologie:* →Erdbeben.

einstweilige Anordnung, Entscheidung eines Gerichts, mit der vor Abschluss des Verfahrens vorläufiger Rechtsschutz gewährt wird, z. B. in Verfahren vor dem Bundesverfassungsgericht, in Ehesachen. Durch e. A. soll vermieden werden, dass noch angreifbare Entscheidungen bereits vollstreckt werden. – Die e. A. des Verwaltungsprozesses entspricht der Sache nach der einstweiligen Verfügung.

einstweilige Unterbringung, an die Stelle eines Haftbefehls tretende Entscheidung (Unterbringungsbefehl) eines Strafgerichts, einen dringend Tatverdächtigen bereits vor seiner Aburteilung in eine psychiatr. Klinik oder eine Entziehungsanstalt einzuweisen, wenn mit großer Wahrscheinlichkeit zu erwarten ist, dass seine →Unterbringung im Strafurteil verfügt werden wird und dies die öffentl. Sicherheit erfordert.

einstweilige Verfügung, *Zivilprozessrecht:* vorläufige Anordnung eines Gerichts zur Sicherung (nicht Erfüllung) eines Rechtsanspruchs oder des Rechtsfriedens (§§ 935 ff. ZPO); wird im Eilverfahren ähnlich dem →Arrest beantragt. Die e. V. wird erlassen, wenn ein Verfügungsanspruch (z. B. ein Herausgabeanspruch) und ein Verfügungsgrund (die Befürchtung, der Anspruch werde durch Veränderung des Zustandes vereitelt oder gefährdet) bestehen. Man unterscheidet die **Sicherungsverfügung** zur Sicherung eines nicht auf Geld lautenden Anspruchs (z. B. Herausgabe einer Sache), die **Abwehrverfügung** zur Abwehr drohender Rechtsverletzungen (z. B. Unterlassung von Handlungen) und die **Leistungsverfügung** zur sofortigen Erwirkung von Leistungen (z. B. Unterhalt). – Die Rechtslage in *Österreich* und der

Schweiz (hier spricht man auch von »vorsorgl. Maßnahmen«) ist ähnlich.

Eintagsfliegen (Hafte, Ephemeroptera), Ordnung der Insekten, die im ausgebildeten Zustand sehr zart und nicht fressfähig sind, sich nur begatten und höchstens wenige Tage leben. Die Larven sind meist räuber. Wassertiere; mitteleurop. Arten: die ohne Schwanzborsten fast 2 cm lange **Gemeine E.** (Ephemera vulgata), **Uferaas** (Polymitarcis virgo) und die mit Schwanzborsten fast 10 cm lange **Theißblüte** (Palingenia longicauda).

Einthoven [ˈɛjnthovə], Willem, niederländ. Physiologe, *Semarang (Java) 21. 5. 1860, †Leiden 29. 9. 1927; entwickelte u. a. die Grundlagen für die Elektrokardiographie und erhielt hierfür 1924 den Nobelpreis für Physiologie oder Medizin.

Eintrittspupille, Blende, die den in ein opt. System eintretenden Strahlenkegel begrenzt (→Apertur); entsprechend ist die **Austrittspupille** für austretende Strahlen definiert.

Eintrittsrecht, das gesetzlich verfügte Recht der vorgesetzten Behörde, Angelegenheiten, für welche die nachgeordnete Behörde zuständig ist, an sich zu ziehen und anstelle der nachgeordneten Behörde zu entscheiden.

Einung, im MA. die beschworene Vereinbarung, bes. Bündnis und Vertrag unter Standesgenossen; auch der durch E. begründete Verband (z. B. Zünfte).

Einverleibung, →Annexion.

Einwanderung (Immigration), der Zuzug in ein anderes Staatsgebiet zum Zweck der ständigen Niederlassung, gewöhnlich mit der Absicht der Einbürgerung. Während die volkswirtsch. Vorteile der E. (Erhöhung des Humankapitals, günstigere Altersstruktur) in Europa seit dem 18. Jh. als vorrangig angesehen wurden und die E. durch die »Peuplierungspolitik« in Form von Zunftzwangbefreiungen, Schutz vor religiöser Verfolgung und steuerl. Entlastung gefördert wurde, versuchen heute viele Staaten, der E. dadurch zu begegnen, dass sie an die Erfüllung bestimmter Auflagen geknüpft wird. Durch Quotierungsregelungen nach sozialen, ethn. oder Bildungskriterien wollen die E.-Länder damit mögl. Nachteilen (soziale Spannungen, Verschiebung der ethn. Zusammensetzung) vorbeugen. Für die Herkunftsländer kann Auswanderung nachteilig sein, wenn für die techn. und wirtsch. Entwicklung wichtige Berufsgruppen keine Perspektive im eigenen Land sehen und auswandern (»Braindrain«). – Deutschen im Sinne des GG ist die E. jederzeit gestattet (Art. 11). Für die E. von Ausländern sind die Vorschriften des Ausländer-Ges. vom 9. 7. 1990 und v. a. die Bestimmungen über die →Einbürgerung maßgeblich. Staatsangehörige aus EG-Staaten genießen die →Niederlassungsfreiheit.

Einwegverpackungen, Verpackungen (Flaschen, Gläser, Dosen, Kunststoffbehälter), die nur einmal verwendet werden und dann als Abfall anfallen. Durch das Recycling von E. wird versucht, auch sie »wieder verwendbar« zu machen.

Einwendung, *Zivilrecht:* das Geltendmachen von Umständen, die die Entstehung des behaupteten Rechts hindern (**rechtshindernde E.,** z. B. Geschäftsunfähigkeit) oder dieses Recht beseitigen (**rechtsvernichtende E.,** z. B. Erfüllung). E. sind im Prozess, im Ggs. zu Einreden, von Amts wegen zu berücksichtigen.

einwertig, *Chemie:* →Wertigkeit.

Einwilligung, die vorherige Zustimmung eines Dritten zu einem Rechtsgeschäft, im Unterschied zur nachträgl. Genehmigung. Im *Strafrecht* das Rechtswidrigkeit und Strafbarkeit ausschließende Einverstandensein mit einer Rechtsverletzung (bes. bei Körperverletzungen).

Einwohner, dauernd in einer Gemeinde Ansässiger, der nicht →Staatsbürger zu sein braucht.

Einwohnergleichwert, Verschmutzungsgrad gewerbl. und industrieller Abwässer, umgerechnet auf den **Einwohnerwert,** der die je Tag und Einwohner im Abwasser enthaltene Menge an organ. Schmutzstoffen angibt.

Einwurf, *Sport:* das Wieder-ins-Spiel-Bringen bes. des ins seitl. »Aus« gegangenen Basket-, Fuß- oder Handballs; beim Rugby das Einwerfen des Balles in die »Gasse« oder ins »Gedränge«.

Einzahl, *Sprache:* →Singular.

Einzahlung, Zahlungsmittelbetrag (Bargeld, Sichtguthaben), der einem Wirtschaftssubjekt z. B. aufgrund von Kreditaufnahme oder Verkäufen zufließt.

Einzel, *Sport:* Spielform im Badminton, Squash, Tennis, Tischtennis u. a., bei der zwei Einzelspieler gegeneinander spielen.

Einzelantrieb, elektr. Antriebsform, bei der jede Arbeitsmaschine mit einem eigenen Motor angetrieben wird.

Einzelfallhilfe, →Sozialarbeit.

Einzelgrabkultur, nach der herrschenden Bestattungssitte (Einzelgrabanlagen unter Hügeln) benannte Kultur der späten Jungsteinzeit (Mitte des 3. Jt. v. Chr.), bes. in Nord-Dtl., Jütland und S-Skandinavien.

Einzelhandel (Kleinhandel, Detailhandel), Absatz von Gütern an Endverbraucher durch spezielle Handelsbetriebe, die die Waren vom Großhandel oder vom Produzenten beziehen und ohne wesentl. Bearbeitung weitergeben. Zum E. gehören außer dem Ladenhandel und dem Wander- und Hausierhandel auch Großbetriebe wie Waren- und Kaufhäuser, Discounter, Filialbetriebe, Versandhandel, Konsumvereine u. a. Die Großbetriebe des E. genießen die Vorteile des Groß-(Ge-

Willem Einthoven

Einzelhandel: Anteile der Betriebsformen am Gesamtumsatz[1] (in %)

Betriebsform	1980	1986	1992	1995[2]
Verbrauchermärkte/SB-Warenhäuser	11,9	15,3	17,2	17,5
Fachmärkte	2,0	7,5	12,4	14,0
Warenhäuser	7,2	5,6	5,4	5,8
kleine und mittlere Selbstbedienungsläden	18,0	19,6	21,4	21,8
traditionelle Fachgeschäfte	55,4	46,7	38,2	35,4
Versandhandel	5,5	5,3	5,4	5,5

[1] alte Bundesländer. – [2] Schätzung.

meinschafts-)Einkaufs, die mittleren und kleineren sind vielfach in Einkaufsgenossenschaften zusammengeschlossen. Filialbetriebe und Handelsketten sind z.T. aus dem Großhandel, z.T. aus dem E. selbst erwachsen. Der Konzentrationsprozess im E. führt zu immer größeren Unternehmenseinheiten, abnehmender Beschäftigtenzahl, wachsendem Gewicht von Warenhäusern und Filialbetrieben gegenüber kleineren Fachgeschäften, aber auch zu neuen Formen der Kooperation. – Die Erlaubnis zum Betreiben von E. wird nur versagt bei mangelnder »Zuverlässigkeit« des Unternehmers; ein »Sachkundenachweis« muss nicht mehr erbracht werden; Sonderregelungen gibt es für E. mit Lebens-, Arznei- und ärztl. Hilfsmitteln. Öffnungszeiten: →Ladenschluss.

📖 Hansen, U.: *Absatz- u. Beschaffungsmarketing des E. Göttingen* ²*1990.* – Barth, K.: *Betriebswirtschaftslehre des Handels. Wiesbaden* ²*1993.* – Müller-Hagedorn, L.: *Handelsmarketing. Stuttgart u.a.* ²*1993.* – Tietz, B.: *Der Handelsbetrieb. München* ²*1993.*

Einzeller, Lebewesen, die im Ggs. zu Mehrzellern nur aus einer Zelle bestehen, z.B. →Protozoen, →Bakterien, viele Algen und Pilze.

Einzelrichter, allein entscheidender Richter im Ggs. zum Kollegialgericht. Als E. entscheidet im Zivilprozess und in der freiwilligen Gerichtsbarkeit der Richter beim Amtsgericht. Beim Landgericht kann durch die Zivilkammer ein Rechtsstreit einem ihrer Mitgl. als E. übertragen werden. Im Strafprozess entscheidet der E. im amtsgerichtl. Verfahren nur bei leichteren Vergehen.

Einziehung, 1) *Recht:* die Wegnahme von Sachen oder Werten als Strafe oder Sicherungsmaßnahme (Konfiskation); die E. betrifft gefährl. oder dem Täter gehörende Gegenstände, die durch eine Straftat hervorgebracht wurden, oder auf die Tatwerkzeuge (z.B. Transportfahrzeuge). Die E. erfolgt durch Urteil, meist nach vorheriger →Beschlagnahme. Das Eigentum geht an den Staat über.

2) *Verwaltungsrecht:* eine Verwaltungsanordnung, durch die ein öffentl. Weg der allg. Benutzung entzogen wird.

Einzug, 1) *graf. Technik:* das Einrücken der Anfangszeile oder ganzer Satzteile zur Hervorhebung.

2) *Weberei:* das Einziehen der Kettfäden in das Webgeschirr.

Einzugsgebiet, 1) *Geographie:* das von einem Fluss mit all seinen Nebenflüssen ober- und unterirdisch entwässerte Gebiet **(Stromgebiet).** Das oberird. E., durch Wasserscheiden von den E. anderer Flüsse getrennt, entspricht dem **Niederschlagsgebiet,** das mit dem unterird. E. nicht unbedingt übereinstimmen muss. Die Gesamtheit der E. aller demselben Meer zufließenden Flüsse heißt **Abflussgebiet.** Das größte E. der Erde hat mit rund 7 Mio. km² der Amazonas.

2) *Wirtschaft:* Gebiet, das durch kulturelle und wirtsch. Einrichtungen eines zentralen Ortes mitversorgt wird und ihn mit Arbeitskräften (Pendlern) versorgt.

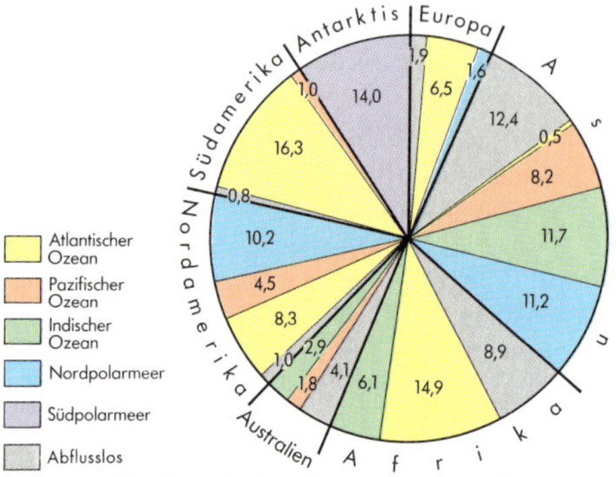

Einzugsgebiet 1): Aufteilung der Einzugsgebiete der Meere (Zahlenangaben in Mio. km²)

Einzugsverfahren, Verfahren zur Begleichung von Verbindlichkeiten über den bargeldlosen Zahlungsverkehr. Die wichtigsten E. sind die rückläufige Überweisung (Einziehungsverfahren), bei der der Kontoinhaber die Bank ermächtigt, vom Zahlungsempfänger oder dessen Bank vorgelegte Rechnungen durch Belastung seines Kontos einzulösen (bei regelmäßigen, aber in der Höhe differierenden Zahlungen), und das Rechnungs-E., bei dem der Kontoinhaber die Bank ermächtigt, an ihn gerichtete Rechnungen eines bestimmten Zahlungsempfängers bei Abforderung zu begleichen.

Éire ['eərə], irischer Name für →Irland.

Eirene (lat. Irene), *grch. Mythos:* die Göttin des Friedens, nach Hesiod eine Tochter des Zeus und der Themis, die jüngste der Horen. Der E. entsprach in Rom die Göttin **Pax.** Nach dem 371 v.Chr. mit Sparta geschlossenen Frieden richteten ihr die Athener einen Kult ein. – Die Göttin wird seit dem 5.Jh. v.Chr. auf grch. Vasen abgebildet; als Standbild ist die E. des att. Bildhauers Kephisodot d.Ä. (1. Hälfte des 4.Jh. v.Chr.) bezeugt (wohl 375 v.Chr.; röm. Marmorkopie in München, Glyptothek).

J. RIZZI